第3版

新口腔病理学

Oral Pathology

編集

下野正基

髙田　隆

田沼順一

豊澤　悟

執筆者（執筆順）

大阪歯科大学歯学部特任教授
田中昭男

朝日大学歯学部教授
永山元彦

前奥羽大学歯学部教授
伊東博司

愛知学院大学歯学部教授
前田初彦

新潟大学大学院教授
田沼順一

前福岡歯科大学教授
橋本修一

日本歯科大学生命歯学部教授
添野雄一

日本大学歯学部教授
浅野正岳

広島大学病院
小川郁子

東京歯科大学教授
村松　敬

岡山大学学術研究院准教授
中野敬介

昭和大学歯学部教授
美島健二

愛知学院大学歯学部客員教授
長谷川博雅

岡山大学学術研究院教授
長塚　仁

前鶴見大学歯学部教授
斎藤一郎

広島大学名誉教授
宮内睦美

東北大学大学院教授
熊本裕行

東京歯科大学客員教授
橋本貞充

周南公立大学学長/広島大学名誉教授
髙田　隆

九州大学大学院教授
清島　保

北海道医療大学歯学部教授
安彦善裕

東京歯科大学名誉教授
下野正基

岩手医科大学名誉教授
武田泰典

日本大学松戸歯学部教授
久山佳代

東京歯科大学名誉教授
井上　孝

岩手医科大学教授
入江太朗

北海道大学名誉教授
進藤正信

鹿児島大学名誉教授
仙波伊知郎

大阪大学大学院教授
豊澤　悟

東京歯科大学教授
松坂賢一

医歯薬出版株式会社

PREFACE 序文

「新口腔病理学」が2008年6月に出版されて以来今日まで，予想以上の評価と支持を得ることができ，毎年本書の増刷を重ねてきた．

この10年の間の世界の医学生物学における変化はめざましく，iPS細胞の発見，線虫感染症の治療法，およびオートファジーの仕組みの解明など日本人による画期的な研究が世界を驚かせている．歯科医学・歯科医療の分野においても，少子高齢社会への歯科的対応，口腔インプラントの普及，リグロスなどによる歯周病治療の新たな展開，再生歯内療法（リバスクラリゼーション）の歯根完成歯へのアプローチなど，大きな変化が認められてきた．

新しい治療技術の開発ならびに診断・治癒機転の解明は，記述すべき疾患・病態の増加など病理学・口腔病理学の教育内容にも多大な影響を及ぼしている．近年の歯学教育，特にundergraduate教育では，minimum essentialな事項を理解させることが肝要であると指摘されている．

その一方で，歯科医療の質を担保するためには，歯科医学の進歩発展に伴う変化に迅速に対応しつつ，正確なエビデンスに基づく最新の情報をわかりやすく簡潔に解説した教科書の発刊が強く求められている．前回の本書の改訂は頭頸部腫瘍WHO分類の変更に対応したものであった．今回は，口腔インプラントに関連して応用される生体材料に関する新たな章が追加されたために改訂が必要と判断され，第3版を発刊する運びとなった．

具体的には，読者の理解を助けるために，簡潔明瞭な記載に心がけ，可及的にカラー写真を取り入れ，模式図，肉眼写真，顕微鏡写真，エックス線写真を多く使用することによって，ビジュアル化された，わかりやすい教科書を目指した．

重要な用語は「キーワード」として英文表記および用語解説するとともに，側注として抽出した．組織像など付図の説明は可及的に詳しく記載した．各章のまとめとして，国家試験出題基準と歯学教育モデル・コア・カリキュラムを考慮した「チェックポイント」を末尾に付記した．また，参考文献は特に重要なものを各章ごとに記載した．

本書が歯学部学生の教科書としてのみならず，卒後臨床研修医および大学院生の参考図書として役立つことができれば幸甚である．

最後に，本書企画にご理解・ご協力を賜った執筆者の先生方，医歯薬出版株式会社の関係各位に心より御礼申し上げます．

2021年1月

編集委員　下野正基　高田　隆
田沼順一　豊澤　悟
（五十音順）

PREFACE — 初版の序

本書『新口腔病理学』の範ともいうべき『第2版　歯学生のための病理学—口腔病理編』が1999年4月に出版されて間もなく10年になろうとしている．この10年の間に，歯科医学，歯科医療は少子高齢社会，疾病構造の変化の中，接着歯学の発展，口腔インプラントの普及，歯周病治療の新たな展開，再生医療へのアプローチなど，非常に大きな変化をみせてきた．

新しい治療技術の開発に伴って，口腔疾患発症のしくみ，診断および治癒の機序が一層明らかとなってきた．病理学・口腔病理学に関連する研究もめざましい進展を遂げ，診断や治療法の進歩に反映されている．さらに，2005年に国際的診断基準であるWHOの頭頸部腫瘍分類も大幅に改変された．

一方，現在の歯学教育は大きな変換期を迎えており，カリキュラムの見直し，共用試験の導入など，ミニマム・エッセンシャルな基本的事項の教育が求められている．

こうした背景から，口腔病理学の教科書を大幅に書き変える必要があると判断し，本書を発刊する運びとなった．本書は近年の口腔病理学の新知見をできるだけ多く取り入れた新しい構成となっている．たとえば，「象牙質・歯髄複合体」の概念が国際的にも定着してきたので，これまで別の章で取り扱ってきた象牙質と歯髄を1つの章にまとめた．また，歯の損傷と歯の着色をまとめて1つの章にした．口腔領域に徴候をみる症候群は新たに章を起こした．頭頸部腫瘍については新しいWHOの分類に準拠した内容となっている．

学生の理解を助けるために，ミニマム・エッセンシャルな内容を簡潔な表現で記載するように努めた．さらに，可及的にカラーを取り入れた模式図，肉眼写真，組織像，エックス線写真を多用することによって，ビジュアル化された教科書をめざした．重要な用語は「キーワード」として英文表記とともに本文から抽出した．組織像など付図の説明はできる限り詳しく記載した．各章のまとめとして，国家試験出題基準を考慮した「チェックポイント」を末尾に付記した．本書が学部学生の基礎専門科目教育のみならず卒後臨床研修医および大学院生の参考図書として大いに役立つことができれば幸いである．

最後に，本書の企画に深いご理解・ご協力を賜った共同執筆者の先生方，医歯薬出版株式会社の関係各位，特に本書編集にあたり多大なご援助を頂いた大城惟克氏に心より御礼申し上げます．

2008年5月

下野正基
髙田　隆

CONTENTS もくじ

Chapter 1 歯の発育異常 …… 田中昭男 2

Chapter 7 歯科治療に伴う治癒の病理

Chapter 8 インプラントおよび歯の移植・再植の病理

Chapter 13 歯原性嚢胞

Chapter 14 非歯原性嚢胞

Chapter 15 歯原性腫瘍

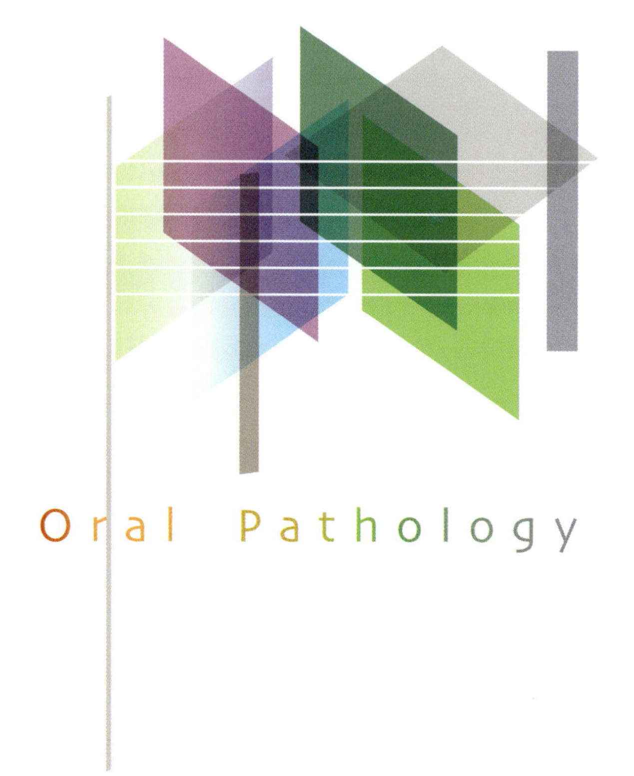
Oral Pathology

Chapter 1

歯の発育異常

歯の形成は，胎生6週頃に顎に相当する口腔粘膜に限局性肥厚が生じることによって開始される．肥厚した粘膜上皮は歯堤を形成し，胎生7週頃に乳歯の歯胚が生じ，永久歯の原基は胎生3カ月頃に形成される．最初に萌出する乳歯は，下顎乳中切歯であり，その時期は生後6カ月頃である．最後に萌出する乳歯は上顎第二乳臼歯で2歳頃である．最初に萌出する永久歯は第一大臼歯で，その時期は6歳頃である．その後，前歯や小臼歯，犬歯が萌出し，12歳頃には第二大臼歯が萌出する．

歯の形成から萌出までの期間は長く，その間に種々の影響を受けることがあるので，歯の形や大きさ，数，構造に異常が現れる．これらを歯の発育異常という．また，歯列・咬合や歯の萌出時期の異常もみられる．

Ⅰ—歯の異常

歯の数の異常[1]
developmental alteration in the number of teeth

1 歯の数の異常[1]

歯の原基の形成や歯胚の成長発育が何らかの原因で異常をきたすと歯数の過剰や不足が生じる．Runx2の欠損によってアポトーシスを司る遺伝子が制御されず，歯堤の細胞が継続的に増殖する結果，過剰歯が発生すると考えられている．

過剰歯[2]
supernumerary tooth

1) 歯数の過剰（過剰歯[2]）

歯胚の過形成や分裂によって生じ，正常よりも歯数が多くなることがある．この歯を過剰歯といい，乳歯列よりも永久歯列に多い．

正中歯[3]
mesiodens

過剰歯は矮小であり，前歯部では上顎中切歯間（正中歯[3]），臼歯部では上顎第二大臼歯または第三大臼歯の頬側（臼傍歯[4]）および上下顎第三大臼歯の遠心側（臼後歯[5]）にみられる．

臼傍歯[4]
paramolar

臼後歯[5]
distomolar

無歯症[6]
anodontia

完全無歯症[7]
total anodontia

部分的無歯症[8]
hypodontia

外胚葉性異形成症[9]
ectodermal dysplasia

2) 歯数の不足（欠如歯，無歯症[6]）

歯数の不足は，歯胚が形成されないことに基づき，乳歯と永久歯のすべての歯が欠如する場合（完全無歯症[7]）と部分的に欠如する場合（部分的無歯症[8]）がある．これらは真性無歯症であり，埋伏歯や歯の萌出後の抜去による仮性無歯症とは臨床的に区別される．

完全無歯症は遺伝的要因（外胚葉性異形成症[9]），内分泌障害，栄養障害の際にみられる．部分的無歯症は，系統発生的退化傾向として現れ，前歯群，小臼歯群，大臼歯群の各歯群における最後部の歯が退化し，欠如することである．すなわち，前歯群では側切歯，小臼歯群では第二小臼歯，大臼歯群では第三大臼歯が欠如する．

歯の形の異常[10]
developmental alterations in the shape of teeth

2 歯の形の異常[10]

歯の形の異常には歯冠部にみられるもの，歯根部にみられるもの，およびその両者にわた

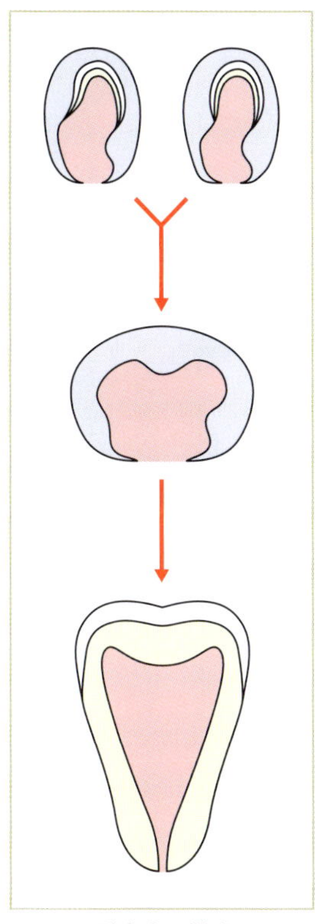

図1-1　融合歯の模式図
2つの歯胚が融合し，発育して形成された歯である．

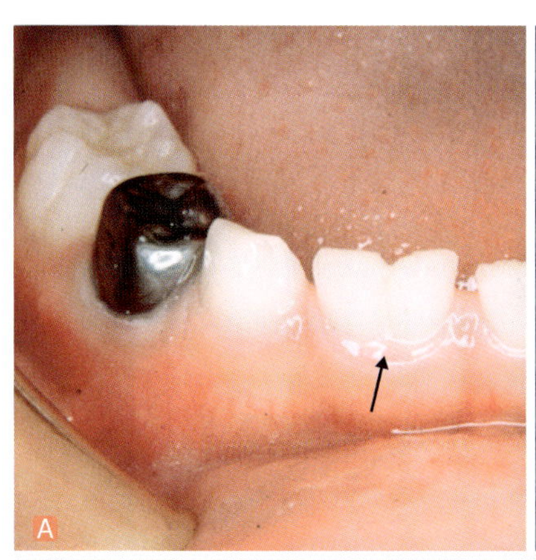

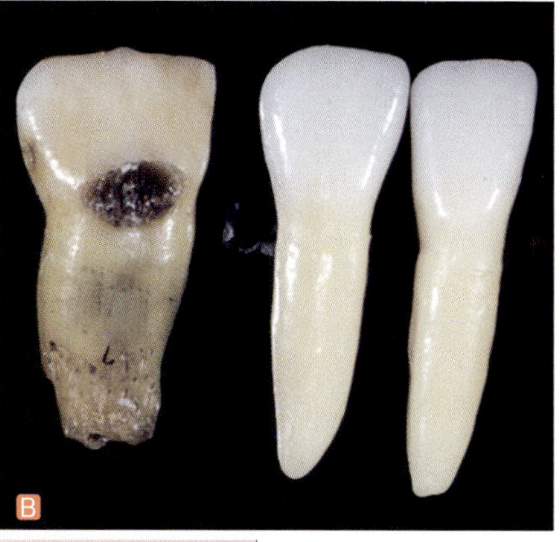

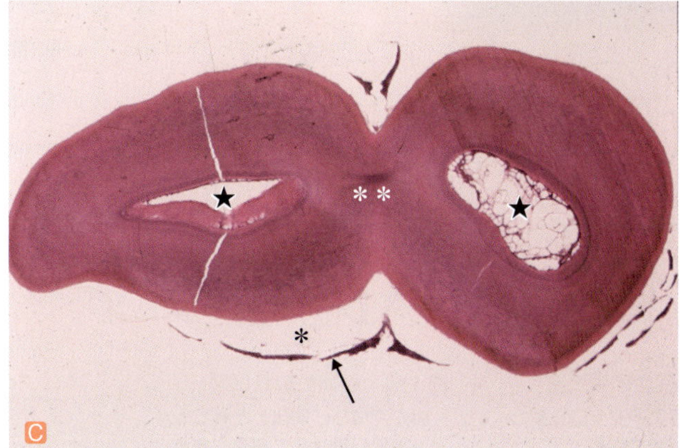

図1-2　融合歯
A 口腔内の融合歯．右側下顎の乳中切歯と乳側切歯が融合している（矢印）．
B 永久歯の融合歯の全体像．正常歯との比較．
C 融合歯の脱灰，横断組織像．歯冠部での横断像で，エナメル質（＊）は脱灰のため消失しているが，その表面の付着物（矢印）は残存している．また，象牙質（＊＊）は結合している．横断像のため歯髄（★）は分離しているが，歯根部では連続している．

ってみられるものがある．また，歯髄腔や根管の形態に異常をきたすものもある．

融（癒）合歯[11]
fused tooth

1 融（癒）合歯[11]

融（癒）合歯とは，近接した歯胚が病理組織学的に結合し，成長発育した歯である（**図1-1**）．病理組織学的に歯根部歯髄は連続し，歯冠部歯髄は別々のことが多いが，硬組織（エナメル質，象牙質，セメント質）は連続している．好発部位は下顎の中切歯と側切歯（**図1-2**），側切歯と犬歯間である．

双生歯[12]
twin teeth（geminated teeth）

2 双生歯[12]

1つの歯胚が，発育途上で2つに分離して成長発育した歯である（**図1-3**）．見かけ上，融合歯と同形態をしている．融合歯の好発部位が下顎の中切歯と側切歯，および側切歯と犬歯であるのに対して，双生歯は1つの歯胚が分かれて生じる．したがって，融合歯のように2つの歯が融合して1つになるのではなく，1つの歯が2つになる状態であるので，歯の数を調べれば融合歯と鑑別できる．

癒着歯[13]
concrescent teeth

3 癒着歯[13]

歯の萌出後に近接した歯がセメント質の増生によってセメント質のみで結合した歯である（**図1-4, 5**）．歯髄，象牙質およびエナメル質は連続していない．上顎の第二大臼歯と第三大臼歯の癒着が多い．

陥入歯（歯内歯，重積歯，内反歯）[14]
dens invaginatus（dens in dent）

4 陥入歯（歯内歯，重積歯，内反歯）[14]

歯胚の段階で，歯冠部の細胞が歯髄側へ陥入し，成長発育した歯である（**図1-6, 7**）．好発部位は上顎側切歯であり，基底結節部の盲孔が深いときにみられる．

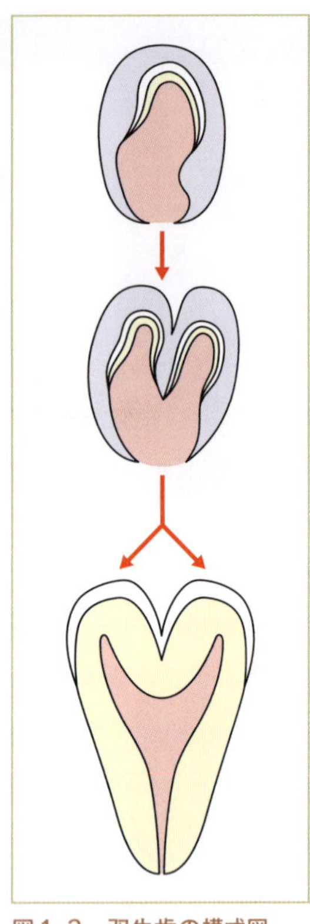

図1-3　双生歯の模式図
1つの歯胚が不完全に分裂して形成された歯である．

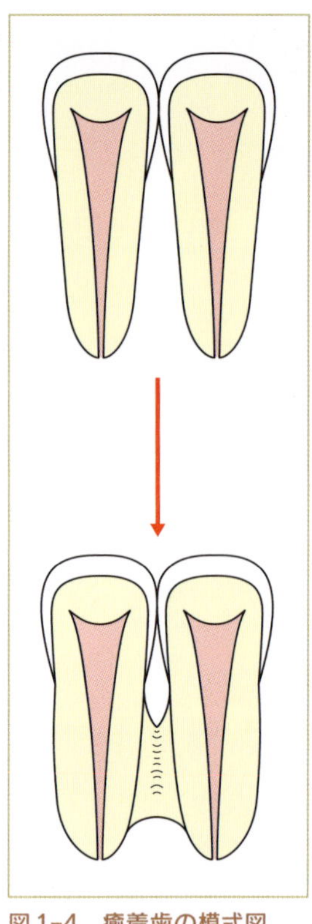

図1-4　癒着歯の模式図
歯が完成し，萌出した後でセメント質が増生して癒着した歯である．

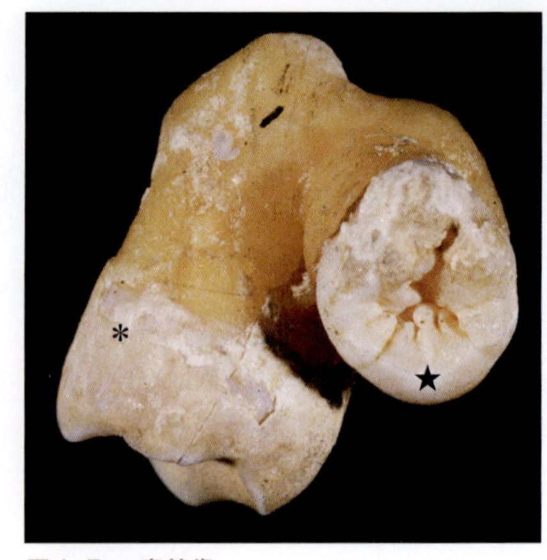

図1-5　癒着歯
上顎の第二大臼歯（＊）と第三大臼歯（★）がセメント質の増生によって結合している．

外反歯[15]
dens evaginatus

タロンカスプ[16]
talon cusp

5 外反歯[15]

前歯の舌側面および臼歯の咬合面から突起状に突出した異常結節を有する歯である（**図1-8**）．前歯では基底結節が切縁に近づくくらいの高さに突出している場合がある．これをタロンカスプ[16]という．上顎側切歯に多く，次いで中切歯である．永久歯に多く，乳歯には稀である．臼歯では咬合面から突出した結節がみられることがあり，これを中心結節という．特に下顎第二小臼歯に発生する率が高い．

外反歯の逆の病変は歯の内部に向かって生じる内反歯（歯内歯，陥入歯，重積歯）である．英語表記では，外反歯がdens evaginatusに対して，内反歯はdens invaginatusという．

6 異所性エナメル質

エナメル滴（エナメル真珠）[17]
enamel nodule (enamel pearl)

(1) エナメル滴（エナメル真珠）[17]

エナメル滴はエナメル真珠ともよばれ，根分岐部あるいは歯根中央部に生じた滴状の異所性エナメル質であり，好発部位は下顎大臼歯である（**図1-9**）．歯の発生段階でヘルトヴィッヒ上皮鞘の一部が増殖し，エナメル器が生じてエナメル質が形成されたものである．内部に象牙質や異常髄室角を含むことがある．

エナメル突起[18]
enamel projection

(2) エナメル突起[18]

大臼歯のエナメル質が根分岐部に突起状に長く延びたものである．

タウロドンティズム[19]
taurodontism

クラインフェルター症候群[20]
Klinefelter syndrome

7 タウロドンティズム[19]

大臼歯の歯根が短く，歯冠が長いため，歯冠歯髄腔が異常に長く広くなる．エナメル質形成不全，外胚葉性異形成症，クラインフェルター症候群[20]に伴う．下顎第一乳臼歯に高頻度に出現する．

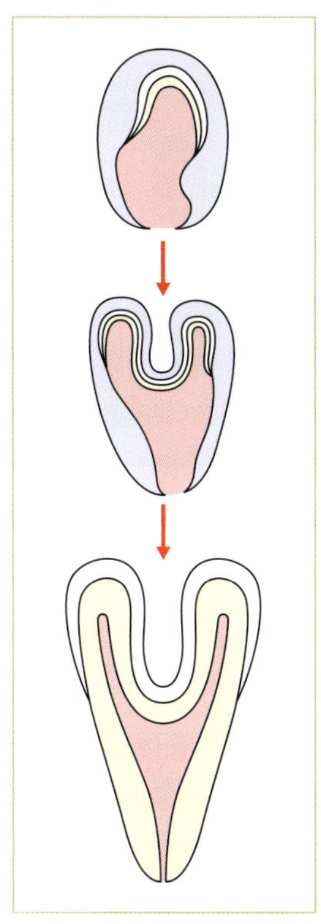

図 1-6　歯内歯（内反歯）の模式図
歯冠に相当する歯胚が内側に陥入して生じた歯である．

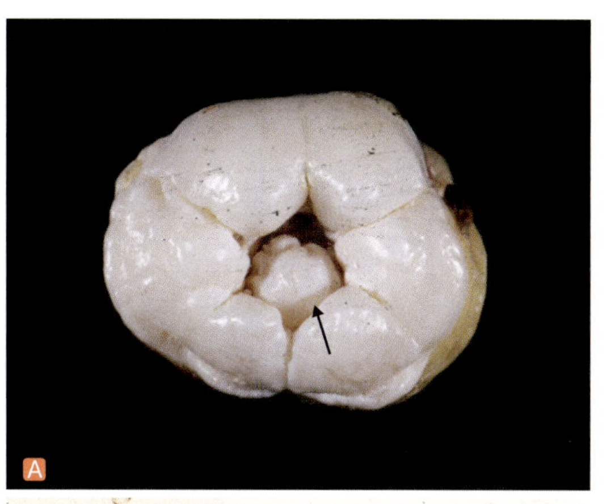

図 1-7　歯内歯
A 歯内歯の咬合面像．深い盲孔を有する上顎側切歯に多いが，写真の歯は臼歯に生じた歯内歯である．歯の中に歯（矢印）が存在する像を呈している．
B 歯内歯の脱灰，横断組織像で，内側にはエナメル質（黒矢印）の痕跡や付着物（矢頭）が存在し，その周囲に象牙質（＊）があり，象牙質の中には歯髄腔（★），最外側にはセメント質（白矢印）がそれぞれみられる．

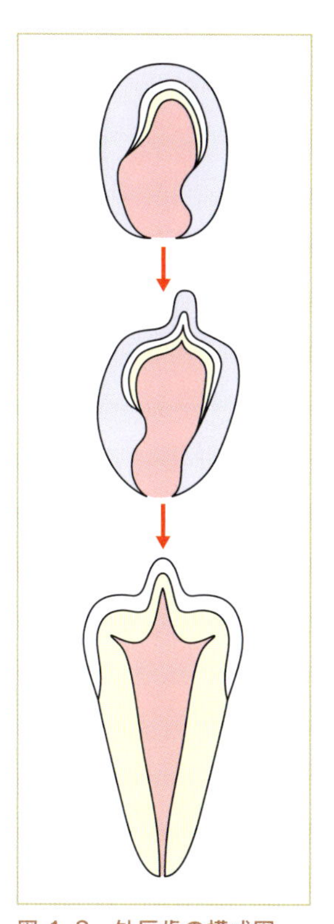

図 1-8　外反歯の模式図
歯冠部の歯胚が外方向に突出して形成された歯で，内部に髄角を伴う．

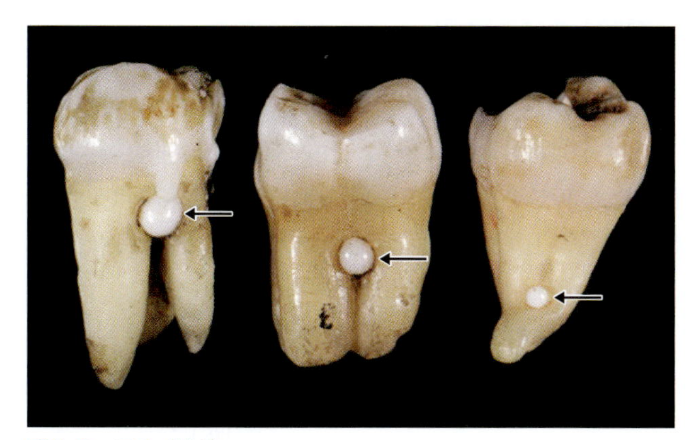

図 1-9　エナメル滴
大臼歯の根分岐部に滴状のエナメル質（矢印）がみられる．

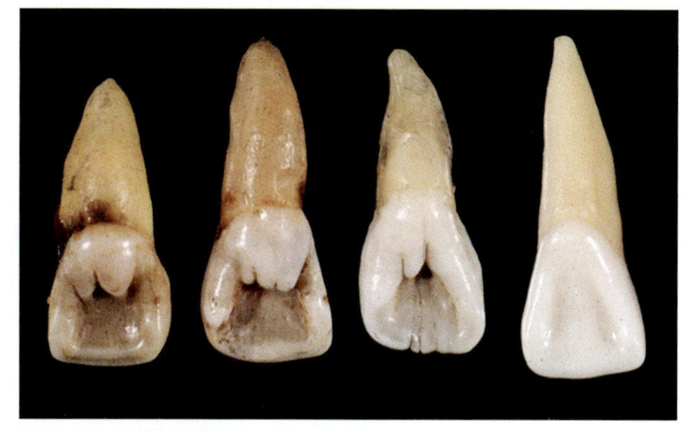

図 1-10　切歯結節
上顎中切歯の基底結節が結節状に隆起し，その形態は種々である．右端は正常歯．

8 異常結節

切歯結節[21]
incisive tubercle

(1) 切歯結節[21]

上顎切歯の近・遠心辺縁隆線が合流する基底結節部が著しく肥厚した結節で（**図 1-10**），結節が異常に発達し小臼歯のような形態になることもある．結節内部に象牙質および異常髄室角を伴うことがある．

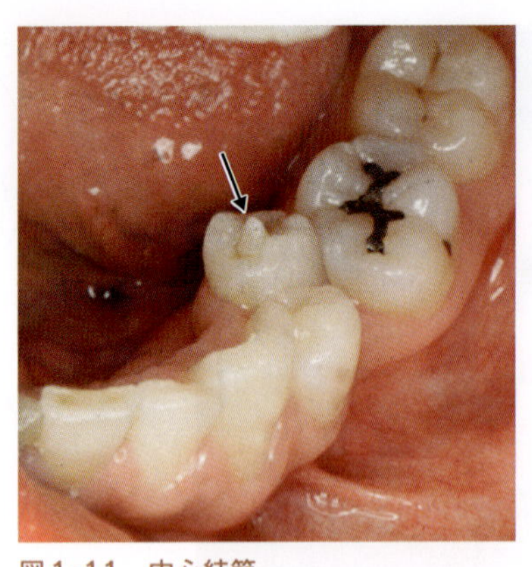

図1-11　中心結節

下顎左側第二小臼歯の咬合面に突起状のエナメル質（矢印）がみられる．

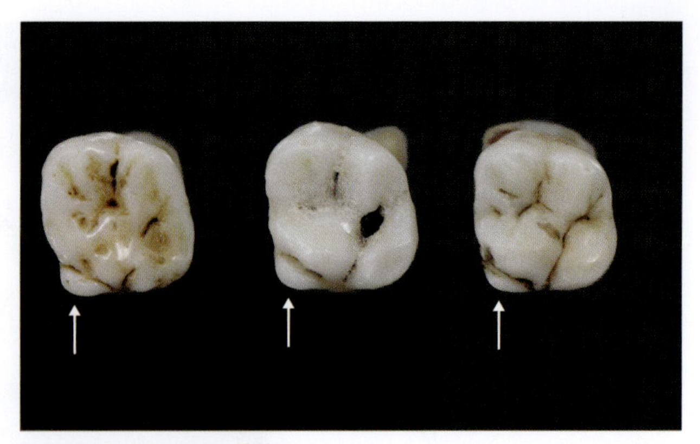

図1-12　カラベリー結節

上顎大臼歯の舌側咬頭の舌側面に結節状の突起物（矢印）がみられる．

犬歯結節[22]
canine tubercle

(2) 犬歯結節[22]

上顎犬歯の近・遠心辺縁隆線が合流する基底結節部が著しく肥厚し，切歯結節と同様に小臼歯化をきたすこともある．結節内部に象牙質および異常髄室角を伴うことがある．

中心結節[23]
central cusp

(3) 中心結節[23]

臼歯の咬合面中央に生じた円錐状または棒状を呈する異常結節である（**図1-11**）．下顎の第二小臼歯や第三大臼歯に好発する．結節内部に異常髄室角を伴うことがある．また，破折により早期に歯髄炎を起こしやすい．中心結節は前述の外反歯のことである．

カラベリー結節[24]
Carabelli's cusp

(4) カラベリー結節[24]

上顎大臼歯の舌側近心咬頭の舌側面に生じた異常結節である（**図1-12**）．結節内部に象牙質および異常髄室角を伴うことがある．

臼傍結節[25]
paramolar cusp

(5) 臼傍結節[25]

臼歯の頬側近心咬頭の頬側面にみられる異常結節（**図1-13**）で，上顎の第三大臼歯，次いで第二大臼歯に好発する．結節内部に象牙質および異常髄室角を伴うことがある．

9 歯根の数の異常

過剰根[26]（歯根の過剰）
supernumerary roots

(1) 過剰根[26]（歯根の過剰）

単根や複根の歯の歯根数が1～2本増加している状態である．好発部位は永久歯では上顎の側切歯，第一小臼歯，大臼歯，下顎の犬歯，大臼歯である．乳歯では永久歯より頻度は少ない．

(2) 歯根の減少

複根歯の歯根の数が融合によって1～2本減少している状態である．好発部位は上下顎の第二大臼歯および第三大臼歯である．

10 歯根の形態異常

歯根彎曲[27]
dilaceration

(1) 歯根彎曲[27]

歯が歯頸部や歯根部で彎曲している状態で，その程度はさまざまである（**図1-14**）．原因は発育中の歯に対する外傷であり，好発部位は上顎の中切歯，側切歯，犬歯である．

(2) 歯根の開離

複根歯の根尖部が互いに広く開いている状態である．好発部位は上下顎第二乳臼歯，上顎第一小臼歯，上顎第一大臼歯である．

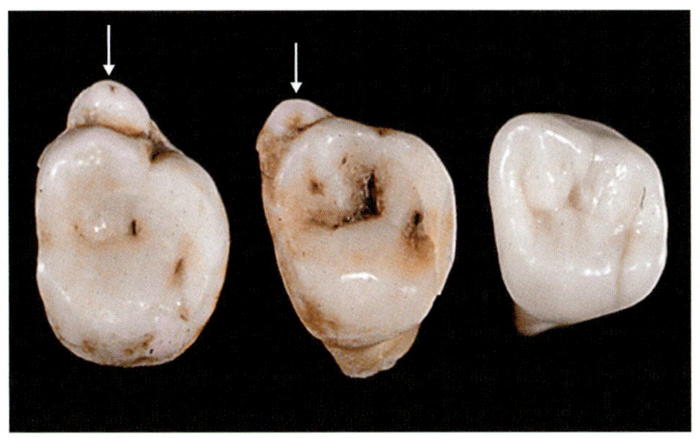

図1-13　臼傍結節
上顎大臼歯の頬側面に結節状の突起物（矢印）がみられる．右端は正常歯を示す．

図1-14　彎曲歯
右端は正常な上顎中切歯．その他は種々の状態に歯根が彎曲している歯を示す．

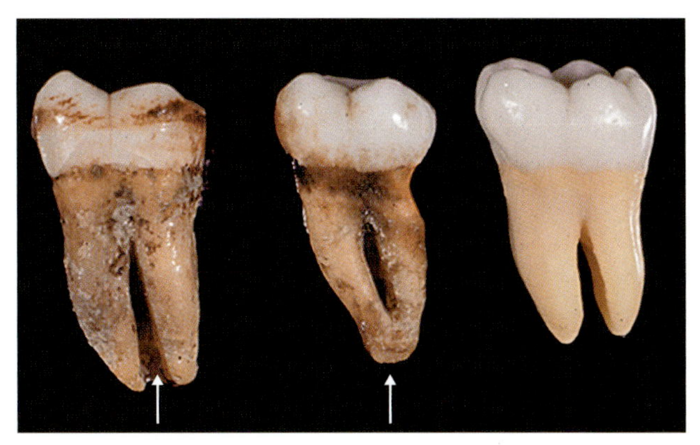

図1-15　歯根の収斂
根尖部が近接・接合（矢印）している．右端は正常歯を示す．

(3) 歯根の収斂

歯根の開離とは逆の状態で，複根歯の根尖部が相互に近接している状態である（**図1-15**）．好発部位は上顎大臼歯や下顎第三大臼歯である．

(4) 歯根の融合

複根歯の歯根が融合した状態で，その形態によって樋状根，台状根（プリズム状根）に分かれる．

樋状根[28]
gutter-shaped root

❶樋状根[28]

下顎の第二大臼歯や第三大臼歯にみられる異常で，近心根と遠心根とが頬側部で融合したものである．

台状根（プリズム状根）[29]
prism-shaped root

❷台状根（プリズム状根）[29]

上顎大臼歯にみられ，歯根全体が融合している状態である．

11 歯髄腔の形態異常

歯髄腔の形と根管の数は歯の外形にほぼ一致しているが，しばしば複雑な形態を示すことがある．

異常髄室角[30]
abnormal pulpal horn

(1) 異常髄室角[30]

切歯結節，犬歯結節，カラベリー結節，中心結節，臼傍結節などの異常結節やエナメル滴内に入り込んでいる歯髄腔である．

根尖分岐[31]
apical ramification

(2) 根尖分岐[31]

単根歯の根管は1本であることが多いが，根管が2本や3本に分かれたり，根尖部で分岐し

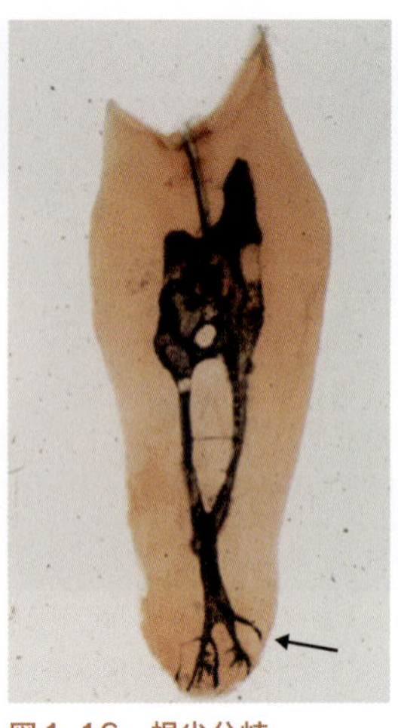

図 1-16　根尖分岐
小臼歯の歯根管は根尖部で分岐している（矢印）.

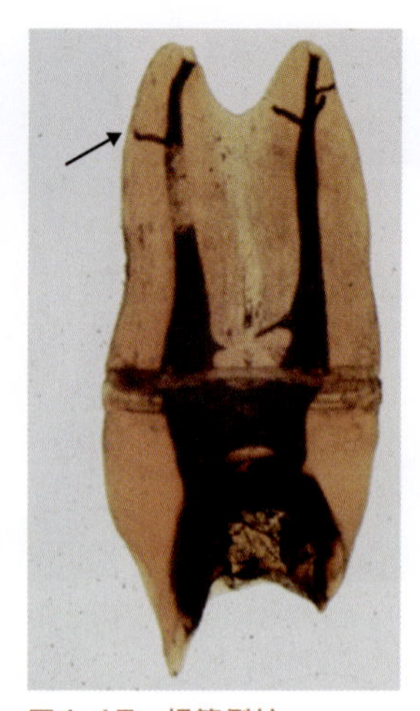

図 1-17　根管側枝
根管は途中で直角の方向に枝を出している（矢印）.

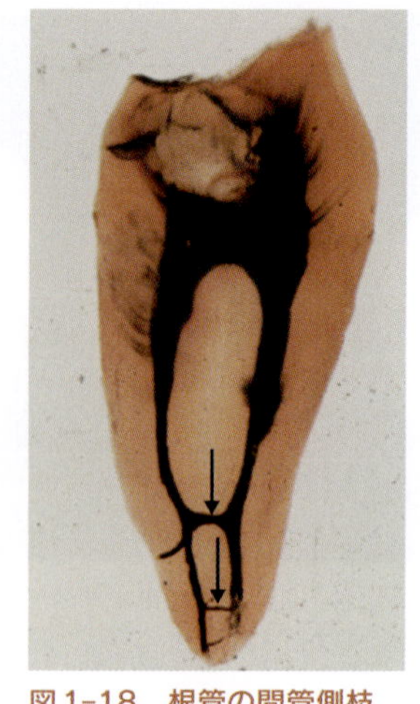

図 1-18　根管の間管側枝
2本の根管の間に橋渡しの枝がみられる（矢印）.

ていることがある（**図 1-16**）. 乳歯には少なく，高齢者の永久歯に多い.

側　枝[32]
accessory canal (s)

(3) 側　枝[32]

主根管から直角あるいはそれに近い角度に枝分かれし，象牙質からセメント質を通過し歯根膜に通じる細い根管である（**図 1-17**）. 2根管では相互の根管内をつなぐ細い根管がみられることがある（**図 1-18**）.

歯の大きさの異常[33]
developmental alterrations in the size of teeth

3 歯の大きさの異常[33]

歯の大きさはほぼ一定しているが，それよりも大きい場合と小さい場合がある. 前者は巨大歯，後者は矮小歯である.

巨大歯[34]
macrodontia

1 巨大歯[34]

巨大歯は，①上顎中切歯や上顎犬歯など特定の歯にみられる場合，②顎およびすべての歯が大きい場合（下垂体性巨人症），ならびに③顎の大きさは正常で全部の歯が大きい場合（遺伝的素因）がある.

矮小歯[35]
microdontia

2 矮小歯[35]

矮小歯は，①上顎側切歯や上顎第三大臼歯など特定の歯にみられる場合，②顎とすべての歯が小さい場合（下垂体性小人症），③顎の大きさは正常で，歯のみが小さい場合（遺伝的素因）がある. 上顎側切歯は栓状歯や円錐歯の形態をとり（**図 1-19**），第三大臼歯は蕾状歯（**図 1-20**）の形になることが多い. 永久歯に多く，乳歯には少ない. 過剰歯も大きさは小さく，矮小歯となることが多い.

歯の構造異常（歯の形成不全）[36]
developmental alterations in the structure of teeth

4 歯の構造異常（歯の形成不全）[36]

1 局所的原因による歯の形成不全

(1) 外傷による歯の形成不全

外傷による歯の形成不全は永久歯にみられる. 外力が乳歯を介して発育中の代生（永久歯）

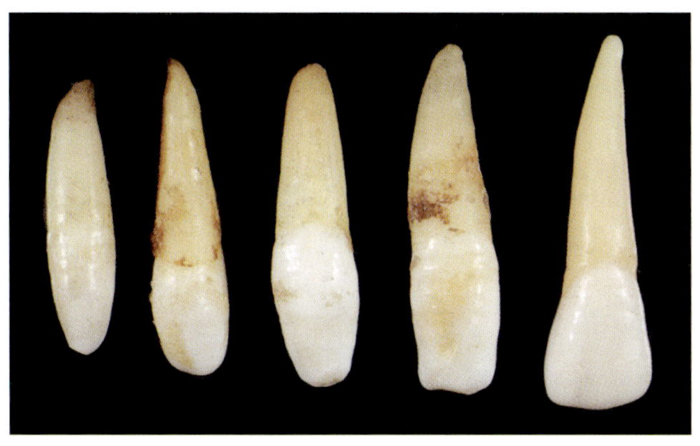
図1-19　円錐歯，栓状歯（矮小歯）
左端は歯冠が円錐形の円錐歯，右から2つ目はコルク栓の形の栓状歯である．右端は正常の上顎側切歯．

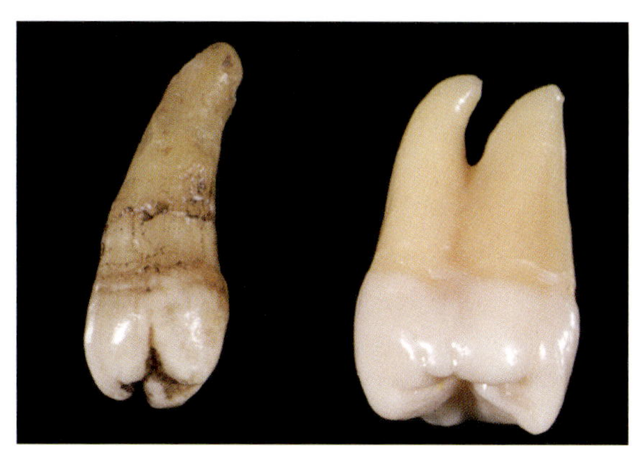
図1-20　蕾状歯（矮小歯）
左は蕾状歯，右は正常の第三大臼歯である．

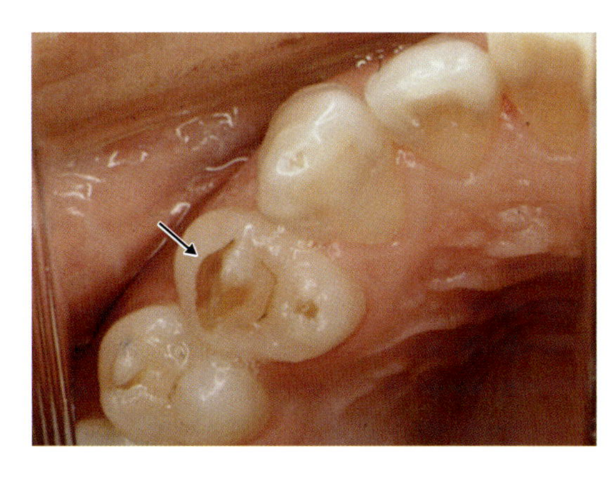
図1-21　ターナーの歯
上顎第一小臼歯の咬合面に歯の形成不全がみられる（矢印）（ミラー使用）．

に作用し，形成不全や歯根の彎曲，位置異常をきたすことがある．上顎前歯に好発する．

(2) 炎症による歯の形成不全

ターナーの歯[37]
Turner's tooth

❶ターナーの歯[37]

乳歯の根尖性歯周炎が形成中の後続永久歯の歯胚に波及してエナメル質の形成不全をきたすことがある．これをターナーの歯という（**図1-21**）．好発部位は小臼歯や前歯である．

❷顎骨骨髄炎による歯の形成不全

乳幼児期に顎骨骨髄炎が乳歯の歯胚に波及し，歯胚周囲炎や歯胚壊疽をきたすと，エナメル質形成不全あるいは奇形歯が生じる．

(3) 電離放射線による歯の形成不全

悪性腫瘍の治療のため大量の放射線が照射され，照射野の顎骨が発育障害をきたすと，歯根の形成不全が生じる．

2 全身的原因による歯の形成不全

歯の形成に必要なCa，Pなどの無機質，ビタミンA，C，D，およびタンパク質の供給障害，内分泌障害，先天性梅毒，テトラサイクリン，フッ素などが関与して歯の形成不全が生じる．栄養障害は，小児期の消化器疾患や風疹，麻疹，水痘，猩紅熱，ジフテリアなどの疾患と関連する．全身的原因による歯の形成不全の特徴は，歯の成長線に一致して歯冠全周にわたって，左右対称に出現することである．

(1) 栄養障害による歯の形成不全

出生時の栄養供給に劇的な変化があった場合，乳歯のエナメル質に石灰化不全線が生じる．これを新産線[38]という．象牙質では石灰化不全のため，球間象牙質が顕著に出現する．

新産線[38]
neonatal line

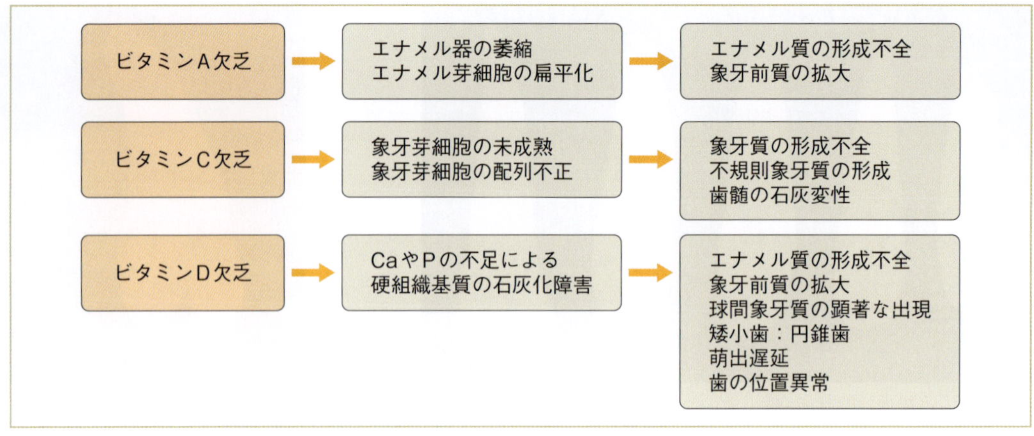

図1-22　ビタミン欠乏と歯の形成不全

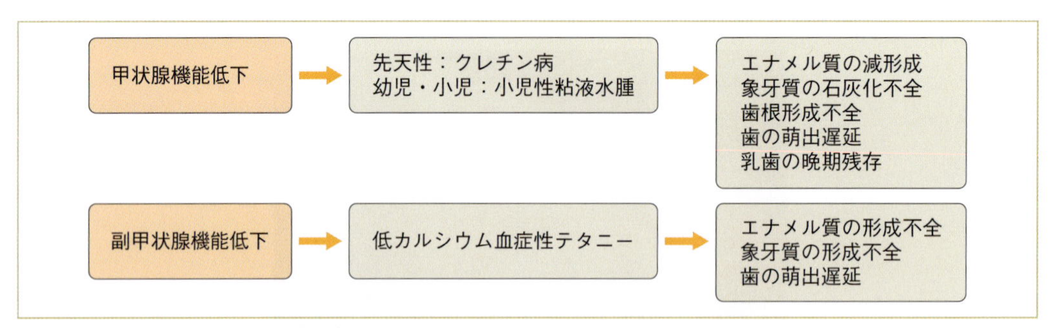

図1-23　内分泌障害と歯の形成不全

(2) ビタミン欠乏による歯の形成不全

歯の形成にはビタミンA，C，Dが関与する．ビタミンの欠乏による歯の形成不全を**図1-22**に示す．特に脂溶性ビタミンの1つであるビタミンDは，CaやPの腸管からの吸収に関係する．したがって，その欠乏はCaやPの不足をきたし，小児ではくる病，成人では骨軟化症を引き起こす．

(3) 内分泌障害による歯の形成不全

歯の形成には，下垂体や甲状腺，副甲状腺（上皮小体）の機能が影響する．特に甲状腺は細胞の新陳代謝の亢進，交感神経の刺激，成長発育の促進に，副甲状腺は正常値より低下した場合の血中Ca濃度の上昇にそれぞれ関与する．血中Ca濃度が正常値より上昇すると甲状腺からホルモンの一つであるカルシトニンが分泌され，Ca濃度を低下させる現象を起こす．甲状腺機能低下によってクレチン病[39]が，副甲状腺機能低下によって低カルシウム血症性テタニーが生じる（**図1-23**）．

(4) 遺伝による歯の形成不全

遺伝による歯の形成不全にはエナメル質形成不全症[40]，象牙質形成不全症[41]，象牙質異形成症[42]がある（**表1-1**）．

(5) 先天性梅毒による歯の形成不全

胎児病の一つとして先天性梅毒[43]がある．胎児期に母体が梅毒スピロヘータ[44]に感染することによって胎児の歯胚が直接障害され，歯の形成不全が生じる．前歯部ではハッチンソン歯[45]（**図1-24**），臼歯部ではフルニエ歯[46]とよばれる（**表1-2**）．ハッチンソン歯は，先天性梅毒にみられるハッチンソンの3徴候（実質性角膜炎，内耳性難聴，ハッチンソン歯）の1つである．

(6) フッ素による歯の形成不全

歯の形成期にフッ素を過剰に摂取することによって生じる慢性中毒であり，エナメル質の

クレチン病[39]
cretinism：新生児期・乳幼児期から甲状腺機能が低下し，甲状腺ホルモン欠乏による状態．四肢が短く，鞍鼻や知能の発達の遅れがみられる．

エナメル質形成不全症[40]
amelogenesis imperfecta

象牙質形成不全症[41]
dentinogenesis imperfecta

象牙質異形成症[42]
dentin dysplasia

先天性梅毒[43]
congenital syphilis

梅毒スピロヘータ[44]
Treponema pallidum

ハッチンソン歯[45]
Hutchinson's tooth

フルニエ歯[46]
Fournier's tooth

表1-1 遺伝による歯の形成不全

遺伝による歯の形成不全の種類	成 因	歯の特徴
エナメル質形成不全症		エナメル質の構造および形成異常 ①形成不全型 石灰化は正常であるが，エナメル基質の形成が障害される. ②低石灰化型 エナメル基質の形成は正常であるが，石灰化が障害される. ③低成熟型 エナメル質結晶が未成熟である.
象牙質形成不全症	常染色体優性遺伝	乳歯および永久歯の象牙質の形成不全. エナメル質は破折しやすい. 歯根は短小で丸い. エックス線的に歯髄腔および根管は閉塞. 骨形成不全症と関連.
象牙質異形成症	常染色体優性遺伝	乳歯および永久歯に出現. 臨床的に形態や色調は正常. エックス線的には歯根は短小で歯髄腔および根管は閉塞. 歯の動揺. 早期脱落.

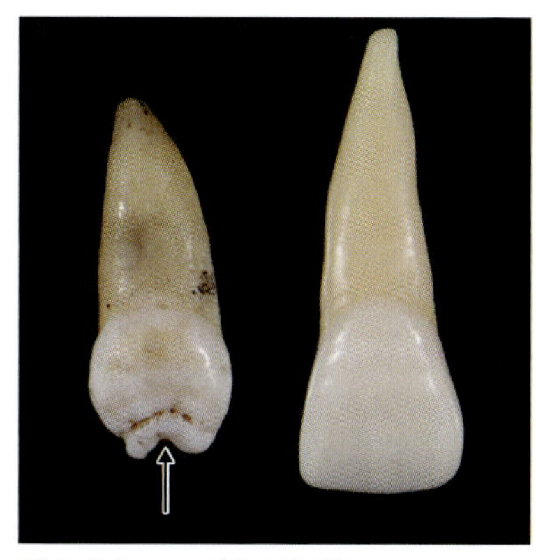

図1-24 ハッチンソン歯

左は上顎中切歯でハッチンソン歯．切縁に半月状の欠損があり（矢印），歯の最大幅径は歯頸部寄りである．右は正常の上顎中切歯．

表1-2 先天性梅毒による歯の形成不全

形成不全歯の種類	部 位	歯の特徴	組織像
ハッチンソン歯	前歯部	歯の形成不全. 主に永久歯の上顎中切歯の切縁中央発育葉に一致した半月状の欠損. 切縁部の幅径が歯頸部よりも狭い. 上顎側切歯，下顎切歯，犬歯にもみられる.	エナメル質の石灰化不全. 象牙質に多数の球間象牙質の出現. 細胞封入の象牙質.
フルニエ歯（ムーン歯[47]）	臼歯部	主に第一大臼歯に出現する形成不全歯. 歯冠が短く，咬頭が萎縮し，桑実状である.	

ムーン歯[47]
Moon's tooth
フッ素症[48]
dental fluorosis

形成不全と石灰化不全が生じる．これを歯のフッ素症[48]（dental fluorosis）という．飲料水中にフッ素が1ppm以上存在すると発現する．好発歯種は永久歯で，特に前歯唇面に現れる．症状の程度は，臨床的にエナメル質表面に白斑や縞模様がみられるものから，実質欠損や褐色の着色を伴うものまである．

(7) テトラサイクリンによる歯の形成不全

テトラサイクリン系抗菌薬の大量投薬によって生じ，歯の着色とエナメル質形成不全がみられる．服用されたテトラサイクリンは血中に入り，形成中の歯に運ばれ，エナメル質および象牙質に沈着し，黄色に着色する〔詳細はChap.2を参照〕．

Ⅱ—歯列・咬合の異常

歯の位置異常は審美障害，咬合異常，咀嚼機能の低下，発音障害，口腔清掃不良をもたらす．口腔清掃不良になると，齲蝕や歯周病が好発する．

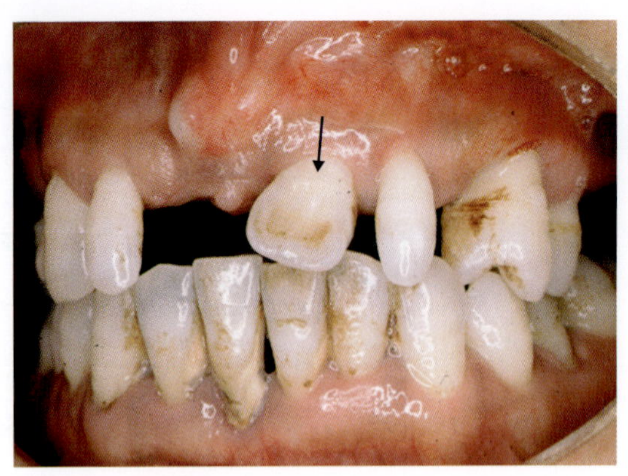

図1-25　捻転歯
上顎中切歯の唇面と舌面が逆転している（矢印）．

1 個々の歯の位置異常

傾斜[49]
tipping

1 傾　斜[49]

傾斜とは，歯軸が唇（頬）側または舌側に，あるいは近心側または遠心側に傾いている状態である．唇側傾斜，頬側傾斜，舌側傾斜と表現する．

捻転[50]
rotation

2 捻　転[50]

捻転とは，歯軸を中心として回転している状態である．好発するのは上顎中切歯（図1-25），次いで上下顎の小臼歯である．原因は萌出部位の不足や咬合の異常である．

転位[51]
version

3 転　位[51]

転位とは，歯列の正常位置から歯が唇（頬）側，舌側，近位側，遠位側に移動している状態である．唇側転位，舌側転位，近心転位，遠心転位と表現し，唇側転位は上顎犬歯にみられ，一般に八重歯とよばれる．舌側転位は下顎小臼歯にみられることが多い．

原因は乳歯の残存による永久歯の萌出部位の不足や隣在歯の欠損であり，近心転位や遠心転位は歯の欠損部への隣在歯の移動による．

高位[52]
supraversion

4 高　位[52]

高位とは，歯が咬合平面を越えて，対顎側へ突出している状態である．原因は対合歯の欠損である．

低位[53]
infraversion

5 低　位[53]

低位とは，歯が咬合平面に達していない状態である．原因は萌出部位の不足，歯と歯槽骨との骨性癒着である．上顎犬歯，大臼歯および乳臼歯に好発する．上顎犬歯の低位唇側転位を一般に八重歯という．

移転[54]
transversion

6 移　転[54]

移転とは，歯の萌出位置が逆になっている状態である．原因は乳歯の早期脱落や晩期残存，歯胚の位置異常である．上顎犬歯と第一小臼歯の間に起こりやすい（図1-26）．

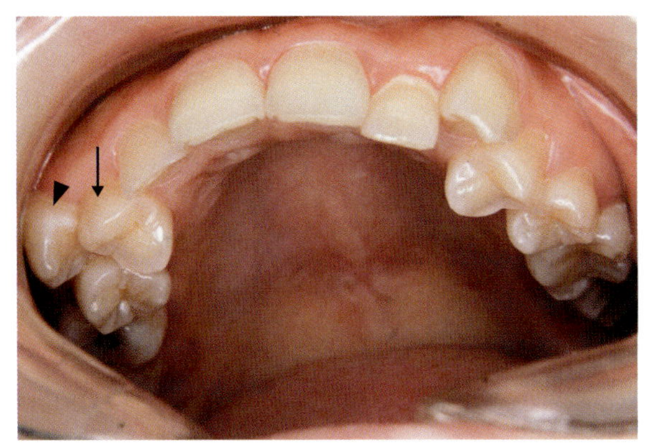

図1-26　移転歯
上顎右側犬歯（矢頭）と第一小臼歯（矢印）の位置が逆になっている．

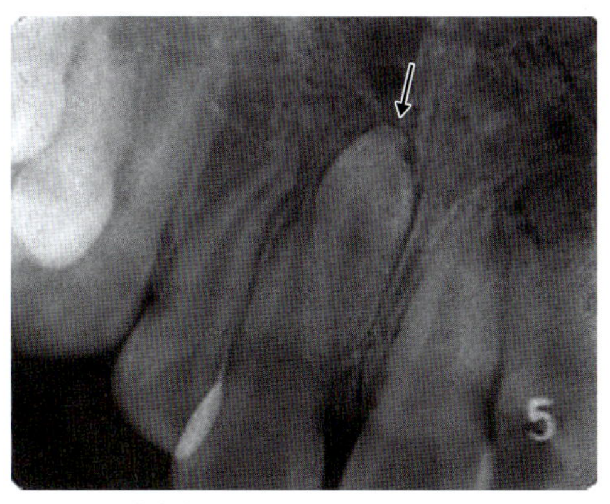

図1-27　逆生歯
上顎前歯部のエックス線像の中に犬歯の歯冠部が逆方向を向いている（矢印）．
〔犬伏俊嗣氏ご提供〕

逆生[55]
inversion

7 逆　生[55]

逆生とは，歯の萌出方向が正常とは異なり，逆向きになり，上顎の歯が鼻腔や上顎洞底の方向へ（**図1-27**），下顎の歯が下顎管や下顎角，下顎縁へ向いている状態である．原因は歯胚の位置異常である．上顎では，中切歯や側切歯および犬歯，下顎では，埋伏智歯や小臼歯に好発する．

2 数歯にわたる位置異常

離開[56]
diastema

1 離　開[56]

離開とは，隣在歯との間に隙間がみられる状態である．上顎中切歯間に生じることが多く，過剰歯（正中歯）の埋伏，側切歯の欠如による歯数の不足，指しゃぶりなどが原因である．上顎中切歯間の離開は正中離開[57]とよぶ．

正中離開[57]
median diastema

叢生[58]
crowding

2 叢　生[58]

叢生とは，歯が乱杭歯になっている状態である．原因は歯の近遠心の幅経と顎の大きさや成長発育との不調和である．

3 歯列弓形態の異常

狭窄歯列弓[59]
contracted dental arch

1 狭窄歯列弓[59]

左右側の臼歯の舌側転位によって歯列弓の幅経が臼歯部で狭くなる状態である．

V字型歯列弓[60]
V-shaped dental arch

2 V字型歯列弓[60]

左右側の犬歯と小臼歯の舌側転位および前歯の唇側転位によって，歯列弓がV字形を示す状態である．原因は口呼吸や口蓋裂であり，上顎に発現する．

鞍状歯列弓[61]
saddle-shaped dental arch

3 鞍状歯列弓[61]

左右側の第一小臼歯および第二小臼歯の舌側転位によって，歯列弓が鞍状を呈する状態で

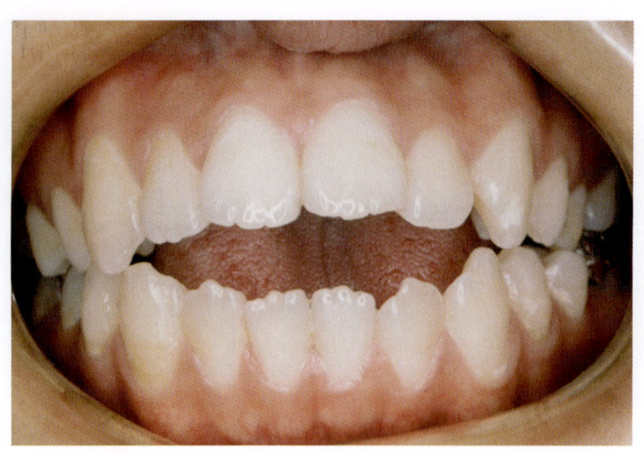

図1-28 開咬
臼歯部は咬合しているが，前歯は咬合していない．

ある．

空隙歯列弓[62]
spaced dental arch

4 空隙歯列弓[62]

歯列内のすべての歯の隣接面が接触せずに歯間に隙間を生じた状態である．原因は末端巨大症や骨性獅面症による顎の増大，大舌症，弄唇癖および歯が小さいことである．

4 上下歯列弓関係の異常

上顎前突[63]
maxillary protrusion

1 上顎前突[63]

上顎前歯が下顎前歯よりも著しく前方に突出している咬合状態である．

下顎前突[64]
mandibular protrusion

2 下顎前突[64]

下顎前歯が上顎前歯よりも著しく前方に突出している咬合状態である．

切端咬合[65]
edge-to-edge occlusion

3 切端咬合[65]

上下顎の前歯部が互いに切縁で接触している咬合状態である．

過蓋咬合[66]
over bite

4 過蓋咬合[66]

上下顎の前歯の被蓋咬合の関係が，垂直的に著しく深くなった状態の咬合である．

開咬[67]
open bite

5 開　咬[67]

上下顎の歯が臼歯部では咬合しているが，小臼歯部から前歯部にかけて接触していない状態の咬合である（図1-28）．

交叉咬合[68]
cross bite

6 交叉咬合[68]

上顎歯列弓が下顎歯列弓に対して左側また右側に偏位しているため，上下顎の歯列弓が正中で交叉している状態の咬合である．

5 先天的異常などに伴う咬合異常

唇顎口蓋裂[69]
cleft lip and palate

1 唇顎口蓋裂[69] [Chap.9 (134頁) 参照]

多因子遺伝による疾患で，顎骨の発育異常，歯列弓および歯の異常により反対咬合が多くみられる．歯の異常では過剰歯や矮小歯が多く，顎裂に近接する歯は転位や捻転をきたすことが多い．

鎖骨頭蓋異骨症（鎖骨頭蓋異形成症）[70]
cleidocranial dysostosis

2 鎖骨頭蓋異骨症（鎖骨頭蓋異形成症）[70] [Chap.9 (137頁)，Chap.25 (333頁) 参照]

常染色体優性遺伝によることが多い先天異常である．鎖骨の形成不全により両肩を前胸部で接することが可能であり，低身長である．大泉門の開大や閉鎖不全，頬骨弓の形成不全があり，口腔では永久歯の萌出遅延，過剰歯，埋伏歯，相対的反対咬合がみられる．

アペール症候群（尖頭合指症）[71]
Apert syndrome (acrocephalosyndactyly)

3 アペール症候群（尖頭合指症）[71] [Chap.9 (136頁)，Chap.25 (334頁) 参照]

常染色体優性遺伝による先天異常である．頭蓋骨の癒合と手足の指の癒合（合指症）がみられる．頭蓋縫合部が早期に癒合するので，頭部は短頭型となり，眼球突出，眼間隔離，鼻根部陥没，上顎形成不全を伴う．口腔では反対咬合，開咬，叢生，上顎歯列弓の狭窄，高口蓋，口蓋裂がみられる．

ベックウィズ-ウィーデマン症候群[72]
Beckwith-Wiedemann syndrome

4 ベックウィズ-ウィーデマン症候群[72] [Chap.9 (142頁)，Chap.25 (334頁) 参照]

過成長を起こす先天異常で，内臓肥大や臍ヘルニア，巨人症を示す．また，巨舌症に伴い，開咬や下顎前突がみられる．

クルーゾン症候群（頭蓋顔面異骨症）[73]
Crouzon syndrome (craniofacial dysostosis)

5 クルーゾン症候群（頭蓋顔面異骨症）[73] [Chap.9 (136頁)，Chap.25 (332頁) 参照]

常染色体優性遺伝による先天異常で，頭が塔状頭蓋になり，前額部が膨隆し，眼球突出，眼間隔離を伴う．口腔では，反対咬合，開咬，叢生，上顎歯列弓の狭窄，高口蓋，口唇口蓋裂がみられる．

ダウン症候群[74]
Down syndrome

6 ダウン症候群[74] [Chap.9 (137頁)，Chap.25 (333頁) 参照]

常染色体異常（21番の常染色体が3本存在）による先天異常である．扁平な顔貌で内眼角贅皮，眼間隔離，外眼角斜上，鞍鼻を呈し，精神遅滞がみられる．先天性心疾患を伴う．口腔では先天性欠如歯，高口蓋，溝状舌，巨舌症，反対咬合，開口がみられる．

ゴールデンハー（ゴールドナール）症候群[75]
Goldenhar syndrome

7 ゴールデンハー（ゴールドナール）症候群[75] [Chap.9 (136頁)，Chap.25 (332頁) 参照]

眼耳脊椎形成異常を呈する先天性奇形で，眼球結膜の類皮腫，耳介奇形，脊椎奇形，前額部の突出，小下顎症，頬骨の発育不全，口唇裂を伴う片側性の下顎骨および耳の発育不全がある．口腔では，歯列弓の非対称，正中線の偏位，咬合平面の傾斜がみられる．

ピエールロバン症候群[76]
Pierre Robin syndrome

8 ピエールロバン症候群[76] [Chap.9 (135頁)，Chap.25 (338頁) 参照]

常染色体劣性遺伝による先天異常で，緑内障や近視などの眼障害，耳閉鎖，吸気性気道閉塞，精神遅滞がみられる．口腔では下顎骨の発育不全による小顎症，下顎遠心咬合，口蓋裂がみられる．

ラッセル-シルバー症候群[77]
Russel-Silver syndrome

9 ラッセル-シルバー症候群[77] [Chap.25 (333頁) 参照]

低身長，低体重，合指症，カフェオレ斑がみられ，口腔では歯列弓の狭窄，叢生，高口蓋，過蓋咬合がみられる．

トリーチャー-コリンズ症候群（下顎顔面異骨症）[78]
Treacher Collins syndrome (mandibulofacial dysostosis)

10 トリーチャー-コリンズ症候群（下顎顔面異骨症）[78]

［Chap.9（136頁），Chap.25（331頁）参照］

常染色体優性遺伝による先天異常で，心臓奇形，小人症であることが多く，眼裂異常，耳介異常を伴う．口腔では下顎遠心咬合，開咬，叢生，口蓋裂がみられる．

ターナー症候群[79]
Turner syndrome

11 ターナー症候群[79] ［Chap.25（334頁）参照］

性染色体異常（性染色体のうちX染色体が1本のみ存在）による先天異常で，女子の性腺の発生障害，低身長，翼状頸，心血管奇形，小下顎，下顎劣成長を伴う．口腔では，高口蓋，開咬がみられる．

Ⅲ—歯の萌出の異常

乳歯で最初に萌出するのは下顎乳中切歯で，生後6カ月頃である．永久歯では最初に萌出するのは第一大臼歯で，6歳頃である．これらの萌出時期よりも早く萌出することがある（早期萌出）．また，萌出が遅れることがある（萌出遅延）．乳歯および永久歯の萌出遅延の原因を**表1-3，4**に示す．

1 早期萌出

1 乳歯の早期萌出

先天歯[80]
congenital tooth
出産歯[81]
natal tooth
新生歯[82]
neonatal tooth

最初に萌出する乳歯は下顎乳中切歯で生後6～8カ月である．それよりも早く萌出する乳歯がある．これを先天歯[80]といい，存在の時期によって出産歯[81]と新生歯[82]に分けられる．先天歯の影響は**図1-29**のとおりである．

先天歯は下顎中切歯部にみられ，歯根がほとんど形成されていないため動揺があり，自然脱落することがある．

早期萌出の原因は局所的には歯胚の位置異常であり，全身的には軟骨外胚葉性異形成症などの遺伝的要因や下垂体，甲状腺，副腎，性腺などの内分泌腺の機能亢進である．

2 永久歯の早期萌出

最初に萌出する永久歯は下顎中切歯で，6歳頃であり，最後に萌出するのは第三大臼歯で17～20歳である．正常の萌出時期よりも早く萌出することがある．その原因は乳歯の早期萌出や喪失および前述の内分泌腺の機能亢進である．

2 萌出遅延

1 乳歯の萌出遅延

乳歯の正常な萌出時期よりも遅れて萌出することがある．萌出遅延の原因を**表1-3**に示す．乳歯群の萌出が遅延すると，永久歯の萌出にも影響し，歯の叢生などの咬合異常をきたす．

くる病[83]
rachitis, rickets：成長過程で，骨の石灰化が障害される結果，現れる骨の病変．ビタミンDの不足により生じる．症状としてエックス線所見で手関節橈尺骨遠位端で骨端線が不鮮明，血中無機リン酸の減少，血中アルカリホスファターゼの上昇，X脚，O脚，泉門閉鎖遅延などがみられる．

リガ-フェーデ病[84]
Riga-Fede disease

表 1-3　乳歯の萌出遅延の原因

局所的原因	全身的原因
・歯胚の位置異常 ・歯肉の肥厚	・くる病[83] ・クレチン病 ・先天性梅毒

表 1-4　永久歯の萌出遅延の原因

局所的原因	全身的原因
・先行乳歯の晩期残存 ・永久歯胚の位置異常 ・萌出部位の不足	・ビタミン欠乏症 ・くる病 ・クレチン病 ・先天性梅毒 ・鎖骨頭蓋異骨症

出産歯：出産時，すでに存在
新生歯：生後 1 カ月以内に萌出
→
①リガ-フェーデ病[84]：舌尖や舌小帯の外傷性潰瘍
②授乳時に母親の乳房の乳頭部への外傷

図 1-29　先天歯と合併症

表 1-5　乳歯の晩期残存の原因

少数歯の場合	多数歯の場合
・後続永久歯の歯胚の欠如 ・後続永久歯の歯胚の位置異常	・くる病 ・クレチン病 ・先天性梅毒 ・鎖骨頭蓋異骨症

表 1-6　歯の埋伏と特徴

種類	特徴	歯の状況	局所的原因	全身的原因
完全埋伏	歯冠全部が埋伏	傾斜 水平 逆生	・萌出部位の不足 ・歯胚の位置異常 ・歯の萌出方向の異常	・クレチン病 ・鎖骨頭蓋異骨症 （多数歯の埋伏を伴う）
不完全埋伏	歯冠の一部が萌出 （半埋伏）			

2　永久歯の萌出遅延

永久歯の正常な萌出時期よりも遅れて萌出することがある．萌出遅延の原因は**表 1-4**に示す．永久歯の萌出遅延は歯の埋伏や歯列不正の原因となる．

3　乳歯の晩期残存

乳歯と永久歯の正常な交換時期は7～12歳であり，その時期を過ぎても乳歯が残存している場合を乳歯の晩期残存という．晩期残存の原因は**表 1-5**に示す．晩期残存乳歯の抜去に際して後続永久歯の先天的欠如，すなわち部分的真性無歯症の検査が必要である．

埋伏歯[85]
impacted tooth

4　埋伏歯[85]

正常な萌出時期を過ぎても萌出せずに顎骨内にとどまっている歯を埋伏歯という．歯の埋伏は永久歯に多く，下顎智歯および上顎犬歯にみられる．乳歯には少ない．また，歯の埋伏は含歯性嚢胞，エナメル上皮腫，腺腫様歯原性腫瘍，石灰化上皮性歯原性腫瘍と関連して生じることが多い．埋伏歯の特徴を**表 1-6**に示す．

5 下顎智歯の埋伏と合併症

1 下顎智歯の埋伏

下顎智歯埋伏の原因は次のとおりである.

①下顎骨の発育不良による萌出部位の不足

②下顎骨皮質骨の肥厚や緻密化

③含歯性嚢胞，エナメル上皮腫や石灰化上皮性歯原性腫瘍などの歯原性腫瘍の存在

④下顎智歯の歯胚の位置異常.

2 下顎智歯の合併症

智歯周囲炎[86]
pericoronitis

牙関緊急[87]
trismus

三叉神経痛[88]
trigeminal neuralgia

(1) 智歯周囲炎[86]

下顎智歯が半埋伏であることが多く，歯冠の一部が歯肉粘膜で被覆されているため，歯冠と歯肉粘膜との間にスペースが生じ，プラークが付着して歯肉に炎症，すなわち智歯周囲炎が発生し，炎症が深部に波及して牙関緊急[87]（開口障害）が生じる.

(2) 隣在歯への影響

智歯の発育や萌出に伴う圧迫によって第二大臼歯歯根の吸収や隣在歯の転位，歯列不正が生じる.

(3) 三叉神経痛

智歯の発育に伴って下顎管内の下歯槽神経が圧迫され，三叉神経痛[88]が生じる.

（田中昭男）

Check Point

- [ ] 1 歯の数の異常を説明できる.
- [ ] 2 歯の形の異常を説明できる.
- [ ] 3 歯の大きさの異常を説明できる.
- [ ] 4 歯の構造の異常を説明できる.
- [ ] 5 個々の歯の位置異常を列挙できる.
- [ ] 6 歯列弓形態の異常を説明できる.
- [ ] 7 先天的異常を列挙できる.
- [ ] 8 先天的異常などに伴う咬合の異常を説明できる.
- [ ] 9 歯の早期萌出とその原因を説明できる.
- [ ] 10 歯の萌出遅延とその影響を説明できる.
- [ ] 11 歯の埋伏の原因となる疾患を説明できる.
- [ ] 12 下顎智歯が原因となる合併症を説明できる.

References

1）石川梧朗，秋吉正豊：口腔病理学I，永末書店，京都，1～130，1978.
2）片桐正隆：歯学生のための病理学 第2版 口腔病理編．医歯薬出版，東京，1～31，1999.
3）Neville, B. W. et al.：Abnormalities of teeth. Oral and Maxillofacial Pathology 4th ed. Elsevier, St. Louis, 49～110, 2016.
4）Regezi, J. A. et al.：Abnormalities of teeth. Oral Pathology：Clinical Pathologic Correlations 6th ed. Elsevier, St. Louis, 373～389, 2012.
5）森山啓司，横関雅彦：先天異常による咬合異常．歯科矯正学 第4版（葛西一貴ほか編）．医歯薬出版，東京，92～95，2004.

Chapter 2

歯の損傷および歯の沈着物と着色・変色

歯の損傷は，乳歯や永久歯が萌出すると物理的および化学的作用を受けて，エナメル質や象牙質に起こる．物理的作用では，咬合や咀嚼により起こる咬耗症，咬合や咀嚼以外の機械的作用による摩耗症，アブフラクション，外傷による歯の破折や脱臼などが，臨床的に経験される．化学的作用では，酸による歯質の脱灰とそれに引き続く歯質の実質欠損をきたす職業病としての酸蝕症がある．

歯の沈着物は，歯の萌出後すぐに歯面に形成されるペリクル（獲得被膜）がある．これは，耐酸性で歯面を保護する反面，歯面への細菌の付着や歯の着色の足場となる．ペリクルを足場としてデンタルプラーク（歯垢）が形成される．これはバイオフィルムともよばれ，齲蝕や歯肉炎・歯周炎の原因となる．また，デンタルプラークは石灰化して歯石となり，歯肉炎・歯周炎を増悪させる．

歯の着色は歯面と歯質に起こり，内因性と外因性がある．これらは，その原因により着色の色が異なる．また，物理的・化学的変化により歯の色調が変化することがある．さらに，歯髄の病変によっても歯の変色がみられることがある．

I―歯の損傷

1 咬耗症[1]

咬耗症とは，咬合や咀嚼によってエナメル質や象牙質の一部が消耗した病的状態をいう．前歯部では切端面に，臼歯部では咬合面に生じる．咬耗症は，高齢者に高度にみられることが多い．一般的に加齢に伴う現象として，咬耗が現れる場合は生理的咬耗とよぶ．また，生理的咬耗は，乳歯でも顕著に認められることが多い．永久歯では咬耗が著しいときは咬合高径や咀嚼機能に変化をきたすことがある．咬耗症は切縁や咬頭の他に，咀嚼による歯の隣接面の摩擦により隣接面にもみられるが，その程度は軽い．

原因としては，①不正咬合，②ブラキシズム[2]，③習慣性の偏側性咀嚼，④強い咬合力，⑤食物の性状（硬い食物は咬耗を促進する），⑥発育不全歯（エナメル質や象牙質の石灰化不全のため咬耗しやすい），⑦歯の隣接面の咀嚼による摩擦などがある．

臨床症状としては，咬耗面は滑沢な平坦面や斜面を呈している．象牙質が露出している場合は，エナメル質より象牙質の部分が軟らかく消耗しやすいため皿状に陥凹している（**図2-1**）．また，色素沈着により褐色を呈していることがある．臨床的に，咬耗の程度は原因の種類やその強さによってさまざまで，Brocaの分類（**表2-1**）で表現される．

病理組織学的には，咬耗面直下に硬化象牙質[3]（不透明象牙質[4]や透明象牙質[5]）および歯髄腔内に第三象牙質[6]の形成が認められる（**図2-2**）．これは，咬耗症が重度になると欠損が象牙質に達して，咬耗による刺激が象牙細管内のトームス線維[7]を通して象牙芽細胞に伝わり，象牙芽細胞が賦活されることによる．硬化象牙質や第三象牙質の形成は，歯髄組織に対する一種の防御反応と考えられている．

咬耗症[1]
attrition

ブラキシズム[2]
bruxism

硬化象牙質[3]
sclerotic dentin

不透明象牙質[4]
opaque dentine

透明象牙質[5]
transparent dentin

第三象牙質[6]
tertiary dentin：修復象牙質（reparative dentin）ともよばれ，歯根完成後に形成される．特徴は，象牙細管の配列が不規則でその数が少ないことである．

トームス線維[7]（象牙芽細胞突起）
Tomes fiber（odontoblastic process）：象牙細管内には，象牙芽細胞から伸びた原形質突起が通っている．この突起をトームス線維とよぶ．

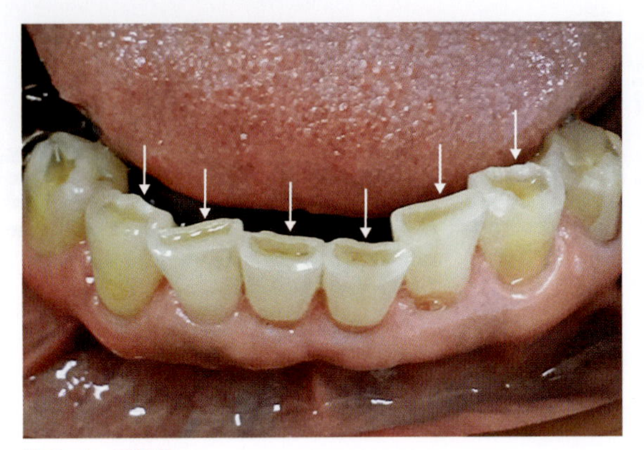

図2-1　咬耗症

下顎前歯の切端面に咬耗症（矢印）がみられる．象牙質が露出して皿状に陥凹している．

表2-1　Brocaの分類

Ⅰ度	エナメル質のみ消耗したもの
Ⅱ度	象牙質が露出したもの
Ⅲ度	歯冠のかなりの部分まで消耗したもの
Ⅳ度	歯頸部歯冠まで消耗したもの

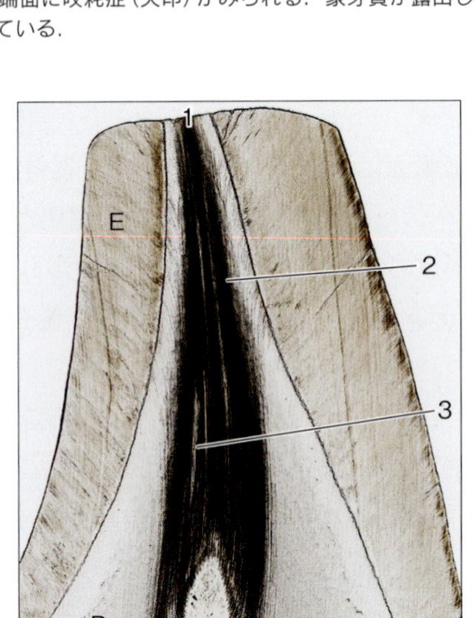

図2-2　咬耗症（非脱灰研磨標本）

1：咬耗面，2：不透明象牙質（硬化象牙質），3：透明象牙質（硬化象牙質），4：第三象牙質．

E：エナメル質，D：象牙質，P：歯髄

1 硬化象牙質の形成

咬耗による刺激で象牙細管内に石灰化を起こした象牙質を硬化象牙質という．研磨標本の顕微鏡観察において，咬耗面下の象牙質には咬耗面から歯髄にかけて帯状に硬化象牙質が認められる（**図2-2**）．硬化象牙質は光の透過性の差異により，不透明象牙質と透明象牙質とに分けられる．

(1) 不透明象牙質

不透明象牙質は，象牙細管内が不均一に石灰化したもので，その間に微小な空隙が存在するため，透過光線の屈折率が管間象牙質と異なり不透明層としてみられる．このため，透過光線では暗黒色帯，落下光線では白色帯として認められる．また，不透明象牙質の象牙細管はトームス線維が変性もしくは崩壊しており，デッドトラクト（死帯）[8]とよばれる．

デッドトラクト（死帯）[8]
dead tracts

(2) 透明象牙質

透明象牙質は，象牙細管が高度に均一に石灰化して閉鎖されたもので，透過光線の屈折率が管間象牙質と同じになるので透明層としてみられる．

2 第三象牙質（修復象牙質）の形成 [Chap.4の図4-8（56頁）参照]

咬耗の刺激により象牙芽細胞が活性化されて，咬耗面下の歯髄腔壁に第三象牙質が形成される．進行した咬耗において歯髄が露出しないのは，この第三象牙質が形成されるためである．

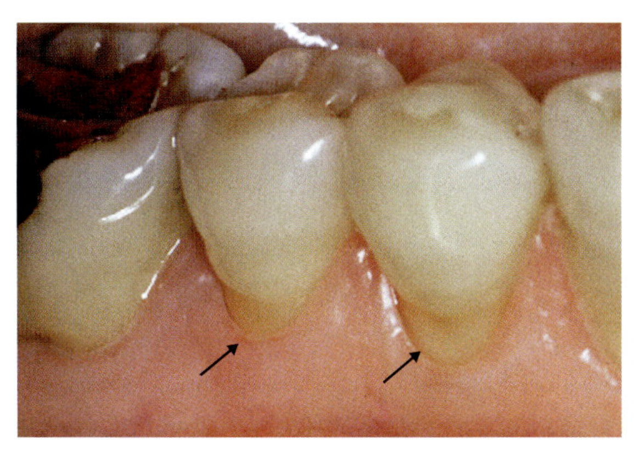

図2-3　楔状欠損
下顎小臼歯の歯頸部に楔状欠損（矢印）がみられる.

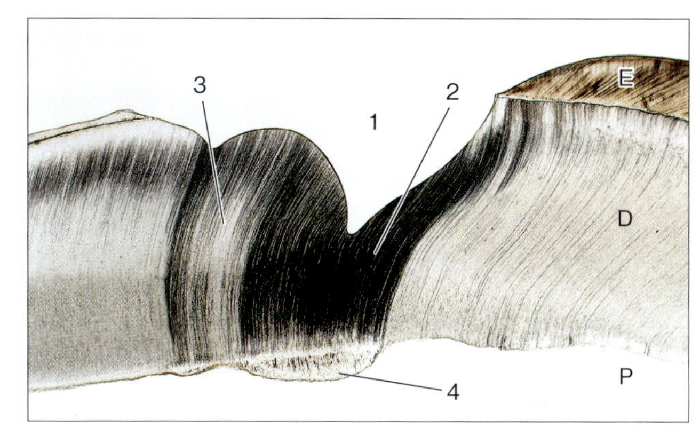

図2-4　摩耗症（非脱灰研磨標本）
1：楔状欠損（摩耗面），2：不透明象牙質（硬化象牙質），3：透明象牙質（硬化象牙質），4：第三象牙質.
E：エナメル質，D：象牙質，P：歯髄.

摩耗症[9]
abrasion

2 摩耗症[9]

咬合や咀嚼以外のさまざまな機械的作用，すなわち歯に接触する外的物質の摩擦により，歯質の病的消耗が起こる場合を摩耗症という.

摩耗の原因としては，①歯ブラシによる過度の歯の横磨き，②不適合なクラスプや義歯床などの補綴装置，③習癖または職業によるものなどがある.

臨床症状としては，摩耗症の欠損面は摩耗を引き起こす因子に応じて溝状や皿状などの形状を呈し，表面は滑沢な摩耗面を有している．摩耗による欠損部では象牙質知覚過敏症を起こすことがある．摩耗によって露出した象牙質には咬耗と同様に褐色の色素沈着をみることが多い.

1 過度なブラッシングに起因する摩耗

楔状欠損[10]
wedge-shaped defect
(cuneiform defect)

歯ブラシによる過度の横磨きでは，犬歯や小臼歯の唇側歯頸部に楔状欠損[10]が生じる（**図2-3**）．楔状欠損は，利き腕の反対側の歯に強く現れる傾向がある．また，下顎よりも上顎に強く現れる.

2 補綴装置に起因する摩耗

不適合なクラスプや義歯床縁などの補綴装置が，咀嚼時に歯面に接触することにより摩耗が生じる．摩耗面の形はこれらの補綴装置に一致している.

3 習癖または職業による摩耗

パイプでタバコを吸う習慣や爪楊枝の常用などの習癖により，また，吹奏楽器奏者，ガラス工，大工，たたみ職人，裁縫師などの人には職業性動作により，特定の歯に摩耗がみられることがある.

病理組織学的には咬耗症の場合と同様で，摩耗により露出した象牙質には硬化象牙質（不透明象牙質）が認められ，その歯髄腔壁には第三象牙質の形成がみられる（**図2-4**）.

アブフラクション[11]
abfraction

3 アブフラクション[11]

強い咬合力が原因でエナメル質とセメント質の境界に発生する欠損のことをアブフラクションという（**図2-5**）．現在では，歯頸部に鋭利な角度の楔状欠損があれば，ブラッシングに

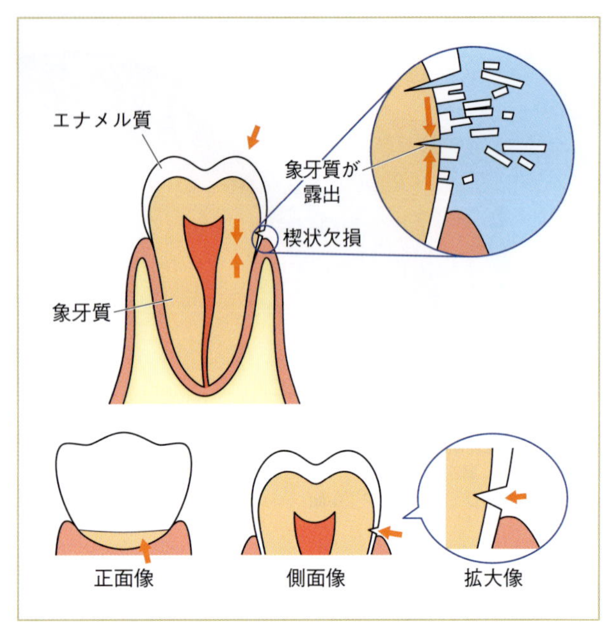

図2-5　アブフラクション

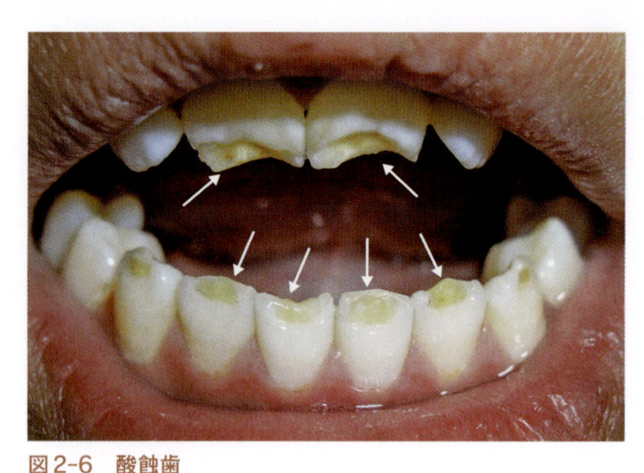
図2-6　酸蝕歯
上下顎前歯の切縁がpHの低い飲料水（ジュース）の酸により脱灰され，咬耗も加わっている（矢印）.

よる摩耗よりもアブフラクションが主な原因であると考えられている．つまり，強い咬合力や異常な咬合力が加わると，歯頸部表層に応力が作用してエナメル質あるいは象牙質が破壊され，歯頸部歯質の欠損が生じて楔状欠損が起こる．

酸蝕症（侵蝕症）[12]
acid erosion

4 酸蝕症（侵蝕症）[12]

酸蝕症は，酸の化学的作用によって表在性に歯質が溶解して，実質欠損を生じる疾患である．これは，外因性と内因性の酸により生じる．

外因性の酸蝕症として，メッキ工場などの塩酸や硫酸など強い無機酸を扱う環境で仕事をしている人は，酸の蒸気によって歯の唇面が脱灰・侵蝕される．これが，職業性歯科疾患の代表的なものである．その他，有機酸を多く含む柑橘類，白ワイン，pHの低い食物や飲料水などの酸性食品を嗜好する場合に生じることがある．

内因性の酸蝕症では，逆流性食道炎や拒食症で胃液中の塩酸を口腔に戻すような習慣性嘔吐を繰り返す場合にも生じる．

臨床症状としては，外因性の酸蝕症では下顎や上顎の前歯部に好発し，唇側面の主に切端側のエナメル質が脱灰により光沢を失い不透明で白濁する．また，亢進するとエナメル質の欠損や，さらに象牙質も露出して褐色調を示す（**図2-6**）．また，その部分は咬耗や摩耗により歯質が消耗しやすいため，唇側面に広く実質欠損を生じるようになる．実質欠損が象牙質に達すると，物理的・化学的刺激に対し知覚過敏となり不快感や疼痛を訴えることがある．内因性の酸蝕症では，前歯舌側面や臼歯咬合面に侵蝕が起こる．

病理組織学的には，持続的に酸に接するとエナメル質の脱灰が進むが，酸の作用がなくなれば脱灰部は唾液中のカルシウムによりある程度は再石灰化を起こす．酸による脱灰を受けた歯質は咬耗や摩耗による作用を受けやすく，歯質の損傷が促進される．歯質の侵蝕が緩慢に進んだ場合は歯質欠損部の歯髄腔壁に第三象牙質が形成される．

歯の破折[13]
fracture of tooth

5 歯の破折[13]

衝突，転倒，打撲などの急激な外力が歯に加わった際に，歯冠や歯根が破折することがある．

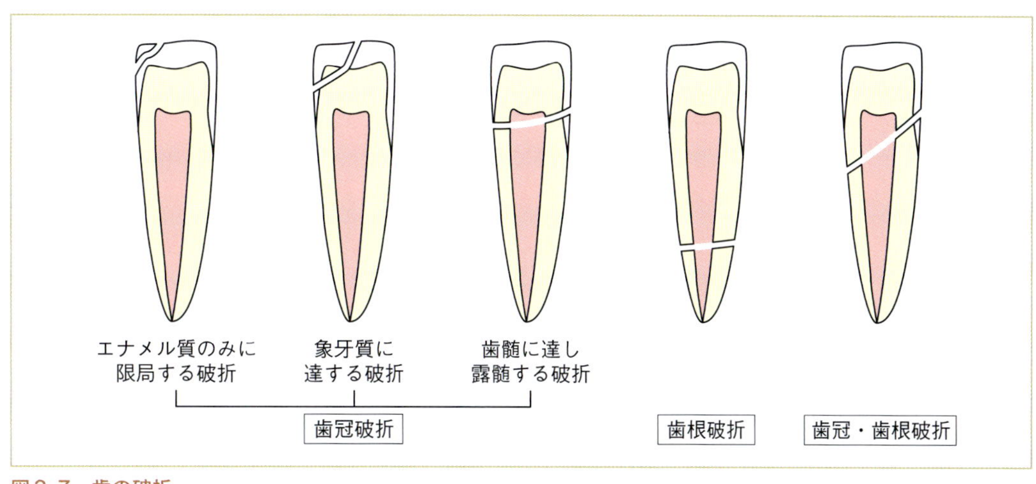

図 2-7　歯の破折

1 外傷性破折

急激な強い外力により生じる歯の破折をいう．①エナメル質亀裂，②歯冠破折，③歯根破折，④歯冠から歯根にわたる破折，⑤セメント質剥離に分類される．また，破折の方向により縦折，横折，斜折などがある．

エナメル質亀裂[14]
enamel cracks

(1) エナメル質亀裂[14]

エナメル質に限局した亀裂は，歯冠部でエナメル小柱の走行に沿って歯軸方向にみられる．また，日常の飲食物による温熱的変化でも生じ，エナメル質着色の原因となる．

(2) 歯冠破折

歯冠部に限局した破折である．これは，①エナメル質のみに限局する破折，②象牙質に達する破折，③歯髄に達して露髄する破折の3つに分けられる（**図 2-7**）．臨床症状としては，象牙質が露出したものでは知覚過敏症や疼痛を生じる．露髄したものでは歯への細菌感染により歯髄炎を起こすので，適切な歯髄処置が必要となる．

病理組織学的には，破折により歯髄が露出しない場合と露出した場合で異なる．前者では，破折面下の象牙質には時間経過に伴って硬化象牙質が生じ，歯髄腔壁にも第三象牙質が形成され歯髄が保護される．一方で，象牙細管を通じて細菌感染が起こり，歯髄炎を起こすこともある．後者では，露出した歯髄に細菌感染が生じて歯髄炎を起こし，最終的に歯髄壊疽へ進展する．しかしながら，露出した歯髄に対する適切な直接覆髄処置（生活歯髄切断法など）を行うとデンティンブリッジ[15]［Chap.4の図4-11，12（58頁）参照］が形成され，歯髄保護が期待できる．

デンティンブリッジ（象牙質橋）[15]
dentin bridge：直接覆髄処置後に経日的に生じる硬組織で，その表層は骨様象牙質，内層は象牙質（本来の象牙質ではない）が形成されることが多い．

(3) 歯根破折

切歯では根尖側1/3部での破折が多い（**図 2-7**）．臨床症状としては，歯根の破折により歯冠の動揺，咬合痛や打診痛，歯肉部の出血などがみられる．エックス線検査で破折線が不明瞭な場合も多い．

病理組織学的には破折の程度により異なるが，歯根の破折により歯根膜では急性歯根膜炎が生じ，歯根膜線維束の離断や変性，出血，水腫あるいはセメント質の剝離などが認められる．

❶破折の間隙が狭く治癒経過が良好な場合

破折部の歯髄腔壁に第三象牙質が形成され，破折部は閉鎖される．また，歯根膜側ではセメント質の新生添加により修復される．

❷破折の間隙が広い，または歯冠の動揺が著しい場合

破折した間隙に肉芽組織の侵入や骨の介在が起こり，歯根が分離した状態となる．歯髄で

は，循環障害のため歯冠側歯髄に変性・壊死をきたしやすい．しかし，根尖側歯髄は生活していることが多い．

(4) 歯冠から歯根にわたる破折

破折が歯冠から歯根にわたるもので，一見歯髄は露出していないようでも，破折部から歯髄への細菌感染が生じ，歯髄炎が起こることを考える必要がある（**図 2-7**）．臨床的に速やかに歯髄処置や歯冠修復など適切な処置を行う．保存療法が困難な場合は抜歯となる．この場合，露髄の有無が問題となる．

病理組織学的には，歯冠破折と歯根破折にみられる所見となる．

(5) セメント質剥離

老人の単根歯にみられることが多く，歯肉の退縮が著しい歯や隣接歯を喪失した歯に起こりやすい．過度の咬合圧が原因と考えられている．

2 病的破折

通常では破折を起こさない程度の外力（咬合力）でも，脆弱化した歯質では破折を生じる．これを病的破折という．病的破折は，大きな齲窩，インレー，アンレーなどの大きな充填物，築造体や深い楔状欠損などが存在する場合に生じやすい．また，高齢者の脆弱化した歯質にも起こる．

歯の脱臼[16]
luxation of teeth

6 歯の脱臼[16]

強い外力が作用して歯が歯槽骨との線維性結合を失い（歯根膜の断裂），位置の異常・陥入・挺出や歯槽窩から脱落することを脱臼という．脱臼時に歯槽骨骨折を伴うこともある．脱臼の程度により，完全脱臼と不完全脱臼に分けられる（**図 2-8**）．また，適切な処置により脱臼歯の歯周組織は治癒機転を示すが，歯根膜の障害の程度によって，①歯根膜の再生，②歯根の吸収，③骨性癒着など，予後に違いがみられる．

根未完成歯の脱臼では，ときに脱臼後に歯根の形成が進み，根尖部の形成をみることがあるが，不規則な歯根，短小な歯根を形成することが多い．

乳歯の脱臼では，その下にある発育中の代生（永久歯）歯胚を傷害する場合がある．この傷害により後継永久歯にエナメル質形成不全が生じたり，歯冠や歯根の形態異常や萌出異常などが起こることがある．

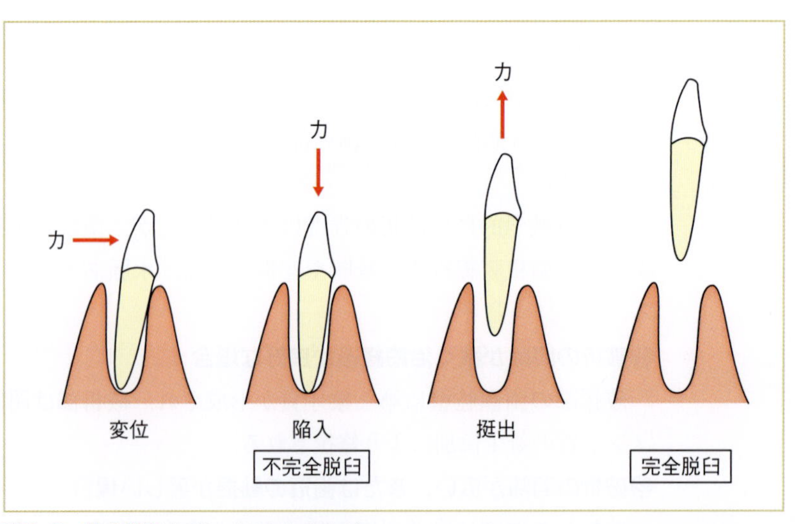

図 2-8　歯の脱臼（矢印：力の加わる方向）

完全脱臼[17]
complete luxation

1 完全脱臼[17]

臨床症状としては，通常は歯が歯槽外に脱落するが，ときには，歯が歯槽骨内に圧入されたり，上顎洞内に迷入することもある．臨床においては，脱臼した歯を元の歯槽窩に戻す歯の再植術が行われることもある．

病理組織学的には，歯根膜線維が完全に断裂して出血を伴う．歯髄も根尖孔部で歯根膜と離断して循環障害が生じ，やがて歯髄壊死に陥る．歯が脱落した後の歯槽窩の治癒は抜歯創の治癒と同じである．

不完全脱臼[18]
incomplete luxation

2 不完全脱臼[18]

臨床症状としては，歯の方向や位置の異常，歯の弛緩・動揺，歯周組織の外傷や急性炎症の症状が認められる．これらの場合，脱臼した歯は整復・固定の処置を行うことが多いが，脱臼歯の予後はさまざまである．

①脱臼により歯髄が根尖孔付近で断裂した場合には，循環障害により歯髄が壊死に陥り，そのため歯の変色をきたすことがある．根未完成歯の場合は，歯髄が壊死に陥らず生活していることも多いが，その後，しばしば歯髄腔の狭窄が惹起される．

②脱臼により歯根膜炎や歯槽骨骨折がある場合には，細菌感染により顎骨骨髄炎に進展することがある．

病理組織学的には，歯根膜線維の断裂や配列不整，歯根膜内の出血などの循環障害がみられる．細菌感染が起こると急性化膿性歯周炎に進展する．脱臼歯の歯髄は根尖孔部で断裂し，のちに循環障害により壊死に陥ることが多い．しかし，根未完成歯の場合は根尖孔が広いため歯髄への血流があり，生活歯髄であることもある．生活歯髄である場合は，予後に歯髄腔の狭窄が生じることが多い．

歯内療法学的には，根未完成歯の根尖孔においては，次の2つの治癒がある．

アペキソゲネーシス[19]
apexogenesis

❶アペキソゲネーシス[19]

歯髄が生きている場合で，根尖は天然歯に近い組織で閉鎖される．

アペキシフィケーション[20]
apexification

❷アペキシフィケーション[20]

歯髄が死んでいる場合で，根尖は骨に近い組織で閉鎖される．

Ⅱ—歯の沈着物と着色・変色

ペリクル[21]
pellilcle

獲得被膜[22]
acquired pellicle

1 ペリクル[21]（獲得被膜[22]）

萌出後すぐに，唾液由来の無色透明な厚さ0.1～1 μmの被膜がエナメル質表面に形成される．これをペリクルといい，唾液に含まれている糖タンパク質（酸性プロリン含有タンパク，スタセリン，ムチンなど）に由来する．口腔内微生物は，ペリクルの構成成分に含めない．歯面に付着した唾液タンパクは，さまざまな分解酵素の作用を受けるため，ペリクルの組成と性状，さらにその機能も時間の経過とともに変化する．ペリクルは口腔内細菌が歯の表面に付着する足がかりと考えられ，時間とともに細菌が付着・増殖してデンタルプラークが形成される．ペリクルの働きとしては，①歯質表面を覆って酸による脱灰を抑制する．②歯質表面の電気化学的な性状を変化させ，イオンの透過性を制御する．③細菌の歯面への付着の足がかりとなる．

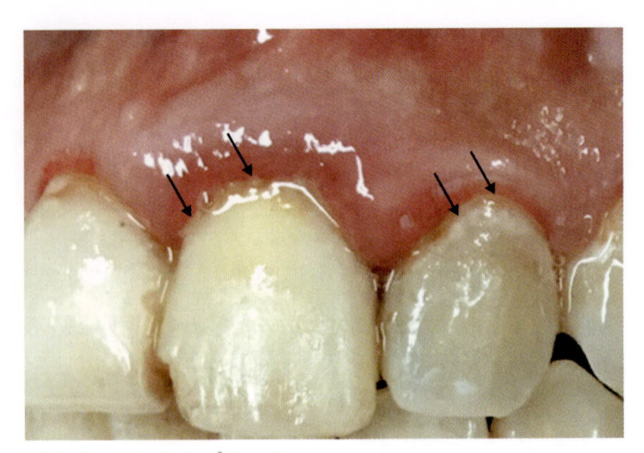

図2-9　デンタルプラーク
上顎前歯の歯頸部にデンタルプラーク（矢印）の沈着がみられ，歯肉炎が発症している．

デンタルプラーク[23]
dental plaque

バイオフィルム[24]
biofilm：微生物自らが産生した多糖体を主成分とする糖衣によって歯面などの固相表面に付着したもの．デンタルプラークは齲蝕や歯肉炎の発症に関与するバイオフィルムである．口腔環境に限らず，細菌性心内膜症や慢性気道感染症などの難治性感染症の病態として注目されている．

2 デンタルプラーク[23]（バイオフィルム[24]）

デンタルプラーク（歯垢）は，歯の表面に付着したバイオフィルムともよばれ，増殖した口腔内細菌（デンタルプラークの約70%を占める）と細菌間基質から構成されている．

臨床的には，歯の表面（特に歯頸部）に沈着する軟らかい白色～黄白色の沈着物として認められ（**図2-9**），石灰化すると歯石となる．デンタルプラークは齲蝕や歯肉炎・歯周炎や口臭などの原因となる．これらの予防のためにプラークコントロールが重視されている．

1 デンタルプラークの成り立ち

歯の表面にペリクルが形成され，この上に細菌が付着，増殖してデンタルプラークが形成される．口腔内には300～400種の細菌が存在し，これらがデンタルプラークの形成に関与するが，その形成初期の細菌は球菌であり，時間が経過するにつれて糸状菌が主体となり，デンタルプラークは急激にその厚さを増してくる．細菌間基質は菌体外多糖類（グルカンとフルクタン）と糖タンパク質の複合体からなっており，その中に細菌代謝産物や剝離した上皮細胞なども混在している．この細菌間基質は，細菌の増殖と細菌相互間の接着を助ける役割を行っている．

2 デンタルプラークの細菌構成（表2-2）

デンタルプラーク中の細菌の種類はきわめて多く，利用できる酸素分圧が低下するにつれて好気性菌が減少し，嫌気性菌が増加する．デンタルプラークは臨床的に，歯肉縁上プラークと，歯肉縁の歯周ポケットにあって外から見えない歯肉縁下プラークに分けられる．

歯肉縁上プラーク[25]
supragingival plaque

(1) 歯肉縁上プラーク[25]

歯肉縁上プラークの表層では好気性菌が多く，深層では嫌気性菌が多い．形成初期の菌叢では好気性菌が主体であり，*Nocardia*属，*Neisseria*属が認められる．成熟期の菌叢では嫌気性菌が多くなり，*Actinomyces*属，*Fusobacterium*属，*Veillonella*属などがみられる．

歯肉縁下プラーク[26]
subgingival plaque

(2) 歯肉縁下プラーク[26]

歯肉縁上プラークと構成細菌が異なり，嫌気性菌が優位で，*Actinomyces*属，*Porphyromonas*属，*Prevotella*属，*Actinobacillus*属，*Treponema*属，*Fusobacterium*属や運動性嫌気性桿菌が多い．

病理組織学的所見としては，歯肉縁やポケット表層の上皮細胞の剝離，上皮細胞間橋（デスモゾーム）の消失や上皮下の毛細血管の透過性亢進による滲出性炎などの像が認められる．プ

表2-2 デンタルプラークの細菌構成

歯肉縁上プラークの細菌構成	
菌種	酸素要求性・グラム染色
*Nocardia*属	偏性好気性菌グラム陽性桿菌
*Neisseria*属	グラム陰性球菌
*Actinomyces*属	偏性嫌気性グラム陽性菌
*Fusobacterium*属	嫌気性グラム陰性桿菌
*Veillonella*属	偏性嫌気性グラム陰性球菌
歯肉縁下プラークの細菌構成	
菌種	酸素要求性・グラム染色
*Actinomyces*属	偏性嫌気性グラム陽性菌
*Porphyromonas*属	嫌気性グラム陰性桿菌
*Prevotella*属	偏性嫌気性グラム陰性桿菌
*Actinobacillus*属	通性嫌気性グラム陰性桿菌
*Treponema*属	偏性嫌気性もしくは微好気性菌
*Fusobacterium*属	嫌気性グラム陰性桿菌

表2-3 歯石沈着の誘因

①デンタルプラークの沈着
②細菌，ことに糸状菌の付着増殖
③唾液の組成や粘性の変化
④唾液中の二酸化炭素の減少による唾液pHの上昇
⑤デンタルプラーク中のアンモニアの増加によるpHの上昇

表2-4 歯石の部位的特徴

	歯肉縁上歯石	歯肉縁下歯石
局在部位	歯肉縁より上方の歯冠側	歯肉縁の根尖側の歯肉ポケット内
好発部位	大唾液腺の開口部	不特定
色 調	灰白色～灰黄色	灰緑色や暗褐色
付着状態	あまり硬くない	硬く強固に歯面に付着
由 来	唾液	血清成分を含む歯肉溝滲出液

表2-5 歯石の化学的組成

無機成分	83%	①リン酸カルシウム$Ca_3(PO_4)_2$ (76%) ハイドロキシアパタイト$Ca_{10}(PO_4)_6(OH)_2$ ブルシャイト$CaHPO_4 \cdot 2H_2O$ ウィットロッカイト$Ca_3(PO_4)_2 \cdot 2H_2O$ リン酸オクタカルシウム$Ca_8H_2(PO_4)_6 \cdot 5H_2O$ ②炭酸カルシウム$CaCO_3$ (3%) ③リン酸マグネシウム$Mg_3(PO_4)_2$ (4%)
有機成分	11%	①タンパク質(6%) ②脂質，糖質(5%)
水分	6%	

ラーク内細菌の毒性がそれほど強くないため，周囲の組織に壊死は観察されない．

3 歯 石[27]

歯石[27]
dental calculus

歯石はデンタルプラークに石灰塩が沈着して石灰化したものであり，歯の表面に沈着する．デンタルプラークが沈着して3日ほど経つと，深層から石灰化が始まり，しだいに硬い歯石が形成される(**表2-3**)．

臨床的に，歯肉縁より上方の歯冠側歯面に沈着する歯肉縁上歯石と，歯肉縁の根尖側歯面に沈着し歯肉ポケット内に存在している歯肉縁下歯石とに区別される(**表2-4**)．

歯肉縁上歯石[28]
supragingival calculus
ブルシャイト[29]
brushite
リン酸オクタカルシウム[30]
octacalcium phosphate
ハイドロキシアパタイト[31]
hydroxyapatite
ウィットロッカイト[32]
whitlockite
歯肉縁下歯石[33]
subgingival calculus

(1) 歯肉縁上歯石[28] (表2-4)

唾液に由来する石灰塩がデンタルプラークに沈着したもので，耳下腺の開口部に接する上顎大臼歯の頬側面および顎下腺や舌下腺の開口部に近い下顎前歯の舌側面に認められることが多い．色調は灰白色～灰黄色を示し，あまり硬くないので容易に除去される．歯石形成の初期には酸性リン酸カルシウム(ブルシャイト[29]，リン酸オクタカルシウム[30])の沈着が多く認められる．時間が経過すると，ハイドロキシアパタイト[31]などのアパタイトの沈着が主体となる．また，マグネシウムイオンが多量に存在すると，アパタイトの結晶化が阻害されてウィットロッカイト[32]が沈殿してくる．このように歯石は多種の無機成分からなる(**表2-5**)．

(2) 歯肉縁下歯石[33] (表2-4)

デンタルプラークに沈着する石灰塩は，血清成分を含む歯肉溝滲出液に由来する．色調は灰緑色や暗褐色で，暗褐色のものは血清石ともよばれている．硬く強固に歯面に付着しているので剝離しにくい．歯肉縁上歯石も歯肉縁下歯石も構造上明らかな差異はなく，化学的にも同様な組成からできている．

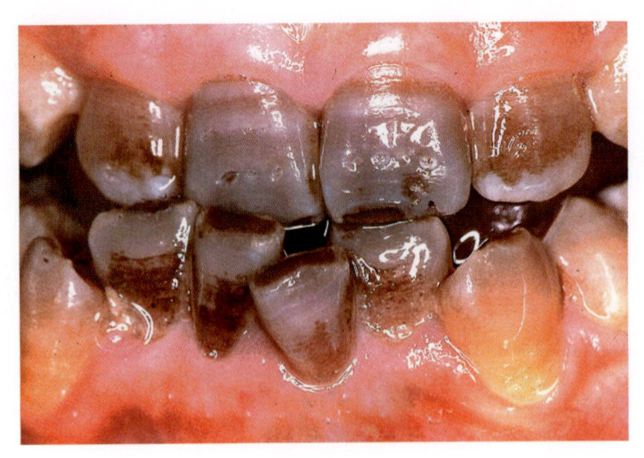

図2-10 テトラサイクリン投与による歯の着色
［筒井昭仁先生（前福岡歯科大学）提供．谷口邦久：歯の損傷および歯の沈着物と着色・変色．新口腔病理学．医歯薬出版，東京，2011．（以下前版）より］

病理組織学的に歯石は層板状を示し，歯石の表面には多数の糸状菌が付着・増殖している．石灰化は表層より深層が高度で，歯肉縁上歯石より歯肉縁下歯石のほうが硬い．しかし，歯石内部の一部には未石灰化部が介在している．

歯の着色[34]
pigmentations of the teeth

4 歯の着色[34]

歯の着色には，歯面と歯質の着色があり，それらは外因性色素と内因性色素による．また，原因物質により，その色が異なる．

1 歯面への着色

外来性物質による着色と口腔細菌による着色がある．

(1) 外来性物質による着色

①エナメル質の亀裂部や象牙細管内に外来性物質が侵入し着色が起こる．

②タバコのタールによる着色：喫煙者の歯の舌側面（ときに唇面）には暗褐色の着色が生じる．

③食用色素により一過性の着色が生じることがある．

④金属に起因する着色：銅または青銅による緑色～緑青色，おはぐろ（タンニン酸第二鉄）による黒色，水銀やアマルガムによる黒色，鉛による緑黒色～灰褐色，鉄や銀やニッケルによる黒褐色などの着色が生じる．

(2) 細菌性物質による着色

口腔内細菌の作用によって種々の着色が起こる．これは，口腔の清掃不良で促進される．特に，幼児の前歯部唇側面の歯肉縁部に生じる緑色の着色があげられる．

2 歯質への着色

外来性色素[35]
exogenous pigmentation

(1) 外来性色素[35]

❶テトラサイクリンの投与

テトラサイクリン系抗生物質を小児に長期間与えた場合，発育中の歯の硬組織に沈着し，黄色から灰褐色の着色が生じる（図2-10）．また，テトラサイクリンは胎盤を通過するので母体への投与でも胎児の硬組織に同様に沈着が起こる．しばしばエナメル質形成不全を伴うことがある．歯の着色領域は投与時期と関連している．

❷重金属の沈着

鉛，銅，ニッケル，鉄，銀，水銀などによる着色がみられる．これらの色は，金属により異なる．

内因性色素[36]
endogenous pigmentation

(2) 内因性色素[36]

体内で産生された色素が，発育中の歯の硬組織に沈着する場合があり，ポルフィリンやビ

先天性ポルフィリン症[37]
congenital porphyria：ヘモグロビンを作るヘムという物質の合成経路に異常があり，ポルフィリン代謝経路の産生物質が皮膚に沈着し，その光毒性反応による日光誘発性皮膚障害を生じる疾患である（常染色体劣性遺伝）．

胎児性赤芽球症[38]
erythroblastosis fetalis：母体と胎児の間の血液型不適合で起こる疾患の1つ．赤血球が溶血して，肝臓から排泄されない非抱合性ビリルビンが増え，高ビリルビン血症を起こす．

歯の変色[39]
discoloration of the teeth

斑状歯[40]
mottled teeth：歯の形成期に過剰のフッ素を摂取することにより，エナメル質の白濁や小点状の陥没などの症状が現れる．

エナメル質形成不全症[41]
amelogenesis imperfecta

象牙質形成不全症[42]
dentinogenesis imperfecta

リルビンによる着色がある．

①先天性ポルフィリン症[37]では，歯に桃色から暗赤色の着色が認められる．ポルフィリンは形成中の骨や歯に沈着しやすく，肉眼的に桃色から暗赤褐色を呈するので紅変歯（erythrodontia）ともよばれる．着色は乳歯，永久歯のいずれにも生じ，特に象牙質に強い沈着を示すが，エナメル質にもみられる．

②重症新生児黄疸（胎児性赤芽球症[38]）の幼児の乳歯に，緑色から淡黄色の着色を認めることがある．これは胎児と母体との血液型不適合による赤血球の溶血で生じたビリルビンが，形成中の乳歯に沈着するために生じる．

病理組織学的には，黄疸の期間と同時期に形成された象牙質に部分的に沈着する．また，エナメル質に沈着する場合もある．

5 歯の変色[39]

1 歯質の物理的・化学的変化による変色

歯質の厚さや石灰化の程度の変化および加齢的変化による歯の色調の違いを変色という．典型例として，初期の齲蝕や酸蝕症により石灰化度が低下すると歯質が白濁することがあげられる．また，齲蝕歯，斑状歯[40]（**図2-11**），エナメル質減形成の歯，エナメル質形成不全症[41]などには歯の色調異常がみられ，乳白色～黄褐色の色調が認められる．また象牙質形成不全症[42]では，灰青色から淡褐色でオパール様色調を呈する（**図2-12**）．

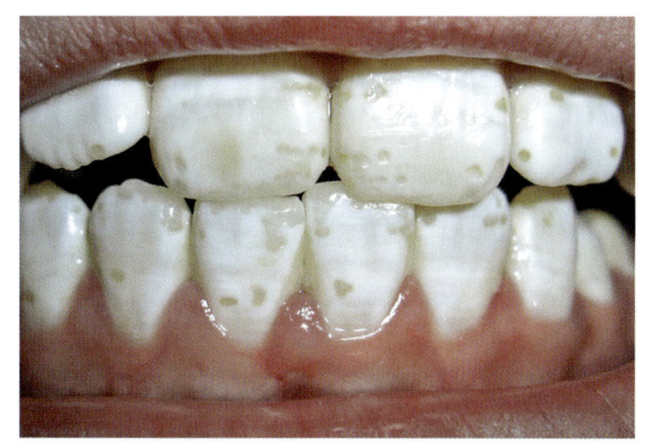

図2-11　斑状歯（慢性フッ素中毒症）におけるエナメル質の白濁と小点状陥没

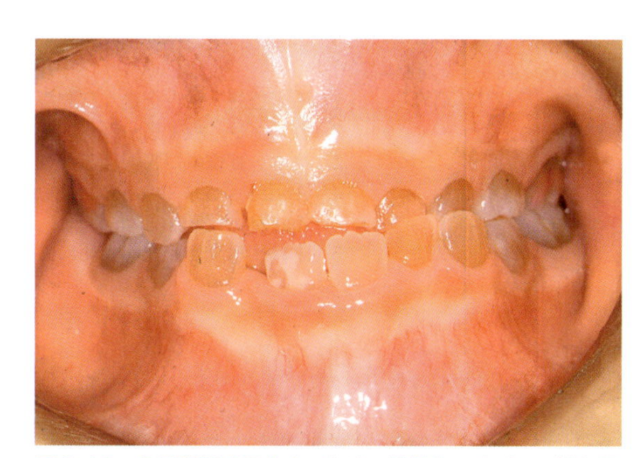

図2-12　象牙質形成不全症における淡褐色のオパール様色調
［前版より］

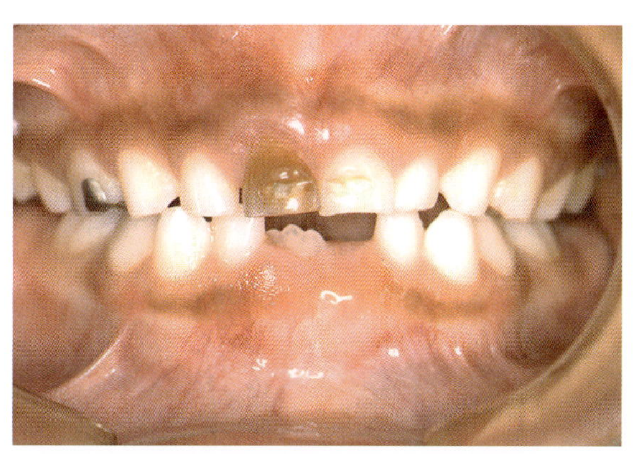

図2-13　歯の外傷で歯髄壊死に陥った乳歯の変色
［前版より］

内部肉芽腫[43]
internal granuloma：内部性肉芽腫は内部性吸収ともよばれ，何らかの原因，特に外傷などによって歯髄に肉芽組織の増殖をきたして象牙質が歯髄側から吸収される.

ピンクスポット[44]
pink spot

2 歯髄の病変による変色

歯髄に出血や壊死・壊疽が生じた場合，壊死組織の分解産物や血色素が象牙細管に侵入して赤褐色から暗灰色の歯の変色をきたす（**図2-13**）．このほか，内部肉芽腫[43]などにより歯質が内部性に吸収されて薄くなると，歯髄の色を反映して肉眼的にピンク色を示すことがある（ピンクスポット[44]）.

（前田初彦）

Check Point

- [ ] 1 咬耗症と摩耗症を説明できる.
- [ ] 2 アブフラクションを説明できる.
- [ ] 3 酸蝕症を説明できる.
- [ ] 4 硬化象牙質の形成を説明できる.
- [ ] 5 第三象牙質の形成を説明できる.
- [ ] 6 歯の破折について説明できる.
- [ ] 7 歯の脱臼について説明できる.
- [ ] 8 デンタルプラークを説明できる.
- [ ] 9 歯石を説明できる.
- [ ] 10 歯の着色と変色を説明できる.

References

1）石川悟朗，秋吉正豊：口腔病理学Ⅰ．永末書店，京都，1989.
2）賀来　亨，槻木恵一編：スタンダード口腔病態病理学 第2版．学建書院，東京，2013.
3）高木　實監：口腔病理アトラス 第3版．文光堂，東京，2018.
4）Andreasen, J. O. and Andreasen, F. M.：Essentials of Traumatic Injuries to the Teeth. Munksgaard, Copenhargen, 1990.
5）木村光孝ほか：乳歯列期における外傷歯の診断と治療．クインテッセンス出版，東京，2005.

齲　蝕

齲蝕は，口腔内細菌が産生する有機酸によって歯質の崩壊をきたす疾患である．齲蝕の主因は口腔内に常在する齲蝕原性菌であり，歯髄炎，歯周炎，顎骨炎を継発しうる感染症であるが，齲蝕病変の成立には，歯質の状態，唾液分泌，食物性状（特に糖類含量）など多くの要因が関係する．「多因子性疾患」である齲蝕を臨床的にコントロールするうえでは，歯種・歯面レベルの特質から，個体レベル，集団・社会レベルに至る齲蝕発生リスクの理解も求められる．本章では，病理学的視点から，齲蝕病変の成立機序と病態を中心に述べる．

齲蝕[1]
dental caries

齲蝕の病因論[2]
etiology of dental caries：「化学細菌説」以外の齲蝕の病因論としては，タンパク溶解説（齲蝕誘発細菌がエナメル葉板や小柱鞘の有機基質を酵素分解しながら侵入していくという考え方）やキレート説（Caイオンと錯体を形成する化合物によって結晶が溶解されるという考え方）が提唱されたことがあるが，いまだエビデンスに乏しい．

バイオフィルム[3]
biofilm

脱灰[4]
demineralization

再石灰化[5]
remineralization：歯質の脱灰によって遊離したカルシウムイオンやリン酸イオンが，歯質を取り囲む溶液相（唾液，デンタルプラーク内の溶液，エナメル質の小隙や象牙細管内を満たす溶液）で再び沈殿することを意味する．

I―齲蝕とは

齲蝕[1]とは，細菌由来の有機酸による歯質結晶の溶解と酵素による有機成分の分解によって歯質が崩壊する病変である．歯の表面に付着したデンタルプラーク（歯垢）内の細菌が，糖質を代謝して有機酸（乳酸，酢酸，ギ酸，プロピオン酸など）を産生する．齲蝕は細菌感染に起因するものであり，外来性の酸によって歯質溶解をきたす酸蝕症と区別される．

齲蝕の病因論[2]について，現在の「齲蝕は細菌によって産生された有機酸による歯質破壊である」という考え方は，W.D.Miller（1890年）によって提唱された化学細菌説が基盤となっている．その後，齲蝕原性菌の同定，有機酸の作用機序やバイオフィルム[3]形成の仕組みが解き明かされ，Millerによる提唱当時の理解から発展した「化学細菌説」として広く支持されるに至っている．

齲蝕病変は，その発生から拡大へと一方的に進行するのではなく，長い時間経過の中で，歯の脱灰[4]（歯の無機結晶の溶解）と再石灰化[5]を繰り返している動的なものと理解されている．現在の歯科臨床においては，エナメル質の初期齲蝕は再石灰化により回復可能な病変としてとらえられ，再石灰化反応を積極的に促進することによって齲蝕の予防や進行抑制を実現できる（**図3-1**）．齲蝕が進行して歯質の実質欠損（齲窩）が生じると，再石灰化による回復は期待できず修復処置が必要となる．有機成分を多く含む象牙質やセメント質の齲蝕では，脱灰ととも

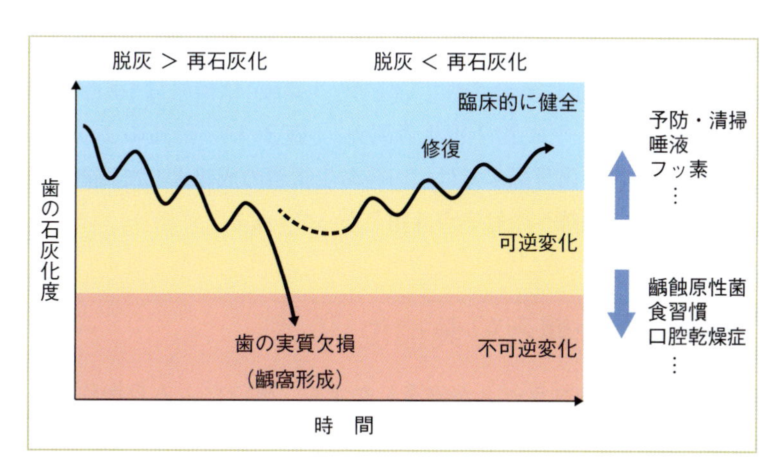

図3-1　脱灰・再石灰化の繰り返しと歯質の変化
初期のエナメル質齲蝕は，脱灰と再石灰化のバランスで進行・停止あるいは回復する．多岐にわたるリスク要因の影響を最小限にとどめて歯質を守ることが重要である．

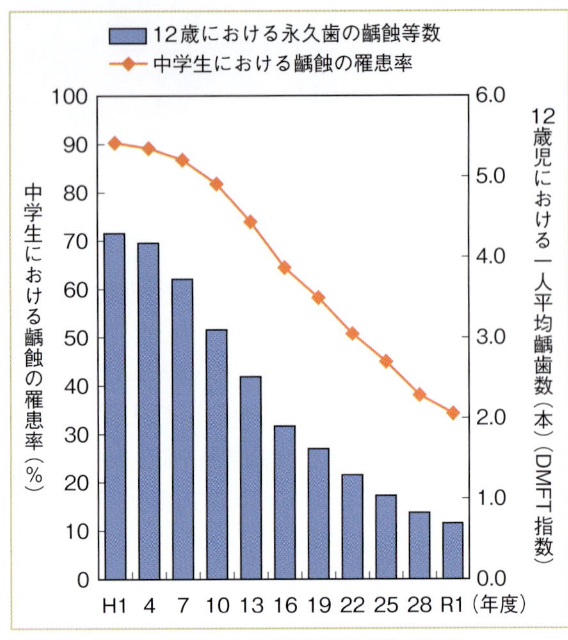

図3-2 日本人12歳における齲蝕罹患状況の推移
〔文部科学省「令和元年度学校保健統計調査」からデータ抜粋・改変〕

表3-1 主な傷病の総患者数（平成29年10月；単位千人）

傷病名	総数	男性	女性
高血圧性疾患	9,937	4,313	5,643
歯肉炎及び歯周疾患	3,983	1,621	2,363
糖尿病	3,289	1,848	1,442
脂質異常症	2,205	639	1,565
齲　蝕	1,907	832	1,075
悪性新生物	1,782	970	812
心疾患（高血圧性のものを除く）	1,732	963	775
気分［感情］障害	1,276	495	781
喘　息	1,117	509	607
脳血管疾患	1,115	556	558

注：総患者数は，表章単位ごとの平均診療間隔を用いて算出するため，男女の合計が総数に合わない場合がある．
［資料：厚生労働省「平成29年度患者調査」からデータ抜粋・改変］

に有機成分の酵素分解によって歯質の軟化・崩壊が進む．

1 齲蝕の疫学

齲蝕は古代から人類とともにあり，旧石器時代のヒトの歯の化石にも齲蝕病変が確認されている．近世になって，砂糖をはじめとする糖類が家庭に普及して大量消費されるようになると，齲蝕の発生率は急激に上昇した．世界的にみた齲蝕の発生率は，先進諸国では大幅な減少，発展途上国では漸増傾向となっており，2018年のWHO調査では，全世界での齲蝕罹患者は約29億人（世界人口の約4割）と報告されている．

日本でも，砂糖消費量が増加した1950年代から急速に齲蝕罹患率が高まった．ただし，1980年代からは食習慣の変化，口腔衛生に対する関心の高まり，人工甘味料の使用，フッ化物の応用などにより，乳歯齲蝕や若年者の永久歯齲蝕は少なくなっている．厚生労働省の「平成23年歯科疾患実態調査」によれば，日本における12歳児のDMFT指数[6]は，1975年に5.6であったものが2011年には1.4まで低下している．中学生（12歳）のDMFT指数はすでに1.0を切っており，令和元年度では過去最低の0.70となっている（文部科学省「令和元年度学校保健統計」；**図3-2**）．

DMFT指数[6]
DMFT index：D（decayed）は齲歯，M（missing）は齲蝕による喪失歯，F（filled）は処置歯を意味しており，個人の齲蝕経験はD+M+F歯数で表される．DMFT指数は1人平均DMF歯数を示している．

しかしながら，歯と歯周組織の疾患は，わが国において長い間高い罹患率を維持している国民病としての側面があることも忘れてはならない．近年の疫学調査では，「齲蝕」と「歯肉炎及び歯周疾患」が個別に集計されているが，「齲蝕」は糖尿病や脂質異常症に次ぐ患者数となっている（厚生労働省「平成29年度患者調査」；**表3-1**）．前述のように，若い世代の齲蝕は減少傾向にある．現代の歯科臨床では，口腔衛生指導の成果として高齢者の残存歯数が増加しており，残存歯の根面齲蝕への対応が課題となっている．

2 齲蝕の分類と好発部位

齲蝕は，デンタルプラークが停滞しやすく，唾液による自浄作用やブラッシングなどによる清掃が及びにくい部位に好発する．歯冠咬合面では裂溝と小窩，平滑面では歯の隣接面，頬

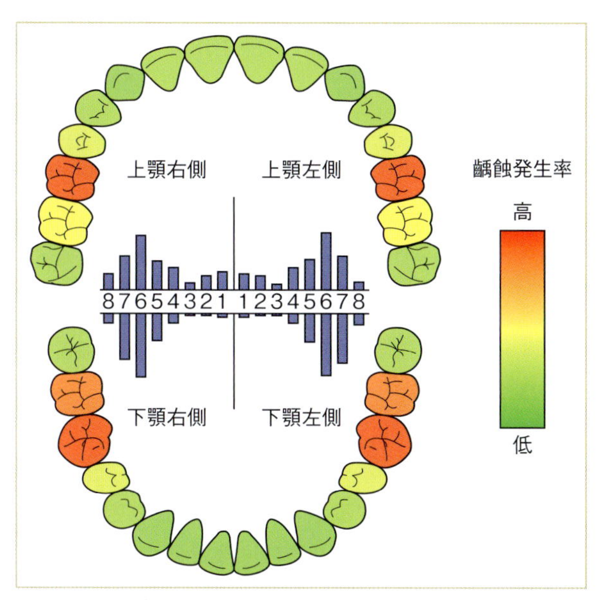

図3-3　永久歯列での歯種別齲蝕発生率

下顎前歯部は，唾液腺の導管開口部に近接しており，上顎前歯部よりも齲蝕発生の危険性が低い．

表3-2　齲蝕の分類

発生組織・部位による分類
エナメル質齲蝕，象牙質齲蝕，セメント質齲蝕
歯冠部齲蝕，咬合面齲蝕，隣接面齲蝕，
平滑面齲蝕，小窩・裂溝齲蝕，根面齲蝕
経過による分類
急性齲蝕，慢性齲蝕，停止性齲蝕
病歴による分類
原発性齲蝕，二次齲蝕，再発性齲蝕
病変の状態に基づく分類
表在性齲蝕，穿通性齲蝕，下掘れ齲蝕，逆行性齲蝕

盲孔[7]
foramen cecum

(唇) 面では歯頸部が好発部位となる．上顎側切歯の盲孔[7]など，不潔域となりやすい形態異常も齲蝕を誘発する要因となる．一般に，歯列内での齲蝕の発生分布は左右対称性を呈し，上顎歯列は下顎歯列よりも罹患しやすい (**図3-3**)．乳歯列においては，上下顎乳臼歯や上顎乳切歯に多く，下顎乳切歯や上下顎乳犬歯には少ない．永久歯列においては，上下顎第一大臼歯に最も多く，上下顎犬歯および下顎切歯には最も少ない．

齲蝕の分類には，臨床的分類や病理組織学的分類などさまざまなものがある (**表3-2**)．

1　組織学的な違いによる齲蝕の特徴

歯の構造や解剖学的な特徴に基づくと，エナメル質・象牙質・セメント質では齲蝕病変の特徴も異なっている．エナメル質は96%が無機結晶のため，齲蝕病変は脱灰の進行とほぼ同義となる．象牙質とセメント質では，コラーゲンを主体とした有機成分を20〜30%程度含有しており，脱灰と有機成分の分解による歯質破壊が特徴となる．その石灰化度はエナメル質よりも低く，象牙質では象牙細管構造，セメント質では埋入した歯根膜線維やセメント小腔に沿って齲蝕刺激が深部へ進行しやすい．エナメル質は細胞も血管も含まれず，損傷に対する修復応答ができないが，象牙質は，象牙質・歯髄複合体として外来刺激に対してある程度の防御・修復応答 (第三象牙質の形成) が可能である．なお，エナメル質にもきわめて微小な組織空隙があり，この空隙を介して外来刺激が象牙質・歯髄複合体に伝わっている．

急性齲蝕[8]
acute caries
慢性齲蝕[9]
chronic caries

2　急性齲蝕[8]と慢性齲蝕[9]

齲蝕病変の進行経過について，速度論的な違いと組織性状に基づき，急性齲蝕と慢性齲蝕とに分けられる．一般に，急性齲蝕は乳幼児〜若年者に多く，歯の表面からは病変が小さくみえても脱灰病巣が深部に達していることが多い．その進行速度が速いため，病巣内部や周辺部での再石灰化反応は著明ではなく，脱灰病巣と健全歯質とが比較的鮮鋭に境界されている．象牙質では細菌侵入や齲窩の形成が顕著であり，歯髄側での反応 (第三象牙質の形成) は少なく，歯髄炎を起こしやすい．他方，慢性齲蝕では軟化・崩壊した象牙質が少なく，脱灰病巣の周囲に透明層〔象牙質齲蝕の項 (41頁) 参照〕が比較的明瞭にみられる．象牙細管を介した病巣部の歯髄側では第三象牙質が形成されていることが多い．

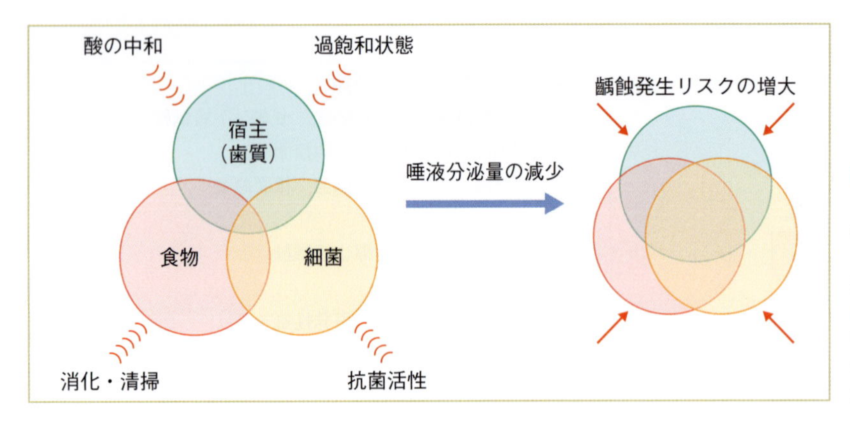

図3-4　齲蝕発生要因と唾液の作用
齲蝕の病因として，細菌感染，食物（糖類の摂取），宿主（歯質の化学的安定さ）のカイスの3つの輪（環）（Keyes triad）を重ねて考える．酸の中和，過飽和状態，消化・清掃，抗菌活性といった唾液の多彩な作用は，それぞれの環を外向きに引っ張り，互いの重なる領域（齲蝕危険域）を狭めている．唾液分泌量が減少すると環の重なりが拡大，すなわち齲蝕発生リスクが増大する．

象牙質に達した齲蝕病変が急性か慢性かを臨床的に判断する際には，象牙質の色，硬さ，乾燥あるいは湿潤状態，齲蝕検知液による染色性が基準となる．一般に，淡黄色で柔らかく湿潤していれば急性，褐色で硬く乾燥していれば慢性と診断される．多くの症例では，急性齲蝕と慢性齲蝕の特徴が混在している．

3 齲蝕の進行と停止

口腔内では，歯面表層の環境は分単位・時間単位で変動しており，歯面が長時間連続して酸性条件下に置かれることはない．したがって，通常の口腔内環境下で視診により判断できる齲蝕病変が成立するまでには時間を要する．口腔内での齲蝕進行速度については，さまざまな実験モデルでの観察結果から，エナメル質の全層に達する齲蝕病変が成立するのに半年～1年以上，齲蝕が象牙質深部に広がるまでに数年の期間を要すると見積もられている．

臨床的にも重要な視点として，齲蝕の初期段階ではデンタルプラークで産生された有機酸が浸透していく歯質の空隙が少なく，齲蝕の進行速度は遅い．脱灰により歯質の空隙が増すにつれて有機酸の浸透も促進され，齲蝕進行は加速していく．齲蝕侵襲が進んでいる状態は活動性齲蝕と表現される．他方，酸産生の原因となるデンタルプラークの除去などの処置がなされた場合，齲蝕侵襲の速度が遅くなり慢性経過，あるいは進行がほぼ停止する（停止性齲蝕[10]）．長期間にわたって非活動性にとどまっていた病変では，外来性色素によって着色していることがあり，慢性齲蝕あるいは停止性齲蝕の特徴の1つととらえられる．

停止性齲蝕[10]
arrested caries

Ⅱ―齲蝕の原因と成り立ち

齲蝕は齲蝕原性菌の感染に起因する疾患であるが，食生活や他因子の影響下にある感染症と理解されている．一般の感染症の成り立ちにおいて，細菌感染は必ずしも症状を引き起こすとは限らない．齲蝕に関しても，デンタルプラークの蓄積部位で発生しやすいのは事実としても，デンタルプラーク直下の歯質に必ずしも齲蝕が発生しているとは限らない．

多因子性疾患である齲蝕の病因を視覚的に表現したものとして，細菌，食物（基質），宿主（歯質）の3つの要素（カイスの3つの輪（環）[11]；**図3-4**）や，時間要素を追加した概念（Newbrun tetrad）が提唱されている．現在の齲蝕の成り立ちに関する理解では，宿主の側での齲蝕感受性を左右する要因として，唾液の働き，歯質の耐酸性，デンタルプラーク内の環境，有機酸への浸透を制御する獲得被膜（ペリクル）が重要と考えられている．齲蝕進行の要因をヒト社会という大きな枠組みでとらえれば，生活習慣，社会環境，予防衛生への取り組みも，齲蝕発生率とその病態を大きく修飾する要因となっている（Fejerskov & Manjiの概念）．これらの因子がどのようにかかわり合っているかは，個人ごとに，また一口腔内でも歯種や部位，各歯面に

カイスの3つの輪（環）[11]
keyes triad

よっても異なってくる．

齲蝕原性菌[12]
cariogenic bacteria

1 齲蝕原性菌[12]

齲蝕の主要な病原因子はミュータンスレンサ球菌（mutans streptococci）と総称される口腔レンサ球菌の一群（現在の分類として，*Streptococcus*（*S.*）*mutans*，*S. sobrinus*，*S. criceti*，*S. ratti*，*S. ferus*，*S. macacae*，*S. downei*の7菌種）である．成人齲蝕では，グラム陽性レンサ球菌を主体として，糖発酵性のすべての口腔常在細菌（*S. salivarius*，*Lactobacillus*（*L.*）*acidophilus*，*L. casei*や，グラム陽性桿菌の*Actinomyces*（*A.*）*viscosus*，*A. naeslundii*，*A. israelli*）が関与するとされている．

ミュータンスレンサ球菌に共通の性状として，スクロースを代謝して不溶性で粘着性のグルカンを合成することと，糖類を発酵して有機酸を産生することがあげられる．かつては，口腔内常在菌の中で高い酸産生能と耐酸性をもつ乳酸桿菌（*Lactobacillus* species）が齲蝕原性菌として注目されてきた．現在では*Lactobacillus*やミュータンスレンサ群以外のレンサ球菌が齲蝕を誘発することも明らかになっているが，二次的要因と考えられている．

齲蝕原性菌同定の背景として，活動性の齲蝕病変やデンタルプラークからのコロニー培養によって多数の菌種が分離されてきた．ただし，この手法では口腔微生物群を等しく培養できておらず，関連する細菌種は低く見積もられてきた可能性が高い．現在は，齲蝕歯質やデンタルプラークから直接微生物ゲノムを読むことで構成細菌種を同定することが可能になってきている．こうしたヒトの微生物相の網羅的解析（Microbiomeとよばれる）によって口腔内常在菌についても理解が深まることが期待される．

近年では，口腔内細菌の血液感染が，脳血管疾患，感染性心内膜炎，非アルコール性脂肪肝炎などの病態に関わることが指摘されている．歯科医療に携わる中では，齲蝕原性菌と全身疾患との関連は引き続き注目すべきトピックとなっている．

2 デンタルプラーク（バイオフィルム）

齲蝕原性菌による歯質の脱灰作用は，グルカンを合成するミュータンスレンサ球菌などの歯面局所への付着と菌の増殖を前提として発揮される．歯の表面に構築されたバイオフィルムであるデンタルプラークでは，構成細菌種の約1/3はレンサ球菌群に属する．デンタルプラークの厚さは数100 μmと変動幅が大きいが，歯面と直接接する深部は酸素濃度の低い嫌気環境が維持されている．

ステファン曲線[13]
Stephan curve：ショ糖やグルコースの摂取後にみられるデンタルプラーク溶液のpH変動．1940年代にStephanR.M.が最初に測定した．

デンタルプラークのpHは7前後であるが，ショ糖摂取後には乳酸濃度が急速に高まり，pHは5付近まで下がる．このようなpHの変動はステファン曲線[13]として知られている（**図3-5A**）．齲蝕リスクが高いヒトでは，平常からpHが酸性状態，あるいは糖類摂取後にpHが4近くにまで低下する場合もある．低いpHが長く続くと歯質の脱灰が進行しやすくなるが，低いpHは細菌にとっても過酷な生存条件となり，耐酸性に劣る細菌種は脱落していく．

デンタルプラーク内のpH変化を左右する要因として，有機酸の種類と濃度，唾液の流速とその緩衝能，尿素分解に伴うアンモニアの産生，無機結晶の溶解・沈殿に伴う緩衝効果などがある．細菌が産生する有機酸は唾液の影響が及ぶ範囲では容易に希釈・中和されるが，バイオフィルム内部では，唾液の自浄作用や緩衝作用が及びにくくなる．

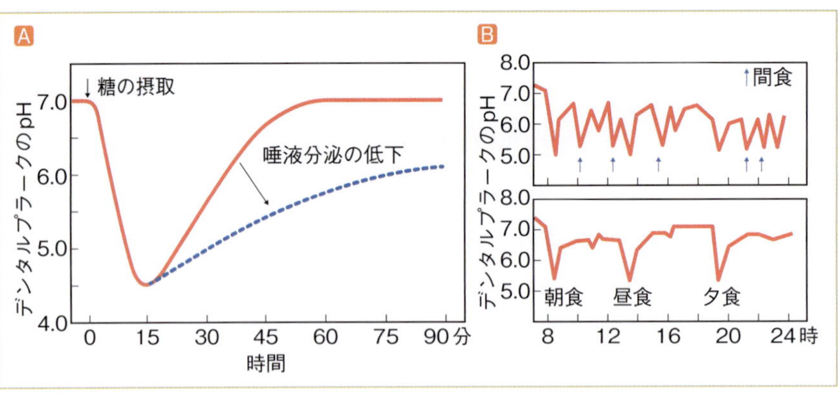

図3-5　糖類摂取によるデンタルプラークpHの変動

A ステファン曲線．糖類の摂取とともにpHが低下し，10分程度で最低値に達し，通常は60分以内に初期pHまで戻る．睡眠時など，唾液分泌が低下するとpHの回復が遅れ，酸性環境が長時間続く．

B 1日の食習慣とデンタルプラークpHの変動．間食(矢印)が多いほど酸性環境になる機会が増える．

〔青葉孝昭：齲蝕．新口腔病理学．医歯薬出版，東京，32～49，2008．(以下前版)より〕

3 唾液と抗齲蝕作用

唾液分泌量は1日に1L前後とされているが，個人差が大きい．唾液の分泌速度は安静時で0.3～0.5mL/分で，刺激時には1.0～2.0mL/分に高まる．口腔内に貯留する唾液量は約1mL前後であり，厚さ0.1mm程度の唾液層となって口腔諸組織の表面を覆っている．

唾液は多面的な抗齲蝕作用を発揮する．唾液は，摂取した糖分の消化を促し，細菌が産生した有機酸を希釈するとともに，歯面に付着したデンタルプラークを洗浄する．唾液のイオン組成は，唾液腺の種類(漿液腺や混合腺)や分泌速度による変動幅を考慮に入れても，おおむね歯質結晶に対して過飽和状態を維持している(次項参照)．さらに，唾液の流速が高まるにつれてpHや遊離カルシウムイオンの濃度は上昇し，再石灰化反応を促す方向に働く．清涼飲料水を摂取した後やデンタルプラーク中で産生される有機酸を中和するうえで，唾液の緩衝作用[14]が働き，口腔内のpHを中性付近に保っている．また，唾液に含まれる免疫グロブリン(分泌型IgA)は，歯面や粘膜への微生物の定着を阻害している．

唾液と接するエナメル質表面では，唾液タンパクが吸着して厚さ0.1～1μmの獲得被膜(ペリクル)を形成している．ペリクルは通常の歯面清掃では完全には除去されず，その一部が除去されたとしても，数分後には唾液タンパクの吸着によって再構築される．ペリクルは，細菌によるデンタルプラーク形成の足場になると同時に，エナメル質への有機酸の浸透や歯質表層からのイオン拡散を防いで歯質の保護にも働いている．

唾液の緩衝作用[14]
saliva buffering capacity：85％以上が炭酸・重炭酸塩系($H_2CO_3 \Leftrightarrow HCO_3^- + H^+ \Leftrightarrow CO_3^{2-} + 2H^+$)，残りがリン酸塩系($H_3PO_4 \Leftrightarrow H_2PO_4^- + H^+ \Leftrightarrow HPO_4^{2-} + 2H^+ \Leftrightarrow PO_4^{3-} + 3H^+$)による．

4 口腔内の溶液環境と歯質の脱灰・再石灰化反応

歯質が齲蝕侵襲によって脱灰されるか，あるいは再石灰化反応を起こしうるのかは，歯質結晶と接する溶液環境の飽和度[15]という熱力学的な要因によって決定される．すなわち，脱灰反応(結晶相の溶解)は不飽和条件，再石灰化反応は過飽和条件を必要とする．唾液のイオン組成は歯質結晶に対して過飽和(＝歯質を保護している)であるが，酸性条件下のデンタルプラーク溶液は歯質結晶に対して不飽和となる．また，デンタルプラーク内では，細菌膜や有機性の基質と結合した状態のカルシウムやフッ素が多量に存在しており，糖類摂取後にpHが低下してくると，これらのイオン種が溶液相に遊離されてきて歯質の脱灰を抑える方向に働く．エナメル質表面に接する溶液環境では，pHは4～7付近(H^+のモル濃度では10^{-4}～10^{-7}mol/L)，カルシウムイオンでは10^{-3}～10^{-2}mol/Lの範囲を不断に変動している．

飽和度[15]
degree of saturation：結晶の熱力学的溶解度に対して溶液のイオン組成が釣り合っている平衡状態，不足している不飽和状態，過剰な過飽和状態がある．歯質結晶に対する唾液のイオン組成のように，過飽和であるが自発的な沈殿が生じない状態を準安定な過飽和と表現する．

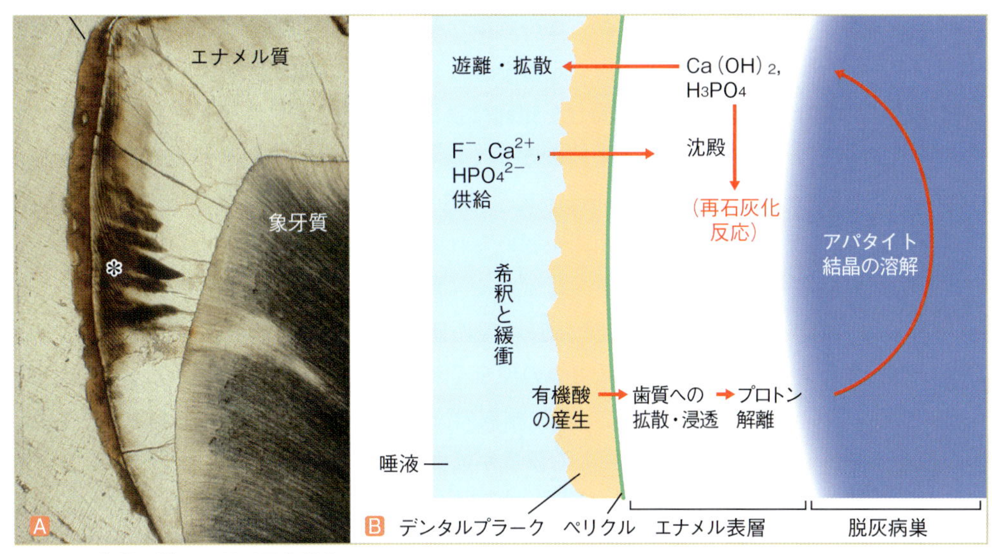

図3-6　歯質の脱灰・再石灰化反応

A 隣接面にみられるエナメル質齲蝕．歯面にはデンタルプラークが蓄積しており，エナメル質表層は維持され，その下層が脱灰される表層化脱灰（*．後述）を示す．

B 隣デンタルプラーク直下の歯質では，唾液・ペリクルを含む周囲環境での有機酸や各種イオンの動態によって歯質表層が維持されたまま内部でのアパタイト結晶の溶解が進み，表層化脱灰が生じる．

齲蝕原性菌が産生する有機酸の濃度はデンタルプラークに接するエナメル質表層で高いため，有機酸分子は非荷電の状態（たとえば，乳酸の場合には$CH_3CHOHCOOH$）で小隙を伝わって歯質内部へと拡散浸透していく．歯質内部の空孔では，有機酸のプロトン解離（$CH_3CHOHCOOH \Leftrightarrow CH_3CHOHCOO^- + H^+$）が起こり，周囲の歯質（アパタイト結晶）を溶解する．アパタイトの溶解によってOH^-が放出されると，プロトンは中和される．このような有機酸の拡散，結晶の溶解が継続すると，エナメル質内部で小隙が増加する（歯質の脱灰）．

結晶から溶出したカルシウムイオンやリン酸イオンは，歯質内部から表層（あるいは深層）へ向けた濃度勾配（拡散のための化学ポテンシャル）を生じる．このイオン種が歯質内部の小隙を拡散・移動することにより，リン酸カルシウム塩に対して過飽和状態が生み出されると結晶沈殿が起こる（再石灰化）．なお，有機酸の拡散と同様に，カルシウムイオンやリン酸イオンは歯質内では電荷をもたない$Ca(OH)_2$やH_3PO_4として移動し，再石灰化の場では解離して荷電を有するイオンとして反応に寄与する．

再石灰化反応は，脱灰に伴ってエナメル質，象牙質，セメント質，いずれの齲蝕部位でも生じている．再石灰化による無機質量の回復が組織観察でも目立ってくる部分として，歯質とデンタルプラークとの界面（後述するエナメル質表層下脱灰を参照）や脱灰病巣と健全歯質との境界面（エナメル質齲蝕の透明層や不透明層）が知られている．象牙質やセメント質では齲窩での有機成分の分解とあいまって，再石灰化による組織変化は目立たないことが多い．歯質表層での沈殿反応に寄与することができないイオン種は，外部溶液（デンタルプラーク，唾液）に拡散していく．これらのイオン種の流出速度は，ペリクルやデンタルプラーク溶液中の高いカルシウムイオンやリン酸イオン濃度により遅延する（**図3-6**）．

5 齲蝕のリスク要因

齲蝕罹患の危険性を左右しうる要因として，齲蝕原性菌の多寡，食習慣（炭水化物やショ糖の摂取回数），唾液分泌量，歯質の性状と形態，口腔衛生状態，などがあげられる．

①齲蝕原性菌の多寡：新生児の口腔内ミュータンスレンサ球菌は，生後，2歳前後で主に母

親から伝播する．この感染しやすい時期に母親のミュータンスレンサ球菌保有率を下げることで乳幼児への菌の定着を遅らせることが期待できる．

哺乳びん齲蝕[16]
nursing bottle caries：乳幼児に清涼飲料水やスポーツドリンクを哺乳びんに入れて飲ませる習慣あるいは就寝時に飲ませていた場合，上顎乳前歯の唇側・口蓋側もしくは全歯面が齲蝕となる．

②食習慣：間食を頻回に摂取するとデンタルプラークのpHは上下の変動を繰り返し，酸性領域にとどまる時間が長くなり，歯質脱灰の危険性を高める（**図3-5B**）．また，“哺乳びん齲蝕[16]”とよばれるように，哺乳びんによる乳酸菌飲料などの摂取習慣と乳歯の齲蝕罹患歯数との間には強い相関が認められている．

③唾液分泌量：睡眠時や，刺激時の唾液分泌速度が0.7mL/分以下となった状態では，糖類摂取後に低下したpHは元の値になかなか回復できず，齲蝕発生の危険性が高まる．唾液は，**図3-4**に示した3つの環をそれぞれ外向きに引っ張るよう作用して互いの重なる領域（齲蝕危険域）を狭めている．唾液の流量が減少する，あるいは組成や性状に変化をきたすと，カイスの3つの輪の重なる領域が拡大する．ドライマウス（口腔乾燥症）や唾液量の減少（唾液腺機能の低下）は，加齢，薬剤服用，糖尿病，放射線照射，自己免疫疾患（シェーグレン症候群など）などさまざまな要因で起こる．軟らかい加工食品を嗜好する現代人の食習慣では，咀嚼回数が少ないため唾液分泌も少ない場合が多い．

萌出後成熟[17]
posteruptive maturation：萌出歯のエナメル質表層は唾液やデンタルプラークとの反応によって，発生時期と異なる無機組成や性状を示すようになる．特に，エナメル質表層でのフッ素の取り込みが進むと，フッ化アパタイトにより齲蝕抵抗性が高まる．

④歯質の性状と形態：萌出後，口腔環境から無機イオンやフッ素イオンがエナメル質表層に取り込まれ，齲蝕抵抗性が高まる（萌出後成熟[17]）．いいかえれば，萌出してから咬合面に達するまでデンタルプラーク環境にさらされる数カ月間は齲蝕リスクの高い状態にある．

棘突起[18]
spine

斜切痕[19]
linguogingival fissure

リスク要因としては，歯の形態や歯列の発育段階に基づく口腔環境についても考慮する必要がある．混合歯列期の口腔内は不潔域を生じやすいうえ，前述のように，萌出直後のエナメル質は齲蝕感受性が高い．歯の形態異常のうちで上顎中切歯の棘突起[18]，上顎側切歯の盲孔や舌面斜切痕[19]，歯内歯などは，不潔域を発生させやすく齲蝕の誘因となる．また，ハッチンソン歯など，疾患による形成不全歯は一般に物理的に脆いとされる．ただし，エナメル質形成不全が齲蝕侵襲に対して脆弱部として働くか，抵抗性を発揮するかについては一概にはいえない．その例として，歯のフッ素症と齲蝕抑制が共存することが古くから知られている．

Ⅲ—齲蝕の病理

齲蝕病変はデンタルプラークと接する歯の表面から始まり，歯質深層へと広がっていく．抜去歯の研磨標本を顕微鏡観察すると，咬合面・裂溝部・隣接面・根面に多くの齲蝕病変が存在していることに気づく．近年では，若年者の齲蝕減少とともに，現存する病変も表在性の病変が多くなり，齲窩形成まで進行した症例は減少している．とはいえ，潜在する齲蝕の早期発見と高齢者での齲蝕予防を目指す歯科臨床では，齲蝕病態の理解は引き続き重要である．

齲蝕円錐[20]
carious cone

1 齲蝕円錐[20]

歯質内での有機酸の拡散は，エナメル質ではエナメル小柱の走行，象牙質では象牙細管の走行に沿う傾向がある．加えて，歯の表層から歯質内部への有機酸の深達距離は，歯面での有機酸作用部位を中心とした濃度勾配に依存する．結果として，三次元的な齲蝕病巣の輪郭は円錐形を呈する．これを齲蝕円錐とよぶ（**図3-7**）．

齲蝕円錐は発生部位によって異なった特徴を示す．典型的なエナメル質の平滑面齲蝕は，底面をエナメル質表面に向け，尖端を象牙質に向けた円錐で表される．歯面の不潔域が広い場合には，これらの円錐病巣がいくつも連続して帯状の齲蝕病巣を形成し，その脱灰巣の最深部は標本断面で鋸歯のようにみえる（**図3-8A**）．他方，裂溝部エナメル質の齲蝕では，裂溝内壁から放射状に酸が浸透していくため，円錐の尖端を裂溝の入り口に，底面を象牙質側に向けた

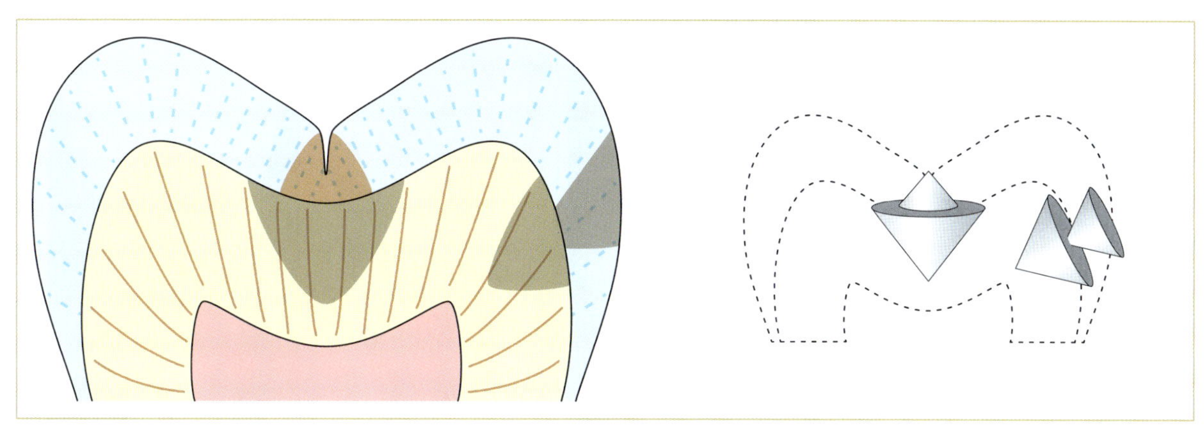

図 3-7　齲蝕円錐

齲蝕は，エナメル質ではエナメル小柱の走行（青破線），象牙質では象牙細管の走行（茶実線）に沿って進行するため，小窩・裂溝部と平滑面では齲蝕円錐の向きが異なっている（本文参照）.

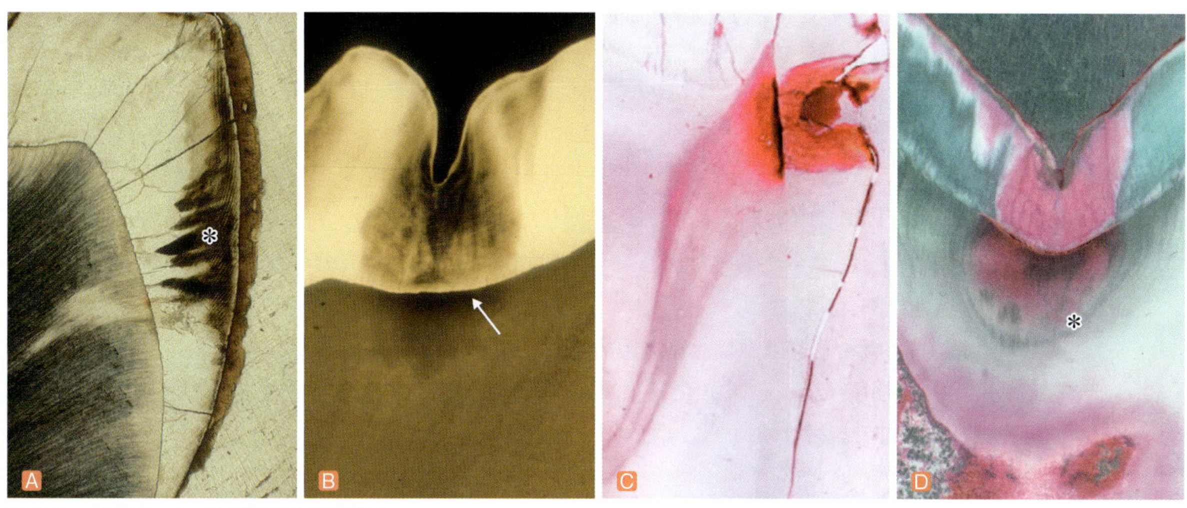

図 3-8　歯冠部エナメル質齲蝕の研磨標本

A 堆積したデンタルプラーク下のエナメル質では，いくつかの齲蝕円錐が連続した病巣を形成し，エナメル質の表層は維持された表層下脱灰（＊）がみられる.
B 裂溝から進展した齲蝕病巣はエナメル-象牙境を越えて象牙質に広がっている（矢印）.
C 隣接面齲蝕の研磨標本を齲蝕検知液で染めると，齲蝕がエナメル-象牙境を越えて象牙質に進行している様子がわかる.
D 齲蝕検知液で染まる齲蝕部位は，象牙質深部では脱灰病巣を囲む未染の透明層（＊）でとどまっている.
〔青葉孝昭：前版より〕

病巣が作られる．そのため裂溝齲蝕は，表面からは小さな病巣にみえても内部で大きな病巣に発達していることが多い．象牙質齲蝕では，咬合面・隣接面のどの部位から病変が始まっても，尖端を歯髄側に向けた円錐形を呈する．象牙質に到達した齲蝕病巣がエナメル象牙境に沿って拡大すると，象牙質の支持を失ったエナメル質部分は遊離した状態となり破折しやすくなる．セメント質は，象牙質よりもさらに無機成分が少なく，歯頸部付近では数10～100 μmの薄層のため，脱灰が一様に進み齲蝕円錐を呈さない．

白斑[21]
white spot：エナメル質表面に実質欠損がなく，石灰化度が低くなっている場合には白く濁ってみえる．周囲の健全エナメル質と比べて，組織空隙の分布状態やエナメル結晶の配列に変化を生じているため光の散乱が変わったことによる.

2 エナメル質初期齲蝕

エナメル質齲蝕の初期においては，歯質表面は維持されており，肉眼的にはエナメル質固有の透明感がなくなり，白濁した病変（白斑[21]）として認められる（**図 3-9A**）．時間を経過したエナメル質齲蝕では，白斑の一部が褐色に着色することもある．白斑病変においてエナメル質表面が保たれている段階では，デンタルプラーク内で産生された有機酸は歯質内に浸透するが，この進行段階では歯質内への細菌の侵入は認められない．歯質深部に有機酸浸透が進むと

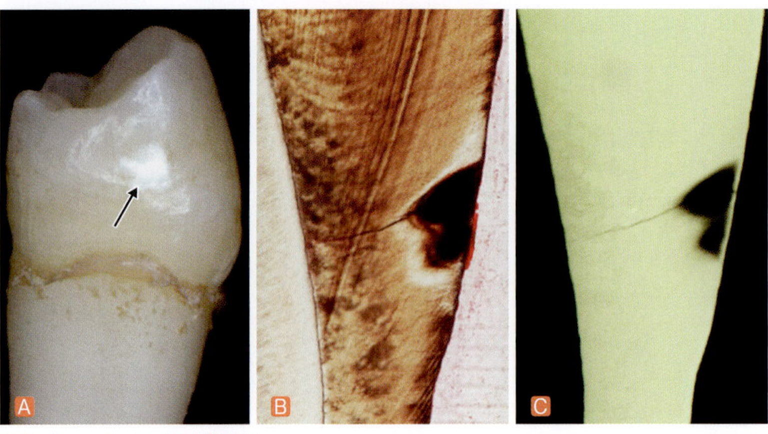

図3-9　エナメル質初期齲蝕

A 歯冠隣接面のエナメル質白斑病変（矢印）.
B 隣接面齲蝕の研磨標本では脱灰された部位が黒く抜けてみえる.
C 顕微エックス線像によるエナメル質表層の観察では，石灰化度の高い表層が保たれており，「表層下脱灰」となっていることがわかる.
〔青葉孝昭：前版より〕

ともにエナメル質表面は小孔が増して荒れた状態となり，ついには表層が崩壊して実質欠損（齲窩）に至る．齲窩を生じると，口腔内からの有機成分の沈着に引き続いて細菌侵入も観察されるようになる．

エナメル質齲蝕は，歯冠咬合面の小窩・裂溝から始まるものが多い．平滑面では，歯冠隣接面が最も多い．本項では平滑面に生じたエナメル質齲蝕を想定して説明し，小窩・裂溝齲蝕の特徴は後述する．

1 表層下脱灰の成立機序

表層下脱灰[22]
subsurface lesion：病理組織学的には高石灰化度を保った表層が脱灰病巣を覆っている齲蝕病変．エナメル質白斑病変に限らず，根面齲蝕でも認められる．

エナメル質初期齲蝕の病理組織所見は，表層下脱灰[22]として特徴づけられている（図3-9B, C）．ほぼ無機結晶からなるエナメル質の病的変化は，研磨標本の顕微鏡観察や顕微エックス線像（マイクロラジオグラム）で確認できる．典型的な症例においては，健全部エナメル質に比べて小隙が数％程度増加するにとどまる表層部があり，その表層下で小隙の増加が顕著な脱灰病巣が広がっている．脱灰病巣では，通常，レッチウス条や横紋構造が強調されて見えてくる．脱灰病巣よりも深部には不透明層と透明層が続く．透明層は軽度の脱灰が始まっている齲蝕進行の最前線にあたり，その透明層と脱灰病巣とに挟まれた不透明層は，脱灰と再石灰化の繰り返しにより成立すると考えられている．

白斑（表層下脱灰）病巣で高い石灰化度を保った表層部が維持される要因として，脱灰に引き続き生じる再石灰化が重要と考えられている．表層下脱灰現象は，根面齲蝕や修復窩洞壁の二次齲蝕でも認められる他，合成アパタイトの脱灰実験でも成立することが確かめられている．生体では，エナメル質表層は内部エナメル質と異なる構造・組成（無小柱エナメル質の存在や高フッ素濃度など）によって耐酸性を示すことや，唾液の自浄作用やペリクルによって脱灰現象が抑えられていることも副次的に表層エナメル質の維持に寄与すると考えられている．

エナメル質初期齲蝕の病態が“表層下脱灰の成立”に向かうか，“齲窩形成”に至るかを決定する要因として，歯質表層から口腔溶液内への各種イオンの拡散・流出速度と表層部での沈殿速度との拮抗関係が大切になってくる．歯質表層では集積したイオンの一部が沈殿し，沈殿反応に寄与することができない過剰のイオンはペリクルを通って外部溶液（デンタルプラーク，唾液）に失われていく（図3-6）．

2 エナメル質表層での再石灰化反応

リン酸カルシウム塩の溶解度に基づくと，酸性条件下では第二リン酸カルシウム塩（DCPD）が歯質結晶（あるいはハイドロキシアパタイト）より安定な結晶相になる．白斑病巣の最表層では，エナメル質結晶（炭酸含有アパタイト）の溶解とDCPDの沈殿が共存して起こっており（→［反応式1］），その溶液相の組成は双方の等温線の交差点で示される組成に近似していると考えられている．また，歯質から溶出した（あるいは唾液やデンタルプラークに由来する）フッ素イオンが沈殿反応に寄与できる場合には，フッ化アパタイトが他の結晶相に対して安定となる（→［反応式2］）．

［反応式1］ $Ca_5(PO_4)_3(OH) + 4H^+ + 5H_2O \rightarrow 3CaHPO_4 \cdot 2H_2O \downarrow + 2Ca^{2+}$

［反応式2］ $5Ca^{2+} + 3PO_4^{3-} + F^- \rightarrow Ca_5(PO_4)_3F \downarrow$

デンタルプラーク溶液相あるいはエナメル質小隙を満たす溶液のpHが中性領域に戻ると，いったん沈殿したDCPDは不安定なために徐々に溶解して，新たにフッ素イオンを結晶格子に取り込んだフッ化アパタイトが沈殿する．したがって，齲蝕病変において再石灰化反応が起こった部位では，元の炭酸含有アパタイトからフッ化アパタイトへの転化が進むことになり，再石灰化を経験した歯質ではフッ素含有量の増加により耐酸性が高まっている．

3 白斑病変の可逆性と病変の進行

白斑病変で維持されている表層は，デンタルプラークからの細菌侵入を防ぎ，病巣表面から口腔溶液相へのイオンの拡散・流出を遅くし，再石灰化反応の足場（結晶成長の基盤）として働いている．長期にわたる臨床経過観察から，白斑病変の少なくとも一部は可逆的な病態であり，デンタルプラークの清掃除去や再石灰化促進処置によって健全な状態に復帰可能であることがわかっている．逆に，臨床的に判別できる実質欠損がいったん起こってしまうと，その齲蝕は不可逆的で，再石灰化処置によって停止性にとどまることは期待できるとしても，健全な状態には回復できない．表層の崩壊は歯質内部への有機酸の拡散浸透にとどまらず細菌侵入も加速させる．

なお，肉眼的な白斑所見は，エナメル質形成不全歯でもみられるが，形成異常に起因する石灰化不全には再石灰化反応が関わっていない．鑑別点として，齲蝕病巣では脱灰と再石灰化が繰り返されたことにより結晶配列が変化し，透明層や不透明層などの所見を伴って健全歯質との境界が比較的明瞭であることがあげられる．

3 象牙質齲蝕[23]

象牙質齲蝕[23]
dentinal caries

象牙質は，コラーゲンを主体とする有機成分を20％前後含んでいるため，象牙質の崩壊は無機結晶の脱灰に有機基質の分解が伴っている．このため，象牙質齲蝕では酸産生力の強いミュータンスレンサ球菌や乳酸桿菌とともに，タンパク分解酵素を産生する放線菌群（*Actinomyces viscosus* や *Actinomyces naeslundii*）も齲蝕原性菌として注目されている．

エナメル質齲蝕から継発する象牙質齲蝕では，エナメル－象牙境に沿っても拡大する（下掘れ齲蝕）．象牙質齲蝕の進行過程もエナメル質齲蝕と同様に，有機酸による歯質結晶の溶解が先行し，細菌侵入がそれに続く．ただし，象牙質は多数の象牙細管があるため，組織間隙の小さいエナメル質に比べると細菌の侵入が起こりやすい．齲蝕侵襲を受けた象牙細管内では，象牙芽細胞突起に変性・崩壊が起こり，象牙細管壁から管周象牙質，次いで管間象牙質の破壊と歯髄側への細菌侵入が進む．象牙質の透過性は象牙細管の太い若年者で高く，象牙細管の狭窄または閉鎖をきたした高齢者では低下する．したがって，齲蝕による歯髄感染は若年者では速

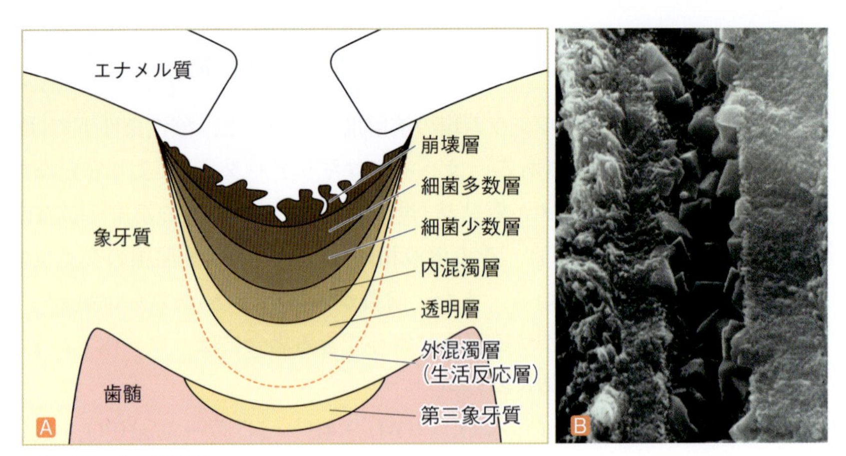

図3-10　象牙質齲蝕

A 象牙質齲蝕の層分け．エナメル質の齲窩から続く崩壊層，細菌感染部から深部の変化（外混濁層）まで分けられる．慢性経過を辿る場合では歯髄側での第三象牙質の添加もみられる．
B 齲蝕象牙質の縦断面（走査電顕）．象牙細管内部に立方形の大きな齲蝕結晶が沈殿している．
〔青葉孝昭：前版より（B）〕

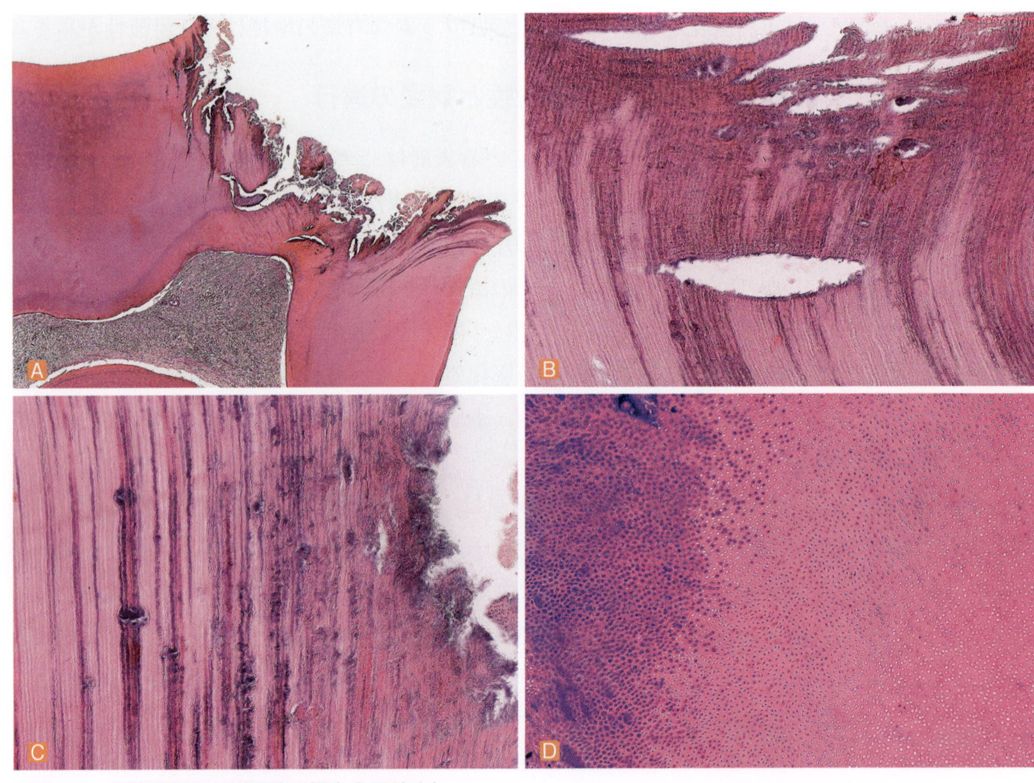

図3-11　象牙質齲蝕の脱灰薄切標本（HE染色）

A 軟化・崩壊して大きな齲窩となった象牙質．
B 象牙細管を横切った裂隙（横裂）が生じている．
C 侵入した細菌や分解産物によって象牙細管に念珠状の破壊性変化がみられる．
D 象牙細管（横断面）の色調によって，細菌侵入が進んだ部位（左側）と健常部位（右側）が識別できる．

やかに生じ，加齢的に遅くなる傾向にある．歯髄組織からの防御反応（組織液の循環，象牙細管内での石灰化による象牙質の硬化，歯髄側での第三象牙質の形成）によって歯髄への細菌感染は抑制される．

1　齲蝕病変の層分け

象牙質の齲蝕病変はエナメル質の齲蝕病変と異なり，研磨標本に加えて脱灰薄切標本での組織観察が可能である．細菌由来の有機性物質あるいは歯質の分解産物を染め出すことにより，象牙質内部への感染範囲を顕微鏡下にとらえることができる．こうした観察所見に基づいて，象牙質の齲蝕病巣は崩壊層→細菌多数層→細菌少数層→内混濁層→透明層→外混濁層（生活反応層）に分けられている（**図3-10A**）．細菌感染が著しい表層部では，象牙質構造の崩壊が始まり，侵入細菌と基質分解産物が象牙細管局所に貯留して数珠玉を連ねたような所見（念珠状変化）や，互いに融合拡大して空洞を形成する所見，成長線に沿った裂隙（横裂）などがみられる（**図3-11**）．内混濁層では，細菌の侵入に先立って拡散してきた有機酸により管周および管間象牙質で脱灰が始まっている．透明層では，象牙芽細胞突起の変性・壊死が起こり象牙細管内で石灰化が生じている．透明層より深層の象牙質では再石灰化反応により硬度が高まっている．

これらの層分けは，象牙質齲蝕の基本的な構造を表す．実際の病理組織観察では，近隣の象牙細管が同じ変化を示すのではなく，少数の象牙細管内で細菌侵入が深部にまで及んでいることがわかる．ゆっくりと拡大した慢性齲蝕では各層の判別は比較的容易であるが，再石灰化反応の起こる時間的余裕がないほど進行が速い急性齲蝕の場合，細菌多数層が大部分を占め，混濁層や透明層の存在は明らかでないことが多い．

2 象牙質での再石灰化反応

エナメル質齲蝕での再石灰化反応と同様に，象牙質齲蝕でも一連のリン酸カルシウム塩の化学反応（沈殿と溶解）が起こっている．象牙質ではマグネシウムイオン濃度が高いため，第二リン酸カルシウム塩（DCPD）が溶解した場合に，アパタイト転化せずにマグネシウムイオンを置換した第三リン酸カルシウム塩（ウィットロッカイト）が生成されやすい．象牙質齲蝕病巣の電顕観察では，大型で立方形あるいは長方形などの形状をもつ結晶が観察され，齲蝕結晶[24]とよばれる（**図3-10B**）．これらの結晶で象牙細管が満たされると，研磨切片観察で透明にみえる．象牙質では有機基質が大量に含まれているため，象牙質齲蝕の成立過程では，有機基質の崩壊とその崩壊産物が無機結晶の溶解速度と再石灰化速度に影響を及ぼすことも十分に考えられる．

齲蝕結晶[24]
caries crystals

3 臨床からみた象牙質齲蝕

軟化象牙質[25]
softened dentin

齲蝕侵襲が進む象牙質では，有機成分が部分分解されて軟化象牙質[25]が形成される．臨床の場における齲蝕象牙質は，細菌感染によって基質の変性・分解が進んだ第一層（外層）と，ある程度脱灰されているが感染は顕著でなく再石灰化が期待できる第二層（内層）に大別される．“軟化象牙質の除去”に際しては，第一層を好染する染色液（齲蝕検知液）が応用されている．齲蝕象牙質の第二層では，たとえ細菌が残っていても，その後の間接覆髄処置により残存象牙質は消毒されて無菌状態になり，再石灰化反応が起こりうると期待されている．なお，臨床的に軟化象牙質とよばれる象牙質部分が，前述の組織学的な層分けのどれに相当するかを一義的に決めることは難しい．

小窩・裂溝齲蝕[26]
pit and fissure caries

4 小窩・裂溝齲蝕[26]

小窩は歯冠咬合面に走る複数の溝の交点や末端部にみられる点状の窪み，裂溝は咬合面溝が深く落ち込んだ狭い面状の窪みを指す．小窩・裂溝の形状や深さは歯種ごとに固有の特徴を示す．裂溝底が深くエナメル-象牙境に近接している場合や，裂溝周囲のエナメル質が形成期の組織歪みにより石灰化不全を伴っていることも多い．

裂溝齲蝕の特徴として，狭い裂溝では底部よりも開口部付近で齲蝕が発生しやすい（**図**

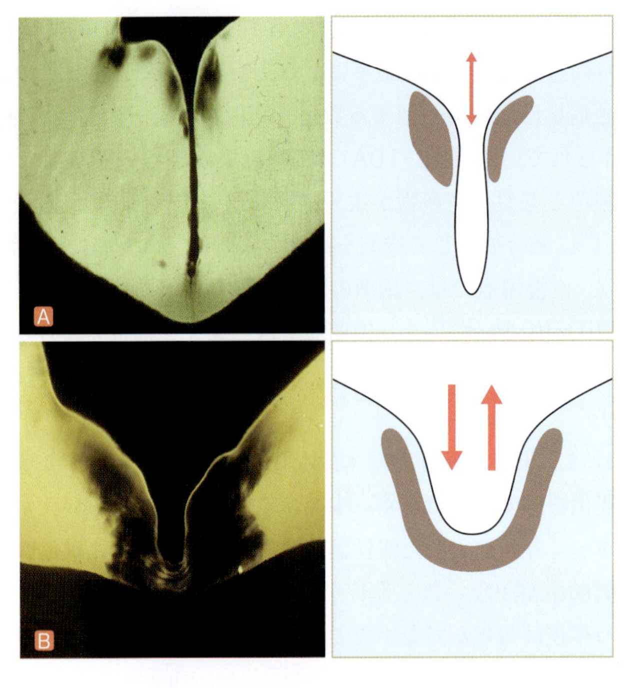

図3-12　裂溝齲蝕（マイクロラジオグラム）

A 狭い裂溝では，裂溝内部との物質移動（矢印：細菌の有機酸，代謝産物，イオンなど）が起こりにくい．表層下脱灰は開口部近傍に生じる．

A 幅広の裂溝では物質移動も容易であり，裂溝底部でも脱灰が始まる．

〔青葉孝昭：前版より〕

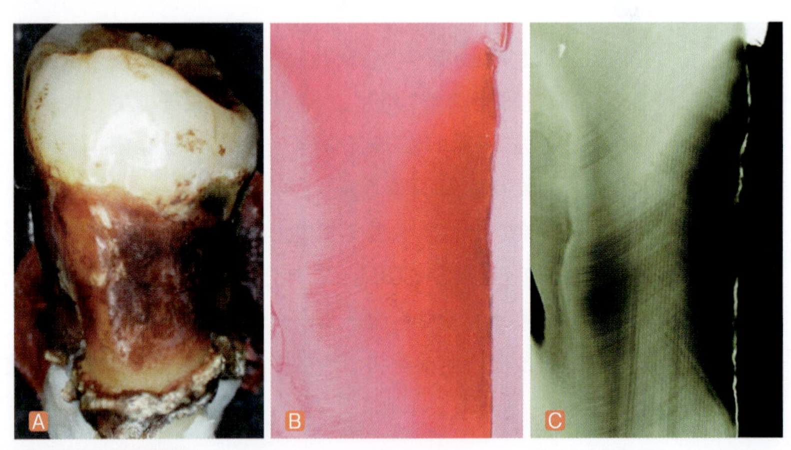

図3-13　根面齲蝕

A 環状に広がった褐色〜黒色の根面齲蝕．

B 研磨標本を齲蝕検知液で染めると，歯髄側に向かう幅広の円錐形を呈していることがわかる．

C 顕微エックス線像では，歯根表面に薄い石灰化層が断続的にみられる．

〔青葉孝昭：前版より〕

3-12A）．この理由として，有機酸あるいは細菌が裂溝の底部まで侵入しにくいことや，底部付近において溶出してきたイオンが裂溝外へ拡散しにくいことがあげられる．裂溝内部には，エナメル質形成過程に由来する有機成分（まれに歯石）が停留していることも，有機酸の浸透やイオンの拡散を妨げる要因となっている．狭い開口部を持つ裂溝では，開口部近くで活動性の細菌群からなるデンタルプラーク堆積がみられるが，裂溝深部では活性を失った細菌の割合が増加している．一方，広く開口した小窩・裂溝では，物質移動が妨げられないことから，齲蝕病巣が裂溝底で広がっていることが多い（**図3-12B**）．

根面齲蝕[27]
root surface caries

5 根面齲蝕[27]

加齢や辺縁性歯周炎の進行により歯肉が退縮すると，露出したセメント質あるいはセメント質が剝離して現れた象牙質表面にデンタルプラークが付着し，根面齲蝕へと進展する．根面

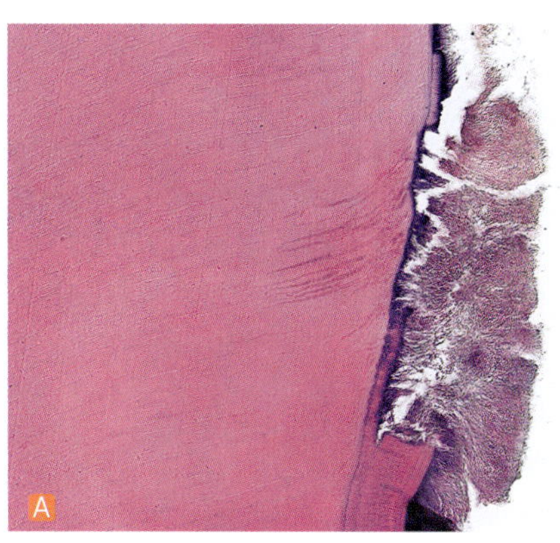

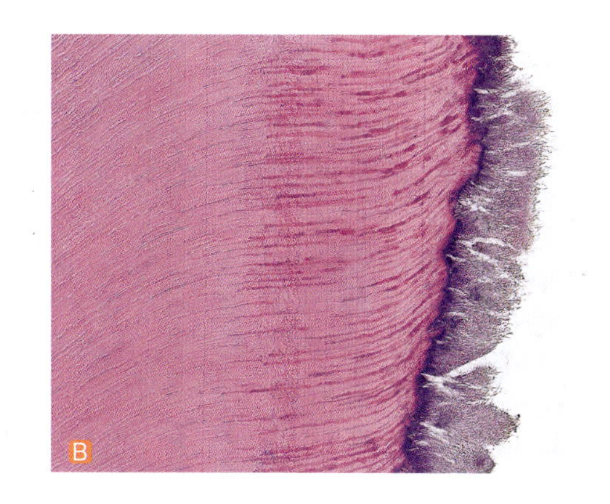

図3-14　根面齲蝕の脱灰薄切標本（HE染色）

A セメント質が剝離した歯根表層にデンタルプラークが付着している．デンタルプラーク直下のセメント質薄層や象牙細管に細菌侵入が始まっている．

B デンタルプラーク付着した象牙質露出面では象牙細管端部が脱灰されて凹凸を生じている．

齲蝕の発症頻度は，口腔内に長く残存している歯種（下顎大臼歯・小臼歯，上顎犬歯など）ほど高くなる．いずれの歯根面でも発生するが，歯肉の退縮しやすい頰側面で頻度が高い．歯根面の脱灰抵抗性に関する研究によると，根面セメント質ではpH6.7以下で脱灰が生じる．このため露出歯根面でのデンタルプラーク堆積が持続すると，歯根全周に輪状に広がった齲蝕病巣が形成されやすい（**図3-13**）．

根面齲蝕では，セメント質齲蝕の段階はきわめて短く，象牙質齲蝕が病変の主体となる．これは，①セメント質の石灰化度が低いこと，②露出したセメント質が物理的な外力によって剝離しやすいこと，③セメント質に埋入した歯根膜線維やセメント小腔を伝わって有機酸（さらには細菌）が浸透しやすいことなどによる（**図3-14**）．象牙質はエナメル質より酸溶解度が高いため，いったん象牙質が露出すると齲窩が形成されやすい．また，摩耗などの損耗もこうむりやすい．根面齲蝕の初期段階では，部分的に脱灰された歯根表面のコラーゲン線維間隙から細菌が侵入し，表面付近が軟化してくる．活動性齲蝕の状態では，軟化した歯質は表面が黄色～薄褐色を呈しているが，ゆっくり進行する病変は褐色～黒色に変色している．ただし，根面齲蝕病巣に唾液の自浄作用が及びやすい場合や，口腔清掃が徹底された場合には活動性を失って停止性の病変に転換しうる可能性が高い．停止性齲蝕の状態では，臨床的には，茶褐色～黒色の滑沢で硬い表面としてみられる．このような病巣の表層部では，有機基質が崩壊した後に再石灰化反応が起こっているため，健常象牙質より無機成分含有量が高い（フッ素含有量も高い）ことが多い．

根面齲蝕を発症する中高年世代では，唾液腺の加齢変化に加え，複数の持病を抱えて投薬の機会が増えており，口腔乾燥による齲蝕発症のリスク上昇は避けがたい．特に高齢者や要介護者では口腔衛生状態の維持にも注意が必要であり，齲蝕リスク軽減に向けた対応が現社会での課題といえる．

乳歯齲蝕[28]
caries in primary dentition

6 乳歯齲蝕[28]

乳歯では，永久歯に比べてエナメル質が薄いため，肉眼的に小さな齲蝕病変でも象牙質に達していることが多い（**図3-15A**）．ただし，歯髄側での第三象牙質添加が活発なため，歯冠歯質が高度に破壊されても歯髄の露出をみる症例は少ない．なお，出生時をはさんで歯冠形成が進む乳歯エナメル質では，一種の形成不全である新産線を含んでいるが，新産線に関連して齲蝕病変が拡大することはきわめて稀である．

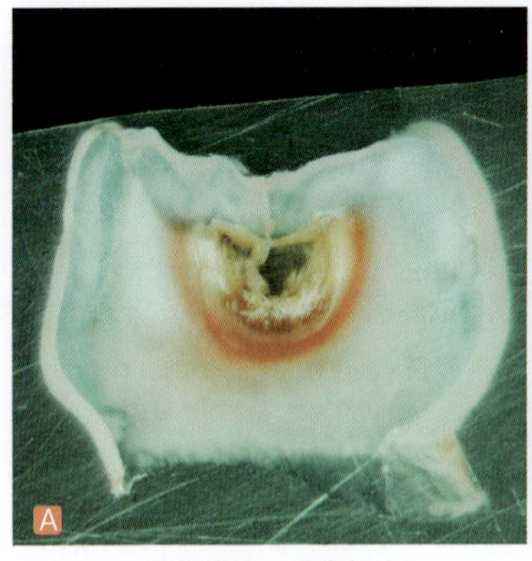
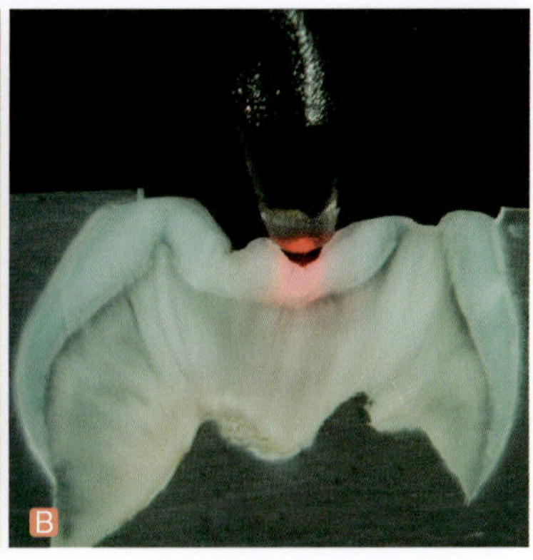

図3-15　乳歯歯冠の研磨標本

A 小窩・裂溝齲蝕で咬合面エナメル質は維持されているが，象牙質で歯質崩壊が進んでいる．

B 臨床診断では，レーザー光照射／反射光測定による診断法が活用されている（写真は研磨標本に測定用端子を当てている）．

〔青葉孝昭：前版より〕

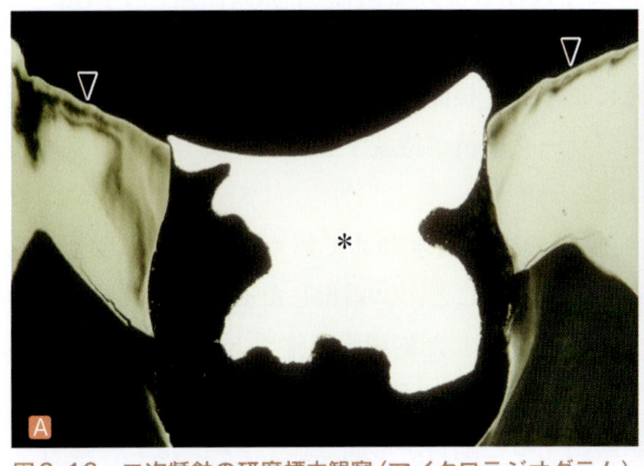
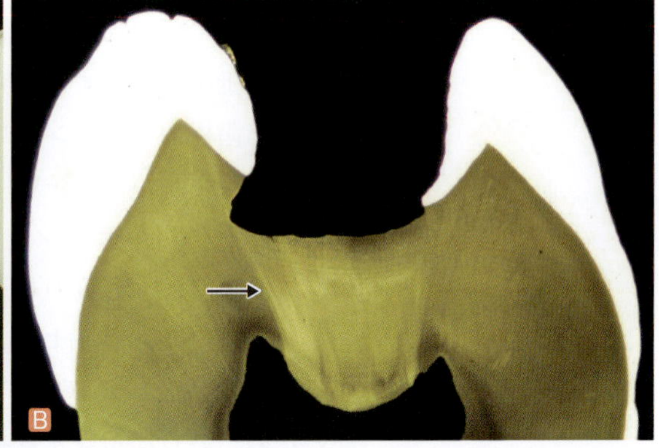

図3-16　二次齲蝕の研磨標本観察（マイクロラジオグラム）

A 不適な充填物（*）による二次齲蝕．咬合面エナメル質では表層下脱灰（矢頭）が広がっており，窩洞壁面でも齲蝕が進行している．

B 充填材料に含まれるフッ化物による象牙質の硬化（矢印）．

〔青葉孝昭：前版より〕

多発性齲蝕[29]
rampant caries

1980年代までの小児歯科臨床では，複数歯に齲蝕が同時発症する例（多発性齲蝕[29]）に遭遇する機会が多かった．環状齲蝕とよばれる歯冠部全周に及んだ病変は，複数の歯面で独立に発生した齲蝕病変が拡大して互いに融合したと考えられる．乳児用粉乳に添加されるショ糖濃度の改善，歯磨き指導とフッ化物の応用，健診などの取り組みにより，こうした乳歯特有の激しい齲蝕病変は少なくなった．ただし，現在の臨床でも，歯質保護目的でのフッ化物塗布やフィッシャーシーラントなどの普及とあいまって，齲窩が目立たないが象牙質に大きく広がっている齲蝕症例に遭遇することがある．このような臨床的に気づかれにくいものは不顕性齲蝕とよばれており，レーザー光を応用した歯質内部の検査法などが開発されている（**図3-15B**）．

二次齲蝕[30]
secondary caries

7　二次齲蝕[30]または再発性齲蝕

歯質窩洞壁と歯科充填物の間隙にデンタルプラークから有機酸が浸透して齲蝕病変が進行することがあり，原発性（一次齲蝕）に対して辺縁性二次齲蝕あるいは再発性齲蝕とよぶ（**図3-16**）．充填物周囲での二次齲蝕の発生原因として，充填材料の劣化や辺縁エナメル質の微小破折が考えられる．また，二次齲蝕の中には，窩洞形成時に取り残した齲蝕の再発も含まれる．

この窩壁に発生した二次齲蝕病巣でも，間隙を満たす溶液相に接する歯質を残して，その直下で脱灰が進行している表層下脱灰現象が認められる．近年，齲蝕予防の目的でさまざまなフッ素含有充填剤が使われており，窩洞壁（特に象牙細管内）に齲蝕抵抗性の高い結晶が沈殿している例も多い．

（添野雄一）

Check Point

- [ ] 1 齲蝕の成り立ちを説明できる．
- [ ] 2 齲蝕原性菌の名称と特徴を説明できる．
- [ ] 3 齲蝕のリスク要因を列挙できる．
- [ ] 4 齲蝕を特徴に基づいて分類できる．
- [ ] 5 急性齲蝕と慢性齲蝕の違いを説明できる．
- [ ] 6 歯質の再石灰化現象を説明できる．
- [ ] 7 エナメル質初期齲蝕の特徴を説明できる．
- [ ] 8 エナメル質の表層下脱灰機序を説明できる．
- [ ] 9 象牙質齲蝕の層分けと病態の特徴を説明できる．
- [ ] 10 今後の齲蝕治療の課題を列挙できる．

References

1）須賀昭一編：図説齲蝕学．医歯薬出版，東京，1991.
2）高木　實監：口腔病理アトラス 第3版．文光堂，東京，2018.
3）浜田茂幸，大嶋　隆編：新・う蝕の科学．医歯薬出版，2006.
4）Fejerskov, O. and Kidd, E.編（高橋信博，恵比須繁之監訳）：デンタルカリエス原著第2版．医歯薬出版，東京，2013.
5）GBD 2017 Disease and Injury Incidence and Prevalence Collaborators：Global, regional, and national incidence, prevalence, and years lived with disability for 354 diseases and injuries for 195 countries and territories, 1990～2017：a systematic analysis for the Global Burden of Disease Study 2017. *Lancet*, **392**：1789～858, 2018.
6）Nascimento, M.M. et al.：Second era of OMICS in caries Research：Moving past the phase of disillusionment. *J. Dent.Res.*, **96**：733～740, 2017.

Chapter
4 象牙質・歯髄複合体の病変

象牙質と歯髄は硬組織と軟組織という形態学的な観点からすると別の組織であるが，発生学的観点，機能的観点，さらには臨床的観点から，象牙質と歯髄は１つの単位として考えるべきであり，象牙質・歯髄複合体（dentin/pulp complex）という概念がある．実際，齲蝕や外傷により象牙質に欠損が生じた場合，象牙質に変化が出るだけでなく歯髄反応が起こることからも，象牙質・歯髄複合体としてとらえるべきである．本章では象牙質・歯髄複合体に生じる病変（齲蝕を除く）を記載する．

象牙質・歯髄複合体[1]
dentin/pulp complex

Ⅰ―象牙質・歯髄複合体[1]

1 歯の発生からみた象牙質・歯髄複合体

ヘルトヴィッヒ上皮鞘[2]
Hertwig epitherial sheath

発生学的に象牙質も歯髄も歯乳頭に由来する．歯の発生の過程で，蕾状期に外胚葉性間葉の細胞が増殖して歯乳頭が形成される．帽状期になると，歯胚は歯乳頭に囲まれる帽子状の形態をとり，歯乳頭とエナメル器は歯小嚢に取り囲まれるようになる．鐘状期になると，エナメル器の外側に立方形の外エナメル上皮が並び，歯乳頭を縁どる円柱形の細胞が内エナメル上皮を形成する．歯乳頭の最外層の細胞は象牙芽細胞とよばれ，増殖・分化し，象牙質基質を合成・分泌する．象牙質基質が形成された時点で歯乳頭は歯髄とよばれる．象牙質基質の誘導によって，内エナメル上皮はエナメル芽細胞に分化し，エナメル質を形成する．歯根部では，ヘルトヴィッヒ上皮鞘[2]が歯乳頭の細胞を象牙芽細胞に分化させ，象牙芽細胞は象牙質基質を形成する（**図4-1**）．この象牙質基質が歯小嚢の細胞をセメント芽細胞に分化させ，セメント芽細胞は象牙質の外側にセメント質を形成する．象牙芽細胞は象牙質の内面に配列して，生涯にわたってその歯の代謝活動を続ける．このように，発生期も成熟後も，象牙質と歯髄は密接な関連をもち続けることから，象牙質と歯髄を1つの単位ととらえるべきである．

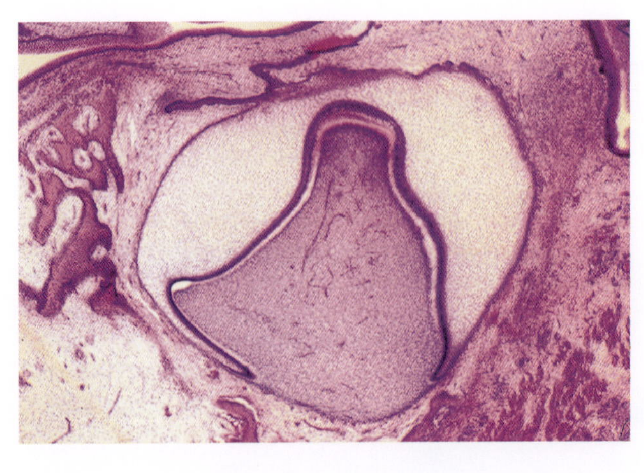

図4-1　歯胚の組織像
歯の発生において歯乳頭細胞から分化した象牙芽細胞が象牙質を形成し，歯乳頭細胞は歯髄細胞となっていく．この点からも象牙質と歯髄を１つの単位と考える必要がある．

2 機能からみた象牙質・歯髄複合体

1 象牙質の特性

象牙質は歯の大部分を占め，その物理的性状は以下のとおりである．①透過性はきわめて高い，②比重は2.1でエナメル質より高い，①弾性係数はエナメル質の1/4である，④硬度はエナメル質の約1/6である，⑤熱伝導率，熱拡散率ともエナメル質より低い，⑥電気伝導度は歯の石灰化度に比例するので，エナメル質より低い．エナメル質は無機質の含有量が著しく高く，硬いが非常にもろい組織である．したがって，象牙質のような弾力性のある組織の支持がなければ咀嚼による衝撃に耐えることができず，エナメル質は破損する．いいかえると，象牙質はその弾力性によってエナメル質のもろさを補っている．その一方で，エナメル質との物性の違いは，楔状欠損，特にアブフラクション[3]の原因にもなっている．

アブフラクション[3]
abfraction

象牙質は脈管をもたない黄白色の組織であり，その中央に歯髄腔をおさめている．重量比で，約70％は無機質であり，有機成分は主に線維性タンパク質のコラーゲンである．象牙質に特有の構造は，象牙質の全層を密に走る象牙細管の存在である．この象牙細管は象牙質を養う象牙芽細胞の細胞突起を含んでいる．

象牙芽細胞の細胞体は象牙質の内側縁に配列し歯髄との境界を形成している．象牙質には知覚があり，さらに重要なことは，象牙芽細胞は刺激を受けて必要があれば第三象牙質を形成し修復できることである．一方，象牙質によって取り囲まれ中央に存在する歯髄腔は，軟組織である歯髄によって満たされている．象牙質は硬組織であり，歯髄は軟組織であるので，解剖学的に象牙質と歯髄は容易に区別できる．しかし，象牙質と歯髄は発生学的にも機能的にも同一の単位であり，歯髄の典型的機能は象牙質と関連している．具体的には，①歯髄の周囲に象牙質を形成する，②歯髄は脈管のない象牙質へ栄養を供給する，③歯髄はその神経分布によって象牙質の知覚に関与する，④歯髄は必要に応じて新しい象牙質を形成し修復する，などである．

2 象牙質の透過性

象牙質には象牙細管が多数存在することからも透過性の高い組織といえる．象牙質の透過性，つまり象牙細管内の組織液（象牙細管内液）の流れやすさは，ハーゲン-ポアズイユの法則[4]によって表現される．

ハーゲン-ポアズイユの法則[4]
Hagen-Poiseille's law：象牙質の透過性を示す数式で，象牙細管内の液の移動しやすさを意味する．

$$\text{液流量} = \frac{\pi \times \text{作用圧} \times (\text{象牙細管の半径})^4 \times \text{管の両端の圧力差}}{8 \times \text{液の粘稠度} \times \text{象牙細管の長さ}}$$

この法則によれば，細い管を通して一定時間に流れる流体の量は，管の両端の圧力差および管の半径の4乗に比例し，管の長さに反比例する．すなわち，象牙質の透過性は象牙細管の太さに大きく左右される．

象牙細管の太さと分布は部位によって異なる．象牙細管はエナメル質側では細く，疎に分布し歯髄側では太く，密に分布している．したがって，象牙質中で象牙細管の占める割合は，エナメル-象牙質境界部ではわずか1％であるが，歯髄付近では22％と非常に大きくなるので，歯髄に近い象牙質の透過性はエナメル-象牙質境界部と比べて非常に高い（**図4-2**）．

一般に，象牙細管は若年者では太く，高齢者では細くなっているので，若年者における象牙質の透過性は高齢者のそれより高いことになる．

3 刺激の種類と象牙細管内液の移動（図4-3）

冷水刺激に対して，象牙細管内の組織液は収縮し，温熱刺激には膨張する．圧力をかける

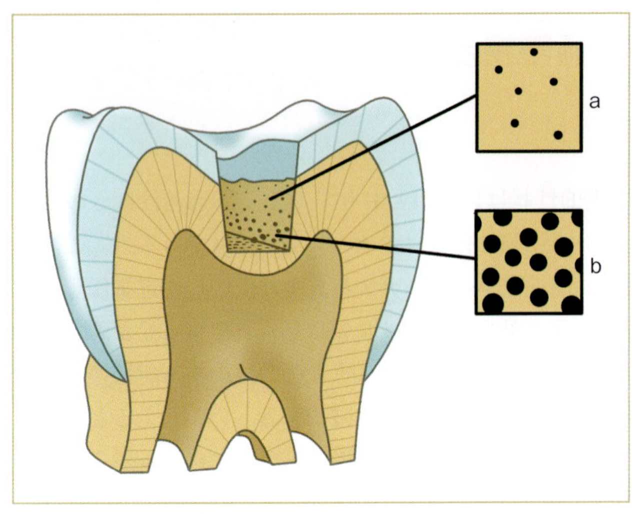

図4-2　象牙細管の太さと分泌

象牙細管はエナメル質側では細く，疎に分布し(a)，歯髄側では太く，密に分布している(b)．

〔下野正基：象牙質・歯髄複合体の病変．新口腔病理学．医歯薬出版．東京，50～72，2008(以下前版)より〕

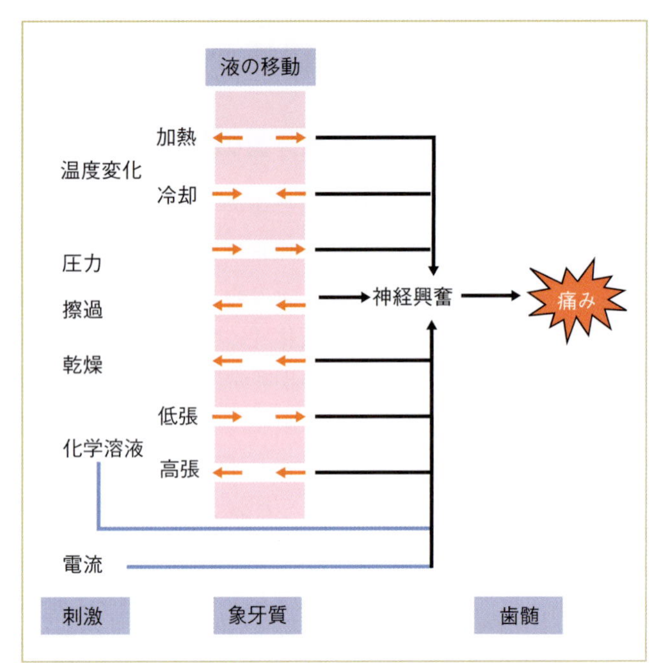

図4-3　象牙質に対する刺激の種類と象牙細管内液の移動

電流と化学溶液の一部は象牙細管内の移動と関係なく神経を興奮させる．

〔前版より〕

微小漏洩(マイクロリーケージ)[5]
microleakage

と組織液は歯髄側へ移動する．探針などの擦過によって組織液はエナメル質側へ移動する．エアーをかけるなどの乾燥刺激に対しても組織液はエナメル質側へ移動する．化学溶液は低張液の場合は歯髄側へ，高張液の場合はエナメル質側へ移動する．また修復物と窩壁の界面が不良な場合，細菌性刺激物質の歯髄への流入が持続的に生じることがある．この現象は微小漏洩(マイクロリーケージ)[5]とよばれ，修復後の歯髄刺激の原因とされている．このように，象牙細管内液の移動を介して神経興奮を引き起こし，痛みとなる．しかし，一部の化学溶液や電気による刺激は，象牙細管内の組織液を介することなく，刺激が直接神経終末に伝達される．

4 刺激に対する反応

刺激物質の象牙細管内での拡散に応じて象牙質・歯髄複合体ではさまざまな防御反応が行われる．象牙芽細胞による第三象牙質の形成や，象牙細管内の石灰化や閉塞(透明象牙質の形成)がその例である．これらにより象牙細管内での刺激物質の拡散や象牙細管内液の移動が起こらないようになっていると考えられる．近年ではこれらの現象には象牙芽細胞の侵害刺激受容体や象牙質側へのカルシウム排出機構が関連していることが解明されてきている．

3 臨床からみた象牙質・歯髄複合体

多くの歯科処置は象牙質と歯髄の両者に及ぶことが多い．日常的な修復手法と見なされる窩洞形成は，歯髄に多大な影響を及ぼしている．切削バーの振動は，象牙細管内液を歯髄側へ移動し，エアーシリンジの使用によって象牙細管内の水分は蒸散され，象牙細管内液はエナメル質側へ移動する(ハーゲン-ポアズイユの法則によると，その流れやすさ(流液量)は242 hPa ≒ 247 cmH_2Oに相当する)．このような組織液の移動により痛みを生じると同時に，末梢での神経ペプチドの放出や歯髄局所の炎症を惹起する．窩洞形成によって，象牙芽細胞はしばしば傷害を受ける．深い窩洞形成の際には，象牙芽細胞が象牙細管内に吸引され(象牙細管内桿状体)，浅い窩洞形成でも象牙芽細胞のギャップ結合の喪失を招く．

歯髄の感覚神経線維は象牙芽細胞層の直下で枝分かれし，ラシュコフの神経叢を形成し，象牙細管内にわずかに侵入し，末端は疼痛の受容体である自由神経終末で終わっている．象牙質が露出されると外来性の刺激によって象牙細管内液の移動により疼痛が生じる学説が動水力学説[6]である．また刺激により象牙芽細胞内のカルシウム濃度が上昇することで細胞外にATPが放出されることで歯髄ニューロンがATPを受容して疼痛を発することも解明されつつある．いずれにおいても歯髄神経が刺激を受容するとカルシトニン遺伝子関連ペプチド（CGRP）[7]やサブスタンスP（P物質）[8]を放出し，歯髄局所に神経由来の炎症を引き起こす．神経ペプチドによる刺激は，歯髄血管の透過性を亢進させ，滲出機転が起こり，歯髄内圧を亢進する．この際に生じるエナメル質側への組織液の移動は有害な細菌産生物質の歯髄側への拡散を防止している．このように，温度などさまざまな刺激，齲蝕，外傷に対して象牙質と歯髄は密接に関連した反応を示す．

動水力学説[6]
hydrodynamic theory

カルシトニン遺伝子関連ペプチド（CGRP）[7]
calcitonin gene related protein

サブスタンスP（P物質）[8]
substance P

以上のような生物学的な特徴があるため，象牙質・歯髄複合体とよばれ，歯髄の病態，損傷に対する生体の反応や治癒を考えたり，歯科治療を行う場合には，象牙質と歯髄は1つの組織ととらえるべきである．

Ⅱ—象牙質・歯髄複合体の加齢変化

1 象牙質の加齢変化[9]

加齢変化[9]
age change

1 第二および第三象牙質の形成

第二象牙質[10]は，歯が萌出した後も持続的かつ緩徐に象牙質が形成されるため加齢に伴ってその厚さは増加する．第二象牙質の形成は天蓋，髄床底，根管口などにおいて顕著である．第二象牙質の形成に伴って歯髄腔は狭窄する．

第二象牙質[10]
secondary dentin

齲蝕，咬耗，摩耗による欠損が生じた場合は第三象牙質[11]が速やかに形成される．第三象牙質ではコラーゲンの減少，非コラーゲン性骨タンパクである骨シアロタンパク[12]やオステオポンチン[13]の増加が報告されている．

第三象牙質[11]
tertiary dentin：第三象牙質は比較的弱い象牙質刺激が加わった際に既存の象牙芽細胞によって緩徐に形成される反応性象牙質と，強い象牙質刺激が加わったことにより象牙芽細胞が傷害受けた際に歯髄幹細胞から分化した象牙芽細胞により形成される修復象牙質に分けられる．

骨シアロタンパク[12]
bone sialoprotein

オステオポンチン[13]
osteopontin

第二象牙質と第三象牙質の違いは後述（56〜57頁）．

2 象牙質の性状の変化

象牙細管の内壁にカルシウムが沈着し，徐々に内腔が狭くなる（硬化象牙質[14]）．これによって象牙質の透過性は低下する．管間基質の石灰化も亢進して，象牙質の高度や比重は増加す

硬化象牙質[14]
sclerosing dentin

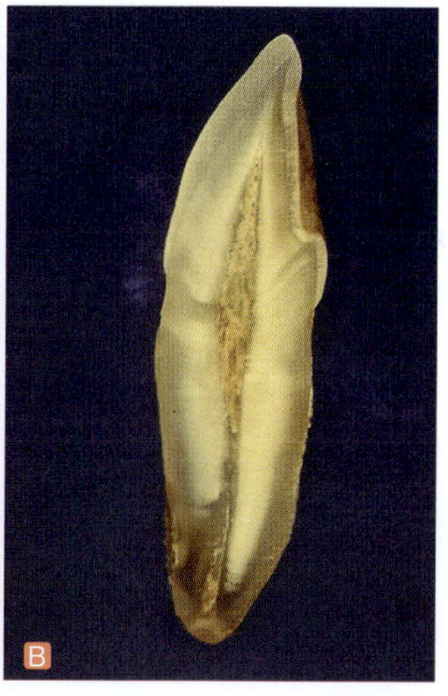

図4-4　若年者（A）と高齢者（B）の歯髄腔

A 若年者の歯．萌出から1年以内のものである．根管が完成しておらず（根未完成歯），歯髄腔も広く，色調も明るい．
B 高齢者の歯．歯髄腔は狭く，色調も暗い．

る．弾力は低下して，水分は少なくなり．象牙質はもろくなる．硬化象牙質では接着性レジンの接着が弱いといわれている．

2 歯髄の加齢変化

1 歯髄腔の狭小化

歯髄腔は，加齢とともに第二象牙質の添加や齲蝕，咬耗，摩耗などに対して形成される第三象牙質および象牙質粒の増生によって狭窄する（図4-4）．これに伴い天蓋と髄床底の距離の近接，根管の狭窄，根管口の近接がみられるようになり，歯内療法を困難にさせる一因となっている．

歯髄の細胞は加齢に伴って減少し，コラーゲン線維が増加する．この歯髄の線維の増加は外来刺激によっても生じる．これらの歯髄組織の加齢的変化にはさまざまな退行性病変も加わる．

オステオカルシン[15]
osteocalcin

近年，加齢に伴う歯髄腔の狭小化は歯髄内のオステオカルシン[15]発現の低下と関連することが示唆されている．

3 象牙質知覚過敏症

咬耗，摩耗，楔状欠損（アブフラクション）などによってエナメル質の実質欠損が生じると，象牙質が露出する．象牙細管が露出すると，口腔からの機械的・温熱的刺激に対して歯の感受性が亢進し，一過性の疼痛や不快感をきたすことがある．これを象牙質知覚過敏症[16]という．象牙質知覚過敏症の発症は，動水力学説によって説明できるが，前述のように細胞内カルシウムとATPの放出の観点からの研究が進んできている．

象牙質知覚過敏症[16]
dentin hypersensitivity

1 知覚過敏の治療法（外来刺激を遮断する方法）

(1) 感覚の鈍麻，閾値の上昇

硝酸カリウム配合歯磨剤の使用，歯科用レーザーの応用が行われる．

硝酸カリウムは知覚過敏抑制用の歯磨剤にも配合されている．これは象牙細管内に結晶を作り刺激を遮断する効果だけでなく，細胞外のカリウム濃度を上げることで知覚神経に脱分極が起こらないように閾値を上昇させる効果がある．知覚神経の鈍麻を目的として歯科用半導体レーザーが用いられる．

(2) 象牙細管内の組織液やタンパク質の凝固・固定

グルタールアルデヒドにより象牙細管内の組織液やタンパク質を凝固・固定することで象牙細管内液の移動を抑えようとする方法であるが，近年ではグルタールアルデヒドの細胞毒性を考慮し，行わない方向になっている．

(3) 象牙細管の封鎖

物理的に象牙細管を封鎖することで象牙細管内液の移動を抑えようとする方法である（**表4-1**）．象牙質の欠損は少ないが，象牙細管が露出している場合には薬剤を配合した歯磨剤を

表4-1　象牙細管の封鎖に用いる薬剤および材料

象牙細管内に結晶を形成させる	硝酸カリウム，シュウ酸カルシウム，耐酸性ナノ粒子，乳酸アルミニウム，フルオロアルミノシリケートガラス
露出象牙質を被覆する	グラスアイオノマーセメント，コンポジットレジン，レジンコーティング材，ボンディング材．

使用する方法や，知覚過敏抑制剤を露出した象牙質に塗布することで象牙細管内に結晶を形成させる方法がとられる．象牙細管内に結晶を形成させる知覚過敏抑制剤については酸性の液（シュウ酸など）が用いられており，これにより象牙質からカルシウムを出させて結晶（シュウ酸カルシウムなど）を形成させる．他にもフッ化ナトリウムを用いた石灰化により知覚過敏症状を軽減させる方法がある．

露出した象牙質を被覆する方法としては，欠損が少ない場合にはレジンコーティング材やボンディング材を用いて被覆し，楔状欠損のように欠損が大きい場合にはグラスアイオノマーセメントやコンポジットレジンを用いて修復する．これらにより象牙細管内液の移動を抑え，症状を改善することができる．

Ⅲ—象牙質・歯髄複合体の退行性変化

退行性変化[17]
degenerative change

歯髄組織は狭小な根尖孔を経て，神経・血管が交通しているという特殊な状況にあることから，組織機能の減衰や停止を招き，退行性変化[17]を起こしやすい．特に加齢に伴って根尖孔が狭窄するため，血液が十分供給されないことがある．歯髄では，萎縮，変性および壊死（または壊疽）といった退行性病変がみられる．

1 歯髄の変性

歯髄には，空胞変性，硝子様変性，石灰変性，アミロイド変性，脂肪変性，色素変性など，さまざまな変性がみられる．最もよくみられるのは，空胞変性と石灰変性である．

1 空胞変性

空胞変性は，主に象牙芽細胞に認められるが，歯髄細胞にも認められる．細胞内にタンパク質を含む液が貯留することにより，標本上では大小の空胞としてみえる．象牙芽細胞内に球状の小空胞が生じ，漸次その数や大きさを増して空胞化をきたすとともに，細胞間にも液状成分が貯留する（**図4-5**）．液状成分が増量すると，象牙芽細胞や歯髄細胞が圧迫されて索状を呈するようになる．

窩洞形成の際に，象牙芽細胞の空胞変性をみることがある．空胞変性に陥った細胞は，核が圧迫されて辺縁へ移動している．また，内容物の細胞間への貯留によって，歯髄細胞が索状となり，しだいに網様構造を呈するようになる．

2 硝子様変性

ヘマトキシリン・エオジン染色（HE染色）
Hematoxylin and Eosin stain
エラスチカ・ワンギーソン染色
Elastica van Gieson stain
マロリー染色
Mallory stain

歯髄の結合組織線維の変化で，神経や血管の周囲に均一無構造の硝子質が沈着する．硝子質はヘマトキシリン・エオジン染色（HE染色）で淡紅色，エラスチカ・ワンギーソン染色で鮮紅色，マロリー染色で青色に染まる．硝子様変性は網様萎縮に伴って認められ，硝子化をきたした部は石灰変性を起こしやすい．

3 石灰変性

歯髄の石灰変性は異栄養性石灰化であり，根部歯髄に多くみられ，加齢的に増加する．多くは歯髄の萎縮に伴って生じ，血管や神経線維周囲の硝子変性をきたした結合組織に石灰塩が沈着する．石灰化物は血管や神経，結合組織線維の走行に一致して，びまん性，線維状あるいは不定形に沈着する．小さなものから慢性炎症の際にしばしばみかける象牙質粒に似たものまである．高度な石灰変性によって，根管がほとんど閉鎖される場合もある．根管内の石灰化物

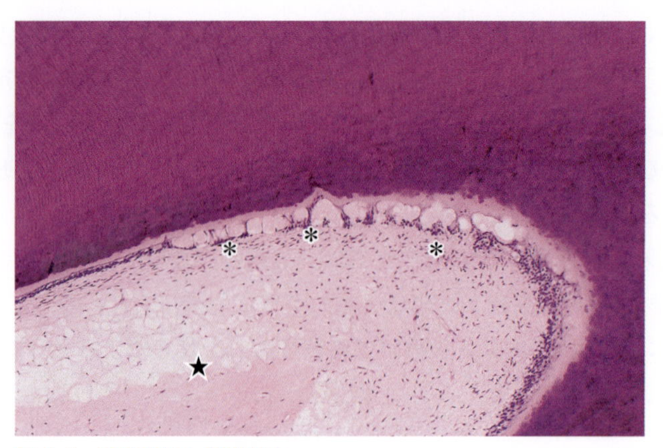

図4-5　空胞変性と脂肪変性
象牙芽細胞に空胞変性（＊）と歯髄に脂肪変性（★）がみられる．

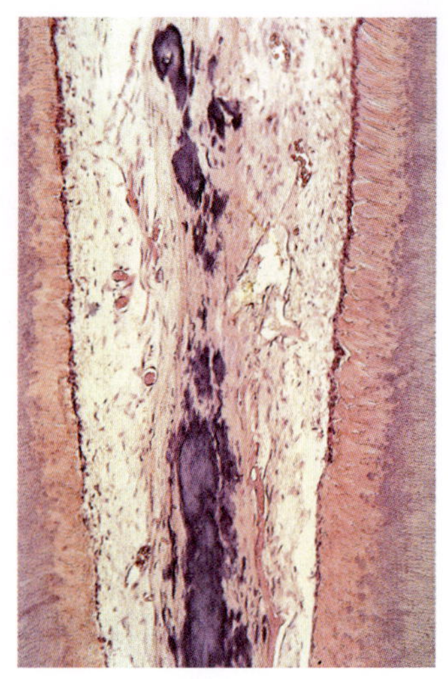
図4-6　石灰変性
根部歯髄に石灰化がみられる．

の存在により根管治療に用いるファイルなどの器具の挿入が困難となることがある（図4-6）．

4 アミロイド変性

コンゴーレッド染色
Congo-red stain

アミロイドは無構造半透明で，ヘマトキシリン・エオジン染色による顕微鏡観察では硝子質に似た糖タンパクであり，ヘマトキシリン・エオジン染色で淡紅色に染まる．アミロイドはヨード反応陽性，コンゴーレッド染色で赤色，各種塩基性色素に異染性を示すので，硝子質や膠様質と区別できる．

5 脂肪変性

生理的に象牙芽細胞や歯髄細胞は，細胞質内に脂肪滴を有している．これが加齢に伴って増加し，病的となったものが脂肪変性である．歯髄膿瘍部，過コレステリン血症などの代謝障害の際に，歯髄細胞内または細胞間に出現する（図4-5）．

6 色素変性

歯髄内に沈着する外来性の色素としては，亜ヒ酸の長期間貼付による黒い色素がある．内因性色素としては，出血後に赤血球が崩壊して血鉄素（ヘモジデリン）や類血素（ヘマトイジン）が沈着する．

2 歯髄の萎縮

萎縮[18]
atrophy

歯髄組織は硬組織に囲まれており，多数のトームス線維（象牙線維）が象牙質中に伸び，歯髄組織は懸垂された状態にあることから，歯髄の萎縮[18]に際して，容積の縮小の生じにくいことが特徴的である．歯髄萎縮には網様萎縮と変性萎縮がある．

1 網様萎縮

網様萎縮は歯根完成歯の冠部歯髄にしばしばみられ，加齢的に多くなる．象牙芽細胞の高さは減少して扁平化し，数の減少が認められる．歯髄細胞の数の減少や萎縮に加え，細胞間隙の拡大により，細胞突起が連絡しあって網様構造を呈する．歯髄組織はしだいに網様となって，大小不同の編み目を生じ，それらの線維間は漿液で満たされている．歯髄細胞の核は濃縮し，星状となる．

血管・神経線維は加齢とともに減少する．また，血管内にはしばしば血栓が認められる．

老人にみられるものは老人性萎縮とよばれる．

2 変性萎縮

変性萎縮は主に歯根完成歯の根部歯髄に現れる．歯髄組織の萎縮に，脂肪変性．硝子様変性，石灰変性などを伴ったものをいう．象牙芽細胞には空胞変性がみられ，歯髄細胞は減少または消失する．根部歯髄の結合組織，血管および神経線維は，歯の長軸方向に束状に集合し歯髄組織には線維化を生じている．このような部位に，しばしば硝子変性や石灰変性が認められる．

3 歯髄壊死，歯髄壊疽

本章64～65頁にて後述．

内部吸収[19]
internal resorption

4 歯の内部吸収[19]

臨床的には無症状で外見上異常はないが，画像診断的に歯髄腔の一部が円形または卵円形に吸収され，歯髄腔が拡大している場合を歯の内部吸収という．内部吸収は，歯髄内で限局性に肉芽組織が増生し歯髄壁の象牙質が吸収されることによって生じる慢性歯髄炎の特殊型と考えられているが，その病態発生は不明である．

病理組織学的には，歯髄内に血管に富む肉芽組織（内部性肉芽腫）が増殖している．吸収された象牙質には不規則な吸収窩がみられ，その中に破歯細胞が存在する．この破歯細胞によって象牙質が吸収される．

歯髄内肉芽組織は，①感染した冠部歯髄組織が根部歯髄に肉芽組織を誘導したものである，②肉芽組織が脈管系あるいは歯根膜など歯髄以外の組織に由来する，などの仮説がある．②は，吸収された象牙質に添加される組織が，象牙質ではなく，骨あるいはセメント質に類似していることに基づいている．

内部吸収は歯髄の肉芽組織化に加えて，象牙芽細胞層と象牙前質が消失した場合に生じる．その原因として，内部吸収の初発原因である外傷が考えられている．

臨床的には，無症状で，エックス線画像検査で初めて発見されることが多い．吸収部へ肉芽組織が侵入・増殖すると，歯冠の歯頸部が肉眼的にピンク色を呈する（ピンクスポット）．エックス線画像では根管内に卵円形の透過像として観察される（**図4-7**）．単純エックス線画像では二次元的な情報しかわからないため，外部吸収と内部吸収の区別は困難である．治療は破歯細胞への血液供給を効果的に止めることが重要であるので，抜髄により十分に歯髄を除去し，さらには強アルカリ性の水酸化カルシウム製剤を貼薬することで壊死に陥らせ，その後，軟化したガッタパーチャで根管と吸収部を緊密に充填（垂直加圧根管充填）することによって，その歯を保存することが可能である．

進行性病変[20]
progressive change

Ⅳ－象牙質・歯髄複合体の進行性病変[20]

1 増殖性変化

1 第二および第三象牙質

原生象牙質[21]
primary dentin

外表（外套）象牙質[22]
mantle dentin

歯が萌出し，歯根が完成されるまでに形成された象牙質は原生象牙質[21]とよばれ，歯の大部分はこれによって構成されている（**図4-8**）．原生象牙質の外層は外表（外套）象牙質[22]とよばれ，他の原生象牙質とは石灰化の過程，基質成分などが異なっている．第二象牙質は生理的第二象牙質ともいい，外来刺激とは関係なく形成される．第三象牙質は齲蝕や咬耗など外来性刺

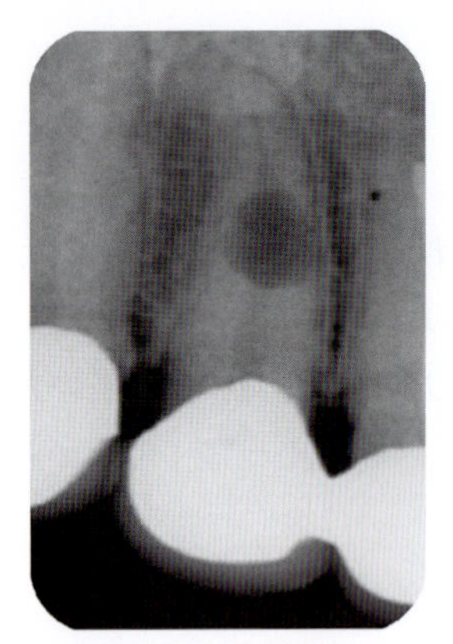

図4-7 歯の内部吸収のエックス線画像

歯根中央部に透過像がみられる．根管と外部吸収が重なっている可能性もあるので，歯科用コーンビームCTなどで確認する必要がある．

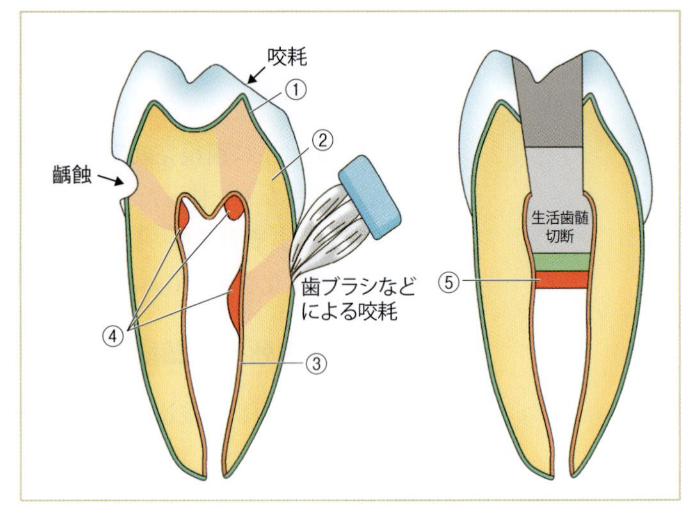

図4-8 形成される象牙質の名称

生理的条件下で形成された象牙質には，①外表（外套）象牙質，②原生象牙質，③第二象牙質があり，病的条件下で形成される象牙質には，④第三象牙質（修復象牙質，補綴象牙質，病的第二象牙質），⑤デンティンブリッジがある．
〔前版より〕

激に対する反応の結果，形成される．

(1) 第二象牙質（生理的第二象牙質）

第二象牙質は歯根が完成された後に生理的条件下で，加齢に伴って形成された象牙質である．この象牙質は象牙質の歯髄側の全面で形成されるが，特に歯髄天蓋部，根分岐部，根側壁部に多く形成される．

(2) 第三象牙質（修復象牙質，病的第二象牙質）

第三象牙質は咬耗，摩耗，酸蝕，齲蝕，窩洞形成などによって刺激を受けた象牙質の歯髄側に形成される（**図4-9**）．

(3) 第二象牙質と第三象牙質の違い

第二および第三象牙質は，原生象牙質と全く同じ構造を示すものから著しく異なるものまでいろいろある．第二象牙質と第三象牙質の一般的な相違を**表4-2**に示す．

不整象牙質（不正象牙質）[23]
irregular dentin

2 不整象牙質（不正象牙質）[23]

これは，硬組織の欠損と関係なく，根分岐部の髄床底や根管壁に添加される象牙質である．原生象牙質より未分化な象牙質で，加齢に伴って形成される傾向が強い．病理組織学的特徴は第三象牙質の特徴に似ている．

象牙質粒（瘤）[24]
denticle

3 象牙質粒（瘤）[24]

高齢者の歯髄によくみられ，歯髄結石とよばれることもある．存在部位により，①遊離性象牙質粒，②壁着性象牙質粒，③介在性象牙質粒に分類される．

①の遊離性象牙質粒は歯髄内に遊離性に存在する．②の壁着性象牙質粒は象牙質壁に付着して存在する．③の介在性象牙質粒は遊離性の象牙質粒が第二象牙質の増生に伴って歯根象牙質に埋入されたものである．

また，象牙質粒内に象牙細管を有するものを真性象牙質粒といい，象牙細管が認められないものを仮性象牙質粒という（**図4-10**）．象牙質粒の形成は根管内の石灰変性同様で根管治療

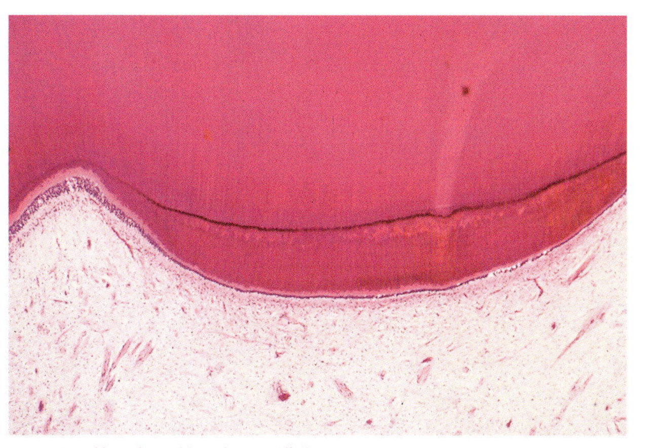

図4-9　第三象牙質の病理組織像
咬合面に窩洞形成が行われた歯では，天蓋部に第三象牙質の形成がみられる．それ以前に形成された第二象牙質との間には境界線がみられる．

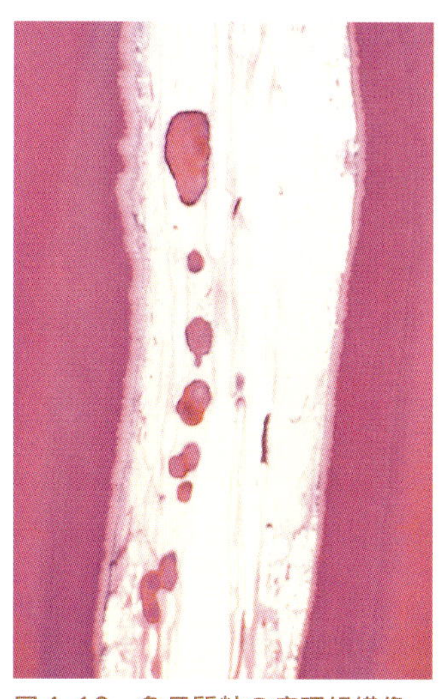

図4-10　象牙質粒の病理組織像
歯髄内に象牙質粒が散在性にみられる．象牙質と接しないものは遊離性象牙質粒とよばれる．

表4-2　第二象牙質と第三象牙質の違い

	第二象牙質	第三象牙質
出現部位	全　面	歯質の欠損のある部位
象牙細管の数	原生象牙質と同じ	少ない
象牙細管の走行	正　常	蛇行が多い
象牙細管の分布	規則的	不規則
球間区	みられない	ときにみられる
石灰化	原生象牙質と同じ	原生象牙質より低い
象牙芽細胞の埋入	みられない	みられる（骨様象牙質）

を困難にしている．

創傷治癒[25]
wound healing

V―象牙質・歯髄複合体の創傷治癒[25]

1 象牙質の硬化

咬耗・摩耗，齲蝕などの刺激によって，象牙細管が石灰化により閉鎖されたものを硬化象牙質とよび，不透明層と透明層が現れる．

管周象牙質での石灰化度と，管間象牙質での石灰化度が均質であれば透明層（透明象牙質）が形成される．透明層は光線が透過しやすいので，研磨標本において透過光線では明るく，落下光線では暗くみえる．

石灰化度が不均質であれば不透明層（不透明象牙質）が形成される．不透明層は光線が透過しにくいので透過光線では暗くみえるが，落下光線では光輝を発して明るくみえる．齲蝕象牙質では不透明層は外混濁層あるいは生活反応層とよばれる．

デンティンブリッジ[26]
dentin bridge

2 デンティンブリッジ[26]（象牙質橋）

生活歯髄切断後に水酸化カルシウム製剤などを歯髄創面に貼付すると，表在性の凝固壊死

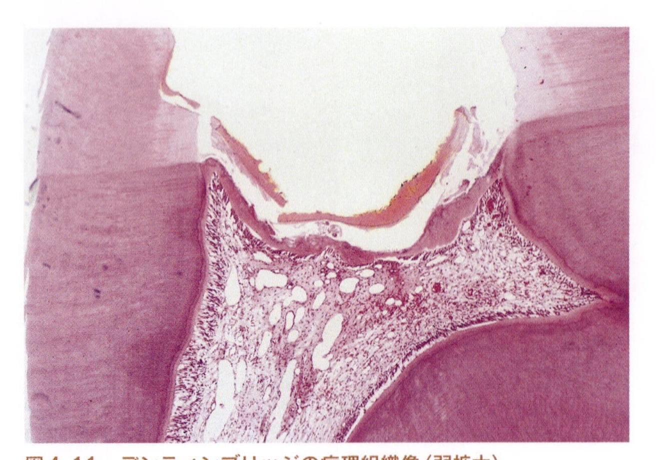

図4-11　デンティンブリッジの病理組織像（弱拡大）
歯髄創面に水酸化カルシウム製剤を応用するとデンティンブリッジの形成がみられる．

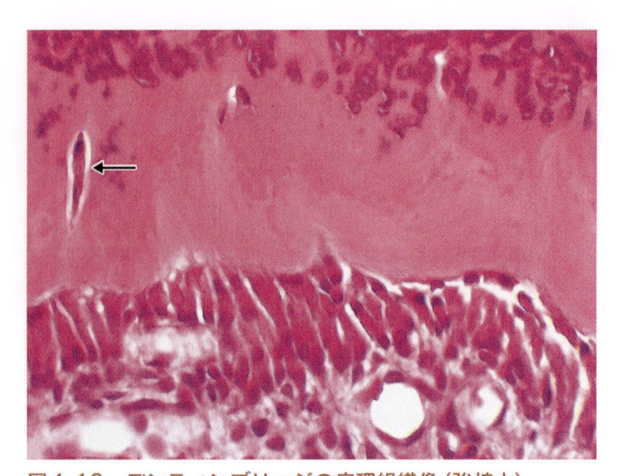

図4-12　デンティンブリッジの病理組織像（強拡大）
デンティンブリッジ内には細胞の封入がみられる（矢印）．封入された細胞が壊死に陥るとトンネル状の欠損となる．

が起こり，この壊死層直下に被蓋硬組織が形成される．この被蓋硬組織をデンティンブリッジという（**図4-11**）．病理組織学的には表層寄りの骨様象牙質と象牙細管を有する本来の象牙質の二層構造となっている．

歯髄切断によって象牙芽細胞が失われても，歯髄幹細胞や歯髄細胞が象牙芽細胞に分化して象牙質を形成すると考えられている．この機序は第三象牙質が形成される場合も同じである．水酸化カルシウム製剤の代わりに，リン酸三カルシウムや接着性レジンを創面に応用すると骨様象牙質は形成されない．このことから，骨様象牙質の形成は強アルカリである水酸化カルシウムの影響と考えられている．またある程度の炎症が起こらないとデンティンブリッジが形成されないと考えられている．生活歯髄切断後に，創面を橋渡しするように形成されるデンティンブリッジにはトンネル状の欠損があるといわれている．これはデンティンブリッジの基質内に封入された細胞が壊死に陥った結果と考えられている（**図4-12**）．

化生[27]
metaplasia

3 化　生[27]

化生とは，いったん分化した組織が，異なる組織に変化する現象をいう．歯髄組織が肉芽組織や線維性結合組織に変わって太い線維が形成されたり，歯髄壁に骨類似組織が形成されるのは，歯髄細胞が脱分化して未分化間葉細胞になり，そこから骨系の細胞に分化したことによると考えられている（間接化生）．近年，歯髄組織中には間葉系幹細胞が多数存在しており，歯髄細胞から歯髄幹細胞が分化したとも考えられている．

Ⅵ—歯髄の感染と炎症

歯髄炎[28]
pulpitis

1 歯髄炎[28]の原因

歯髄には歯の硬組織を介して間接的に種々の物理的，化学的および細菌性刺激が加わる．また，歯周ポケットや歯根膜を経由して根尖孔や根管側枝から感染が歯髄に波及することがある．さらに，血行性に歯髄が細菌に感染することも稀にある．このように歯髄疾患の原因は多岐にわたる（**表4-3**）．

1 細菌性因子

齲蝕病巣からの細菌侵襲は，歯髄炎の原因として最も頻度の高いものである．細菌あるい

表4-3　歯髄炎の原因

細菌性因子	細菌，細菌性代謝産物（毒素など）． 経路として象牙細管，露髄，根尖孔，側枝，血行性侵入
物理的因子	機械的刺激：象牙質の切削，外傷 温度的刺激：切削時の発熱，歯科用材料の硬化時反応熱 電気的刺激：異種金属の接触によるガルバニー電流
化学的因子	修復材料の化学成分：歯冠修復材や即時重合レジンやコンポジットレジンの未反応モノマー 窩洞処理剤：エッチングの酸など
神経的因子	神経ペプチド（サブスタンスP），カルシトニン遺伝子関連ペプチド（CGRP）

は細菌性毒素は，偶発的な露髄あるいはリンパ行性，血行性に直接歯髄に達することもある．

2 物理的因子

エナメル質が失われて象牙質が露出したり，歯肉が退縮して歯根面が露出すると，機械的あるいは温熱的刺激が象牙質を通して歯髄に達する．

(1) 機械的刺激

①スポーツ，交通事故などによる外傷，ブラキシズム，窩洞形成や歯の移動などの医原性刺激
②咬耗，摩耗，酸蝕などによる病的損傷
③歯の亀裂
④気圧の変化：歯髄に何らかの傷害のみられる歯では，気圧の変化により歯痛を生じることがある（飛行機での移動，水中での作業）．

(2) 温度的刺激

①歯の切削による摩擦熱
②コンポジットレジンや即時重合レジンの重合時の発熱
③セメントの硬化熱
④大きな充填物の熱伝導

などがある．

(3) 電気的刺激

①異種金属の接触によるガルバニー電流．

3 化学的因子

①歯冠修復材や裏層材として用いられる即時重合レジンやコンポジットレジンの未反応モノマー
②リン酸亜鉛セメントなどの遊離リン酸
③硝酸銀や石炭酸などの刺激性消毒剤
④歯髄に凝固壊死を起こさせる目的で用いられる失活剤（亜ヒ酸，パラホルムアルデヒド）

などがある．

以前はコンポジットレジン充填後に歯髄が壊死してしまうことが多く，歯髄為害性が指摘されていた．しかし，接着システムが開発され，樹脂含浸層がしっかりできれば歯髄への影響はみられないというのが現在の考えである．従来，歯髄為害性といわれていたものは接着システムにおいて象牙質への接着が不十分なため微小漏洩（マイクロリーケージ）ができることにより細菌感染が起こっていたものと考えられている．

4 神経的因子

神経ペプチドも歯髄炎を引き起こす因子の1つである．神経ペプチドは神経細胞に含まれている短鎖のペプチドであり，脳の中に広く分布し，ホルモンとして働く．歯髄内にも神経ペプチドは存在するが，これらは神経節で作られ軸索輸送によって歯髄内に運ばれる．神経ペプチドはホルモンとして働く他に，神経伝達物質，神経修飾物質として特定の細胞に作用する．神経ペプチドのうち，サブスタンスP（P物質）およびカルシトニン遺伝子関連ペプチドの歯髄内での機能が明らかにされている．

(1) サブスタンスP（P物質）

11個のアミノ酸からなるペプチドで，小腸を収縮させ，血管を拡張させる働きがある．これは神経組織の中に前駆体として存在し刺激が加わると放出される．サブスタンスPは血管拡張を惹起し毛細血管の透過性を亢進させることから，歯髄炎の原因となりうる．サブスタンスPはC線維（無髄神経線維）に存在する．C線維は歯髄深層（中心部）に分布しており，歯髄炎の痛みに関連する．

(2) カルシトニン遺伝子関連ペプチド（CGRP）

甲状腺の傍濾胞細胞で発現するペプチドホルモンであるカルシトニン遺伝子の選択的スプライシングを受けて作られた神経ペプチドである．サブスタンスPと同様に血管を拡張し透過性を亢進させる．カルシトニン遺伝子関連ペプチドはC線維とAδ線維（有髄神経線維）の両方に存在する．

Aδ線維は象牙質・歯髄境界部に分布しており，知覚過敏と密接に関連する．乳歯や根未完成歯ではAδ線維の分布は少ないといわれており，乳歯齲蝕で痛みがないこと，根未完成歯での急性齲蝕で症状が少ないこととの関連が示唆されている．

象牙質への傷害性刺激によって生じた感覚神経線維のインパルスの一部は，軸索反射により分岐部から末梢方向に伝えられる．これによって神経終末から神経ペプチドが放出され，血流の増加，血管透過性の亢進，好中球の滲出などの反応が生じる．

2 細菌感染の経路

1 齲蝕病巣からの感染

象牙質齲蝕の進行は象牙細管の走行に従うため，病巣からの細菌や細菌性物質が歯髄に到達する場合には，象牙質の太さに関係してくる．象牙細管はエナメル質側では細く，歯髄側では太くなっている．また，若年者では太く，高齢者では細くなっている．したがって，齲蝕病巣からの刺激は若年者では到達しやすく，象牙細管の狭窄または閉鎖をきたす高齢者では到達しにくいと考えられる．このことは急性齲蝕が若年者に多いこととも関連する．

また，細菌侵入の速度は歯髄の防御反応に関連して異なり，硬化象牙質の形成（再石灰化）や第三象牙質の形成が著明な場合，細菌感染は遅くなる．

象牙質齲蝕の進展に伴って生じる歯髄の漿液性炎は，病理組織学的にはまだ細菌感染のない状態であって，軟化象牙質内の細菌感染やその分解産物による純粋な毒素性歯髄炎ともいわれている．さらに，神経ペプチドが血管の透過性を亢進させ，液状成分を血管から血管外へ滲出させるが，その機序を促進させた結果とも考えられる．象牙質の齲蝕が進むと，歯髄内にグラム陽性またはグラム陰性細菌による感染が生じ，化膿性炎が成立する（**図4-13**）．

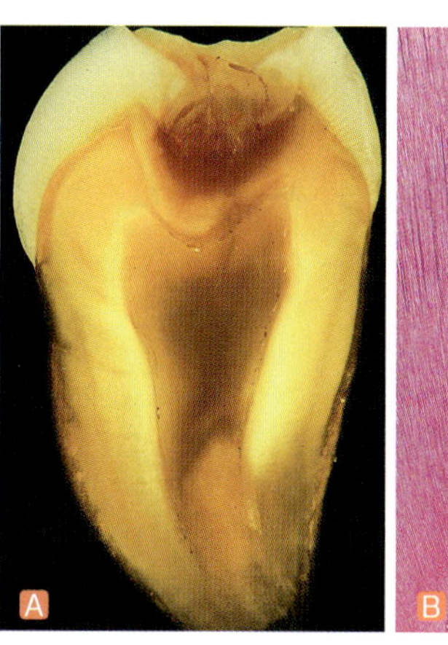
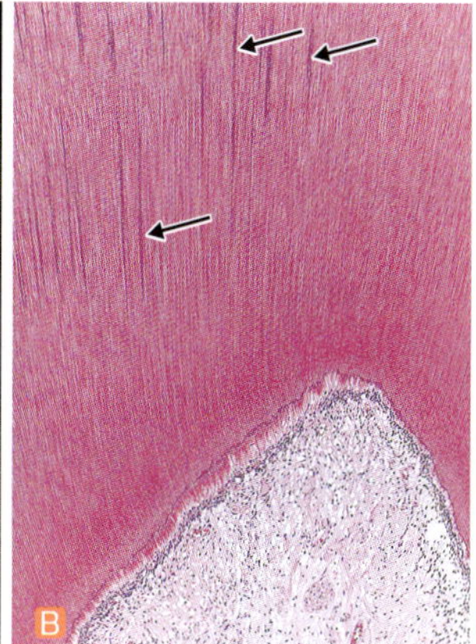
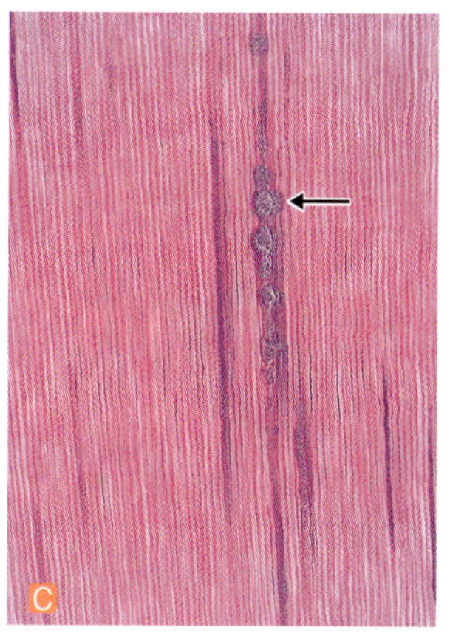

図4-13　象牙質齲蝕での象牙細管

齲蝕では象牙細管の走行に沿って細菌が歯髄に感染していく．
A 象牙質まで進行した齲蝕（歯の断面の肉眼像）．
B 象牙細管に沿った細菌の進行（病理組織像）．象牙細管が紫色となった部分（矢印）には細菌が存在している．
C 細菌が侵入した象牙細管の強拡大像．細菌侵入部が捻珠状に拡大している（矢印）．

2 根尖孔からの感染

歯周病でポケットが深くなると根管側枝や根尖孔から根管歯髄に感染をきたすことがある．また，隣接歯の根尖性歯周炎や顎骨骨髄炎が拡大し，根尖孔を病変内に包含した場合，根尖孔からの感染を招く．このようにして生じた病変を歯内-歯周疾患（endo-perio lesion）とよび，これによって起こる歯髄炎は上行性歯髄炎[29]とよばれる．

上行性歯髄炎[29]
ascending pulpitis

3 血行性感染

重篤な敗血症の場合，稀に健全歯の歯髄にも血行性に感染をきたし，歯髄炎を起こすことがある．このような歯髄炎を血行性歯髄炎[30]という．

血行性歯髄炎[30]
hematogenous pulpitis

3 歯髄炎の分類

歯髄疾患の種類については，従来，病理組織学的に分類されてきた．しかし歯髄疾患の臨床診断と病理組織学的な診断とが一致することは少ないため，最近では症状・症候に基づいた臨床的分類も行われている．また，歯髄疾患を歯髄の保存が可能かどうかで，可逆性歯髄炎と非可逆性歯髄炎とに大別する分類がある．この分類では，移行期にある疾患の鑑別が適切にできるかが問題であると指摘されている．

1 臨床症状ならびに各種の検査・診査に基づく分類

歯髄炎にはさまざまな分類があるが，歯髄保存の可否に基づき可逆性歯髄炎と不可逆性歯髄炎に分けられる．

可逆性歯髄炎[31]
reversible pulpitis

(1) 可逆性歯髄炎[31]

原因の除去により健康な状態に回復させることが可能な病態を可逆性歯髄炎という．誘発痛や自発痛などの急性症状はあっても軽度であり，露髄歯を伴わない．齲蝕の除去，歯髄鎮痛消炎療法，覆髄法といった歯髄保存療法を行う．

不可逆性歯髄炎[32]
irreversible pulpitis

(2) 不可逆性歯髄炎[32]

不可逆性歯髄炎は原因の除去を行っても歯髄が健康な状態に回復しない病態をいう．可逆性歯髄炎を放置した際に移行して発症することが多い．原則として抜髄法が行われるが，根未

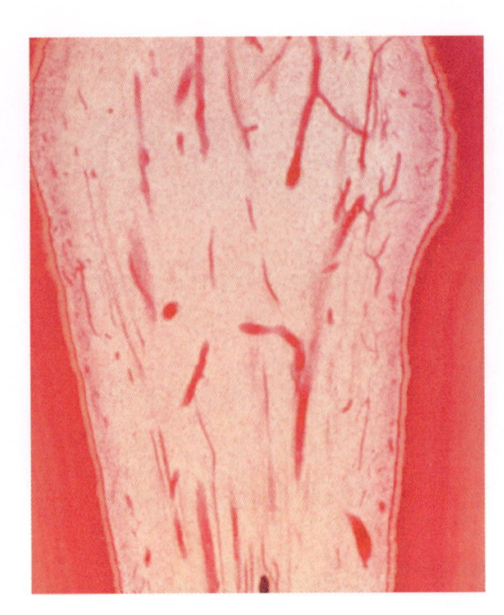

図4-14　歯髄充血の組織像
歯髄充血では歯髄内の血管が著明に拡張し，赤血球が充満している．

完成歯では生活歯髄切断法やアペキソゲネーシスが行われることがある．

2 病理組織学的分類

病理組織学的に歯髄炎は

(1) 歯髄充血

(2) 急性歯髄炎：①急性単純性歯髄炎（一部性・全部性），②急性化膿性歯髄炎（一部性・全部性），③急性壊疽性歯髄炎

(3) 慢性歯髄炎：①慢性閉塞性歯髄炎，②慢性潰瘍性歯髄炎，③慢性増殖性歯髄炎

(4) 歯髄壊死，歯髄壊疽

のように分類される（2003年日本歯科医学会）．

歯髄充血[33]
pulp hyperemia

(1) 歯髄充血[33]

臨床的には主として冷刺激で一過性の誘発痛が生じるが，自発痛はなく，齲蝕はみられるが露髄は認められない．歯髄において拡張した血管内に血液が充満した状態を歯髄充血という（**図4-14**）．

刺激に対する初期の歯髄反応で，可逆性の反応であるが，刺激が持続する場合には非可逆性の歯髄炎に移行する．臨床的に歯髄炎とは分けられているが，厳密に歯髄充血と急性単純性歯髄炎を分けることは病理組織検査を行わないとわからない．

急性歯髄炎[34]
acute pulpitis

(2) 急性歯髄炎[34]

臨床的に急性症状（自発痛，持続時間の長い誘発痛）を伴うものを急性歯髄炎とよぶ．病理組織学的には血管からの滲出機転が著明なものをいう．初期には漿液の滲出が著明な漿液性炎の状態であるが，細菌感染があると化膿性炎となる．

急性単純性（漿液性）歯髄炎[35]
acute simple (serous) pulpitis

❶急性単純性（漿液性）歯髄炎[35]（図4-15）

臨床的に急性症状を示した歯髄炎の初期病変であり，健全な象牙質に被覆されている歯髄に漿液性変化が生じたものである．その病理組織学的特徴は

・血管が拡張し，充血がみられる．
・漿液の滲出が著明で，間質は浮腫状を示す．
・血管周囲には好中球，マクロファージ，リンパ球が種々の割合でみられる．
・象牙芽細胞に軽度の変性，萎縮がみられる．

急性化膿性歯髄炎[36]
acute suppurative pulpitis

❷急性化膿性歯髄炎[36]（図4-16）

臨床的に強度の急性症状を示し，軟化象牙質によって被覆された歯髄（仮性露髄）に著明な好中球の浸潤がみられる炎症である．病理組織学的特徴は

・著明な好中球の浸潤が認められ，膿瘍形成を認める．膿瘍腔内には細菌を貪食した好中

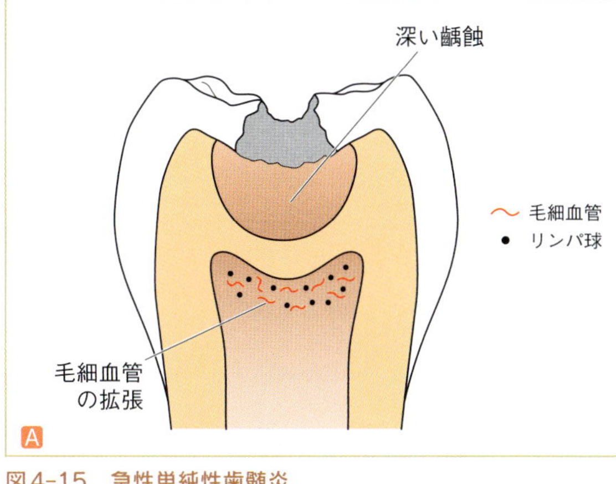

図4-15　急性単純性歯髄炎

A 模式図.
B 病理組織像．急性単純性歯髄炎では血管拡張とリンパ球を主体とした炎症性細胞浸潤がみられる．

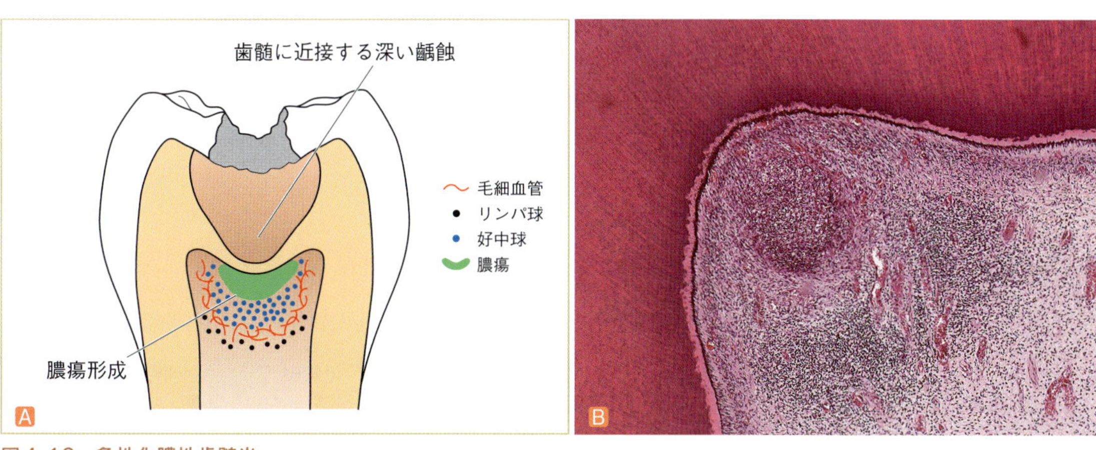

図4-16　急性化膿性歯髄炎

A 模式図.
B 病理組織像．髄核付近に好中球が集簇し膿瘍を形成している．

球が膿となって存在する．
- 歯髄内の血管は著明に拡張し，充血や出血がみられる．
- 膿瘍周囲では神経線維が分布している．

急性壊疽性歯髄炎[37]
acute necrotic pulpitis

❸急性壊疽性歯髄炎[37]

壊死部に腐敗菌の感染を伴ったものを壊疽という．急性化膿性歯髄炎に腐敗菌の感染が生じたものを急性壊疽性歯髄炎という．臨床症状としては急性化膿性歯髄炎と同様であるが，髄室開拡中に特徴的な壊疽臭が生じる．病理組織学的には急性化膿性歯髄炎の像に加え，組織融解や壊死が生じている．

慢性歯髄炎[38]
chronic pulpitis

(3) 慢性歯髄炎[38]

慢性歯髄炎は経過が長く，露髄し開放されたため急性症状がなくなった歯髄の炎症（慢性潰瘍性歯髄炎や慢性増殖性歯髄炎）を指す．

慢性潰瘍性歯髄炎[39]
chronic ulcerative pulpitis

❶慢性潰瘍性歯髄炎[39]（図4-17）

急性化膿性歯髄炎において歯髄を囲んでいる軟化象牙質が失われ，露髄すると排膿が起こり，結果として歯髄組織の膿瘍部が直接外界に開放され，臨床経過の長い実質欠損を伴った病変となる．このような状態を慢性潰瘍性歯髄炎という．病理組織学的特徴は

- 象牙質により被覆はなくなり，露髄面に歯髄の実質欠損がみられる．
- 潰瘍部表層にはフィブリン，好中球からなる滲出物が付着し，さらには食物残渣，細菌，膿汁などがみられることがある．

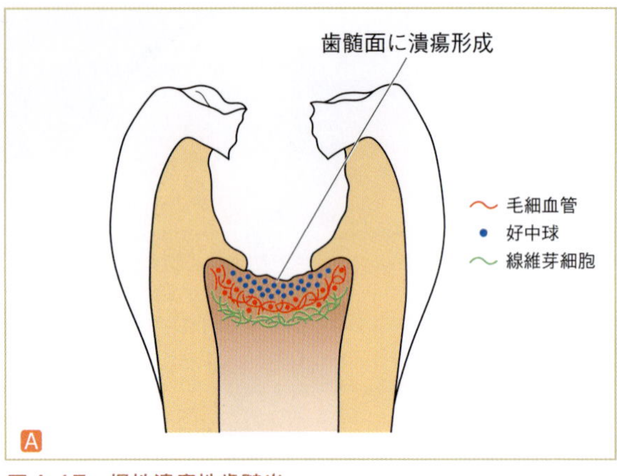

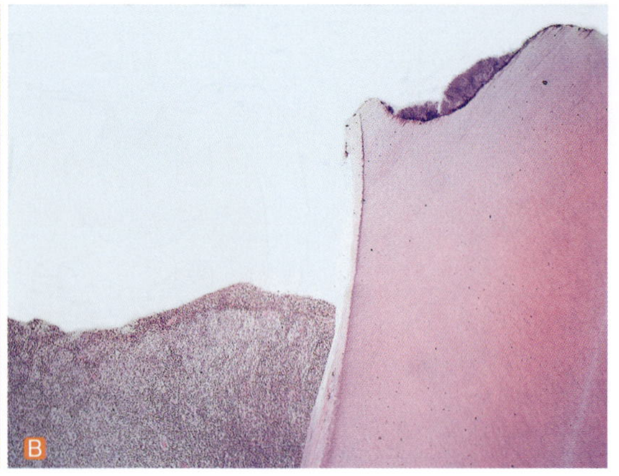

図4-17　慢性潰瘍性歯髄炎

A 模式図.
B 病理組織像．齲蝕により歯髄腔が開放され歯髄が露出している．露出歯髄の表層では好中球が層をなしている．象牙質面にも細菌塊がみられる．

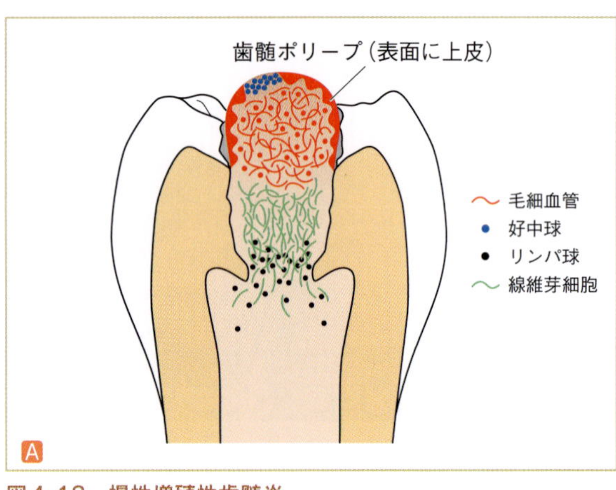

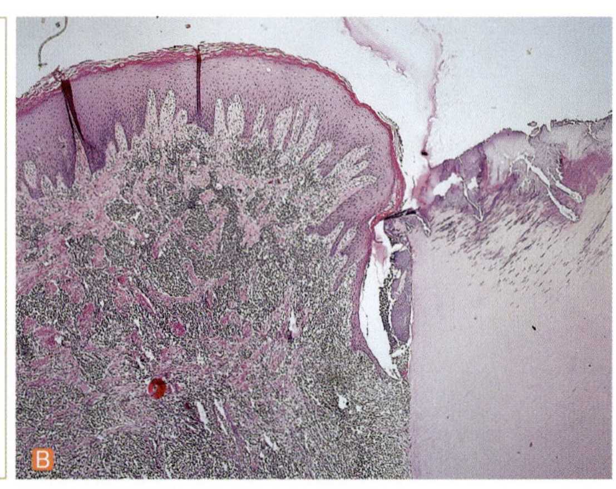

図4-18　慢性増殖性歯髄炎

A 模式図.
B 病理組織像．慢性増殖性歯髄炎では歯髄ポリープが形成されるが，表面には上皮がみられることがある．

・表層直下には好中球の浸潤が層状となっている．
・この下層には毛細血管や線維芽細胞に富んだ幼若な肉芽組織層が認められ，リンパ球や形質細胞の浸潤もみられる．
・肉芽組織層の下には線維性結合組織層が存在する．

慢性増殖性歯髄炎[40]
chronic hyperplastic pulpitis

❷慢性増殖性歯髄炎[40]（図4-18）

慢性潰瘍性歯髄炎から肉芽組織がポリープ状に増殖したもので，乳歯や若年者の歯のように生活力が旺盛な歯髄にみられる．増殖した肉芽組織は歯髄息肉あるいは歯髄ポリープともよばれる．病理組織学的特徴は

・歯髄が腔内から突出するように外向性増殖をしている．
・歯髄ポリープの表層には白血球層あるいは上皮層がみられる．
・表層下には幼若な肉芽組織層がみられる．
・深部（ポリープの頸部）には線維性結合組織層が存在する．

歯髄壊死[41]
pulp necrosis
歯髄壊疽[42]
pulp gangrene

(4) 歯髄壊死[41]および歯髄壊疽[42]

歯髄炎が進行して歯髄が壊死に陥った状態が歯髄壊死で，ここに腐敗菌の感染が生じた場合には歯髄壊疽となる．

❶歯髄壊死

歯髄壊死には，①乾性（凝固）壊死と，②湿性（液化）壊死がある．①は歯髄が乾屍状態にな

ったもので，②は歯髄が融解した場合をいう．

壊死によって生じた歯髄の変性産物は，根尖部の歯周組織に対して抗原性を有するため，根尖病変を発生させることがある．

❷歯髄壊疽

歯髄壊死の状態に細菌（嫌気性菌）感染が起こり，歯髄が腐敗した状態である．化膿性炎症や壊死に陥った歯髄が腐敗菌の感染を受けることによって起こる．歯髄壊疽には，根尖周囲組織に影響を及ぼしていない単純性歯髄壊疽と根尖周囲組織に病変が波及した複雑性歯髄壊疽とがある．

自覚症状としては，一般に自発痛はなく，咬合痛や温熱痛を生じることがある．他覚症状は，歯の変色（黒褐色）および歯の透明度の低下が著明であることである．打診音は濁音で，打診痛と軽度の動揺を伴うことがある電気的検査には反応がない．また髄室開拡時に腐敗臭を伴う．これは，タンパク質の腐敗により硫化水素が遊離されるためである．歯髄壊疽では，悪臭を放つ他，病巣に組織の壊死や崩壊がみられるのが特徴である．放置すると，根尖歯周組織に感染が波及し根尖性歯周炎を継発する．

4 歯髄炎の経過

1 歯髄の特殊性と炎症の進行

炎症はさまざまな侵襲に対する生体の防御反応であることから，歯髄炎でみられる症状は生体の防御反応ということができるが，他部位における炎症と歯髄の炎症では異なる点が存在し，これには歯髄が関与している．

歯髄の特殊性の1つ目としては，歯髄は血管に富み，周囲を硬組織に囲まれた特殊な結合組織ということである．そのためひとたび刺激を受けると血管拡張に対して浮腫などの変化が起こったときには歯髄の許容量に限界があることになる．

2つ目の特殊性としては，傍側循環路が乏しいということである．すなわち歯髄に出入りする血管は根尖孔からのものがほとんどであり，わずかな小血管が側枝や副根管から供給されているが，他の組織と比較すると傍側循環路とはいいがたいほど量が少ない．歯髄の1カ所に炎症が起こると，その際に生じた壊死組織や細胞，組織の残骸を異物処理機転で排除することができないということになり，その壊死物質が引き金となりさらなる炎症を引き起こし，壊死に陥るという負のスパイラルが繰り返され，やがて歯髄は全部壊死に陥っていくことになる．

これら以外にも3つ目の特殊性として，神経的因子により歯髄炎を引き起こすことが挙げられる．すなわち三叉神経節で作られた神経ペプチドが軸索輸送によって歯髄内に運ばれてくるが，象牙質への侵害刺激によって生じた求心性インパルスの一部は軸索反射によって分岐部から末梢方向に伝えられ，神経終末からサブスタンスPやカルシトニン遺伝子関連ペプチドが放出される．これにより血流の増加，血管透過性の亢進が生じ，炎症が進行する．臨床的にはここまでの段階が，いわゆる歯髄充血や急性単純性歯髄炎の状態である．

細菌性や神経性の原因が除去されないと上記の状態が続くが，血管透過性が亢進し，滲出機転が起こっても歯髄は周囲を象牙質に囲まれているため腫脹することができず，内圧が高まる．組織圧が血管の内圧よりも高くなると血管を圧迫し，血流は停滞し，やがて血栓を作り，その末梢領域には壊死が起こっていく．壊死組織や滲出液が引金となり，さらなる炎症を引き起こし，組織圧の上昇，白血球の滲出が続いていく．この際に好中球の浸潤が著明となり膿瘍を形成することが多い（多くは髄角部歯髄）．この段階が急性化膿性歯髄炎である．このようなスパイラルが繰り返され，やがて歯髄全体に拡大していき，全部壊死に陥ることとなる（**図**

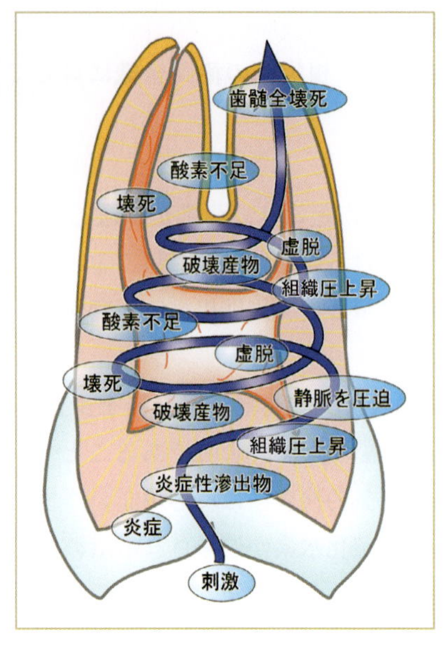

図4-19　歯髄内の炎症波及により歯髄全体の壊死が引き起こされるサイクル（ドミノ理論）
〔前版より〕

4-19）.

急性化膿性歯髄炎が進行していく過程で，歯髄を被覆している軟化象牙質が失われて歯髄が露出すると囲まれていたために上がっていた内圧が下がるため，自発痛は劇的に軽減するが，歯髄実質欠損を伴った病変となる．臨床的には大きな齲窩が存在し，露髄面には肉芽組織がみられる．自発痛はほとんどないが，齲窩に食片が圧入すると激痛が生じる．この状態を放置しておくと歯髄はすべて壊死していくことが多いが，乳歯や若年者では潰瘍面の肉芽組織が茸状に隆起してくることがあり，このような場合を慢性増殖性歯髄炎という．

（村松　敬）

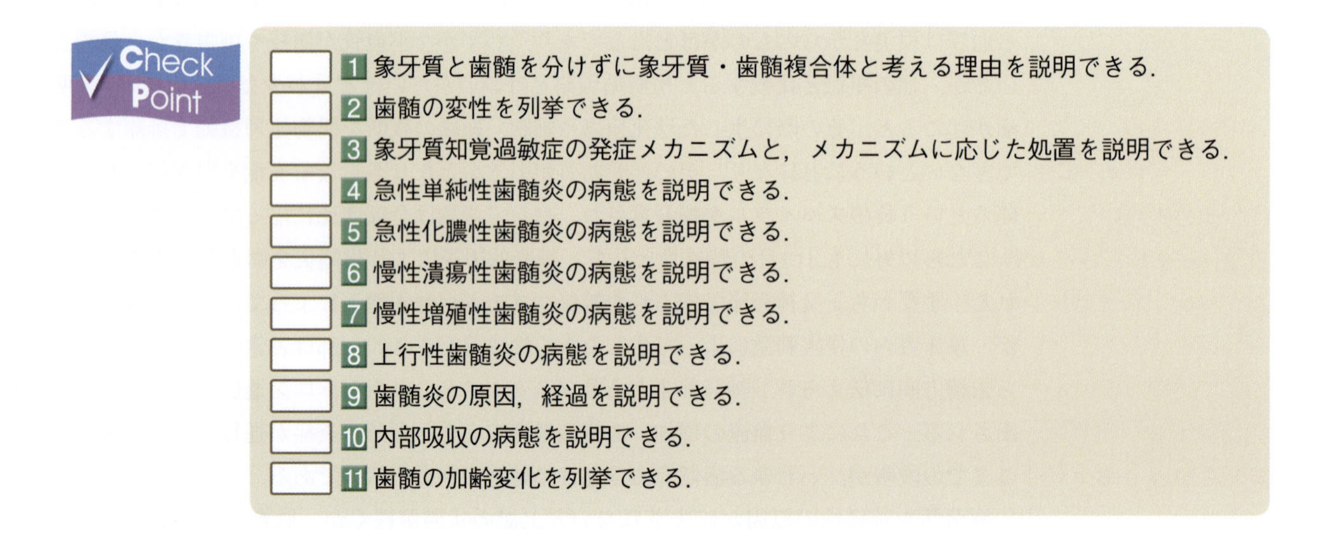

References

1）興地隆史ほか：エンドドンティクス 第4版．永末書店，京都，2015.
2）下野正基：新編 治癒の病理．医歯薬出版，東京，2011.
3）木ノ本喜史：抜髄 Initial Treatment．ヒョーロンパブリッシャーズ，東京，2016.
4）髙木　實監：口腔病理アトラス 第3版．文光堂，東京，2018.
5）脇田　稔ほか：口腔組織・発生学．医歯薬出版，東京，2006.

Chapter 5

根尖性歯周組織疾患

根尖性歯周組織疾患は，主に齲蝕や歯髄炎の継発疾患である．本病変には，細菌感染に対する自然免疫の主たる担当細胞である好中球浸潤を伴う急性炎症と，抗原特異的なリンパ球の浸潤を伴う慢性炎症がある．

慢性根尖性歯周炎のほとんどは，化膿巣の異物処理過程に相当し，慢性化膿性根尖性歯周炎と肉芽組織の増殖が顕著な慢性肉芽腫性根尖性歯周炎からなる．後者では，化膿巣が器質化した歯根肉芽腫と，上皮で裏装された病的空洞をもつ歯根嚢胞という特殊な病態が出現する．根尖部の炎症性病変は，顎骨骨髄炎など周囲組織に拡大する可能性がある．

Ⅰ—根尖性歯周組織疾患とは

根尖性歯周組織は，セメント質と歯槽骨および両者を連結する歯根膜からなる組織である．根尖部の歯根膜にはほぼ放射状に走行する主線維が存在し，骨髄から侵入する血管・神経束が同部を貫いて根尖孔を経て歯髄に分布している．このような構造から，根尖部ではもっぱら根管を感染経路とする炎症性疾患が問題となる．その他，根尖性歯周組織には，セメント質の吸収や肥厚，骨の硬化性病変，またはセメント質骨性異形成症などもみられる．

Ⅱ—根尖性歯周炎の原因と発症のメカニズム

1 原 因

根尖性歯周炎
apical periodontitis

根尖性歯周炎の原因は，**表5-1**のように生物学的，化学的および物理的原因があるが，主として細菌による歯髄炎の継発症として生じる場合と，根管治療に関連した薬剤や機械的刺激などによる根尖孔を介して起こる場合が多く，ときには歯周炎の波及や，ごく稀に血行性感染などもありうる（**図5-1**）．歯髄の感染に継発する場合でも，髄床底の副根管や根管側枝があれば根尖部以外にも病変が生じるが，副根管や側枝を介して歯周炎が歯髄に波及することもある（**図5-2**）．したがって，根尖性歯周炎には分岐部や根側部に発生した病変も含まれるが，歯周炎からの波及を区別することは難しい．

2 発症のメカニズム

根尖性歯周炎の主な原因は細菌感染なので，ここでは細菌感染による病変の発生メカニズムについて概説する．その多くは，齲蝕と歯髄炎に継発する根尖歯周組織の細菌に対する「局所の防御反応」である．すなわち，①細菌を排除しようとする生体反応，②細菌由来のLPSなどによる組織傷害，③組織の修復反応などからなる一連の生体反応である．これらの反応がどのように制御されているかを概説する．

表5-1　根尖性歯周炎の原因

1．細菌
(1) 歯髄炎，歯髄壊死，歯髄壊疽 (2) 歯周炎 (3) 血行性感染（菌血症・敗血症）
2．化学的刺激
(1) 根管消毒剤（ホルマリン，クレゾールなど） (2) 根管洗浄剤（次亜塩素酸ナトリウムなど） (3) 歯髄失活剤（亜ヒ酸など） (4) 根管充填剤（水酸化カルシウムなど）
3．物理的（機械的）刺激
(1) 根管形成器具（リーマー，ファイルなど） (2) 打撲

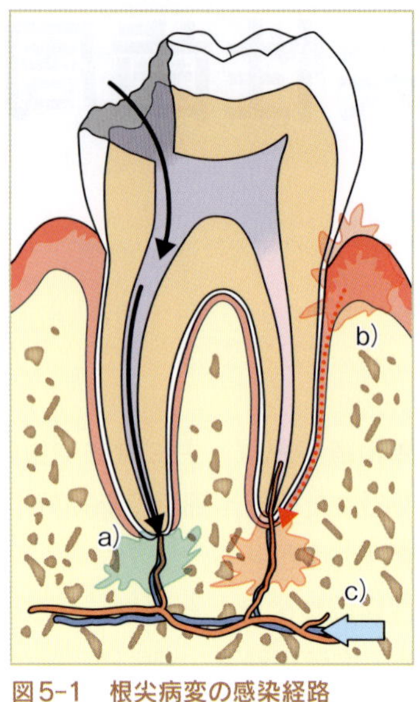

図5-1　根尖病変の感染経路
根尖性歯周炎の感染経路は主に歯髄(a)，歯周炎(b)および血行性(c)である．

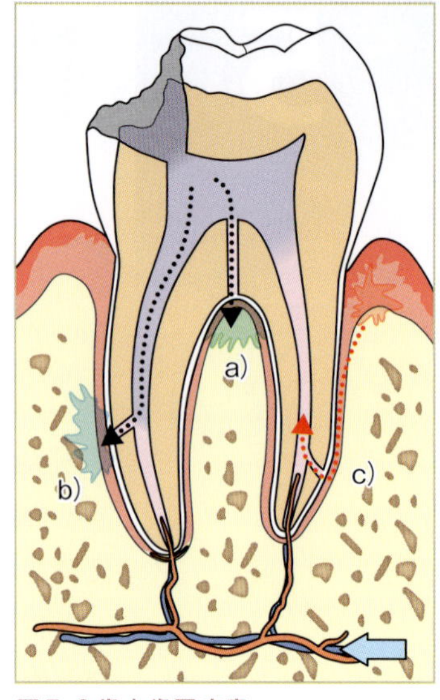

図5-2 歯内歯周疾患
髄床底の副根管(a)や管外側肢(b)を経由して根尖部以外の歯周組織にも炎症が起こる．逆に歯周炎が逆行性に歯髄炎を起こすこともある(c)．

1 細菌の侵入と根尖病変の発生

細菌が根尖孔を経由して根尖歯周組織に感染すると，自然免疫機構と獲得免疫機構が作動する．自然免疫に関与する細胞は，好中球，マクロファージおよびナチュラルキラー細胞などであるが，その主役は好中球である．TOLL様受容体[2]で認識された細菌に対して，補体成分(C5a)やロイコトリエンあるいはIL-8などの作用で好中球が遊走する．

TOLL様受容体[2]
Toll-like receptor (TLR)：好中球やマクロファージに発現している受容体で，病原体を非特異的に感知する自然免疫の制御機構．

混合感染である根尖病変では，好中球やマクロファージがTOLL様受容体2とTOLL様受容体4を介して活性化する．多量の好中球が遊走し，好中球が滲出反応の主体になると化膿性の炎症性病変が成立する．マクロファージはTOLL様受容体や低酸素で活性化され，抗原を提示して抗原特異的なT細胞やB細胞を誘導する．抗体によってオプソニン化された細菌は排除されるが，炎症巣内にリンパ球が優位になり肉芽組織が増殖すると，慢性の根尖病変が成立する．

2 根尖病変の転帰

根尖病変の拡大や修復にかかわる一義的な要因は，感染した細菌の種類や多寡，あるいは宿主の抵抗性により，根尖病変の拡大や修復には免疫機構が複雑にかかわっていることが知られている．獲得免疫の制御にはヘルパーT細胞(Th細胞)が関与する．Th細胞にはTヘルパー1細胞(Th1細胞)，Tヘルパー2細胞(Th2細胞)，インターロイキン17(IL-17)を特異的に産生するTヘルパー17細胞(Th17細胞)および制御性T細胞(Treg細胞)などがある．Th1細胞とTh2細胞はそれぞれ細胞性免疫と液性免疫を制御することは知られているが，それぞれ炎症性(炎症誘導性)サイトカイン[3]と抗炎症性サイトカイン[4]を産生し，炎症反応を制御している．実験的にも，Th1細胞優位のほうがTh2細胞優位の免疫応答よりも根尖病変が拡大することが確認されている．インターロイキンIL-1で活性化したリンパ球や骨芽細胞などはRANKLやM-CSFを産生し，破骨細胞を増加させて骨吸収が起こり，病巣は拡大する(**図5-3**)．

炎症性(炎症誘導性)サイトカイン[3]
proinflammatory cytokine：炎症反応を誘発・促進するIL-1，IL-6，IL-12，IFN-γ，TNF-αなどのサイトカイン．

抗炎症性サイトカイン[4]
anti-inflammatory cytokine：炎症反応を抑制するIL-4，IL-10，IL-13，TGFβなどのサイトカイン．

Treg細胞はIL-10やTGFβを産生してTh1細胞を抑制する．IL-17の関与は議論があるが，Th17細胞が産生したIL-17は，IL-1のシグナリングを抑制して好中球浸潤を抑え，過剰な炎

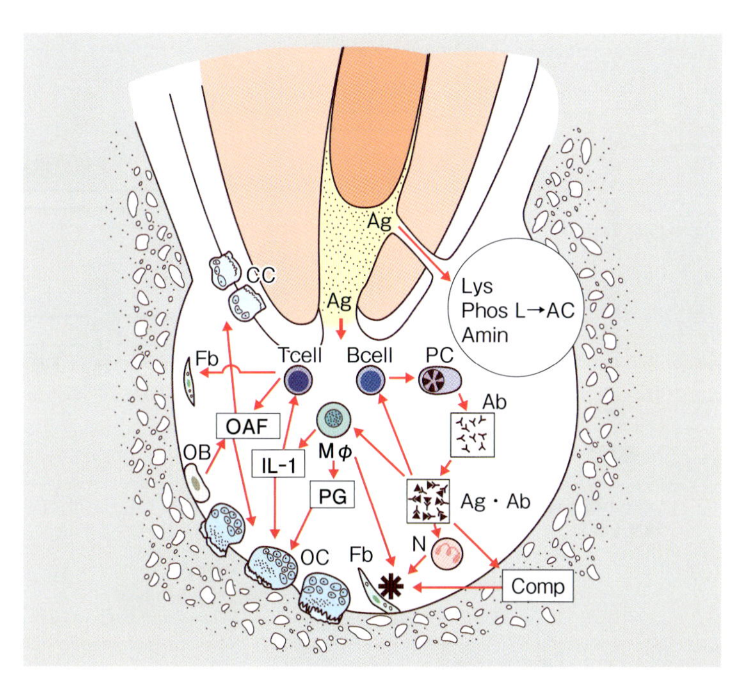

図5-3　根尖性歯周炎における組織破壊を示す模式図

根管由来の炎症によって根尖組織は破壊され，根尖病変が形成される．

Ab：抗体，AC：アラキドン酸カスケード，Ag：抗原，Ag・Ab：抗原抗体複合体，Amin：血管作動性アミン，B cell：Bリンパ球，CC：破歯細胞，Comp：補体，Fb：傷害を受けた線維芽細胞，IL-1：インターロイキン1，Lys：リソゾーム，Mø：マクロファージ，N：好中球，OAF：破骨細胞活性化因子（RANKLを含む），OB：骨芽細胞，OC：破骨細胞，PC：形質細胞，PG：プロスタグランジン，Phos L：リン脂質，T cell：Tリンパ球．

〔下野正基編：口腔の病理．南山堂，東京，1993．より〕

表5-2　根尖性歯周炎の分類

1．急性根尖性歯周炎
1）急性漿液性（単純性）根尖性歯周炎 2）急性化膿性根尖性歯周炎（急性根尖周囲膿瘍／急性歯槽膿瘍）
2．慢性根尖性歯周炎
1）慢性単純性根尖性歯周炎 2）慢性化膿性根尖性歯周炎（慢性根尖周囲膿瘍／慢性歯槽膿瘍） 3）慢性肉芽性根尖性歯周炎 （1）歯根肉芽腫 （2）歯根嚢胞

症を抑制する可能性がある．

マクロファージにはM1型とM2型のマクロファージがあり，それぞれTh1細胞とTh2細胞の分化にかかわり，炎症性と抗炎症性の機能をもつ．M1マクロファージとTh1細胞は相互に活性化して炎症を誘導する．M2マクロファージはTh2細胞の産生IL-4やIL-13で分化し，血管や線維芽細胞の増殖因子を産生して組織の修復（肉芽組織の増殖）にかかわる．

Ⅲ─根尖性歯周炎の分類と推移

1 分　類

根尖性歯周炎も他の部位の炎症と同様に，傷害性因子の質，強さ，量や宿主の抵抗力によって急性と慢性の経過をとり，急性炎症の定型的病態である滲出性炎や慢性炎症である修復現象が生じる．これらを臨床病理学的に**表5-2**のように分類する．なお，急性単純性根尖性歯周炎は急性漿液性根尖性歯周炎と同義で，急性炎症の初期病態である漿液性炎である．また，急性化膿性根尖性歯周炎で膿瘍を形成されると急性根尖周囲（歯槽）膿瘍とよばれる．慢性化した膿瘍が器質化される病態が慢性化膿性根尖性歯周炎や慢性肉芽性根尖性歯周炎であり，歯根嚢胞はその特殊型である．

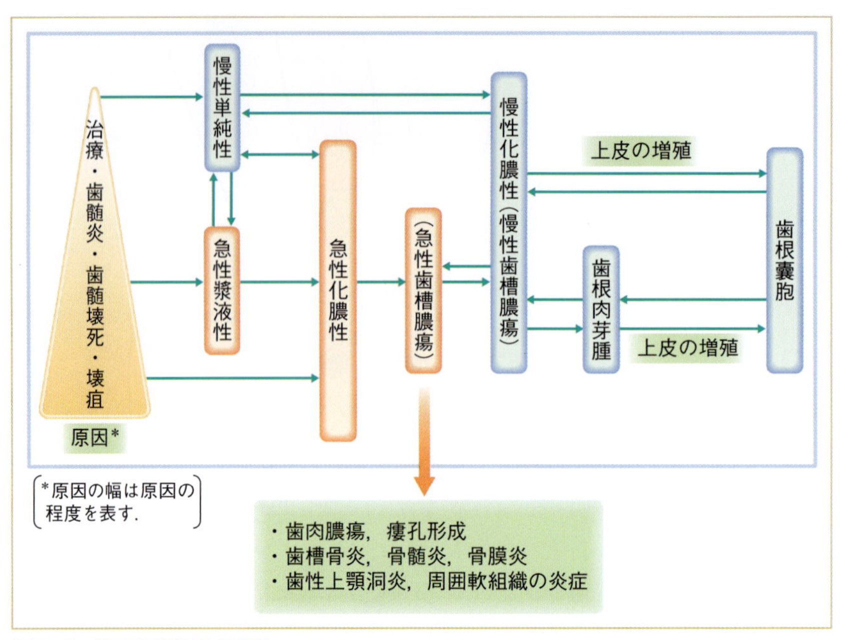

図5-4　根尖性歯周炎の推移

原因の程度によって慢性あるいは急性として発症し，原因刺激や宿主抵抗性の変化で病態は改善あるいは悪化をきたす．

2 推　移

主に根尖孔を介した傷害性因子によって根尖部歯周組織に種々の程度の炎症性変化が起こる．軽微な感染や機械的刺激であれば慢性単純性根尖性歯周炎が起こり，刺激が強いと急性漿液性炎が起こる．刺激が強くなったり抵抗力が弱くなったりすると化膿性炎に移行するが，程度によっては当初から化膿性炎として発症する．原因の除去あるいは刺激の減少によって急性炎症が慢性化する．根尖部の膿瘍が慢性化した際に，病巣内に上皮の増殖を伴うとしばしば嚢胞化するのも特徴である．また，根尖の化膿巣が放置されると周囲組織に拡大する（**図5-4**）．

Ⅳ―急性根尖性歯周炎[5]

1 急性漿液性（単純性）根尖性歯周炎[6]

感染や機械的刺激によって起こる急性炎症の初期病変で，歯根膜の変性や壊死性変化は軽微で，組織破壊はほとんどない．根尖部の血管には拡張や充血があり，漿液を主体とした液状成分の滲出によって歯根膜に浮腫が生じる．拡張した血管からは少数の多形核白血球[7]である好中球や単球・マクロファージなどの白血球遊走がある（**図5-5**）．

充血や浮腫を特徴とした組織変化の結果，臨床的には根尖部の内圧亢進による歯の挺出感を招く．

2 急性化膿性根尖性歯周炎[8]

根尖部歯周組織の充血や滲出現象は著明で，好中球を主体とした滲出がみられる．細菌あるいは好中球由来のプロテアーゼによる組織破壊が進み，根尖部に空洞が形成されて膿が貯留すると急性根尖周囲膿瘍[9]あるいは急性歯槽膿瘍といわれる（**図5-6，7**）．炎症巣周囲ではIL-1，RANK-RANKL系の活性により，破骨細胞や破歯細胞が誘導されて骨や歯根面の吸収

急性根尖性歯周炎[5]
acute apical periodontitis

急性漿液性（単純性）根尖性歯周炎[6]
acute serous (simple) apical periodontitis

多形核白血球[7]
polymorphonulear leukocyte：分葉状の核をもつ白血球である顆粒球の一般名で，通常は好中球を指す．

急性化膿性根尖性歯周炎[8]
acute suppurative (purulent) apical periodontitis

急性根尖周囲膿瘍[9]
acute periapical abscessまたは急性歯槽膿瘍acute alveolar abscess：根尖歯周組織に生じた急性化膿性炎症が膿瘍化したもの．

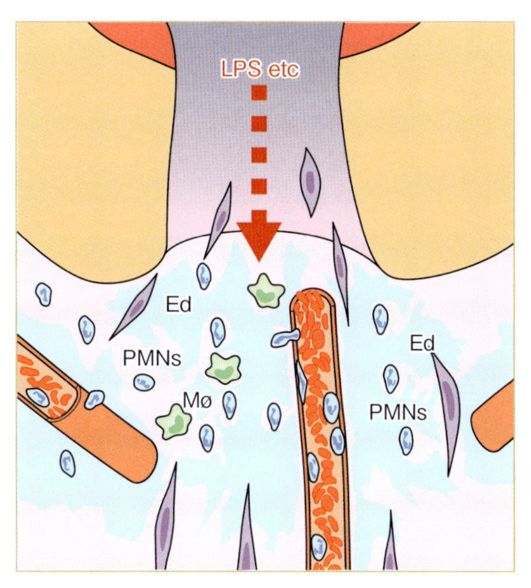

図5-5　急性単純性根尖性歯周炎の模式図
細菌由来の傷害性因子は血管の拡張，透過性亢進をきたし炎症水腫（Ed）を招き，好中球（PMNs），マクロファージ（Mø）の遊走を伴う．

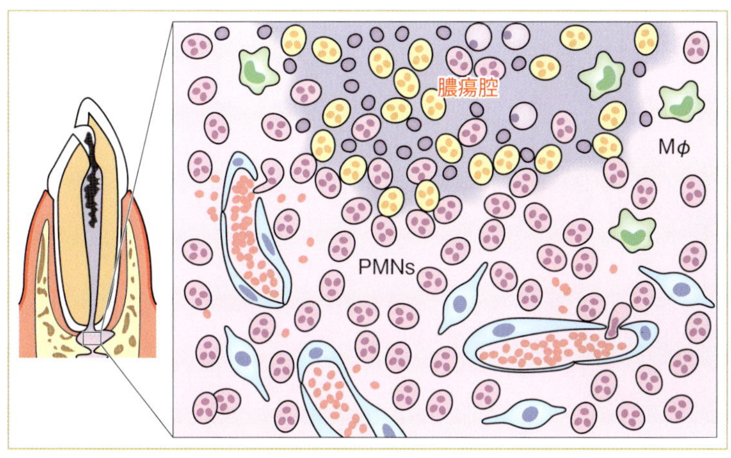

図5-6　急性化膿性根尖性歯周炎の模式図
根尖部の化膿巣には好中球（PMNs）の著明な浸潤や膿球を処理するマクロファージ（Mø）をみる．中心部は変性・壊死により組織構造の破壊を伴って膿瘍を形成する．

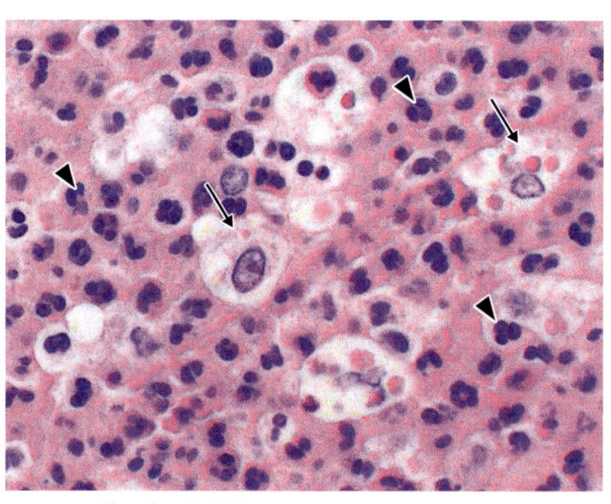

図5-7　膿の病理組織像
膿瘍中心部には変性した好中球（矢頭）や壊死細胞を貪食するマクロファージ（矢印）をみる．

が起こる．RANKLは骨牙細胞のみならず好中球によっても産生され，化膿巣の破骨細胞性骨吸収を招く．

画像診断上では，著明な滲出現象で歯根膜腔は拡大するが，骨吸収初期には欠損量が少ないので骨吸収像上を確認することはできない．

慢性根尖性歯周炎[10]
chronic apical periodontitis

V—慢性根尖性歯周炎[10]

慢性単純性根尖性歯周炎[11]
chronic simple apical periodontitis

1　慢性単純性根尖性歯周炎[11]

軽微な刺激による炎症で，滲出機転は少なく，慢性炎症の病態である単核球すなわちマクロファージ，リンパ球および形質細胞を主体とした浸潤がみられる．長期間経過すると歯根膜は肉芽化し，リンパ球や形質細胞を伴う毛細血管や線維芽細胞の増殖がある．根尖部歯槽骨や歯根吸収が起こり，根尖部歯根膜腔は拡大する（**図5-8**）．

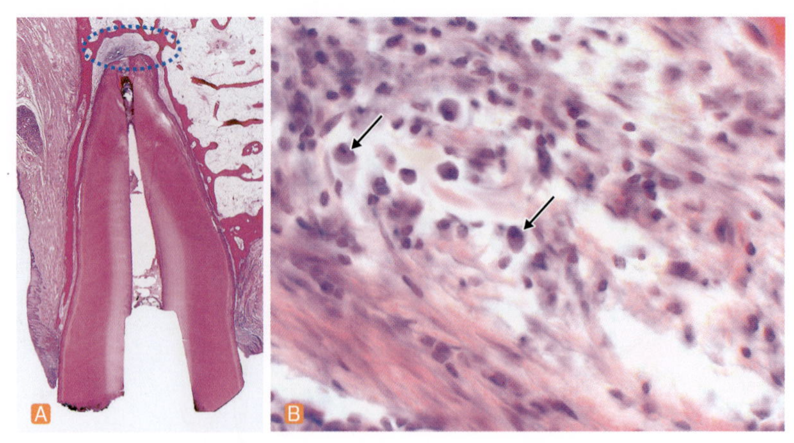

図5-8　慢性単純性根尖性歯周炎

A 根管治療痕のある上顎側切歯根尖は拡大している（点線部）.
B A 内の点線部の強拡大像で，形質細胞（矢印）やリンパ球浸潤が主体の軽度の炎症反応を認める.

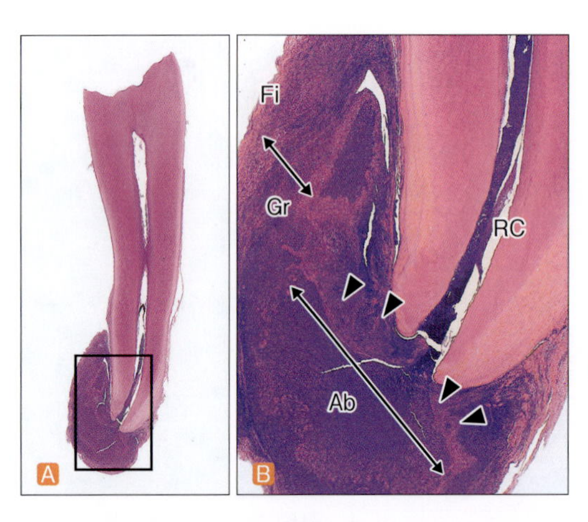

図5-9　慢性化膿性根尖性歯周炎

A 根尖部に病巣がある.
B A 内の四角部の拡大．根管（RC）と連続して膿瘍（Ab）が形成され，上皮（矢頭）の増殖を伴っている．膿瘍周囲は幼若な肉芽組織（Gr）と線維性組織（Fi）で囲まれる.

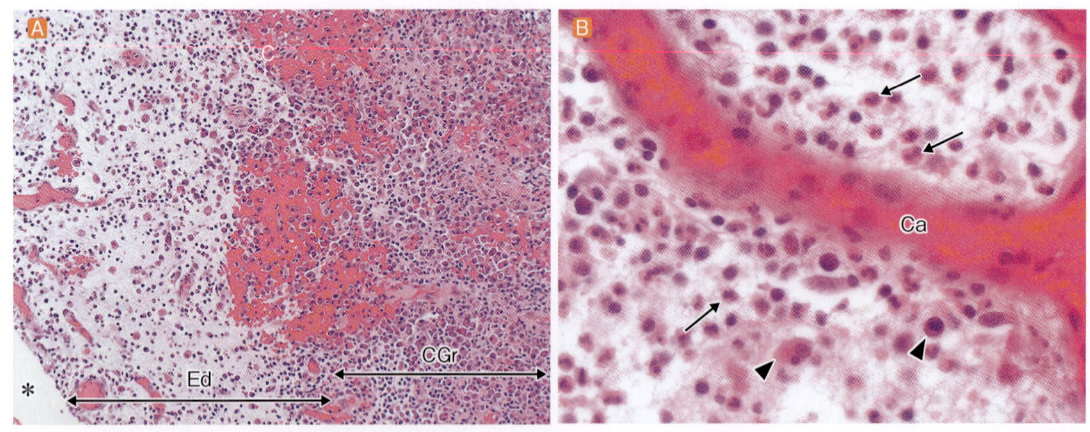

図5-10　慢性化膿性根尖性歯周炎（慢性歯槽膿瘍）

A ＊部は膿の流出跡で，周囲の肉芽組織は浮腫が強く（Ed），細胞成分に富む肉芽組織（CGr）に移行している.
B 浮腫部（Ed）の強拡大図で，充血（Ca）も強く，好中球（矢印）や単球・マクロファージ（矢頭）の浸潤がある.

2 慢性化膿性根尖性歯周炎[12]

慢性化膿性根尖性歯周炎[12]
chronic suppurative purulent apical periodontitis

慢性化膿性根尖性歯周炎は，急性化膿性根尖性歯周炎から移行することが多い．化膿巣中心部には膿瘍が形成され（**図5-9**），細菌，壊死変性物質，膿球を含む膿が集簇し，壊死・変性物質を処理するマクロファージが浸潤している（**図5-10**）．化膿巣周囲には膿瘍膜である肉芽組

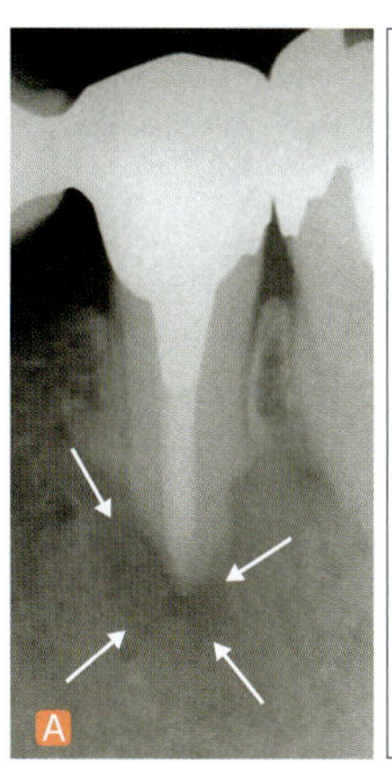

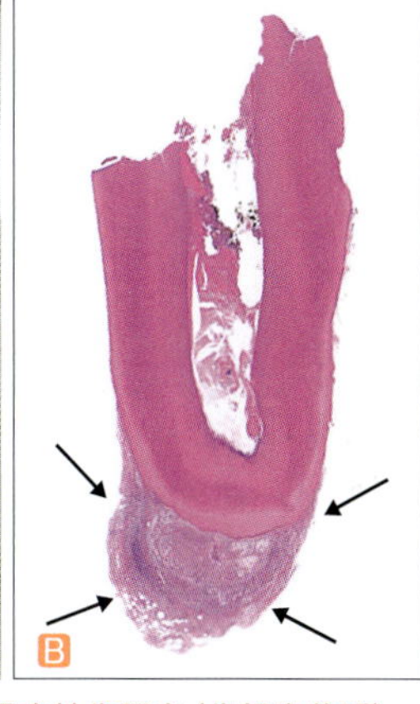

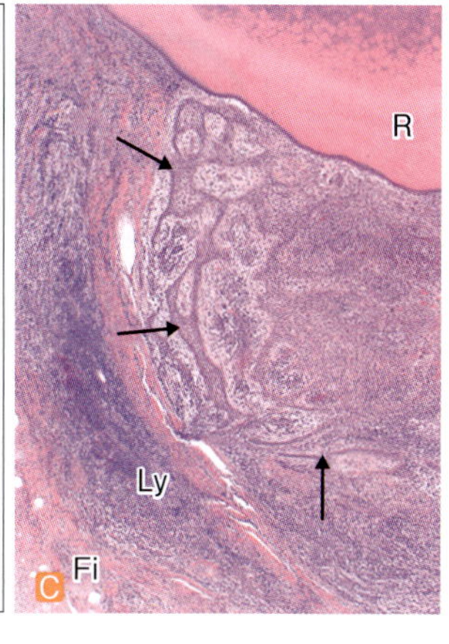

図5-11　慢性肉芽性根尖性歯周炎（歯根肉芽腫）

A 根尖部にエックス線透過性で，周囲よりやや黒い病巣（矢印）がある．
B ルーペ像でも半球状の病巣がある．
C 根尖（R）周囲では網状に上皮（矢印）が増殖し，リンパ球（Ly）浸潤を伴う肉芽組織がみられ，最外層は結合組織（Fi）である．

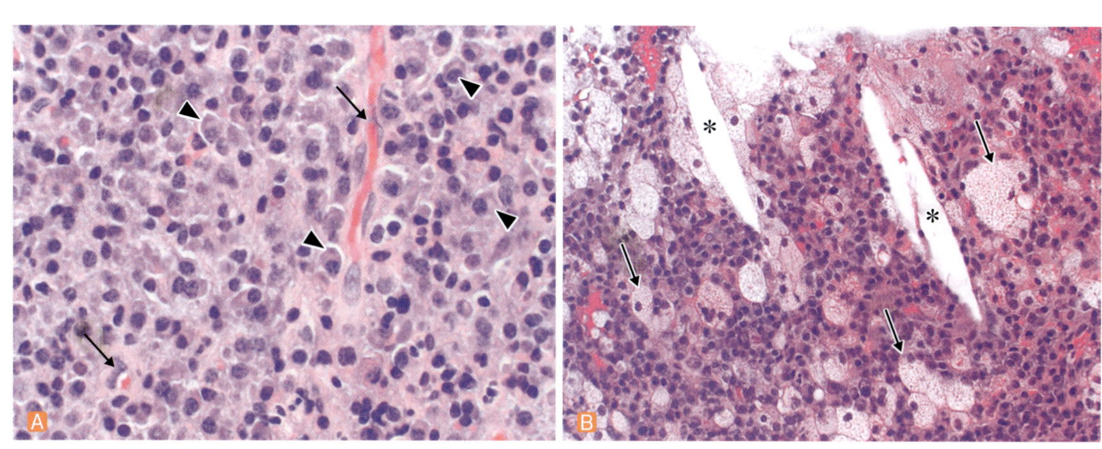

図5-12　歯根肉芽腫の中心部

A 毛細血管（矢印）の増生と多数の形質細胞（矢頭）からなる幼若な肉芽組織がみられる．
B 一部では少数の好中球が残存し，多くの泡沫細胞（矢印）とコレステリン針状空隙（＊）をみる．

織が増殖し，慢性根尖周囲膿瘍[13]あるいは慢性歯槽膿瘍ともよばれる．貯留した膿に接する肉芽組織は浮腫性で好中球の浸潤が多いが，その周囲には形質細胞やリンパ球主体の浸潤を伴う幼若な肉芽組織が増殖している．外側は線維化の進んだ肉芽組織となり，線維性結合組織に移行する．肉芽組織内には上皮の増殖を認めることがあり，この上皮は嚢胞の成立に関与する．

慢性根尖周囲膿瘍[13]
chronic periapical abscessまたは慢性歯槽膿瘍 chronic alveolar abscess：根尖部に生じた膿瘍が慢性化し，膿瘍膜である肉芽組織に囲まれたもの．

慢性肉芽性根尖性歯周炎[14]
chronic granulomatous apical periodontitis

歯根肉芽腫[15]
radicular granuloma

泡沫細胞[16]
foam cell（偽黄色腫細胞 pseudoxanthoma cell）：壊死した膿球などを貪食したマクロファージで，細胞質には脂肪顆粒をもつ．

コレステリン結晶[17]
cholesterol crystal：細胞や細菌の壊死により膜の構成脂質が放出されて沈着したもので，コレステロールなどを含む針状結晶体．

3 慢性肉芽性根尖性歯周炎[14]

1 歯根肉芽腫[15]

根尖周囲の膿が吸収されて器質化された状態で，化膿巣は肉芽組織で置換されている（**図5-11**）．病変は内外2層に分けられ，中心部には毛細血管や線維芽細胞などが増殖し，炎症性細胞浸潤に富む幼若な肉芽組織で，外層に向かって線維化し，結合組織に移行する．炎症性細胞は，器質化初期には好中球浸潤が多く，継時的にリンパ球や形質細胞が優位となる．また脂肪変性した好中球である膿球が壊死すると組織内には多量のコレステロールなどの脂質が放出され，この脂質を貪食したマクロファージは泡沫細胞[16]あるいは偽黄色腫細胞といわれる．泡沫細胞が壊死すると組織内にコレステリン結晶[17]の沈着が起こる（**図5-12**）．周囲骨の反応性

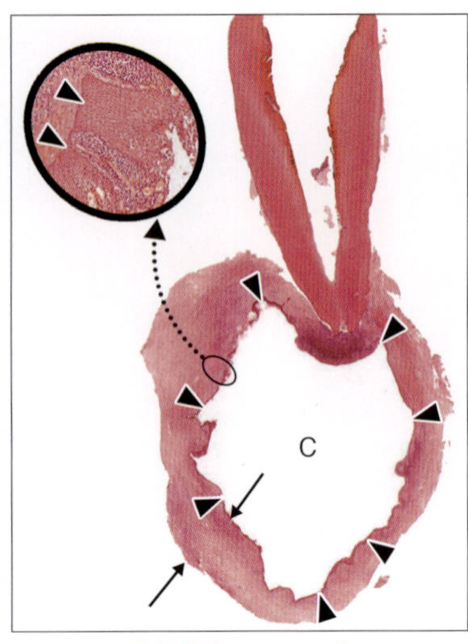

図5-13　歯根嚢胞のルーペ像

根尖部に付着した比較的大きな嚢胞腔（C）がみられ，嚢胞壁（矢印）の内側は上皮（矢頭）で覆われている．円内は上皮（矢頭）の拡大像である．

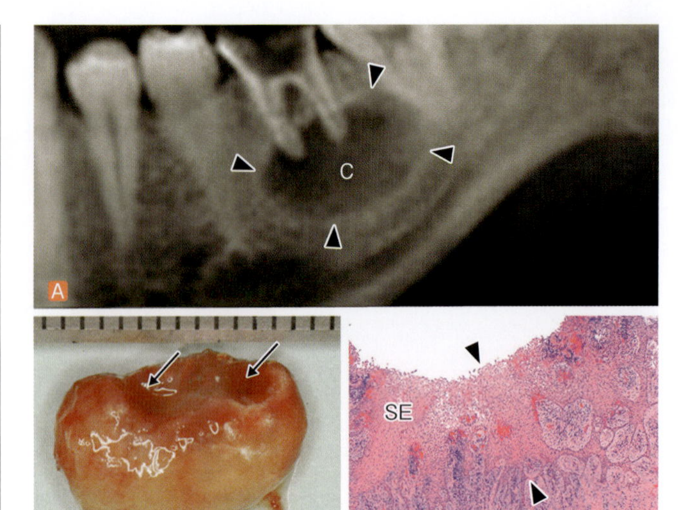

図5-14　歯根嚢胞

A エックス線写真では下顎大臼歯歯根が病変内に突出し，病変辺縁は比較的硬化（矢頭）している．

B 摘出試料の内腔には（矢印）赤褐色の内容物がみえる．

C 裏装上皮が網状に増殖した非角化重層扁平上皮（SE）で，上皮下には慢性炎症細胞浸潤（Ly）がある．

増生を認める．

画像診断においても組織変化を反映し，根尖部に比較的境界明瞭な透過性病変を認めるようになる．

歯根嚢胞[18]
radicular cyst

2 歯根嚢胞[18]

(1) 歯根嚢胞の病態

根尖歯周組織には，根管と交通した病的空洞あるいは交通のない空洞がみられる．嚢胞壁は，基本的に上皮，肉芽組織および結合組織の3層を区別できる．内腔を覆う裏装上皮の多くは非角化重層扁平上皮であるが（**図5-13，14**），稀に錯角化を伴うこともある．上顎では線毛や円柱上皮からなることも多く（**図5-15**），ときには上顎洞粘膜上皮に酷似する．しかし，下顎でも稀に粘液細胞や線毛上皮が観察できる．上皮内には，好酸性同心円層状構造，環状またはヘアピン状の構造物が裏装上皮内にみられ，硝子体あるいはラッシュトン体[19]とよばれる（**図5-16**）．

上皮直下の肉芽組織はリンパ球や形質細胞を主体にした幼若な肉芽組織で，外側は線維化し，最外層は結合組織である．上皮下の炎症の程度はさまざまで，長期経過した嚢胞では炎症性細胞が消失して線維化していることもある．嚢胞壁にも結晶の沈着をときに認め，これを処理する異物巨細胞[20]が出現し，コレステリン肉芽腫[21]が形成されることがある（**図5-17**）．嚢胞周囲には反応性骨増生または類骨形成があり，画像診断では病巣周囲に軽度の硬化像を伴うことが多い．

ラッシュトン体[19]
Rushton (hyaline) body：歯原性嚢胞の上皮内に出現するヘアピン状または同心円構造の硝子体．

異物巨細胞[20]
foreign-body giant cell：吸収困難な物質の処理に際して出現する不規則に配列する核をもつ大型細胞．

コレステリン肉芽腫[21]
cholesterol granuloma：コレステリンの針状結晶を囲む異物巨細胞の出現を伴う肉芽腫．

(2) 裏装上皮の由来

上皮の多くはマラッセの上皮遺残[22]（**図5-18**）の炎症性増生と考えられている．また上顎臼歯部では根尖と上顎洞底とが近接しているので炎症は容易に洞粘膜に波及する（**図5-23参照**）．この場合には呼吸上皮に類似した裏装上皮で覆われる．また瘻孔を介して粘膜上皮が病巣内に迷入するともいわれる（**図5-20参照**）．

マラッセの上皮遺残[22]
epithelial rests of Malassez：歯根膜形成期に消失するヘルトヴィッヒの上皮鞘の一部が残存した歯原性上皮島．

(3) 歯根嚢胞の成立機序

嚢胞とは上皮で裏装された病的空洞であり，上皮の増殖を伴った慢性根尖性歯周炎で出現

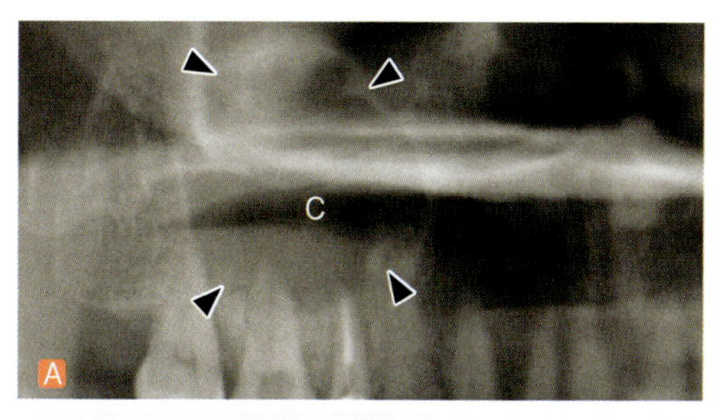

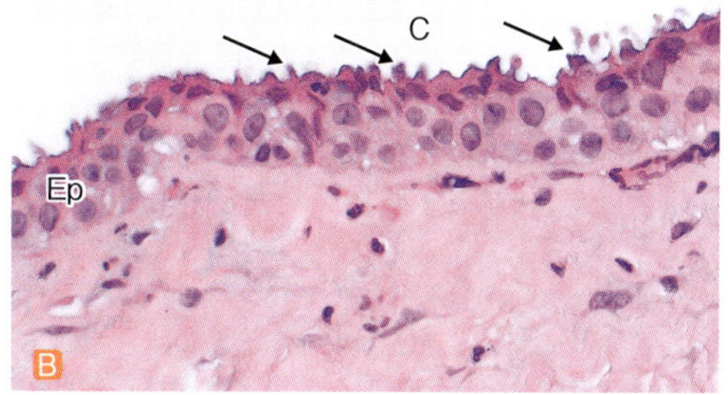

図5-15　歯根嚢胞

A 上顎大臼歯歯根を腔(C)内に入れた比較的境界明瞭な病変(矢頭).

B 裏装上皮(Ep)には線毛(矢印)がみられる.

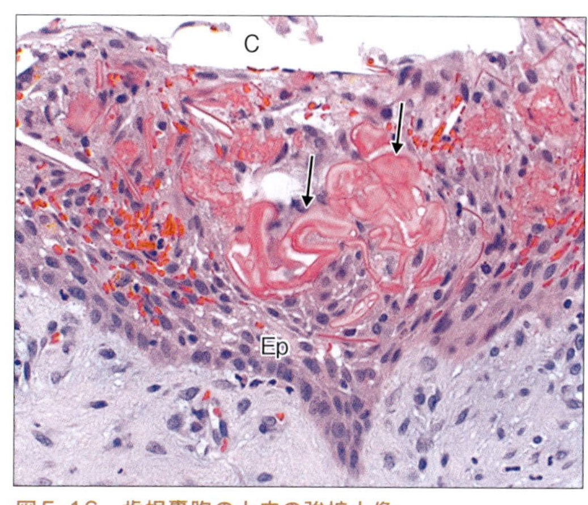

図5-16　歯根嚢胞の上皮の強拡大像

嚢胞腔(C)を覆う裏装上皮(Ep)内には，不整な同心円層状構造をもつ好酸性で，類円形または細長いヘアピン状の硝子体(ラッシュトン体)がある.

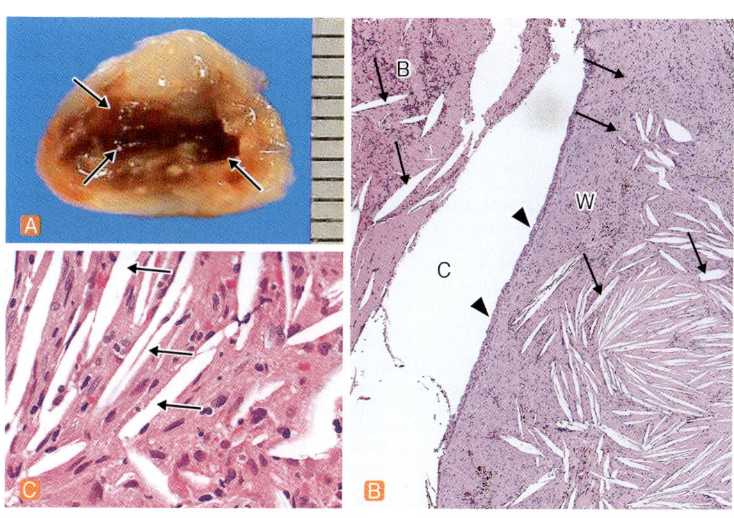

図5-17　歯根嚢胞とコレステリン結晶

A 摘出された歯根嚢胞の割面像で，腔内には赤褐色の内容物に混じって，黄色顆粒状のコレステリンがみられる.

B 線維性の嚢胞壁(W)は非角化重層扁平上皮(矢頭)で覆われ，腔内(C)の血性内容物(B)や壁内には多数のコレステリン針状空隙(矢印)がみられる.

C コレステリン針状空隙(矢印)がみられる.

図5-18　マラッセの上皮残遺

歯根(R)と骨(B)間には歯根膜(PL)があり，歯根側1/3部の根面近くに類円形の上皮島(矢印)がみられる.

する．病的空洞の形成過程は2つに大別される．

Ⅰ：盲嚢型

根管から刺激が継続する慢性化膿巣では，根尖孔を中心に組織の破壊が起こる．この根管と連続した破壊部はしだいに大きくなり，上皮の増殖を伴った小空隙がポケット状に広がって嚢胞化する(**図5-19-Ⅰ**).

Ⅱ：真性嚢胞型

この型は膿瘍から生じる場合と歯根肉芽腫から発生するものがある．

a：慢性歯槽膿瘍の膿瘍腔内面に上皮が増殖して裏装する(**図5-19-Ⅱa**).

b：歯根肉芽腫に網状の上皮の増殖があり，網状内部に変性・融解が起こった結果，小腔を形成する．やがて小腔が融合して嚢胞化する(**図5-19-Ⅱb**).

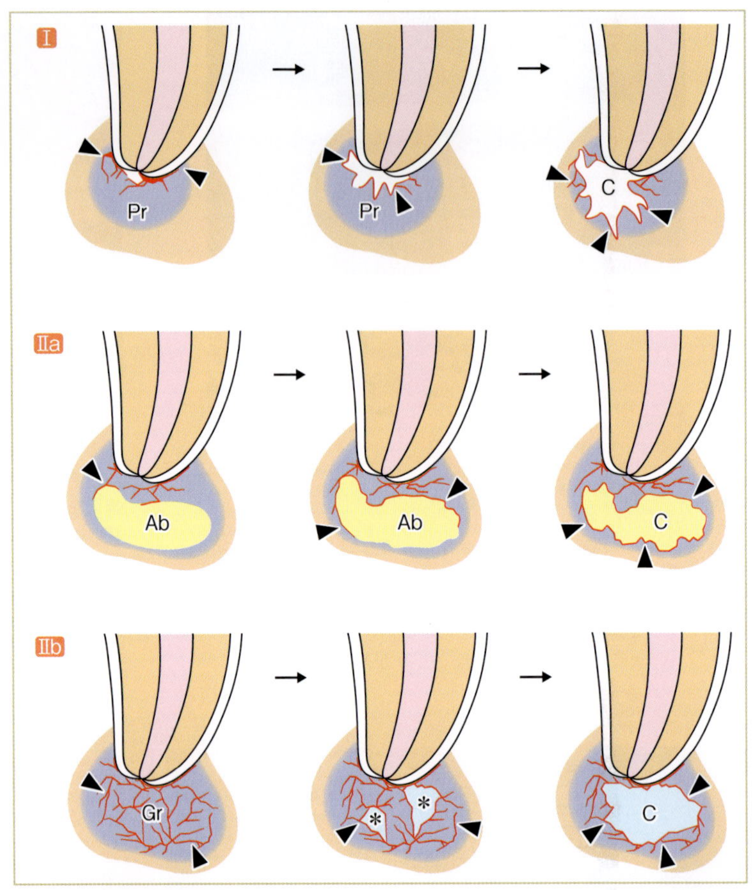

図5-19　歯根嚢胞発生の模式図

Ⅰ 盲嚢型．根尖部の化膿巣(Pr)があり，根管孔のわずかな破壊部分(白色部)には上皮(矢頭)の増殖がある．破壊部(白色部)は根管と交通して盲嚢状を呈し，しだいに盲嚢部が拡大して，根管と交通のある嚢胞腔(C)となる．

Ⅱa 真性嚢胞型・膿瘍．根尖膿瘍(Ab)の一部で上皮(矢頭)が増殖し，しだいに膿瘍腔内面を上皮が覆っていくと嚢胞腔(C)となる．

Ⅱb 真性嚢胞型・肉芽腫．歯根肉芽腫(Gr)内で上皮が活発に増殖して網状構造を示す．網状上皮で囲まれた肉芽組織部分はやがて変性・壊死に陥り，しだいに隔壁部の上皮が消失し，根管孔と交通のない嚢胞腔が完成する．

Ⅵ─根尖性歯周炎の継発症

1 炎症の波及経路

瘻孔[23]
fistula：炎症，外傷，手術などで形成された異常な交通路(本章では膿の通路)．

歯肉膿瘍[24]
gingival abscess (パルーリス：parulis)

根尖性歯周炎の推移を**図5-4**で示したように，急性歯槽膿瘍は瘻孔[23]を形成し，口腔内外に膿が排出される(**図5-20，21**)．その経過中に化膿巣は骨膜下に達し，さらに歯肉膿瘍(パルーリス)[24]を形成する．また炎症が鎮静せずに拡大すると骨髄や骨膜に波及し，急性あるいは慢性の骨髄炎，骨膜炎に移行する(顎骨の炎症を参照)．

上顎では鼻腔や上顎洞に進展し，下顎では口腔底蜂窩織炎や舌下隙，オトガイ下隙あるいは顎下隙などの膿瘍を形成する．側咽頭隙を経て縦隔に至るときわめて重篤となる(**図5-21**)．

歯性上顎洞炎[25]
odontogenic maxillary sinusitis

2 歯性上顎洞炎[25]

上顎臼歯部根尖，特に第一大臼歯根尖と上顎洞粘膜間の骨は薄く，きわめて近接している(**図5-22**)．これらの根尖の化膿性炎症巣は容易に骨を破壊して洞粘膜に炎症を起こす(**図5-23**)．

内歯瘻[26]
internal dental fistula

外歯瘻[27]
external dental fistula

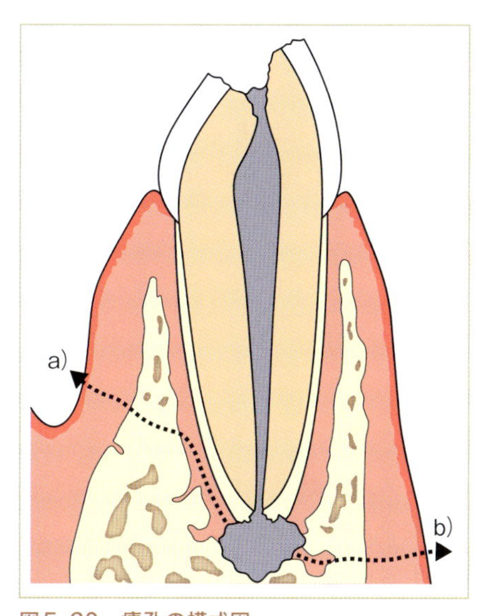

図5-20 瘻孔の模式図

口腔内に瘻孔が開口する内歯瘻[26] (a,b).

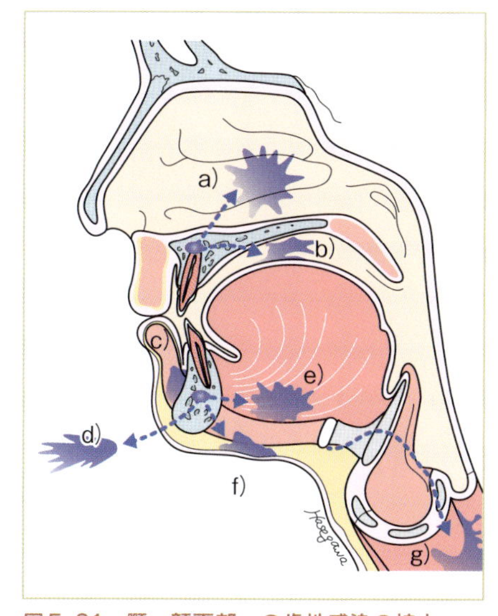

図5-21 顎・顔面部への歯性感染の拡大

a) 上顎の病変は鼻腔や上顎洞に波及，b) 内歯瘻形成，c) 歯肉膿瘍の形成，d) 外歯瘻[27]形成，e) 舌下隙，f) オトガイ下隙，g) 側咽頭隙などへの波及を示す.

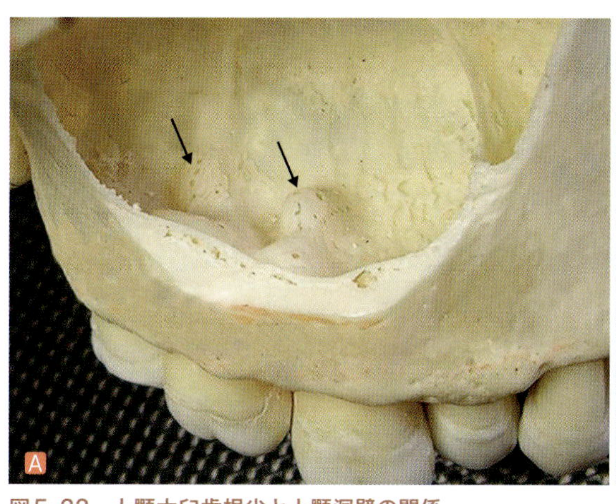

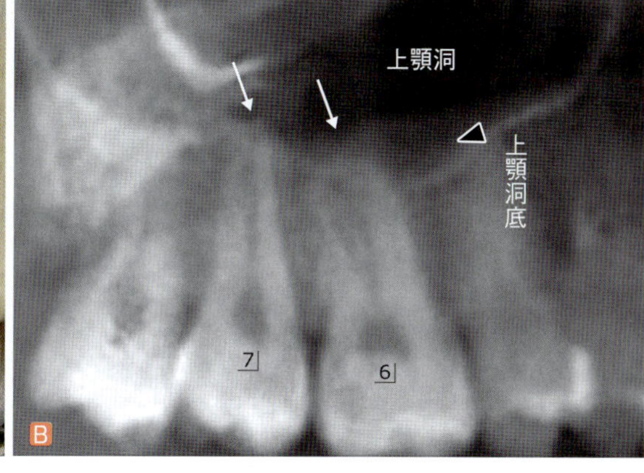

図5-22 上顎大臼歯根尖と上顎洞壁の関係

A 上顎洞底に上顎第一・第二大臼歯根尖 (矢印) が突出している.
B エックス線写真でも同様に上顎洞底 (矢頭) から大臼歯根尖 (矢印) が突出している.

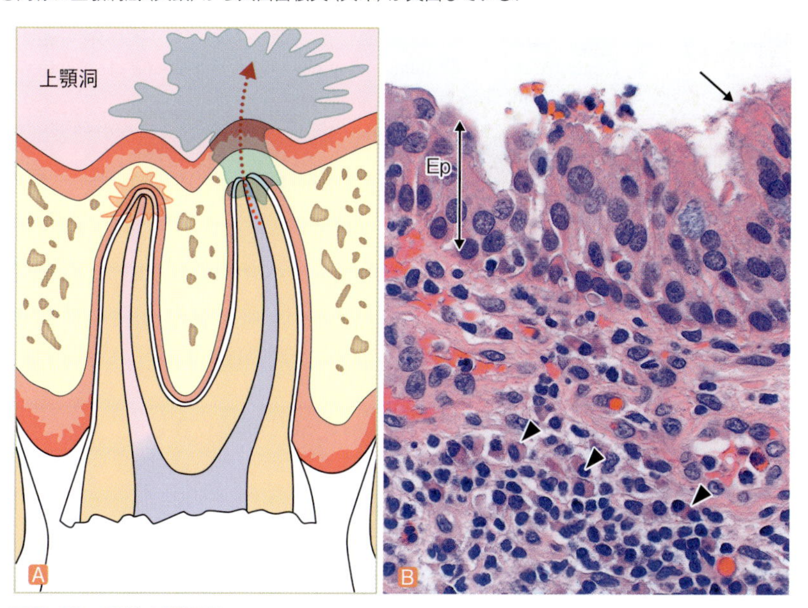

図5-23 歯性上顎洞炎

A 根尖を経由して上顎洞内に波及する化膿巣.
B 洞粘膜表層には少数の多形白血球浸潤を伴う線毛 (矢印) を有する上皮 (Ep) で，粘膜内には形質細胞 (矢頭) 主体の慢性炎症が強い.

3 その他の病変

根尖部歯周組織には，セメント質の吸収や肥厚あるいは巨大型セメント質腫などがある．また慢性炎症の持続による硬化性骨炎などもしばしばみられるが，詳細は他章に譲る．

（長谷川博雅）

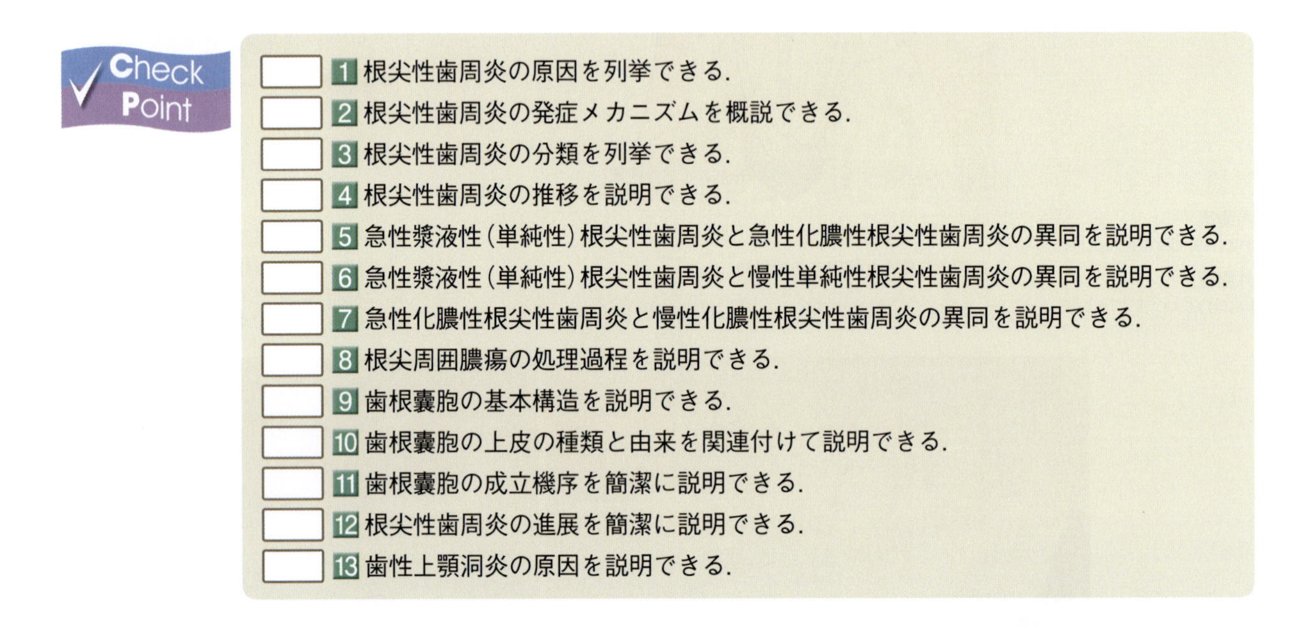

Check Point

- [ ] 1 根尖性歯周炎の原因を列挙できる．
- [ ] 2 根尖性歯周炎の発症メカニズムを概説できる．
- [ ] 3 根尖性歯周炎の分類を列挙できる．
- [ ] 4 根尖性歯周炎の推移を説明できる．
- [ ] 5 急性漿液性（単純性）根尖性歯周炎と急性化膿性根尖性歯周炎の異同を説明できる．
- [ ] 6 急性漿液性（単純性）根尖性歯周炎と慢性単純性根尖性歯周炎の異同を説明できる．
- [ ] 7 急性化膿性根尖性歯周炎と慢性化膿性根尖性歯周炎の異同を説明できる．
- [ ] 8 根尖周囲膿瘍の処理過程を説明できる．
- [ ] 9 歯根嚢胞の基本構造を説明できる．
- [ ] 10 歯根嚢胞の上皮の種類と由来を関連付けて説明できる．
- [ ] 11 歯根嚢胞の成立機序を簡潔に説明できる．
- [ ] 12 根尖性歯周炎の進展を簡潔に説明できる．
- [ ] 13 歯性上顎洞炎の原因を説明できる．

References

1) Sica, A. and Mantovani, A.：Macrophage plasticity and polarization：in vivo veritas. *J. Clin. Invest.*, 122 (3)：787～795, 2012.
2) 長谷川博雅：根尖部歯周組織の病変．スタンダード口腔病態病理学（賀来　亨，槻木恵一編），学建書院，東京，73～89，2009.
3) Louis, M. et al.：Pathobiology of Apical Periodontitis. Cohen's pathways of the pulp, 11th Edition (ed. by Kenneth, M. et al.). Elsevier, Philadelphia, 630～659, 2016.
4) 佐々木　元：根尖病変の免疫病理．歯界展望，125 (1)：33～54，2015.
5) Woo, S.B.：Inflammatory Cyst. Oral Pathology：A Comprehensive Atlas and Text, 2nd Edition. Elsevier, Philadelphia, 353～376, 2017.
6) Szade, A. et al.：Cellular and molecular mechanisms of inflammation-induced angiogenesis. *IUBMB Life*, 67 (3)：145～159, 2015.

Chapter 6

辺縁性歯周組織の病変

歯周病（歯周疾患）[1]
periodontal disease

歯周組織[2]
periodontium：歯を顎骨に付着させる組織．歯肉・セメント質・歯周靭帯（歯根膜）・固有歯槽骨からなる．

歯周病（歯周疾患）[1]とは歯周組織[2]にみられる疾患のうち，辺縁性歯周組織の病変を指し，大部分は歯周病原細菌の引き起こす炎症性反応性病変，すなわち歯肉炎と歯周炎である．したがって，“歯内療法学”の対象である根尖性歯周疾患と歯周組織に原発したり，周囲組織から歯肉に波及した粘膜疾患や腫瘍性疾患は歯周疾患からは除かれる．

わが国での歯周病の罹患率は高く，加齢に伴い増加し，40歳以上の80%の人が何らかの歯肉症状を有し，50歳代では約半数が歯周炎に罹患しているとされる．歯周病は放置すると不可逆的な歯周組織破壊をきたし，成人が歯を喪失する最大の原因になっている．また，歯周病は生活習慣病として位置づけられ，糖尿病などの全身疾患との関連性も強く示唆されている．このため歯周病を予防し，進行を防ぐことで，歯の喪失を防止し，国民のQOLの向上に大きく貢献することが可能である．しかしながら，歯周病の発症機序や全身疾患との関連性についてはまだ十分に解明されておらず，高齢化社会を迎えた今日，歯周病への対応がこれまで以上に重視される．

I—歯周病の病因

歯周病は，複数の口腔常在菌の日和見感染によって引き起こされる．すなわち，歯周病における歯周組織傷害は，プラーク細菌による局所刺激を直接的原因（主因）とするものであり，他のさまざまな局所的・全身的因子は，いずれも細菌の定着を容易にし，菌量を増し，あるいは感染に対する歯周組織の抵抗力や修復力を低下させる修飾的因子（副因）すなわちリスクファクター[3]であると考えられる（**図6-1**）．

リスクファクター[3]
risk factor：疾患の発症，進行を修飾（促進）する因子のこと．縦断的研究により確認されたもので，その因子が存在することで疾患が発症する確率が増加する．

1 直接的原因（主因）

1 プラーク細菌とその産生物

歯周病においては歯周病原細菌が組織に定着し，増殖することが疾患の始まりである．実験的歯肉炎では，プラーク付着開始後2〜3日目の歯肉縁上プラークでは，グラム陽性球菌や桿菌が検出される．その後，グラム陰性桿菌や糸状菌が，最終的にはグラム陰性スピロヘータが繁殖し始める．歯肉縁上プラーク付着7日目までには歯肉炎が誘導される．歯肉炎は可逆的な病変であるため，プラークが除去されればすみやかに消退する（**図6-2**）．

歯肉炎が歯周炎に進行するには，細菌叢の質的変化が必要になってくる．侵襲性歯周炎の原因菌としては*Aggregatibacter actinomycetemcomitans*が，慢性歯周炎の原因菌としては*Porphyromonas gingivalis*が重要視されている．これらの細菌の内毒素（リポポリサッカライド：LPS），線毛，タンパク溶解酵素などが歯周組織を直接的に傷害し，あるいは宿主の免疫反応・炎症反応を介して間接的に破壊していく仕組みが明らかにされてきている．

バイオフィルム感染症[4]
biofilm infection：細菌の作った菌体外多糖からなる粘液層で包まれたフィルム状の細菌集落（バイオフィルム）が関与して発症した慢性感染症．

近年，歯周病はバイオフィルム感染症[4]の1つとして考えられるようになった．歯周病原性

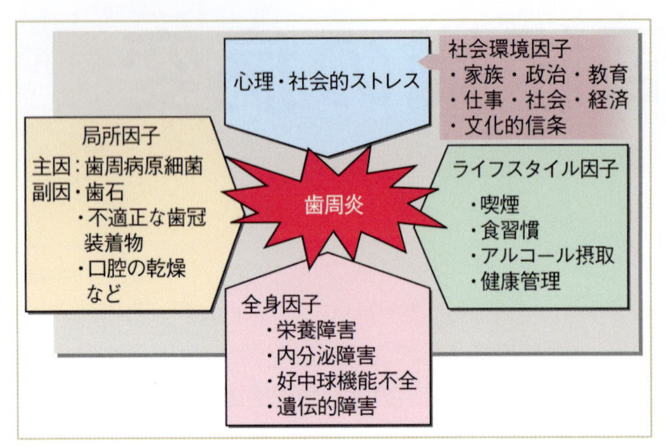

図6-1　歯周病の病因の相互関係

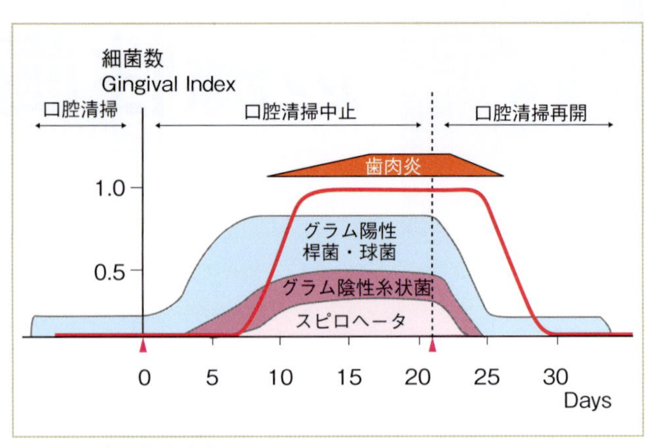

図6-2　実験的歯肉炎
〔Color Atlas of Dental Medicine：Periodontology より改変〕

バイオフィルムは，①細菌増殖の足場となり，②増殖した細菌の相互接着を強固なものにし，③細菌自体を抗体による中和作用，好中球による貪食作用や唾液成分による抗菌作用などから守る重要な働きをしている．バイオフィルム内の細菌には抗菌薬が作用しにくい．また，歯周病原細菌がバイオフィルム内の菌数の増加を感知すると，オートインデューサーとよばれるシグナル物質が誘導される．このオートインデューサーを細菌が感知することにより，特定の遺伝子の転写活性が制御され（クオラムセンシング[5]機構），病原性発揮などにつながるとされる．

クオラムセンシング[5]
quorum sensing：細菌密度依存的な遺伝子発現制御．

2 修飾的因子（副因）

1 局所因子

歯石[6]
dental calculus

(1) 歯　石[6]

粗糙な歯石表面は，歯周病原菌定着の足場となる．また，ポケット上皮や接合（付着）上皮を機械的に擦過し，歯面からの剝離を促進する．

(2) 不適正な歯冠装着物

不適正な修復物や矯正装置は，歯肉を機械的に損傷するとともに，歯肉と装着物の間に食滓を停滞させ，細菌の繁殖を促進する．また，咬合性外傷の原因にもなる．

(3) 口腔の乾燥

歯面へのプラークの付着を容易にし，唾液による防御作用を抑制するため炎症を生じやすくなる．

(4) 歯列不正

歯列不正があると自浄作用の悪い場所が生じ，プラークが付着しやすい．

歯ぎしり[7]
bruxism

(5) 歯ぎしり[7]

歯ぎしりによる外傷性咬合は歯周組織に傷害を与える．

2 全身因子

(1) 栄養障害

全身疾患に伴う栄養障害は，感染に対する宿主の防御反応を低下させる．

(2) 内分泌障害

糖尿病では感染への抵抗力が低下する．また，思春期性歯肉炎や妊娠性歯肉炎は，エストロジェンの利用障害に関連して起こる．

(3) 遺伝的障害

ダウン症候群，チェディアック-東症候群やパピヨン-ルフェーブル症候群などの酵素障害や白血球障害を伴う疾患が知られる．

3 社会環境因子

(1) 喫 煙

喫煙は宿主の防御能を低下させることにより歯周病の頻度や重症度を増大させ，歯周外科処置後の創傷治癒を遅らせる．社会環境面からの最大のリスクファクターである．

(2) 食習慣

軟らかく粘着性の高い食物は停滞しやすく，プラークの蓄積を招きやすい．また，高脂肪食に伴う肥満は，歯周病のリスクファクターとなる．

4 心理的・社会的ストレス

精神的・肉体的ストレスが，歯周病の重症度と関連するという報告がある．またストレスは，他のリスクファクターにも影響する可能性がある．

Ⅱ―辺縁性歯周組織の構造と機能

歯周組織は，歯肉，歯周靱帯，歯槽骨，セメント質から構成され，歯-歯肉接合部には，エナメル質への上皮性付着[8]とセメント質への結合組織性付着[9]が観察される．

上皮性付着[8]
epithelial attachment

結合組織性付着[9]
connective tissue attachment

1 歯肉の上皮構造

歯は上皮を破り口腔内に萌出しており，歯周組織は上皮の連続性が失われているきわめて特殊な部位である．歯肉の上皮は，歯の表面に歯肉を結合している接合（付着）上皮[10]，その外側に接して歯肉溝に面する歯肉溝上皮[11]，さらに歯肉の外縁側を覆う口腔上皮[12]の3つの上皮から構成されている．

口腔上皮は錯角化した重層扁平上皮で，多数の細胞間橋で密に接着し，細胞間にはmembrane coating granule（MCG）という小顆粒が形成されているため，口腔細菌に対する強固な物理的障壁（生理的透過性関門）となっている．一方，歯肉溝上皮はヒトでは角化しておらず，細胞間隙も口腔上皮より広い．接合（付着）上皮は，退縮エナメル上皮に由来するゆるやかに配列した未分化な上皮細胞からなり，基底板と半デスモゾームからなる付着構造を介して歯面に結合している（上皮性付着）（**図6-3**）．物質透過性の高い接合（付着）上皮が介在する歯-歯肉接合部の構造は，プラーク細菌由来の為害物質の通過を許し，歯周組織に炎症を誘導する機序の一端を担っていると考えられる．

接合（付着）上皮[10]
junctional epithelium（JE）：付着上皮ともいう．

歯肉溝上皮[11]
sulcular epithelium（SE）：口腔歯肉溝上皮ともいう．

口腔上皮[12]
oral epithelium（OE）：口腔歯肉上皮ともいう．

2 歯肉結合組織

歯肉は，セメント質への挿入を示すコラーゲン線維束（歯-歯肉線維）によって，歯に強固に付着している．その他，歯肉を歯槽骨に結合する歯槽歯肉線維が存在する．このセメント質に挿入された線維束（結合組織性付着）が消失しない限り，接合（付着）上皮は根尖側に深行増殖できない．健康な歯肉の表面には，歯肉線維束の分布に対応して，スティップリングとよばれる小さなくぼみが観察される（**図6-4**）．スティップリングの消失は，炎症による歯肉線維束の融解消失を意味する．

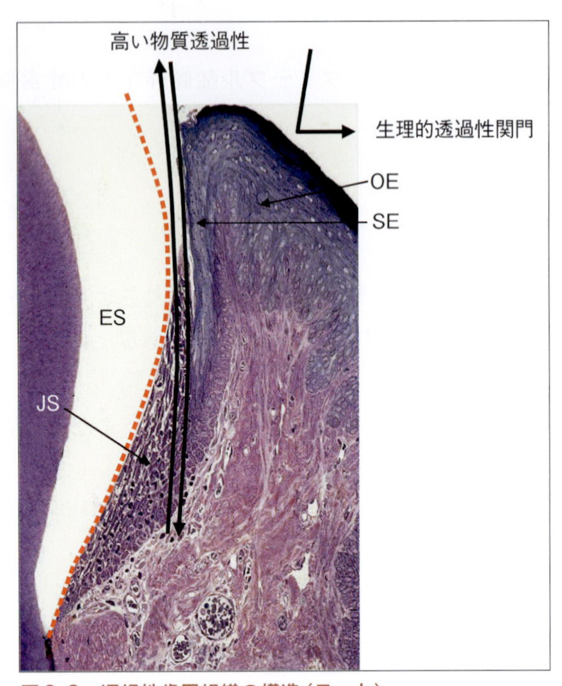

図6-3　辺縁性歯周組織の構造（ラット）
OE：口腔上皮，SE：歯肉溝上皮，JE：接合（付着）上皮，ES：脱灰エナメル質空隙．

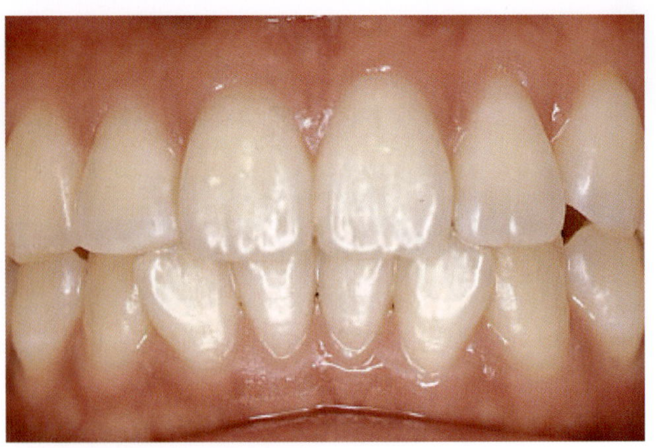
図6-4　健康歯肉（18歳，女性）
付着歯肉にスティップリングがみられる．

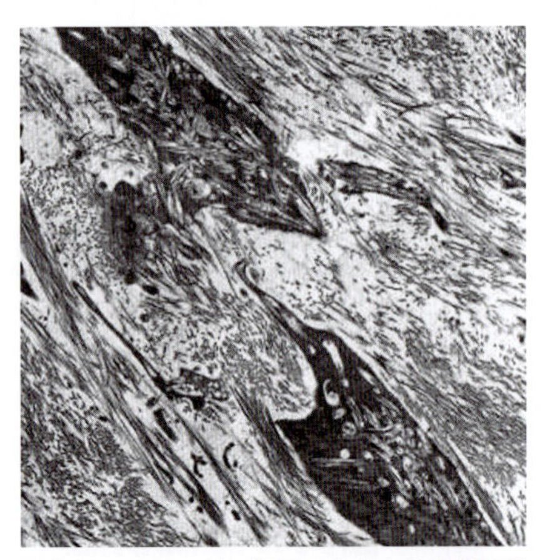
図6-5　コラーゲン線維の貪食を示す線維芽細胞

歯周靱帯[13]
periodontal ligament：歯根膜ともいう．

3 歯周靱帯[13]

歯周靱帯は，歯根のセメント質と歯槽骨を結ぶ線維性結合組織で，主に歯周靱帯主線維とよばれるコラーゲン線維からなる．一端をセメント質へ，他端を歯槽骨へ挿入し，歯を歯槽骨に強固に結合しているシャーピー線維が含まれ，歯の支持機能や咬合力の緩衝などにかかわる．特に，歯と歯槽頂を結ぶ線維束を歯槽骨頂線維という．歯周靱帯の線維芽細胞は，コラーゲン生成の他，コラーゲンの貪食能も有している（**図6-5**）．

4 固有歯槽骨とセメント質

固有歯槽骨は，常に吸収と添加を繰り返している．一方，セメント質は根表面を覆い，結合組織性付着の場となる．セメント質は骨組織と多くの共通点を有しているが，血管，リンパ管や神経支配を含まず，生理的リモデリングもみられない点で，骨とは異なっている．骨芽細胞とセメント芽細胞が，歯周靱帯の血管周囲に分布する未分化間葉細胞に由来するのに対して，破骨細胞と破歯細胞（破セメント細胞）は，骨髄起源の前駆細胞から生じると考えられている．

Ⅲ－歯周組織でみられる生体防御反応

歯周病の発症・進展・増悪には，歯周病原細菌のもつ病原性だけでなく，歯周組織の恒常性を維持するために起こる生体の防御機構（図6-6）が，重要な役割を果たしている．

1 非特異的感染防御機構（自然免疫反応）

(1) 唾液による細菌の排除

唾液には，①細菌の物理的洗い流し，②リゾチームなどの酵素による細菌破壊，③IgAによる細菌の無毒化などの作用がある．

(2) 歯肉溝滲出液による細菌の排除

歯肉溝滲出液には，①歯肉から歯肉溝への流れによる細菌の物理的排除，②好中球による細菌の貪食，③IgGや補体成分による細菌の無毒化などの作用がある．

(3) 接合（付着）上皮による細菌の排除

接合（付着）上皮は，①細菌侵入の物理的障壁となり，②歯肉溝滲出液や好中球の通過路として細菌の排除にかかわる．③接合（付着）上皮細胞のターンオーバー率は高く，感染したり傷害を受けた上皮細胞は短期間で剝離する．さらに，④歯周病原細菌の侵襲に対し，TNF-α，IL-8などのサイトカインを産生することによって，生体防御反応の初期防衛線として積極的にかかわっている．

(4) 自然免疫細胞による細菌の排除

接合（付着）上皮を突破し，結合組織に細菌が侵入すると，まず，①好中球が遊走し，貪食・殺菌機能により細菌を破壊する．②マクロファージは，好中球に少し遅れて組織に遊走し，細菌の貪食・殺菌に関与するとともに，主にヘルパーT（Th）細胞に抗原を提示し活性化する．その際，細菌の刺激によってマクロファージから産生されるサイトカインが，引き続き誘導される獲得免疫の種類と程度を制御するとされる．

2 特異的感染防御機構（獲得免疫反応）

さらに感染が持続すると，獲得免疫反応が誘導される．活性化されたTh細胞は，T・B細胞の機能を制御する．歯周炎病巣では，主にTh2細胞によるB細胞の活性化と形質細胞への分化，形質細胞による盛んな抗体産生が起こっている．分泌された抗体は，血清中の補体と協力して，侵入してきた細菌を無毒化する．なお，歯周病原細菌に対する生体防御反応は，細菌の排除に必要不可欠であるが，それに伴う炎症反応は歯周組織の破壊を誘導する．

Ⅳ－歯周病の病理発生

歯周病の大部分は，プラーク細菌の引き起こす炎症性疾患，すなわち歯肉炎と歯周炎である．ここでは，プラーク付着に伴う歯周病の発症・進行過程について①開始期，②早期，③確立期，④発展期の4段階に分類（Page and Schroeder, 1976）して概説する．図6-7のA～Cが歯肉炎，Dが歯周炎である．

開始期病変[14]
initial lesion

1 開始期病変[14]（プラーク付着開始直後）（図6-7A）

プラークの付着に伴い細菌やLPSなどの細菌由来物質が接合（付着）上皮を傷害し，接合（付

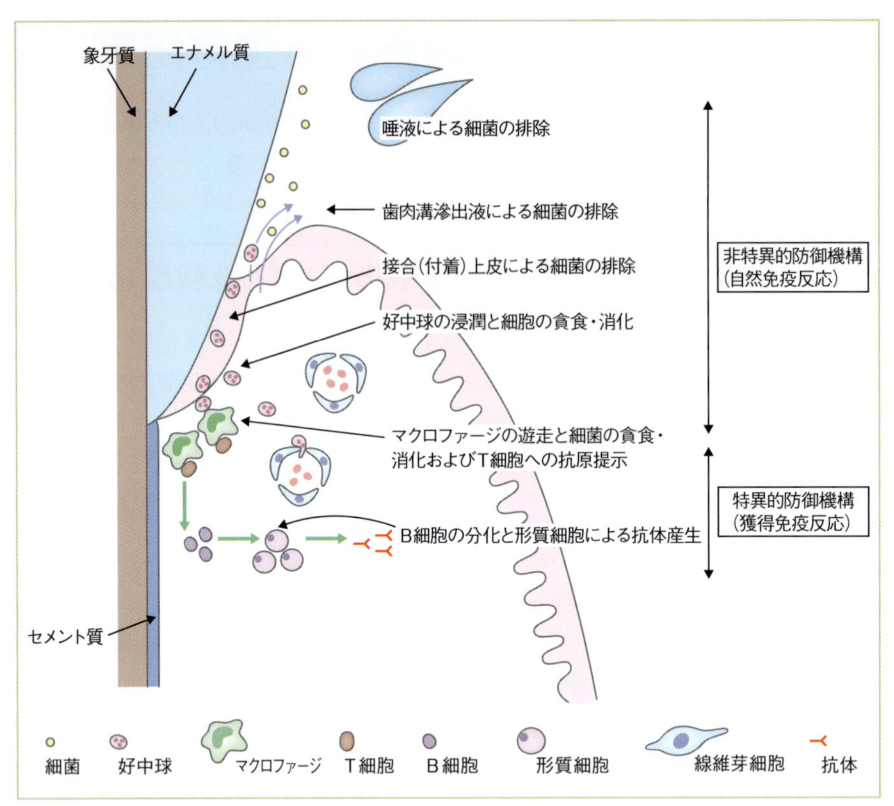

図6-6　歯周組織でみられる生体防御反応

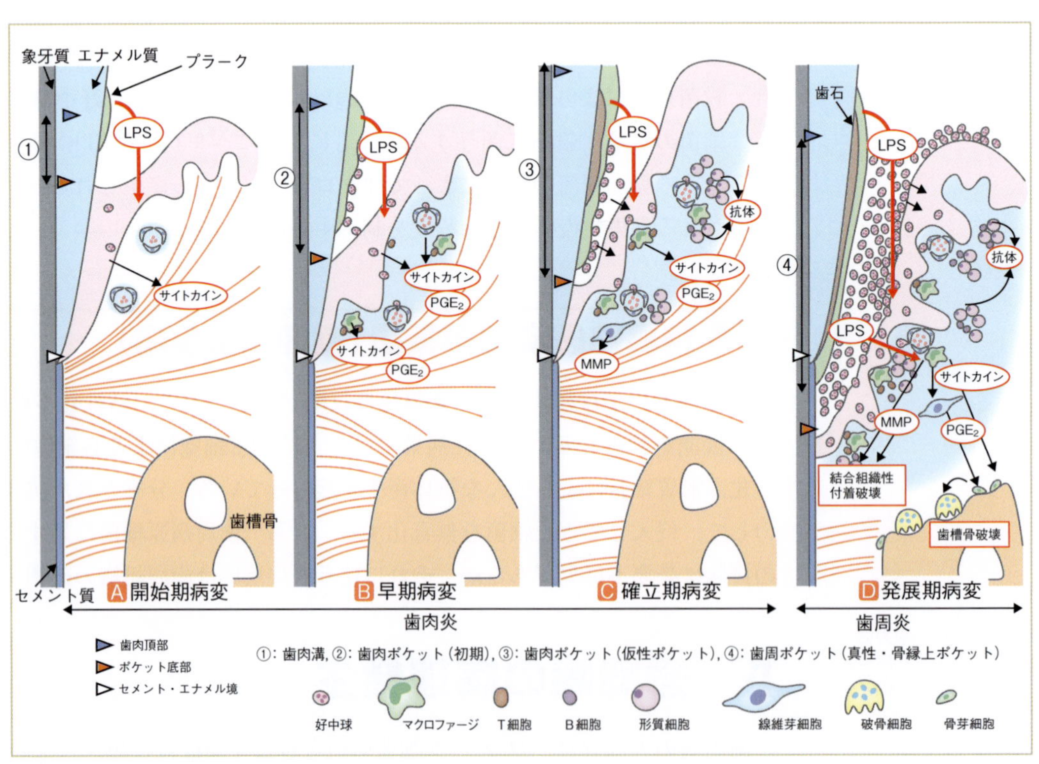

図6-7　歯肉炎・歯周炎の病理発生

着）上皮の物質透過性が高まる．LPSは接合（付着）上皮細胞を刺激し，炎症性サイトカインを産生させる．これらのサイトカインによって接合（付着）上皮直下の血管は拡張し，浮腫や好中球の局所への遊走が起こる（急性滲出性炎の開始）．**図6-7A**の①は歯肉溝の深さで，0.5〜1mm程度である．接合（付着）上皮の根尖側端はセメント-エナメル境に位置している．

2 早期病変[15]（プラーク付着開始後8～14日）(図6-7B)

接合（付着）上皮は側方に上皮釘脚を伸展し始める．歯肉溝底部の接合（付着）上皮細胞の傷害・破壊（上皮性付着の破壊）によって接合（付着）上皮内の欠損が形成され，歯肉溝は深くなる（**図6-7B②**，初期の歯肉ポケット[16]）．

接合（付着）上皮直下の結合組織では，活性化された好中球，マクロファージや血管内皮細胞などがサイトカインやPGE_2などを産生し，急性滲出性炎が進行する．好中球は歯肉ポケットへと移動し，細菌に対する防御壁を形成する．また，接合（付着）上皮直下の領域にはT細胞が浸潤し，マクロファージからの抗原提示を受けて活性化する（獲得免疫反応への移行）．

3 確立期病変[17]（プラーク付着開始3～4週後）(図6-7C)

歯肉結合組織にB細胞とIgG産生性の形質細胞が多数浸潤し，慢性炎症巣（B細胞性病変[18]）が形成される．炎症巣で盛んに産生されるサイトカイン，PGE_2やマトリックスメタロプロテアーゼ（MMP）[19]などによって結合組織が破壊されるが，明らかな結合組織性付着の破壊や接合（付着）上皮の深行増殖はみられない．

細菌由来物質や好中球の放出する物質によって接合（付着）上皮はさらに破壊され，接合（付着）上皮内の欠損はさらに深くなる．この時期は歯肉の浮腫性腫大が強く，歯肉溝が相対的に深くなる（仮性ポケット[20]，**図6-7C③**）．

仮性ポケットは治療によって消失する可逆的変化である．確立期のままで経過する期間は症例により異なる．

4 発展期病変[21] (図6-7D)

上皮直下には急性滲出性炎が存続し，歯肉結合組織でみられた形質細胞やリンパ球の密な浸潤は根尖側の歯周組織へと広がり，歯周炎に移行する．上皮性付着の破壊に加え結合組織性付着の消失が起こる（アタッチメントロス[22]）．歯槽骨頂部の骨縁には活発に歯槽骨を吸収する多数の破骨細胞がみられる．

歯周炎病巣で宿主細胞から産生されるTNF-α，IL-1β，IL-8などのサイトカイン，PGE_2やMMPは複雑な細胞間ネットワークを形成している．IL-8は好中球をポケット壁へと遊走させ，上皮性付着破壊を促進する．TNF-α，IL-1β，PGE_2は線維芽細胞やマクロファージからMMPを産生させ，歯周靱帯を破壊する．一方で，骨芽細胞に作用し，破骨細胞性骨吸収を誘導して歯槽骨を破壊する．結合組織性付着消失に伴い接合（付着）上皮がセメント-エナメル境を越えて根尖側へと移動し，歯周ポケット[23]（真性ポケット[24]）が形成される（**図6-7D④**）．ポケットはポケット上皮[25]で裏装される．

歯周病原細菌のポケット深部における増加や宿主の免疫力低下に関連した炎症の急性増悪によってアタッチメントロスが起こる．この急性増悪の反復によって，歯周組織破壊は部位特異的にかつ周期的・不連続的に進行するとされる．

V－歯周病の分類

歯周病は，病原因子と病態のどちらかだけで分類することは難しく，まだ統一された分類がない．**表6-1～5**に，2006年に日本歯周病学会で策定された歯周病分類システムを示す．この分類は，最も広く認知されているアメリカ歯周病学会の発表した歯周病新分類（1999）を

早期病変[15]
early lesion

歯肉ポケット[16]
gingival pocket：歯肉炎によって病的に深くなった歯肉溝のこと．臨床的には3mm以上のものをさす．接合（付着）上皮の歯冠側部が歯面から剝離したり，歯肉が腫脹することによって形成される．結合組織性付着の破壊はない．

確立期病変[17]
established lesion

B細胞性病変[18]
B-cell lesion：歯周炎のように炎症細胞浸潤に占めるB細胞/形質細胞の割合が高い病変のこと．多クローン性のB細胞が局所で形質細胞へ分化していると考えられている．

マトリックスメタロプロテアーゼ（MMP）[19]
matrix metalloproteinase (MMP)：コラーゲンや細胞外基質を分解するコラゲナーゼなどの酵素群のこと．

仮性ポケット[20]
pseudo pocket：ポケット底の位置は変化がなく，炎症性に歯肉が腫脹した結果，歯肉縁の位置が歯冠側方向に移動し相対的に深くなったポケット．可逆的な変化である．歯周病原細菌に対し，低酸素状態の好環境を提供する．

発展期病変[21]
established lesion

アタッチメントロス[22]
attachment loss：炎症などにより，歯に付着する上皮組織や結合組織が破壊されること．

歯周ポケット[23]
periodontal pocket：ポケット底がセメント-エナメル境より根尖側に移動して生じたポケットで，骨縁上ポケットと骨縁下ポケットがある．ポケット上皮の存在，結合組織性付着破壊，接合（付着）上皮の根尖側への移動がみられる点で歯肉ポケットと異なる．

真性ポケット[24]
true pocket：歯周ポケットのこと．炎症の改善によって消失しない不可逆的変化であるため，可逆的な仮性ポケットに対し真性ポケットとよばれる．

ポケット上皮[25]
pocket epithelium：ポケット壁を覆うびらんや潰瘍を示す病的な上皮のこと．

表6-1　歯周病分類システム

病態による分類		病原因子（リスクファクター）による分類	備考
Ⅰ．歯肉病変　Gingival lesions† 1．プラーク性歯肉炎 Plaque-induced gingivitis‡	→	1）プラーク単独性歯肉炎 Gingivitis induced by dental plaque only‡ 2）全身因子関連歯肉炎 Gingivitis modified by systemic conditions‡ 3）栄養障害関連歯肉炎 Gingivitis modified by malnutrition‡	表6-2
2．非プラーク性歯肉病変 Non plaque-induced gingival lesions	→	1）プラーク細菌以外の感染による歯肉病変 Gingival lesions induced by other infections 2）粘膜皮膚病変 Mucocutaneous disorders‡ 3）アレルギー性歯肉病変 Allergic reactions‡ 4）外傷性歯肉病変 Traumatic lesions of gingiva‡	表6-3
3．歯肉増殖 Gingival overgrowth	→	1）薬物性歯肉増殖症 Drug-induced gingival overgrowth 2）遺伝性歯肉線維腫症 Hereditary gingival fibromatosis	
Ⅱ．歯周炎　Periodontitis† 1．慢性歯周炎 Chronic periodontitis‡ 2．侵襲性歯周炎 Aggressive periodontitis‡ 3．遺伝疾患に伴う歯周炎 Periodontitis associated with genetic disorders‡	→	1）全身疾患関連歯周炎 Periodontitis associated with systemic diseases 2）喫煙関連歯周炎 Periodontitis associated with smoking 3）その他のリスクファクターが関連する歯周炎 Periodontitis associated with other risk factors	表6-4 表6-5
Ⅲ．壊死性歯周疾患　Necrotizing periodontal diseases†,‡ 1．壊死性潰瘍性歯肉炎 Necrotizing ulcerative gingivitis‡ 2．壊死性潰瘍性歯周炎 Necrotizing ulcerative periodontitis‡			
Ⅳ．歯周組織の膿瘍　Abscesses of periodontium‡ 1．歯肉膿瘍 Gingival abscess‡ 2．歯周膿瘍 Periodontal abscess‡			
Ⅴ．歯周-歯内病変　Combined periodontic-endodontic lesions‡			
Ⅵ．歯肉退縮　Gingival recession			
Ⅶ．咬合性外傷　Occlusal trauma‡ 1．一次性咬合性外傷 Primary occlusal trauma‡ 2．二次性咬合性外傷 Secondary occlusal trauma‡			

†は，いずれも限局型（localized），広汎型（generalized）に分けられる．
‡は，米国歯周病学会の新分類（1999）と全く同一の疾患名を示す．これ以外については本学会で定義したものである．

表6-2　病原因子による歯肉炎の分類

1）プラーク単独性歯肉炎	Gingivitis indeced by plaque only
2）全身因子関連歯肉炎	Gingivitis modified by systemic conditions
①萌出期関連歯肉炎	Puberty-associated gingivitis
②月経周期関連歯肉炎	Menstrual cycle-associated gingivitis
③妊娠関連歯肉炎	Pregnancy-associated gingivitis
④糖尿病関連歯肉炎	Diabetes-associated gingivitis
⑤白血病関連歯肉炎	Leukemia-associated gingivitis
⑥その他の全身状態が関連する歯肉炎	Others
3）栄養障害関連歯肉炎	Gingivitis modified by malnutrition
①アスコルビン酸欠乏性歯肉炎	Ascorbic acid-deficiency gingivitis
②その他の栄養不良が関連する歯肉炎	Others

表6-3　非プラーク性歯肉病変の分類

1）プラーク細菌以外の感染による歯肉病変	Gingival lesions induced by other infections
①特殊な細菌感染によるもの	Gingival lesions of specific bactelial origin
②ウイルス感染によるもの	Gingival lesions of viral origin
③真菌感染によるもの	Gingival lesions of fungal origin
2）粘膜皮膚病変	Mucocutaneous disorders
①扁平苔癬	Lichen planus
②類天疱瘡	Pemphigoid
③尋常性天疱瘡	Pemphigus vulgaris
④エリテマトーデス	Lupus erythematosus
⑤その他	Others
3）アレルギー反応	Allergic reactions
4）外傷性病変	Traumatic lesions of gingiva

表6-4　リスクファクターによる歯周炎の分類

1）全身疾患関連歯周炎	Periodontitis associated with systemic diseases
①白血病	Leukemia
②糖尿病	Diabetes
③骨粗鬆症／骨減少症	Osteoporosis/osteopenia
④AIDS	Acquired immunodeficiency syndrome（AIDS）
⑤後天性好中球減少症	Acquired neutropenia
⑥その他	Others
2）喫煙関連歯周炎	Periodontitis associated with smoking
3）その他のリスクファクターが関連する歯周炎	Periodontitis associated with other risk factors

表6-5　歯周炎を随伴する遺伝疾患

1）家族性周期性好中球減少症	Familial and cyclic neutropenia
2）Down症候群	Down syndrome
3）白血球接着能不全症候群	Leukocyte adhesion deficiency syndrome
4）Papillon-Lefèvre症候群	Papillon-Lefèvre syndrome
5）Chédiak-Higashi症候群	Chédiak-Higashi syndrome
6）組織球症候群	Histiocytosis syndrome
7）小児遺伝性無顆粒球症	Infantile genetic agranulocytosis
8）グリコーゲン代謝疾患	Glycogen storage disease
9）Cohen症候群	Cohen syndrome
10）Ehlers-Danlos症候群（Ⅲ・Ⅷ型）	Ehlers-Danlos syndrome（Type Ⅲand Ⅷ）
11）低アルカリホスファターゼ血症	Hypophosphatasia
12）その他	Others

整理して，日本人の歯周病罹患実態を反映するように分類体系を組み立てたものである．この分類では，まず，病態により7つに大別し，さらに歯肉炎と歯周炎については病原因子に基づき細分類している．

歯肉病変[26]
gingival lesions

1 歯肉病変[26]

歯肉病変は，プラーク性，非プラーク性歯肉炎と歯肉増殖の3つの病変からなる．これらの疾患に共通する所見は，炎症症状や病変が歯肉に限局し，アタッチメントロスを伴わないことである．すでにアタッチメントロスを有する歯周組織に，同様の病変が生じた場合も含む．

プラーク性歯肉炎[27]
plaque-induced gingivitis

1 プラーク性歯肉炎[27]

プラークに誘発された歯肉炎で，歯肉縁から発症し，歯肉全体に広がっていく．臨床的に，プラークが存在するが，病変に特有の細菌叢はない．リスクファクターによってプラーク単独性歯肉炎，全身因子関連歯肉炎，栄養障害関連歯肉炎に分類される．

プラーク単独性歯肉炎[28]
gingivitis induced by dental plaque only

(1) プラーク単独性歯肉炎[28]

初期症状としては，歯肉辺縁部がうっ血のために暗赤色を示し，歯肉溝滲出液量は増加する．プロービングのような，わずかな刺激によっても歯肉からの出血がある．歯間乳頭は浮腫性に腫大し，スティップリングが消失する（**図6-8**）．進行例では，歯肉ポケットから排膿がある．歯槽骨にエックス線的変化はなく，歯の動揺もない．病理組織学的に歯肉炎病巣では，上皮直下結合組織の血管拡張と充血，血管周囲の高度のリンパ球や形質細胞浸潤を伴う慢性炎症が観察される（**図6-9**）．拡張した上皮細胞間には好中球が遊走している．

全身因子関連歯肉炎[29]
gingivitis modified by systemic conditions

萌出期関連歯肉炎[30]
puberty-associated gingivitis

月経周期関連歯肉炎[31]
menstrual cycle-associated gingivitis

妊娠関連歯肉炎[32]
pregnancy-associated gingivitis

糖尿病関連歯肉炎[33]
diabetes-associated gingivitis

白血病関連歯肉炎[34]
leukemia-associated gingivitis

栄養障害関連歯肉炎[35]
gingivitis modified by malnutrition

(2) 全身因子関連歯肉炎[29]

①**萌出期関連歯肉炎**[30]：萌出期の叢生や歯の萌出状況は，歯肉炎の程度や頻度に影響を及ぼす．また，思春期におけるホルモンの劇的な上昇は，歯肉炎を悪化させる．

②**月経周期関連歯肉炎**[31]：月経期間と関連して歯間乳頭部に易出血性の発赤・腫脹がみられることがある．

③**妊娠関連歯肉炎**[32]：妊娠に伴う血中ホルモンレベルの上昇は，歯肉炎の発症頻度の上昇や症状の悪化を誘導する．プラークの量にかかわらず強い炎症を示し，出産後消退する．

④**糖尿病関連歯肉炎**[33]：糖尿病による高血糖状態に起因するコラーゲン合成阻害，微小血管障害や起炎性サイトカイン産生は歯周炎を悪化させる可能性がある．

⑤**白血病関連歯肉炎**[34]：特に急性白血病において暗紫赤色で易出血性の歯肉腫大がみられる．

(3) 栄養障害関連歯肉炎[35]

栄養障害時は宿主の防御能が低下しているため感染を起こしやすく，プラーク細菌による傷害を容易にする．

非プラーク性歯肉炎[36]
non plaque-induced gingivitis

2 非プラーク性歯肉炎[36]

プラーク細菌以外の感染による歯肉病変，粘膜皮膚病変，アレルギー性反応，外傷性歯肉病変がある．

プラーク細菌以外の感染による歯肉病変[37]
gingival lesions induced by other infections

単純ヘルペスウイルス[38]
herpes simplex virus (HSV)

帯状疱疹ウイルス[39]
varicella-zoster virus (VZV)

急性疱疹性歯肉口内炎[40]
acute herpetic gingivostomatitis

粘膜皮膚病変[41]
mucocutaneous disorders

(1) プラーク細菌以外の感染による歯肉病変[37]

しばしば特徴的な臨床像，病理組織像を呈する．鑑別診断には臨床症状とあわせて培養検査や病理組織検査が重要になる．プラーク除去では病変は改善されない．

①**ウイルス感染**：重要なものは単純ヘルペスウイルス（HSV）[38]と帯状疱疹ウイルス（VZV）[39]である．急性疱疹性歯肉口内炎[40]はHSV-1の初感染病変で，主に6カ月～6歳までの小児にみられる．水疱は破れ潰瘍が形成されるが，7～10日ほどで自然治癒する．VZVの初感染病変（水痘）でも再燃性病変（帯状疱疹）でも歯肉に同様の病変が出現する．

②**真菌感染**：カンジダ症，ヒストプラズマ症などがある．*Candida albicans*はヒト口腔内常在菌で，エイズ患者や他の免疫不全患者で病変を引き起こすことがある．

(2) 粘膜皮膚病変[41] 〔Chap.10（143頁）を参照〕

慢性剝離性歯肉炎とよばれていた病変で，皮膚疾患が歯肉粘膜上皮の剝離を繰り返す疾患として歯肉に現れたものである．擦過により，粘膜上皮が容易に剝離することをニコルスキー現象という．副腎皮質ホルモンの投与が有効である．

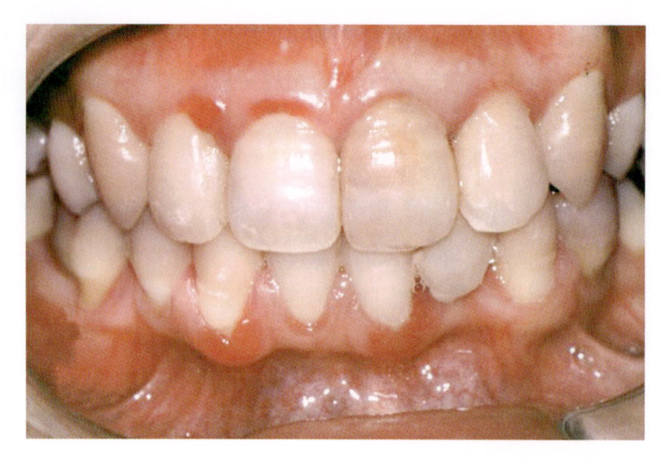

図6-8 プラーク性歯肉炎（45歳，女性）
辺縁部歯肉や歯間乳頭部が浮腫性に腫大し，発赤している．
〔広島大学大学院医歯薬保健学研究科歯周病態学症例〕

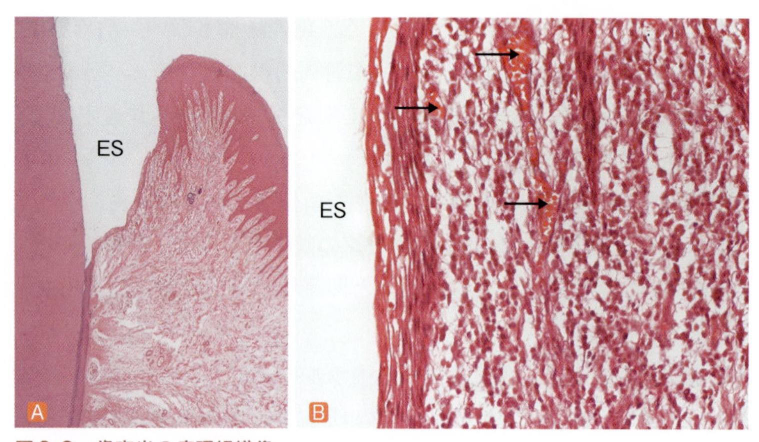

図6-9 歯肉炎の病理組織像
A 上皮直下の結合組織内には炎症細胞浸潤がみられる．
B 充血した毛細血管（矢印）の周囲には高度の慢性炎症細胞浸潤が観察される．
ES：脱灰エナメル質空隙．

扁平苔癬[42] lichen planus

類天疱瘡[43] pemphigoid

尋常性天疱瘡[44] pemphigus vulgaris

紅斑性狼瘡[45] lupus erythematosus

アレルギー性反応[46] allergic reactions

外傷性歯肉病変[47] traumatic lesions of gingiva

歯肉増殖[48] gingival overgrowth

①**扁平苔癬**[42]：粘膜皮膚病変の中で歯肉に症状が現れる頻度が高い．中年以降の女性に多く，歯肉だけに症状の現れるときは診断が困難となる．

②**類天疱瘡**[43]：基底膜成分に対する自己抗体が存在し，基底膜が破壊され粘膜上皮が剝離する疾患である．病変が粘膜に限局する疾患には，良性粘膜類天疱瘡があり，50歳以上の女性に多く，小水疱の形成と上皮の剝離が歯肉のみに認められることがある．

③**尋常性天疱瘡**[44]：中年以降の女性に多い．歯肉病変は有痛性の剝離性病変あるいは水疱破壊による，びらん・潰瘍としてみられる．デスモグレインに対する自己抗体が存在し，有棘細胞層破壊による上皮内水疱が形成される．

④**紅斑性狼瘡**[45]：細胞成分に対する抗体が形成され，自己免疫性に組織が破壊される．しばしば潰瘍が形成される．

(3) アレルギー性反応[46]

歯肉粘膜のアレルギー性病変は稀であるが，歯科用修復材などに対するアレルギーが報告されている．

(4) 外傷性歯肉病変[47]

人為的，偶発的，医原的なものがあり，外力が加わった部位に限局した病変を形成する．

3 歯肉増殖[48]

歯肉組織のコラーゲン線維の過剰増生による歯肉腫大をいう．薬剤によるものと遺伝的なものがある．

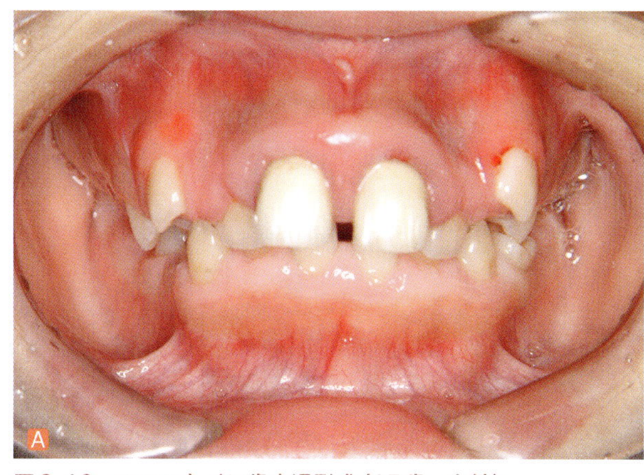

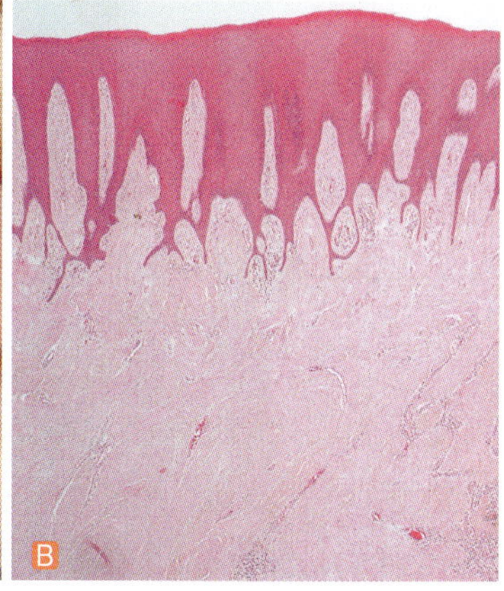

図6-10　フェニトイン歯肉過形成（15歳，女性）
A 歯肉の著しい増生がみられる
B 線維性結合組織の密な増生からなり，細長い上皮釘脚の伸張・吻合を示す重層扁平上皮で覆われている．
〔広島大学大学院医歯薬保健学研究科歯科矯正学症例〕

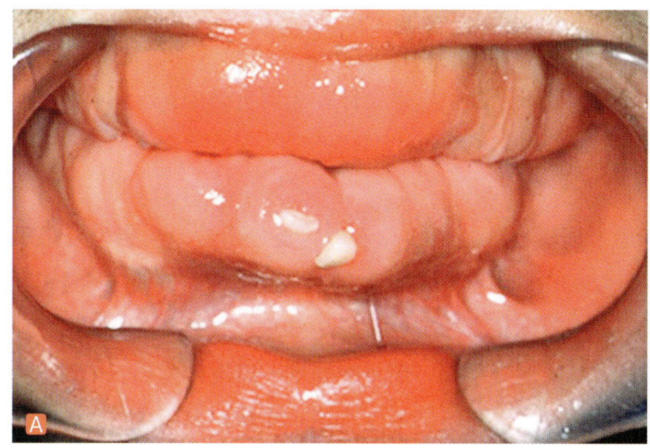

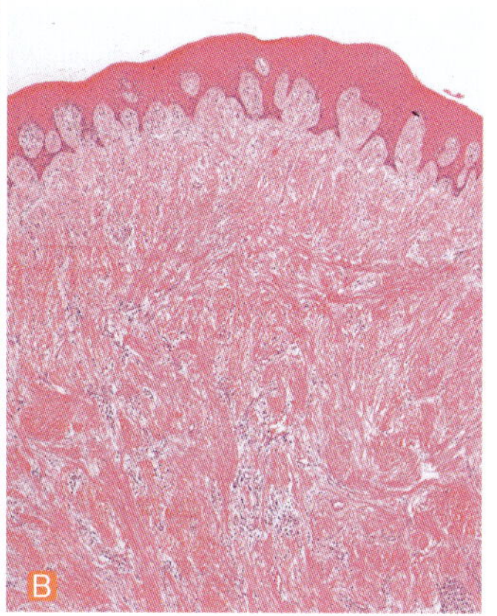

図6-11　遺伝性歯肉線維腫症（7歳8カ月，男児）
A 上下顎全体にわたって著しい歯肉の増殖がみられ，ほとんどの歯が歯肉に覆われている．
B 硝子化した太いコラーゲン線維の交錯した，血管に乏しい線維性結合組織の増生からなる．
〔広島大学大学院医歯薬保健学研究科学小児歯科学症例〕

薬物性歯肉増殖症[49]
drug-induced gingival overgrowth

(1) 薬物性歯肉増殖症[49]

①**フェニトイン歯肉過形成**：抗けいれん薬であるフェニトイン（ジランチン）を長期服用している患者の約50％に歯肉腫大がみられる．歯肉が分葉状を呈しながら増生する（**図6-10A**）．歯肉切除を行っても投薬中は再発しやすい．病理組織学的には，軽度のリンパ球・形質細胞浸潤を伴う線維性結合組織の密な増生がみられ，細長い上皮釘脚の伸張・吻合を示す上皮で覆われる（**図6-10B**）．プラークの除去のみでは発症を抑制できないことから現在では，薬物の副作用である歯肉の増殖症をプラークの存在が修飾し増強すると考えられている．

②**ニフェジピン歯肉過形成**：高血圧，狭心症に用いられるニフェジピン服用患者の約20％に歯肉腫大が発症する．

③**シクロスポリンA歯肉過形成**：免疫抑制薬としてシクロスポリンAを服用している患者の25～30％に歯肉腫大がみられる．

遺伝性歯肉線維腫症[50]
hereditary gingival fibromatosis

(2) 遺伝性歯肉線維腫症[50]

小児の歯肉の一部あるいは全体の粘膜固有層に線維組織が密に増殖する稀な遺伝性疾患である．腫大した歯肉にはスティプリングが目立ち，白くて固い．しばしば歯の萌出障害を伴う（**図6-11A**）．病理組織学的には，硝子化した太いコラーゲン線維の交錯した，血管に乏しい線維性結合組織が大量に増生している（**図6-11B**）．成長期にある間は切除しても再発する．

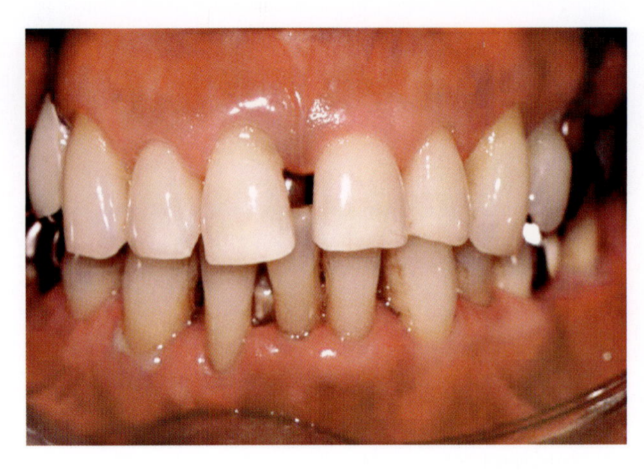

図6-12　慢性歯周炎
歯肉は浮腫性に腫大し，発赤している．3┬3では歯根が露出し，3┐歯肉では排膿がみられる．
〔広島大学大学院医歯薬保健学研究科歯周病態学症例〕

歯周炎[51]
periodontitis

2 歯周炎[51]

深部歯周組織に炎症が波及し，アタッチメントロスや骨吸収を生じた疾患．病態によって慢性歯周炎，侵襲性歯周炎，遺伝疾患に伴う歯周炎の3つのタイプに分けることができる．

慢性歯周炎[52]
chronic periodontitis

1 慢性歯周炎[52]

成人において最も高頻度に認められる歯周炎である．疾患の罹患率と重症度は年齢とともに増加する．歯列の30%以内のものを限局型，30%を超える場合を広汎型とする．

歯周炎は臨床所見の程度によって軽度，中等度，高度の3段階に分けられる．軽度の歯周炎は歯肉炎と臨床的には区別できないが，中等度・高度の歯周炎では歯肉の発赤・腫脹・出血・排膿に加えて深部の歯周組織破壊に基づく臨床症状が出現する．歯と歯肉の間には歯肉縁下歯石・プラークを伴う歯周ポケットが形成される．歯槽骨の消失に伴い歯肉のレベルが下がり歯根が露出し（**図6-12**），歯の動揺や移動が生じる．歯槽骨の消失が歯根の1/2を越えると歯の動揺が著しくなる．歯槽骨吸収は画像診断的に，歯槽骨が歯槽頂から均等に吸収される水平性の吸収が一般的であるが，骨壁が厚いときや食片圧入，咬合性外傷が加わった場合には垂直性骨吸収がみられる．

歯周ポケットはアタッチメントロス，歯槽骨破壊，接合（付着）上皮の根尖側への深行増殖と剝離によって形成される．歯周ポケットには歯槽骨の水平性吸収により，ポケット底が歯槽骨頂よりも歯冠側に位置する骨縁上ポケットと垂直性骨吸収により，ポケット底が歯槽骨頂よりも根尖側に位置する骨縁下ポケットがある．

病理組織学的に歯肉組織にみられる変化は歯肉炎と同じである．歯周炎が歯肉炎と異なる点は，炎症が歯槽頂線維を越えて歯周靱帯や歯槽骨に波及し，結合組織性付着の破壊と歯槽骨吸収が生じることである．接合（付着）上皮はセメント質に沿ってさらに深行増殖し，剝離することによってポケット上皮となる（**図6-13A**）．ポケット上皮には多数の好中球遊走を伴う細胞間隙の拡張，側方への上皮釘脚の形成・吻合がみられ，びらん・潰瘍を伴っている．形質細胞やリンパ球が密に浸潤した歯肉結合組織では充血，出血やコラーゲン線維束の消失が著しい（**図6-13B**）．進行例では歯槽骨や歯周靱帯主線維の消失が顕著となる．吸収された歯槽骨の骨縁には吸収窩が形成され，多数の破骨細胞が出現している（**図6-13C**）．

侵襲性歯周炎[53]
aggressive periodontitis

2 侵襲性歯周炎[53]

慢性歯周炎に比べて頻度は低いが，特殊な局所的あるいは全身的因子が関与して急速なアタッチメントロスと歯槽骨の破壊が生じる歯周炎で，家族性に発生することが報告されてい

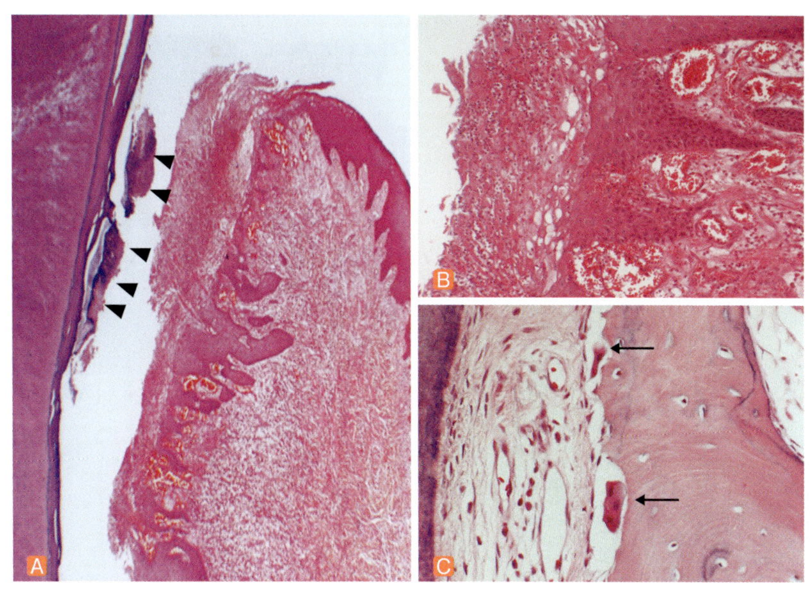

図6-13　歯周炎の病理組織像

A 接合（付着）上皮は深行増殖し，深いポケットが形成されている．ポケット上皮は側方に上皮釘脚を伸展し，上皮直下には血管の拡張・充血が目立っている．ポケット内には歯肉縁下プラーク（矢頭）が付着している．

B ポケット上皮内には著明な好中球浸潤がみられ，ポケット上皮は変性・壊死に陥っている．

C 歯槽骨縁の吸収窩内には破骨細胞（矢印）が観察される．

る．従来，早期発症型歯周炎，前思春期性歯周炎，若年性歯周炎，急速進行性歯周炎などの名称で扱われていた疾患である．前歯と第一大臼歯に限局した垂直性の骨吸収が認められる限局型侵襲性歯周炎と前歯と第一大臼歯以外に少なくとも3歯以上が罹患している広汎型侵襲性歯周炎に分けることができる．

この歯周炎は特定のグラム陰性嫌気性桿菌の感染，好中球・マクロファージなどの貪食細胞の走化性機能や食菌作用の低下，マクロファージからのPGE_2やIL-1β産生能の増加などと密接関連した炎症性病変であることが報告されている．*Aggregatibacter actinomycetemcomitance*（*A.a.*）が主な原因菌として考えられている．*A.a.*は内毒素に加え，ロイコトキシンとよばれる外毒素を産生し，組織障害を惹起する．近年，ロイコトキシン産生能の高い*A.a.*菌JP2株[54]が発見された．*A.a.*菌JP2株感染者での侵襲性歯周炎発症率は高いとされる．一方，日本では侵襲性歯周炎の罹患率は欧米に比較して著しく低く，原因菌も異なるという．*A.a.*菌JP2株は検出されず，慢性歯周炎と同じレッドコンプレックス[55]が高率に検出される．

A.a.菌JP2株[54]
若年性歯周炎の8歳の患者から単離された．親から子に伝播し，家族性の発症を引き起こす．*A. a.*菌JP2株は北アフリカで発生し，ヨーロッパ，アメリカ各国に広がったとされる．

レッドコンプレックス[55]
Red Complex：口腔内細菌のうち，歯周病の発症に最も関連が深いとされる*Porphyromonas gingivalis*，*Treponema denticola*，*Tannerella forsythia*の3種類の細菌のこと．

(1) 限局型侵襲性歯周炎

きわめて稀な歯周病で，女性に3倍ほど多く，家族性に発現する傾向がある．思春期前後に発症する．主に早期に萌出する上下顎第一大臼歯部と中切歯部に好発し，これらの歯の挺出，傾斜や移動が最初の症状となる（**図6-14A**）．大半の症例で発症後数年以内に深い縁下ポケットを伴う垂直性骨吸収が起こり（**図6-14B**），慢性歯周炎と比べ治療が困難である．

病理組織学的には，骨吸収によって歯周靱帯腔が拡大し，シャーピー線維が変性して血管に富んだルーズな結合組織に置き換わっている．接合上皮が深行増殖して深い骨縁下ポケットが形成されると，歯肉縁下プラークが蓄積し，ポケット壁に炎症所見がみられるようになる．

(2) 広汎型侵襲性歯周炎

広汎型若年性歯周炎とよばれていたものである．思春期に始まり女性に多く，速やかな骨破壊をきたすなどの点では限局型と似ているが，病変は歯列のより広い範囲に及び，進行例では著明なプラーク沈着と炎症がみられることもある．

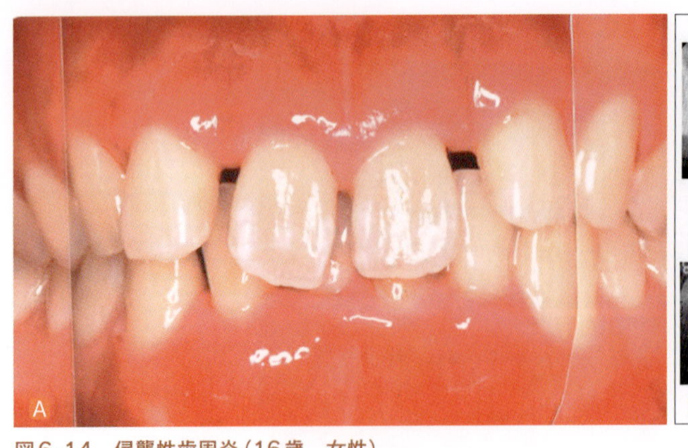

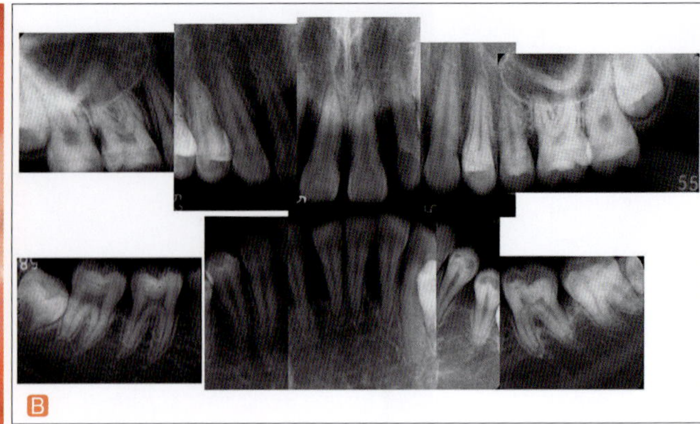

図6-14 侵襲性歯周炎（16歳，女性）
A 上顎前歯に歯冠離開がみられ，歯肉は浮腫性に腫大している．
B 同一患者のエックス線写真．上下顎前歯部に著しい骨吸収が観察される．
〔広島大学大学院医歯薬保健学研究科歯周病態学症例〕

遺伝疾患に伴う歯周炎[56]
periodontitis associated with genetic disorders
ダウン症候群[57]
Down syndrome
パピヨン-ルフェーブル症候群[58]
Papillon-Lefèvre syndrome
チェディアック-東症候群[59]
Chédiac-Higashi syndrome
壊死性歯周疾患[60]
necrotizing periodontal disease
壊死性潰瘍性歯肉炎[61]
necrotizing ulcerative gingivitis
壊死性潰瘍性歯周炎[62]
necrotizing ulcerative periodontitis
ワンサン感染症[63]
Vincent infection

3 遺伝疾患に伴う歯周炎[56]

ダウン症候群[57]，白血球接着能不全症候群，パピヨン-ルフェーブル症候群[58]（常染色体劣性遺伝病．掌と足底の慢性角化に重度の歯周炎を伴う．発症は思春期前で乳歯および永久歯の早期消失がみられる．白血球の機能障害と *Aggregatibacter actinomycetemcomitans* などの特殊な細菌感染が関与する），チェディアック-東症候群[59]（常染色体劣性遺伝病で易感染性を示し，重篤な歯周炎を合併．好中球の遊走能と殺菌能の低下が関与する）などがある．

3 壊死性歯周疾患[60]

歯肉の壊死と潰瘍形成を特徴とする歯周疾患．歯肉に限局した壊死性潰瘍性歯肉炎[61]と壊死病変部が歯周靱帯，歯槽骨まで波及した壊死性潰瘍性歯周炎[62]に分類される．

口腔常在菌であるスピロヘータと紡錘菌の混合感染と考えられており，ワンサン感染症[63]の名前で古くから知られている．若年成人に多いとされるが，発展途上国では子どもにしばしば発生する．進行し壊疽性口内炎に移行したものを水癌という．HIV感染などの全身疾患，ストレス，喫煙，飲酒などの因子が関連している．

臨床的に，歯間乳頭部や歯肉縁に発赤が起こり，びらんやパンチ状の有痛性潰瘍が速やかに拡大し，歯間乳頭部の崩壊をきたす（**図6-15**）．潰瘍面は黄白色の偽膜で覆われ，出血や悪臭を伴う．重症例では所属リンパ節の腫脹，発熱，好中球増多症などの全身症状を伴う．

病理組織学的には，非特異的な急性歯肉炎に広範な壊死による潰瘍形成を伴った像がみられ，潰瘍面は厚い線維素性化膿性滲出物で覆われる．

歯周組織の膿瘍[64]
abscesses of periodontium

4 歯周組織の膿瘍[64]

歯周組織の限局性化膿性炎症により，局所の組織融解と膿の貯留を呈する状態で歯肉膿瘍と歯周膿瘍がある．

歯肉膿瘍[65]
gingival abscess

1 歯肉膿瘍[65]

歯肉粘膜下または歯肉骨膜下に膿が貯留したもの．根尖性または慢性歯周炎に続いて起こる．これらの病巣から組織の抵抗力の弱いところを通り，瘻管が形成され，瘻管の歯肉開口部に膿

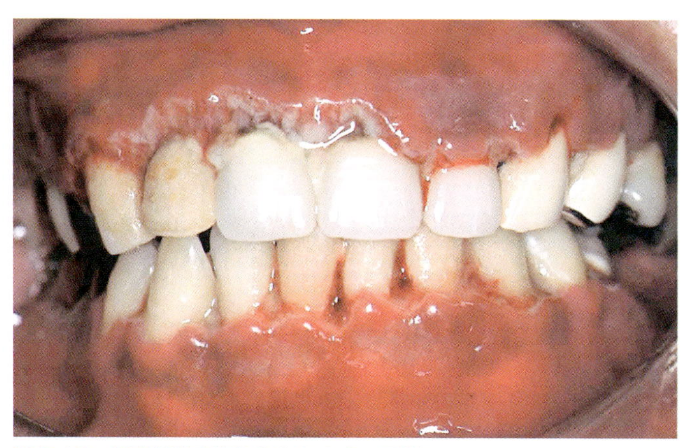

図6-15　壊死性潰瘍性歯肉炎（56歳，男性）
上下顎全体にわたり歯肉辺縁部の潰瘍形成と歯間乳頭部の破壊がみられる．
〔広島大学大学院医歯薬保健学研究科歯周病態学症例〕

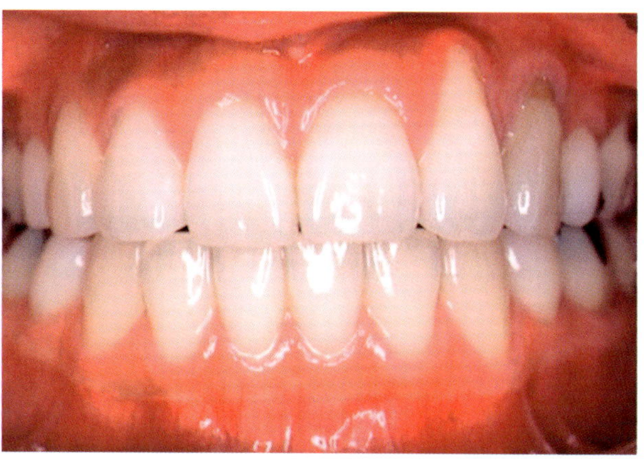

図6-16　歯肉退縮（30歳，女性）
|3 4 歯肉は著しく退縮し，歯根が露出している．歯頸部歯肉はロール状に腫大し，|4 歯頸部には楔状の欠損がみられる．
〔広島大学大学院医歯薬保健学研究科歯周病態学症例〕

内歯瘻[66]
internal dental fistula：歯性化膿性病巣と口腔粘膜の間に形成された交通路のこと．

歯周膿瘍[67]
periodontal abscess

瘍を伴う限局性の発赤腫脹がみられる．経過の長いものは自壊して瘻孔を形成する（内歯瘻[66]）．

2 歯周膿瘍[67]

歯周膿瘍は，すでに罹患している慢性歯周炎に起因することが多い．深いポケットの入り口が，食片などによって封鎖されると，ポケット内で嫌気性菌の繁殖が促進され，ポケット壁や近傍の歯槽骨内に急性膿瘍を形成し，内圧が高まり激しい疼痛を伴う．

歯周-歯内病変[68]
combined periodontic-endodontic lesions

5 歯周-歯内病変[68]

歯周，歯肉各領域の独立した疾患が互いの領域に波及し，連続した病変．歯周組織の異常は根管孔や根管側枝を介して歯髄に，また，歯髄の病変は逆に歯周組織に影響を及ぼす．

歯肉退縮[69]
gingival recession

6 歯肉退縮[69]

炎症やポケットがないにもかかわらず，辺縁歯肉の位置がセメント-エナメル境より根尖側方向へ移動し，根表面が露出した状態をいう（図6-16）．支持組織の状態は良好で，歯の動揺はない．歯周炎，加齢的変化，誤ったブラッシングによる機械的刺激などによって生じる他，特に重度歯周炎に対する歯周治療後に生じやすい．根表面が露出すると，齲蝕，摩耗，象牙質知覚過敏症が生じることがあり，臨床的に問題となる．

咬合性外傷[70]
occlusal trauma

一次性咬合性外傷[71]
primary occlusal trauma

7 咬合性外傷[70]

1 一次性咬合性外傷[71]

正常な支持組織を有する歯に，過度な咬合力が加わった結果，歯周組織に外傷が生じること．なお，歯周組織に損傷を与えるような咬合力を生じさせる異常な咬合のことを外傷性咬合といい，高い充塡物による早期接触，ブラキシズムなどによって起こる．

二次性咬合性外傷[72]
secondary occlusal trauma

2 二次性咬合性外傷[72]

歯周炎の進行により，支持歯槽骨が減少して咬合負担能力が低下した歯に生じる外傷で，

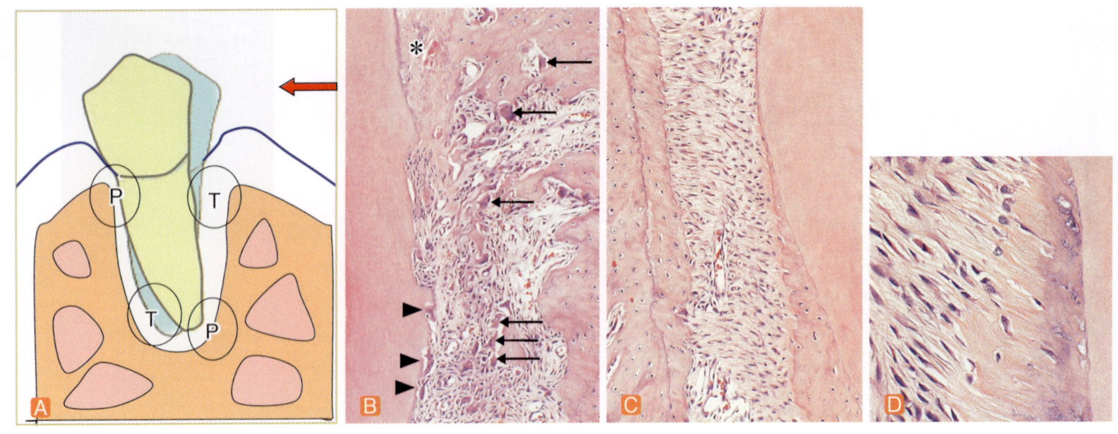

図6-17　咬合性外傷

A 過剰な側方圧（赤矢印）により歯の傾斜移動が生じ，圧迫域（P）と牽引域（T）が形成される．
B 圧迫域における変化．歯周靱帯腔の狭窄，圧迫壊死による硝子化帯（*）の形成，破骨細胞（矢印）による歯槽骨破壊や，破歯細胞（矢頭）による根吸収が観察される．
C 牽引域における変化．歯周靱帯腔の拡大と線維の伸張が起こる．
D 根表面には著明なセメント質の添加がみられる．

生理的咬合力によっても引き起こされる．

歯周炎に咬合性外傷が加わり，あるいは咬合性外傷に炎症を二次的に生じると，損傷された歯周組織に急速に炎症が広がり，垂直性骨吸収を伴う深い骨縁下ポケットが形成される．

歯に側方圧が加わった場合，歯周靱帯に圧迫域と牽引域が生じる（**図6-17A**）．圧迫域では歯周靱帯腔は狭窄し，圧迫壊死による歯周靱帯主線維の硝子化がみられる．歯槽骨表面には破骨細胞が出現し，歯槽骨の吸収が起こる（**図6-17B**）．一方，牽引側の歯周靱帯主線維は伸張し，細くなる．歯が移動して，新しい位置で平衡状態に達すると，歯周靱帯主線維の機能的再配列や骨・セメント質の新生添加が起こる（**図6-17C, D**）．牽引側では，歯周靱帯主線維に拍車状石灰化がみられることがある．

Ⅵ－全身疾患と歯周病

近年，「口腔の感染は，全身の健康状態や全身疾患の発症と重症度に多彩な影響を及ぼす」という概念が支持され，ペリオドンタルメディスン[73]とよばれる新たな領域が開けてきた．現在までに関連性が示唆されている病変には肥満，糖尿病，早期低体重児出産，心臓血管系の疾患，高齢者の誤嚥性肺炎などがある．

ペリオドンタルメディスン[73]
periodontal medicine：医学的根拠をもって歯周病の予防や治療を行い，歯周病と全身状態の相互関係について研究すること．

1 肥　満

脂肪組織は，アディポカインとよばれる種々のサイトカインを産生する．肥満に伴う血清アディポカイン量の増加は高血圧，糖尿病，高脂血症などのメタボリックシンドロームの発症と進行にかかわるとされる．歯周炎においても脂肪組織から多量に産生されたTNF-αがマクロファージの機能低下や歯槽骨吸収の促進にかかわる可能性が示唆されている．一方，歯周炎病巣に由来する内毒素や炎症性サイトカインが肥満に関連する可能性も示唆されている．

2 糖尿病と歯周病

コントロールされていない糖尿病患者は歯周病に罹患しやすく，進行速度が速いという報告がある．一方で，歯周病を伴う糖尿病患者は伴わない患者に比べ血糖値の悪化率が高いとさ

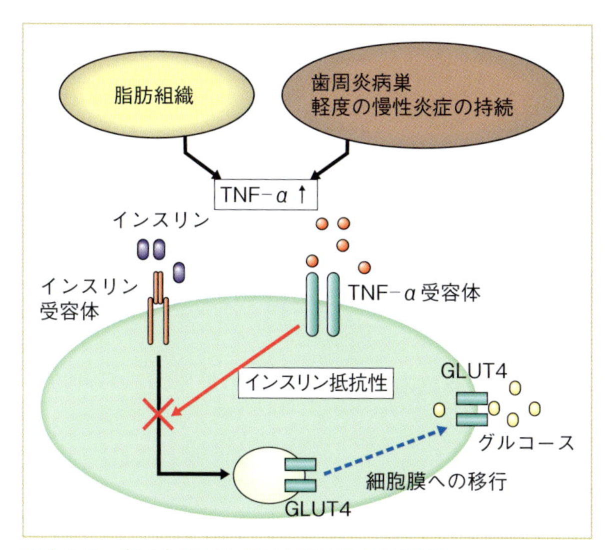

図6-18　歯周炎のインスリン抵抗性への影響

歯周病巣から持続的に産生されるTNF-αはインスリン受容体刺激を抑制し，グルコース輸送体（GLUT4）の細胞膜での発現を減少させることによってグルコースの細胞内取り込みを抑制し，インスリンの抵抗性を悪化させる．

〔歯周病と全身疾患を考える．より改変〕

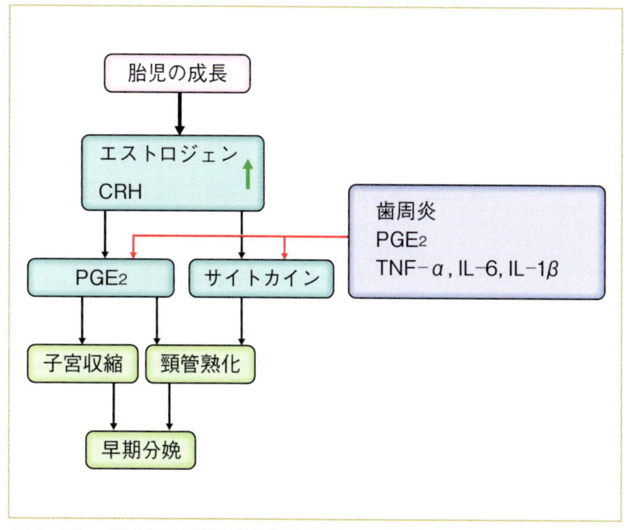

図6-19　歯周病の早期低体重児出産への影響

歯周病巣では胎児の分娩を促進するように作用するPGE_2やサイトカインが産生される．

〔歯周病と全身疾患を考える．より改変〕

れ，歯周病の放置は糖尿病の血糖値コントロールに悪影響を及ぼす可能性が示唆されている．歯周炎病巣からの持続的なTNF-*α*供給がインスリンに対する抵抗性を悪化させると考えられている（**図6-18**）．

3 早期低体重児出産と歯周病

歯周病に罹患した妊婦は低体重児出産の可能性が高く，歯周治療を受けることにより，そのリスクが著しく軽減されるという報告がある．歯周組織で産生されるPGE_2やTNF-*α*が血中に入り，胎盤が早期剝離するように作用すると考えられている（**図6-19**）．

4 心臓血管系の疾患と歯周病

心冠状動脈内壁に形成されたアテローム性動脈硬化病巣から*Porphyromonas gingivalis*や*Aggregatibactor actinomycetemcomitans*などの歯周病原細菌のDNAが検出されている．歯周病原細菌や歯周炎病巣で産生されたIL-1*β*，IL-6やPGE_2などが血流を介し，病変部の血管内皮細胞を活性化することによって血管の炎症，アテローム形成や血栓形成を誘導し，心筋梗塞などの閉塞性の心血管系疾患が生じる可能性がある．

5 高齢者の誤嚥性肺炎

高齢者では誤嚥性肺炎の発症やその重症化による死亡の可能性が高く，70歳以上の肺炎の約75％が誤嚥性肺炎とされる．高齢者では加齢に伴う生活機能の低下による口腔衛生状態の低下や歯周病の進行が起こり，口腔内細菌数が増加する．また，嚥下反射が低下しているので，知らない間に多数の口腔内細菌が唾液とともに肺に流れ込み，肺で増殖して肺炎を引き起こすとされる．高齢者の口腔ケアは健康長寿社会をめざすわが国において重要である．

セメント質増殖症[74]
hypercementosis

Ⅶ－セメント質増殖症[74]

セメント質は加齢に伴って持続的に肥厚するが，病的な状態において異常な増殖を示すことがある．これをセメント質増殖症という．セメント質増殖症は主に機能圧の強さや量と関連している．過剰な機能圧は，根分岐部や根尖部のセメント質の増殖を起こす．逆に機能の消失は，びまん性のセメント質増殖を誘導する．また，歯周炎や根尖病巣の炎症性刺激によっても，セメント質増殖症が生じることがある．この場合，セメント質の肥厚は病変からやや離れた部分でみられることが多い．

骨Paget病[75]
Paget's disease of bone

まれに，骨Paget病[75]などの全身疾患と関連して，多数歯にセメント質の肥厚がみられることもある．

エプーリス[76]
epulis

Ⅷ－エプーリス[76]

エプーリスとは“歯肉に生じる限局性腫瘤”を意味する臨床的な用語で，反応性に生じる歯肉の肉芽組織性腫瘤に対して，一般的に用いられている．

エプーリスは，持続的に加わる局所刺激に対応して，歯肉結合組織や歯周靱帯から肉芽組織が増生することによって形成される．刺激の加わりやすい有歯部歯肉に生じ，いずれの年代にも発

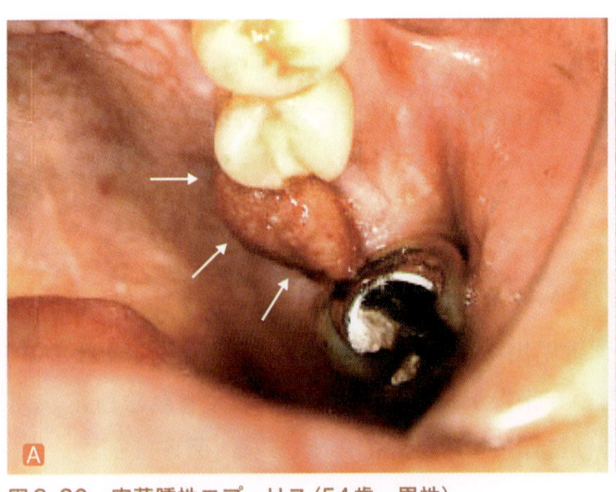
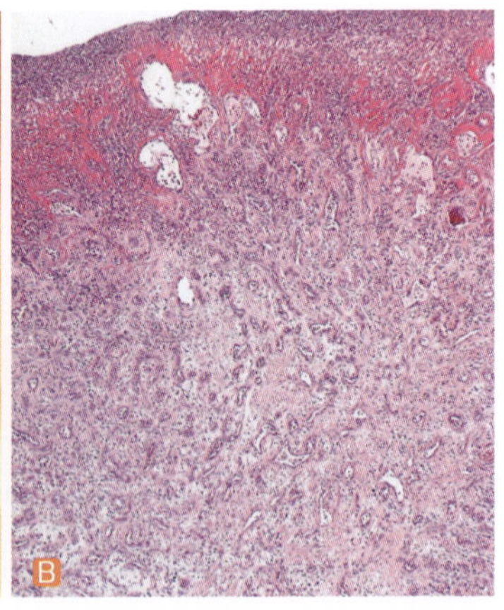

図6-20　肉芽腫性エプーリス（54歳，男性）
A |5 遠心口蓋側に表面細顆粒状赤色調を呈する腫瘤（矢印）がみられる
B 血管の増生が著明な肉芽組織が増生し，表面は潰瘍に陥っている．
〔広島大学大学院医歯薬保健学研究科口腔外科学症例〕

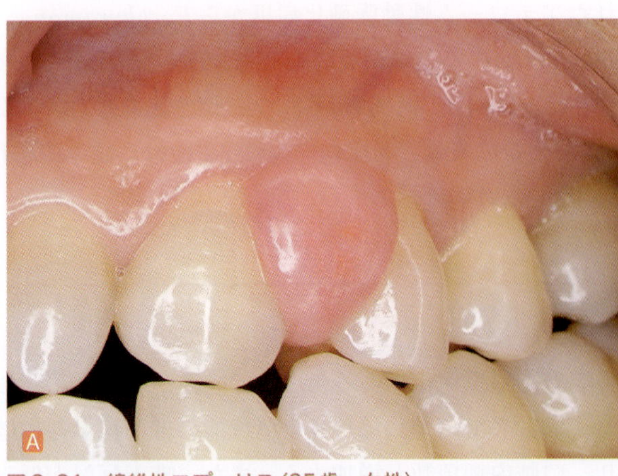
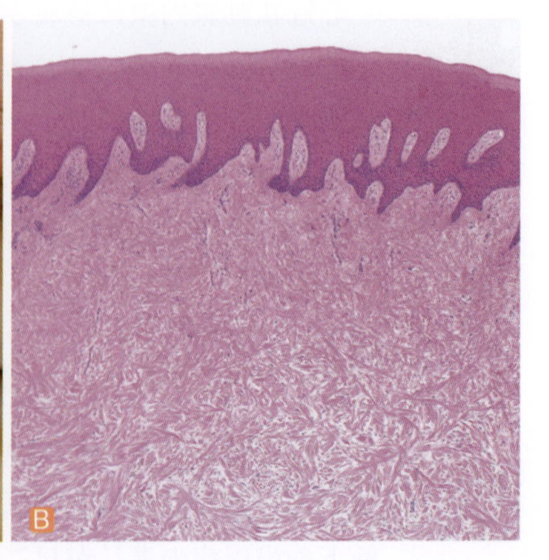

図6-21　線維性エプーリス（35歳，女性）
A |3，4 歯間乳頭部に正常粘膜で覆われた腫瘤がみられる．
B 膠原線維に富む線維性結合組織の増生からなり，血管周囲性に軽度のリンパ球浸潤を認める．
〔福山市・新木歯科医院症例〕

生する．通常，歯間乳頭部の示指頭大から拇指頭大の腫瘤としてみられる．表面は平滑または分葉状を呈し，潰瘍に陥っていることもある．増生する肉芽の種類により，次の各型が知られる．

肉芽腫性エプーリス[77]
epulis granulomatosa

①**肉芽腫性エプーリス**[77]：毛細血管に富む肉芽組織からなり，肉眼的に赤くて軟らかい（**図6-20**），分葉状に増殖する場合には，毛細血管性血管腫と病理組織像が類似する．妊娠性エプーリスに，この病理組織像が特徴的である．

線維性エプーリス[78]
fibrous epulis

②**線維性エプーリス**[78]：肉芽組織が陳旧化し線維化が進むにつれて，線維芽細胞や毛細血管が減少し，白くて硬い線維性エプーリスに変化する（**図6-21**）．義歯性エプーリスがこの像を呈する．

③**骨形成性エプーリス**：線維性エプーリスに硬組織形成を伴ったもの．歯周靱帯細胞には，骨芽細胞やセメント芽細胞への分化能があるため，化生性にこれらの硬組織が形成されたと考えられる．

巨細胞性エプーリス[79]
giant cell epulis

④**巨細胞性エプーリス**[79]：わが国ではきわめて稀である．若年者の下顎前歯にみられることが多く，再発傾向がある．紡錘形または多角形の間葉性単核細胞が増生する．毛細血管に富んだ結合組織内には，破骨細胞性の多核巨細胞が多数観察される．顎骨中心性の巨細胞性肉芽腫と同様の組織像を呈する．

（宮内睦美，髙田　隆）

Check Point

- ☐ 1 歯周炎の病因を説明できる．
- ☐ 2 歯周炎を分類できる．
- ☐ 3 炎症が起こりやすい歯周組織の構造上の特徴について説明できる．
- ☐ 4 歯周組織に備わる防御機構について説明できる．
- ☐ 5 歯肉炎・歯周炎の病理発生メカニズムについて経時的に説明できる．
- ☐ 6 歯肉炎・歯周炎の病理組織像の相違点について説明できる．
- ☐ 7 ポケット形成機序と種類について説明できる．
- ☐ 8 歯周病と全身疾患の関係について説明できる．
- ☐ 9 歯肉増殖症について分類，説明できる．
- ☐ 10 咬合性外傷について説明できる．
- ☐ 11 エプーリスについて説明できる．

References

1）Rateitschak, K. H. et al.：Color Atlas of Dental Medicine. Periodontology, 3rd edition. Thieme, New York, 2004.
2）長谷川紘司ほか：歯周病と全身の健康を考える．財団法人ライオン歯科衛生研究所編．医歯薬出版，東京，2004.
3）石川　烈 監訳：AAP歯周疾患の最新分類　アメリカ歯周病学会編．クインテッセンス出版，東京，2001.
4）岡本　浩 監訳：Linde臨床歯周病学とインプラント（基礎編）（Linde, J. 編）第3版．クインテッセンス出版，東京，1999.
5）石川梧朗・秋吉正豊：口腔病理学Ⅰ 第2版．永末書店，京都，1980.
6）Haubek, D, and Johansson, A. J.：Pathogenicity of the highly leukotoxic JP2 clone of Aggregatibacter actinomycetemcomitans and its geographic dissemination and role in aggressive periodontitis. *Oral Microbiol.*, 14（8）：6, 2014.

Chapter 7

歯科治療に伴う治癒の病理

さまざまな治療によって口腔組織はどのような変化を呈し，どのように治癒するのか――ピンクトゥースシンドロームは局所麻酔薬に含まれるエピネフリンの血管収縮作用による歯髄血流の低下・虚血に起因する．切削による傷害性変化，スメア層，エッチングによる変化，修復材料の影響（微小漏洩，ハイブリッド層）はそれぞれ臨床病理学的な意義を有している．歯髄鎮静療法，覆髄（歯髄覆罩）法，歯髄切断（断髄）法および抜髄法によって歯髄にはさまざまな傷害的および修復的変化が引き起こされる．根未完成歯の根管治療にはアペキソゲネーシス，アペキシフィケーションおよびリバスクラリゼーションの3つの方法があり，異なる治癒形態を示す．

歯周治療後の治癒機転は上皮性付着と結合組織性付着が基本となる．上皮性付着とは治療後の歯根面に長い付着（接合）上皮が形成されて治癒することである．結合組織性付着とは，歯周治療によって滑沢化させた歯根表面に新生セメント質が形成され，歯槽骨も新生され，両者の間に歯根膜が新生され，「セメント質＝歯根膜＝歯槽骨」という結合単位が形成されて治癒することである．

矯正治療に伴う歯周組織の変化，抜歯創の治癒，歯の破折に伴う治癒，セメント質剥離，および骨折の治癒の臨床病理学的特徴を概説する．

I―象牙質・歯髄複合体への処置に伴う組織変化

1 局所麻酔[1]による歯髄の変化

歯科用局所麻酔薬として代表的なリドカインは，それ自体，血管拡張作用があり，血流を増加させるので，麻酔の効率が低下する．より深く長い麻酔効果を得るために，歯科用局所麻酔薬には血管収縮薬として8万分の1のエピネフリンが添加されている．これによって，2%リドカイン単味の浸潤麻酔の奏功時間が25分から100分に延長することが知られている．この効果は細動脈の収縮によって血管抵抗が増加し，歯髄血流が減少することによって生じる．濃度8～10 mol/Lを超すエピネフリンを用いると歯髄は完全虚血に陥るが，永続的傷害は生じないことがわかっている．

通常，歯科臨床で用いられているエピネフリン添加2%リドカインをシリンジにより浸潤麻酔すると，その歯の歯髄の微少循環血流が5分後に約25%まで減少する．エピネフリン含有リドカインを歯根膜内注射すると，歯髄の血流は5分後にはほとんど停止し，30分間血流は回復しない．このような条件下で歯を切削して，傷害性の刺激が歯髄に及ぶと，しばしばピンクトゥースシンドローム[2]が起こる．

しかし，切削による傷害が歯髄に及ばない場合には，機能的にも形態的にも，歯髄はもとの状態に戻る．脳の中枢神経細胞と異なり，歯髄が低酸素条件下でも生きられるのは，ヒートショックタンパク[3]の発現が関与すると報告されている．

局所麻酔[1]
local anesthesia

ピンクトゥースシンドローム[2]
pink tooth syndrome：歯髄の血流が停止または減少しているときに窩洞形成や歯冠形成を行うと，摩擦熱が歯髄に及ぶので出血が生じる．出血は歯髄内の間質圧を上昇させ，全歯髄壊死を引き起こす．歯髄内に出血がみられる歯は臨床的にピンク色を呈しているので，pink tooth syndromeとよばれている．

ヒートショックタンパク[3]
heat shock protein (HSP)：熱ショックタンパクともよばれ，組織の恒常性維持を仲介する分子である．ストレスタンパク質ともよばれている．

切削[4]
cutting

摩擦熱[5]
heat of friction

2 切削[4]による傷害性変化

窩洞形成・歯冠形成のための切削は日常的で軽微な修復手法とみなされているが，歯髄にはきわめて重大な影響を及ぼしている．歯髄にとって最も危険な因子は摩擦熱[5]である．エアタービンを用いた切削によって，温度は1～2℃（注水下）から11℃（非注水下）に上昇する．Er：YAGレーザーの使用によって，注水下でも温度は2～4℃上昇することが知られている（**表7-1**）．

5.5℃を超える温度上昇は不可逆的な歯髄の炎症を引き起こし，11℃を超える上昇によって歯髄は壊死する．

さらに，切削バーの振動は象牙細管の組織液を歯髄側へ移動させるし，エアシリンジを使用（乾燥）すると，蒸散による水分ロスを引き起こすのみならず，組織液をエナメル質側へ移動させる．これらの組織液の移動によって，修復材料内の有害物質や細菌産生物は象牙細管を介して拡散する．

エナメル-象牙境では象牙細管の太さは直径約1 μmで，1平方mmあたり約2万の象牙細管が存在し，歯髄の近くでは，直径2～3 μmで1平方mmあたり約4万5000もの象牙細管が存在する．このため，窩洞が深くなるに従って歯髄は刺激を受けやすくなる．象牙質が露出すると歯髄内圧により象牙細管内液はエナメル質側へ移動し，その中に含まれるタンパク質やミネラルによって象牙細管の閉塞や透過性の低下が起こる．

スメア層[6]
smear layer

スメアプラグ[7]
smear plug

通常の高速切削を行うと，表面に切削屑（象牙質細片）の層（厚さ1～2mm）が形成される．これをスメア層[6]といい，象牙細管に入り込んで開口部を栓のように封鎖している切削屑をスメアプラグ[7]という．これらは象牙質の透過性を85%減少させるといわれている．また，切削中の摩擦熱によって象牙細管内液は歯髄側へ移動する．

象牙細管内液の移動が激しい場合，象牙芽細胞には配列の乱れ，空胞変性，萎縮および消失などが認められる．歯髄には充血や出血などの循環障害の他，桿状体（象牙芽細胞の核，赤血球，白血球などが象牙細管内に吸引されて生じる）の出現，炎症性水腫，好中球の浸潤，膿瘍形成を伴うこともある．時間が経つと桿状体はみられなくなるが，刺激が強い場合にはかなり長期間にわたって存続する．

切削時の発熱は過度の血漿溢出をはじめ歯髄微小循環障害を引き起こす．過度の摩擦熱が歯髄に及ぶと，充血，出血，炎症性細胞浸潤などの組織変化は切削後2～3日目に最も著明に現れる．その後，軽症例では変化が消退して1～2週後には正常となる．病変が長期間存続することもあり，特に化膿性炎症を伴う場合は不良な転帰をとることが多い．

象牙細管の中には象牙芽細胞の突起であるトームス線維が存在するので，切削の刺激が直接この突起に及んで，細胞を損傷する．不可逆的変化を被ると象牙芽細胞は細胞死をきたす．象牙芽細胞が消失しても，3～5日後には修復性の変化がみられる．

切削による影響が長期にわたって存続する慢性炎症では，リンパ球，形質細胞，マクロファージ，好酸球などの浸潤がみられる．修復性の反応も顕著で，残存する歯髄からの間葉系幹細胞の増殖と象牙芽細胞への分化によって，さまざまな程度に第三象牙質が添加され，治癒する．

切削による傷害性変化は**表7-2**のようにまとめることができる．

3 スメア層

歯を切削すると，歯質切削面に切削屑である粉状の象牙質および石灰化したコラーゲン線維からなる挫滅層が形成される（スメア層）．スメア層は切削屑や唾液などが切削面にこすりつけられた層という意味で，1～5 μmの厚みがある（**図7-1**）．

スメアプラグは歯冠部象牙質では通常1～3 μmであるが，根管拡大後の歯根部象牙質根管

表 7-1　切削による摩擦熱

	実測温度(℃)	上昇温度(℃)
無処置	36〜37	0
注水切削(エアタービン)	37〜38	1〜2
非注水切削(エアタービン)	47〜48	11
注水Er：YAGレーザー	38〜41	2〜4
光重合時	40〜45	4〜8
テンポラリークラウン重合時	36〜44	0〜7

表 7-2　切削による傷害性変化

原因	傷害性変化
スメア層(プラグ)	象牙細管の閉塞・透過性低下
摩擦熱	歯髄の充血・出血・炎症・壊死
乾燥	象牙細管内液の移動・神経ペプチド放出・炎症
振動	象牙細管内液の移動
細管露出	象牙細管内液の移動・神経ペプチド放出・炎症
直接傷害	象牙芽細胞の崩壊・桿状体形成

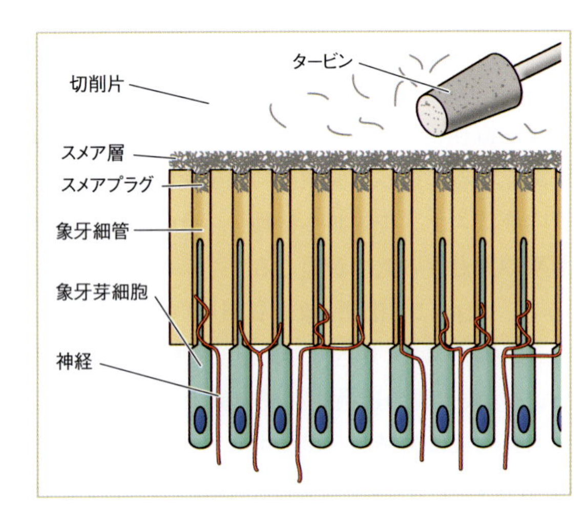

図 7-1　スメア層，スメアプラグの模式図
歯を切削すると，表面に切削屑であるスメア層が形成される．さらに，象牙細管に押し込まれ，開口部を栓のように封鎖しているスメアプラグも形成される．

壁では，その40倍以上の長さになる．

スメア層は充填物と窩壁との間に介在して，接着性レジンなどの修復物が緊密に密着するのを妨げている．スメア層内に残存した細菌は繁殖して歯髄を刺激するといわれている．スメア層は有害な刺激から歯髄を守るバリアになると考えられてきたが，唾液によって溶解されるので，その働きは一次的なものである．より確実で強固な接着を得るために，このスメア層を除去することが推奨されている．スメア層は水洗などでは除去できないので，酸などの薬剤によって除去する必要がある．

エッチング[8]
etching

4　エッチング[8]による変化

エッチングは酸処理，酸蝕，酸エッチング脱灰ともいい，接着面を酸や脱灰材で脱灰する操作である．修復用レジン，小窩裂溝封鎖材ならびに矯正用ダイレクトボンディングレジンを歯面に接着させるための前処理として，接着面を酸や脱灰材で脱灰する操作をいう．

スメア層を除去する場合にもエッチング法が使われる．従来はエッチング材としてリン酸が用いられていた．しかし，リン酸処理は象牙細管をロート状に拡大して，象牙細管を開孔して，窩底象牙質の透過性を亢進させるだけでなく，健全象牙質まで大きく脱灰するため，歯髄刺激を増加させるなど侵襲が大きいと指摘されている．

このため，スメアプラグを残してスメア層だけを脱灰する薬剤(これを窩洞清掃剤，デンティンクレンザー，あるいはデンティンコンディショナーとよぶ)が開発されてきた．これには，20% EDTA水溶液，クエン酸，ポリアクリル酸，クエン酸と塩化カルシウムの混合水溶液，0.2% EDTA水溶液などがある．

5 修復材料の影響

微小漏洩（マイクロリーケージ）[9]
microleakage

充填された材料による歯髄炎の原因は，1）修復材料自体の影響と，2）微小漏洩（マイクロリーケージ）[9]によるものの2つに大別される．

1 修復材料自体の影響

修復材料は生体親和性を有している必要があり，理想的な材料は，不溶性かつ化学的に不活性で，生体と反応しないことである．しかし実際は，各種の修復材料から放出される細胞毒性イオン，腐食酸化物，刺激物（フリーの酸，未反応モノマー，充填の前処理に使われるエッチング用脱灰液），物理的な充填圧，セメント効果熱，ガルバニー電流，高すぎる充填物，辺縁封鎖性などの単独作用または組み合わせによって歯髄にはさまざまな傷害が加わる．

アマルガム圧接充填時には，クラウンの合着時と同様，細菌産生物を象牙細管に押し込むほどの圧力がかかっており，象牙芽細胞層と象牙前質の間に一次的に好中球が浸潤するなどの炎症を生じる．また，充填部位が大きく裏装が不十分なときは，冷・温熱刺激が繰り返し加わることにより，象牙芽細胞の壊死，歯髄の充血，一部性または全部性の歯髄壊死などを惹起する．

ケイ酸セメントは，即時重合レジンとともに最も歯髄刺激性の強い修復材料である．歯髄炎の程度は窩洞の深さによって異なるが，深いほど急性歯髄炎を生じやすく，ときに広範な膿瘍形成や歯髄壊死を引き起こす．即時重合レジンもしばしば歯髄膿瘍を形成し，歯髄壊死を生じる．

最近，頻繁に応用されているコンポジットレジンや接着性レジンの刺激性はかなり弱いと考えられている．しかし，コンポジットレジンの重合熱も象牙細管内液の移動を引き起こす原因となるし，重合収縮によって歯質に大きな応力がかかると考えられているので，水酸化カルシウムやMTA〔103頁参照〕による裏装が推奨されている．クラウンの装着によって歯髄に引き起こされる病変は，多量の歯質切削による外傷的傷害，合着用セメントによる刺激，装着時に加えられる圧力などの総和によると考えられる．

2 微小漏洩による影響

修復物を装着することによって，唾液や細菌が充填材料と窩洞との間に浸透する現象を微小漏洩という（**図7-2**）．液状成分は充填材料と窩洞壁の間を通過できること，微少漏洩に伴って常に細菌の発育がみられること，が明らかにされている．これは窩洞形成中の汚染が原因と考えられている．直接覆髄（直接歯髄覆罩）の場合でも細菌が存在しなければ，歯髄の炎症は起こらない．このことから，修復材料の毒性よりはむしろ微小漏洩が歯髄反応の重要な因子

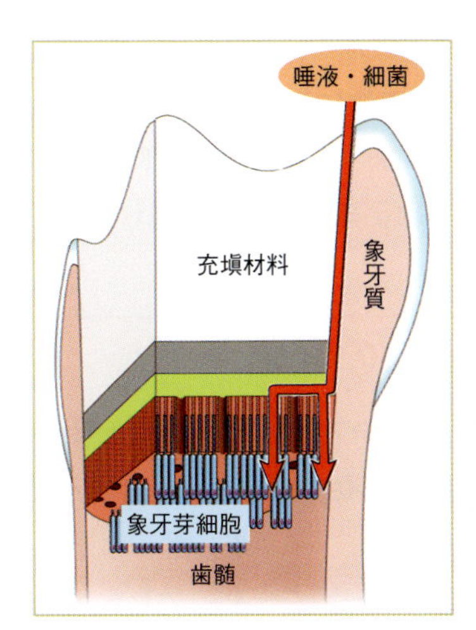

図7-2 微小漏洩を示す模式図
修復物を装着した後，唾液や細菌が充填材料と窩洞壁との間に浸透する現象を微小漏洩という．デンティンブリッジが形成された場合でも，デンティンブリッジにトンネル状の欠損があるため，微少漏洩によって，歯髄に感染が波及する．

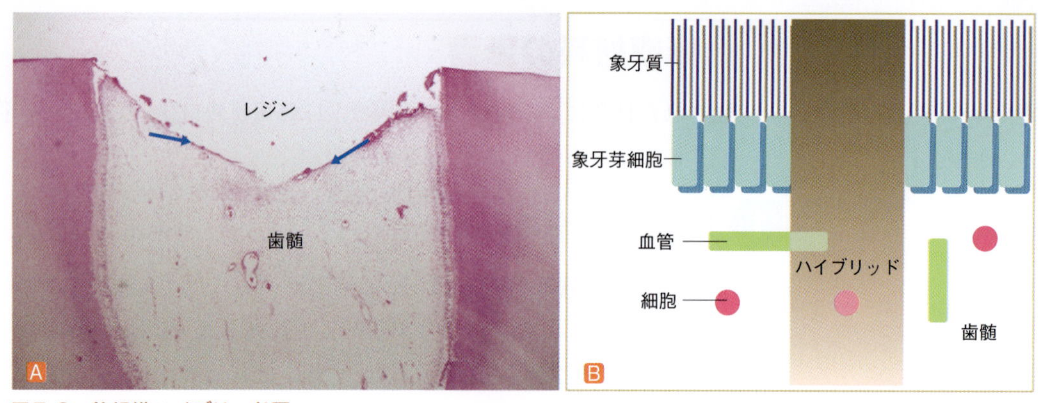

図7-3 軟組織ハイブリッド層

A 軟組織ハイブリッド層の組織像．レジンを歯髄の表面に載せて硬化させたときに，軟組織ハイブリッド層は歯髄表層部に生成される（矢印）．

B 軟組織ハイブリッド層の模式図．レジンが生きた歯髄組織に浸透して形成されたものがハイブリッド層である．

ハイブリッド層[10]
hybrid layer（樹脂含浸層：resin impregnated layer）

であると考えられている．微小漏洩を効果的に防ぐためには，接着性を有する材料の使用が推奨されている．それは，接着性レジンが象牙質表面に歯髄を保護するハイブリッド層（樹脂含浸層）[10]を形成するからである．

3 ハイブリッド層

軟組織ハイブリッド層[11]
soft tissue hybrid layer

ナノリーケージ[12]
nanoleakage

ハイブリッド層とは，レジンを歯面上で硬化させて歯質に接着させたときに，歯面表層部に生成されたポリマーとコラーゲンやハイドロキシアパタイトなどの歯質構成分子とが絡みあった層をいう．脱灰した表層象牙質にレジンが浸透硬化して生じた層であり，塩酸に溶けない耐酸性の層である．接着性レジンを直接歯髄に応用すると，その界面にハイブリッド層が形成され，軟組織ハイブリッド層[11]とよばれている（図7-3）．

近年は，微小漏洩よりもさらに小さなナノリーケージ[12]が注目されている．ナノリーケージは象牙質接着におけるハイブリッド層で生じ，窩洞表面とハイブリッド層に間隙が存在しなくても発生する漏洩である．エッチングされた象牙質に不完全にレジンが浸透した結果起こると考えられている．ナノリーケージの幅が20～100 nmであるので，細菌の侵入は防ぐことはできるが，水，酸，細菌産生物（タンパク分解酵素など）の侵入は防ぐことができない．

修復後の影響として，前述の微小漏洩と歯のたわみの問題があげられる．歯のたわみによって，象牙細管内液の移動が起こり，これによって神経ペプチドが放出されれば，歯髄局所に炎症が惹起される．

II―治療による歯髄の変化

歯髄治療には，歯髄保存療法や歯髄除去療法に属するさまざまな処置，すなわち歯髄鎮静療法，覆髄（歯髄覆罩）法や抜髄法が含まれる．これらの処置により，歯髄や象牙質だけでなく，ときには根尖部歯周組織の一部にも病理組織学的変化が現れる．

歯髄鎮静療法[13]
sedative treatment of pulp

1 歯髄鎮静療法[13]による歯髄の変化

歯髄鎮静法には，歯髄保存を前提とする場合と，抜髄を前提とする場合がある．前者は感覚が異常に興奮した歯髄を健全な状態に戻す治療法であり，後者は不可逆的歯髄炎の疼痛に対する対症療法である．

用いられる鎮静薬は，揮発油類として，ユージノール，クレオソート，パラクロロフェノールグアヤコールが，また石炭酸製剤としては石炭酸誘導体がある．これらの多くは，タンパク凝固作用による知覚鈍麻および消毒効果をねらったものである．歯髄に直接触れると，腐食作用やタンパク凝固作用により，組織傷害は増大する．一般には綿球に浸して窩洞底部において，象牙質の透過性を利用してその薬効が歯髄に及ぶことを期待している．過量投与に注意しなければならない．齲窩の清掃・消毒に用いられる生理食塩液，3% H_2O_2，0.5%クロラミンもまた多かれ少なかれ歯髄を刺激する．

使用される薬剤の化学的刺激によって，歯髄組織にはさまざまな傷害性変化が生じる．傷害の程度は，使用する薬剤の刺激性，薬剤の浸透性，象牙質の透過性（象牙細管の直径や窩洞底部から歯髄までの距離などによって異なる）などに左右される．組織変化は一過性に起こり，傷害性変化に続いて最終的には充血や初期炎症が緩解して修復性変化が生じ，第三象牙質形成の過程をたどる．

傷害性変化としては，象牙芽細胞の萎縮，空胞変性，消失，桿状体の出現，象牙前質の吸収と消失，象牙芽細胞層および歯髄の充血，出血，炎症性細胞浸潤，さらには膿瘍形成や壊死などが起こる．修復性変化としては，破壊性変化の消退に伴って，象牙芽細胞の再生や第三象牙質の添加がみられる．

覆髄（歯髄覆罩）法[14]
pulp capping

2 覆髄（歯髄覆罩）法[14]による歯髄の変化

覆髄（歯髄覆罩）法は歯髄充血および可逆性歯髄炎に対して，外来性刺激を遮断し，硬組織による保護層の形成を促進させ，歯髄を生活状態で保存する方法である．従来，露出歯髄面を直接被覆する直接覆髄（直接歯髄覆罩）法と，象牙質壁を介して歯髄を保護する間接覆髄（間接歯髄覆罩）法とが使われている．

暫間的間接覆髄（間接歯髄覆罩）法[15]
indirect pulp capping (IPC)

また臨床的には，暫間的間接覆髄（間接歯髄覆罩）法（IPC法）[15]もしばしば用いられている．これは間接覆髄（間接歯髄覆罩）法の一種であり，露髄の危険性のある深在性齲蝕に対して，感染歯質を1層残して暫間的に覆髄（歯髄覆罩）を行い，炎症歯髄の殺菌・消毒と齲蝕象牙質の直下に第三象牙質の形成を促す方法である．

MTA[16]
Mineral Trioxide Aggregateの略

覆髄（歯髄覆罩）法には，水酸化カルシウム，酸化亜鉛ユージノールセメントやそれらの製剤が使われており，さらにリン酸三カルシウム（TCP），接着性レジン，合成アパタイト材料も応用されている．最近特に，水酸化カルシウムに取って代わる材料であると世界中の注目を集めているのがMTA[16]である．MTAは1990年代に米国で穿孔封鎖または逆根管充塡材として開発が進められてきたもので，①生体親和性，②封鎖性，③抗菌性に優れた特性を有することが明らかにされている．覆髄に応用した場合でも，水酸化カルシウム製剤よりもMTAの臨床成績が優っていると評価されている．

覆髄（歯髄覆罩）法を行った場合の組織変化にも，傷害性変化と修復性変化がみられる．露出歯髄には，出血，充血，壊死，炎症性細胞浸潤などが，未露出歯髄には，象牙芽細胞の萎縮，空胞変性，壊死などが認められる．歯髄にも充血，出血，炎症性細胞浸潤があり，ときに化膿性病変を伴う．象牙前質は消失し，桿状体が出現する．

デンティンブリッジ（象牙質橋）[17]
dentin bridge：歯髄切断法および直接覆髄法の後，露出歯髄に形成される象牙質をいう．齲蝕，咬耗，磨耗などの病的条件下で未露出歯髄に形成される象牙質は第三象牙質（修復象牙質または補綴象牙質）とよばれる．

露出歯髄の修復性変化としては，肉芽組織の増生と線維化，象牙芽細胞の新生，デンティンブリッジ（象牙質橋）[17]の形成がみられる（**図7-4**）．一方，未露出歯髄では，歯髄における充血，出血，水腫の消退と炎症性細胞浸潤の減少がみられ，象牙芽細胞の機能回復とともに第三象牙質の添加が認められる．

歯髄切断（断髄）[18]
pulpotomy

3 歯髄切断（断髄）法[18]による歯髄反応

これには歯髄の一部を外科的に切除して，生活歯髄を残す方法（生活歯髄切断法）と，ミイラ化させて保存する方法（失活歯髄切断法）とがある．

1 生活歯髄切断法

生活歯髄切断法は，齲蝕または外傷による露髄など炎症が歯冠部に限局している場合，冠部歯髄のみを除去して，健康な根部歯髄を残して保存する方法である．歯髄を物理的・化学的に切断後，覆髄剤（水酸化カルシウム糊剤またはMTA）を創面に貼付し，残存生活歯髄との間にデンティンブリッジとよばれる硬組織を形成させることが目的である．この際の歯髄の治癒経過およびデンティンブリッジ形成の過程は4期に分けられている（**図7-5**）．

（1）滲出期（術直後～約5日）

①切断による組織損傷に対する反応として軽度の炎症性反応がみられる．

②覆髄剤［水酸化カルシウム糊剤（pH12.4）もMTA（pH11.85）］も強アルカリ性で，タンパク凝固作用を示すので壊死巣が形成される．

コッサ染色
Von Kossa stain

③血液由来カルシウムの沈着がタンパク凝固による壊死巣と生活歯髄との間にみられ，コッサ染色に陽性を示す分界線として示される（術後30分から1日）．

（2）増殖期（術後3～7日）

①歯髄の線維芽細胞，間葉系幹細胞，血管周皮細胞，シュワン細胞などが分裂して，細胞が増殖する．

②これらは，分界線へ向けて遊走するとともに，血管新生像がみられる．また，マクロファージによる貪食処理もみられる．線維性基質が分界線下に形成される．

（3）骨様象牙質形成期（術後5～14日）

骨様象牙質[19]
osteodentin：骨組織に類似した象牙質．

壊死巣直下に1～数層の短円柱状細胞が並び，骨様象牙質[19]を形成する．

（4）象牙質形成期（術後14日以降）（図7-6）

①骨様象牙質層の下方に象牙芽細胞が配列し，象牙細管構造を有する新生象牙質が添加され，デンティンブリッジとよばれる被蓋硬組織ができる．

②新生象牙質は周囲根管壁の象牙質へ移行している．

③石灰化外傷線も周囲の根管壁に認められる．

④新生象牙質（被蓋硬組織）は術後1年で0.5～1.0mm程度添加され，その厚さを増す．

2 失活歯髄切断法

今日ではほとんど行われていない．失活剤（亜ヒ酸，パラホルムアルデヒド糊剤）を間接的にあるいは直接歯髄に貼薬し，次いでホルマリンクレゾール液で失活歯髄を固定（タンパク凝固）する．さらに乾屍剤を貼付してミイラ化させ，裏装後に充塡するという方法である．根尖孔から肉芽組織を根管内に侵入させ，その部を器質化させ，線維化（瘢痕化）によって根尖部を閉鎖させることを期待して行う．

抜髄[20]
pulpectomy

4 抜髄[20]後の組織変化

歯髄を局所麻酔下で抜去すると，根尖孔付近の歯髄組織に断裂が起こり，出血が生じる．出血は止血処置や血液凝固機序の働きによって，フィブリンが析出し，止血する．感染がなければ，抜髄創面からの漿液性滲出が数日間続き，好中球も浸潤する．漿液の滲出がおさまると，創面にフィブリン層が形成され，次いで貪食作用の強いマクロファージが遊走してきて，

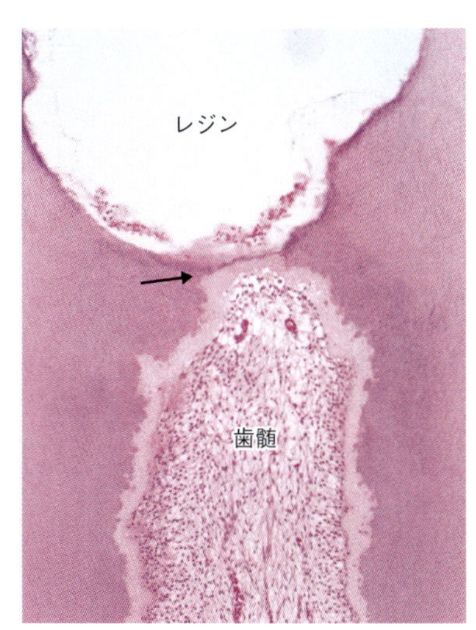

図7-4　接着性レジンによる直接覆髄処置後の露出歯髄を示す顕微鏡写真
修復性変化として，デンティンブリッジの形成（矢印）がみられる．炎症性細胞浸潤はほとんど観察されない．

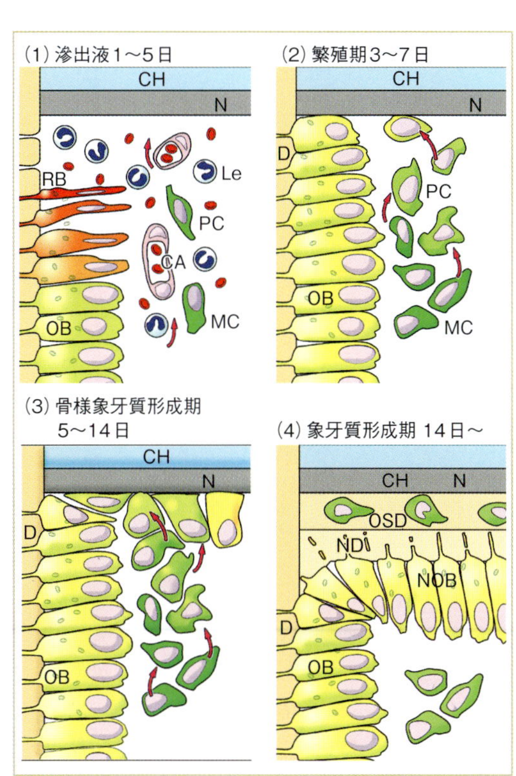

図7-5　デンティンブリッジの形成過程を示す模式図
デンティンブリッジの形成は，滲出期，増殖期，骨様象牙質形成期，象牙質形成期の4期に分けられている．
CA：毛細血管，CH：水酸化カルシウム，D：象牙質，Le：好中球，MC：間葉系幹細胞，ND：新生象牙質，NOB：新生象牙芽細胞，OB：象牙芽細胞，OSD：骨様象牙質，PC：象牙祖細胞．

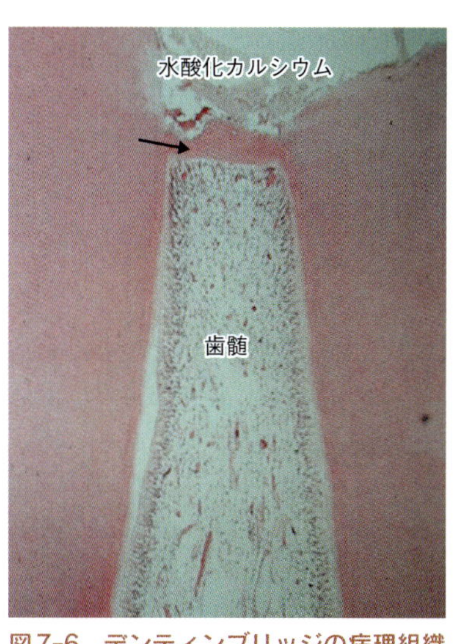

図7-6　デンティンブリッジの病理組織像
切断した歯髄面に水酸化カルシウム製剤を貼付すると，デンティンブリッジ（矢印）が形成される．

組織の壊死物質など異物を貪食する．フィブリン層の下部には同時に毛細血管の増生および線維芽細胞の増殖が認められ，肉芽組織が形成される．肉芽組織は時間の経過に伴って線維化し，抜髄の創面は瘢痕治癒する．

Ⅲ—根管治療に伴う組織変化

根管治療[21]
root canal treatment

非感染根管[22]
non-infected root canal

感染根管[23]
infected root canal

1 根管治療[21]後の治癒変化

根管治療は根管の状態によって2つに大別することができる．抜髄法によって歯髄が除去された根管（非感染根管[22]）と，炎症によって歯髄が消失した根管（感染根管[23]）である．

感染根管の場合には，慢性根尖性歯周炎（根尖病巣）を生じているので，感染根管治療後の治癒変化は，根尖病巣の治癒変化と考えることができる．なお，生活歯髄は残存しないので，デンティンブリッジは形成されない．

根管治療後の治癒形態は，抜髄状態，根管充填材の種類および充填状態によって，次の5種の基本形に分けられる．これらは単独で，または組み合わされて発現する（**図7-7**）．

1 デンティンブリッジの形成

抜髄後に生活歯髄が残存した場合の治癒形態で，根尖に近い部位にデンティンブリッジが形成される．生活歯髄切断法における治癒と同じである．感染根管の場合には生活歯髄は残存しないのでデンティンブリッジの形成はない．

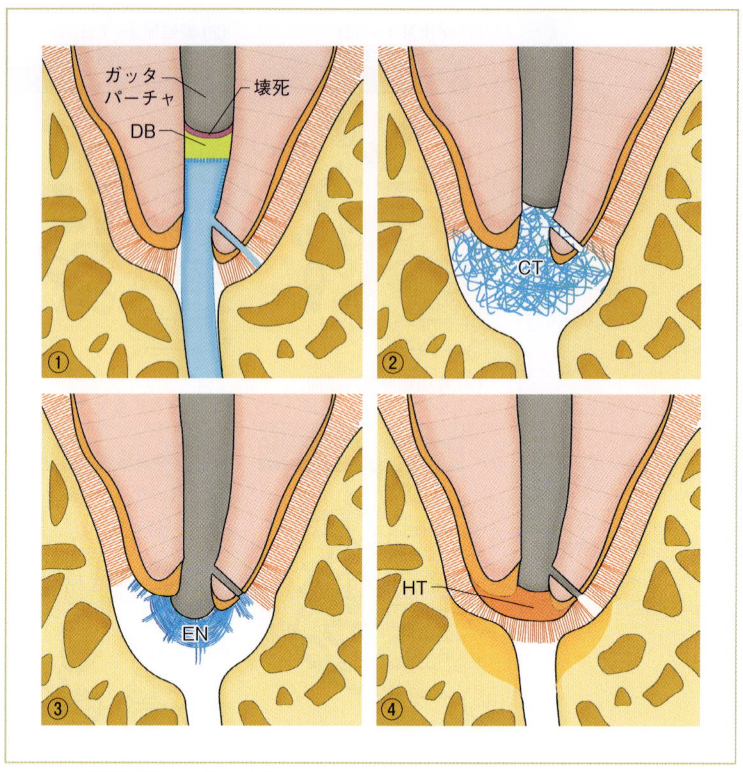

図7-7　根管治療後の治癒変化を示す模式図

根管治療後は，①デンティンブリッジ（DB）の形成（赤線部分は壊死を示す），②線維性結合組織（CT）による根尖病巣部の補塡，③根尖外に溢出した充塡材の被包（EN）または吸収，④硬組織（HT）による根尖孔の閉鎖および歯根膜組織と歯槽骨の再生，のいずれかの治癒形態をとる．

2 線維性結合組織による根尖病巣部の補塡

感染根管治療後に現れる．根管充塡材の不足または吸収によって，根尖側根管内に空隙が生じた場合に，根尖側から肉芽組織が増殖して空隙は補塡され，やがて線維化する．

3 根尖外に溢出した充塡材の被包または吸収

非吸収性の充塡材が根尖孔外へ溢出した場合には，充塡材を肉芽組織が取り囲み，さらに線維化して被包する．充塡材が吸収性であれば，貪食，吸収される（**図7-8**）．

4 硬組織による根尖孔の閉鎖

はじめは根尖部に肉芽組織が形成され，時間の経過に伴ってその表層にセメント芽細胞または骨芽細胞が出現して硬組織（セメント質または骨様組織）を形成して，根尖孔を閉鎖する．最も理想的な治癒形態である（**図7-9**）．

5 歯根膜組織と歯槽骨の再生

抜髄操作または根管清掃によって歯根膜が損傷を受けた場合には，急性根尖性歯周炎が起こるが，これはしだいに消退して歯根膜組織の再生が起こる．吸収した歯槽骨は新生骨芽細胞によって再生する．硬組織による根尖孔の閉鎖が生じた多くの場合では，このような歯根膜組織の再生が起こる．

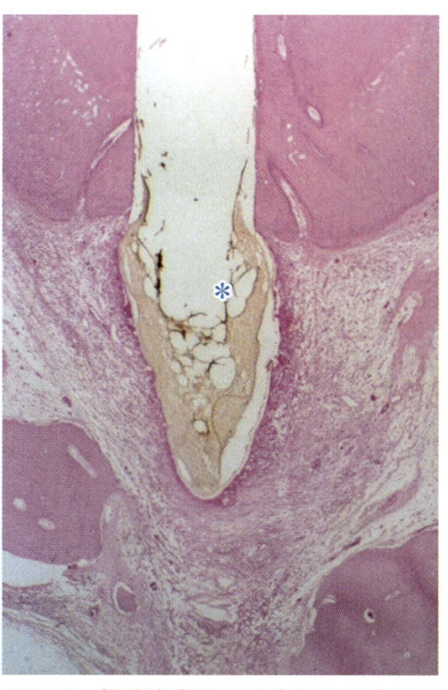
図7-8 根管充塡後の治癒を示す病理組織像

充塡材（＊）が根尖外に溢出した場合，充塡材はその周囲を線維性結合組織によって被包される．周囲結合組織には炎症生細胞浸潤も観察される．

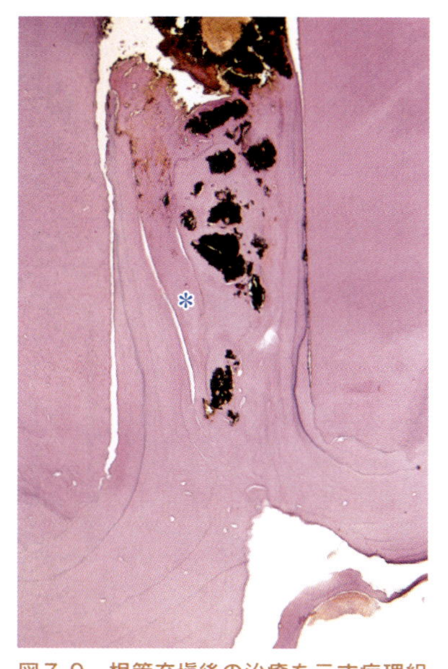
図7-9 根管充塡後の治癒を示す病理組織像

根管充塡が適切に行われると，硬組織（＊）による根尖孔の閉鎖が起こる．

根尖切除術[24]
apicoectomy

2 根尖切除術[24]に伴う組織変化

歯根囊胞，歯根肉芽腫，過剰根管充塡，根管内リーマー・ファイルなどの破折，根尖孔近くでの穿孔，根尖部根管の屈曲などに適用される術式である．

術後2～3カ月後には根尖の切断面にセメント質の新生添加がみられる．周囲歯槽骨も再生し，セメント質と歯槽骨の間には歯根膜が新生する．

3 根未完成歯の根管治療とその治癒

外傷による前歯部の歯冠破折や小臼歯咬合面にみられる中心結節の破折などによって歯髄が感染したときは，根未完成歯でも根管処置をしなければならないことがある．根未完成歯では，歯根の長さは歯根完成歯のそれよりもかなり短く，根尖はラッパ状を呈しているため通常の処置のようにアピカルシートを形成することはできない．このような場合の治療法として，歯髄が生活しているときの1）アペキソゲネーシス，歯髄が失活している場合の2）アペキシフィケーション，および3）リバスクラリゼーション（血管再生：再生歯内療法）がある．

アペキソゲネーシス[25]
apexogenesis

1 アペキソゲネーシス[25]

アペキソゲネーシスは，根未完成歯の根尖部に残っている生活歯髄を保存し，根尖を形成させる方法である．根未完成歯に緊密な根管充塡を施すことが不可能であるので，根尖を生物学的に閉鎖させることがアペキソゲネーシスの目的である．

生活力を有する根部歯髄に対し，麻酔下で水酸化カルシウム製剤またはMTAを用いた生活歯髄切断法を行う．残存した生活歯髄の中には象牙芽細胞，根尖にはヘルトヴィッヒ上皮鞘が存在するので，歯髄切断面には象牙質が形成され，根尖部では歯根象牙質も発育し，その長さも厚みも増加して，根尖孔も閉鎖する（**図7-10**上段）．歯冠部，歯頸部からの感染の危険性があるため，アペキソゲネーシスが得られ根尖が閉鎖した時点で抜髄および根管充塡を行うことが推奨されている．

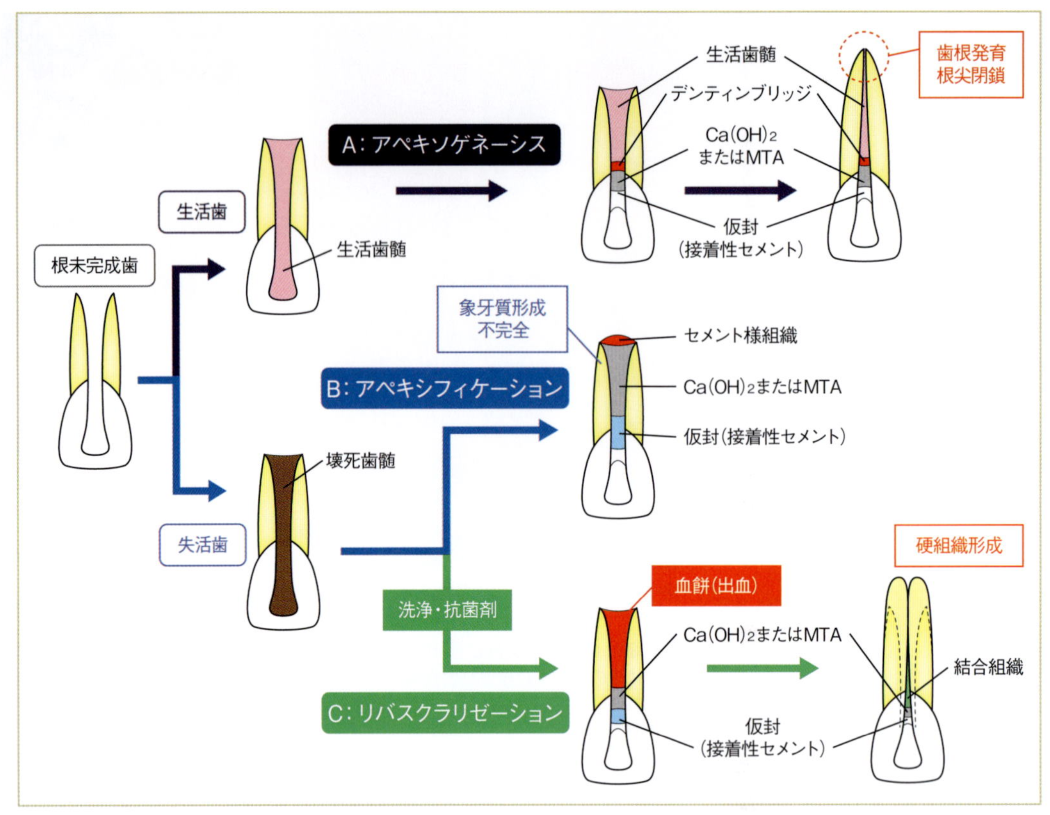

図7-10　根未完成歯の根管治療を示す模式図

根未完成歯の根管治療には，歯髄が生活している場合のA：アペキソゲネーシスと，歯髄が失活している場合のB：アペキシフィケーション，およびC：リバスクラリゼーション（血管再生：再生歯内療法）がある．

アペキソゲネーシス（上段：A）：生活力を有する根部歯髄に対し，水酸化カルシウム製剤またはMTAを用いた生活歯髄切断法を行う．デンティンブリッジが形成され，歯根象牙質も発育し，その長さも厚みも増加して，根尖孔も閉鎖する．

アペキシフィケーション（中段：B）：壊死歯髄を除去するため機械的，化学的清掃を行い，根管内に水酸化カルシウムやMTAを充塡する．これによって，骨様象牙質，骨様セメント質が形成され，根尖の閉鎖を期待するものである．歯根象牙質は厚みも長さも不十分で，しばしば破折を生じる．

リバスクラリゼーション（下段：C）：根管内を洗浄，抗菌剤（3 Mix）または$Ca(OH)_2$を貼薬後，意図的出血を起こして，$Ca(OH)_2$またはMTAを詰めると硬組織（セメント質および骨）が形成される．これによって歯根が完成し，根管の狭窄も観察される．

アペキシフィケーション[26]
apexification

2 アペキシフィケーション[26]

アペキシフィケーションは，歯髄が壊死して生活歯髄が残存していない根未完成歯の根尖を硬組織で閉鎖させる方法である．根管長測定の後，壊死歯髄を除去するため機械的・化学的清掃を行い，根管内に水酸化カルシウムやMTAを充填する．アペキシフィケーションによって，ヘルトヴィッヒ上皮鞘および歯小囊の細胞が賦活化され，骨様象牙質，骨様セメント質の形成によって根尖の閉鎖を期待するものである．しかし，歯髄が壊死に陥り根尖病変が生じると，根尖孔は広く開口したままとなり歯根の発育は停止する．このため根尖部は硬組織によって覆われるが，歯根象牙質は厚みも長さも不十分で，しばしば破折を生じる（**図7-10**中段）．

リバスクラリゼーション[27]
revascularization：血管再生；再生歯内療法．

3 リバスクラリゼーション[27]

歯髄壊死を伴った根未完成歯に対して，抗菌剤による滅菌と意図的な出血によって硬組織を形成させる新しい処置法である．リバスクラリゼーションは，「血管再生」のことで，創傷後に血管供給が復活する現象である．

具体的には，根管内を次亜塩素酸ナトリウムで洗浄，抗菌剤（3Mix）または$Ca(OH)_2$を貼薬後，意図的に出血を起こし，$Ca(OH)_2$またはMTAを詰めると硬組織（セメント質および骨）が形成される．これによって歯根が完成し，根管の狭窄も観察されるというものである．この方法を，歯髄壊死を伴った根未完成歯だけでなく，再生歯内療法として根完成歯の感染根管の症例にも応用しようと試行されている（図7-10下段）．

歯周治療[28]
periodontal treatment

Ⅳ―歯周治療[28]に伴う組織変化

創傷治癒[29]
wound healing

1 創傷治癒[29]の原則

肉芽組織[30]
granulation tissue

創傷の治癒は，「組織の損傷→炎症→壊死組織および異物の排除→修復」という連続的な過程を経て，外見上損傷が補塡され，機能障害が除かれたときに完了する．創傷の治癒は一般に，完全治癒（一次的治癒）と不完全治癒（二次的治癒）に分類されている．前者は肉芽組織[30]がほとんど存在せず，損傷を受けた局所がもとの組織構造に完全に復旧する場合で，外科的無菌的な切創などの治癒である．後者は肉芽組織が関与し，多少とも瘢痕を残して治癒するもので，創傷が大きく，また創面が露出したり，細菌の感染を合併した場合の治癒である．

治癒[31]
healing
再生[32]
regeneration
修復[33]
repair

治癒[31]，再生[32]，修復[33]という用語は同義語として使われることもあるが，厳密にはその意味は若干異なる．「治癒」は包括的な術後で，手段が何であっても，傷害が回復した組織の状態を述べる場合に用いる．「再生」は組織損傷が何であれ，失われた組織が隣接の生きている細胞の増殖によって完全にもとの状態に回復することをいう．換言すれば，「再生」は，細胞を支えている枠組みは傷害されることなしに，細胞だけが死んで抜けたあとに同一の細胞が分裂して，抜けあとを埋めるというような微小レベルで起こる事象をいう．

置換による治癒[34]
healing by replacement

「再生」のような形の治癒が最も望ましいが，組織が損傷を受けた場合，一般に血管構築が乱されるので，完全な再生は期待できない．多くの場合，不完全な再生が行われる．これを「修復」という．「修復」が起こる場合は必ず，結合組織の反応，すなわち肉芽組織の形成が生じ，肉芽組織は何らかの組織によって置換される．これを「置換による治癒」[34]という（図7-11）．

上皮性付着[35]
epithelial attachment
結合組織性付着[36]
connective tissue attachment

2 上皮性付着[35]と結合組織性付着[36]

歯周治療後の治癒機転は，上皮性付着と結合組織性付着が基本となる．

1 上皮性付着

上皮性付着とは，上皮と歯が半接着斑および基底板によって結合することであり，治療後に歯根面に長い付着（接合）上皮が形成されることによって治癒することをいう．

接着性タンパク[37]
adhesive protein
ラミニン[38]
laminin
インテグリン[39]
integrin

歯周組織の破壊が著しく深いポケットが存在する症例では，ルートプレーニングなどの治療後に歯根膜を健常時と同じように再生させることは難しく，多くの場合長い付着上皮が形成される．長い付着上皮は半接着斑および基底板によって根面と結合しており，健康な付着上皮の場合と同様，半接着斑や基底板を構成する接着性タンパク[37]（ラミニン[38]，インテグリン[39]）が発現する．さらに，いったん形成された長い付着上皮が時間の経過に伴って短くなることも実験的に示されている．つまり上皮性付着が結合組織性付着によって置き変わる可能性が示唆されている（図7-12）．

2 結合組織性付着

結合組織性付着は，歯周治療によって滑沢化させた歯根表面に新生セメント質が形成され，歯槽骨も新生されて，両者の間に歯根膜が新生され，〔セメント質＝歯根膜＝歯槽骨〕という結合単位が形成されて治癒することである．結合組織性付着を獲得するためには，GTR法，エナメル基質誘導体，FGF-2などの応用による再生療法が必要である．

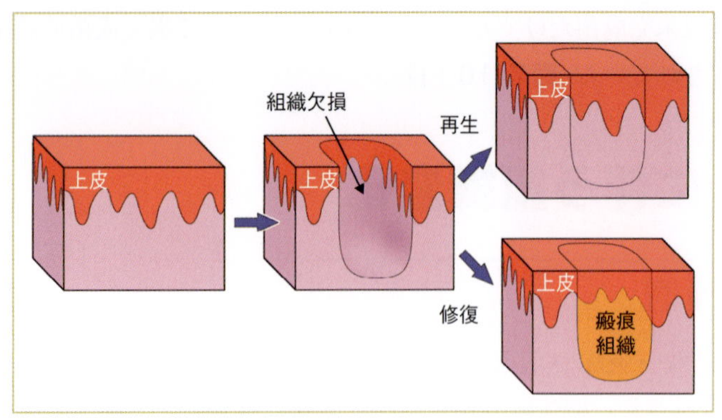

図7-11　再生と修復を示す模式図

「再生」は失われた組織が隣接の生きている細胞の増殖によって完全に元の状態に回復することをいう．「修復」は必ず結合組織（肉芽組織）の反応を伴い，失われた組織の一部が瘢痕組織など他の組織によって置換されるので「置換による治癒」ともいう．

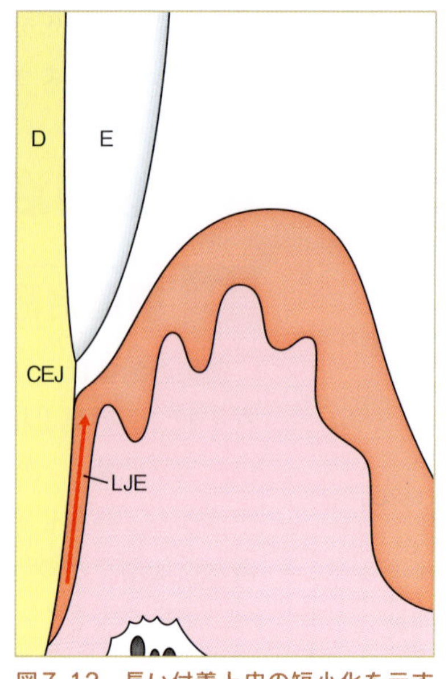

図7-12　長い付着上皮の短小化を示す模式図

いったん形成された長い付着上皮が時間の経過に伴って短くなり，上皮性付着が結合組織性付着によって置き変わる可能性が示唆されている．

LJE：長い付着上皮，D：象牙質，E：エナメル質，CEJ：セメント-エナメル境

長い上皮性付着による治癒[40]
long epithelial attachment

歯周ポケット掻爬（キュレッタージ）[41]
curettage：キュレット型スケーラーを用いて，歯根面に付着した細菌，歯石，病的セメント質の除去およびポケット内の上皮，肉芽組織の掻爬を行う処置．

新付着手術[42]
excisional new attachment procedure (ENAP)：歯肉辺縁から歯槽骨頂へ切開を加えて歯周ポケット内壁を切除し，露出した根面をスケーリング・ルートプレーニングした後，歯肉を縫合し，歯根表面に密着させることによって，歯周ポケットの減少を図る処置．

歯肉切除術[43]
gingivectomy：歯周ポケットを形成している歯肉を一塊に切除し，健康で生理的な歯肉形態する手術法．

歯周形成手術[44]
periodontal plastic surgery：歯槽骨の形態を生理的な状態にするために，整形したり切除する方法．

フラップ手術（歯肉剝離掻爬術）[45]
flap surgery

GTR法[46]
Guided Tissue Regeneration

3　歯周外科治療後の治癒

1　長い上皮性付着による治癒[40]

歯周外科処置の目的は，歯周病により喪失，破壊された歯周組織を再生または修復させ，機能の回復を図ることにある．歯周外科処置には，歯周ポケット掻爬（キュレッタージ）[41]，新付着手術（ENAP）[42]，歯肉切除術[43]，歯周形成手術[44]などがあるが，これらの術式での治癒形態は歯根面に沿って歯肉由来の上皮細胞が増殖・侵入する，いわゆる長い付着上皮による治癒である．

2　フラップ手術（歯肉剝離掻爬術）[45]後の治癒

フラップ手術は歯周病変部の視野を確保し，器具を容易に到達させるために骨膜を含んだ歯肉弁を形成し，歯根面に付着した細菌，歯石，病的セメント質を除去する方法である．術後の歯根面は増殖した歯肉由来の上皮細胞によって占められ，長い上皮性付着が起こる．しかし，歯槽骨の存在する部位では，新生セメント質形成を伴う再生（結合組織性付着）が一部に生じると考えられている．

3　GTR法[46]による治癒

GTR法は，歯根表面にGTR膜（保護膜，遮断膜）を応用することにより，歯肉上皮由来細胞および歯肉結合組織由来細胞の歯根表面への侵入を防ぎ，歯根膜由来細胞を最初に歯根表面に到達させ，結合組織性付着を図る治療法である（**図7-13**）．

歯周外科治療後の創傷治癒形態は，歯根表面に付着する細胞によって異なると考えられている（Melcherの仮説）（**図7-14**）．歯根表面に集まる可能性のある細胞は，①歯肉上皮に由来する細胞，②歯肉結合組織に由来する細胞，③歯槽骨に由来する細胞，④歯根膜に由来する細胞の4つである．1 歯肉上皮が根面に増殖すると，長い上皮性付着が起こる．2 歯肉結合組

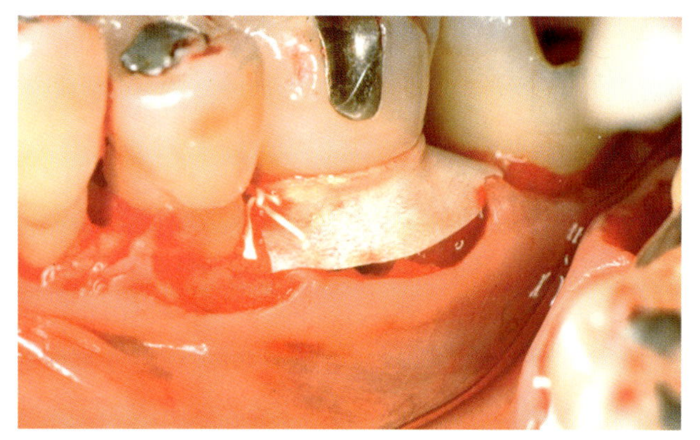

図7-13　GTR法の臨床写真

GTR法は，歯根表面にGTR膜（保護膜，遮断膜）を応用することにより，歯根膜由来細胞を最初に歯根表面に到達させ，結合組織性付着を図る治療法である．

〔東京歯科大学名誉教授 山田　了先生提供〕

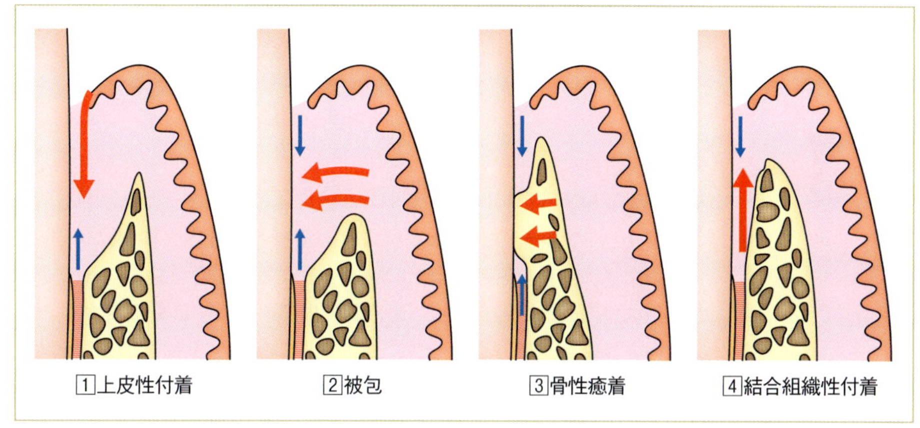

図7-14　歯周組織再生に関するMelcherの仮説を示す模式図

歯周外科治療後の創傷治癒形態は，歯根表面に付着する細胞によって異なると考えられている．

歯根表面に集まる可能性のある細胞は，①歯肉上皮に由来する細胞，②歯肉結合組織に由来する細胞，③歯槽骨に由来する細胞，④歯根膜に由来する細胞，の4つである．

それぞれ，1 長い上皮性付着，2 被包，3 骨性癒着，4 結合組織性付着が起こる．

織が根面で増殖すると被包が生じる．3 歯槽骨に由来する細胞が増殖すると骨性癒着が起こる．4歯根膜の細胞が増殖すると，この細胞はセメント芽細胞や骨芽細胞にも分化できるので，結合組織性付着となる．

GTR法の目的は吸収性膜または非吸収性膜を用いて，上皮細胞の侵入を阻止し，歯根膜細胞の増殖を促し，結合組織性付着によって治癒させることである．したがって，この方法を用いた場合，歯根面には新生セメント質が形成され，歯槽骨も新生され，両者の間には歯根膜が形成される．

しかし，GTR法によって形成された組織は，象牙質と新生セメント質の間に透明層がなく，新生セメント質が細胞性セメント質であり，歯根膜と歯槽骨の再生が不完全であるなどの正常組織との相違が観察される．

エナメル基質誘導体[47]
enamel matrix derivative

エムドゲイン®（EMD）[48]
Emdogain®

4 エナメル基質誘導体[47]の応用による治癒

エナメル基質誘導体は，幼若ブタの歯胚から抽出・精製したエナメル基質を凍結乾燥したものである．エムドゲイン®[48]は，エナメル基質誘導体にプロピレングリコールアルジネート溶液を混ぜたものである．

エナメル基質誘導体(エムドゲイン．EMD)を応用して再生療法を行うと，歯根膜由来の線維が埋入した無細胞性セメント質が形成され，正常歯周組織に近似した創傷治癒が起こるとされている．

FGF-2(リグロス®)[49]
Regroth®

5 FGF-2(リグロス®)[49]の応用による治癒

FGF-2は日本で開発された，塩基性線維芽細胞増殖因子(FGF-2またはbFGF)を成分とする歯周組織再生剤である．フラップ手術時の骨欠損部に塗布し，歯周組織幹細胞の増殖・遊走および血管新生を促し，細胞外基質の産生を制御することによって歯周組織(歯槽骨・セメント質・歯根膜)の再生を誘導する．

つまり，リグロスは歯周組織の間葉系幹細胞，歯根膜細胞，血管内皮細胞などに対して，細胞増殖や細胞遊走を促進させる．これによって，間葉系幹細胞と歯根膜細胞は，骨芽細胞・セメント芽細胞・線維芽細胞に分化し，歯槽骨・セメント質・歯根膜を形成して結合組織性付着を再構築する，つまり歯周組織の再生が起こると考えられる．

[リグロス使用上の注意]

①歯周ポケットの深さ4mm以上の，骨欠損の深さ3mm以上の垂直性骨欠損がある場合に使用すること．
②インフプラント治療に関する有効性および安全性は確立していない．
③術後に歯肉弁の著しい陥凹を生じることが予想される骨欠損部位に対しては，他の治療法を選択すべきである．
④本剤を応用する前に，正しく十分な歯周基本治療を行わなければならない．つまりスケーリングおよびルートプレーニングなどにより，歯槽骨の骨内欠損部に付着した肉芽組織を除去し，歯根面に付いたプラークや歯石を十分に除去することが必要である．
⑤本剤は欠損底部を起点にし，歯槽骨欠損部を満たす量を塗布する．
⑥歯肉弁は縫合を行うが，その際歯間部を歯肉で完全に覆い，隙間なく緊密に密着させることが肝要である．歯周包帯(非ユージノール系)を使用してもよい．

矯正治療[50]
orthodontic treatment

V－矯正治療[50]に伴う歯周組織の変化

1 歯の移動と組織変化

生物学的に適当な強さの矯正力を歯に作用させると歯はしだいに力を作用させた方向へと移動していく．歯の移動の典型的なパターンを表すグラフによって組織反応を分析すると，加えられた力によって速やかに歯は移動し，歯根膜内に圧迫される部(圧迫側)と逆に牽引される部(牽引側)が生じ，歯根膜と歯槽骨の変化が起こる(**図7-15**)．明らかに細胞が存在しなければ，骨のリモデリングは起こらない．壊死した組織が存在すると，歯の移動は停止する．歯根膜の壊死部分に新しい細胞が再度集まり，破骨細胞によって骨が除去されると，歯の移動が再び始まる．この移動は，新生線維芽細胞による歯根膜コラーゲンの積極的なリモデリングおよび新生骨の形成と一致して起こっている．したがって，より強い力は広範な部分に壊死を招き，修復に長時間を要し，歯の移動は遅くなる．

臨床的な歯の移動は歯体移動，傾斜移動，挺出移動，圧下移動，回転移動などに分けられるが，基本的な歯周組織の変化は，1) 圧迫側[51]の変化，2) 牽引側[52]の変化，および3) 中間部の変化(圧迫と牽引の両方の影響を受ける)に大別できる．

圧迫側[51]
pressure side
牽引側[52]
tension side

1 圧迫側の変化

初期には歯根膜空隙の狭窄，歯根膜の変性および壊死(硝子化)，骨芽細胞やセメント芽細

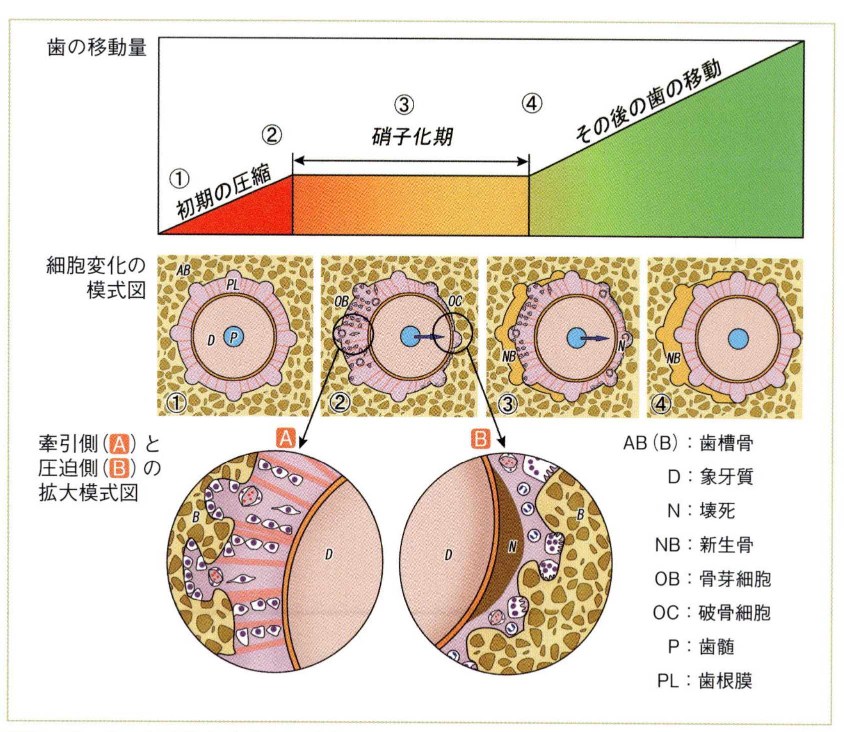

図7-15　歯の経時的な移動と組織変化を示す模式図

上段：歯の移動量を示す．初期の圧縮の後の硝子化（壊死）期では歯は動かない．組織のリモデリングが完了すると，歯は再び動く．

中段：組織変化を示す模式図．

下段：牽引側（A）と圧迫側（B）の拡大模式図．

直接性吸収[53]
direct resorption

穿下性吸収[54]
undermining resorption

胞の消失などの退行性変化がみられる．硝子化とは光学顕微鏡的に細胞が消失した部分を指し，電子顕微鏡的にはこの部位は壊死と同じ形態学的特徴を示す．

ついで，壊死部の周囲および歯槽骨の骨髄側から破骨細胞や異物巨細胞が出現し，骨吸収と壊死組織の吸収が起こる．歯槽骨の表面から骨が吸収される場合を直接性吸収[53]といい，壊死部の背後（骨髄側）から骨が吸収される場合を穿下性吸収[54]という．吸収された壊死組織と歯槽骨は肉芽組織に置き換わり，矯正力の減衰に伴って歯根膜の再生が起こる．最終的にはセメント芽細胞，線維芽細胞および骨芽細胞が新生され，歯根膜空隙の幅は，歯を移動する前の状態と同じになる（**図7-16**）．

2 牽引側の変化

初期には歯根膜線維は強く伸展され，歯根膜空隙は拡大される．線維は細くなり，細胞の分布は鬆粗となる．次に線維間の歯槽骨表面に骨芽細胞が出現し，毛細血管も増加する．骨芽細胞の数は線維の伸展の程度に応じ，2層・3層に重なってみられることもある．増生した骨芽細胞は歯槽骨表面に類骨を形成する．線維が密に存在している部では扇状に骨の添加が起こる．これを拍車状骨添加という．一方，歯根膜の中央部では線維芽細胞が分裂増殖する．形成された骨組織が拡大した歯根膜空隙を徐々に埋めていく．矯正力が減衰するに従って骨芽細胞の数は減少し，セメント質の表面にセメント芽細胞が規則的に配列し，歯根膜空隙は移動前と同じ幅になる（**図7-17**）．

3 中間部の変化

傾斜移動の場合の回転中心付近，回転運動の場合の近遠心的および頬舌的中央付近，圧下運動の場合の歯根中央部付近の歯根膜では，圧迫側の変化と牽引側の変化の両方が混在してみられる．

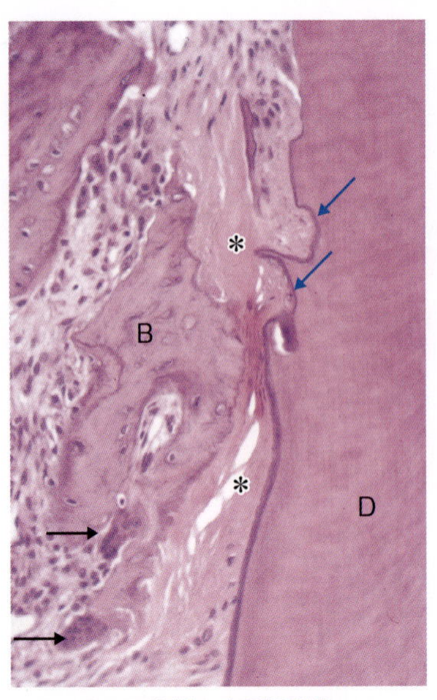

図7-16　圧迫側の病理組織像

圧迫された歯根膜は壊死（*）に陥る．壊死部に隣接して存在する歯槽骨（B）は破骨細胞によって，穿下性吸収を受けている（黒矢印）．壊死部に隣接したセメント質および象牙質（D）の吸収もみられる（青矢印）．

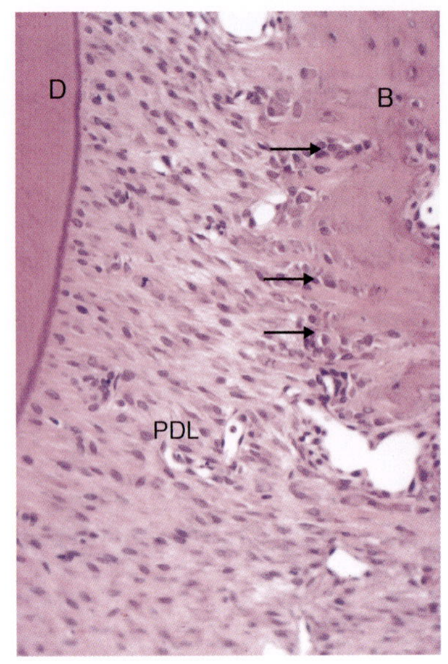

図7-17　牽引側の病理組織像

伸展された歯根膜（PDL）のシャーピー線維に沿って多数の骨芽細胞が出現しており，特に歯槽骨（B）表面に集合している（矢印）．

2 臨床的移動形態と組織反応

歯体移動[55]
bodily movement

1 歯体移動[55]

移動方向の歯根膜全体が圧迫側で，移動方向の反対は牽引側，そして根尖付近の一部が中間部となる．

傾斜移動[56]
tipping movement

2 傾斜移動[56]

移動回転の中心は歯根の中にあり，移動方向の歯槽骨頂部付近は強い圧迫側，根尖付近は牽引側，その間の回転中心付近は中間部となる．移動方向の反対では逆に根尖付近が圧迫側，歯槽骨頂部は牽引側となる．

挺出移動[57]
extrusion

3 挺出移動[57]

歯根膜のほとんどが牽引側となる．

圧下移動[58]
intrusion

4 圧下移動[58]

歯根膜のほとんどが圧迫側，根中央部の一部が中間部となる．

回転移動[59]
rotation

5 回転移動[59]

歯軸を中心に回転させるので，歯根は圧迫側，中間部，牽引側によって交互にとり囲まれる形となる．

最適矯正力[60]
optimal force

3 最適矯正力[60]

歯を支持する歯根膜や歯槽骨には顕著な可塑性があるので，生理学的歯の移動が起こり，

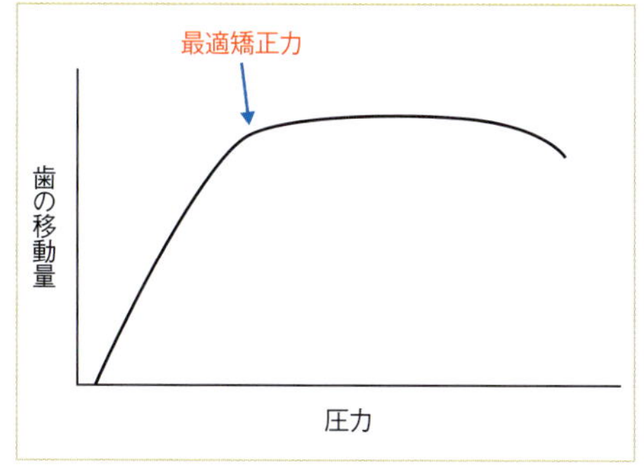

図7-18　最適矯正力

最大の反応を生じる最も弱い力，つまり歯根膜に伝えられる圧力が反応曲線の平坦部にさしかかるところが最適矯正力であると定義されている．

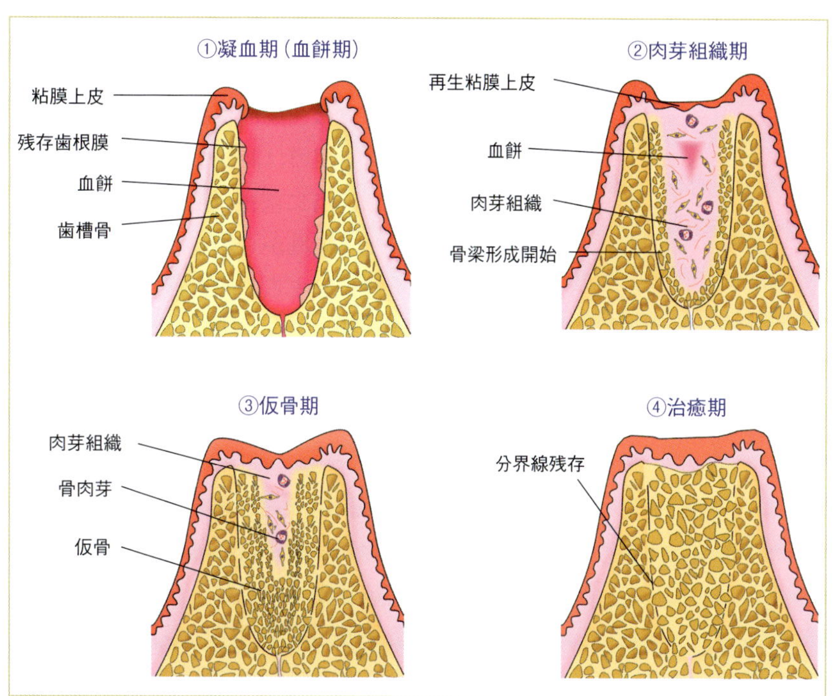

図7-19　抜歯創の治癒過程

①第1期の凝血期（血餅期），②第2期の肉芽組織期，③第3期の仮骨期，④第4期の治癒期，の4期に分けられている．

咀嚼時，歯をかみしめたときにも，わずかではあるが歯は移動することができる．

理論的には，歯の位置を決める生理学的な力と同じくらいの力で，支持組織の可塑性を利用するような弱い力（最適矯正力）で，組織に障害を与えることなく歯を移動することは可能である．このような条件下で起こる変化は，圧迫側では破骨細胞の分化，破骨細胞による歯槽壁の骨吸収であり，同時に，新しい歯の位置に適合して歯根膜内のコラーゲン線維のリモデリングが起こる．牽引側では，歯槽壁の骨形成に伴ってコラーゲン線維束のリモデリングが起こるが，セメント質には変化はみられない．しかし，矯正学的な最新の技術を用いても，このような理想的な状態を作ることは現実には難しい（図7-18）．

抜歯創の治癒[61]
healing of extraction wound

Ⅵ―抜歯創の治癒[61]

抜歯創は歯肉から歯槽深部にいたる大きな実質欠損創であり，肉芽組織形成を伴うので，創傷治癒における第二次治癒の形で治癒する．抜歯により，歯肉粘膜または歯槽粘膜と歯根膜および歯槽骨などの歯周組織が人為的（物理的）に傷害を受ける．すなわち，生理的には歯肉の結合組織線維と歯根膜線維が直接歯を支持しているが，抜歯操作によってこれらの結合組織線維は断裂され，最終的には歯は完全に脱臼され，歯槽から抜去される．したがって，抜歯創の治癒は粘膜と骨の両者の治癒により行われる．またこの治癒過程は，抜歯創の大きさ，組織損傷の程度，細菌感染の有無などによって著しく修飾される．

1 抜歯創の治癒過程

一般に，抜歯創の治癒過程は4期に分けられている．すなわち，第1期の凝血期（血餅期），第2期の肉芽組織期，第3期の仮骨期，および第4期の治癒期である（図7-19）．

1 凝血期（血餅期）

抜歯後，出血により抜歯窩内は凝血（血餅）で充満される時期で，抜歯直後～7日前後の間である．創縁の歯肉や歯根膜は断裂などの傷害を受け，抜歯窩内には線維素，好中球，マクロファージが認められる．特に創縁は血餅の上部に滲出したフィブリンで封鎖される．抜歯後2～3日で，抜歯窩周囲の組織から内皮細胞が増殖して毛細血管が新生され，線維芽細胞も増殖し，肉芽組織の形成が始まる．壊死物質はマクロファージにより処理され，凝血の器質化が開始される．抜歯創表面には，周囲の歯肉上皮が増殖・伸展して，4日目頃創表面を覆い始めるようになる．同時に肉芽組織が増殖して，凝血はしだいに消失し，肉芽組織期に入る．

2 肉芽組織期

抜歯窩が肉芽組織で満たされる時期で，抜歯後1～3週間頃までである．抜歯窩の歯槽骨壁から骨芽細胞が増殖し，骨基質の形成が始まり，抜歯窩の中心に向かって増殖する．同時に抜歯窩の歯槽骨縁に破骨細胞が現れ，骨縁は破骨細胞により吸収され丸みを帯びる．骨基質の量はしだいに増え，石灰化し仮骨期に入る．創面の大部分は上皮で覆われ，肉芽組織は線維化し，抜歯窩の約1/3は新生骨梁で覆われる．

3 仮骨期

抜歯窩が細い新生骨梁（仮骨）で満たされる時期で，抜歯後3～4週である．新生骨梁は類骨を伴い，しだいに石灰化し，成熟した骨梁となる．さらに石灰化が進むと治癒期に入る．抜歯窩の2/3以上を新生骨梁が満たす．創面は歯肉上皮によって覆われ，完全に治癒する．

4 治癒期

抜歯窩を満たした新生骨梁が周囲歯槽骨へと移行する時期で，抜歯後2～3カ月頃に起こる．抜歯窩を満たした新生骨梁はその太さを増し，骨の成熟が進行する．成熟した骨梁はしだいに改造しながら厚みを増し，周囲の歯槽骨窩壁との境界が不明瞭となる．一部の骨は吸収されて骨髄腔が形成される．

2 抜歯の合併症

抜歯時の周囲組織への損傷，破折歯根の残留，重症の辺縁性歯周炎や根尖性歯周炎による術後感染などの局所的因子による治癒不全や糖尿病などの全身的因子により治癒の遷延などの合併症がときに生じる．このうち特に重要なのはドライソケットである．

ドライソケット[62]
dry socket

1 ドライソケット[62]

抜歯創の凝血（血餅）が十分に形成されない，または凝血が融解消失して肉芽組織の増殖が起こらず，抜歯窩内壁の骨が露出し，乾燥しているようにみえる状態をドライソケットという．

腐骨[63]
sequestra

病理学的には，抜歯窩の歯槽骨の限局性骨炎の像を呈し，歯肉には炎症症状が強く，しばしば激痛や口臭を伴う．腐骨[63]形成，局所のリンパ節炎などを併発し，その後の治癒は遷延する．下顎大臼歯部に好発し，特に智歯部にみられることが多い．

原因は抜歯創の感染であり，誘因として，歯周組織の著明な損傷，歯根の歯折，抜歯創内の異物が考えられる．

凝血（血餅）形成障害の原因としては，①血液不足，②凝血形成後の融解消失が考えられる．

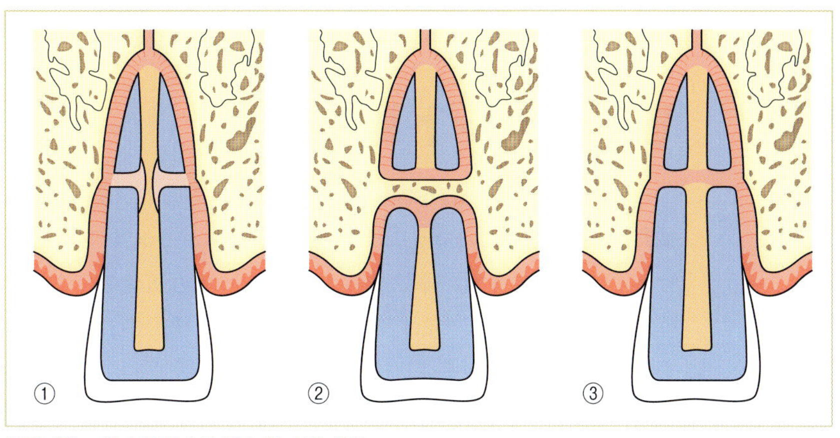

図7-20　歯の破折の治癒を示す模式図

破折片ははじめ出血による凝血塊によって取り囲まれるが，しだいに肉芽組織によって置き換わる．その後，①歯髄組織が治癒に関与する，②歯根膜組織が治癒に関与する，③線維性結合組織によって占められる，の3つの治癒形態を示す．

血液不足は，歯槽内骨壁の異常な緻密化，歯根膜の破壊，多量の局所麻酔薬(血管収縮剤含有)の使用によって引き起こされる．

凝血の融解消失は，排唾による口腔内陰圧，含嗽などの機械的刺激，骨の緻密化，感染による血餅の腐敗溶解が原因で起こる．

歯の破折[64]
fracture of tooth

Ⅶ—歯の破折[64]に伴う治癒

歯の硬組織が物理的作用によって，損傷・破壊されることを歯の破折(歯折)という．

歯の破折の治癒を左右する因子として，①感染(歯髄の生死)，②破折の方向，③破折の大きさ(破折片の距離)，④歯髄および歯根膜の再生力，⑤咬合機能の有無などがあげられる．

1 歯冠の破折の治癒過程

歯冠の破折がエナメル質に留まったり(いわゆる亀裂)象牙質に及ぶと，象牙細管を介して刺激が歯髄に伝わるので，①第三象牙質が形成されたり，象牙質の硬化が生じる．また，②強い刺激の場合は歯髄炎，歯髄壊死が惹起される．しかし，若年者の歯で根尖孔が開いていたり，生活力旺盛な歯髄では，強い刺激が歯髄に加わっても，稀に第三象牙質が形成され，歯髄腔が閉鎖されることがある．

2 歯根の破折の治癒過程

破折が歯根部に生じた場合は，破折片ははじめ出血による凝血塊によって取り囲まれるが，しだいに肉芽組織によって置き換わる．その後，以下の3つの治癒形態のいずれかを示す(**図7-20**)．

①破折によって生じた間隙が非常に狭い場合は，歯髄組織が治癒に関与する．すなわち，歯髄細胞が象牙芽細胞に分化して，第三象牙質が歯髄内側に形成されて治癒する．

②間隙が広い場合は，歯根膜組織が治癒に関与する．つまり，歯根膜由来の間葉系幹細胞がセメント芽細胞に分化して，破折面を被覆する．両方の破折面を覆ったセメント質が癒合することもある．両方の破折面に十分な距離があれば，その間に骨が新生し，骨とセメント質の間に新生歯根膜が形成されて治癒する．

③稀に，破折空隙が肉芽組織から置換した線維性結合組織によって占められる．

セメント質剝離[65]
cemental tear

Ⅷ—セメント質剝離[65]

セメント質剝離は60歳以上の男性に多くみられ，好発部位は上顎および下顎の切歯である．病理組織学的には，セメント質剝離の大半がセメント-象牙境で起こる．セメント-象牙境はセメント質と象牙質の基質線維が絡みあって石灰化しており，酸性多糖を含んでいる．このような特性がセメント-象牙境の構造的弱さの理由の1つと考えられ，セメント質剝離を引き起こすと示唆されている．

剝離したセメント質片が感染・壊死を伴っていれば局所に炎症を引き起こすが，感染に陥っていなければ歯根膜内に遊離片として存在すると考えられる．

セメント質剝離が強く疑われる歯は，①膿瘍の形成，②深くて狭い歯周ポケット，③骨吸収，④高齢男性の切歯，⑤咬合性外傷・クレンチングなどを伴っている．

セメント質剝離と鑑別すべき疾患に垂直性歯根破折がある．セメント質剝離は，生活歯，切歯，60歳以上に多くみられるのに対し，垂直性歯根破折は失活歯，臼歯，40〜60歳に多くみられる．

歯根破折の治療は基本的には抜歯が選択されるが，セメント質剝離は外科的に剝離セメント質を除去できるため，必ずしも抜歯の必要はない．そのためには早期に両者を鑑別診断することが必要である．

骨折[66]
bone fracture

Ⅸ—骨折[66]治癒

1 骨折の治癒

顎骨骨折の治癒は，基本的には皮膚，粘膜の創傷治癒と同様，肉芽組織が形成されるが，肉芽組織が骨を形成する点が特徴的である．骨折の治癒は，骨折端の位置，固定性，骨折部位，骨折の程度，感染の有無，年齢，栄養状態などに左右される．

顎骨骨折の治癒は，1）血腫形成期，2）肉芽組織形成期，3）仮骨形成期，4）骨再構成期に分けられる．

1 血腫形成期

骨折すると，その部に破綻性出血および外傷性滲出が生じ，血腫が形成される．骨組織や周囲の筋組織の一部は壊死に陥る．

2 肉芽組織形成期

ついで，外骨膜，内骨膜などから毛細血管が増生し，線維芽細胞が増殖して肉芽組織が形成される．肉芽組織の形成は骨折後4〜5日頃から顕著となり，マクロファージによる血腫の吸収と同時に，骨折部は肉芽組織によって占められる．

仮骨[67]
callus

3 仮骨[67]形成期

肉芽組織を構成している間葉系幹細胞が骨芽細胞に分化し，増殖して，類骨組織の形成が始まる（仮骨）．仮骨は骨折端の間や骨折部の周囲に腫瘤様に盛り上がり橋渡しするようになる．

4 骨再構成期

骨新生が進むに従って，骨組織は癒合し，過剰に形成された骨（贅骨）は破骨細胞によって吸収される．残った部分は改造機転により層板骨となり，やがてその中に骨髄腔もできる．

骨折の合併症として，①骨折部血腫の感染，②腐骨の形成，③過剰仮骨，④軟骨形成，⑤偽関節形成などがある．このうち偽関節形成は，骨折部の固定が不完全であったり，骨折両端が骨性癒着せずに線維性に癒合したままで，関節のように動く．偽関節形成の原因には，感染，不完全な整復・固定，骨端間の過剰離開，軟部組織や異物の介在があげられる．

（下野正基）

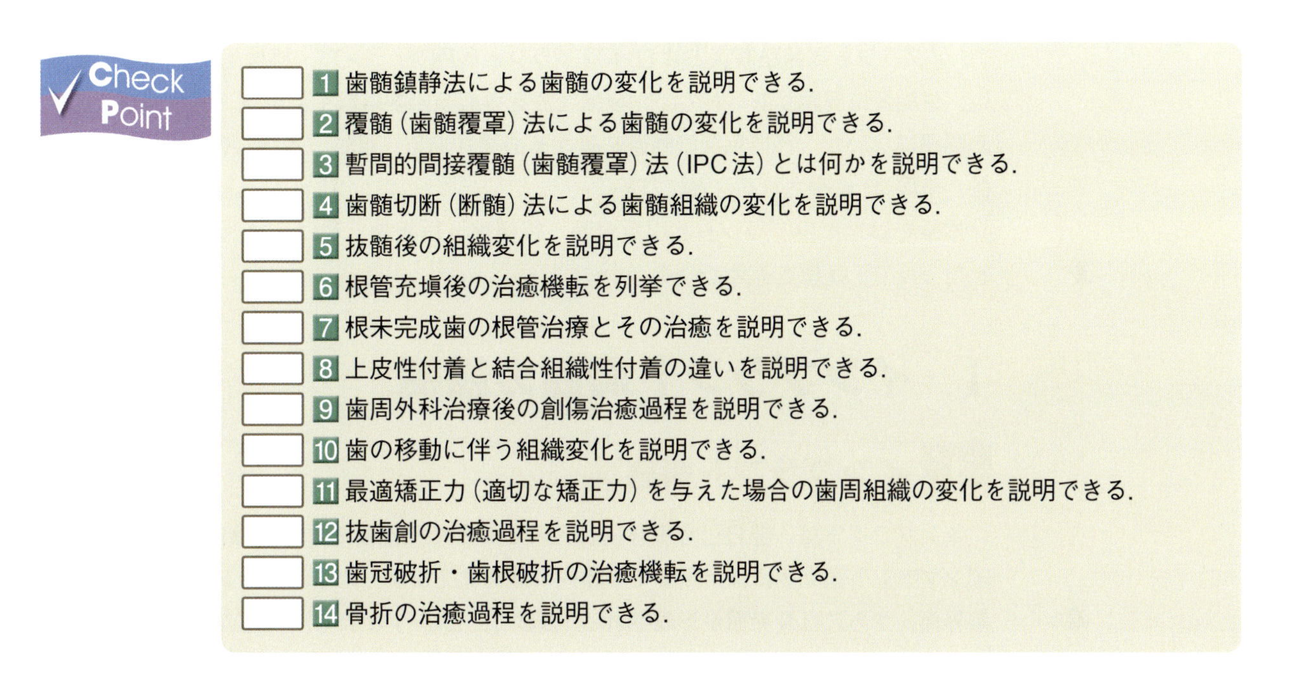

References

1）下野正基，高田　隆編：新口腔病理学．医歯薬出版，東京，2008.
2）下野正基：新編治癒の病理.臨床の疑問に基礎が答える.医歯薬出版，東京，2011.
3）下野正基：やさしい治癒のしくみとはたらき.歯周組織編.医歯薬出版，東京，2013.
4）中林宣男：最新歯科接着用語解説集．クインテッセンス出版，東京，1992.
5）須田英明ほか：失敗しない歯髄保存療法．クインテッセンス出版，東京，2006.
6）下野正基ほか：歯の移動の臨床バイオメカニクス，医歯薬出版，東京，2006.
7）鴨井久一ほか：Preventive Periodontology．医歯薬出版，東京，2007.
8）吉江弘正ほか：臨床歯周病学．医歯薬出版，東京，2007.

Chapter 8

インプラントおよび歯の移植・再植の病理

置換医療には，人工物を使うインプラントおよび生体組織を使う移植・再植がある．これらを病理総論に当てはめることは容易ではない．しかしインプラントと移植歯・再植歯が生体組織とどのように反応するかを考える学問と考えればわかりやすい．インプラントは非自己であるが，それ自体が免疫反応の対象にはならず，その周囲に起こる炎症が大きな問題である(インプラント周囲粘膜炎およびインプラント周囲炎)．一方，移植歯・再植歯の自家移植では，供給量に問題があるものの，移植免疫を考える必要はなく，他家・異種移植では，供給量の問題はないが，移植免疫の問題を考える必要がある．移植・再植後は天然歯と同じ病態(齲蝕，歯周炎)に曝されることになる．

本章では，インプラントと組織界面，移植歯・再植歯と受け入れ側組織の治癒反応を理解したうえで，病態を考えていく．

Ⅰ─インプラント周囲の組織

1 インプラント病態論

インプラントは，非自己を生体内に入れることで天然歯のような機能を望む治療であるが，インプラント植立後には，今まで生体内にはありえなかったインプラントと上皮界面，結合組織界面，さらには骨界面が形成される(**図8-1，2**)．すなわち，前述の上皮の再生，結合組織の再生，骨組織の再生を理解し，さらに，血管・神経の再生を理解する必要がある．

インプラントを非自己と考えると，インプラントは生体内で異物の処理機転を受ける．

①チタンなどの一部が小片として生体内に取り込まれると，マクロファージなどにより貪食を受ける．しかし，通常ではインプラント体から金属などの小片が剝離することはない．

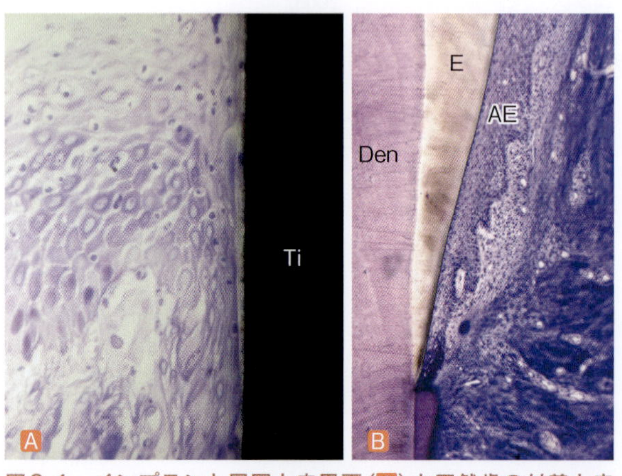

図8-1 インプラント周囲上皮界面(A)と天然歯の付着上皮(B)(イヌ実験：研磨標本)

Ti：チタニウムインプラント，Den：象牙質，E：エナメル質，AE：付着上皮．

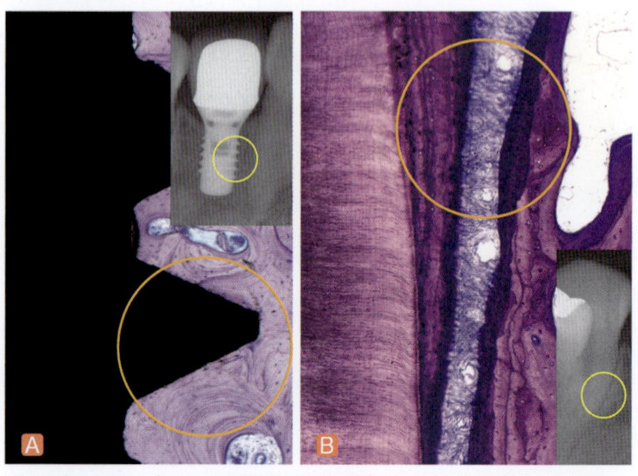

図8-2 インプラント周囲骨界面(A)と天然歯の歯根膜(B)(イヌ実験：研磨標本)

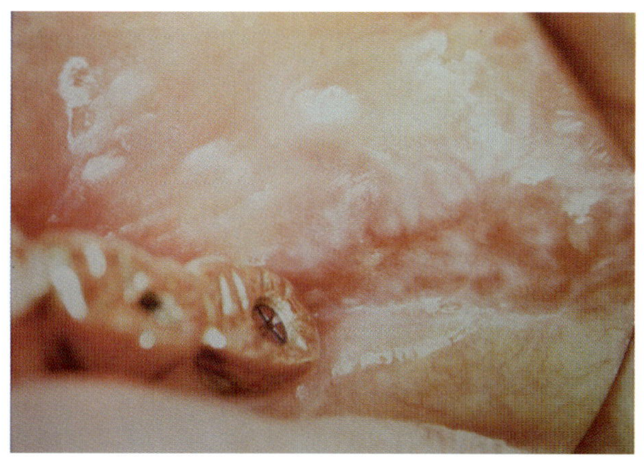

図8-3　インプラントを入れた後にみられた金属アレルギーと考えられる扁平苔癬（ヒト症例）

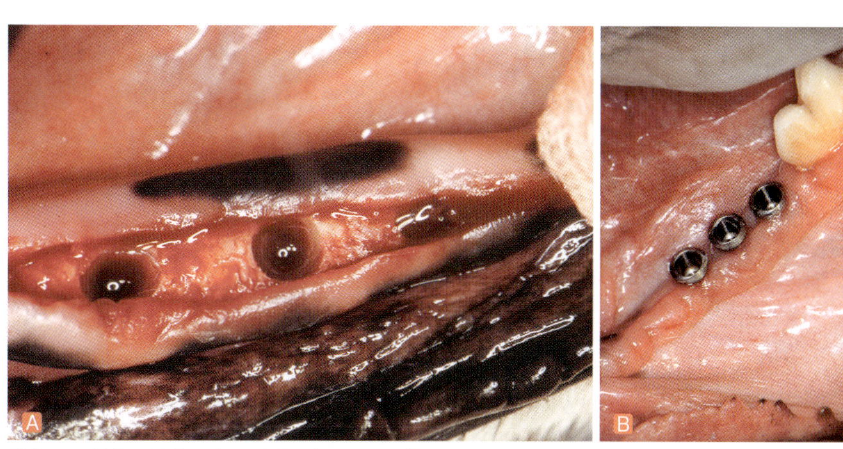

図8-4　創傷の治癒の中で形成されるインプラント-組織界面（イヌ実験）
A インプラントのための骨窩洞内は血餅で満たされている．
B 創傷の治癒過程で，インプラント-組織界面ができあがる．

②インプラント材がハイドロキシアパタイトのような場合には，一部が生体内に溶け出し，リンパ管や血管内に吸収される排除機転をとる．
③大きなインプラント体は，肉芽組織により取り囲まれ，最終的には線維性結合組織により被包される．骨組織の場合はオッセオインテグレーション〔125頁参照〕となる．
④インプラントを非自己と考えると，生体に存在しないものが沈着することになる．
⑤インプラント周囲には，細菌による炎症が起こる（インプラント周囲炎）（**図8-15参照**）．
⑥イオン化した金属が周囲組織に取り込まれ，ハプテンとなり，Ⅳ型アレルギー（遅延型）を起こし，扁平苔癬などの病変を引き起こすことがある（**図8-3**）．

2 インプラント周囲組織の発生

出血・凝固′
hemorrhage・coaguration

インプラント周囲に起こる創傷の治癒の中で，組織界面が形成される．一般的な創傷の治癒は，出血・凝固′に始まり，炎症に代表される創内浄化，そして肉芽組織，血管新生，上皮の形成が起こる修復期を経て，最後にコラーゲンの合成，増殖などによる再構築となる（**図8-4**）．インプラントはこの流れの中に存在する異物であるから，創傷の治癒の一連の過程が阻害されることがないようにすることが，理想的なインプラント周囲結合組織形成への条件となる．このようにしてインプラントと組織界面が形成されたとしても，内部を守る被覆上皮は断裂され外部環境と交通しているので，常に炎症の危険性を秘めるというリスクを負っていることを忘れてはならない．

1 創傷の治癒の中のインプラント

(1) 生活反応期の中のインプラント

術後より数時間までに生じる反応を出血期または凝固期とよび，血液がインプラント表面と骨窩洞間に充満する時期である．この時期の主役は赤血球と血小板である．血小板の働きは，破壊された血管の流入口での血栓形成ならびにコラーゲンや他の物質に粘着して，内部の顆粒を放出することである．放出された顆粒中には血小板由来内皮細胞増殖因子（PDECGF）や，線維芽細胞増殖因子（FGF），上皮細胞増殖因子（EGF）などの細胞増殖因子が含まれ，後に続く修復のための細胞増殖を促進する（**図8-4A**）．

(2) 組織浄化期の中のインプラント

白血球[2]
leukocyte

創傷部が凝血塊で満たされると，損傷を受けた組織・細胞または侵入した細菌の浄化のために，白血球[2]（好中球，マクロファージなど）が滲出する時期に移行する（炎症期）．この過程は，破壊された細胞からヒスタミン，セロトニン，キニン，プロスタグランジンなど，組織刺激物質が出されることに始まる．そして貪食作用をもつ好中球が遊走し，マクロファージが傷害部組織を分解，破壊産物，死滅した細菌などを貪食する．次いで，リンパ球系が出現し，免疫応答に関与する初期の時期へ移行することになる．インプラント材料から金属片が剥離したり，イオン化が起こればこの反応が増強することになる．

(3) 組織修復期の中のインプラント

肉芽組織[3]
granulation tissue

創内で，マクロファージは血小板やリンパ球，血管内皮細胞などにより活性化され，この時期にピークとなる．活性化されたマクロファージは周辺の基質を刺激して，その結果として線維芽細胞の増殖を促進し，肉芽組織[3]の形成，組織の修復への足掛かりをつける．この時期の間葉系細胞は，多機能の線維芽細胞であると考えられ，粗なコラーゲン線維，フィブロネクチン，ヒアルロン酸に加えて，新生血管などと肉芽組織を形成する．中でも血漿中に存在するフィブロネクチンは，肉芽組織の構成物と結合して血小板の増殖と拡散，好中球，単球，線維芽細胞の肉芽組織内への移動に関連する重要な非コラーゲン性のタンパク質として知られている．また創面は，上皮により被覆される時期でもある（**図8-4B**）．

(4) 組織再構築期の中のインプラント

筋線維芽細胞[4]
myofibroblast

最終ステップは肉芽組織の収縮による再構築期で，筋線維芽細胞[4]とよばれるアクチンやミオシンを含む線維芽細胞と平滑筋細胞の両方の特性をもつ細胞が関与する．開放創などでは，この筋線維芽細胞の数が少ない．さらに修復過程が進むと線維芽細胞が主役となり，間質を形成する合成期を迎える．通常間質がコラーゲン線維で満たされると，線維芽細胞からのコラーゲン分泌は減少し，線維芽細胞も活性が弱まり静止期になる．合成分泌されたコラーゲンは，最初は弱い結合であるが，しだいに共有結合の架橋が形成され，分子内・分子間架橋が生じて安定し，コラーゲンの不溶化が起こり，しっかりした結合となる．骨では，前骨芽細胞から骨芽細胞そして骨細胞になる段階でさまざまな骨関連タンパクが分泌され，成熟骨となる（**図8-5**）．

2 インプラント周囲の創傷治癒に影響を及ぼす因子

(1) 理想的な創傷の治癒

創傷の治癒とは，生体のもつ本来の機能で自然に治癒する過程で，その過程には種々の阻害因子，促進因子が関与する．理想的な治癒を望むとすれば，まず創傷の治癒を阻害する因子を減少させ，その後促進させる因子を増大させてやるということになる．

(2) 創傷治癒を遅延させる因子

感染[5]
infection

❶感　染[5]

ドライソケットは抜歯窩に生活反応が起こらず，感染したための骨炎であるから，その治

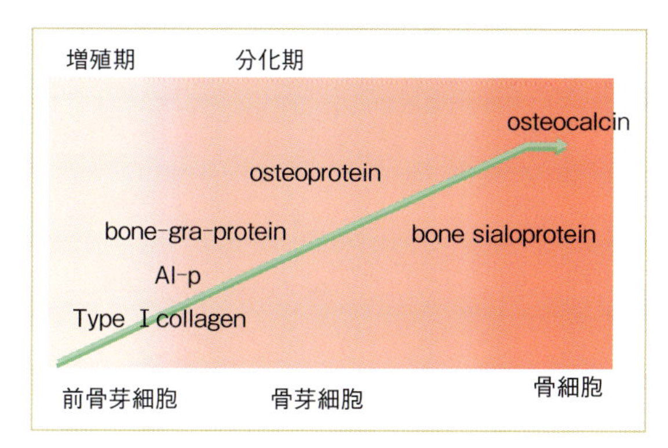

図8-5 骨系細胞の分化と分泌タンパクを示す模式図

療は再掻爬により生活反応期へと仕切り直しを余儀なくされる．

❷代謝疾患

糖尿病では，高血糖は微小血管に影響を与え，低酸素状態を助長し，好中球の機能に障害を与えるため組織浄化期が長引き，創傷の治癒が遅れると考えられる．そのため，代謝障害のコントロールを行う必要がある．

❸ビタミン・無機塩などの欠乏

ビタミンCの欠乏や鉄分，Caの不足などはコラーゲン合成，分子間架橋などに影響を及ぼし，組織再構築に影響を及ぼすことになる．

❹素　因

性素因，年齢素因などは大きな問題である．たとえば，閉経後の女性では骨粗鬆症の問題などが浮き彫りとなる．

❺インプラント自体の問題

インプラントの材質，デザイン，表面形状・性状などは，細胞の接着，増殖，分化に影響を及ぼす．

3 インプラント周囲組織

(1) インプラント周囲上皮組織

接合（付着）上皮[6]
junctional epithelium

❶接合（付着）上皮[6]

その特殊性は，エナメル質と半接着斑により物理的に接着し，細胞間隙は広く結合組織からの濾出液または炎症に伴う滲出液を通過させ，上皮の防御能の弱さを補っている．また，接合（付着）上皮にはリソソーム酵素などが局在しており，外来異物を取り込み処理することも知られている．この接合（付着）上皮の代謝は，内外の基底部から中央に向かい歯肉溝に捨てられていく（図8-6A）．

口腔粘膜上皮[7]
oral mucosa

❷口腔粘膜上皮[7]

口腔粘膜の祖細胞は基底細胞層にあり，常に増殖し，その後は上方に向けて，棘細胞，顆粒細胞，角質となり，生涯を終える．最表層に位置する角化層は，外部刺激から内部環境を守っている（自然免疫）．顆粒細胞や棘細胞ではディフェンシンという抗細菌性タンパクを産生し，細菌を直接殺す機構をも備えている（図8-7）．また，これら口腔粘膜を主に構成する角化細胞（90％以上）の他にも，外部から侵入する抗原を認知するランゲルハンス細胞を備え，さらには，色素を分泌するメラニン産生細胞および触圧覚をつかさどるメルケル細胞を配備している．しかし，インプラント周囲など，口腔粘膜が再生するときには角化細胞のみが再生し，その他の細胞は再生に関与しないために，感覚系や免疫系が異なる可能性がある．

インプラント周囲上皮[8]
peri-implant epithelium

❸インプラント周囲上皮[8]

インプラント周囲上皮は口腔粘膜に植立され，その細胞代謝は，基底側からインプラント

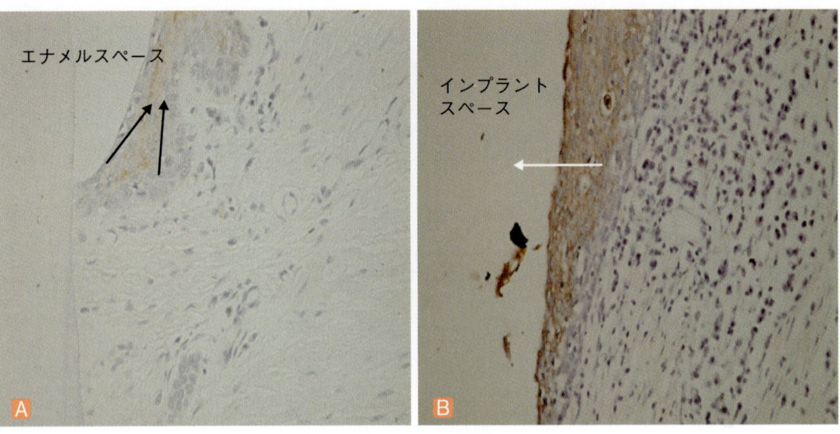

図8-6　天然歯付着上皮とインプラント周囲上皮の代謝

天然付着上皮（A）の代謝は内外の基底部から中央に向かい増殖し，歯肉溝に捨てられていく（矢印の方向へ）．一方，インプラント周囲上皮（B）の代謝は，結合組織側からインプラント体に向けて捨てられていく（矢印の方向へ）．（イヌ実験：免疫組織化学染色）

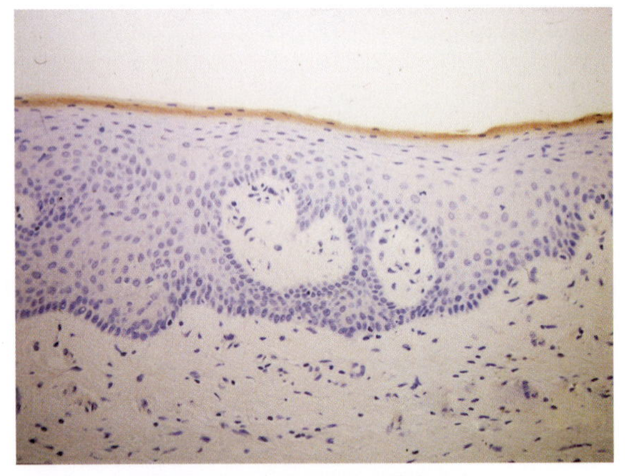

図8-7　口腔粘膜上皮の免疫組織化学染色写真

口腔粘膜上皮では，顆粒細胞や棘細胞ではディフェンシンという抗細菌性タンパクを産生する．（ヒト：βディフェンシンによる免疫組織化学染色）

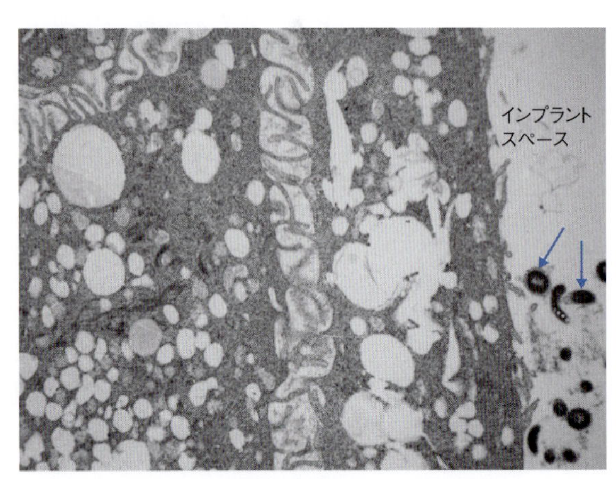

図8-8　インプラント周囲上皮の電子顕微鏡写真

胞間隙は広く開いている．矢印は細菌．（イヌ実験：透過型電子顕微鏡写真）

半接着斑[9]
hemi-desmosome

体面に向けて捨てられていると考えられる（図8-6B）．上皮下の結合組織に炎症性反応が少なく，インプラント線維界面が緊密であれば，細長い周囲上皮として安定している．生体に植立された場合には，インプラント表面に半接着斑[9]が形成されることは少ない．上皮の増殖能については，インプラント周囲上皮は接合（付着）上皮よりも増殖能が低く，種々の刺激に対して自衛力も弱いと考えられる．

このようなインプラント周囲上皮の弱点を補うのは，結合組織中の血管からの滲出液による洗浄が重要と考えられる．そのためにインプラント周囲上皮の細胞間隙は口腔粘膜上皮よりも，接合（付着）上皮よりも広く粗鬆となり，結合組織との連絡を容易にしているのである．そして，血液の成分が濾出することにより，液状成分やときには好中球が容易に接合（付着）上皮の細胞間隙を通過して歯肉溝に流出することができる．この濾出液中には免疫グロブリンや酵素が含まれ，炎症に対する防御機構として働いている（図8-8）．

最近の研究では，インプラント周囲上皮では，結合組織側から神経線維が上皮細胞間に侵入し，あるものはインプラント表面に到達しているという．これは，神経に刺激が加わることで，三叉神経節から神経ペプチドが軸索輸送され，刺激を受けた部に分泌されると血管の拡張を惹起し，結合組織側からの滲出液の分泌を促していると考えられる（図8-9）．

インプラント周囲結合組織[10]
peri-implant fibrous connective tissue

(2) インプラント周囲結合組織[10]

インプラントは生体の異物処理反応の中で，インプラントを取り巻くような線維による被

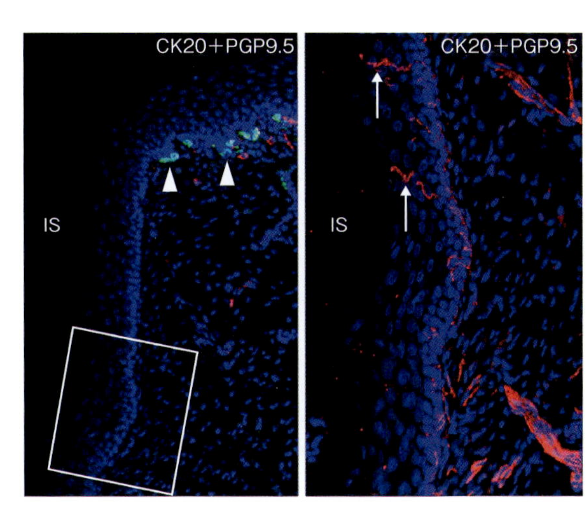

図8-9　インプラント周囲組織内の神経線維
インプラントに面する上皮では，口腔粘膜に存在するようなメルケル細胞（矢頭）はみられないが，結合組織側から神経線維が上皮細胞間に侵入するものがある（矢印）．（ハムスター実験，PGP9.5を一次抗体とした共焦点顕微鏡像）

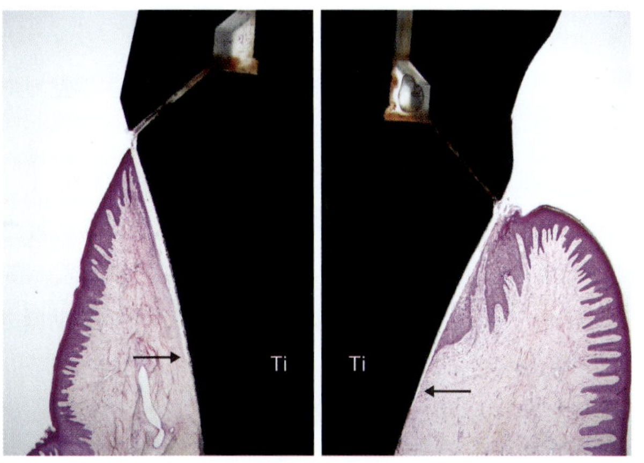

図8-10　インプラント周囲組織の研磨標本
インプラントは線維による被包（矢印）を受ける．Ti：チタンインプラント．（イヌ実験：トルイジンブルー染色）

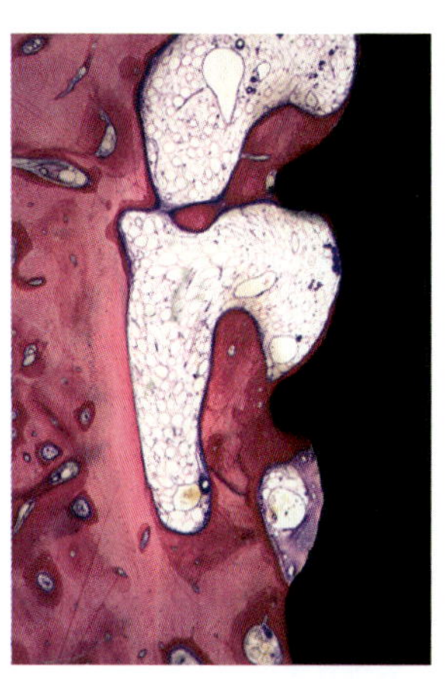

図8-11　オッセオインテグレーションの研磨標本
インプラント周囲に100%骨があるわけではない．（イヌ実験：トルイジンブルー染色）

包を受ける（**図8-10**）．この線維は，インプラント体に対して垂直に並ぶことはあってもシャーピー線維としての靱帯様結合を期待することはできない．また，インプラント周囲結合組織には，コラゲナーゼに対して高い抵抗性を示すV型コラーゲン線維が増殖し，細菌の侵入に対して防御するように働いている．反対に，Ⅲ型コラーゲンは正常な歯周組織にみられ，歯周病になるとV型が増えるということからも，インプラント周囲に不安定性がうかがえる．インプラントではセメント-エナメル境に相当するものはないため，結合組織界面が緊密であるかどうかが上皮深部増殖の鍵を握っている．

(3) インプラント周囲骨組織

オッセオインテグレーション[11]
osseointegration

❶インプラントと骨界面（オッセオインテグレーション[11]）

オッセオインテグレーションは光学顕微鏡レベルで，インプラントと骨組織の間に軟組織の介在がなく，機能するものとされている（**図8-11**）．電子顕微鏡レベルでは，チタンと骨は直接接触しているわけではなく，50〜100nm程度の厚みをもつ無構造層を介して幼若なコラーゲンが存在し，この層がチタンと骨の接触には重要と考えられている．この無構造層では，Ca結合能と細胞接着能に関係するフィブロネクチン，オステオカルシンとオステオポンチンなどが重要であることが示唆されている．

❷インプラント周囲骨の代謝

一度できあがった骨は絶えず破骨細胞により吸収され，骨芽細胞により新しく形成されている．この既存の骨が吸収され，その部位に新しく骨が形成されることをリモデリング（改造）

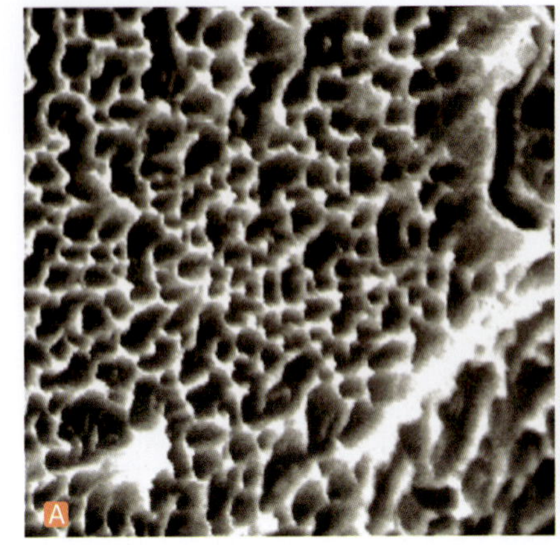

図8-12　インプラントの表面形状
インプラント表面が粗面[12](A)であれば，滑面[12](B)に比べ，オッセオインテグレーションは獲得されやすい．(走査型電子顕微鏡写真)

粗面・滑面[12]
rough surface, smooth surface

という．インプラント周囲に獲得されたオッセオインテグレーションの改造では，外骨膜と内骨膜の代謝がインプラントの骨接触部の恒常性維持をつかさどる鍵である．

❸インプラントの種類と骨結合

インプラント表面と骨組織の界面は，インプラント全周(100%)に存在するわけではない．脈管結合組織や脂肪組織との接触部も当然存在する．骨結合に対しては，単なる機械研磨などに比べると，プラズマ溶射や，酸化アルミナによるブラスティング，酸処理などを施すことで，骨結合が増すことが知られており，粗面であればあるほど実験的に剪断力が増加する(**図8-12**)．

❹インプラント周囲骨の病態

画像所見ではインプラント周囲骨の不透過像が増したり，辺縁骨が盛り上がる場合がある．

化骨性骨膜炎[13]
periostitis ossificans

a．化骨性骨膜炎[13]

化骨性骨膜炎は，慢性骨髄炎や過剰な力の波及により骨膜が刺激されて，新生骨形成をきたす場合である．根尖病巣や抜歯窩が原因となり，その部の硬い腫脹が頬側または舌側に現れることなどがその例である．インプラントによる刺激が，辺縁骨にこのような状態を引き起こしても矛盾はない．

慢性硬化性骨髄炎[14]
chronic sclerosing osteomyelitis

b．慢性硬化性骨髄炎[14]

慢性硬化性骨髄炎とは，炎症が軽快または消退した骨髄部に，多量の骨質が形成される場合をいう．中でも慢性巣状硬化性骨髄炎は，齲蝕に続発した慢性根尖病巣の隣接部に限局性の骨硬化が現れる．天然歯では症状はほとんどなく，セメント質肥大とみなされることもある．組織の抵抗性が強く，感染の弱いときに生じやすいといわれる．病理組織学的には，多数の不規則な改造線を有する緻密骨が密に増殖している．慢性びまん性硬化性骨髄炎では，巣状型より広範囲に骨硬化がみられる場合で，下顎骨にみられることが多い(**図8-13**)．

Ⅱ―インプラント周囲の炎症

インプラント周囲炎[15]
peri-implantitis

1　インプラント周囲炎[15]

広義には感染により引き起こされるインプラント周囲組織の炎症状態の総称である(**図8-14**)．狭義では，初期のオッセオインテグレーションと咬合機能を獲得した後に，軟組織の化膿性炎および周囲支持骨の吸収が生じる病的状態といえる(**図8-15**)．

感染は，前述のインプラント周囲上皮とインプラント体の間から進行し，歯周病と同じ経路で化膿性炎が起こる．原因菌としては，歯周病に比べより複雑な細菌叢であると考えられ，インプラント体の物理的構造上，グラム陰性嫌気性桿菌が生息しやすい場所を提供しやすいこ

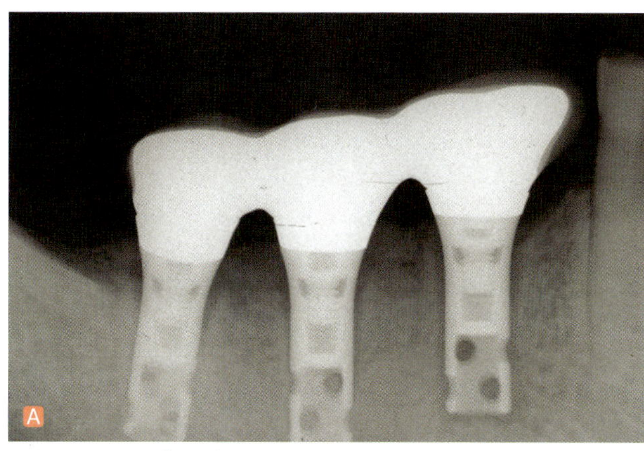

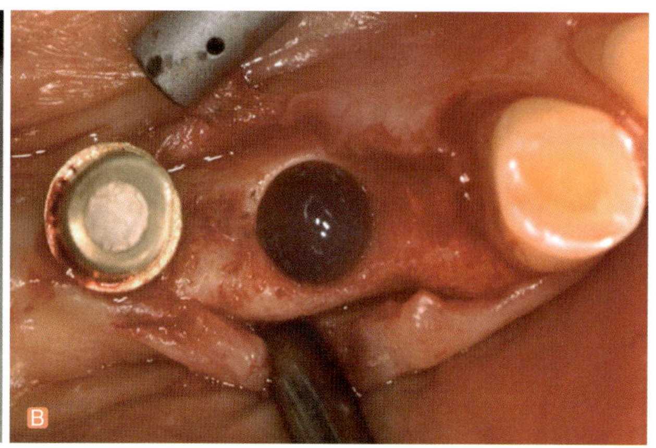

図8-13　インプラント周囲の硬化性骨髄炎

A エックス線写真では，近心のインプラント周囲に透過像がみられる．
B インプラント除去後の口腔内写真．
インプラント周囲にみられる硬化性骨髄炎では，力などが加わり，オッセオインテグレーションが失われ，脱落することもある．これは，インプラント周囲に持続的な力が加わり，代謝が崩れたため，細胞や血管が少ない骨となっているためである．
（ヒト症例）〔東京都千代田区開業　武田孝之博士提供〕

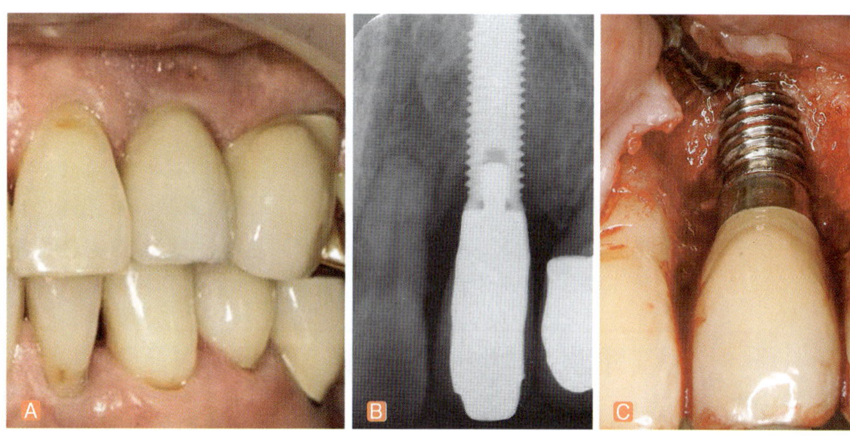

図8-14　インプラント周囲炎

A 口腔内写真
B エックス線写真
C フラップ手術時の口腔内写真
（ヒト症例）〔東京都千代田区開業　武田孝之博士提供〕

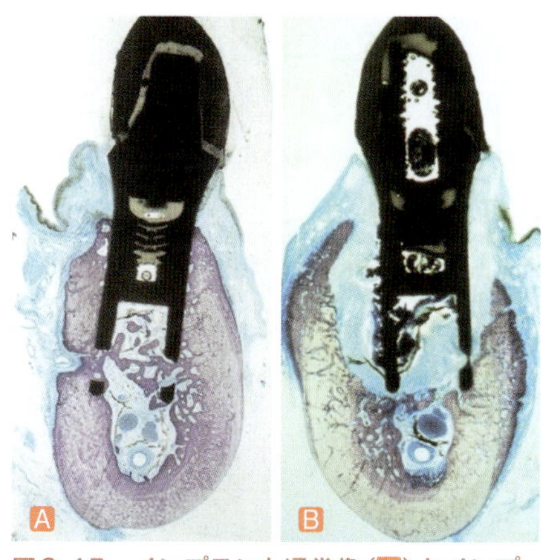

図8-15　インプラント通常像（A）とインプラント周囲炎像（B）（イヌ実験）

A イヌに植立したインプラントの通常像．
B インプラント周囲炎で骨吸収を起こした像．
（研摩標本：トルイジンブルー染色）

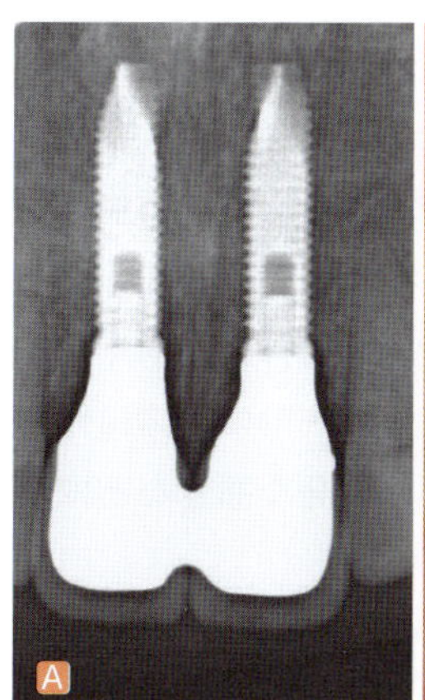

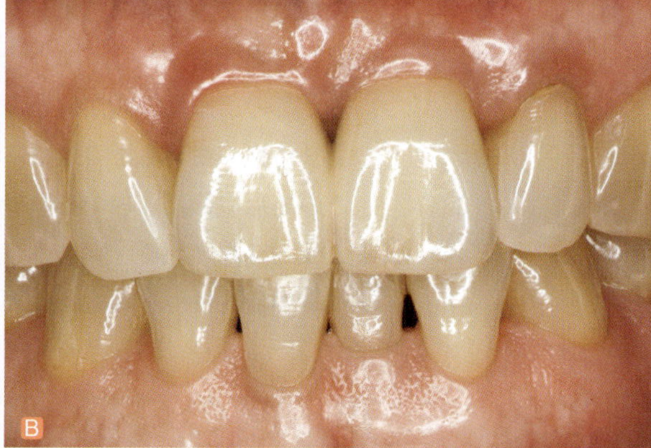

図8-16　インプラント周囲粘膜炎

A エックス線写真で骨吸収はみられない．
B 口腔内写真．

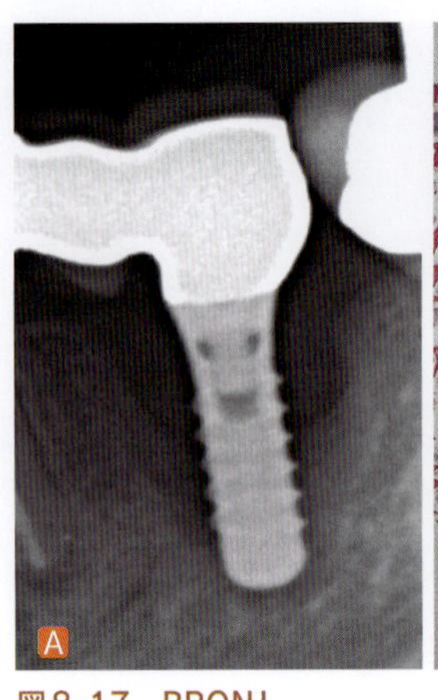
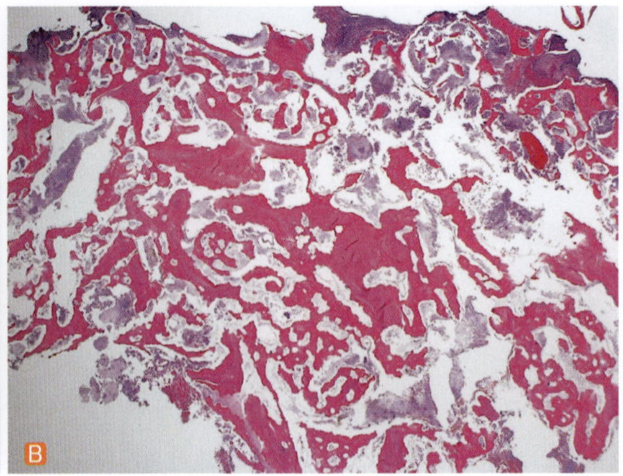

図8-17 BRONJ

A インプラント植立後，10年後に骨粗鬆症に罹患し，BP製剤を投与され，インプラント周囲炎からBRONJになった症例のエックス線写真．
B 別症例のHE組織標本．腐骨と細菌感染がみられる（右）．

とも影響すると考えられている．さらに，歯根膜をもたないインプラントでは，咬合荷重が関与していることも否定できない．インプラント周囲炎は，骨吸収を伴うものと考えられる．

インプラント周囲粘膜炎[16]
peri-implant mucositis

2 インプラント周囲粘膜炎[16]

インプラント周囲粘膜炎は，インプラント周囲軟組織の可逆性の炎症性変化のみで，インプラント周囲炎のように骨吸収を伴わない病的状態といえる（**図8-16**）．

ビスホスホネート関連顎骨壊死（BRONJ）[17]
bisphosphonate-related osteonecrosis of the jaw

薬剤関連顎骨壊死（MRONJ）[18]
medication-related osteonecrosis of the jaw

3 ビスホスホネート関連顎骨壊死（BRONJ）[17]

ビスホスホネート系薬剤（BP）を内服している患者に発生する特徴的な顎骨壊死であり，同薬剤長期投与による骨代謝異常に起因する医原性疾患である（**図8-17**）．最近では，デノスマブや血管新生抑制作用をもつ抗癌薬でも同じ顎骨壊死が起こり，BPを含め薬剤関連顎骨壊死（MRONJ）[18]とよばれる．

通常の歯科治療に関連する合併症として発症・顕在化することが多く，抜歯などの口腔外科手術や歯周外科手術，歯内治療，歯周治療後に創傷治癒が正常に機能しないことにより発生・重篤化する．また，インプラントが植立されている患者が骨粗鬆症に罹患し，さらには悪性腫瘍の骨への癌転移予防のために，ビスホスホネート系薬剤が投与されても発生することがある．このように，観血的な歯科治療を行った後に発生することは，感染の可能性がある部位の歯科治療が終わるまではビスホスホネートの開始を進めるべきではないことを示唆している．

この発症機転は，顎骨の破骨細胞の抑制機構や，局所的な細菌感染病態の特徴と関連していると仮説されている．ビスホスホネートは代謝に伴って骨に沈殿されるので，骨内ビスホスホネートの濃度は，もともと代謝の活発な顎骨などにおいてはさらに選択的に上昇する．

歯の移植[19]
tooth transplantation

Ⅲ—歯の移植[19]・再植

1 歯の移植・再植の臨床病理学的意義

自家歯牙移植は，移植歯の歯根膜と母床の歯槽骨組織の間に歯周組織（特に歯根膜）の修復が起こり，上皮界面は接合（付着）上皮ができれば理想である．

歯周組織は，歯槽骨とセメント質の硬組織および歯根膜と歯肉の軟組織から構成されている．これら4つの組織は，いずれも線維性結合組織（硬組織も石灰化した線維性結合組織）であるが，他部位に存在する非特異的な線維性結合組織と比べて何が特殊なのかを考える必要がある．なぜなら，移植した後の臨床的成功は，この特殊な歯周組織が再生されていることが条件だからである．そして動いた後に，その場所において再び恒常性を維持しなければならない．つまり，正常な組織の恒常性の維持機構についても知る必要がある．また，再植は移植の特殊例と考える．ここでは自家歯牙移植に焦点を当てて考える．

2 移植・再植後の反応

移植するためには，移植歯を抜歯する必要がある．そのときに，マラッセの上皮遺残が生存した歯根膜を温存することが大切である．しかし，無作為に抜歯した歯の歯根膜の付着率を計測してみると，中央部は剥離しやすく，根尖部と歯頸部に歯根膜が残存しやすいことがわかる．その付着率は平均して60％前後との報告があり，抜去法によっては96％以上付着しているものもある（**図8-18**）．移植・再植の前提として，歯根膜が付着することであるなら，抜歯の方法の考慮も必要である．

1 移植・再植直後

母床の細胞，組織は，人工的または機械的に破壊されることから，創傷の治癒が始まる．まず，出血・凝固によりフィブリンが現れ，次いで創内浄化としての白血球浸潤が始まる．この時点で，移植・再植歯が感染していたり，歯根膜が乾燥してしまうと，自己認識システムにより排除されることになる．創傷の治癒を遅らせる条件にある移植・再植歯の固定も重要な要素となる．

2 移植・再植3〜5日後

移植・再植歯および母床の神経は，変性過程にある．しかし，血管系は，母床側に残存する血管断端から血管の出芽が始まる．血管が破損すると，その部位は即座に収縮し，血小板凝集や血液凝固を惹起して血栓を作り，出血させる．血管新生の様式には，発芽，嵌入，分枝，剪定などが関連するが，創傷治癒における毛細血管の新生は，これらが複雑に絡みあって発芽によって進行すると考えられる．この血管新生の過程は，VEGF/VEGF受容体系とともに，アンジオポエチン（Ang）/TIE-2受容体系やephrin/Eph系によっても調整される．すなわち，移植・再植歯に付着した断裂した血管は，自らも血液の再疎通を行う．移植・再植歯に付着する歯根膜の表面は，マクロファージ[20]に貪食される．

マクロファージ[20]
macrophage

3 移植・再植1週間後

移植・再植歯の歯根膜と母床のコラーゲン線維は，再結合を開始する．しかし，主線維の結合は一部でしか起こらない（**図8-19**）．移植・再植歯の表面吸収も部分的にみることができ，この変化は経日的に改造されていく．

4 移植・再植2週間後

この頃は，移植・再植歯の付着歯根膜の根尖部において，神経の再生が始まる．しかし，歯冠部付近での神経再生はみられない．正常では圧受容器のルフィニ小体[21]がみられるが，移植・再植後のこの時期ではまだ，神経の先端は先細りの状態である．末梢神経が損傷を受けると，損傷を受けた遠心領域の自由神経終末は，マクロファージなどによって貪食されていく．

ルフィニ小体[21]
Ruffini corpuscles

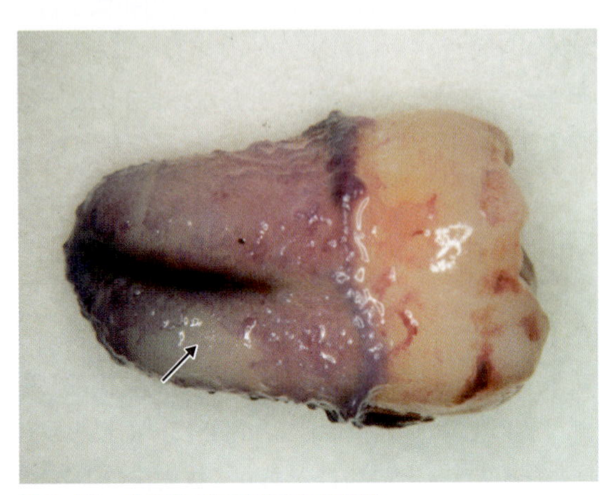

図8-18　抜去歯牙に付着する歯根膜
ヒトでは抜歯に伴い，中央部は剥離しやすく（矢印），根尖部と歯頸部に歯根膜が残存しやすい．（ヒト症例：トルイジンブルー染色）

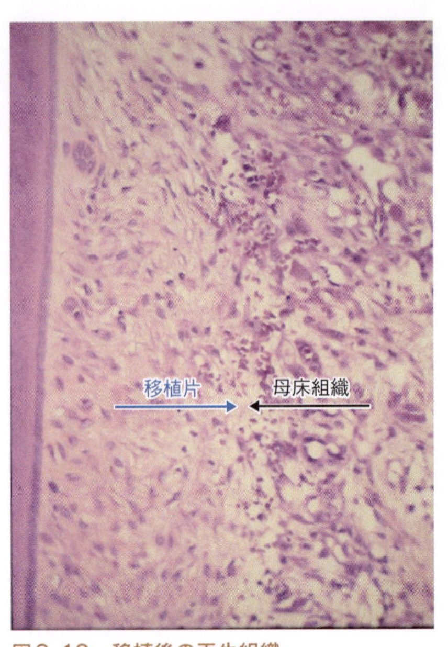

図8-19　移植後の再生組織
移植後1週間程度で，移植片に残る歯根膜と母床から作られる肉芽組織内のコラーゲン線維は再結合を開始する．（ラット実験：HE染色）

損傷を受けた部位の遠心域に残っていたシュワン細胞（神経鞘細胞）は増殖を開始し，そこに向かって残存末梢神経の軸索が萌芽する．創傷の治癒において，神経再生は最も遅れて起こる．一方，血管系では残存する血管と肉芽組織中の血管が融合し，歯根膜の血管網はできあがる．しかし，この血管網の網目は密度が高く小さい．歯根膜組織の再生に伴い，血管網の網目は太くなり密度も減少していく．この時期に，細胞はセメント芽細胞や骨芽細胞に分化し，線維配列も正常のものと類似してくる．この時期までが，細胞，血管再生に重要な時期といえ，創傷の治癒の観点からは，移植・再植歯の固定を行っておくことが重要である．

5 移植・再植3週間後

ほぼ歯根膜の線維の配列様となり，血管の修復も完成に近づく（**図8-20**）．細胞や血管レベルの修復に遅れ，神経の再生も歯頸部付近までみられるようになり，咬合を認知できるようになる．

3 トラブル・問題点

1 歯根膜のない歯の移植・再植

アンキローシス[22]
ankylosis

移植・再植歯全体に歯根膜が付着しているとは限らない．歯根膜が欠除する部位は，歯根膜の恒常性の維持をつかさどることができず，アンキローシス[22]になる可能性が強い．しかし，歯根膜の損傷がわずかな場合（9 mm^2 以内）には，その部も残存する歯根膜により再生されるという．

2 移植歯と母床骨との距離

再植では，当該歯の外形に一致した歯槽窩が存在するが，移植では移植窩を術者が作るために，歯根膜空隙を完全に一定にすることは不可能である．通常，ある場所では移植歯が歯槽窩に接触し，ある部では数ミリ単位の間隙ができることになる．当然双方の創傷の治癒は異なることになる．

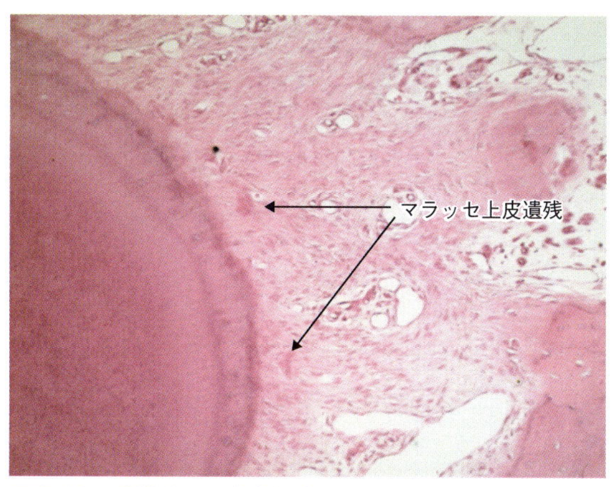

図8-20　移植後の再生歯根膜
移植後3週間では，歯根膜の線維の配列様となり，血管の修復も完成に近づく．（イヌ実験：HE染色）

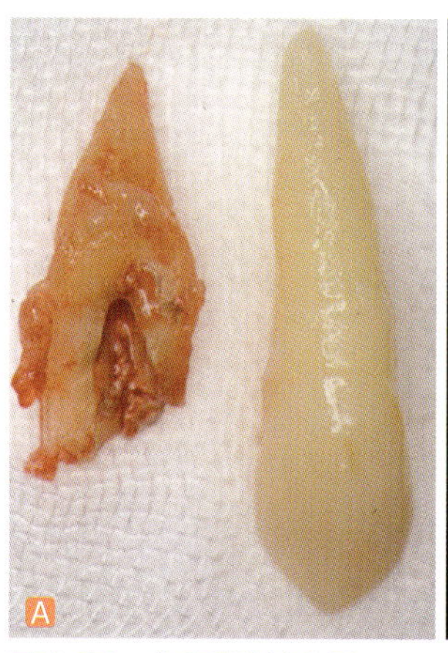

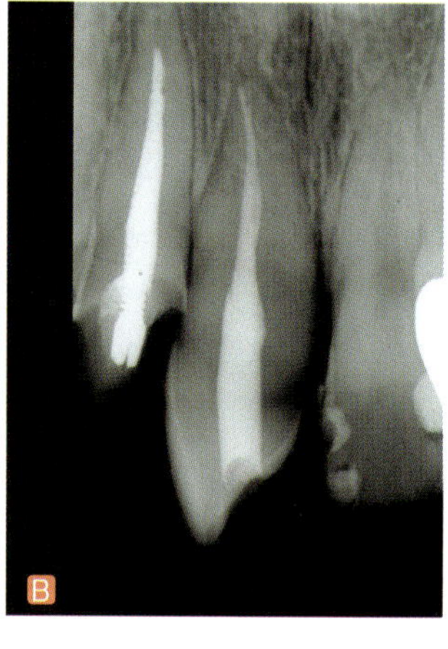

図8-21　他家骨移植症例
移植は組織の再生の概念である．Aの左の歯を抜き，他人の歯（Aの右の歯）を移植した（B）．この症例は，移植免疫により脱落した．

一般的に，欠損を骨が埋める場合に1mm以内であれば，骨の改造現象なしに線維骨により充填されることが知られている．しかし，その間隙が3mm以上ともなると，通常の創傷の治癒の理論になる．年齢素因などにもよるが，ある一定以上の間隙は移植に不利な条件となる．

3 移植歯のアンキローシス

置換性吸収[23]
replacement resorption
炎症性吸収[24]
inflammatory resorption

病態論的には，アンキローシスは硬組織と硬組織が結合することをいう．つまり，歯では歯根膜結合がなくなり，セメント質と歯槽骨が結合することになる．歯は歯根膜があって恒常性が保たれているわけで，歯根膜がなければ歯は骨組織と同類と認識され，置換性吸収[23]を受ける．これは骨の改造現象と同じである．もし，歯が感染したり，歯根膜吸収があったり，象牙細管の露出がある場合は，置換性吸収ではなく炎症性吸収[24]されることになる．

移植免疫[25]
transplantation immunity

4 移植免疫[25]

個体内にある組織または器官や臓器を同一の個体内の別の個所に移植することを自家移植というが，これに対して，自己以外の個体の組織などの一部を自己の個体に移植することを他家移植（**図8-21**）という．このように他個体からの臓器や組織を移植された生体が移植片に対して起こす免疫反応（拒絶反応）を移植免疫という．

（井上　孝）

- [ ] 1 創傷の治癒について説明できる．
- [ ] 2 再生について説明できる．
- [ ] 3 移植について概説できる．
- [ ] 4 再植について概説できる．
- [ ] 5 歯根膜について説明できる．
- [ ] 6 インプラントの材料を分類できる．
- [ ] 7 インプラントと組織界面について説明できる．
- [ ] 8 異物の処理について説明できる．

References

1）鈴江　懐，小林忠義編：病理学総論 第2版．再生．医学書院，東京，1975，426～438．
2）井上　孝ほか：歯牙移植の臨床像．クインテッセンス出版，東京，1996．
3）Inoue, T. et al.：Current dental implant research. Dentistry in Japan, 41：196～213, 2005.
4）赤川安正ほか編著：よくわかる口腔インプラント学 第3版．医歯薬出版，東京，2017．

Chapter 9

顎口腔の発育異常

顎顔面口腔領域は複雑な発生過程を経て形態が形成され，また，出生後も経時的な発育により機能的に成熟する．発生過程では頭部神経堤細胞により特徴的な歯や神経が形成され，複数の鰓弓や顔面突起の発育により機能形態が構成される．これらの発生と発育は複数遺伝子の時間空間的発現調節により実現されているが，種々の遺伝子異常（内因）と環境因子（外因）により，多様な形態と機能の異常が生じる．

本章では，出生以前に病因が作用して生じる先天性形態異常（奇形）を中心に，歯の発育異常〔Chap.1参照〕以外の顎顔面口腔領域の発育異常について概観するが，原因遺伝子や形態形成機序が不明なものも多く，また，複数の遺伝子や環境因子が発生機序に関与するものもあり，さらに，再生医療の基盤となる形態形成機序の解明としても，今後の研究が期待される分野である．

I－顎顔面口腔の発生

受精後，接合子は20日目までに原腸陥入とともに三層性胚盤となり，外胚葉，中胚葉，内胚葉が生じる．この間に原始線条や原始結節，脊索突起の形成，前方部の口咽頭膜，後方部の総排泄腔膜，神経板，原始心膜腔などが生じ，20日目頃から神経管と体節が形成される．神経管背側の側方には外胚葉に由来する第4の胚葉ともいえる神経堤細胞[1]が生じ，神経管の閉鎖とともに腹側に移動する．沿軸中胚葉の有対反復性の単位として第5週までに44対の体節が形成される．

神経堤細胞[1]
neural crest cell

頭部には体節のように明らかな分節性はみられないが，菱脳（後脳）には一過性に現れる分節構造（ロンボメア）がみられ，各分節は各*Hox*遺伝子[2]の前方発現限界と一致している．一方，頭部の腹側には，咽頭内胚葉の膨出である咽頭嚢による裂孔によって区画された鰓弓（咽頭弓）が生じ，10体節期までに第一鰓弓，26体節期には第四鰓弓，最終的に第6鰓弓が生じる（第5鰓弓は痕跡的）．偶数番ロンボメア（r2，r4，r6）に由来する神経堤細胞はそれぞれ第一（上顎突起；Mxと下顎突起；Mn），第二，第三鰓弓に移動する．中脳に由来する神経堤細胞の一部も第一鰓弓に分布する．また，菱脳から発する脳神経（三叉神経；V，顔面神経；Ⅶ，舌咽神経；Ⅸ，迷走神経；X）は鰓弓神経として第一～第四鰓弓に分布する（**図9-1**）．

***Hox*遺伝子**[2]
Hox genes（Homeobox genes）：約180塩基対のホメオドメイン（homeobox）をコードし，異なる染色体上に4クラスター（a～d）を形成し，塩基配列の相同性から13グループに分けられる．発生過程で前後軸に沿った発現を示し，位置特異的体節構造を誘導する．頭頸部ではさらに同様のホメオドメインをもつがクラスターを形成していない*non-hox* genesである*Nk2*や*MSX*ファミリー遺伝子が形態形成に関与している．

各鰓弓に移動した神経堤細胞は中軸中胚葉とともに間葉組織を形成する．組織形成は*Hox*遺伝子などの遺伝子転写因子が発現制御する遺伝子群により時間空間的に制御されている．頭頸部の形態形成に伴い発現する*FGFs*や*BMPs*などの遺伝子群は四肢など他部位の形態形成にも関与している（**図9-2**）．

胎生3～4週には口窩を取り巻く顔面突起として，前頭隆起から前頭鼻突起，第一鰓弓から左右の上顎突起と下顎突起がみられるようになる．前頭鼻突起は両側鼻窩の形成とともに内側鼻突起と外側鼻突起が明らかになる．胎生6～7週には，左右の内側鼻突起が癒合し下部に球状突起が生じ，さらに，左右の上顎突起との癒合が生じ，口腔上縁部が形成される．左右の球状突起の癒合部には人中ができる．側方では外側鼻突起と上顎突起が癒合し，鼻涙管が生じ

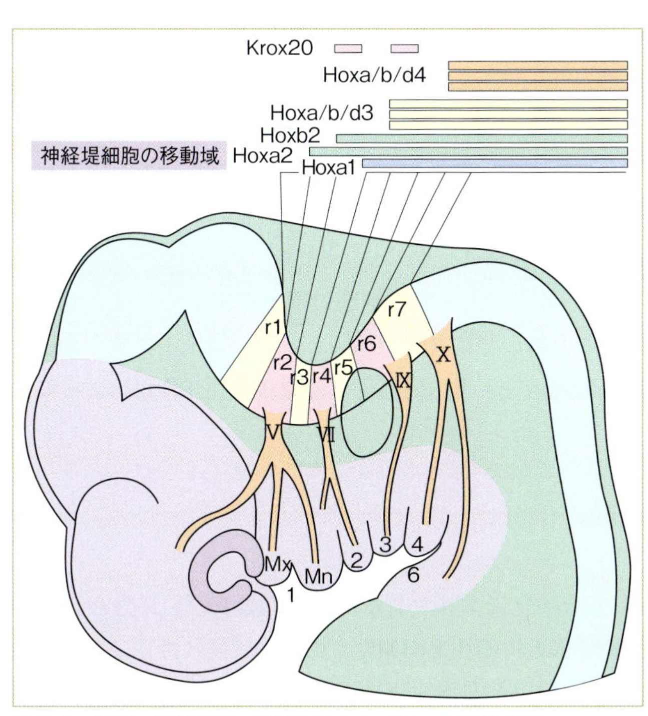

図9-1　鰓弓，鰓弓神経，菱脳分節および*Hox*遺伝子発現
〔Shum, L. et al. 2000.[1]，Kuratani, S. 2004.[2] より〕

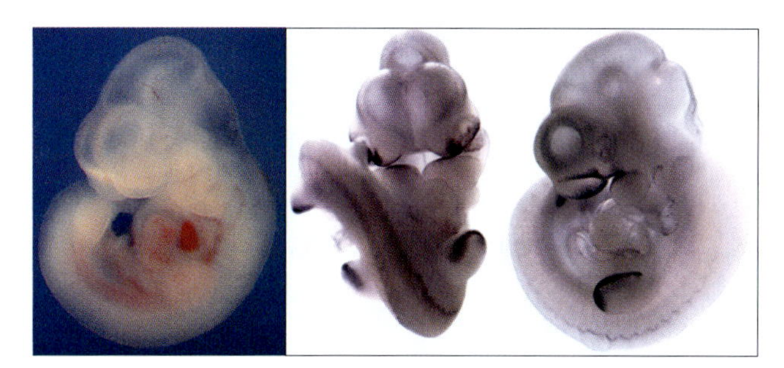

図9-2　10.5日齢マウス胎仔におけるFgf8 mRNA発現領域
〔Semba, I. et al. 2000.[3] より〕

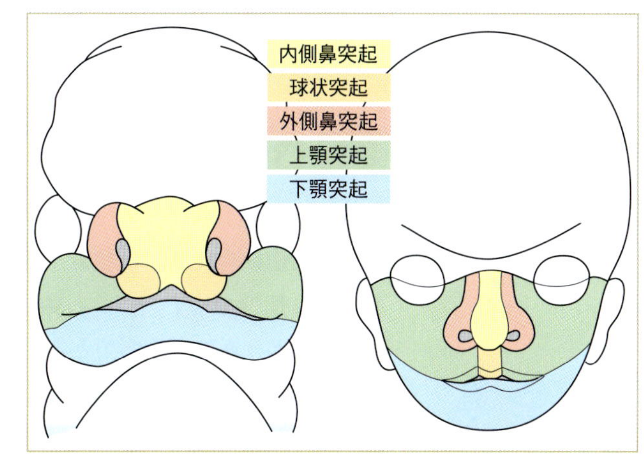

図9-3　胎生6週時の各顔面突起に対応した顔面領域
〔ラーセン W. J. 2003.[4] より〕

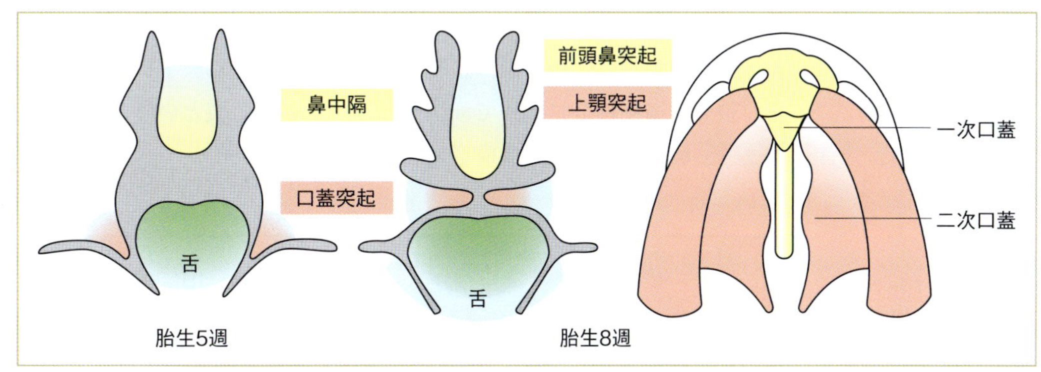

図9-4　胎生5週と8週の口蓋突起と舌の位置および一次と二次口蓋の関係
〔ラーセン W. J. 2003.[4] より〕

る．また，上顎突起と下顎突起の癒合により胎生12週頃までに頬部が形成され，口裂の大きさが決まる．内側では前頭鼻突起と球状突起から鼻中隔と一次口蓋が形成される（**図9-3**）．

一方，胎生5週頃から上顎突起内側に外側口蓋板（口蓋突起）が生じ，胎生6週では舌の両側に下降しているが，胎生8週になると，口腔底の拡大により舌が相対的に下降し，左右の外側口蓋板は舌の上方で水平位をとる．さらに，前方1/3部から左右の外側口蓋板の癒合が前後方向へ生じ，二次口蓋が形成され，鼻腔と口腔が分離される．前方部では一次口蓋と癒合し，切歯孔を残す．胎生12週までに癒合が完了した後，後方に中胚葉が延長して軟口蓋と口蓋垂が形成される（**図9-4**）．

このような発生過程の障害により，種々の頭蓋顔面の奇形が生じ，奇形発生の臨界期は胎生6〜8週といえる．神経堤細胞の移動や分化の異常として体幹部ではヒルシュスプルング病[3]などの神経堤症[4]が生じるが，頭部では第一第二鰓弓症候群，耳頭症，下顎顔面異骨症，ロバン連鎖，口唇口蓋裂の一部などがある．

ヒルシュスプルング病[3]
Hirchsprung disease

神経堤症[4]
neurocriptopathies

Ⅱ―口唇口蓋裂と顔面披裂

各顔面突起の癒合不全によって生じる顎顔面披裂は，体表奇形のうち最も頻度が高く（10～17%），500～600出産に1人の割合で生じる．その頻度には人種差（日本人0.19%，白人0.11%，黒人0.05%）がある．また，発生過程から一次口蓋と上唇の形成異常，二次口蓋の形成異常，両者の合併，その他の披裂に分けられる（**表9-1**）．

癒合不全の機序には不明な点も多いが，各突起内の間葉細胞の増殖が不十分で癒合面の上皮が残存し，生じると考えられている．これらの発生異常の原因として，遺伝子異常や遺伝性が知られているものもあるが，胎生時の環境因子と遺伝的因子との複雑な相互作用によって生じる多因子疾患と考えられる．

口唇裂[5]
cleft lip

1 口唇裂[5]と唇顎裂

内側鼻突起（球状突起）と上顎突起の癒合不全により生じる側方上唇裂（兎唇），さらに一次口蓋の切歯縫合に及ぶ唇顎裂があり，いずれも片側性と両側性がある．唇裂に性差はなく，両側性と片側性では1：7.7，右側と左側では1：2と左側片側性が多い．また，唇裂が外鼻孔に達するかどうかで完全唇裂と不完全唇裂に分けられる（**図9-5**）．

口蓋裂[6]
cleft of the palate

2 口蓋裂[6]と顎口蓋裂

左右の口蓋突起の癒合不全により生じる二次口蓋の形成異常で，一次口蓋の形成不全を含む唇顎口蓋裂とは区別される．男女比は1：2と女性に多い．披裂が及ぶ範囲により，硬軟口蓋裂，軟口蓋裂，口蓋垂裂，粘膜下口蓋裂がある．粘膜下口蓋裂では軟口蓋の筋層に披裂がある．披裂が切歯縫合に沿って歯槽骨に及ぶと顎口蓋裂という．口蓋裂では鼻咽腔閉鎖機能障害があり，吸啜，嚥下および構音障害が生じる（**図9-6**）．

唇顎口蓋裂[7]
cleft lip and palate

3 唇顎口蓋裂[7]

唇顎裂と口蓋裂が合併したものを唇顎口蓋裂といい，両側性唇顎口蓋裂は狼咽といわれる．両側性と片側性は1：3で，唇裂と同様に左側に多いが，男性に多い．顎顔面奇形の中で，唇顎口蓋裂は約50%と最も多く，唇裂と口蓋裂がそれぞれ約25%を占める．口蓋裂と同様に鼻咽腔閉鎖不全のほか，誤嚥性肺炎や舌陥入による窒息などが生じやすい．

歯の欠如や先天性下口唇瘻などの顎顔面部の先天異常と合併することが多く，さらに，器官形成期が同じで，発生に関連する同じ遺伝子が機能する他の器官である四肢，心，性器などの奇形を伴う，いわゆる奇形症候群としてみられることも多い（**図9-7**）．

表9-1　顔面突起と顔面披裂の関係

顔面突起	顔面披裂
1.左右の球状突起，前頭突起	正中上唇裂，上顎前正中歯槽裂
2.内側鼻突起（球状突起）と上顎突起	側方上唇裂，上顎裂
3.左右の口蓋突起	口蓋裂
4.外側鼻突起と上顎突起	斜顔裂
5.上顎突起と下顎突起	横顔裂
6.左右の下顎突起，鰓下隆起	正中下唇裂，下顎裂

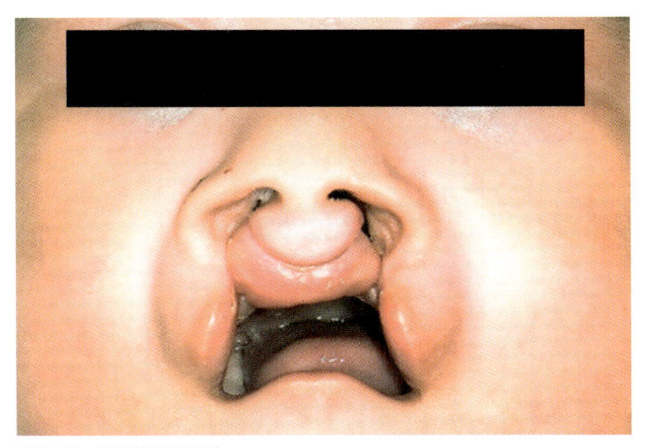
図9-5　両側性唇顎裂
〔鹿児島大学 中村典史先生提供〕

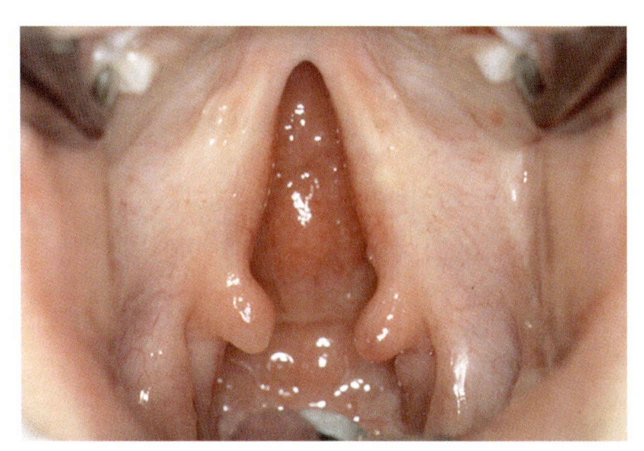
図9-6　口蓋裂
〔鹿児島大学 中村典史先生提供〕

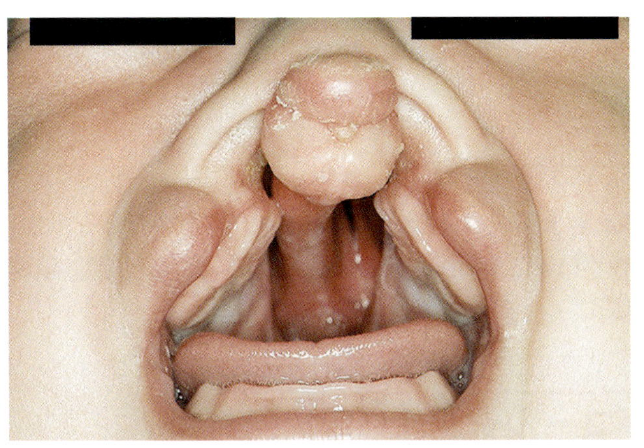
図9-7　唇顎口蓋裂
〔鹿児島大学 中村典史先生提供〕

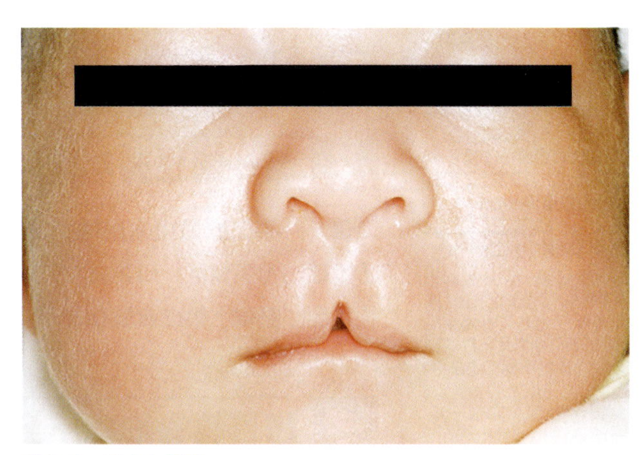
図9-8　正中上唇裂
〔鹿児島大学 中村典史先生提供〕

正中裂，斜顔裂，横顔裂[8]
midline cleft, oblique facial cleft, lateral facial cleft

4 その他の顔面披裂（正中裂，斜顔裂，横顔裂[8]）

唇裂，口蓋裂，唇顎口蓋裂以外の顔面披裂の発生頻度は比較的低い．左右の球状突起の癒合不全による正中上唇裂や上顎前正中歯槽裂，左右の下顎突起の癒合不全による正中下唇裂や下顎裂はきわめて稀である（**図9-8**）．

斜顔裂は外側鼻突起と上顎突起の癒合不全により生じ，披裂が人中側縁部から外鼻孔を経由し眼裂の内眼角に及ぶもの，人中側縁部から鼻翼外側を経由し眼瞼下縁に及ぶもの，口角部から頬部を経由し外眼角に及ぶもの，の3型に分けられる．口蓋裂や脳奇形などを合併することも多く，最も重篤な顎顔面奇形といえる．

横顔裂は上顎突起と下顎突起との癒合不全により生じ，口角と耳珠に至る頬部に披裂が生じる．多くの場合，他の奇形を合併し，副耳，耳介変形，外耳閉鎖，唇顎口蓋裂などを伴うとともに，第一第二鰓弓症候群，眼耳椎骨形成不全症，下顎顔面異骨症などの部分症としてもみられる．なお，横顔裂の一型として巨口症がある．

ロバン連鎖，ピエールロバン症候群[9]
Robin sequence, Pierre Robin syndrome

5 ロバン連鎖，ピエールロバン症候群[9]

［Chap.1（15頁），Chap.25（338頁）参照］

小顎症または下顎後退症，口蓋裂，舌下垂を主徴候とするが，一次奇形である下顎低形成が二次的に舌根部沈下と舌尖部の上方偏位による二次口蓋の閉鎖不全を引き起こした複合奇形と考えられる．小顎症により著しい鳥貌を呈し，口蓋裂はU字状で裂幅が広い．さらに舌根沈下による呼吸障害や吸気性気道閉鎖により胸骨陥凹などの胸骨変形も生じる．

Ⅲ―口腔，顔面の異常を示す奇形症候群

下顎顔面異骨症，トリチャー-コリンズ症候群[10]
mandiblofacial dysostosis,Treacher-Collins syndrome（OMIM #154500）：原因遺伝子として*TCOF1*の他に，*POLR1D*，*POLR1C*が知られている．

第一第二鰓弓症候群[11]
first and second branchial arch syndrome

眼耳椎骨形成不全症，ゴールデンハー症候群[12]
oculoauriculovertebral dysplasia, Goldenhar syndrome（OMIM % 164210）：特定の原因遺伝子は不明であるが，*TCOF1*に変異がみられる場合もある．

顔面半側性小口症[13]
hemifacial microsomia（OMIM % 164210）：原因遺伝子として*goosecoid*（*GSC*）が考えられているが，まだ不明である．

尖頭合指症，アペール症候群[14]
acrocephalosyndactyly, Apert syndrome（OMIM #101200）：常染色体優性遺伝を示すが遺伝によらないものもある．原因遺伝子である線維芽細胞増殖因子受容体2遺伝子（*FGFR2*）の変異箇所により生じる奇形症候に差異がみられる．また，*FGFR3*の変異により同様の奇形症候を示す場合もある．

頭蓋顔面異骨症，クルーゾン症候群[15]
craniofacial dysostosis, Crouzon syndrome（OMIM #123500）

口腔・顔面・指趾症候群[16]
Oro-Facial-Digital syndrome（OMIM #311200）

口腔・顔面・指趾症候群Ⅰ型[17]
Papillon-Léage and Psaumesches Syndrome：原因遺伝子*OFD1*（*CXORF5*）は左右軸形成を決定する線毛形成に関与する他，指趾形成時の*Hoxa*や*Hoxd*発現にも関与すると考えられている．

口腔・顔面・指趾症候群Ⅱ型[18]
Mohr syndrome

1 下顎顔面異骨症（トリーチャー-コリンズ症候群）[10]

[Chap.1（16頁），Chap.25（331頁）参照]

常染色体優性遺伝を示し，第一，第二鰓弓の栄養血管であるアブミ骨動脈の血行障害や神経堤細胞の移動異常により頬骨，下顎骨および外耳の両側性低形成を主徴とする．頬骨と下顎骨の低形成により眼瞼裂が外下方傾斜し，逆モンゴロイド型眼裂を示す．また，耳小骨や中耳の形成異常による難聴がみられ，オトガイ隆起無形成，口蓋裂，頬部に及ぶ舌状の毛髪異常などがみられる（**図9-9**）．

2 第一第二鰓弓症候群[11]

[Chap.25（332頁）参照]

第一，第二鰓弓由来組織である下顎と耳介に主たる形態異常があり，顔面非対称を示す．舌萎縮，舌尖偏位，口蓋裂などの半側性小口症，また，耳介無形成，副耳，外耳道閉鎖，伝導性難聴，眼瞼上類皮嚢胞などがみられる．

3 眼耳椎骨形成不全症（ゴールデンハー症候群）[12]

[Chap.1（15頁），Chap.25（332頁）参照]

前額隆起，片側小耳症，下顎枝や下顎頭の無形成による顔面非対称，口唇口蓋裂，眼奇形，脊椎側彎など多彩な奇形を示す（**図9-10**）．なお，眼耳椎骨形成不全症や第一第二鰓弓症候群などの奇形症候群を広義に含む眼耳椎骨形成不全スペクトラムを顔面半側性小口症[13]として整理することが試みられている．

4 尖頭合指症（アペール症候群など）[14]

[Chap.1（15頁），Chap.25（334頁）参照]

尖頭症と合指趾症を伴う奇形症候群には，アペール症候群（Ⅰ型），フォークト症候群（Ⅱ型）など5型が知られ，いずれも頭蓋縫合，特に冠状縫合の早期癒合により頭頂部が尖る塔状の頭蓋と顔面変形を示し，高口蓋や口蓋裂を伴うこともある（**図9-11**）．また，合指趾症を伴わず尖頭症のみを示す頭蓋顔面異骨症（クルーゾン症候群）[15]がある．

5 口腔・顔面・指趾症候群[16]

前頭部隆起，両眼隔離，鼻翼軟骨形成不全，頭蓋底形成不全などの顎顔面異常，分葉舌，各小帯肥厚，下顎切歯欠損などの口腔異常，多指趾症，合指趾症，彎指趾症などの指趾異常を伴う．さらに，唇顎口蓋裂，舌過誤腫，嚢胞腎，顆粒状皮膚変化などを示す場合もある．男性は致死性で，女性のみにみられるⅠ型[17]（伴性遺伝）と両性にみられ，下顎骨体部形成不全と伝導性難聴がみられるⅡ型[18]（常染色体劣性遺伝）の他，Ⅸ型まで報告がある．

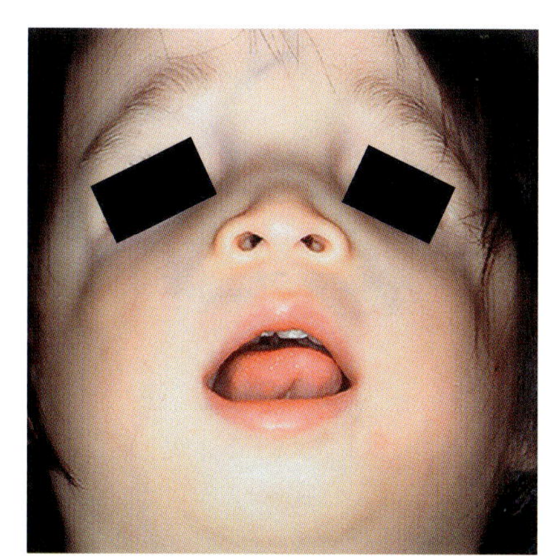

図9-9　トリーチャー-コリンズ症候群
〔鹿児島大学 中村典史先生提供〕

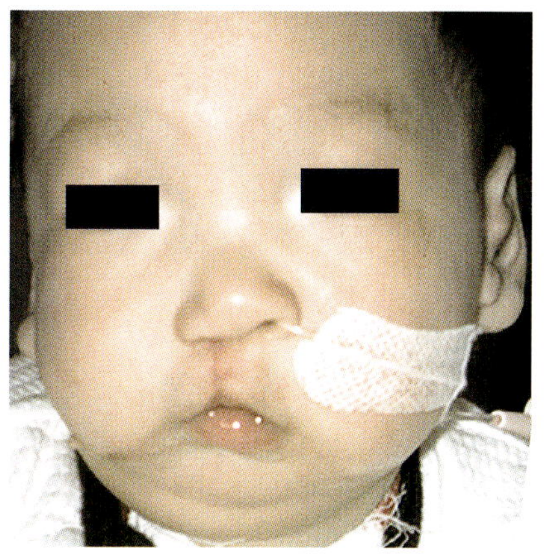

図9-10　ゴールデンハー症候群
〔鹿児島大学 中村典史先生提供〕

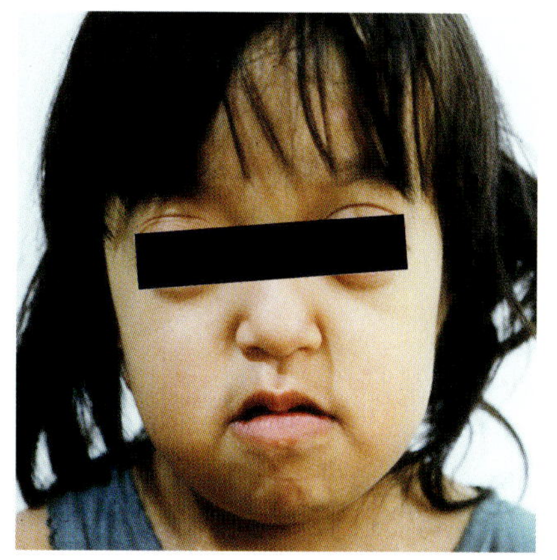

図9-11　アペール症候群
〔鹿児島大学 中村典史先生提供〕

全前脳胞症[19]
holoprosencephaly (OMIM %236100)：遺伝子変異として*HPE1* (21q22.3), *HPE2*(*SIX3*), *HPE3* (*SHH*), *HPE4* (*TGIF*), *HPE5* (*ZIC2*), *HPE6* (2q37.1), *HPE7* (*PTCH1*), *HPE8*(14q13), *HPE9* (*GLI2*), *HPE10* (1q41-q42), *HPE11* (*CDON*)が知られている．

6 全前脳胞症[19]

前脳の形成異常とともに前頭鼻突起，頭蓋冠の形成異常および唇裂，口蓋裂，鼻中隔欠損，人中欠損，単眼症など種々の顔面正中部の形成異常を伴う．異常の程度はさまざまであり，また，原因もさまざまで，飲酒，催奇形性物質，糖尿病などの環境因子と染色体異常（13トリソミーなど）やソニック-ヘッジホッグ遺伝子（*SHH*）など12以上の遺伝子変異が知られ，*SHH*の変異では正中歯や種々の指趾形成異常がみられる．

ダウン症候群[20]
Down syndrome (OMIM #190685)：出産年齢が高いほど出生頻度が増す．しかし，もともと35歳以下の妊娠が多いため，約80％は35歳以下の母親から出生している．また，過剰染色体は父親由来のこともある．

7 ダウン症候群[20]　[Chap.1（15頁），Chap.25（333頁）参照]

眼裂の斜上方傾斜や内眼角贅皮，平たく低い鼻根，小さな耳介など，特有の蒙古人様顔貌を示す他，短指症，心奇形など多彩な異常を示し，また，精神発育障害がみられ，白血病の発症頻度が高い．顎の発育不良，口蓋長の短縮，V字型下顎，大舌症，溝状舌，口唇口蓋裂，歯の欠如，歯列不正などがみられる．

減数分裂期の染色体不分離による第21番染色体トリソミーを示すが，過剰染色体の転座やモザイク型もある．出生児では最も多くみられる染色体異常で，出生頻度は約1/1,000，また，母親の加齢により卵子形成過程で生じる染色体不分離が増加するため，出産年齢が高いほど頻度が増す（**図9-12**）．

Ⅳ—中胚葉性，外胚葉性の異形成症

鎖骨頭蓋異形成症，鎖骨頭蓋異骨症[21]
Cleidocranial dysplasia, Cleidocranial dysostosis (OMIM #119600)：骨芽細胞の分化に関連する転写因子*RUNX2*(*CBFA1*)遺伝子に機能低下性の変異がみられ，変異によって症状の程度も異なる．

1 鎖骨頭蓋異形成症（鎖骨頭蓋異骨症）[21]

[Chap.1（15頁），Chap.25（333頁）参照]

膜内骨化により生じる鎖骨，頭頂骨，前頭骨などの形成障害がみられる．頭蓋では縫合部や泉門部の開存，間挿骨の介在，頭蓋底短縮など，恥骨では減形成，恥骨結合の無形成がみられる．口腔では狭く高い口蓋，口蓋裂，下顎角の拡大，交叉咬合，多数歯残存，多発性過剰歯，細胞性セメント質の無形成などがみられる（**図9-13**）．

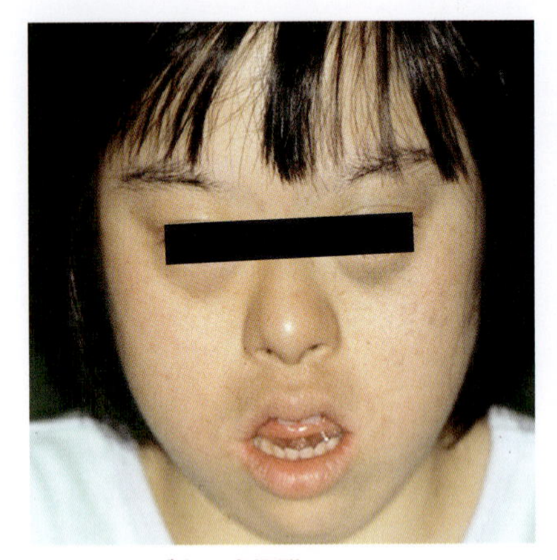

図9-12　ダウン症候群
〔鹿児島大学 中村典史先生提供〕

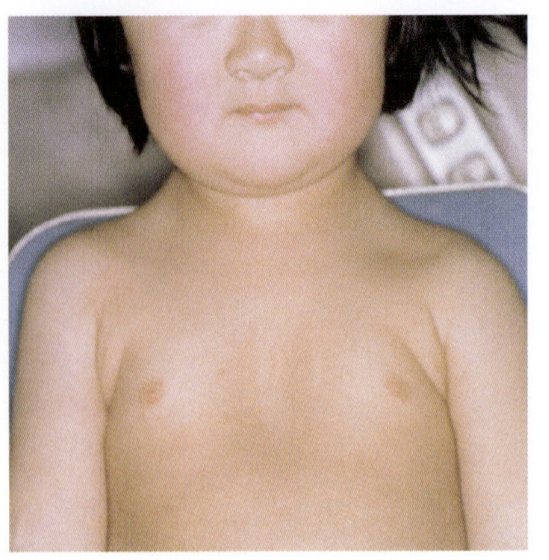

図9-13　鎖骨頭蓋骨異形成症
〔鹿児島大学 中村典史先生提供〕

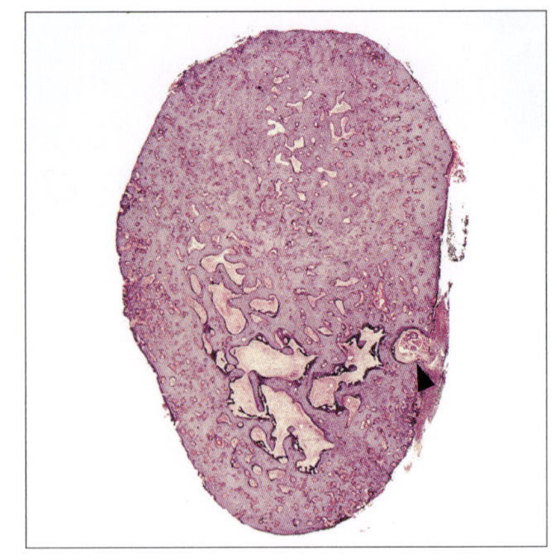

図9-14　成人型TypeII大理石骨病の下顎骨全額断面（矢頭は下歯槽管）
〔Semba, I. et al. 2000.[5]より〕

多骨性線維性異形成症（マッキューン-オールブライト症候群）[22]
polyostotic fibrous dysplasia, McCune-Albright syndrome（OMIM #174800）：細胞膜の情報伝達を担うG蛋白のαサブユニット遺伝子（*GNAS1*）に機能亢進性変異がみられ，顎骨の単骨性線維性骨異形成症でも同様の変異がみられる．

大理石骨病（アルベルス-シェーンベルグ病）[23]
osteopetrosis Albers-Schonberg desease（OMIM #166600）：成人型TypeIIでは破骨細胞刷毛縁細胞膜に存在する塩素イオンチャンネル蛋白の遺伝子（*CLCN7*）に変異が知られているが，早発性悪性型でも同遺伝子に変異がみられることがある．一方，同じ表現型でも遺伝子変異が不明のものもある．

骨形成不全症[24]
osteogenesis imperfecta（OMIM #166200）：遺伝型や症候によって，TypeI型（優性，青色強膜），IIA型（劣性，先天性），IIB型（劣性，*CRTAP*），III型（劣性，象牙質形成不全症），IV型（優性，象牙質形成不全症），V型（優性，先天性），VI型（優性，ALP上昇），VII型（劣性，*CRTAP*），VIII型（劣性，*LEPRE1*）が知られている．

軟骨無形成症[25]
achondroplasia（OMIM #100800）：線維芽細胞増殖因子受容体3遺伝子（*FGFR3*）の膜貫通領域に機能亢進性変異となる点変異（G380R）がみられる．常染色体優性遺伝であるが，約90％以上は健康な両親から生まれる新規突然変異とされる．

2　多骨性線維性異形成症（マッキューン-オールブライト症候群）[22]

［Chap.25（334頁）参照］

骨，皮膚および内分泌機能に異常がみられ，骨病変は線維性異形成症で，非対称性に生じ，下肢の長管骨，頭蓋骨，肋骨，顎骨などにみられる．皮膚では半身に限局する褐色色素斑，内分泌異常では性的早熟，下垂体性巨人症，クッシング症候群などがみられる．女性に多く，骨格の発育とともに骨病変の進行は停止する．

3　大理石骨病（アルベルス-シェーンベルグ病）[23]

破骨細胞の機能異常により骨吸収が障害され，骨リモデリング過程で骨形成が相対的に進行し，骨硬化や骨髄腔形成不全が生じる．常染色体劣性遺伝を示し幼児期に発症する致死性の早発性悪性型や，常染色体優性遺伝を示し成人期に発症する遅発性良性型（成人型）がある．

成人型では主に頭蓋冠に骨硬化がみられ，脊椎骨にはみられないTypeIと，主に頭蓋底と脊椎骨に変化がみられるTypeIIがあり，また，尿細管性アシドーシスを伴う型がある．成人型では骨折を繰り返し，骨髄炎，脳神経麻痺などがみられる．顎骨では齲蝕に続発する骨髄炎の頻度が高く，病的骨折もみられ，骨硬化が著しいため，治癒が遅延する（**図9-14**）．

4　骨形成不全症[24]

骨の主要な基質成分である膠原線維の形成異常による全身的な骨の減形成がみられる．多孔症，低石灰化により，易骨折，四肢変形，頭蓋骨の菲薄化，泉門開大，鼻根部陥凹などが生じる．先天性では生後1カ月以内に死亡し，遅発性では長軸発育は正常で，予後は良好である．

青色強膜，象牙質形成不全症，伝音系難聴，関節靱帯弛緩，斑状皮膚萎縮などを合併することもある．常染色体優性あるいは劣性遺伝を示し，I型コラーゲンα鎖分子（COL1A1，COL1A2），コラーゲン分子形成に関連する分子（LEPRE1，CRTAP）の遺伝子に変異がみられる．

5　軟骨無形成症[25]

内軟骨性骨化の異常により，出生時から四肢短縮を認め，低身長（成人で約125～130cm）を呈する．また，頭蓋が相対的に大きく，前額部突出，鼻根部陥凹，顔面正中部低形成，下顎突出などの特徴的顔貌と不正咬合がみられる．

乳幼児期には大孔狭窄と頭蓋底低形成による延髄や頸髄の圧迫のため頸部屈曲制限，四肢麻痺，中枢性無呼吸，睡眠時無呼吸症候群および水頭症がみられる．また，慢性中耳炎による伝音性難聴がみられることも多い．乳児期に運動発達遅延はあるが知能は正常である．成長とともに脊柱管狭窄による間欠性跛行，下肢麻痺，排尿障害などがみられる．

6 マルファン症候群[26] ［Chap.25（335頁）参照］

結合組織の基質微細線維の成分であるフィブリリンの異常により全身の結合組織の形成異常が小児期からみられ，骨格では高身長，長い四肢，くも指症，胸部変形などとともに，頭蓋顔面でも長頭症，高口蓋，口蓋裂，口蓋垂裂，歯列不正，過蓋咬合などがみられる．眼では眼球軸の伸張，角膜の平坦化，水晶体亜脱出がみられ，また，重症型では大動脈弛緩や弁膜不全などの心血管異常により出生直後に死亡する．

7 外胚葉異形成症[27]

遺伝性外胚葉異形成症（ED）には150型以上が知られているが，多くは稀である．外胚葉に由来する毛髪，皮膚，爪，歯などに多彩な形成異常がみられる．歯では無歯症，小歯症，円錐歯などがみられる．汗腺の形成不全を示す無汗型（ED1）はX染色体劣性遺伝を示し，男性により重篤な症状がみられる．また，免疫不全を伴うものもある．汗腺の形成不全を伴わない有汗型（ED2，ED3）は常染色体優性遺伝を示す．

8 先天性表皮水疱症[28] ［Chap.10（145頁）参照］

軽微な機械的刺激で皮膚や粘膜に水疱やびらんを生じる．幼少時から始まり長年にわたって症状が持続する．

単純型表皮水疱症[29]は常染色体優性遺伝で水疱が表皮内に生じ，水疱が治癒した後に瘢痕を残さない．接合部型表皮水疱症[30]は常染色体劣性遺伝で表皮と真皮の接合部に水疱が生じ，瘢痕は残さないが皮膚萎縮を残す．栄養障害型表皮水疱症[31]は真皮内に水疱が生じ，消化管粘膜病変のため栄養状態不良となる．常染色体優性遺伝を示し，親子にみられる優性栄養障害型と常染色体劣性遺伝を示し，合指（趾）症，肘や膝の関節拘縮，歯牙欠損などを伴う劣性栄養障害型がある．また，いずれの部位に水疱が生じても進行性の多型皮膚萎縮症状や光線過敏症があり，基底膜の重層化がみられる場合はキンドラー症候群[32]とされる．

V─口唇，頬部の異常

1 小口症[33]

口裂が小さいものを指すが，耳頭症，単眼症，無顎症など高度の頭蓋顎顔面形成異常に伴い生じるものと，頭蓋手足根骨異形成症（口笛顔症候群）における口輪筋の形成不全によるものとがあり，この場合は人中の延長，小鼻および小鼻翼などを伴う．

マルファン症候群[26]
Marfan syndrome（OMIM #154700）：遺伝形式は明らかではないが，結合組織の細胞外基質線維を構成するフィブリリン遺伝子（*FBN1*）に変異がみられる．

外胚葉異形成症[27]
ectodermal dysplasia（OMIM #305100）：ED1では上皮間葉情報伝達に関与すると考えられる*ectodysplasin-A*に，免疫不全を伴うものでは*IKK-γ*に，ED2では*connexin-30*に，また，ED3ではEDA受容体遺伝子に変異がみられる．なお，歯，毛，汗腺の発育異常を示すTabbyモデルマウスの変異遺伝子（*Tb*）はヒトEDA遺伝子と相同である．

先天性表皮水疱症[28]
epidermolysis bullosa

単純型表皮水疱症[29]
epidermolysis bullosa simplex（OMIM #131800）：トノフィラメントやヘミデスモゾームに異常が認められ，サイトケラチン5，14（*KRT5*，*KRT14*）遺伝子などの異常を示す．

接合部型表皮水疱症[30]
epidermolysis bullosa junctionalis（OMIM #226650, #226700）：ラミニン（*LAMA3, LAMB3, LAMC3*）やβ4インテグリン（*ITGB4*）遺伝子など表皮真皮境界部のヘミデスモゾームや基底細胞と基底膜をつなぐ係留線維の異常を示す．

栄養障害型表皮水疱症[31]
epidermolysis bullosa dystrophica：基底膜と真皮間の係留線維であるVII型コラーゲン（*COL17A1*）遺伝子の異常を示す．優性栄養障害型EBD，autosomal dominant（OMIM #131750）と劣性栄養障害型EBD，autosomal recessive（OMIM #226600）がある．

キンドラー症候群[32]
Kindler syndrome（OMIM #173650）：ケラチンと細胞間基質の連繋に関連するキンドリン1（*KIND1*）の遺伝子変異がみられる．

小口症[33]
microstomia

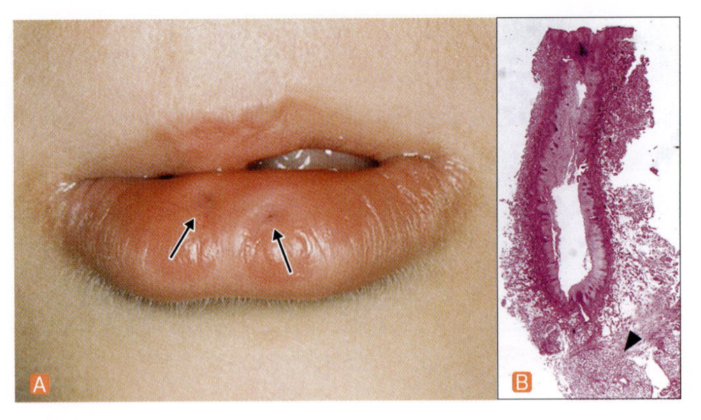

図9-15　先天性口唇瘻（矢印）および病理組織像（矢頭は粘液腺）

瘻管は重層扁平上皮で覆われ，底部には粘液腺の排泄導管が開口している．
〔鹿児島大学 中村典史先生提供〕

二重唇，巨唇症[34]
double lip, macrocheilia

2 二重唇，巨唇症[34]

胎生期の口唇粘膜に横走する唇溝は新生児でも赤唇と粘膜の間に浅い溝としてみられるが，この唇溝が残存すると赤唇と粘膜部が二分され，口唇が二重にみえる．上下口唇に生じるが上口唇に多い．また，先天性巨唇症では口唇の形成異常の他，血管腫やリンパ管腫により口唇の肥大が生じることがある．後天的に口唇の吸引癖や外傷，あるいはアッシャー症候群[35]に伴う巨唇症として二重唇が認められる．

アッシャー症候群[35]
Ascher syndrome (OMIM 109900)：甲状腺腫，眼瞼下垂，口唇浮腫性腫脹を主徴とする．

先天性口唇瘻・小窩および先天性口角瘻・小窩[36]
congenital lip fistula and pit, congenital commissural lip fistula and pit

3 先天性口唇瘻・小窩および先天性口角瘻・小窩[36]

上下口唇の傍正中部あるいは口角部に，両側性あるいは片側性に，先天性瘻あるいは小窩がみられる．瘻管は重層扁平上皮に覆われ，口腔との交通はないが10～20 mmの深さに及ぶこともある．上唇には稀であり，正中部の白唇部に生じ，皮膚付属器を伴う．唇裂（正中唇裂，側方唇裂）発生部に生じることから，左右の球状突起や内側鼻突起と上顎突起の癒合不全によると考えられる．下唇には比較的多くみられ，赤唇部に多く生じ，胎生期の下唇横溝（外側溝）の残存によると考えられる．瘻管に粘液腺の排泄導管が開口する場合があり，瘻孔から分泌物が出ることもある．

口角部にも比較的多くみられ，唇交連の赤唇部あるいは内側に生じ，上顎突起と下顎突起の癒合不全によるものと考えられる．また，下唇瘻と口角瘻では遺伝的要因（常染色体優性遺伝）が強いと考えられ，ファン-デル-ヴォウデ症候群[37]では唇顎口蓋裂などの顎顔面奇形に伴って生じる（**図9-15**）．

ファン-デル-ヴォウデ症候群[37]
van der Woude syndrome(OMIM #119300)：インターフェロン制御因子6（*IRF6*）遺伝子変異がみられ，この変異は口唇裂や口蓋裂の遺伝的寄与の12%を占める．

フォーダイス斑（顆粒）[38]
Fordyce spots (granules)：上顎突起と下顎突起の癒合により生じる頬縫合部には，癒合障害による溝が生じたり（頬溝），著しい線状隆起（頬隆起）が生じる場合がある．

4 フォーダイス斑（顆粒）[38]

口唇や頬粘膜，特に頬縫合部に多くみられる境界明瞭な黄白色の留針頭大の顆粒状の異所性脂腺である．肉眼的には円形または多角形の孤立性，または集合性の黄白色斑として認められる．脂腺は上皮内から粘膜固有層にまで認められるが，通常，毛を伴うことはない．

稀ではなく，女性の1/4，男性の1/3以上にみられ，男性では思春期以降に，女性では更年期以降に目立つようになり，その発育は男性ホルモンで促進され，女性ホルモンで抑制される．稀に歯肉，口蓋および舌に生じることもあり，外胚葉性口腔粘膜における異所性発育も考えられる．

咬筋肥大症[39]
hypertrophy of the masseter muscle：きわめて稀な病変として，先天性に身体片側の全体的あるいは部分的肥大を示す片側肥大症のうち，顔面頭蓋の片側肥大を示す顔面片側肥大症があり，この場合，眼球を除く前頭骨下方から下顎下縁に至る全ての骨や筋肉など軟組織の肥大がみられ，咬筋の限局性腫脹がみられる咬筋肥大症とは異なる．

5 咬筋肥大症[39]

両側性または片側性に，顎角部の咬筋に腫瘤状の腫脹がみられる．歯を食いしばったときに腫瘤が硬くなり，腫脹も明らかになる．20～30歳代の男性に多いとされる．

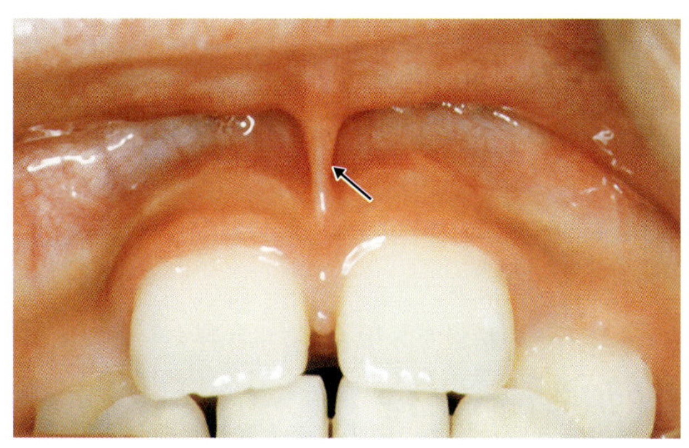

図9-16　上唇小帯異常（矢印）

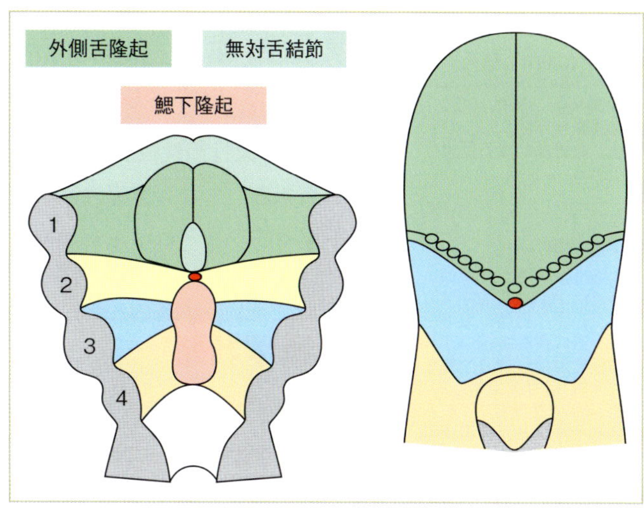

図9-17　胎生４週目の鰓弓と舌原基および舌領域
舌尖と舌体部は第一鰓弓の外側舌隆起と無対舌結節に由来し，舌根部は第二～第四鰓弓の鰓下隆起に由来する．
〔ラーセン W. J. 2003.[4] より〕

腫瘤部は正常な，あるいは肥大した横紋筋線維からなる．先天性のものは稀で，後天性の作業性肥大をもたらす習慣や顎関節障害などが考えられているが，原因は明らかではなく，特発性咬筋肥大症ともいう．

6 小帯の異常

口腔には下唇小帯，上唇小帯，頬小帯および舌小帯があり，これらの形態，数および付着位置には生理的変異が大きい．上唇小帯は内側鼻突起から生じ，口腔前庭を二分するように正中部の上唇粘膜と切歯乳頭の間に存在する口蓋口唇繋帯が退縮し，唇側歯槽粘膜上部に残存したものである．この退縮が不十分である場合，歯の萌出後も太い小帯として残り，上顎中切歯の正中離開をきたす．また，このような口蓋口唇繋帯残存[40]の他に，二裂小帯，重複小帯および陥凹小帯などがみられる（**図9-16**）．

舌小帯は，新生児では成人に比べ太く，より舌尖部に付着しているが，舌の成長に伴い次第に退縮し，細くなり，舌下面と舌下小丘との間に残存する．幅広い舌小帯が残存すると舌尖部が舌下小丘に固定され部分的舌癒着症が生じる．

口蓋口唇繋帯残存[40]
remnant of tectolabial frenum

鰓下隆起[41]
hypopharyngeal eminence

外側舌隆起[42]
lateral lingual swellings：口腔・顔面・指趾症候群Ⅰ型では口腔異常として，外側舌隆起の過形成による多分葉舌や舌癒着症に伴う上唇小帯，頬小帯および舌小帯の過形成がみられる．

無対舌結節（正中舌芽）[43]
tuberculum impair (medial tongue bud)

無舌症，小舌症[44]
aglossia, microglossia

Ⅵ—舌の異常

舌原基は舌根部を生じる第二～第四鰓弓までの腹側部の鰓下隆起[41]と，舌尖，舌体部を生じる第一鰓弓由来の左右一対の外側舌隆起[42]および正中部の無対舌結節（正中舌芽）[43]からなる．舌粘膜上皮の前方2/3は外胚葉由来で，有郭乳頭より後方は内胚葉由来である（**図9-17**）．

1 無舌症，小舌症[44]

舌原基の高度な発育障害により舌が形成されず，嚥下障害や嚥下性肺炎などにより新生児期に死亡することが多い．小舌症では舌前方2/3が欠如することが多い．

遺伝性因子より子宮内環境の異常に起因し，舌指形成不全症候群では妊娠早期の羊膜破綻により生じた膜線維が胎児に絡まり生じると考えられている．この場合，四肢の形成が種々の程度に障害される他，第一弓に由来する上顎突起や下顎突起の発育障害も生じ，オトガイが後退した鳥貌を呈する．

巨舌症[45]
macroglossia：後天的にはアミロイドーシスなどの蓄積症，慢性炎症，血管運動性浮腫，リンパ管腫，血管腫による巨大舌がある．

ベックウィズ-ウィーデマン症候群[46]
Beckwith-Wiedemann syndrome（OMIM #130650）：巨舌，腹壁欠損，過成長を主徴とする先天奇形症候群で，胎児性腫瘍（肝芽腫，横紋筋肉腫，Wilms腫瘍など）を伴うことがある．原因遺伝子座（11p15.5）にある遺伝子（*KIP2*や*IGF2*）の変異による*KIP2*（*CDKN1C*）発現低下やメチル化異常による*IGF2*発現亢進がみられる．

舌甲状腺[47]
lingual thyroid

甲状舌管囊胞[48]
thyroglossal duct cyst

甲状舌瘻[49]
thyroglossal fistula

2 巨舌症[45]

舌全体または一部が著しく肥大した状態を指し，原因は多様である．先天性では先天性筋線維肥大（先天性筋性巨舌症）およびダウン症候群やベックウィズ-ウィーデマン症候群[46]に伴うものがある．また，腫瘍性巨舌症としてリンパ管腫や血管腫，症候性巨舌症として甲状腺機能低下症や筋ジストロフィーの部分症としてみられる．

3 舌甲状腺[47]

主に舌根正中部の舌盲孔部分に存在する異所性甲状腺であり，固有甲状腺をもつ場合と，もたない場合がある．10歳代に多く発見され，女性に多い．

甲状腺の原基は胎生3～4週頃に無対舌結節後方の内胚葉に由来する上皮が陥凹し，甲状軟骨まで下降した上皮先端が肥大して生じる．胎生5週頃には，舌と甲状腺原基をつなぐ上皮性の甲状舌管は退縮し，舌側には舌盲孔が残る．甲状腺原基の下降が生じないと舌根部に異所性甲状腺が生じ，固有甲状腺が欠如するが，下降が不完全な場合は舌根部から舌骨前部，甲状軟骨表面にかけて異所性甲状腺が生じる．また，残存した甲状舌管から甲状舌管囊胞[48]が生じ，さらに自然破裂して頸部正中線上の皮膚に開口し，甲状舌瘻[49]を形成することがある．

（仙波伊知郎）

- [ ] 1 頭部神経堤細胞と鰓弓および脳神経の関係を説明できる．
- [ ] 2 顔面突起と顔面披裂奇形の関係を説明できる．
- [ ] 3 口蓋裂の発生機序を説明できる．
- [ ] 4 ロバン連鎖を説明できる．
- [ ] 5 尖頭合指趾症の発生機序を説明できる．
- [ ] 6 ダウン症候群の特徴を説明できる．
- [ ] 7 頭頸部に異常を示す骨異形成症の例を列挙できる．
- [ ] 8 口腔軟組織にみられる奇形の例を列挙できる．
- [ ] 9 舌と甲状腺の発生と奇形を説明できる．
- [ ] 10 外胚葉性形成異常を説明できる．

References

1）Shum, L. et al.：Embryogenesis and the classification of craniofacial dysmorphogenesis. Oral and Maxillofacial Surgery Volume 6. Cleft/Craniofacial/Cosmetic Surgery（ed. by Fonseca, R. J.）. W. B. Saunders,Philadelphia, 149～194, 2000.
2）Kuratani, S.：Evolution of the vertebrate jaw：comparative embryology and molecular developmental biology reveal the factors behind evolutionary novelty. J. Anat., 205：335～347, 2004.
3）Semba, I. et al.：Positionally dependent chondrogenesis induced by BMP4 is co-regulated by Sox9 and Msx2. *Dev. Dyn.*, 217：401～414, 2000.
4）ラーセンW. J.：最新人体発生学 第2版．西村書店，新潟，2003.
5）Semba, I. et al.：Osteoclastic higher demineralization and highly mineralized cement lines with osteocalcin deposition in a mandibular cortical bone of autosomal dominant osteopetrosis Type II：Ultrastructural and undecalcified histological investigations. *Bone*, 27：389～395, 2000.
6）Online Mendelian Inheritance in Man®（OMIM®）, An Online Catalog of Human Genes and Genetic Disorders. URL：https://www.omim.org
7）内田安信ほか編：顎口腔外科診断治療体系．講談社，東京，1991.
8）スラブキンH. C.：頭蓋顎顔面の発生生物学．西村書店，新潟，1992.
9）倉谷 滋ほか：神経堤細胞 脊椎動物のボディプランを支えるもの．東京大学出版会，東京，1997.
10）ラーセンW. J.：最新人体発生学 第2版．西村書店，新潟，2003.
11）高木 實監：口腔病理アトラス 第3版．文光堂，東京，2018.

【6）～11）は参考文献】

Chapter 10

臨床症状からみた口腔粘膜疾患

口腔粘膜疾患は，口腔内を肉眼的に見ることができるので，肉眼所見をもとに分類される場合が多い．本章でもこれにならい，水疱性病変，潰瘍性病変，赤色病変，白色病変および黒色病変に分類して解説する．

I—水疱性病変

口腔粘膜の水疱性病変は，内部に液体を満たした水疱とよばれる水ぶくれを特徴とし，しばしば破れて潰瘍として観察されることもある．その中の代表として，ウイルス・細菌性疾患や物理的刺激が原因となるものを除いた水疱症がある．水疱症は免疫異常によって生じる自己免疫疾患と，遺伝子異常による先天性疾患の2つに大別される．

1 ウイルス性感染症

口腔粘膜には，ヘルペスウイルス（単純疱疹，疱疹性口内炎，口唇ヘルペス），水痘・帯状疱疹ウイルス（帯状疱疹）ヘルパンギーナ，エンテロウイルスやコクサッキーウイルスA群（手足口病，ヘルパンギーナ）の感染によって，特徴的な小水疱（疱疹，ヘルペス）が出現することがある．

2 天疱瘡[1]

天疱瘡は自己抗原[2]に対する自己抗体[3]が形成されることによって発症する自己免疫疾患[4]で，自己抗原は表皮や粘膜上皮の細胞間接着装置（**図10-1**）に存在する天疱瘡抗原で，これに対する自己抗体によって上皮細胞間の接着が破壊され，上皮内の水疱を形成する．尋常性天疱瘡[5]と落葉性天疱瘡に大きく分かれ，それぞれの亜型に増殖性天疱瘡や紅斑性天疱瘡がある．発病の平均年齢は50歳前後で，小児には稀である．性差はない．尋常性天疱瘡はさらに主として口腔粘膜に発症する粘膜優位型と，皮膚口腔粘膜ともに発症する皮膚粘膜型がある．口腔では尋常性天疱瘡が最も多く，落葉性天疱瘡はみられない．歯肉に生じたものでは臨床的に慢性剝離性歯肉炎[6]としてみられることがある．その他に血液系腫瘍（多くは悪性リンパ腫）の発症に伴い水疱形成を生じるものもある（腫瘍随伴性天疱瘡）．

尋常性天疱瘡では，皮膚の水疱に先行して口腔粘膜の水疱がみられる．軟口蓋および頰粘膜が好発部位である．水疱は容易に破れ，有痛性で多発性のびらんを生じる．また，水疱がみられない部分の粘膜でも擦過により容易に上皮が剝離する．この現象をニコルスキー現象[7]という．口腔粘膜に生じた水疱は，食事などで容易に破裂し，びらんや潰瘍を形成する．皮膚では，水疱が直径10cmを超える場合もあり，水疱破裂後に感染を伴うと重篤な皮膚炎となる．全身性に広がると予後不良で，ステロイドの大量投与が行われるが，死に至る場合も多い（難病指定）．

病理組織学的には，皮膚の表皮や口腔の粘膜上皮の細胞間水腫と棘細胞間の細胞間結合の消失（棘融解[8]）がみられ，基底層上部に水疱（上皮内水疱[9]）が形成される．水疱内には，棘融解

天疱瘡[1]
pemphigus

自己抗原[2]
autoantigen

自己抗体[3]
autoantibody

自己免疫疾患[4]
autoimmune disease

尋常性天疱瘡[5]
pemphigus vulgaris

慢性剝離性歯肉炎[6]
chronic erosive gingivitis

ニコルスキー現象[7]
Nikolsky's sign：皮膚科医 Pyotr V. Nikolsky（1858～1940）が記載した．

棘融解[8]
acantholysis：有棘細胞が細胞間接着装置の傷害によって互いに遊離する現象．

上皮内水疱[9]
intraepithelial bulla：傍基底細胞より表層の有棘細胞間の結合が崩壊して生じる水疱．尋常性天疱瘡の場合は，デスモグレイン（Dsg1，3）に対する自己抗体によってデスモゾームの傷害による水疱形成がみられる．破裂しやすい弛緩性水疱．

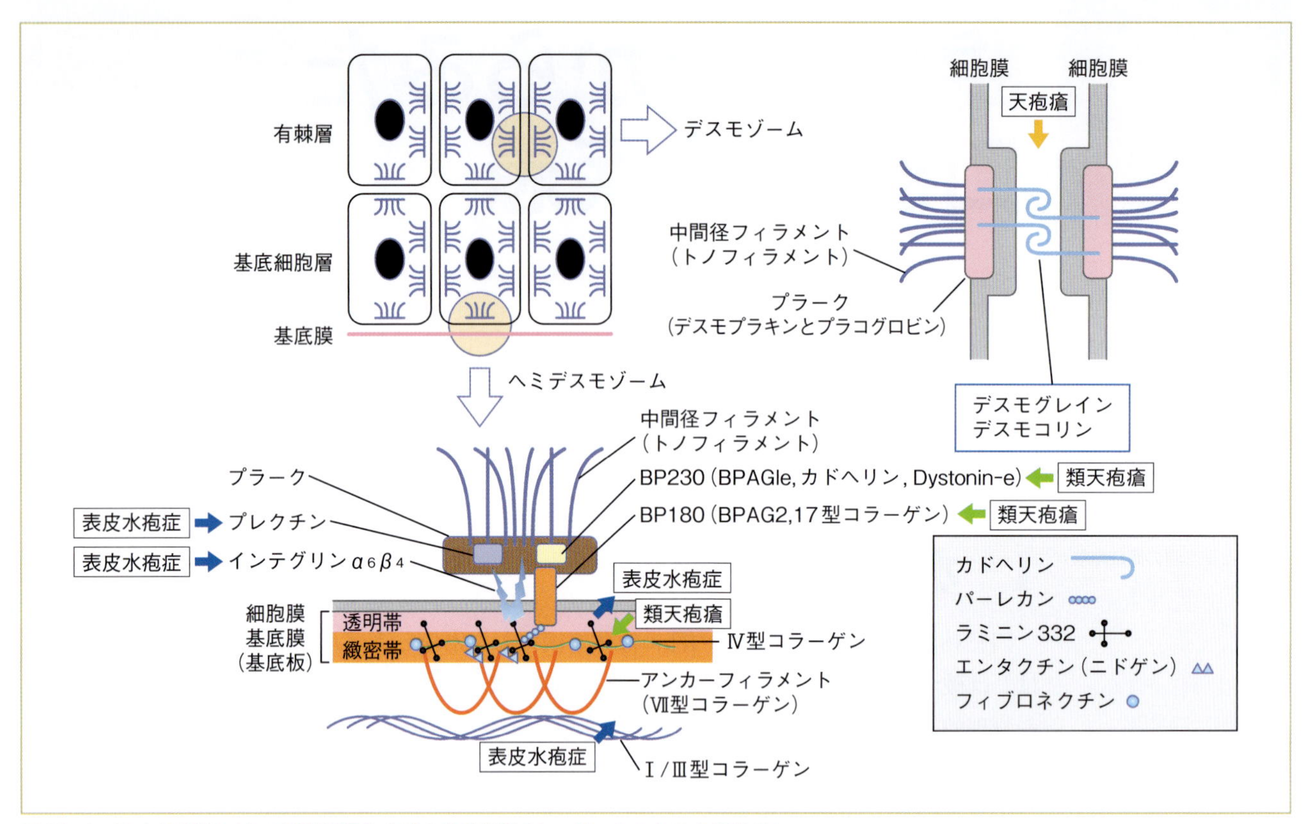

図 10-1　表皮（粘膜上皮）の接着装置と水疱の発症機転（ターゲットとなる自己抗体）

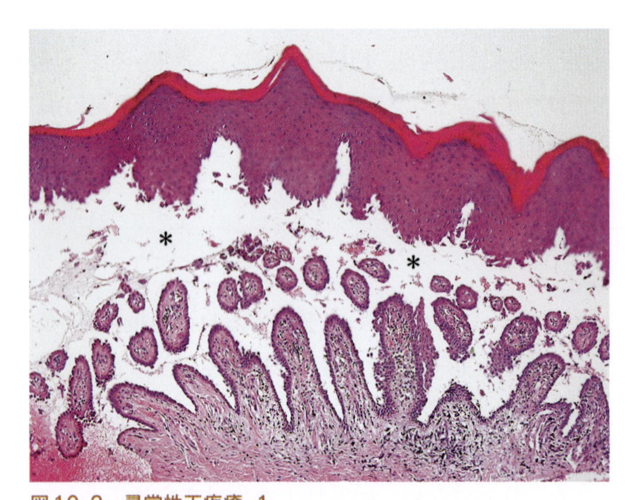

図 10-2　尋常性天疱瘡-1

棘細胞融解による水疱がみられる（＊上皮内水疱）.

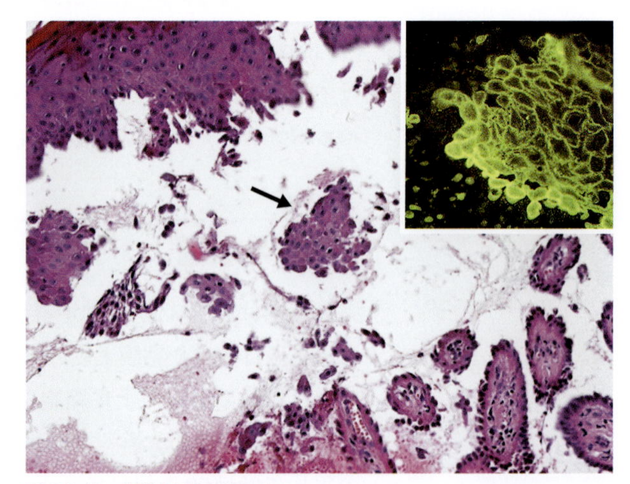

図 10-3　尋常性天疱瘡-2

基底層あるいは傍基底層から上皮細胞が剝離して基底細胞上水疱（上皮内水疱）内に島状に浮遊している（ツァンク細胞矢印）. 天疱瘡抗原に対する自己抗体IgGは上皮細胞間に沈着しているため, 蛍光を標識すると, タイルの目地のように細胞間に沈着するのがわかる（蛍光免疫染色像, 右上挿入図）.

ツァンク細胞[10]
Tzanck cell：皮膚科医 Arnault Tzanck（1886-1954）の名をとって名付けられた. 水疱中の大型の細胞をツァンク細胞とよび, ギムザ染色（Giemsa stain）で同定する試験をツァンク試験という.

天疱瘡抗原[11]
pemphigus antigens

デスモゾーム[12]
desmosome

によって遊離したN/C比の高い上皮細胞（ツァンク細胞[10]）が単独あるいは小集塊で浮遊している. 上皮下結合組織における炎症反応は比較的軽度である（**図 10-2, 3**）.

天疱瘡抗原[11]は, 棘細胞間結合（デスモゾーム[12]）に存在するデスモグレイン1（Dsg1）あるいは3（Dsg3）が抗原タンパクであり, 粘膜優位型では傍基底細胞層に最も多く発現するDsg3が, 皮膚粘膜型ではDsg1とDsg3が抗原となる. これらに対する自己抗体が沈着すると棘融解が生じる. 基底細胞は基底膜とヘミデスモゾームで結合されているので, 傷害を受けず, 粘膜固有層の結合組織側に残る結果, 上皮内水疱となる（**図 10-1**）.

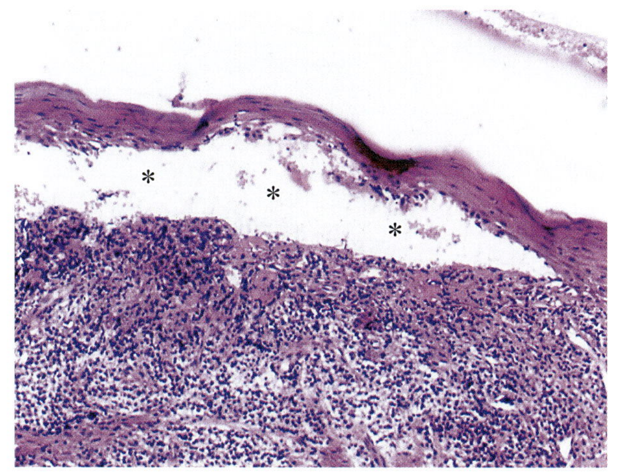

図10-4　類天疱瘡
上皮全層が一塊になって粘膜固有層の結合組織から剥離するため，基底細胞と基底膜の間に亀裂が生じて水疱が形成される（*：基底細胞下水疱，上皮下水疱）．粘膜固有層では炎症性細胞浸潤の著明な肉芽組織がみられる．

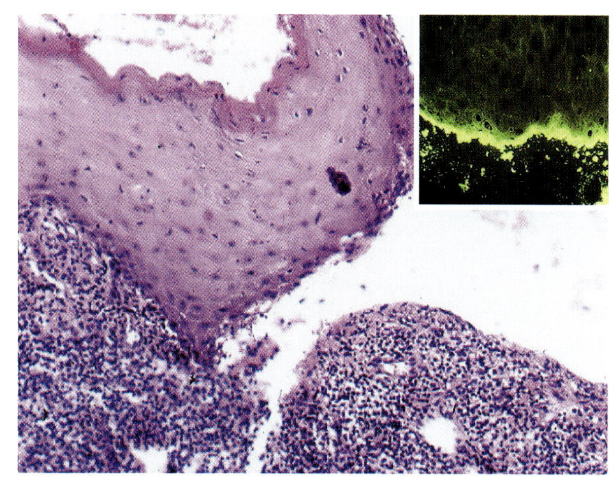

図10-5　類天疱瘡（拡大図）
類天疱瘡抗原に対する自己抗体IgGは粘膜上皮の基底細胞と基底膜間に沈着するため，IgGに蛍光を標識すると，剥離した粘膜上皮の端に直線状に沈着するのがわかる（蛍光免疫染色像，挿入図）．

3 類天疱瘡[13]

類天疱瘡[13] pemphigoid
類天疱瘡抗原[14] pemphigoid antigen
良性粘膜類天疱瘡[15] benign mucous membrane pemphigoid
水疱性類天疱瘡[16] bullous pemphigoid
上皮下水疱[17] subepithelial bulla

類天疱瘡は，類天疱性抗原[14]とよばれる自己抗原に対して形成された自己抗体（類天疱瘡抗体）によって，基底細胞の基底側に存在するヘミデスモゾームが傷害されて基底細胞下に水疱（上皮下水疱）を形成する自己免疫性水疱性疾患である．粘膜に生じる良性粘膜類天疱瘡[15]と，皮膚や粘膜に生じる水疱性類天疱瘡[16]に分けられる．50歳代の女性に好発する．良性粘膜類天疱瘡は眼の症状を伴うことが多く，結膜に小水疱形成がみられる．口腔内では，刺激を受けやすい歯肉を中心に，舌，頰粘膜などに小さな水疱形成がみられ，びらんや潰瘍形成後に剥離性歯肉炎の臨床症状を示すことが多い．対症療法的にステロイドによる軽減策がとられる．

病理組織学的には，上皮と粘膜固有層との間に水疱形成（上皮下水疱[17]）がみられ，水疱直下の結合組織には，好中球，リンパ球，形質細胞などの炎症性細胞浸潤が著明にみられる．基底膜と基底細胞間に自己抗体（類天疱瘡抗体）であるIgGの沈着がみられる（**図10-4，5**）．

類天疱瘡抗原は，基底細胞と基底膜の結合（ヘミデスモゾーム）に存在する180kDのタンパクのBP180（BPAG2，17型コラーゲン）や，230kDaタンパクのBP230（BPAG1e, Dystonin-e）が知られている．

4 表皮水疱症[18]

表皮水疱症[18] epidermolysis
先天性表皮水疱症[19] epodermolysis bullosa hereditaria
後天性表皮水疱症[20] epidermolysis bullosa acquista

軽微な機械的刺激に対して，主として表皮に水疱を生じる病態の総称で，先天性表皮水疱症と後天性表皮水疱症に分けられる（**表10-1**）．先天性表皮水疱症[19]では，遺伝子変異のためにデスモゾームによる棘細胞結合形成が傷害されて上皮内水疱を示すか，基底細胞の基底膜接着が傷害されて上皮下水疱が生じる．一方，後天性表皮水疱症[20]では，基底膜に繋留するⅦ型コラーゲン（**図10-1**参照）に対する自己抗体によって，上皮層全体が真皮や粘膜固有層から剥離して上皮下水疱を形成する．口腔内では粘膜全体に水疱，びらんや潰瘍が繰り返しみられるため，舌硬直症や小口症もみられる．

先天性表皮水疱症は，新生児・幼児期から発症する常染色体優性または劣性遺伝性疾患で，複数の異なる発症機序による病態があり，デスモゾームの形成に関連する遺伝子の変異によって上皮内水疱が生じる単純型，基底細胞の接着因子などの遺伝子変異によって上皮下水疱を生

表 10-1 表皮水疱症の種類

疾患名	水疱	病態・症状
先天性表皮水疱症		常染色体劣性または優性の遺伝形式
単純型	表皮・上皮内水疱	デスモゾーム傷害
ヘミデスモゾーム型	上皮下水疱	基底細胞の接着因子傷害
接合部型	上皮下水疱	基底膜の形成・接着傷害，致死性
栄養障害型	上皮下水疱	複数の遺伝形式，エナメル質形成不全，Ⅶ型コラーゲンの異常
後天性表皮水疱症	上皮下水疱	Ⅶ型コラーゲンに対する自己抗体

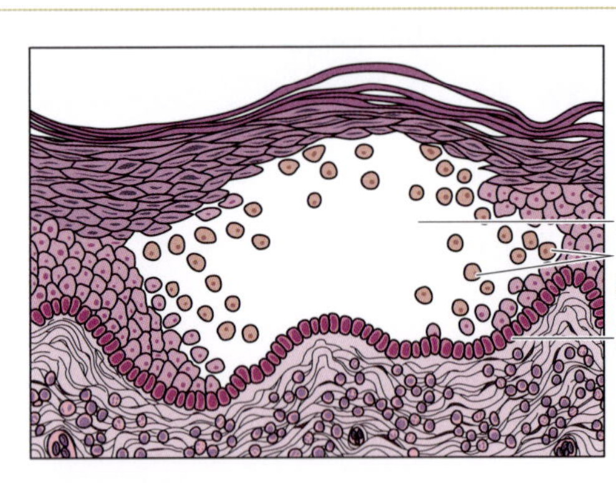

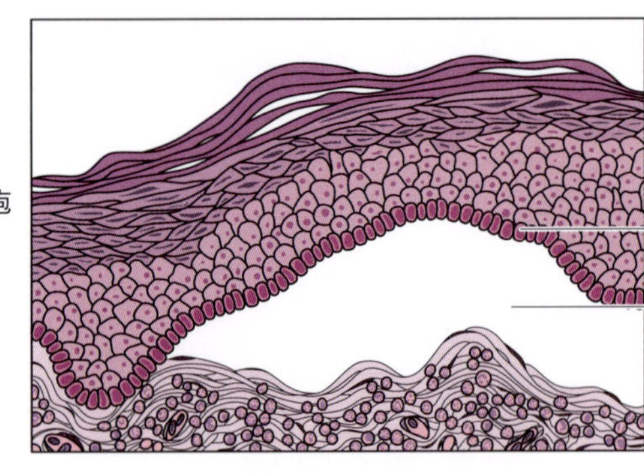

図 10-6 水疱の模式図
〔下野正基：口腔の病理．南山堂，東京，301，1993．の図15-5，6より〕

じるヘミデスモゾーム型，基底膜の形成・接着傷害による上皮下水疱を生じる接合部型，さらに複数の遺伝形式により上皮下水疱を形成する栄養障害型に分類される．筋ジストロフィーや幽門閉鎖症あるいは歯ではエナメル質形成不全（エナメル質減形成）を伴うこともある（**表 10-1**）．

水疱破裂後の潰瘍と瘢痕化が繰り返す経過中に扁平上皮癌を発症することがあり，前癌状態[21]として位置づけられていた．口腔症状の処置のために歯科を受診することがあるが，基本的に皮膚科で管理される．治療は現在のところ，対症療法のみである（難病指定）（**図 10-6**）．

前癌状態[21]
precancerous condition：Chap.12の169参照．

Ⅱ—赤色病変

口腔粘膜の赤色病変は，口腔粘膜が薄くなり，粘膜固有層の血管結合組織が反映されるために，ビロード状の鮮やかな紅色になるのが特徴である．多くの場合に初発症状として刺激痛がある．また赤色病変には前癌病変が含まれるので，確定診断のために生検が必要となることもある．

1 多形滲出性紅斑[22]

皮膚に多発する同心円状の特徴的な紅斑で，発赤は真皮の炎症反応による．四肢に限局する軽症型と全身症状を伴う重症型がある．軽症型は春から夏にかけて若年女性に多い．重症型は，紅斑ならびに水疱性発疹が口腔を含めて全身性に広がり，発熱を伴う．重症型にはスティーブンス-ジョンソン症候群[23]（SJS．表皮の剝離性病変が体表面積の10％未満），中毒性表皮壊死症[24]（TEN．水疱性の薬疹[25]で表皮の剝離性病変が体表面積の10％以上），薬剤性過敏症候群などがある．

紅斑の多くは，類円形で，周縁部がやや黄白色を帯びて隆起する．大きなものでは，直径3cm程度に及ぶ．紅斑領域内に潰瘍を伴うと，黄白色のフィブリン性偽膜と紅斑により同心

多形滲出性紅斑[22]
erythema multiforme

スティーブンス-ジョンソン症候群[23]
Stevens-Johnson syndrome：小児科医 Albert M Stevens と Frank C Johnson.

中毒性表皮壊死症[24]
toxic epidermal necrosis（TEN）

薬疹[25]
drug eruption

表10-2　膠原病

全身性エリテマトーデス 全身性強皮症 多発性筋炎／皮膚筋炎 混合性結合組織病 シューグレン症候群

表10-3　関節炎を主症状とする疾患

関節リウマチ 　悪性関節リウマチ 　Felty症候群 若年性特発性関節炎 成人Still病 強直性脊椎炎 反応性関節炎 乾癬性関節炎

表10-4　血管炎を主症状とする疾患（血管炎症候群）：病変の血管サイズに基づいた分類

小型血管炎	ANCA関連血管炎	多発血管炎性肉芽腫症（ウェゲナー肉芽腫症） 好酸球性多発血管炎性肉芽腫症（アレルギー性肉芽腫性血管炎） 顕微鏡的多発血管炎
	免疫複合体性小型血管炎	シェーンライン－ヘノッホ紫斑病 クリオグロブリン血症性血管炎
中型血管炎		結節性多発動脈炎 川崎病
大型血管炎		巨細胞性動脈炎（側頭動脈炎） 高安動脈炎（大動脈炎症候群，脈なし病）
その他		血管ベーチェット病

ANCA：antineutrophil cytoplasmic antibody（好中球細胞質抗体）

円状にみえる．口腔内でも紅斑が複数形成されることがある．原因は特定できていないが，いわゆる感染アレルギーが示唆されている．

病理組織学的には，病変部粘膜の本来の層構造が消失して肉芽組織化した背景に，血管周囲にさまざまな密度のリンパ球主体の慢性炎症性細胞浸潤がみられる．紅斑辺縁部では上皮過形成を示す．潰瘍は非特異的である．治療はステロイドが奏功する．

全身性で重症の場合には，発熱とともに口腔・眼瞼・外陰などの粘膜に紅斑性病変がみられる．出血や水疱形成が激しいSJSでは，水疱が破裂して，びらん・潰瘍が口唇から口峡部にまで及ぶ．口腔粘膜の症状は最も重篤で，疼痛のために摂食不能となる．水疱性薬疹の原因に薬物服用歴が特定される場合には，TENとして区別されるが，本態は重症型の多形滲出性紅斑と同一とみなされている．TENでは皮膚は大型シート状に落屑し，火傷様を示す．原因となる薬剤があれば中止する．いずれも致死率が高く，失明などの後遺症を伴う．

2 紅斑性狼瘡（エリテマトーデス）[26]

紅斑性狼瘡（エリテマトーデス）[26]
lupus erythematosus (LE)：皮膚を含めた全身臓器を侵す病態（全身性エリテマトーデス，SLE）と皮膚限局病変（円板状エリテマトーデス，DLE）を含めた総称で，ラテン語のループスはオオカミの意味．紅斑部が狼に咬まれた跡のような発疹を示すことから．

Ⅲ型アレルギー[27]
typeIII allergy：免疫複合体の沈着によって生じる炎症反応．

免疫複合体[28]
immune complex

顔面をはじめ，露出部皮膚に生じる紅斑を主徴とするⅢ型アレルギー[27]による自己免疫疾患である．多量の免疫複合体[28]が細網内皮系の処理能力を超えて諸臓器の結合組織に沈着して臓器症状が現れる．腎障害と中枢神経系の障害が重要である．家族性に発生することから，遺伝的背景が指摘されているが，責任遺伝子は不明である．

自己免疫応答の生じる原因としては，ウイルス感染などが指摘されている．自己抗原には，自己の細胞の核・DNAに対する抗核抗体の抗スミス（Sm）抗体，抗dsDNA抗体や抗DNA-ヒストン抗体（LE因子）が出現する．また，その他の自己抗体として，リウマトイド因子（RF），抗リン脂質抗体，抗リンパ球抗体が血中に出現することもある．これらの免疫複合体が血管壁に沈着し，これをマクロファージが処理してリンパ球が反応する過程で補体系も活性化し，炎症反応が進行する．

一般に，皮膚，筋，関節などの炎症が自己免疫疾患（免疫的），結合組織の炎症（病理学的）とリウマチ性疾患（臨床的）に共通したものを膠原病とよぶ（**表10-2**）．その他の膠原病や膠原病類縁疾患には関節や血管にフィブリノイド変性や炎症が生じ，骨や筋の疼痛を伴う場合がある（**表10-3，4**）．かつては紅斑性狼瘡の診断にはLE因子と補体成分が破壊された細胞に沈着し，これを貪食した好中球（LE細胞）を用いたが，現在では抗核抗体の検出が発展してきたため，使用されていない．

全身性紅斑性狼瘡[29]
systemic lupus erythematosus (SLE)

自己の抗原種と臨床病態によって，全身性紅斑性狼瘡（全身性エリテマトーデス，SLE）[29]と

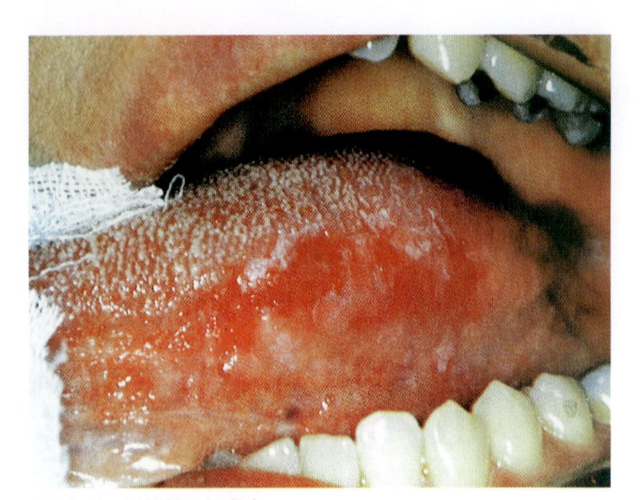

図10-7 舌縁部の紅斑症

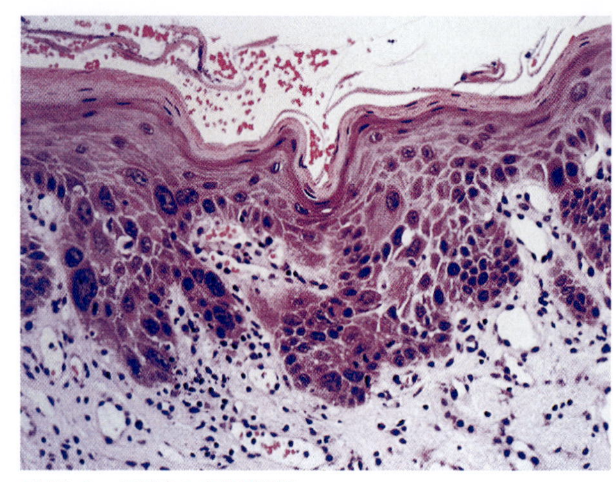

図10-8 紅板症の病理組織像
浸潤癌像を示す.

円板状紅斑性狼瘡[30]
discoid lupus erythematosus (DLE)

蝶形紅斑[31]
butterfly patch

レイノー現象[32]
Raynaud phenomenon：フランスの内科医 Maurice Raynaud. 寒冷や情動で手指が蒼白あるいは暗紫色のチアノーゼを示す現象.

円板状紅斑性狼瘡(DLE)[30]に区別される. DLEはSLEよりも病状が軽度で皮膚限局性である. SLEは圧倒的に女性に多く(男：女=1：9〜10), 青年期に発症して, 軽快増悪を繰り返す. 紅斑が両頬の皮膚に左右対称性に発症すると, 蝶形紅斑[31]とよばれる特徴的な皮膚病変を示す. SLEでは顔面の他に, 紅斑, 光線過敏症, レイノー現象[32]などの皮膚症状や胸膜炎などの全身症状が出現する. 免疫複合体の沈着は腎糸球体に特徴的ないわゆるワイヤーループ病変やヘマトキシリン体を形成し, その結果, タンパク尿や細胞円柱が症候となる腎障害を惹起する. 神経障害, 血球・血清の異常がみられることもある. 口腔粘膜に紅斑を生じて, びらんが拡大するが, 他の紅斑性病変と大きな差はない. 現在, WHOではDLEは口腔潜在的悪性疾患(前癌状態)とされている.

病理組織学的には, 血管炎が基本的な組織変化であり, 小血管周囲にフィブリノイドが沈着して, 慢性炎症性細胞の浸潤を伴う. 皮膚科・内科で管理されるが, 口腔病変のために歯科に対診される. シェーグレン症候群や他の自己免疫性疾患と症状がオーバーラップすることがある. 治療はステロイド療法が基本となる(難病指定).

診断基準は, ①蝶形紅斑, ②円板状皮疹, ③日光過敏症, ④口腔潰瘍, ⑤関節炎, ⑥漿膜炎(胸膜炎, 心膜炎), ⑦腎症状(タンパク尿, 細胞性円柱), ⑧神経症状(痙攣, 精神病), ⑨血液異常(溶血性貧血, 白血球減少症, リンパ球減少症, 血小板減少症), ⑩免疫異常(LE細胞, 抗DNA抗体, 抗Sm抗体, 梅毒反応偽陽性), ⑪抗核抗体, の11項目中4項目以上で全身性エリテマトーデスと診断する.

紅板症[33]
erythroplakia

前癌病変[34]
precancerous lesion：Chap.12の169頁参照.

ボーエン病[35]
Bowen's disease

ケイラ紅色肥厚症[36]
Queyrat's erythroplasia

3 紅板症[33] [Chap.12 (170頁) 参照]

腫瘍性性格を有して前癌病変[34]として扱う赤色病変を紅板症という(**図10-7**).

皮膚・外陰におけるボーエン病[35]やケイラ紅色肥厚症[36]に相当する病変である. 白板症とは対照的な外観を示すが, 病態は類似している. 両者は同時に混在または隣在して発症することも多く, その場合は非均質型白板症とよばれる. 白板症とともに臨床診断による疾患概念である.

病理組織学的には, 上皮性異形成や上皮内癌であることが多く, 前癌病変である可能性は白板症よりも高い(**図10-8**). 扁平上皮癌に進行していることもある. 構成細胞の増殖性は高いが, 上皮が肥厚せず, びらん化しやすく萎縮性となる. 赤くみえるのは, 上皮層が薄いこと, 上皮下の炎症性細胞反応に伴って亢進した血液循環が, 正常粘膜部より強く反映されるからである.

口腔カンジダ症[37]
oral candidiasis

4 口腔カンジダ症[37] [Chap.11（166頁）参照]

カンジダ症は口腔粘膜の代表的な真菌感染である．病変部は白色を示すことが多いが，焼灼性の疼痛を伴う紅斑型もある．特に紅斑型は，カンジダの増殖で偽膜化した上皮表層が脱落して，びらん化した可能性がある（白色病変参照）．

口腔アレルギー症候群（花粉食物アレルギー症候群）[38]
oral allergy syndrome (pollen-food allergy syndrome)

5 口腔アレルギー症候群（花粉食物アレルギー症候群）[38]

植物性食物によるアレルギー性口内炎で，わが国では，花粉症との関連から近年増加傾向にある．喘息，花粉アレルギーを有する患者が果物や野菜摂取後に喉の掻痒感や口腔粘膜の異常感を訴えることがあるのは，1970年代から認知されており，花粉食物症候群ともよばれてきた．口腔アレルギー症候群が広く認知されるようになり，その名称が定着したのは2000年代になってからである．

主として植物に対するIgE抗体によるI型（即時型）アレルギー反応（アナフィラキシー）によるもので，植物性の食物を摂取後，ただちに口腔内，特に口唇，舌，口峡咽頭部に掻痒感，ピリピリ感，疼痛や痺れなどの症状が出現する．肉眼的には，血管反応に対応して浮腫や発赤が生じ，疱疹，びらんを形成することもある．口腔症状は通常軽度で数時間で消退するが，多量に摂取すると蕁麻疹や喘息など重篤な症状が持続することがある．胃腸管で消化吸収後に惹起されるクラス1食物アレルギーとは区別して，クラス2に分類される．

花粉症の抗原と交差反応する分子を含む果物・野菜が確認されている．カバノキ科（白樺など）花粉とリンゴやキウイ，スギ・ヒノキ科花粉とトマト，イネ科花粉とメロンやスイカなどの組合せがわかっている．口腔症状に対する治療法は特にないが，それらの食材を避けるとともに，加熱処理で抗原性が消失する場合が多いので，調理して摂取するように指導する．

6 その他，原因不明の紅斑性疾患

疾患概念としてまだ確立していないが，頻度が高くみられる口腔内の歯肉から口蓋（特に硬口蓋）全体が急速に発赤を示し，ときにびらんや潰瘍を形成する病変が存在する．病理組織学的には，歯肉の膠原線維束間に形質細胞の集簇性浸潤が目立つ病態を示す．「形質細胞性歯肉口内炎[39]」という疾患名はまだ確立されておらず，口内炎とされる場合が多い原因不明の症候である．

形質細胞性歯肉口内炎[39]
plasmacell gingivostomatitis

III—潰瘍性病変

皮膚の表皮や口腔粘膜の上皮の全層欠損を潰瘍とよび，潰瘍表面には滲出したフィブリンを主体とする白色の偽膜がみられることが多い．

慢性再発性アフタ（アフタ性口内炎）[40]
chronic recurrent aphthae (aphthous stomatitis)

アフタ[41]
aphtha

紅暈（こううん）[42]
erythematous halo：潰瘍周囲の肉芽組織の血管反応のため粘膜は肉眼的に赤みを帯びて潰瘍を丸く取り囲む状態をいう．

1 慢性再発性アフタ（アフタ性口内炎）[40]

口腔粘膜疾患の中では，最も高頻度で，一般歯科診療で遭遇する機会の多い疾患である．直径1〜3mm程度の小型（非感染性）で類円形の潰瘍（アフタ[41]）が通常は1個形成される．高度の接触痛を伴うが，1〜2週間で治癒する．肉眼的には偽膜で覆われた潰瘍部（黄白色）と，その周辺の紅暈[42]（紅色）とのコントラストが明瞭で，この特徴的な肉眼所見から診断は容易である（**図10-9**）．直径1cm以下の小型アフタ，数cmに及ぶ大型アフタ，さらに小粒状多発性の

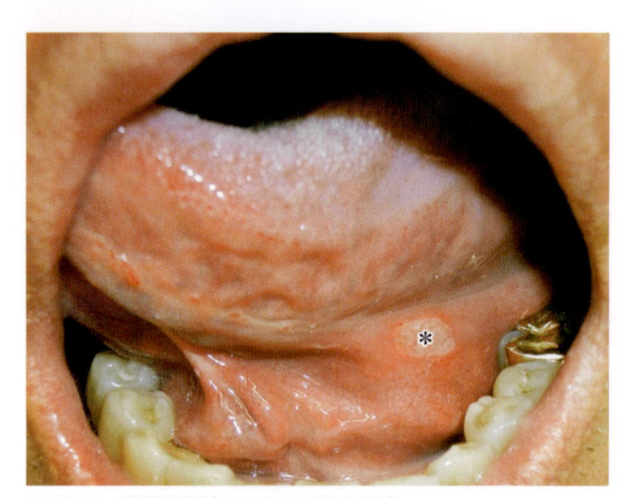

図10-9 慢性再発性アフタの口腔内写真
潰瘍部（*）の周囲に紅色（紅暈）がみられる．

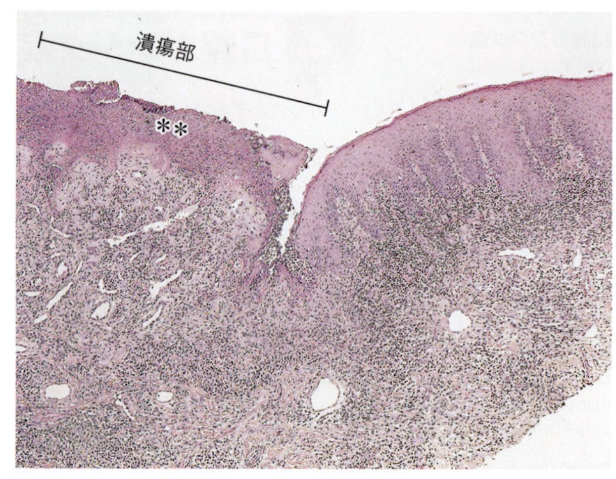

図10-10 慢性再発性アフタの病理組織像
潰瘍表面（**）はフィブリン偽膜で覆われる．

ヘルペス型の3型に大きく区別する場合もある．

家族性発症の傾向があるが，男女差はなく，高齢者では少ない．発症を繰り返す傾向があるので，再発性の名が付く．きわめて頻度の高い疾患であるが，病因の詳細は現在でも不明である．感染アレルギーやストレスなどを誘因とするT細胞性異常免疫応答といわれているが，細胞傷害性Tリンパ球による上皮細胞の破壊であるのか，抗体依存性の細胞傷害であるのかもわかっていない．

臨床所見のみで診断は可能で，短期間に治癒するため，生検が行われる機会は稀で，十分な組織学的検討がなされていないが，潰瘍は粘膜固有層までの浅いもので，筋層には及ばず瘢痕化しない．潰瘍表面にはフィブリンの析出によって肉眼的に黄白色を示す偽膜を形成し，潰瘍周囲は肉芽組織の血管拡張とリンパ球や形質細胞などの炎症細胞浸潤が肉眼的にみられる紅暈に一致する（**図10-10**）．

治療は疼痛軽減のための対症療法として粘着性のステロイド軟膏が処方されるが，ステロイドによる治療促進効果については，必ずしも明らかではない．

2 ベーチェット病[43]

ベーチェット病[43]
Behçet's disease：トルコ人皮膚科医Hulusi Behçetが本疾患を初めて報告した．

直径3mm程度までのアフタはアフタ性口内炎でみられるが，ベーチェット病につながるアフタは大型で不規則な形状かつ多発性の病態を示す．口腔症状に加えて外陰の潰瘍あるいは前房性ぶどう膜炎などによる眼症状を伴う場合をベーチェット病とよぶ．

地理的に中東と日本に，年齢的に青年層に発生する傾向がある．近年は口腔，外陰，眼の病態も多彩であることに加え，これら3臓器のみならず全身的に広がる多発性病態と理解されるようになっている．膝などの関節症状や麻痺や認知症をきたす中枢神経症状もあり，血管病変が多臓器に及ぶ場合もある（**表10-5**）．

HLA[44]
human leukocyte antigen：ヒトのmajor histocompatibility complex（MHC）

口腔内の多発性アフタ様病変は，口蓋から口峡部に好発する．原因は不明であるが，微生物から環境要因までに起因する自己免疫性背景やHLA[44]タイプから遺伝的背景も説明されている．ベーチェット病では特異的な自己抗体が検出されず，診断には好中球の機能亢進による皮膚刺激感受性の上昇を針反応（皮膚に無菌針を穿刺，24～48時間後に発赤や腫脹，微小膿瘍がみられると陽性）を用いる．

基本的初期治療はステロイド療法であるが，重篤な場合は免疫抑制薬などを使用する．個々の症状に対しては対症療法を行う．予後は良好であるが再発する．

表10-5　ベーチェット病の症状

主症状
口腔粘膜の再発性アフタ（初発症状として重要） 外陰部潰瘍（有痛性） ぶどう膜炎（前方では虹彩毛様体炎で前房蓄膿，後方では網脈絡膜炎） 皮膚症状（結節性紅斑，毛嚢炎様発疹）
副症状
中枢神経病変（急性では髄膜炎，慢性では対麻痺，片麻痺，錐体外路症状，精神症状） 関節炎（膝や肘に約半数でみられる） 消化器病変（回盲部の潰瘍） 精巣上体炎 血管病変（大～中血管の動脈炎による動脈瘤や静脈炎による血栓性静脈炎）

3 壊死性潰瘍性口内炎[45]

壊死性潰瘍性口内炎[45]
ulceronecrotic stomatitis

粘膜上皮の壊死による欠損（潰瘍）と厚いフィブリンの滲出による灰色の偽膜形成を特徴とする疾患で，口腔粘膜全体に壊死性病変が広がったものを指す．病変が歯肉に限局するものを壊死性潰瘍性歯肉炎，深部の歯周組織に及んだものを壊死性潰瘍性歯周炎という．

壊疽性口内炎[46]
gangrenous stomatitis

水癌[47]
noma

壊死性病変に腐敗菌の感染が二次的に生じたものを壊疽性口内炎[46]とよび，病変が広範囲に伸展し，顔面皮膚にまで広がる場合を水癌[47]という．

原因は不明であるが，精神的ストレスや栄養障害，消耗性疾患，免疫力低下などの全身的因子と関連したフゾバクテリウムやスピロヘータの日和見感染と考えられている．先進諸国では遭遇する機会がきわめて少ないが，発展途上国では貧困や社会的環境が背景となって生じることがある．

エイズ[48]
acquired immunodeficiency syndrome (AIDS)

伝染性単核症（サイトメガロウイルス感染）やエイズ（AIDS）[48]（HIV感染）患者あるいは薬剤による免疫抑制治療を受けた患者などの口腔症状の1つとして，近年注目されるようになった．エイズの口腔症状のうち，壊死性潰瘍性歯周炎は頻度も高く，確立された疾患概念になっている．その前駆病変である壊死性潰瘍性歯肉炎もみられる．かつてHIV歯肉炎と記載されたが，現在では線状歯肉紅斑とよぶ．

いずれも潰瘍による疼痛のために食事摂取が困難となるので，口腔局所の抗菌治療とともに栄養摂取を含めた全身的管理が必要である．

4 薬物性口内炎[49]

薬物性口内炎[49]
drug-induced (allergic) stomatitis

薬物の副作用によるものを薬物性口内炎という．薬物誘因性の口腔病変としては，多形滲出性紅斑の重篤なタイプとして中毒性表皮壊死症（TEN）はよく知られるが，ここで述べる薬物性口内炎は軽度の口腔粘膜発疹で多形滲出性紅斑とは異なり，アナフィラキシー口内炎，扁平苔癬様反応などがある．

アナフィラキシー口内炎[50]
anaphilaxis (allergic) stomatitis

金属アレルギー[51]
metal allergy

薬物投与直後に発症するアナフィラキシー口内炎[50]は，テトラサイクリンなどの抗菌薬の他，多様な薬剤が関連づけられている．扁平苔癬様反応は，病理組織学的に認識される扁平苔癬類似の病態であるが，薬疹の口腔粘膜表現としては頻度が高い．原因薬剤は多岐にわたり，金属製剤も少なからずあり，いわゆる金属アレルギー[51]と重複する病変の可能性もある．紅斑性狼瘡，天疱瘡，その他の水疱性疾患と症状が区別できない場合も多く，金属以外の歯科材料に対するアレルギー反応によるものもある．

治療は，原因薬剤の中止と口腔内病変に対する対症療法である．この他，薬剤の副作用として頻度の高い病態に，黒毛舌がある（舌炎の項参照）．

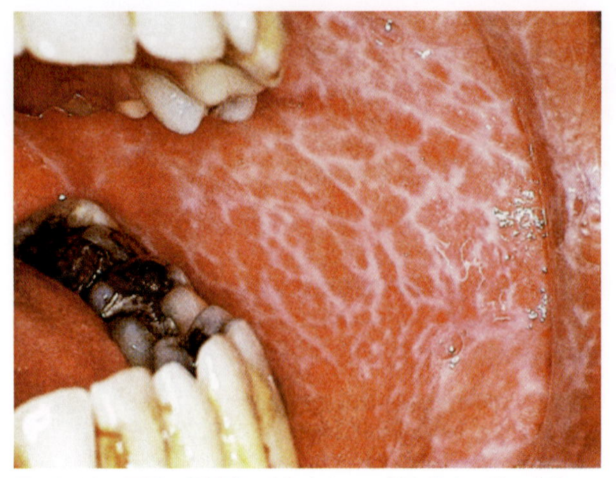

図10-11　両側の頬粘膜に生じたレース様を呈する扁平苔癬

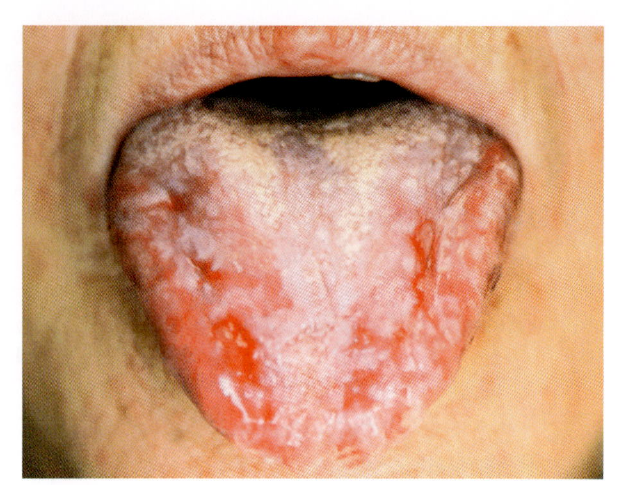

図10-12　扁平苔癬のびらん・潰瘍型

Ⅳ—白色病変

口腔粘膜が白色を呈する疾患としての鑑別点は，角化性病変と非角化性病変，痛みと潰瘍の有無，良性・悪性などがあげられる．特に白板症は悪性腫瘍へ進行するタイプかどうかを生検によって確かめる必要がある．また白板症が白色病変として観察される理由は，粘膜上皮の過角化あるいは有棘層肥厚により，すべての可視光線が乱反射されるからである．

口腔扁平苔癬[52]
oral lichen planus

1 口腔扁平苔癬[52] ［Chap.12（170頁）参照］

皮膚の扁平苔癬が，口腔粘膜に生じた病変である．皮膚における扁平苔癬は，多発性の赤色～暗紫色の落屑性病変で，掻痒感があり，身体のどの部位にも発生する．口腔扁平苔癬は30～50歳代の女性に多い疾患で，接触痛がみられる．好発部位は頬粘膜で，口唇，歯肉，舌にも生じるが，口腔底や口蓋は少ない．対称性（両側性）あるいは散在性に出現する．肉眼的には主に白色あるいは黄白色線状として現われ，これがレース様[53]あるいは線条細工様のパターン[54]を呈する（**図10-11**）が，白色斑あるいは多発性白色丘疹として出現することもある．初期には疱疹を生じ，びらん・潰瘍となる．その治癒過程で，粘膜上皮が再生する際に過形成となると，肉眼的には白色病変となる．

レース様[53]
lace-like-apperance
線条細工様のパターン[54]
Filigree pattern

角化亢進による白斑が基本的な病像であるが，その状態によって，①網状型，②潰瘍型，③丘疹型，④斑状型，⑤萎縮型，⑥水泡型の6型に分類されている（**図10-12**）．網状型における網状の白線をWickham線条とよぶ．しかし病態が混在する症例では6分類に細分するのが難しいため，現在は白色病変が主要な部分を占める白色型（white type）と紅色病変が主要な部分を占める紅色型（red type）の2つに大別する．経過中に上皮が萎縮することが多く，発癌物質に対する感受性が増加するために病変の1～3%が癌化する．特に潰瘍型や萎縮型から扁平上皮癌が生じることが多い．口腔潜在的悪性疾患の1つとみなされる．

病因は不明であるが，上皮内に存在するランゲルハンス細胞による抗原提示に対してTリンパ球の反応を惹起した結果，その標的部位である上皮基底細胞の障害が引き起こされると考えられている．このために基底細胞崩壊や液状変性が生じる．基底膜相当部に沈着する好酸性物質が何らかの免疫複合体であることから，細胞性免疫とともに液性免疫の関与もある．皮膚では接触性皮膚炎や薬疹などのアレルギー反応という考えもあり，口腔内では金属や他の歯科材料に対するアレルギー反応の関与も示唆されている．C型肝炎[55]の合併が高率なことから，

C型肝炎[55]
heaptitic C

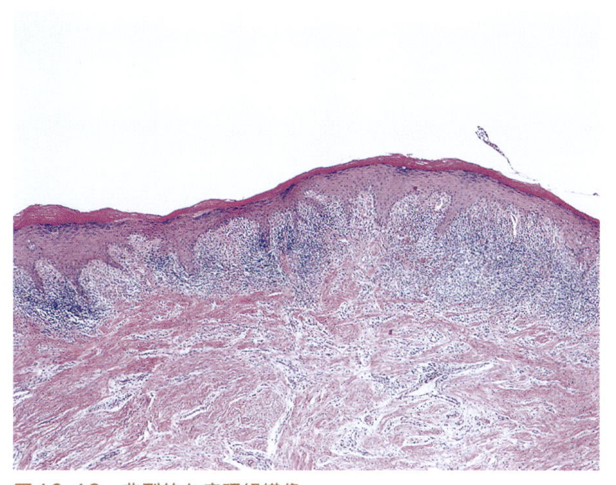

図10-13 典型的な病理組織像
鋸歯状の上皮釘脚と上皮直下のリンパ球帯状浸潤.

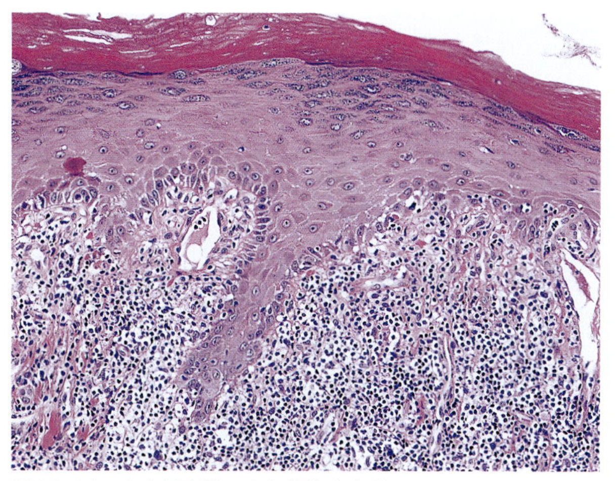

図10-14 上皮基底層の水症(融解)変性
変性して濃染性の基底細胞と残像している基底膜.

肝炎あるいはHCVとの関連も指摘されている.

扁平苔癬様反応[56] lichenoid reaction

水症(融解)変性[57] hydropic (liquefaction) degeneration

鋸歯状[58] saw tooth appearance

シバット小体[59] Civatte bodies

病理組織学的には,上皮直下の粘膜固有層相当部におけるリンパ球の帯状浸潤が特徴(扁平苔癬様反応[56])である(**図10-13**).病変の白色部には棘細胞層の肥厚や表層の過角化症(錯角化・正角化)がみられ,顆粒層が出現することもある.リンパ球による浸潤のため基底細胞が消失され,変性過程の基底細胞の一部が残存して,細胞間隙が目立つ状態を上皮基底層の水症(融解)変性[57]という.基底細胞から傍基底細胞層・棘細胞層まで細胞の破壊が進行すると上皮釘脚の形状が先鋭化するため,全体として釘脚の鋸歯状化[58]を呈する(**図10-13,14**).基底膜近傍に均質好酸性物質が線状・斑状に沈着するが,斑状の場合をシバット小体[59]とよぶ.線状のものはフィブリンや免疫複合体とされる.上皮の再生過程では,潰瘍部に周囲上皮から再生上皮細胞が伸展する.しばしば再生上皮は異型上皮様の所見を呈するが,真の異型性ではなく再生に伴う変化とみなされる.またときには過剰に伸展して過形成上皮となる.上皮直下に浸潤する炎症細胞はリンパ球(T細胞)が主体で,マクロファージや形質細胞も散見される.リンパ球浸潤層の下方には肉芽組織が増生し,筋層に及ぶ場合もある.

治療は,まずパッチテストの実施や原因と考えられる使用薬剤を中止し原因を検索する.その後,うがい薬や副腎皮質ステロイド薬や抗菌薬を含む軟膏を使用する.歯科用金属によるアレルギーが疑われる場合は,原因と思われる義歯,インレーおよびクラウンを除去する必要がある.消炎鎮痛薬の他,ビタミン製剤や抗アレルギー薬,さらに精神安定薬などの投与が有効な場合もある.

口腔カンジダ症[60] oral candidiasis

2 口腔カンジダ症[60] [Chap.11(166頁),Chap.12(171頁)参照]

日和見感染[61] opportunistic infection

偽膜性カンジダ症[62] pseudomanbranous candidasis

慢性萎縮性カンジダ症[63] chronic atrophic candidasis

PAS染色[64] periodic acid-Schiff stain:シッフの過ヨウ素酸染色

カンジダ感染は主として*Candida albicans*の感染で皮膚粘膜に生じる.湿潤した口腔や子宮粘膜に好発する.カンジダ感染の成立は宿主抵抗力の低下とみなされる.すなわち本症は日和見感染[61]で高齢者や幼児とともにエイズ他の免疫不全患者で発症することが多い.

口腔内の好発部位は,舌・頬粘膜・口蓋である.臨床的には,白色の肥厚した粘膜様を呈し,ガーゼで拭うまたは鑷子でつまむと偽膜状に剝離するタイプが多い(偽膜性カンジタ症[62]).床義歯の長期使用によって口腔内が不潔になった場合,上皮びらんのために発赤と灼熱感を伴うこともある(慢性萎縮性カンジタ症[63])(**図10-15**).

病理組織学的には,細胞診でも容易にカンジダ菌を同定でき,診断が確定される.偽膜様粘膜剝離物が病理検査に供された場合,カンジダは病理組織学的にはジアスターゼ消化後にPAS染色[64]

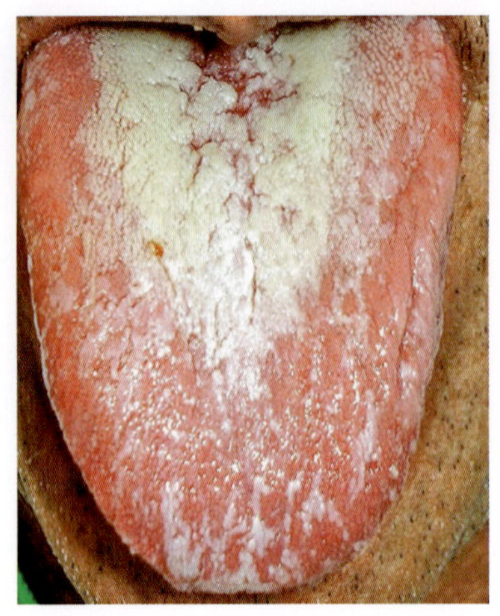

図10-15　カンジダ症の舌

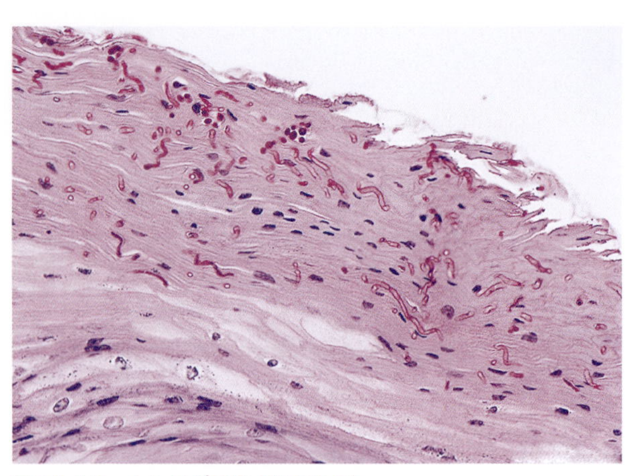

図10-16　カンジダ感染（PAS染色）

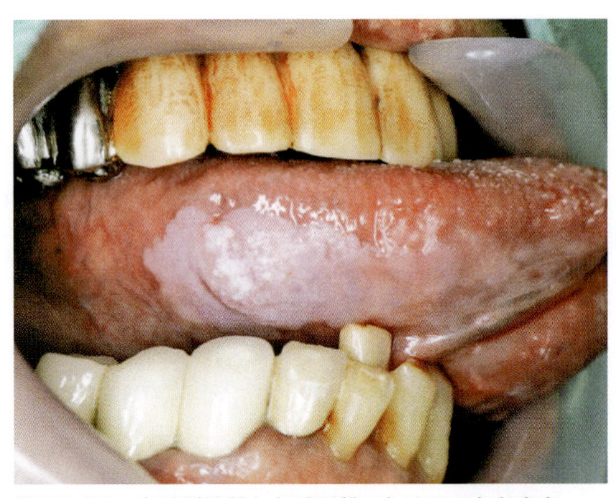

図10-17　右舌側縁部から舌下部にかけての白色病変

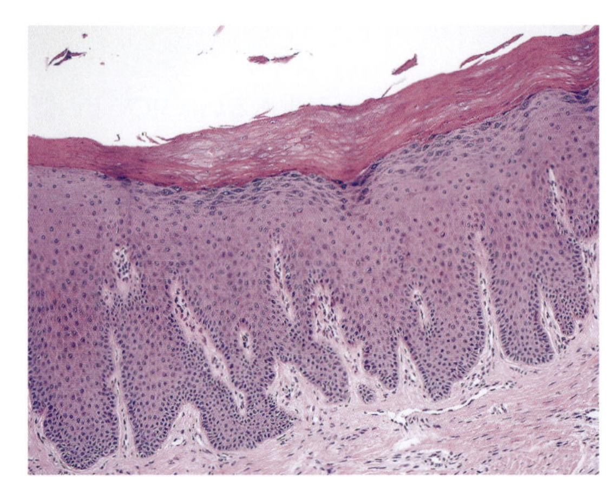

図10-18　過角化症・上皮過形成

で，またはグロコット染色[65]にて確認できる．カンジダは分枝しない直状菌糸と芽胞が区別される．菌糸は上皮表面の錯角化細胞層に直交して，細胞間隙あるいは細胞質内に侵入する（**図10-16**）．

治療には，全身状態の改善とともに，口腔清掃や抗真菌薬の投与が行われる．

グロコット染色[65]
Grocott stain：真菌や放線菌の多糖類にクロム酸を作用させ，生じたアルデヒド基にメセナミン銀錯酸塩を結合させることで，菌を褐色から黒色に染色する．

白板症[66]
leukoplakia

3 白板症[66] ［Chap.12（169頁）参照］

口腔の白板症とは，WHOの診断基準によれば，口腔粘膜に生じた摩擦によって除去できない白色の板状あるいは斑状の角化性病変で，臨床的あるいは病理組織学的に他のいかなる疾患にも分類されない白斑である．白板症は，口腔をはじめ上気道や食道などの扁平上皮細胞で被覆された粘膜に生じ，粘膜上皮の肥厚（過角化症[67]・棘細胞症[68]）によって光反射・屈折性ならびに光吸収性が変化するために，本来は赤みのある口腔粘膜が白色に変化したものである．口腔の白板症は他臓器の白板症と異なり直視・直達できるために性状を詳細に識別することが可能である（**図10-17**）．

白板症とは，基本的に臨床状態を示す用語で，病理診断名ではない．したがって，白板症には病理組織学的にみるとさまざまな病変が含まれる．主たるものは以下の4病変である．①上皮の棘細胞症または過角化症による上皮過形成[69]（**図10-18**），②細胞増殖性が亢進して扁平上皮細胞分化の混乱が生じ，細胞異型を伴う上皮性異形成[70]（**図10-19，20**），③上皮全層が癌細胞で占められるものの，基底膜を超えた癌細胞の浸潤はみられない上皮内癌[71]（**図10-21**），④浸潤性の明らかな扁平上皮癌[72]（**図10-22**）．

過角化症[67]
hyperkeratosis

棘細胞症[68]
acanthosis

上皮過形成[69]
epithelial hyperplasia

上皮性異形成[70]
epithelial dysplasia

上皮内癌[71]
carcainoma in situ

扁平上皮癌[72]
squamous cell carcinoma

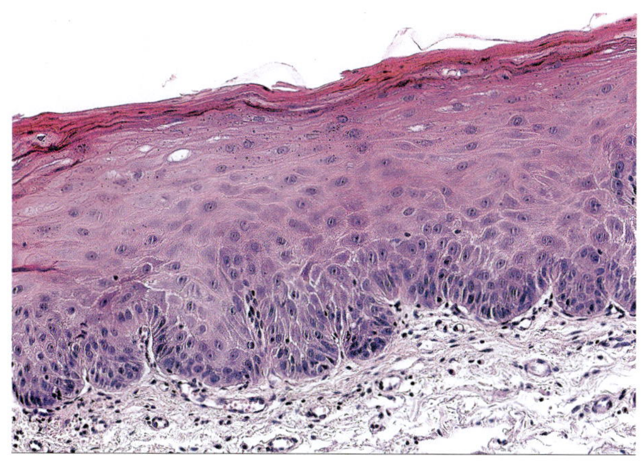

図10-19　軽度から中等度異形成

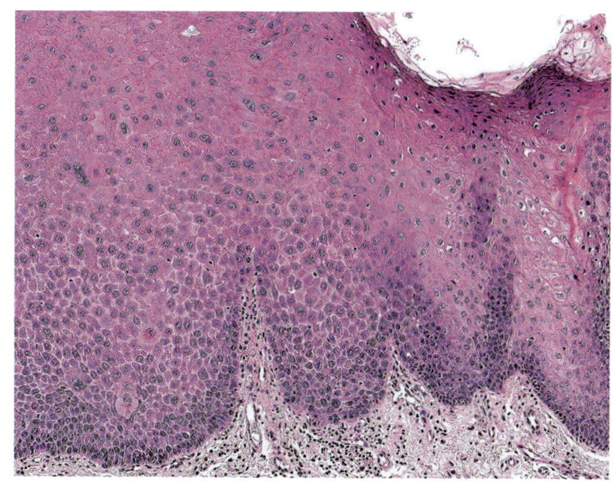

図10-20　中等度から高度異形成

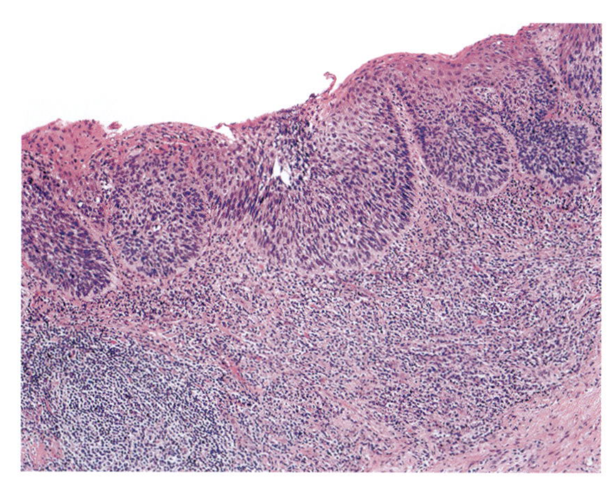

図10-21　上皮内癌（一部初期浸潤癌を含む）

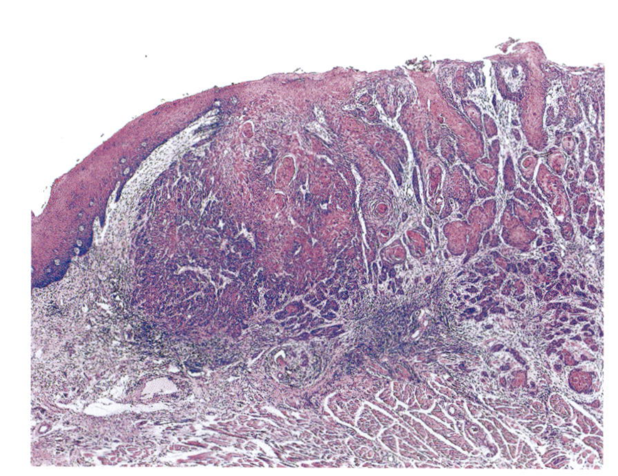

図10-22　扁平上皮癌

白板症は悪性転化するので前癌病変であると記載されていることがあるが，病態を病理組織学的に確認しないまま，一括して白板症を前癌病変とするのは無理がある．上皮性異形成は2005年版WHO分類では，病理組織学的に軽度（mild）・中等度（moderate）・高度（severe）の3段階分類が行われているが，判定段階と予後との相関はない．高度上皮性異形成と上皮内癌を区別する意義も不明で，両者は同義語とみなしてよい．したがって，腫瘍性格のある上皮性異形成から上皮内癌までを前癌病変または悪性境界病変[73]という．

腫瘍性格のある上皮性異形成は，WHO分類 Head and Neck Tumours 2017年版でも上皮内腫瘍と定義されて，構造異型[74] 8項目と細胞異型[75] 8項目が規定されている．前者は①不規則な細胞重層，②基底細胞の極性喪失，③滴状の上皮釘脚形態，④細胞分裂の増加，⑤上皮表層の細胞分裂，⑥棘細胞層内の角化や単一細胞角化，⑦釘脚内の角化真珠，⑧上皮細胞の接着喪失，後者は①核の大小不同，②核の形状不整，③細胞の大小不同，④細胞の形状不整，⑤N/C比の上昇，⑥異型核分裂，⑦核小体の増加と腫大，⑧濃染性核である．基本的にはこれらの程度と出現頻度を組み合わせて3段階の判定をすることになるが，正確な判定基準がないために主観的にならざるをえないのが現状である．これらには口腔潜在的悪性疾患[76]も含まれる．2017年版から口腔の上皮性異形成は3段階による分類ではなく，Binary Systemが導入されている．つまり，Low-grade dysplasia（hyperplasia～mild）とHigh-grade dysplasia（moderate～severe）の2段階分類が記載されている．さらにこれらにはICD-code（8077/0，8077/2）[77]も付けられている．

悪性境界病変[73]
borderline malignancy：上皮内癌と増殖性について悪性の判定が困難な上皮性異形成（前癌病変），および浸潤性について不確定な微小浸潤までを含めた病変群をいう．

構造異型[74]
structural atypia

細胞異型[75]
cellular atypia

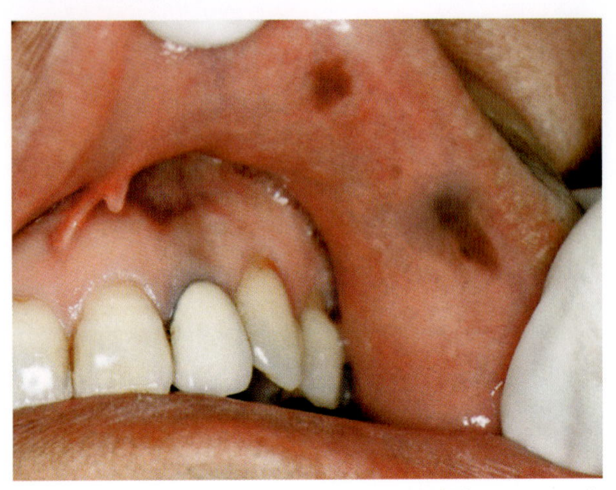

図10-23　左側頬粘膜から口唇にかけての黒褐色のメラニン色素沈着

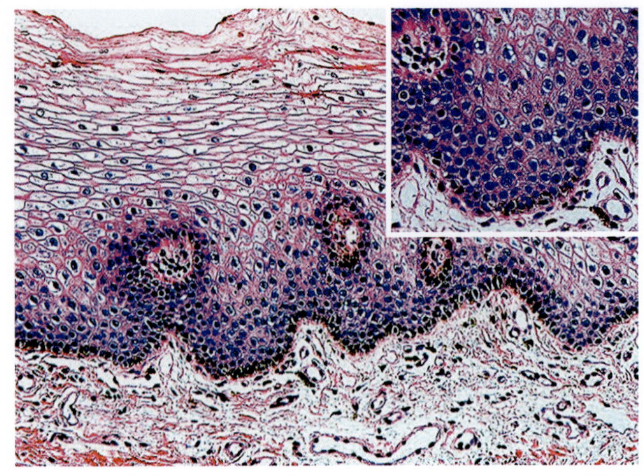

図10-24　粘膜上皮の基底細胞内にみられる褐色のメラニン色素沈着

口腔潜在的悪性疾患[76]
oral potentially malignant disorders：erythroplakia（紅板症），erythroleukoplakia（紅白板症），leukoplakia（白板症），oral submucous fibrosis（口腔粘膜下線維症），Dyskeratosis congenital（先天性角化不全症），smokeless tabacco keratosis（無煙タバコ角化症），palatal lesions associated with reverse smoking（逆吸い喫煙による口蓋角化症），chronic candidiasis（慢性カンジダ症），lichen planus（扁平苔癬），discoid lupus erythematosus（円板状エリテマトーデス），syphilitic glossitis（梅毒性舌炎），actinic keratosis（口唇の日光角化症）．

ICD-code[77]
international classification of disease：国際疾病分類．

アジソン病[78]
Addison disease

ポイツ-ジェガース症候群[79]
Peutz-Jeghers syndrome

メラニン沈着症[80]
melanin pigmentation, melanosis

メラノサイト[81]
melanocyte

メラノファージ[82]
melanophage

金属刺青[83]
metal tattoo

悪性黒子[84]
lentigo maligna

悪性黒色腫[85]
malignant melanoma

V－黒色病変

口腔粘膜の黒色病変としては，メラニン色素の沈着とそれ以外の2つに分けられる．メラニン色素沈着としては，メラニンの沈着や色素性母斑の他，喫煙や炎症性病変後に生じるものや，アジソン病[78]やポイツ-ジェガース症候群[79]などに関連して起こるものがある．メラニン色素以外は，ほとんどが歯科用金属の沈着によるものであり，粘膜下結合組織や血管壁弾性線維に黒褐色の金属色素沈着がみられる．悪性黒色腫などの鑑別が難しいものは生検による診断が必要である．

1　メラニン沈着症[80]

メラニン色素を産生するメラノサイト[81]は（**図10-23**），皮膚のみならず口腔粘膜上皮にも分布する．口腔では，粘膜部位ごとのメラノサイトの数は一定であるが，歯肉や口蓋にメラニン沈着傾向がある．歯肉では帯状からびまん性にメラニン沈着が強調されることがあり，メラニン沈着症とするが，生理的範囲とみなされる．黒色斑が孤立性あるいは複数出現する沈着症は口唇・頬粘膜に多い．先天的なものもあるが，多くは成人後出現し，自然消退することもあるので，後天的な反応性も含まれる．またタバコによる色素沈着は，一酸化炭素が毛細血管を収縮させるなど炎症を引き起こすことでメラノサイトを刺激して色素沈着させている．

病理組織学的には，粘膜上皮基底層のケラチノサイトを中心にメラニン色素の沈着がある（**図10-24**）．メラニンは粘膜固有層のマクロファージにも貪食されていて，それらはメラノファージ[82]とよばれる．メラノサイトの増殖はない．積極的な治療はせずに経過観察になるが，生検で確定することもある．審美的障害となる場合，切除・レーザー焼灼が行われる．

鑑別診断では，歯科用充塡補綴材料などに由来する金属塩などの外来性色素による金属刺青[83]と，メラノサイトの腫瘍性病変に留意する．良性腫瘍は色素性母斑（黒子）で，斑状メラニン沈着症とともに境界明瞭である．一方，悪性腫瘍は，上皮内にとどまって浸潤しない悪性黒子[84]と，浸潤性で悪性度の高い悪性黒色腫[85]であるが，いずれも黒色の不整形の滲みや膨隆性，潰瘍，硬結などにより臨床的には比較的鑑別しやすい（**図10-25，26**）．

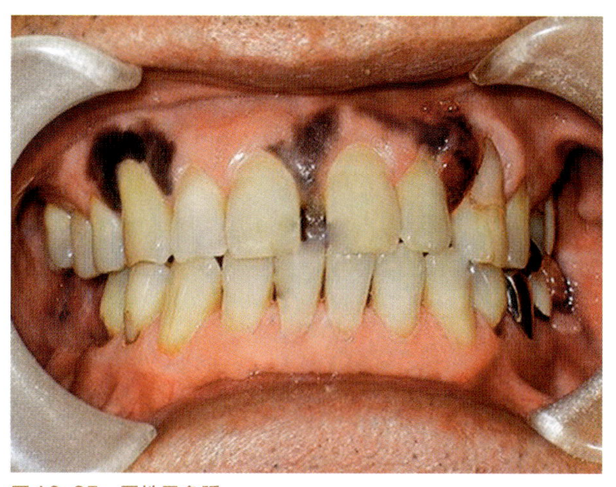

図10-25　悪性黒色腫
歯肉部に辺縁が不整な黒色の色素斑がみられる．

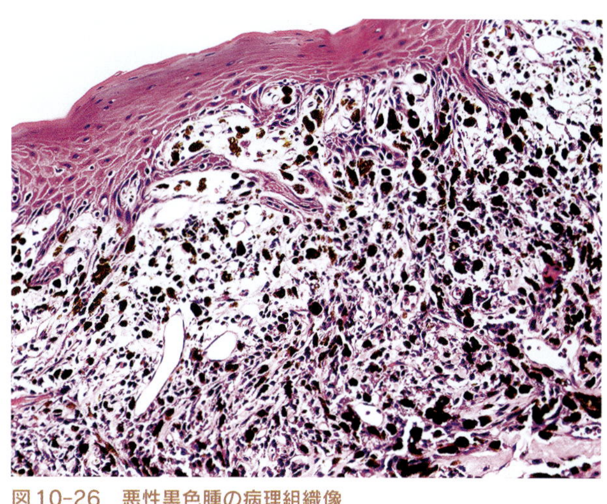

図10-26　悪性黒色腫の病理組織像
粘膜上皮下から深部に，大量のメラニンを産生する異型メラノサイトが増殖している．

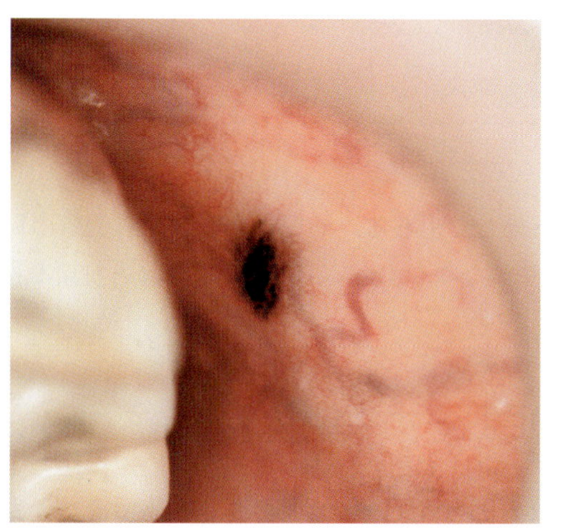

図10-27　色素性母斑
左側頬部粘膜にやや隆起した色素沈着がみられる．

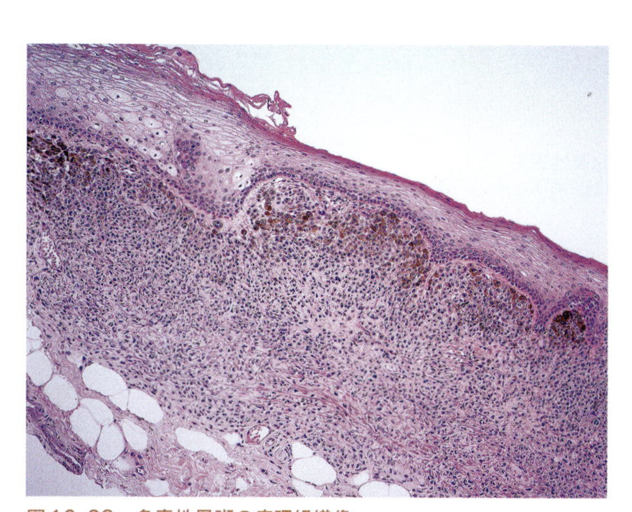

図10-28　色素性母斑の病理組織像
粘膜上皮下には褐色色素を有する細胞が結節性に増生している．

2 色素性母斑[86]

色素性母斑[86]
pigmented nevus

メラノサイトに由来する良性腫瘍で黒子ともいう．皮膚に黒子をもたない者はないほど一般的な病変であるが，皮膚と比べると口腔粘膜での発生頻度は明らかに低い．皮膚では生下時から発生している先天性のものと，成人で増加して高齢で顕在化する後天性の母斑に区別される．口腔では明らかな年齢分布は不明である．女性に多い．斑状あるいは半球状に外向性の隆起を示したり，平坦であったりする（**図10-27**）．なお，色素性母斑はメラニン色素産生細胞の過誤腫[87]的な増殖性病変と考えられているが，WHO分類では色素性母斑に限って良性腫瘍とされている．

過誤腫[87]
hamartoma

病理組織学的には，増殖細胞は母斑細胞[88]とよばれるやや楕円形の明調核を有する細胞が集簇する（**図10-28**）．母斑細胞はメラノサイトへの分化が未熟な段階ではメラニンを産生せず，黒色調が薄れる．母斑細胞の増殖位置から，表皮基底部に限局する境界母斑，真皮内にとどまる真皮内母斑[89]とそれらの混在した複合母斑に分類される．

母斑細胞[88]
nevocell，nevus cell

真皮内母斑[89]
intradermal nevus

黒子の近縁疾患である太田母斑[90]では，顔面皮膚・眼球・鼻口腔内などの三叉神経第二枝上顎神経の支配領域に青褐色調の母斑が発生する．多くは片側性である．背臀部の"蒙古斑"と類似する病態で，粘膜固有層に紡錘形樹枝状の大型メラノサイトがびまん性に観察される．

太田母斑[90]
nevus Ota

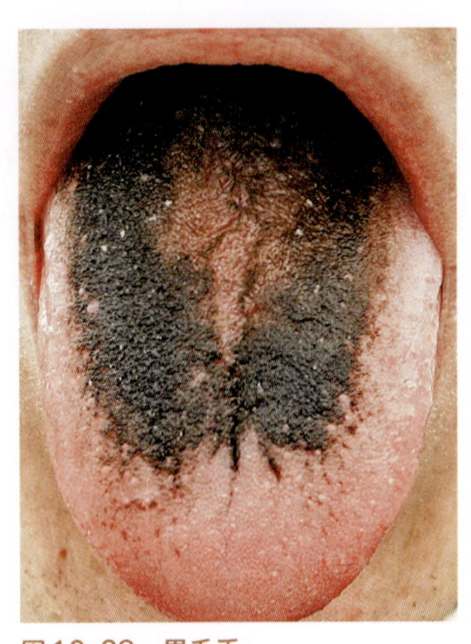

図10-29　黒毛舌
舌背部糸状乳頭の毛状過形成のため全体に黒色性変化がみられる.

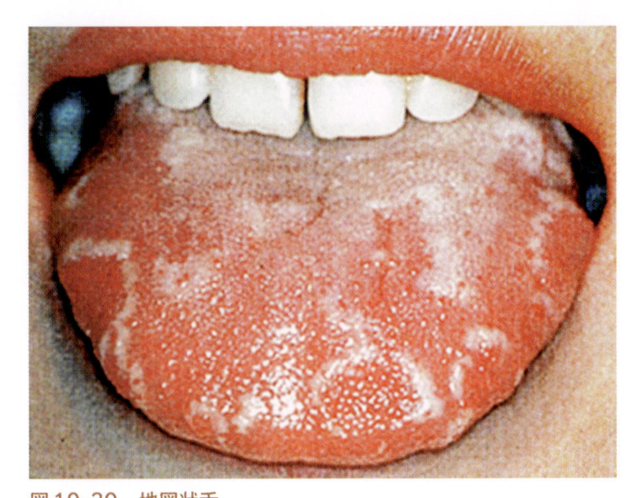

図10-30　地図状舌
舌背の糸状乳頭が部分的かつ不揃いに消失して斑模様を呈し，萎縮部には赤みがある.

Ⅵ─舌炎・口唇炎

化膿性舌炎[91]
supurative glossitis

1 化膿性舌炎[91]

非特異的な舌炎で，咬傷による創が感染して生じる．幼児に多い．歯科治療の局所麻酔後に知覚鈍麻した状況での咬傷は，特に重篤になりやすい．治療は局所洗浄と抗菌薬投与で経過を観察する．

黒毛舌[92]
black hairy tongue

2 黒毛舌[92]

舌背部の糸状乳頭が延長して，乳頭間のスペースに舌苔が付着し，細菌性色素が沈着した状況である（図10-29）．白色調の肉眼像を示すので毛舌と記載するのが正確であるが，黒色の色素沈着を伴うことが多いので一括して黒毛舌とよぶ．特に，舌の糸状乳頭が角質の増生により著しく延長し，舌に毛が生えたようにみえる状態を毛舌といい，全身状態の変化あるいは抗菌薬の服用などの菌交代現象[93]による結果，色素産生性嫌気性菌が優勢になったものである．舌苔は歯垢（プラーク）同様の細菌叢で，細菌性色素の沈着で黒色を呈する．一般に飲食物などの外来性色素沈着は生じることはない．

菌交代現象[93]
microbial substitution

病理組織学的には，糸状乳頭は数ミリ延長し，粘膜上皮も反応性過形成を示す．粘膜固有層にはリンパ球を主とする慢性炎症細胞の浸潤がある．

地図状舌[94]
geographic tongue

3 地図状舌[94]

舌背部から舌縁部にかけて，糸状乳頭が消失して赤色調を帯びる領域が斑状に出現した状態で，舌に模様が生じて地図のようにみえるので命名された．この赤色斑は時間的経過とともに位置が移動したり，紅斑が相互に融合して形状が変化する（図10-30）．病因は不明であるが，皮膚の乾癬[95]の口腔表現ともいわれる．若年者に好発するが，成人では女性に多い．再発傾向があり，溝状舌と合併することもある．灼熱感を伴う疼痛がある．

乾癬[95]
psoriasis

微小膿瘍[96]
microabscess

病理組織学的には，限局性粘膜炎で上皮内の微小膿瘍[96]の形成が特徴である．上皮は反応性過形成を示し，粘膜固有層は浮腫性変化を背景にリンパ球ならびに好中球の浸潤がみられる．治療法は対症療法のみで，自然消退する場合が多い．

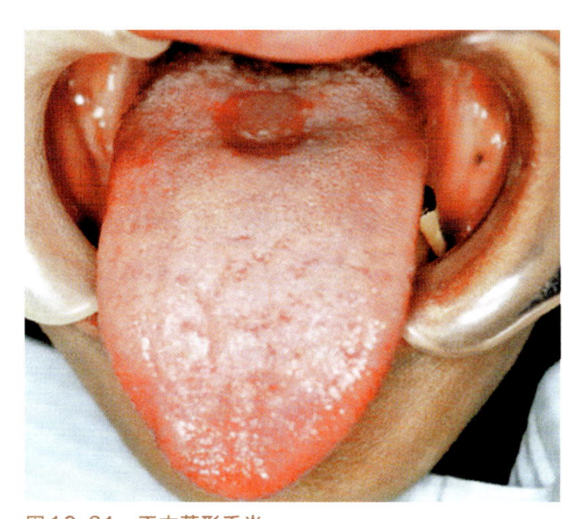

図10-31　正中菱形舌炎
舌背正中部の境界明瞭な隆起性病変で，糸状乳頭が萎縮して過角化症を伴う．

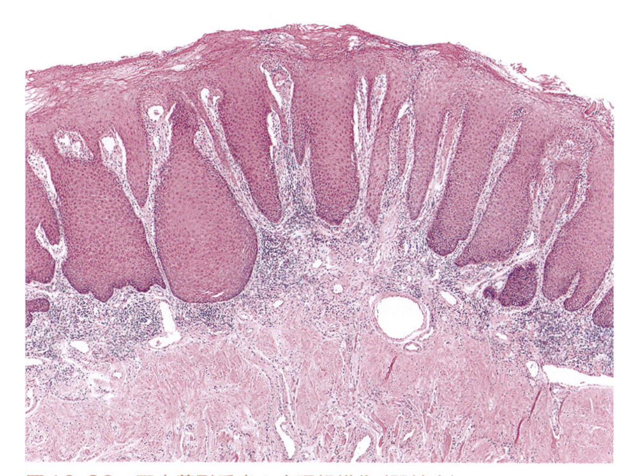

図10-32　正中菱形舌炎の病理組織像（弱拡大）
粘膜上皮の表層は平坦（萎縮）であるが過形成を形成し，粘膜下層には炎症細胞の浸潤がみられる．

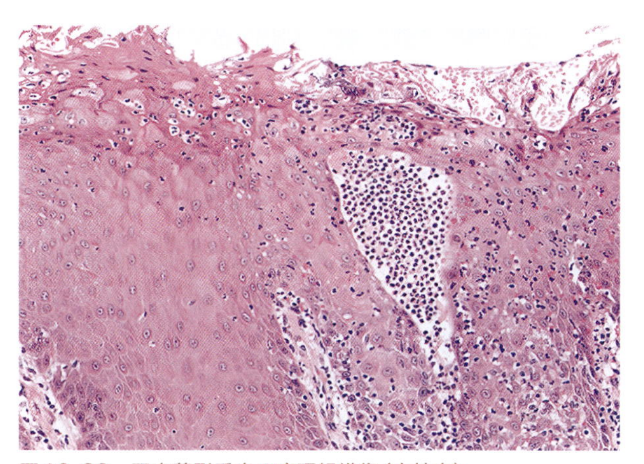

図10-33　正中菱形舌炎の病理組織像（中拡大）
粘膜上皮内には，微小膿瘍（microabcess）の浸潤がみられる．

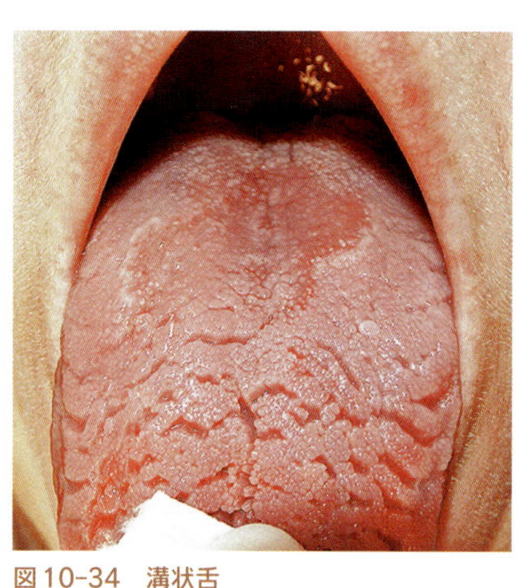

図10-34　溝状舌
舌背部から舌縁部にかけて赤みを帯びた亀裂がさまざまな方向と深さで走行している．

正中菱形舌炎[97]
median rhomboid glossitis

4 正中菱形舌炎[97]

舌背部粘膜の正中やや後方に出現する類菱形の限局性舌粘膜炎である（**図10-31**）．頻度は高く，成人男性に多い．示指頭大までの大きさの病変で糸状乳頭が消失あるいは過剰延長して赤色調の隆起や陥没がみられる．以前は胎生期の無対結節が消退せずに残存した組織奇形であるとの説があったが根拠はなく，実際はカンジダ症が限局性に舌に発症して炎症が遷延していると考えるほうが妥当である．

病理組織学的には，糸状乳頭の消失を伴う反応性上皮過形成と粘膜固有層から筋層に及ぶ炎症性変化がみられる（**図10-32，33**）．

治療は対症療法で経過観察するが，病変が筋層深くまで浸潤している場合は，外科的切除の適応となることもある．

溝状舌[98]
fissured tongue

5 溝状舌[98]

舌背部粘膜に，多数かつ複雑な亀裂が生じた状態をいう（**図10-34**）．舌全体に皺がよったようになり陰嚢舌ということもある．舌が巨大化することもある．亀裂は深浅さまざまであるが，深いものでは5mmを超える場合もある．裂溝部では口腔自浄が障害されて舌粘膜炎が生じる．びらんを生じると疼痛を訴えるようになる．平坦部粘膜では糸状乳頭部が消失して萎縮傾向を示す．地図状舌を合併する場合もある．上下口唇と顔面の無痛性腫脹，再発性顔面神経麻痺および溝状舌を主徴とするものをメルカーソン-ローゼンタール症候群[99]という〔Chap.25の339頁参照〕．

メルカーソン-ローゼンタール症候群[99]
Melkersson-Rosenthal syndrome：常染色体優性遺伝様式でMRS (MROS) は9q11.

病理組織学的には，地図状舌に類似の粘膜炎であるが，血管周囲に炎症細胞の浸潤や類上皮細胞の結節の出現をみる肉芽腫性炎の像を呈する．治療法はなく対症療法のみである．

6 貧血症に伴う萎縮性舌炎

悪性貧血[100]
pernicious anemia

ハンター舌炎[101]
Hunter glossitis

メラー舌炎[102]
Möller glossitis

悪性貧血[100]患者の口腔内症状で，舌粘膜の乳頭が萎縮して舌全体が滑沢になり，疼痛と味覚障害を生じる病態をハンター舌炎[101]，またはメラー舌炎[102]という．粘膜の萎縮があって，舌の大きさが減少するわけではない．かつては不治の病とされ悪性貧血の名称があるが，本態はビタミンB_{12}欠乏性貧血である．胃の壁細胞抗体や内因子抗体などの自己抗体による萎縮性胃炎により，壁細胞から分泌される内因子が欠如して回腸でビタミンB_{12}が吸収されず，ビタミンB_{12}欠乏のため赤血球分化が阻害され，未分化な巨赤芽球が末梢血に出現して貧血を呈する．同様の症状は胃全摘などでも生じる．皮膚の貧血様色調，出血傾向や呼吸器不全などの全身症状がある．

鉄欠乏性貧血[103]
sideropenic anemia

嚥下困難[104]
dysphagia

プランマー-ビンソン症候群[105]
Plummer-Vinson syndrome

舌の他，頬粘膜や歯肉にも粘膜炎が生じるが，その発症機序は不明である．ビタミンB_{12}の筋肉注射で改善する．類似の萎縮性舌炎は鉄欠乏性貧血[103]でも出現する．粘膜萎縮のために嚥下困難[104]を伴い，骨髄赤芽球過形成，血色素低下および指変形を合併するプランマー-ビンソン症候群[105]の一症候である．

肉芽腫性口唇炎[106]
granulomatous cheilitis

7 肉芽腫性口唇炎[106]，メルカーソン-ローゼンタール症候群

〔Chap.25 (339頁) 参照〕

顔面神経麻痺[107]
facial nerve paralysis

口唇を中心に，無痛性の浮腫性腫脹が反復する特徴的な肉芽腫性炎である．溝状舌と巨舌化と顔面神経麻痺[107]を合併する場合，メルカーソン-ローゼンタール症候群（前出）という．腫脹は口唇に限局せずに，口腔周囲を中心に頬部から顔面に及ぶことがある．上口唇に高頻度に発症する．初期には数時間から数日単位で出現しては消失するが，しだいに持続性に硬化性変化が増強される．中高年で症状が固定化されるが，明瞭な好発年齢と性差はない．原因は，傷から侵入した菌に対する異常な免疫反応，歯根膜や歯槽骨の炎症，齲蝕，慢性副鼻腔炎，慢性扁桃炎および金属アレルギーなどが関係しているとされるが，詳細は不明である．なお責任遺伝子は，常染色体優性遺伝様式でMRS (MROS) は9q11に存在することが示唆されている．

病理組織学的には，口唇の粘膜固有層から粘膜下層にかけて浮腫状の変化，リンパ管や細静脈の拡張ならびに脈管周囲のリンパ球の巣状浸潤が特徴的で，T細胞に加え類上皮細胞とラングハンス型巨細胞が集簇して肉芽腫を形成する．脈管には弁膜や分岐がみられ，内皮細胞の反応性乳頭状増殖による可能性がある．粘膜上皮には反応性過形成を呈する．

根本的な治療法はないが，ステロイド療法が有効との報告がある．

接触性口唇炎[108]
contact cheilitis

8 接触性口唇炎[108]

外来性の接触性刺激によって生じる口唇炎である．刺激は主として化学的因子で，酸，アルカリ，有機溶媒，洗剤，化粧品，植物，果実，外用薬などである．一次刺激に続いて発赤，熱感，腫脹などの急性炎症症状が出現する．重篤な場合は，水疱形成からびらんや潰瘍に至

アレルギー性接触口唇炎[109]
allergic contact cheilitis

り，疼痛を伴う熱傷様病態に進展する．刺激物質の感作で生じるアレルギー性接触性口唇炎[109]では，掻痒感も強調されて慢性化する．いずれの口唇炎でも，慢性化時には表面に鱗屑が生じる．

病理組織学的には非特異性炎症であるが，慢性期には粘膜上皮は反応性過形成を呈する．アレルギー性口唇炎では，上皮層内へのリンパ球浸潤も顕著である．

口角炎[110]
angular cheilitis

9 口角炎[110]

口角も口唇の一部であるが，口角に生じる炎症性変化の頻度は高く，病態も特徴的なので口唇炎とは区別されて口角炎という．小児から高齢者まで両側性に出現することが多く，再発傾向もある．口角は構造的に亀裂を生じやすく潰瘍化しやすい傾向があり，潰瘍表面にはフィブリン他の炎症滲出物が析出して痂皮を生じる．口唇の皮膚部に病変の主体があり，粘膜部に広がることは少ない．

病因として，病変部から検出されるカンジダや黄色ブドウ球菌などの真菌・細菌感染やヘルペスなどのウイルス感染があり，背景には糖尿病，免疫能の低下，リボフラビン欠乏などの栄養障害が示唆されてきた．しかし，無歯顎や義歯装着者での発症が多いことから，咬合位変化によって口唇交連に皺が重層して不潔領域が形成され，二次的に感染をきたすと考えられる．

治療は対症療法であるが，咬合調整も考慮すべきである．ビタミンB複合剤の投与も行われる．

（永山元彦，田沼順一）

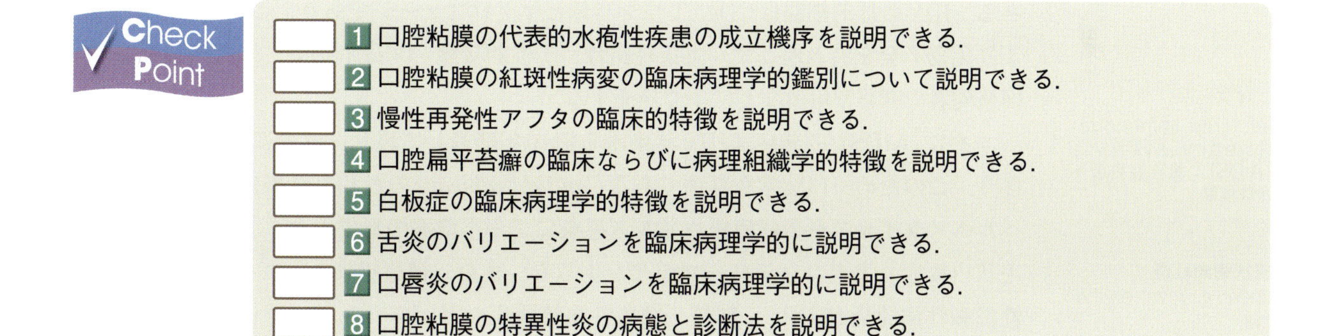

References

1) Langlaris, R.P. et al.：Vesiculobullous lesions in Section 10, intraoral findings by surface change. Color Atlas of Common Oral Diseases, 4th ed. Lippincott Williams & Wilkins, Philadelphia, 162～170, 2009.
2) Kierszenbaum, A.L. and Tres, L.L.：Cell junction in 1 epithelium. Histology and Cell Biology An Introduction to Pathology, 4th ed. Elsevier, Philadelphia, 14～34, 2016.
3) 泉　美貴，檜垣祐子：第5章　水疱形成性疾患．みき先生とゆう子先生の皮膚病理診断ABC　4炎症性病変．秀潤社，東京，84～100，2013.
4) 清水　宏：9章紅斑・紅皮症．あたらしい皮膚科学 第2版．中山書店，東京，129～140，2011.
5) 清水　宏：2章膠原病および類縁疾患．あたらしい皮膚科学 第2版．中山書店，東京，1，179～203，2011.

Chapter 11

口腔粘膜の感染症

口腔粘膜は皮膚と同様に重層扁平上皮によって被覆されている．頬粘膜，口唇，口腔底などは被覆粘膜，硬口蓋，歯肉などは咀嚼粘膜，舌背を覆う粘膜は種々の乳頭を有することから特殊粘膜とよばれ，それぞれ角化の様式や粘膜固有層における膠原線維の量などに違いがみられる．

正常な口腔粘膜は肉眼的にはピンク色にみえるが，これは粘膜上皮を介して粘膜固有層内の血流中のヘモグロビンの色がみえることによる．したがって，口腔粘膜がピンク以外の色調を呈していれば，なんらかの変化が粘膜面に現れていると判断できる．

口腔粘膜の感染症には，ウイルス，細菌，真菌感染などが知られており，それぞれに特徴的な変化を示す．本章では，ヘルペスウイルス族感染による小水疱の形成や，口腔常在真菌であるカンジダによる日和見感染など，口腔粘膜感染症の特徴について解説する．

I—ウイルス感染症

1 HIV[1]感染症

HIV[1]
human immunodeficiency virus：ヒト免疫不全ウイルス．

HIVは1983年に後天性免疫不全症候群の原因ウイルスとして発見された，RNAウイルスである．HIVの標的細胞は$CD4^{+}$ Tリンパ球とマクロファージであり，これらに感染することにより免疫不全を引き起こす．感染経路は，①性的接触，②母子感染，③血液感染などであり，同性愛者や麻薬常用者などに多く発症する．

エイズ[2]
acquired immunodeficiency sydrome (AIDS)：後天性免疫不全症候群．

エイズ（AIDS）[2]の発症はHIV感染から約10年経過して現れ，感染に対する抵抗性の低下を伴う．このため，口腔常在真菌である*Candida albicans*の日和見感染による口腔カンジダ症，ヘルペスウイルスや帯状疱疹ウイルス感染による小潰瘍の形成，サイトメガロウイルス感染，毛状白板症，尖圭コンジローマなどが生じる．また，細菌感染としては線状歯肉紅斑[3]，壊死性潰瘍性歯周炎（NUP）[4]，結核，細菌性血管腫症などがみられる．特にNUPでは，疼痛を伴い，出血や骨破壊，歯の動揺・脱落などがみられる．エイズの末期では，口蓋，歯肉，舌，咽頭などにカポジ肉腫[5]が生じる（**図11-1**）．はじめは無症状に経過するが，潰瘍形成と感染により疼痛を伴うようになる．

線状歯肉紅斑[3]
linear gingival erythema

壊死性潰瘍性歯周炎[4]
necrotizing ulcerative periodontitis (NUP)

カポジ肉腫[5]
Kaposi sarcoma

HIV感染症の治療は，①抗HIVウイルス療法，②免疫調節療法，③合併症に対する治療に大別される．①ではアジドチミジン，ジダノシンを，③では単純ヘルペスウイルスや帯状疱疹ウイルス感染に対する治療にはガンシクロビル，アシクロビル，また細菌感染などに対する治療にはメトロニダゾール，クリンダマイシンなどを用いる．

2 ウイルス性肝炎

肝臓を主たる標的臓器とする一連のウイルスを総称して肝炎ウイルスという．現在までにA〜E型が知られており，これらの感染により生じるものをウイルス性肝炎という．A，C，E型

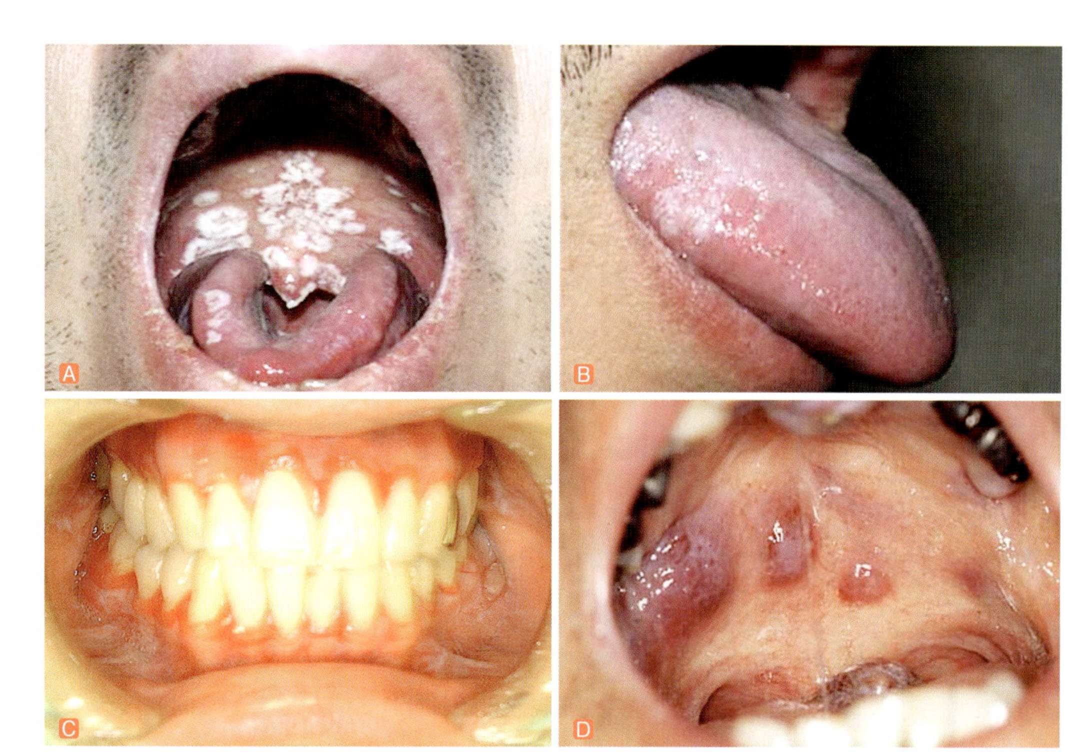

図11-1　エイズの口腔粘膜症状

A 口腔カンジダ症．厚い白色斑が多発性に口蓋から舌背にみられる．
B 毛状白板症．縦型波状白斑が舌側縁に並んでいる．
C 帯状歯肉紅斑．歯周縁を中心に歯肉にびらんが連続性に広がる．
D カポジ肉腫．口蓋に複数の赤紫色隆起性病巣．〔国立国際医療センター 田上正博士提供〕
〔朔　敬：口腔粘膜疾患．新口腔病理学．医歯薬出版，東京，161～180，2008．（以下，前版）より〕

ウイルスはRNAウイルス，B，D型ウイルスはDNAウイルスである．口腔粘膜疾患との関連が報告されているものに慢性C型肝炎があり，シェーグレン症候群類似の唾液腺炎と，これに伴う口腔乾燥症を伴うことがある他，インターフェロンによる治療を行った患者で高率に扁平苔癬が出現することなどが報告されている．

ヘルペス[6]
herpes

ヘルペスウイルス科[7]
herpesviridae

3 ヘルペス[6]

ヘルペスウイルス科[7]に属するDNAウイルスは約100種類存在し，ヒトに感染するものとしては8種類が知られている．ヘルペスウイルス感染の特徴は持続感染および潜伏感染である．初感染後ウイルスが完全に排除されず，無症状のまま神経節やリンパ節に残存する．このようにして体内に潜伏していたウイルスが，再活性化され，症状が顕在化（回帰発症）する．

単純ヘルペスウイルス[8]
herpes simplex virus (HSV)

1 単純ヘルペスウイルス（HSV）[8]

HSVにはⅠ型（HSV-1）およびⅡ型（HSV-2）が存在する．

HSV-1は神経向性で皮膚や粘膜に特徴的な水疱性病変を形成する．口腔内における感染はほとんどがこのタイプのウイルスによる．大部分が1～4歳の小児期に不顕性感染し，三叉神経節に潜伏感染する．ストレスなどの再活性化により，ウイルスは神経の走行に沿って運ばれ水疱を形成する．口腔粘膜では，舌，口唇，頬粘膜，歯肉などに小水疱が形成され，境界明瞭で紅暈を伴うびらん・潰瘍（アフタ）を形成した後，痂皮または偽膜を形成し治癒する（**図11-2**）．回帰感染としての症状は口唇ヘルペスの発症である．口角部の多発性水疱の形成がみられ，2週間程度で治癒する．ウイルスの同定は，PCR法によるDNA検査，細胞診，蛍光抗体による検出などがある．ヘルペス感染症に対する有効なワクチンは存在せず，治療薬としてはアシクロビルなどが用いられる．

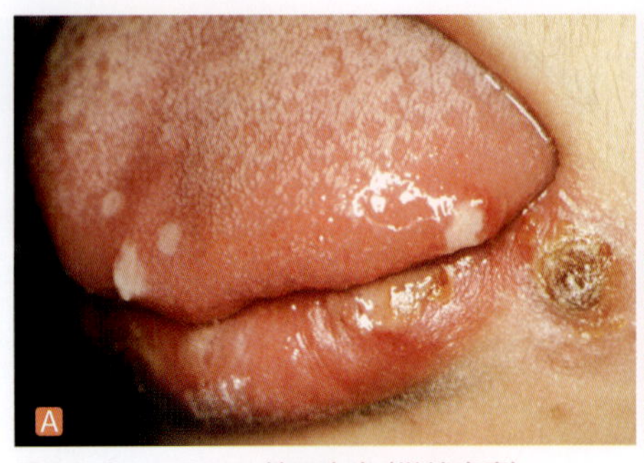
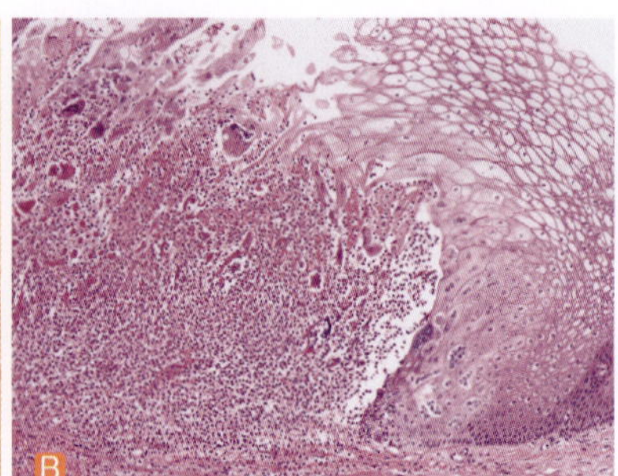
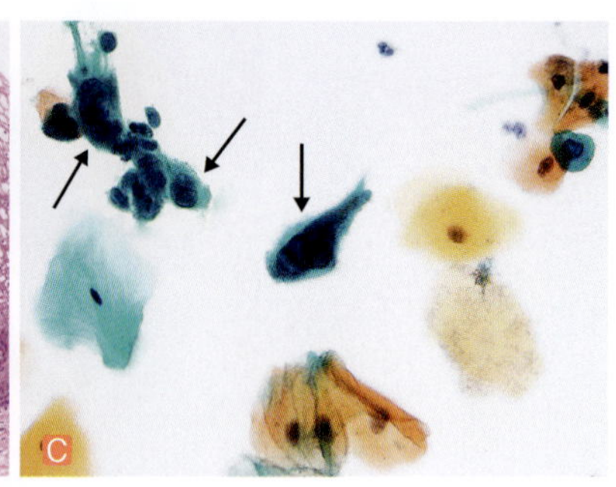

図11-2　ヘルペス性口内炎(単純疱疹)

A 舌に多発性の小潰瘍は偽膜で覆われ，境界明瞭．口唇にも多発して潰瘍は大型化し，口角下方の皮膚に広がっている．
B Aの病理組織像
C 細胞診．感染細胞の多様化や核の圧排像がみられ，核内はスリガラス状で核辺縁部はクロマチンの凝集もみられる．
〔A，Bは前版より．Cは新潟大学大学院医歯学総合研究科 田沼順一教授提供〕

水痘・帯状疱疹ウイルス[9]
varicella-zoster virus (VZV)

2 水痘・帯状疱疹ウイルス(VZV)[9]

初感染(1次感染)は2～8歳の小児において，空気もしくは飛沫感染により成立する．2週間の潜伏期間の後，全身倦怠感や発熱などの症状を呈する．その後，顔面や口腔内(口蓋，歯肉，頰粘膜など)に発疹が出現し，12～24時間以内に掻痒感の強い水疱になり，やがてびらん・潰瘍化する．このとき，知覚神経内にとどまったVZVは宿主の免疫力低下に伴い再活性化し，三叉神経支配領域などに激しい痛みを伴うようになる．PCRなどによるDNA検査，酵素抗体法によるウイルスの同定がなされる．

風疹[10]
rubella：三日はしか．

4 風　疹[10]

風疹ウイルスはトガウイルス科に属するRNAウイルスである．

成人における後天性感染では，発熱，発疹，リンパ節腫脹などの，いわゆる風邪症状を特徴とするウイルス性発疹症で，潜伏期間は2～3週間とされる．症状は多岐にわたるが，皮膚の発疹出現後，3日程度で消退する．口腔では，舌などの口腔粘膜に多発性の潰瘍性口内炎を生じる．稀に，口唇周囲の皮膚に小丘疹や出血斑を伴うことがある．風疹に感受性のある妊娠20週頃までの妊婦が風疹ウイルスに感染すると，出生児が先天性風疹症候群[11]を発症する可能性がある．

先天性風疹症候群[11]
congenital rubella syndorome

麻疹[12]
measles：はしか．

5 麻　疹[12]

麻疹ウイルスはパラミクソウイルス科に属するRNAウイルスである．

初期症状として，発熱とカタル症状(咳，鼻水，眼球結膜の充血など)が数日続いた後，口腔内(主に臼歯部咬合線に相当する頰粘膜)に，白い粘膜疹(コプリック斑)が現れる．コプリック斑[13]の出現後，高熱となり，全身に赤い発疹が出現する．肺炎，中耳炎などを合併することが多く，麻疹患者1,000人に1人は脳炎を合併し，生命の危機に瀕することがある．潜伏期間は約10～12日であり，空気感染，飛沫感染，接触感染で感染伝播する．感受性者の集団の中にいる1人の患者から平均12～18人に感染するとされ，感染性はきわめて高く，免疫がなければ同じ空間にいるだけで感染しやすいとされている．

コプリック斑[13]
Koplik spot

手足口病[14]
hand-foot-and-mouth disease

6 手足口病[14]

コクサッキーウイルスA16やエンテロウイルス71などによる感染症で，飛沫，直接接触感

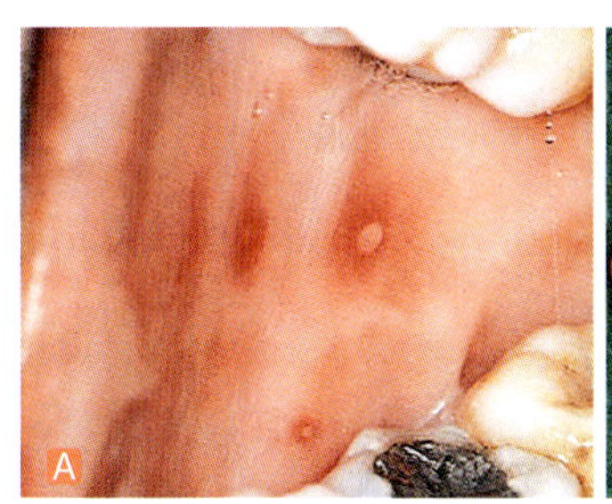
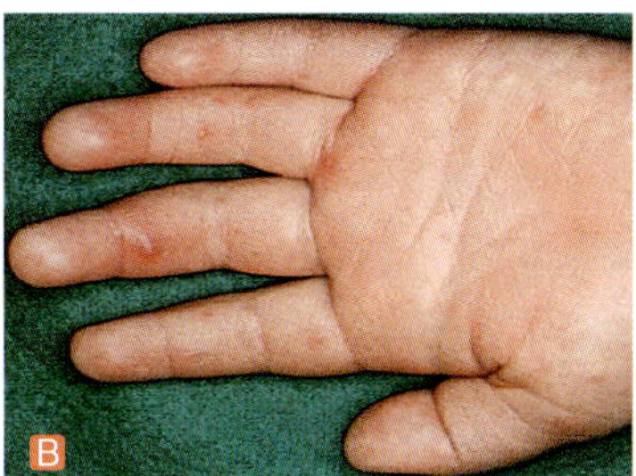
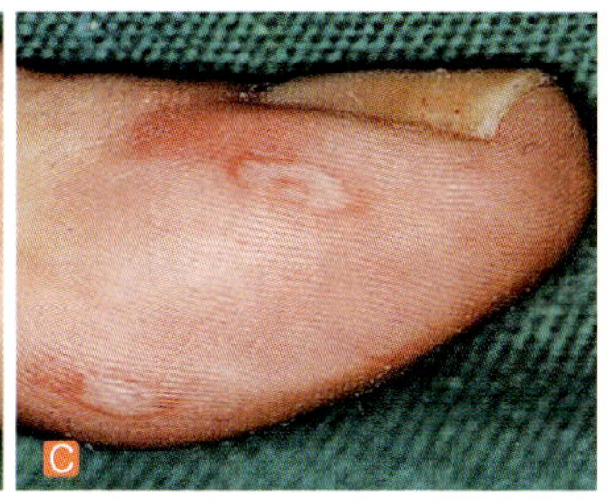

図11-3　手足口病
A 頬粘膜の紅斑を伴った潰瘍形成．
B C 手指に生じた小水疱．
〔新潟大学大学院医歯学総合研究科 田沼順一教授提供〕

染により2歳までの乳幼児に生じる．3～5日間の潜伏期の後，口腔粘膜，手掌，足底や足背などの四肢末端に水疱性発疹が形成されることから命名された疾患であり（**図11-3**），ヘルパンギーナと同様に夏期に多く発生する．痂皮形成を伴わずに数日で治癒するが，疼痛のために飲食不能となり，脱水となることがある．

ヘルパンギーナ[15]
herpangina

7 ヘルパンギーナ[15]

エンテロウイルスによる感染症で，流行性のものはコクサッキーウイルスA群感染によるとされている．2～7日の潜伏期間の後，突然高熱を発し，この状態が2～4日継続する．口腔内では軟口蓋から口蓋垂の口峡部に水疱形成とその破裂による疼痛が生じる．1週間ほどで治癒し，ほとんどが予後良好である．発熱時に熱性痙攣を伴うことがある．

II—細菌感染症

梅毒[16]
syphilis

1 梅　毒[16]

梅毒トレポネーマ *Treponema pallidum* という細菌が，主に性行為を通じて粘膜などの小さな傷口から侵入することにより生じる感染症である．妊婦における感染は，胎盤を通して胎児に母子感染し先天性梅毒となる．治療薬の発達に伴い患者数は激減したが，国立感染症研究所の調査によれば，2013年以降患者数が増加傾向にあるとされている．

梅毒は，第1期～第4期へと進行し，胎児に感染するのは，妊婦が第1期～第2期梅毒で，治療を受けていないケースである．また，胎児が胎盤を通して感染するリスクは60～80％と高い確率であるとされている．現在では，妊娠初期の妊婦健診に，梅毒の検査（梅毒血清反応）が含まれており，必要に応じて治療が行われるので，胎児に感染する例はほとんどない．

梅毒の病期を以下の4期に分ける．

第1期：感染後，3週間ほどの潜伏期間を経て，病原体の侵入部（性器，肛門，口腔など）に，米粒大～大豆大の固いしこり（初期硬結）ができる．しばしば，潰瘍形成（下疳）や所属リンパ節の腫脹を伴うが，その他の症状は明瞭でなく自然消退する．

第2期：感染後3カ月～3年に，病原体の血流による全身散布により，全身のリンパ節の腫れ・関節痛・発熱・倦怠感などの他，全身の皮膚に「バラ疹」が生じるが，これらの症状も自然消退する．

第3期：感染後3～10年経過すると，皮下組織に結節やゴム腫の形成をみる．

第4期：感染後10年以降は，脳・脊髄への感染による進行麻痺・痴呆・脊髄癆（せきずいろう）が，また，心臓血管系においては大動脈炎や大動脈瘤が生じる．

現在では，比較的早い時期から治療を開始することが多く，治療薬の発達と早期治療により，第3期～第4期まで進行することはきわめて稀である．

先天性梅毒[17]
congenital syphilis

1 先天性梅毒[17]

先天性梅毒は，「早発型」と「遅発型」に分類できる．

(1) 早発型先天梅毒

生後3カ月以内に発症する．水疱性発疹や斑状発疹，発育不全，口周囲の割れ目，鼻づまり，全身のリンパ節の腫れ，手足の骨の炎症，肝臓や脾臓の腫れ，黄疸（皮膚や粘膜が黄色くなる）などを伴う．

(2) 遅発型先天梅毒

ムーン歯[18]
Moon's tooth
フルニエ歯[19]
Fournier's tooth

学童期以降に発症する．実質性角膜炎，内耳性難聴，ハッチンソン歯（上前歯部）などの「ハッチンソンの3徴候」が現れる．臼歯部に生じるものはムーン歯[18]，フルニエ歯[19]などとよばれる．

先天性梅毒の治療には，梅毒の病原体を死滅させる効果がある抗生物質の「ペニシリン」が用いられる．

破傷風[20]
tetanus

2 破傷風[20]

偏性嫌気性菌である破傷風菌の芽胞が皮膚創部などから侵入して感染が成立する．産生された神経毒素（破傷風毒素）により強直性痙攣を引き起こすことを特徴とし，重篤な場合は死に至る．

3～21日の潜伏期を経て発症し，4病期に分けられる．第1期に口腔内症状としての咬筋の痙攣（咬攣），開口障害（牙関緊急）として始まり，食物の摂取困難，歯ぎしりなどを生じる．

MRSA[21]
meticilin-resistant *Streptococcus aureus*

3 MRSA[21]

黄色ブドウ球菌の中でメチシリンに対して抵抗性を獲得したものをMRSAとよぶ．一般的に，MRSAの病原性は黄色ブドウ球菌に比較して特に高いわけではなく，健常な老人の生活する施設などでは大きな問題にはならない．しかし医療現場においては易感染性の患者（新生児，高齢者，免疫不全患者など）が多く，ひとたび感染すると多くの抗生物質に対して耐性があるため，肺炎や術創感染などにより重篤な全身状態に至り，大きな問題となる．

バンコマイシンなどの開発により，以前と比較して問題視されることが少なくなったが，医療施設におけるMRSA症例数は減少していないのが実態である．口内炎，歯周炎，その他の口腔内疾患はMRSA侵入の門戸となる可能性が指摘されている．

4 真菌感染症

主病巣の体内における部位の違いにより，深在性真菌症，表在性真菌症，深部皮膚真菌症に分けられる．口腔内で最も多いのはカンジダ感染症である．

口腔カンジダ症[22]
oral candidiasis

1 口腔カンジダ症[22]

口腔内で高頻度にみられるものは*Candida albicans*による感染であり（表在性カンジダ症），この菌種は健常者の20～40％に口腔や腸管などから検出される．咽頭や舌表面などに白苔を生じ，口腔咽頭カンジダ症と総称されている．白苔はガーゼなどにより容易に除去され，他の疾患との鑑別に重要である．唾液分泌の低下した患者，高齢者・乳幼児やエイズ患者，糖尿病患者，癌患者など免疫機能の減弱した患者に発症する他，抗菌薬・ステロイド薬服用患者など

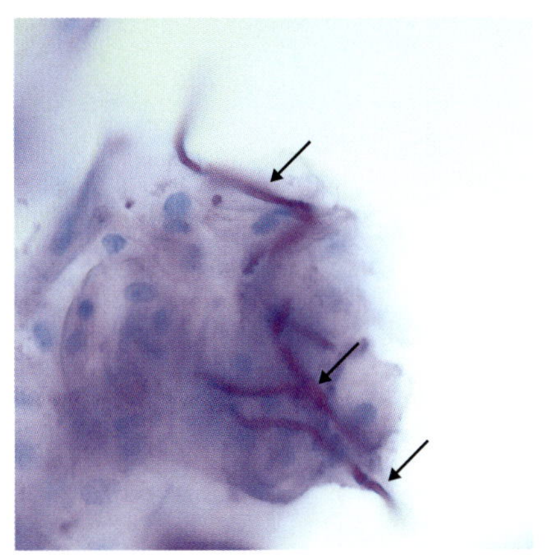

図11-4　細胞診標本のPAS染色
矢印は*Candida albicans*を示す.

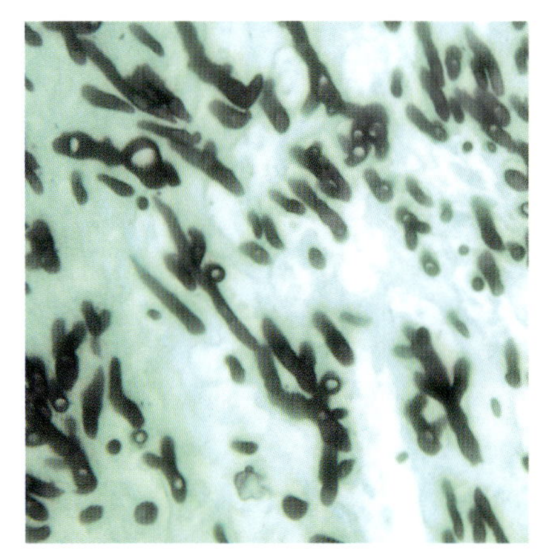

図11-5　肺のアスペルギルス症
グロコット染色.

における菌交代現象に続く日和見感染として発症する.

舌乳頭の喪失により舌に痛みと発赤を伴うタイプのものは萎縮性カンジダ症といわれ，摂食障害などを伴う．義歯装着者や口腔乾燥，栄養障害を伴う患者に多くみられる.

カンジダ菌の同定は比較的容易であり，口腔粘膜上皮である重層扁平上皮の錯角化層に直交して突き刺さるようにして存在する．細胞診標本ではPAS染色(**図11-4**)なども用いられる.

治療には，ミコナゾールゲル，アンホテリシンシロップなどが用いられる.

アスペルギルス症[23]
aspergillosis

2 アスペルギルス症[23]

*Aspergillus fumigatus*などの感染により発症し，近年増加傾向にあるとされている．上顎洞内アスペルギルス症などの報告があり，従来日和見感染によるとされていたが，最近では菌交代現象などを伴わない症例も散見されている．臨床上は侵襲性アスペルギルス症が重篤な症状を呈する．真菌の検出にはグロコット染色なども有用である(**図11-5**).

結核症[24]
tuberculosis

結核菌[25]
Mycobacterium tuberculosis

5 結核症[24]

かつて国民病として恐れられた結核症は結核菌[25]による感染症である．死亡率は昭和20年代に比較して1/100以下にまで激減したが，1980年代末から減少の鈍化が認められ，1999年には「結核緊急事態宣言」が出された．2010年には人口10万人当たり18.2人の罹患率があった．結核菌は細胞内寄生性であり，貪食されたマクロファージ内で生存し続ける．主に結核患者の咳の飛沫により感染が成立する．未曝露宿主における感染を一次結核，既感染患者で免疫学的感作の成立後における外来性再感染もしくは内因性再感染を二次結核という．特に結核菌がリンパ行性または血行性に播種されると粟粒結核症となる.

口腔内では，大部分が二次結核であり，舌，口蓋，口唇に感染巣が形成され，稀にみられる初感染では歯肉・抜歯窩，歯肉頬移行部・頬・口唇などに病巣がみられる．口腔粘膜の二次結核は潰瘍性結核，軟化性結核，尋常性狼瘡，結核疹などがあり，潰瘍性結核が最も多い．辺縁不規則な表在性穿堀性で硬結を伴わない単発性または多発性の潰瘍形成を伴い，潰瘍底は小顆粒状で灰黄白色苔に覆われ強い接触痛がある.

チール・ネルゼン染色[26]
Ziehl-Neelsen staining

診断は胸部エックス線撮影，ツベルクリン反応や喀痰，唾液，局所病巣からの塗抹および培養による結核菌の検出と，生検による病理組織学的検査によって行う．典型的な結核結節(**図11-6，7**)のない症例では，結核菌を直接検出する方法として，チール・ネルゼン染色[26]，免疫組織化学的手法や*in situ*ハイブリダイゼーション法などを用いる．また，抽出した

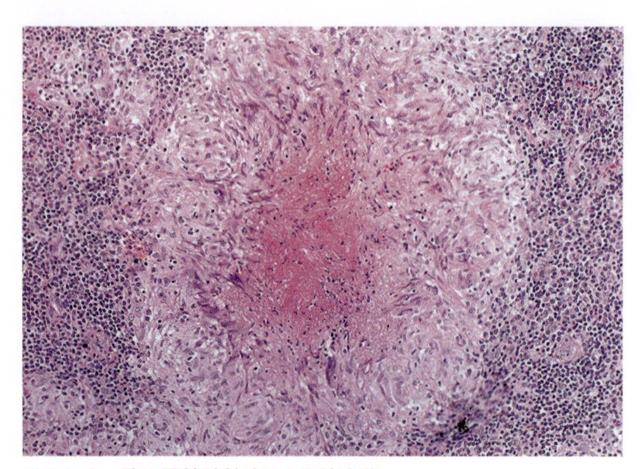

図11-6　肺の粟粒結核症のHE染色像
中心部には乾酪壊死がみられ，その周囲に類上皮細胞やラングハンス型巨細胞とリンパ球の浸潤がみられる．
〔新潟大学大学院医歯学総合研究科 田沼順一教授提供〕

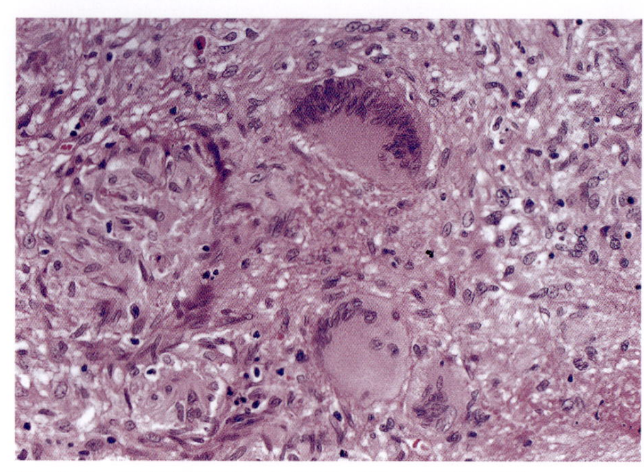

図11-7　結核結節にみられるラングハンス型巨細胞
類上皮細胞やラングハンス型巨細胞がみられる．
〔新潟大学大学院医歯学総合研究科 田沼順一教授提供〕

DNAを用いたPCR法なども応用されている．

治療としては抗結核薬としてのイソニアジド，リファンピシン，ストレプトマイシンなど10種類以上の薬剤の中から2種類以上併用することが一般的に行われており，これにより耐性菌の出現を抑制するとされている．この他，口腔粘膜に対しては保存的に処置し，口腔清掃，刺激源の除去を行う．

（浅野正岳）

- 1 ウイルス感染症の口腔内症状について説明できる．
- 2 結核症の病理組織像について説明できる．
- 3 口腔カンジダ症について説明できる．

References

1) 佐藤公則：口腔粘膜疾患の診方・考え方．口咽科，26(1)：119〜130，2013.
2) 清水　宏：第23章　ウイルス感染症．あたらしい皮膚科学 第2版．中山書店，東京，463〜487，2011.
3) 川口　寧：ヘルペスウイルスの感染機構．生化学，84(5)：343〜351，2012.

Chapter 12

口腔癌・口腔潜在的悪性疾患と口腔上皮性異形成

口腔潜在的悪性疾患は臨床的に口腔癌へ進展する危険性を有する疾患であり，WHO（2017）において新しい臨床的疾患概念として記載された．

病理組織学的な口腔癌の前駆病変としての上皮性異形成は，「口腔上皮性異形成」として定義されており，形態学的な異型度が高くなるにつれ，癌化のリスクが高まっていく．口腔上皮性異形成がさらに異型度を増すと「上皮内癌」とよばれる病態を呈し，上皮下結合組織への進展を示すようになれば浸潤癌となる（**表12-1**）．

本章では口腔潜在的悪性疾患，口腔上皮性異形成，口腔癌の疾患概念と分類について解説する．

表12-1　口腔癌の前癌病変と上皮内癌，扁平上皮癌の組織学的な違い

口腔上皮性異形成	上皮内癌	扁平上皮癌
口腔癌の前駆病変．遺伝子変異の蓄積による上皮組織の細胞異型と構造異型を伴う．	癌細胞が上皮内に限局しており，上皮下結合組織への浸潤増殖がみられない癌．	扁平上皮への分化傾向を示す癌．浸潤増殖，リンパ節や他臓器への転移を生じる．

口腔潜在的悪性疾患[1]
oral potentially malignant disorders

前癌病変と前癌状態[2]
precancerous lesion, precancerous condition：癌に進展する可能性のある病態を表す概念として，前癌病変，前癌状態の用語がある．前癌病変とは，正常組織と比較して癌発生リスクが高い病変と定義され，臨床的には白板症や紅板症，病理組織学的には口腔上皮性異形成などが該当する．前癌状態とは正常粘膜に比べ扁平上皮癌が発生するリスクの高い状態を指し，必ずしも局所の病理組織像に変化をもたらすものではない．扁平苔癬，粘膜下線維症，梅毒性口内炎などが該当する．

白板症[3]
leukoplakia

I－口腔潜在的悪性疾患[1]

口腔潜在的悪性疾患とは，臨床的に定義可能な前駆病変か，正常な口腔粘膜かにかかわらず，口腔癌へ進展する危険性を有する臨床症状と定義されている．**表12-2**に口腔潜在的悪性疾患を示す．

口腔潜在的悪性疾患はさまざまな原因により生じる．わが国ではその原因として，喫煙やアルコールの摂取などが挙げられているが，多くの場合病因は明らかではない．この他に癌に進展する可能性のある病態を表す概念として，前癌病変と前癌状態[2]がある．以下，代表的な口腔潜在的悪性疾患について解説する．

1 白板症[3]

口腔粘膜に生じた白板状または斑状の隆起性を示す病変の総称で（**図12-1**），臨床的な診断名である．白板症は高齢者に多く，好発年齢は50～70歳代で，性別では男性に多い．発生部位は頬粘膜，舌，歯肉，口腔底，口蓋に多くみられる．病因としては局所に作用する物理的，化学的，生物学的な刺激，たとえば喫煙，アルコール摂取，不適合補綴装置やカンジダなどの因子が関与すると考えられている．

白板症の癌化率は4～18％を呈するとされ，臨床的には舌縁，舌下面，口腔底に発生した疣状や腫瘤状のもの，潰瘍を伴うものなどで癌に進展する可能性が高いとされる．白板症は均一型と不均一型に分類され，均一型には平坦型，波型，皺型，軽石型があり，不均一型には疣贅型，結節型，潰瘍型，紅斑混在型に分けられる．不均一型は均一型に比べ癌化率が高い．

病理組織学的には角化の亢進，口腔上皮性異形成が多くみられるが，上皮内癌や扁平上皮

表12-2　口腔潜在的悪性疾患

口腔潜在的悪性疾患
紅板症
紅板白板症
白板症
口腔粘膜下線維症
先天性角化異常症
無煙タバコ角化症
リバーススモーキングによる口蓋角化症
慢性カンジダ症
口腔扁平苔癬
円板状エリテマトーデス
梅毒性舌炎
日光角化症（口唇のみ）

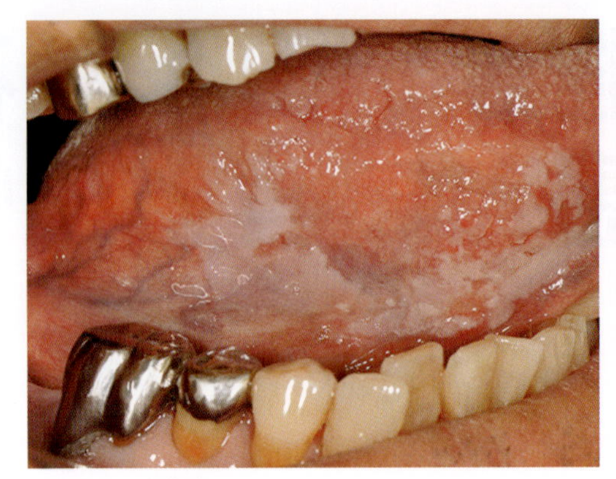

図12-1　白板症
　右側舌縁部から舌下面にかけて周囲よりもわずかに隆起した白色の病変がみられる．

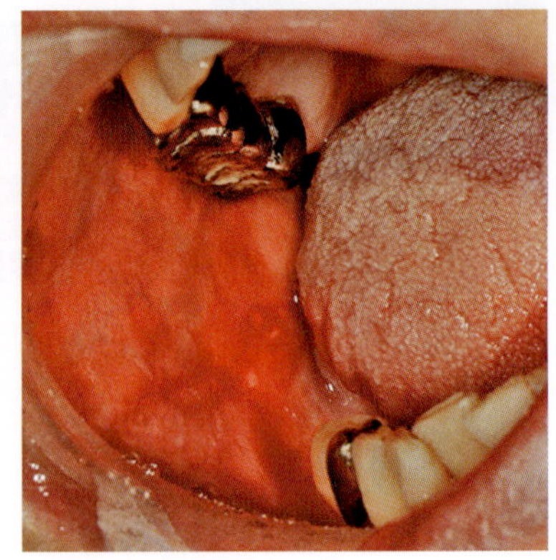

図12-2　紅板症
　右側頬粘膜に鮮紅色で表面ビロード状の病変がみられる．

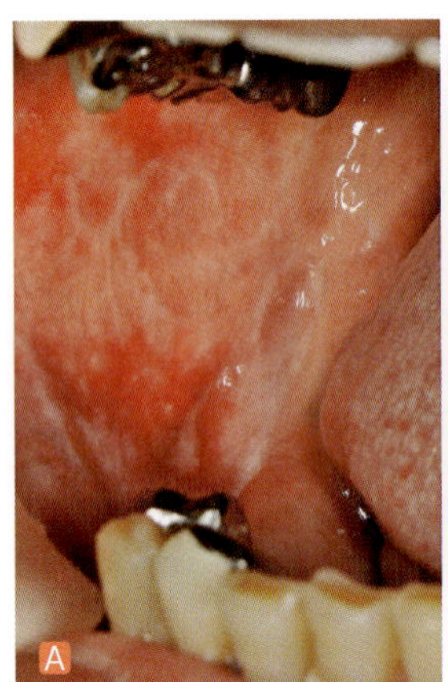

図12-3　扁平苔癬-1
両側性の頬粘膜にレース状白斑が認められる．
A 右側頬粘膜
B 左側頬粘膜

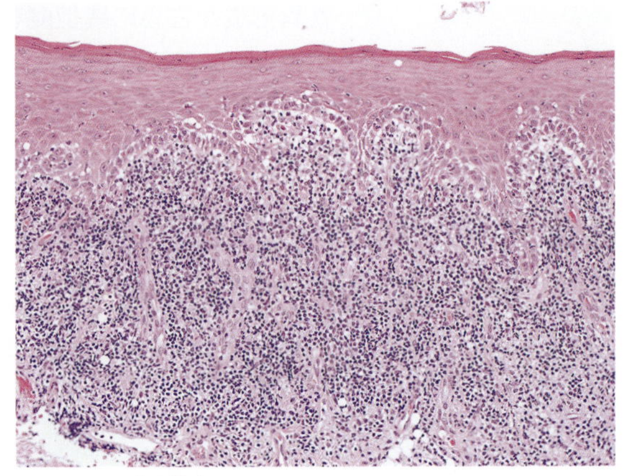

図12-4　扁平苔癬-2
　上皮組織では鋸歯状の釘脚の伸長がみられ，上皮下にはリンパ球の浸潤が認められる．

癌の場合もある．

紅板症[4]
erythroplakia

2 紅板症[4]

紅板症は口腔粘膜にビロード状の紅斑としてみられる病変で（**図12-2**），白板症と同様，臨床的な診断名である．紅板症は白板症と比べ発症頻度は低いが癌化率は高く，40～50％とされている．好発年齢は50～60歳代で性差はない．頬粘膜，舌，口蓋，口腔底，歯肉に好発し，接触痛を伴うことが多い．

病理組織学的には著明な上皮の萎縮を伴い，異型が認められることが多い．病理組織学的に口腔上皮性異形成や初期の扁平上皮癌とみなすべき例も認められる．

口腔扁平苔癬[5]
oral lichen planus

3 口腔扁平苔癬[5]

角化異常を伴った慢性炎症性疾患で，口腔粘膜に線状，網状の白斑が発赤を伴って認められる（**図12-3**）．頬粘膜が好発部位で両側にみられることが多い．癌化については2～3％と報告されている．病因としてビタミン不足，金属アレルギー，ウイルス感染などが挙げられており，免疫異常の関与が重要視されている．

病理組織学的には角化亢進，不規則な棘細胞層の肥厚，基底細胞の傷害，上皮下結合組織におけるリンパ球の帯状浸潤が特徴である(**図12-4**).

口腔粘膜下線維症[6]
oral submcous fibrosis

4 口腔粘膜下線維症[6]

ビンロウジュの実を噛む(betel nut chewing)習慣をもつ東南アジアの地域に多く発生する.粘膜の黄白色病変として口蓋や頬粘膜に認められ,当該部の粘膜は弾力を失い硬くなる.約7%が癌化するとの報告がある.東南アジアでは口腔癌の割合が全癌種の約30%を占めており関連性が指摘されている.

病理組織学的には口腔粘膜上皮の萎縮と種々の程度の上皮性異形成がみられる.上皮下結合組織は血管が乏しく,硝子化,慢性炎症細胞浸潤,線維性変化がみられる.

口腔カンジダ症[7]
oral candidiasis

5 口腔カンジダ症[7]

口腔カンジダ症は,口腔粘膜に対する*Candida albicans*の感染によって生じる.カンジダ感染は日和見感染で,宿主の免疫能低下によって生じること,慢性の口腔粘膜炎の発症などが口腔癌の発症に関与すると考えられている.高齢者や免疫不全患者で発症することが多く,口腔内では舌,頬粘膜,口蓋に好発する.肉眼的には病変部が白色を呈することが多いが,紅斑型も存在する.病理組織学的には上皮組織内へのカンジダ菌の侵入が認められる.

口腔梅毒[8]
oral syphilis

6 口腔梅毒[8]

*Treponema pallidum*の感染により生じる.梅毒は感染経路により先天性と後天性に分けられるが,後天梅毒では4期に分類される経過をたどる.第1期では初期感染部に初期硬結や下疳(感染に伴う潰瘍)がみられる.第2期では舌や軟口蓋に,白斑や丘疹性梅毒疹などの白板症様の病変が認められ,癌化のリスクが高いとされている.第3期は軟組織と骨組織に生じる肉芽腫性炎で,口腔では舌や口蓋に潰瘍形成をみることが多い.

口腔では第3期病変が第1・2期病変より高頻度にみられ,梅毒性舌炎は扁平上皮癌へ移行しやすいと考えられている.

円板状紅斑性狼瘡[9]
discoid lupus erythematosus

7 円板状紅斑性狼瘡[9]

口唇や頬粘膜に好発する角化やびらんを伴う不規則な形態の紅斑性病変.自己免疫疾患とされており,主として口唇癌の発生が報告されている.

口腔上皮性異形成[10]
oral epithelial dysplasia

Ⅱ—口腔上皮性異形成[10]

WHO(2017)の分類では口腔上皮性異形成は「遺伝子変異の蓄積により引き起こされる,扁平上皮癌に連続するリスクの増加を伴う構造学的および細胞学的な上皮のスペクトラム変化」と定義されており,前癌病変[10]と解釈されている.

口腔上皮性異形成の構造異型と細胞異型はそれぞれ8つに分類される.構造異型は,①不規則な細胞重層,②基底細胞の極性喪失,③滴状の上皮釘脚形態,④細胞分裂の増加,⑤上皮表層の細胞分裂,⑥棘細胞層内の角化や単一細胞角化,⑦釘脚内の角化真珠,⑧上皮細胞の接着喪失である.細胞異型は,①核の大小不同,②核の形状不整,③細胞の大小不同,④細胞の形状不整,⑤N/C比の上昇,⑥異型核分裂,⑦核小体の増加と腫大,⑧濃染性核である(**表12-3**).

表12-3　口腔上皮性異形成にみられる細胞異型と構造異型（2017）

構造異型	細胞異型
①不規則な細胞重層	①核の大小不同
②基底細胞の極性喪失	②核の形状不整
③滴状の上皮釘脚形態	③細胞の大小不同
④細胞分裂の増加	④細胞の形状不整
⑤上皮表層の細胞分裂	⑤N/C比の上昇
⑥棘細胞層内の角化や単一細胞角化	⑥異型核分裂
⑦釘脚内の角化真珠	⑦核小体の増加と腫大
⑧上皮細胞の接着喪失	⑧濃染性核

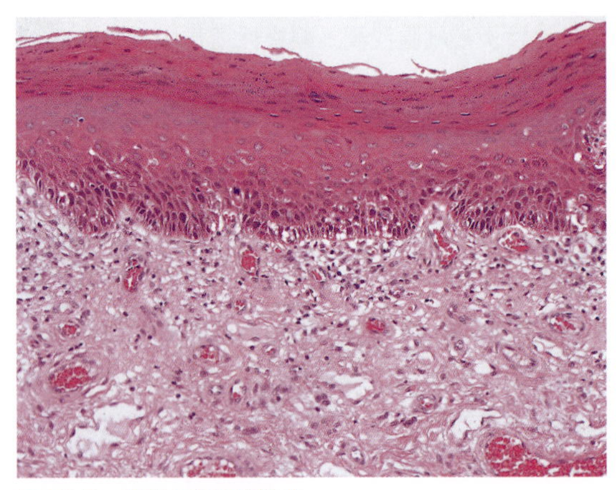

図12-5　軽度上皮性異形成

異型細胞が上皮層の下層に認められる．基底層の層状化，極性の消失傾向を認める．

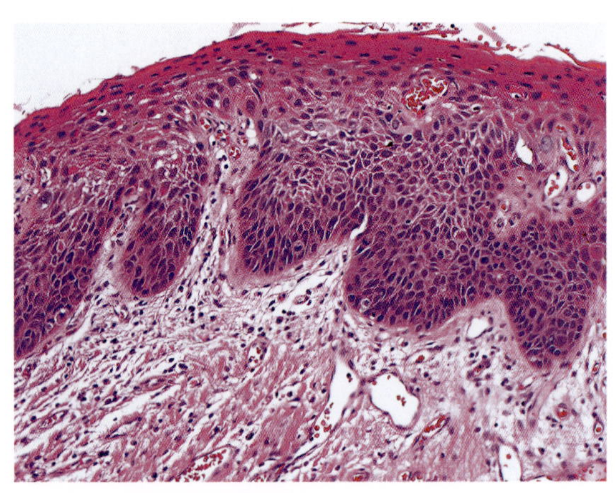

図12-6　高度上皮性異形成

強い異型を伴った上皮細胞が表層近くにまで認められる．上皮組織では正常な構築が失われ著明な構造異型を認める．

これらの異型がみられる上皮層のレベルによって，上皮全層における異型細胞の占める部位が1/3の場合は軽度（mild. **図12-5**），2/3以上の場合は高度（severe. **図12-6**），それらの中間を中等度（moderate）と分類されている．また，WHOでは前述の3分類法とともに口腔上皮性異形成の分類法として，低異型度（low grade）と高異型度（high grade）に分類する2分類法についても記載している．

増殖性疣贅状白板症[11]
proliferative verrucous leukoplakia

Ⅲ―増殖性疣贅状白板症[11]

通常の白板症とは異なり，多発性でしばしば広範にみられ，高率に癌化や再発を示す口腔潜在的悪性疾患である．60歳以上の高齢者女性に多く，歯肉，歯槽粘膜，口蓋などに好発する．舌は歯肉での発生は高率に癌化すると報告されている．病因について，酒やタバコ，HPVをはじめとする口腔癌の発癌因子との関連は明確ではない．

本症は進行性の経過を示し，病期によって病理組織像が異なる．初期では平坦で限局性の病変で上皮は過角化を示しているが，病期が進むにつれ徐々に疣贅状を呈しながら水平方向へ病変が拡大し，後期では口腔上皮性異形成を経て扁平上皮癌へ移行していく．

口腔癌[12]
oral cancer

Ⅳ―口腔癌[12]

わが国における口腔悪性腫瘍の90％以上は上皮性悪性腫瘍の癌腫である．口腔に発生する癌腫のほとんどが口腔被覆粘膜上皮由来の扁平上皮癌である．ここでは，解剖学的な口腔の被覆粘膜に由来する扁平上皮癌を口腔癌として説明する．

1 発生率

近年，人口の高齢化に伴ってその発生数は増加傾向にある．わが国では口腔癌の発生率は全癌腫の2～4%とされている．

2 好発年齢・性別・部位

男女比は3：2と男性に多く，年齢的には60歳代が多い．発生部位別では舌癌が最も多く，歯肉癌がそれに次ぐ．

3 病因・誘因

口腔癌の病因・誘因としては種々のものが考えられる．主として喫煙や飲酒などが挙げられる．食物や嗜好品による化学的刺激も病因となる．東南アジアやインドではビンロウジュの実と消石灰をビーテルの葉に巻いて噛む嗜好品が広く浸透しており，口腔癌の主な原因の1つになっている．また，齲蝕や歯科治療に伴う不良補綴装置，不適合義歯，歯列不整などによる持続的な慢性刺激も他の発癌因子との相乗作用で口腔癌の発生を促進する．子宮頸癌の病因としてヒトパピローマウイルス（HPV）の感染が示されているが，口腔癌においてもHPVの感染がみられる場合がある．その他にカンジダ症をはじめとする細菌感染，梅毒の第3期にみられる萎縮性舌炎など，口腔潜在的悪性疾患からの癌への進展が知られている．

4 臨床所見

初期では白斑や紅斑の混在するびらんや潰瘍，結節状あるいは表面顆粒状の隆起性病変としてみられ，進行すると潰瘍と硬結を伴う腫瘤を形成するなど多彩な臨床所見を示す．部位により異なるが，舌癌では痛みや潰瘍形成が多く，歯肉癌では無痛性の腫瘤の傾向があるとされる．

癌の臨床発育様式の分類では，外向型，内向型，表在型の3型に分類される．肉眼分類では，膨隆型，潰瘍型，肉芽型，白板型，乳頭型の5型分類が代表的である．これらの臨床型分類は，再発，転移，生存率の予後因子になるとされており，舌癌，頬粘膜癌，硬口蓋癌，口底癌の内向型では予後が悪いことが示されている．所属リンパ節への転移は約30%の症例でみられ，多くは同側性にみられる．

5 画像診断

診断に用いられる画像診断法として，単純エックス線，パノラマエックス線，CT，超音波検査，MRI，RI，PETなどが用いられる．

各種エックス線は骨近傍に発生した癌の骨組織への浸潤を検討するのに有用である．骨吸収の様相は腫瘍の増殖態度と関連しており，増殖が遅い低悪性の癌でみられる骨吸収縁が明瞭な平滑型，増殖の速い高悪性の癌にみられる浸潤吸収型に分類できる．CTは軟組織，硬組織両方の画像を得ることができる．超音波検査はリンパ節転移や舌癌の進達度の評価に有用である．MRIは軟組織と硬組織の両者の画像を評価することが可能で，主に軟組織における腫瘍組織の質的変化を評価する際に有用とされる．RIは骨シンチグラフィなどにより腫瘍の骨転移の検索に用いられている．さらにPETは全身の腫瘍発生を精査することができ，原発巣や転移巣の検索に有用とされる．

表12-4　口腔癌のTNM分類および病期〔UICC第8版より抜粋〕

【TNM分類】

T：原発腫瘍

TX	原発腫瘍の評価が不可能
T0	原発腫瘍を認めない
Tis	上皮内癌
T1	最大径が2cm以下かつ深達度が5mm以下の腫瘍
T2	最大径が2cm以下かつ深達度が5mmを超える腫瘍，または最大径が2cmを超えるが4cm以下でかつ深達度が10mm以下の腫瘍
T3	最大径が2cmを超えるが4cm以下でかつ深達度が10mmを超える腫瘍，または最大径が4cmを超え，かつ深達度が10mm以下の腫瘍
T4a	[口唇]下顎骨皮質を貫通する腫瘍，下歯槽神経，口腔底，皮膚(オトガイ部または外鼻の)に浸潤する腫瘍 [口腔]最大径が4cmを超え，かつ深達度が10mmを超える腫瘍，または下顎もしくは上顎洞の骨皮質を貫通するか上顎洞に浸潤する腫瘍，または顔面皮膚に浸潤する腫瘍
T4b	[口唇および口腔]咀嚼筋間隙，翼状突起，頭蓋底に浸潤する腫瘍，または内頸動脈を全周性に取り囲む腫瘍

N：領域リンパ節

NX	領域リンパ節の評価が不可能
N0	領域リンパ節転移なし
N1	同側の単発性リンパ節転移で，最大径が3cm以下かつ節外浸潤なし
N2	N2a：同側の単発性リンパ節転移で，最大径が3cmを超えるが6cm以下かつ節外浸潤なし N2b：同側の多発性リンパ節転移で，最大径6cm以下かつ節外浸潤なし N2c：両側あるいは対側のリンパ節転移で，最大径が6cm以下かつ節外浸潤なし
N3a	最大径が6cmを超えるリンパ節転移で，節外浸潤なし
N3b	単発性または多発性リンパ節転移で，臨床的節外浸潤あり

M：遠隔転移

M0	遠隔転移なし
M1	遠隔転移あり

【病期】

	T	N	M
0期	Tis	N0	M0
I期	T1	N0	M0
II期	T2	N0	M0
III期	T3 T1, T2, T3	N0 N1	M0 M0
IVA期	T4a T1, T2, T3, T4a	N0，N1 N2	M0 M0
IVB期	Tに関係なく T4b	N3 Nに関係なく	M0 M0
IVC期	Tに関係なく	Nに関係なく	M1

TNM分類[13]
TNM classification

6 悪性腫瘍のTNM分類[13]

TNM分類は国際対がん連合(UICC)によって示されている悪性腫瘍の進展範囲に基づいた分類である．悪性腫瘍を，腫瘍の大きさ，領域リンパ節，遠隔臓器転移の状態をもとに分類する．

TNM分類の有用性は，①臨床医の治療計画作成に役立つ，②予後について何らかの示唆を与える，③治療成績を評価する一助となる，④治療施設間の情報交換を容易にする，などである．口腔癌のTNM分類は小唾液腺を含む口唇赤唇部と口腔の癌腫に適用する．**表12-4**に口腔癌のTNM臨床分類および病期を示す．

7 予　後

口腔癌一次症例の5年累積生存率は向上してきており，StageⅠでは85〜95%，StageⅡでは80〜85%，StageⅢでは60〜75%，StageⅣでは40〜50%，全症例で70〜80%とされている．

8 病理組織学的所見

口腔癌の組織型はおよそ90%が扁平上皮癌とされている．扁平上皮癌の亜型として，類基底扁平上皮癌，紡錘細胞扁平上皮癌，腺扁平上皮癌，孔道癌，疣贅状扁平上皮癌，リンパ上皮性癌，乳頭状扁平上皮癌，棘融解型扁平上皮癌がある．その他，唾液腺由来の腺癌，未分化癌などが発生する．

扁平上皮癌[14]
squamous cell carcinoma

1 扁平上皮癌[14]

扁平上皮癌は重層扁平上皮に類似した腫瘍細胞の増殖からなる腫瘍で，異型を伴った腫瘍細胞による胞巣を形成しながら浸潤増殖を示す．基本的な病理組織像は，胞巣の辺縁には基底細胞様の腫瘍細胞が配列し，胞巣中央へ向かって扁平上皮の層状分化を生じ，中心部では角化を認める．腫瘍胞巣内にみられる角質層を癌真珠という．

高分化型扁平上皮癌[15]
well differentiated squamous cell carcinoma

低分化型扁平上皮癌[16]
poorly differentiated squamous cell carcinoma

腫瘍細胞は重層扁平上皮への分化傾向を示すが，腫瘍の分化度の違いにより高分化型，中等度分化型，低分化型に分類される．高分化型扁平上皮癌[15]は胞巣の層状分化や重層扁平上皮への分化傾向が明瞭である．胞巣内では角質層の形成が著明で，浸潤増殖する大部分の腫瘍胞巣内に角質層の形成がみられる（**図12-7**）．中等度分化型扁平上皮癌では扁平上皮への分化傾向を示す充実性の胞巣内に部分的に角化を伴う．低分化型扁平上皮癌[16]では浸潤増殖する小塊状または索状胞巣を形成し，胞巣内に角化はほとんど認められない（**図12-8**）．

口腔の扁平上皮癌は主としてリンパ行性転移を示す．組織内でリンパ管内に浸潤した腫瘍細胞は原発巣に近い局所リンパ節へと転移する（**図12-9**）．頭頸部領域で転移を生じやすいのは上内頸静脈リンパ節，顎下リンパ節である．血行性に遠隔転移をきたしやすい臓器は肺，骨組織とされている．口腔癌を含め多くの癌腫に癌抑制遺伝子であるp53の遺伝子異常が認められるとされ，通常，正常なp53タンパクの半減期は数分と短いが，変異型のp53タンパクの半減期は長く，細胞質に蓄積していくため免疫組織化学的に染色が可能となり癌の診断の一助としても用いられている．

上皮内癌[17]
Cracinoma in situ

2 上皮内癌[17]

上皮内癌は癌細胞が上皮内に限局して増殖し，基底膜の破壊や，これに伴う上皮下結合組織への浸潤増殖がみられない癌腫である．病理組織学的には著しい極性の消失を伴い，異型細胞の出現が上皮の全層に及んでいる．なお口腔粘膜では基底細胞側に高度の細胞異型と構造異型を伴うものの，上皮表層によく分化した細胞を配する上皮内癌が存在しており，浸潤癌へ進展することがあるので注意が必要である．

類基底扁平上皮癌[18]
basaloid squamous cell carcinoma

3 類基底扁平上皮癌[18]

基底細胞様の腫瘍細胞の増殖からなる悪性度の高い扁平上皮癌の亜型である．基底細胞様細胞が充実性増殖を示す胞巣を形成し，胞巣中心部の中心壊死を伴うことも多い．胞巣辺縁部

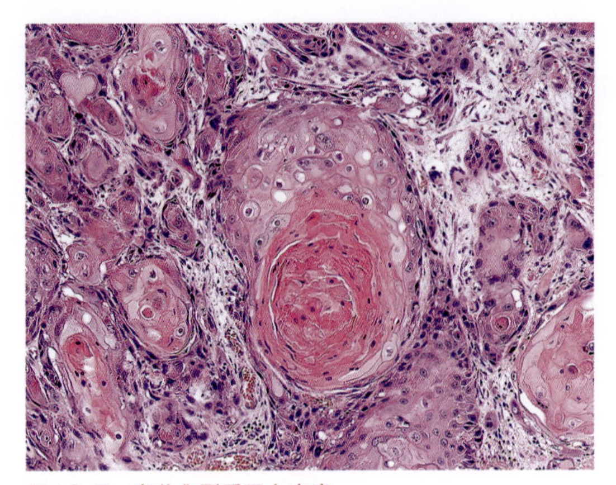

図12-7　高分化型扁平上皮癌

扁平上皮への分化傾向が著明な腫瘍細胞が胞巣を形成し，胞巣中心部では角質巣の形成がみられる．

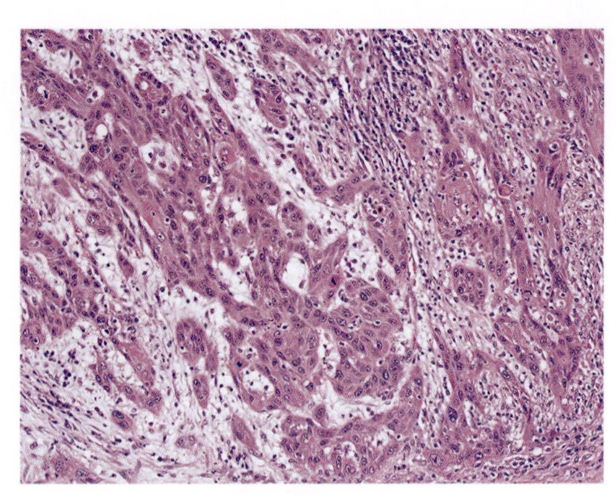

図12-8　低分化型扁平上皮癌

腫瘍細胞の扁平上皮への分化傾向に乏しく，腫瘍胞巣は索状を呈し，角質巣の形成はみられない．

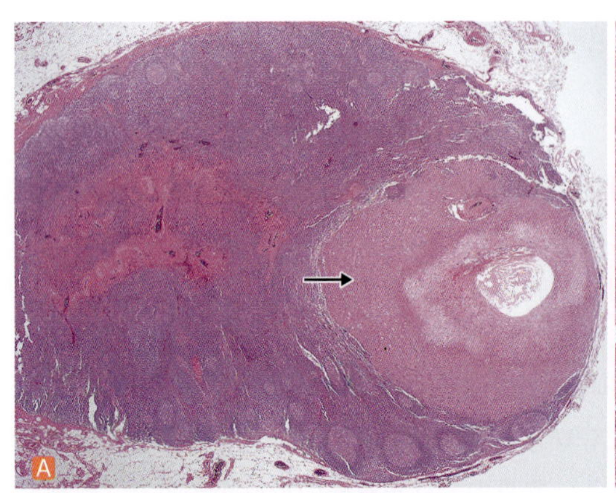

図12-9　扁平上皮癌のリンパ節転移

A リンパ節内に腫瘍細胞の充実性の増殖を認める（矢印）．
B 腫瘍部の拡大．扁平上皮への分化傾向を示す腫瘍細胞がみられる．

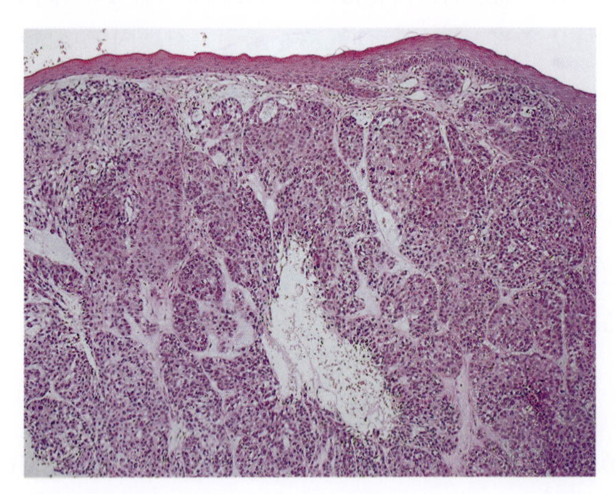

図12-10　類基底細胞癌

口腔粘膜上皮に連続して基底細胞に類似した腫瘍細胞が大小の胞巣を形成しながら浸潤増殖している．

では柵状配列がみられる．細胞分裂像は胞巣内に多数認められる（**図12-10**）．稀に篩状構造様を呈することもあり，他の悪性唾液腺腫瘍や転移性腺癌との鑑別を要する場合がある．しばしばPAS染色陽性の基底膜物質の沈着を伴う．口腔の発生例は稀で，口峡咽頭に多く，60〜80歳代の男性に多い．予後は不良で60％程度に所属リンパ節転移，35〜50％に肺，骨などへの遠隔転移を認める．

PAS染色
periodic acid-Schiff stain

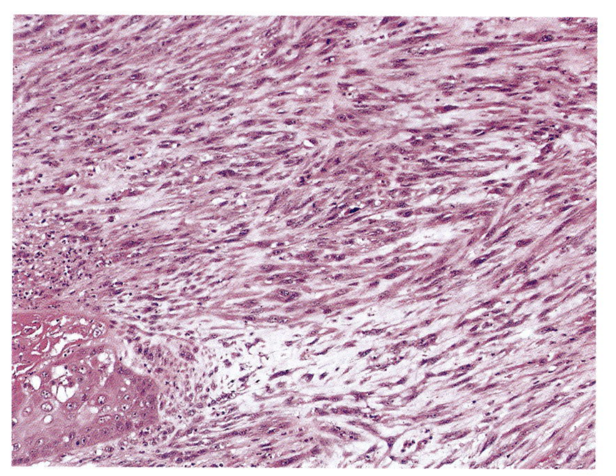

図12-11　紡錘細胞扁平上皮癌

紡錘系細胞を主体とする腫瘍細胞が錯走し肉腫様を呈している．一部に通常型の扁平上皮癌を伴っている．

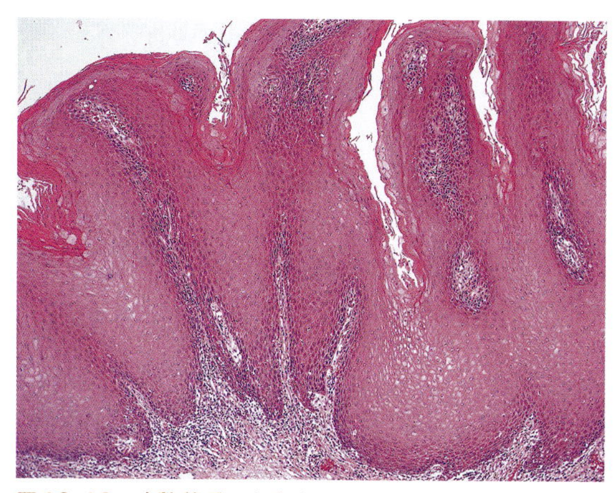

図12-12　疣贅状扁平上皮癌

腫瘍は疣贅状外向性発育を示す．腫瘍細胞は異型に乏しく，表層は厚い錯角化を示し，深部では結合組織を圧排している．

紡錘細胞扁平上皮癌[19]
spindle cell squamous cell carcinoma

4 紡錘細胞扁平上皮癌[19]

病理組織学的には紡錘形細胞を主体とする角化を示さない腫瘍細胞の肉腫様の増殖からなる．腫瘍組織の一部に通常型扁平上皮癌を伴うことがある（**図12-11**）．腫瘍細胞は多形に富み，核異型が強く，免疫組織化学的に上皮系細胞のマーカーであるcytokeratinとともに間葉系細胞のマーカーであるvimentinが陽性を示す．肉眼的には粘膜表面にびらんを伴った有茎性，広基性のポリープ状を呈することが多く，70歳代男性の喉頭に好発するが，口腔では歯肉，口唇，舌などに生じる．予後は比較的良好で5年生存率は65〜95%と報告されている．

腺扁平上皮癌[20]
adenosquamous carcinoma

5 腺扁平上皮癌[20]

病理組織学的には扁平上皮癌と腺癌の両方の像をもった癌で，表層に通常型の扁平上皮癌が存在し，深部に腺癌成分をみることが多い．口腔のいかなる部位でも生じうるが発生頻度は低い．60〜70歳代の男性に好発し，扁平上皮癌に比べ悪性度が高い．75%に所属リンパ節転移，25%に肺などへの遠隔転移を認める．5年生存率は15〜25%とされる．

孔道癌[21]
carcinoma cuniculatum

6 孔道癌[21]

稀な扁平上皮癌の亜型で，病理組織学的には細胞異型の乏しい重層扁平上皮からなり，内腔に角化物を容れた小窩の密な配列や，表層からの陥凹が深部まで分岐しながら続く孔道とよばれる構造を呈しながら，また乳頭状の発育を示しながら増殖する．高分化な低悪性の癌と考えられており，肉眼的には疣贅癌と同様な像を呈するが，表層の角化は目立たない．転移は稀とされているが，局所再発を生じることがある．

疣贅状扁平上皮癌[22]
verrucous squamous cell carcinoma

7 疣贅状扁平上皮癌[22]

著明に角化した重層扁平上皮が乳頭状，疣贅状外向性発育を示す腫瘍．上皮は太い上皮突起を伸長して部分的に平坦な基底面を呈する．腫瘍組織は異型に乏しく，上皮下へ向けて圧排性の増殖を示す（**図12-12**）．分化度の高い低悪性度の癌である．臨床的に広基性で疣贅状を呈し外向性に緩徐に増殖する．表面の出血や潰瘍を伴うことは少ない．本腫瘍の大部分は口腔に発生し，高齢の男性に多い．5年生存率は80〜90%とされている．

リンパ上皮性癌[23]
lymphoepithelial carcinoma

8 リンパ上皮性癌[23]

核/細胞質比の高い未分化な細胞の増殖からなり，不整形で境界不明瞭な胞巣を形成しながらリンパ球間質を伴って増殖する腫瘍である．腫瘍細胞は低分化扁平上皮癌あるいは未分化癌の様相を呈する．EBウイルス感染との関連が示されており，頭頸部領域では90％以上が扁桃腺や舌根部に生じる．約70％の症例で初診時からリンパ節転移がみられる．放射線感受性が高い腫瘍で局所制御は良好とされている．

乳頭状扁平上皮癌[24]
papillary squamous cell carcinoma

9 乳頭状扁平上皮癌[24]

外向性，乳頭状発育を示す腫瘍．病理組織学的に線維性結合組織の軸を伴って扁平上皮の乳頭状増殖がみられる．表層の角化は軽度で腫瘍細胞には種々の程度の細胞異型がみられるが，上皮下への腫瘍細胞の浸潤は明らかではない．60～70歳代の男性の下咽頭や喉頭に好発し，口腔では稀である．予後は良好である．

棘融解型扁平上皮癌[25]
acantholytic squamous cell carcinoma

10 棘融解型扁平上皮癌[25]

扁平上皮癌の稀な亜型で，腫瘍細胞の棘融解が特徴である．病理組織学的に扁平上皮癌の像を示すが，腫瘍胞巣中心部が棘融解により脱落することによって胞巣内に腺管様もしくは脈管様構造がみられる．棘融解を生じた胞巣内には細胞間結合を失った腫瘍細胞がみられる．頭頸部では口唇などに好発するとされている．予後は扁平上皮癌とほぼ同様である．

9 臨床的部位による分類

口唇癌[26]
carcinoma of lip

1 口唇癌[26]

わが国の口腔癌の中では発生頻度は最も低い．上唇より下唇に多く，50歳以上の男性に好発する．欧米では口唇癌は稀ではなく，有色人種より白人に多いことから人種的要因，日光などの環境要因の影響が考えられている．

肉眼的に，初期には痂疲の形成，類円形の硬結を生じ，しだいに乳頭状もしくは疣贅状の隆起を示す．白板症様の変化を示す場合もある．外向性に発育し，比較的に初期から潰瘍形成を認める場合もある．病理組織学的には高分化型扁平上皮癌が多い．稀に口唇腺由来の腺癌の発生をみることもある．

上唇癌は下唇癌に比べ悪性度は高い．上唇癌は顎下リンパ節，上内頸静脈リンパ節，下唇癌は顎下およびオトガイ下リンパ節への転移が多い．一般的に予後は良好とされており，5年生存率は80％以上とされている．

頬粘膜癌[27]
carcinoma of buccal mucosa

2 頬粘膜癌[27]

わが国における発生頻度は口腔癌の約10％であり比較的少ない．一方，東南アジアでは発生率は高く，またインドでは口腔癌の約50％を占める．これらの地域ではリバーススモーキング，噛みタバコの習慣があり，発癌に関与していると考えられている．好発部位は大臼歯部から臼後部にかけての頬粘膜で（**図12-13**），50歳以上に好発し，性別では男性が多い．

肉眼分類では潰瘍型，乳頭型が多く，白板型も少なくない．病理組織学的には高分化型や中分化型扁平上皮癌が多い．腫瘍は進展すると外方は深部の筋層，皮下，内方は上下歯肉や顎骨，臼後部から翼突下隙へ浸潤する．顎下および上内頸静脈リンパ節へ転移が多く，35～50％の症例でリンパ節転移がみられる．5年生存率は約60～90％である．

歯肉癌[28]
carcinoma of gingiva

3 歯肉癌[28]

口腔癌の約30％を占め，口腔癌では舌癌に次いで多い．上顎に比べ下顎歯肉癌の発生率は

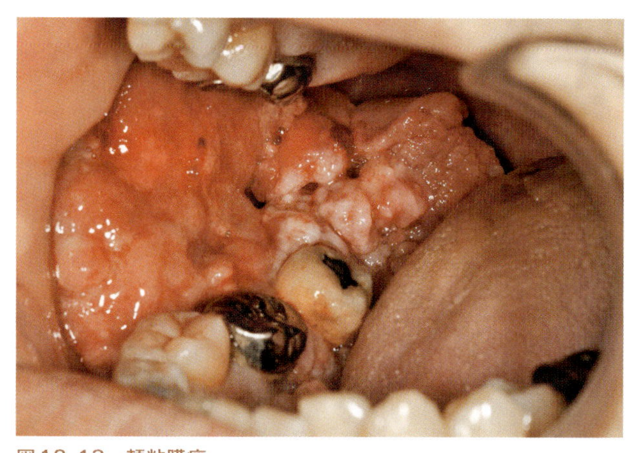

図12-13　頬粘膜癌
右側頬粘膜に不整な凹凸を伴う肉芽様の腫瘤形成が広範にみられる．部分的に潰瘍の形成を伴っている．

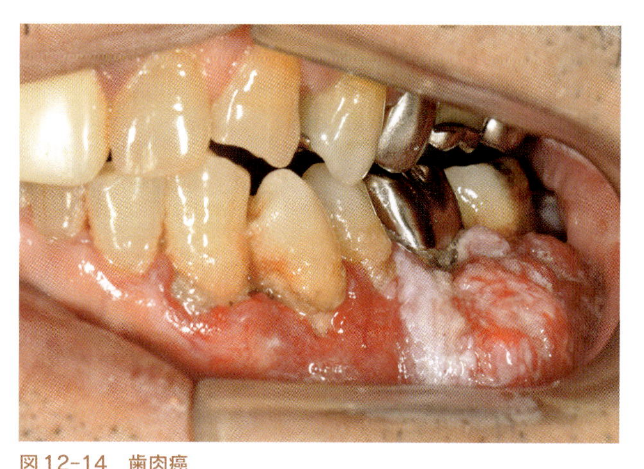

図12-14　歯肉癌
左側下顎歯肉に表面不整な肉芽様腫瘤の形成がみられる．一部に白斑を伴っている．

約1.7倍と高い．早期には比較的に臨床症状に乏しい傾向があり，歯肉腫脹や歯の動揺，潰瘍形成性，義歯不適合などで自覚されることが多い．歯周炎の診断の下に誤って抜歯や消炎などの処置を受けることも少なくない．肉眼的にブツブツした肉芽様小顆粒が密集する肉芽型が多いが，早期は自覚症状に乏しい（**図12-14**）．

上顎歯肉癌の発生頻度は口腔癌の約10％で，好発部位は臼歯部歯肉である．比較的早期に骨浸潤を生じ，鼻腔や上顎洞へ進展する．側方は頬粘膜，口蓋粘膜，後方は翼状突起，翼口蓋窩へと進展する．病理組織学的には高分化あるいは中分化型扁平上皮癌が多い．リンパ節転移は下顎歯肉癌に比べ頻度は低いが，20〜30％にみられる．主に顎下および上内頸静脈リンパ節への転移がみられる．

下顎歯肉癌の発生頻度は口腔癌の約20％で，好発部位は臼歯部歯肉である．遊離歯肉より付着歯肉での発生頻度が高い．下顎歯肉癌では頬粘膜，口腔底への進展がみられる．下顎骨への浸潤が進展すると歯の動揺，下歯槽神経麻痺，病的骨折を生じやすい．病理組織学的には高分化あるいは中分化型扁平上皮癌が多い．リンパ節転移は約30〜40％にみられ，上顎歯肉癌よりも高率に生じる．主に顎下およびオトガイ下リンパ節への転移を生じやすい．歯肉癌の5年生存率は約60〜85％とされている．

硬口蓋癌[29]
carcinoma of hard palate

4 硬口蓋癌[29]

わが国における発生頻度は低く，口腔癌全体の約3％とされる．好発部位は一般に歯肉寄りの硬口蓋である．当該領域は扁平上皮癌のみならず，唾液腺腫瘍の発生もほぼ同率にみられる．臨床的に周囲に硬結を伴った潰瘍形成がみられることが多い．病理組織学的には高分化型扁平上皮癌がほとんどを占める．硬口蓋癌が進展すると上顎歯肉，軟口蓋へ浸潤，口蓋骨，上顎骨の破壊吸収をきたす．リンパ節転移は上顎歯肉癌と同様あるが，対側のリンパ節，咽頭後壁のリンパ節への転移も生じやすい．

舌癌[30]
carcinoma of tongue

5 舌　癌[30]

舌癌は口腔癌の約40％を占めており，口腔癌の中で最も発生率が高い．他の口腔癌と比較して発症年齢は低く，20〜40歳代の症例もみられる．男女比は2：1で男性に多い．好発部位は舌縁および舌下面で，特に舌縁中央部から後方にかけて多く生じる．一方，舌背部，舌尖部における発生例は稀である．肉眼的に初期にはびらんや小潰瘍の形成，結節や粗糙な表面をもつ顆粒状局面，白斑と紅斑が混在する病変としてみられる（**図12-15**）．進行すると潰瘍と硬

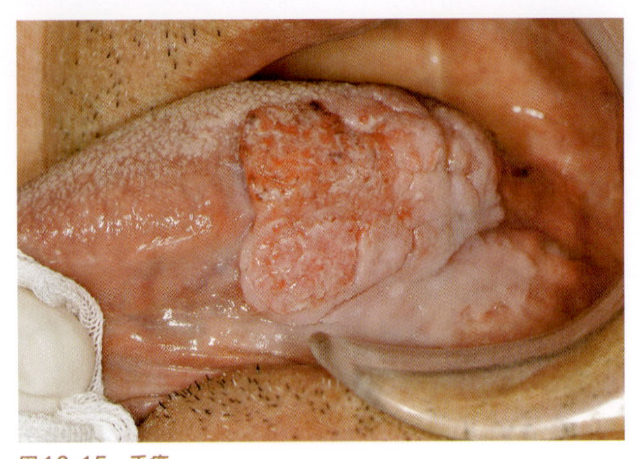

図12-15　舌癌
右側舌縁部を中心に一部に潰瘍形成を伴いながら，表面が顆粒状の腫瘤の形成がみられる．

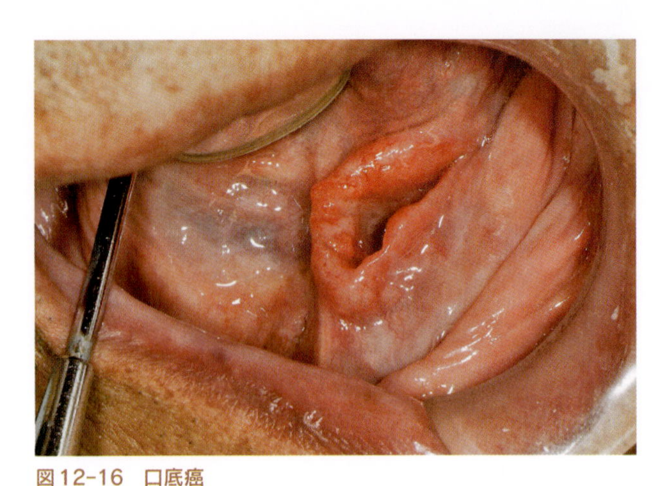

図12-16　口底癌
舌小体の左側の口底部に限局した腫脹がみられ，表層の一部ではびらんを伴っている．

結を伴った腫瘤の形成がみられる．病理組織学的には高分化型あるいは中分化型扁平上皮癌が多いとされる．

舌癌が進展すると，舌根部や口腔底へ浸潤による舌の運動障害を生じる．口底癌と並びリンパ節転移の頻度が高く，初診時で30～40％に転移がみられる．上内深頸リンパ節，顎下リンパ節への転移が多くみられるが，中内深頸リンパ節へも転移する．

予後については腫瘍径が小さく，所属リンパ節に転移のないものは良好，発生部位では舌根に近いものほど予後不良，外向性増殖型は内向増殖型より予後良好，病理組織学的に高分化型が低分化型に比べ予後良好とされている．5年生存率は70～85％とされている．

口底癌[31]
carcinoma of floor of mouth

6 口底癌[31]

口底癌の発生頻度は口腔癌の約10％であり，男女比では4：1で男性に多い．好発部位は口底の正中，舌下小丘付近である（**図12-16**）．臨床的に潰瘍と硬結を伴う腫瘤の形成がみられることが多い．腫瘍の発生による唾液の流出障害，それに伴う顎下腺の腫脹を伴うこともある．

病理組織学的に口底癌は高分化型もしくは中分化型扁平上皮癌が多いとされている．口底部は解剖学的に舌，歯肉，顎骨に近接しており，比較的早期においても舌や歯肉，顎骨骨膜，舌骨上筋群への浸潤を生じることがある．また口底癌は舌癌と並びリンパ節転移を生じやすい癌とされている．部位としては顎下リンパ節，上内頸静脈リンパ節に多く，かつ，両側に生じやすい．5年生存率は70～80％と報告されている．

多発癌[32]
multiple carcinoma
重複癌[33]
double cancer

7 多発癌[32]と重複癌[33]

多発癌は同一臓器に同一組織型の原発性癌が2個以上発生した場合とされ，重複癌は他の臓器や対称臓器，あるいは同一臓器でも異なった組織型の原発性癌が2個以上発生した場合と定義されている．発生間隔についても同時性もしくは異時性に区分されるが，一般的に1年以内に発生したものを同時性，1年以上の期間を置いて発生したものを異時性としている場合が多い．

(1) 多発癌

口腔領域の多発癌のほとんどは扁平上皮癌の組合せである．口腔領域の多発癌の発生頻度は3～5％程度とされている．発生した複数の癌と癌との間が近接している場合は，これらの癌の間に臨床的および病理組織学的に別個の腫瘍であることを確認する必要がある．

(2) 重複癌

頭頸部領域における重複癌の発生頻度は他領域に比較すると高いと報告されており，わが国では約5％とされている．病理組織学的には扁平上皮癌が多く，重複臓器としては，口腔に近接する食道や胃などが多いとされている．

転移性癌[34]
metastatic carcinoma

8 転移性癌[34]

口腔癌における転移性癌の占める割合は1～2％程度とされている．転移性腫瘍の原発臓器は乳腺と肺が多く，次いで腎臓となっている．口腔への転移部位としては顎骨，歯肉に多いとされる．

（中野敬介，長塚　仁）

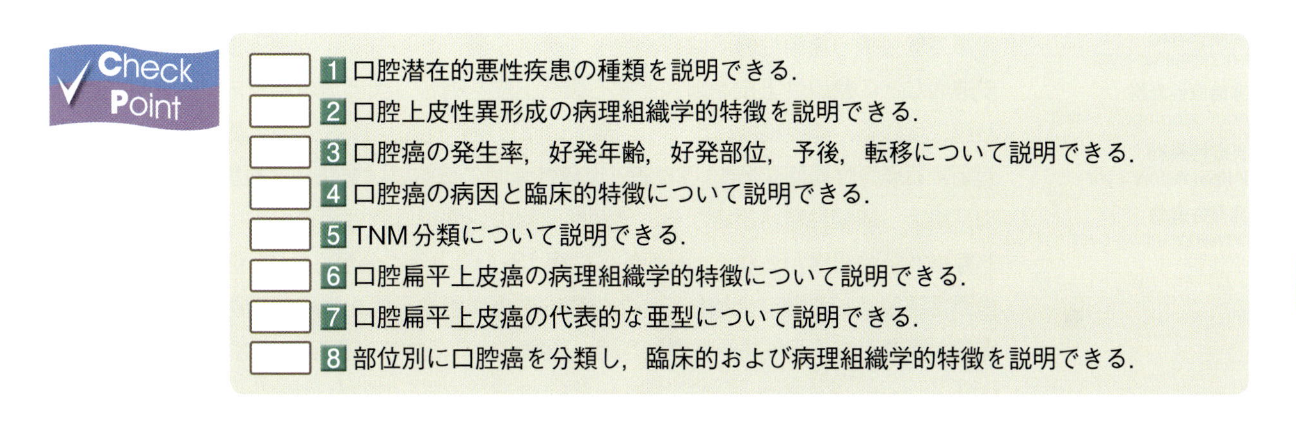

References

1) Takata, T. et al.：Tumours of the oral cavity and mobile tongue.WHO Classification of Head and Neck Tumors, 4th edition (Al-Naggar, A. K. et al. eds). IARC, Lyon, 108, 2017.
2) Sloan, P. et al.：Malignant surface epithelial tumours. WHO Classification of Head and Neck Tumors. 4th edition (Al-Naggar, A. K. et al. eds). IARC, Lyon, 109～111, 2017.
3) Reibel, J. et al.：Oral potentially malignant disorders and oral epithelial dysplasia.WHO Classification of Head and Neck Tumors, 4th edition (Al-Naggar, A. K. et al. eds). IARC, Lyon, 112～115, 2017.
4) 竹内　宏，草間　薫編：最新病理学・口腔病理学．医歯薬出版，東京，2007.
5) 槻木恵一，岡田康男編：新スタンダード口腔病理学．学建書院，東京，2017.
6) TNM Classification of Malignant Tumours (James, D. et al. eds), 8th edition. John Wiley & Sons Ltd,West Sussex, 2017.
7) 白砂兼光，古郷幹彦編：口腔外科学 第3版．医歯薬出版，東京，2010.

Chapter 13

歯原性嚢胞

嚢胞[1]
cyst
偽嚢胞[2]
pseudocyst
歯原性嚢胞[3]
odontogenic cyst
非歯原性嚢胞[4]
non-odontogenic cyst
炎症性嚢胞[5]
inflammatory cyst
発育性嚢胞[6]
developmental cyst

嚢胞[1]とは上皮組織に裏装された腔状病変で，その多くは腔内に液体や固体性物質を含んでいる．これに対し，上皮組織の裏装のない病変は偽嚢胞[2]といわれる．

顎口腔領域に発症する嚢胞は，由来組織により歯原性嚢胞[3]と非歯原性嚢胞[4]に大別される．本章で取り扱う歯原性嚢胞は，歯堤・エナメル器・ヘルトヴィッヒ上皮鞘またはマラッセの上皮遺残などの歯原性上皮を起源とする裏装上皮を有し，大部分は顎骨内に，一部は歯肉・歯槽粘膜に生じる．発症機序によって，炎症により反応性に生じる炎症性嚢胞[5]と，歯の発生異常に起因する発育性嚢胞[6]に分けられる．炎症性嚢胞の嚢胞壁は非角化性重層扁平上皮と炎症を伴う肉芽組織・線維性結合組織から，発育性嚢胞の嚢胞壁は病理組織学的に特異性のある上皮組織と線維性結合組織からなる．一般的には**表13-1**のように分類されている．この中には，以前は歯原性腫瘍として取り扱われていた歯原性角化嚢胞や石灰化歯原性嚢胞，また唾液腺腫瘍との鑑別が問題となる腺性歯原性嚢胞など，腫瘍性病変の性格を否定しえない病変が含まれている．

表13-1　歯原性嚢胞の分類（WHO，2017）

炎症性歯原性嚢胞	**Odontogenic cysts of inflammatory origin**
歯根嚢胞	Radicular cyst
炎症性傍側性嚢胞	Inflammatory collateral cyst
発育性歯原性嚢胞	**Odontogenic developmental cysts**
含歯性嚢胞	Dentigerous cyst
歯原性角化嚢胞	Odontogenic keratocyst
側方性歯周嚢胞とブドウ状歯原性嚢胞	Lateral periodontal cyst and botryoid odontogenic cyst
歯肉嚢胞	Gingival cyst
腺性歯原性嚢胞	Glandular odontogenic cyst
石灰化歯原性嚢胞	Calcifying odontogenic cyst
正角化性歯原性嚢胞	Orthokeratinized odontogenic cyst

炎症性歯原性嚢胞[7]
inflammatory odontogenic cyst
歯根嚢胞[8]
radicular cyst
側方性歯根嚢胞[9]
lateral radicular cyst

I—炎症性歯原性嚢胞[7]

1 歯根嚢胞[8]

齲蝕・歯髄炎・根尖性歯周炎により失活した歯の根尖部に生じる嚢胞で，歯髄側枝を介して生じるもの（側方性歯根嚢胞[9]）もある．顎骨嚢胞の中で最も頻度が高く，上顎前歯部に好発する．幅広い年齢層に発症するが，30～40歳代に多い．

臨床的には無症状のことが多いが，大きくなると顎骨腫脹をきたす．画像所見では，失活歯の根尖部に単胞性の境界明瞭な透過像がみられる（**図13-1A**）．病理組織学的には，根尖部に非角化性重層扁平上皮で裏装され，その下部に出血・炎症を伴う肉芽組織，その外側に線維性結合組織からなる嚢胞壁がみられる（**図13-1B**）．裏装上皮はマラッセの上皮遺残由来で，しばしば上皮脚の伸長がみられ網目状構造を呈する（**図13-1C**）．裏装上皮下の肉芽組織中には，泡沫細胞・コレステリン裂隙・ヘモジデリン沈着がみられることがある．

嚢胞摘出または根管治療で対処され，ほとんど再発はないが，摘出せずに原因歯抜去のみ

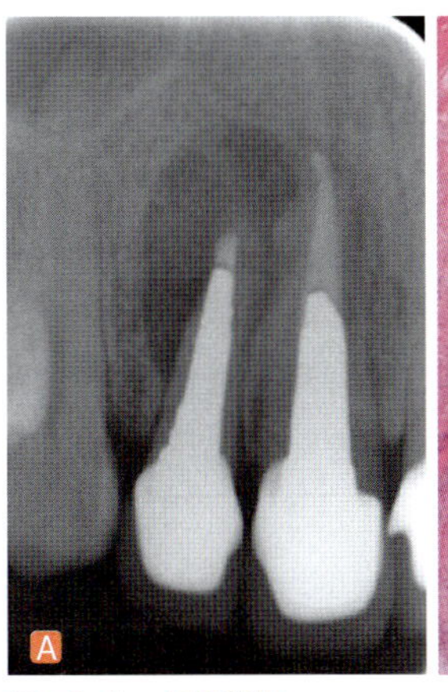
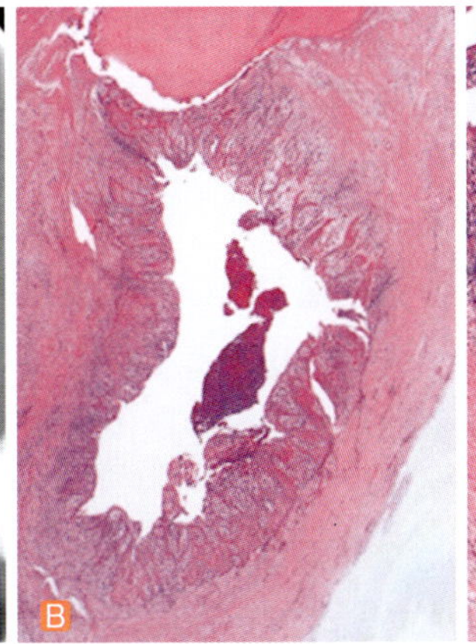
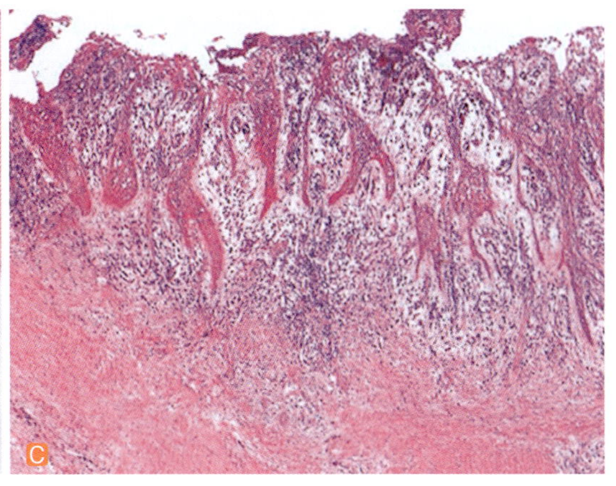

図 13-1　歯根嚢胞

A 失活歯（上顎右側側切歯）の根尖部に境界明瞭な透過像が認められる．
B 根尖に隣接して嚢胞がみられる．
C 嚢胞壁は非角化性重層扁平上皮で裏装された肉芽組織と線維性結合組織からなる．

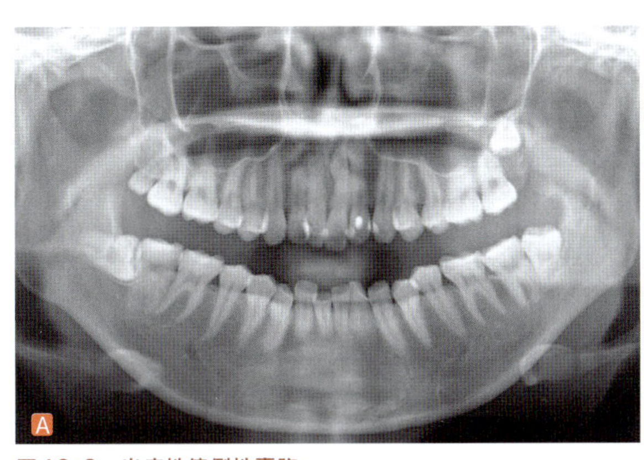
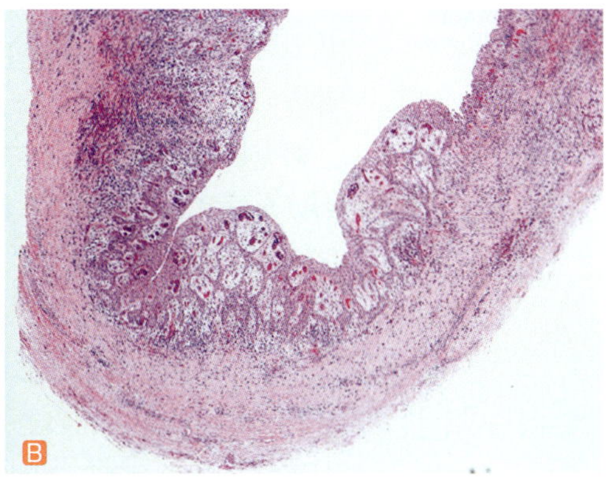

図 13-2　炎症性傍側性嚢胞

A 歯周嚢胞．下顎左側智歯（半埋伏歯）の遠心頬側に境界明瞭な透過像が認められる．
B 下顎頬側分岐部嚢胞．嚢胞壁は非角化重層扁平上皮で裏装された肉芽組織と線維性結合組織からなる．

残留嚢胞[10]
residual cyst

が行われると残留嚢胞[10]として残存する．

炎症性傍側性嚢胞[11]
inflammatory collateral cyst

下顎頬側分岐部嚢胞[12]
mandibular buccal bifurcation cyst

歯周嚢胞[13]
paradental cyst

2 炎症性傍側性嚢胞[11]

歯周炎または智歯周囲炎により，原因歯歯根の側方から根尖にかけて生じる稀な嚢胞で，前者を下顎頬側分岐部嚢胞[12]，後者を歯周嚢胞[13]という．20〜40歳代の男性に多い．下顎頬側分岐部嚢胞は下顎第一・第二大臼歯に，歯周嚢胞は一部萌出した下顎智歯に関連して発症する．

下顎頬側分岐部嚢胞は顎骨腫脹を示し，深い歯周ポケットを伴う．歯周嚢胞は顎骨の疼痛・腫脹など智歯周囲炎の症状を伴うことが多い．画像所見では，ともに歯の頬側に境界明瞭な透過像がみられる（図 13-2A）．病理組織学的に両者は歯根嚢胞と同様の嚢胞壁を示す（図 13-2B）が，裏装上皮はしばしばセメント-エナメル境からの連続性を呈し歯肉内縁上皮（歯肉溝上皮や接合上皮）との関連が示唆される．摘出により再発は稀である．

発育性歯原性嚢胞[14]
developmental odontogenic cyst

含歯性嚢胞[15]
dentigerous cyst

濾胞性嚢胞[16]
follicular cyst

萌出嚢胞[17]
eruption cyst

II—発育性歯原性嚢胞[14]

1 含歯性嚢胞[15]

埋伏歯の歯冠を取り囲む，歯の萌出異常に伴う嚢胞で，濾胞性嚢胞[16]ともいわれる．萌出嚢胞[17]は，含歯性嚢胞を伴う歯が萌出中に歯槽部で認められる病変をいう．歯根嚢胞に次いで多い顎骨嚢胞で，10～30歳代に好発し，やや男性に多い．智歯に多く，正中過剰歯・上顎犬歯・下顎第二小臼歯に関連するものもしばしばみられる．

通常無徴候であるが，感染・炎症を伴うと疼痛や腫脹を生じる．画像所見では，埋伏歯歯冠の周囲に単胞性の境界明瞭な透過像がみられる（**図13-3A**）．病理組織学的には，埋伏歯歯冠を包囲しており，退縮エナメル上皮由来と考えられる2～4層の薄い平坦な上皮組織層で裏装された，結合組織からなる嚢胞壁がみられる（**図13-3B, C**）．裏装上皮はセメント-エナメル境との連続性を呈している．炎症を併発すると，裏装上皮は肥厚し重層扁平上皮様となる．

埋伏歯抜去とともに摘出され再発はない．萌出嚢胞は経過観察または開窓して歯の萌出を待つ．

側方性歯周嚢胞[18]
lateral periodontal cyst

ブドウ状歯原性嚢胞[19]
botryoid odontogenic cyst

2 側方性歯周嚢胞[18]・ブドウ状歯原性嚢胞[19]

側方性歯周嚢胞は歯根の側面に生じる，非角化性上皮で裏装された稀な嚢胞で，50～60歳代の男性に多く，下顎小臼歯部に好発する．ブドウ状歯原性嚢胞は側方性歯周嚢胞の多発性病変をいう．

側方性歯周嚢胞は通常無徴候で，画像所見では歯根側面に単胞性透過像がみられる（**図13-4A**）が，ブドウ状歯原性嚢胞は多胞性透過像を示す．病理組織学的には，側方性歯周嚢胞・ブドウ状歯原性嚢胞ともに1～2層の薄い上皮層で裏装された結合組織からなる嚢胞壁がみられる（**図13-4B**）．裏装上皮の一部には斑状肥厚といわれる限局性の上皮肥厚がみられ，これらはしばしば渦巻状を呈し淡明細胞からなる（**図13-4C**）．ブドウ状歯原性嚢胞は多数の嚢胞腔を有している．歯堤の遺残・退縮エナメル上皮・マラッセの上皮遺残などの起源が想定されるが確定されていない．

摘出により，側方性歯周嚢胞の再発は稀であるが，ブドウ状歯原性嚢胞は再発しやすい．

歯肉嚢胞[20]
gingival cyst

成人の歯肉嚢胞[21]
gingival cyst of the adult

幼児の歯肉嚢胞[22]
gingival ctsy of the infant

エプスタイン真珠[23]
Epstein's pearls

ボーン結節[24]
Bohn's nodules

3 歯肉嚢胞[20]

歯肉または歯槽粘膜に発症する嚢胞で，成人に生じる成人の歯肉嚢胞[21]と，乳幼児に生じる幼児の歯肉嚢胞[22]がある．成人の歯肉嚢胞は40～60歳代でやや女性に多いが，発症は稀である．下顎では犬歯・小臼歯部，上顎では前歯から小臼歯にかけて好発する．幼児の歯肉嚢胞は多くの乳幼児の歯槽堤に多発性に認められ，エプスタイン真珠[23]またはボーン結節[24]ともいわれる．

成人の歯肉嚢胞は付着歯肉の頬側において無痛性のドーム状腫瘤として認められ（**図13-5A**），幼児の歯肉嚢胞は歯槽堤の結節性隆起として認められる（**図13-6A**）．画像所見で通常

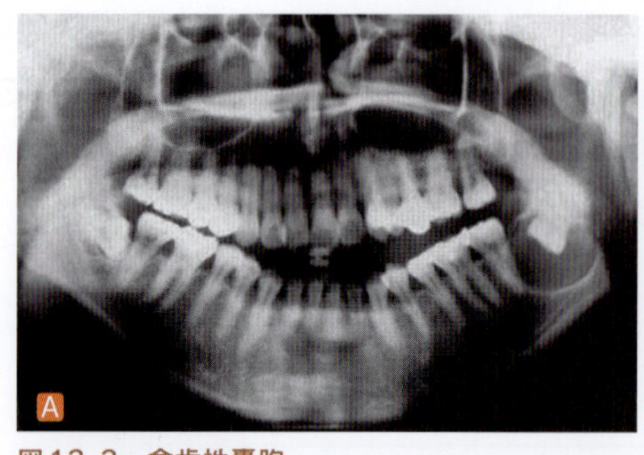

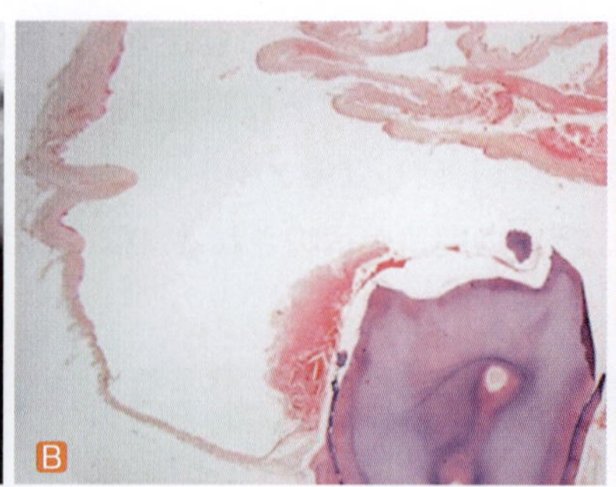

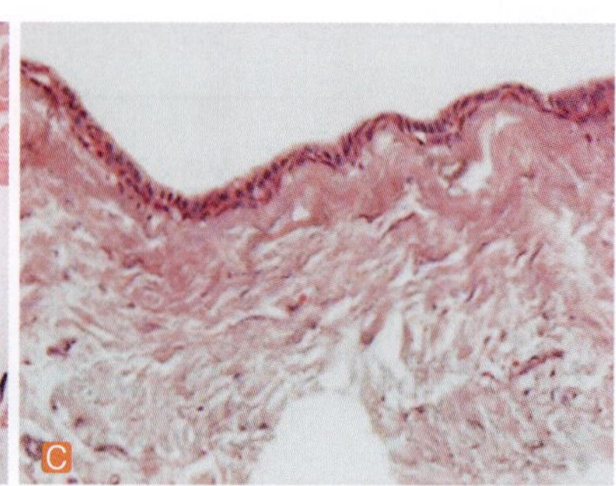

図13-3　含歯性嚢胞
A 埋伏歯（下顎左側智歯）の歯冠周囲に境界明瞭な透過像が認められる．
B 歯冠周囲に嚢胞がみられる．
C 嚢胞壁は薄い上皮層で裏装された結合組織からなる．

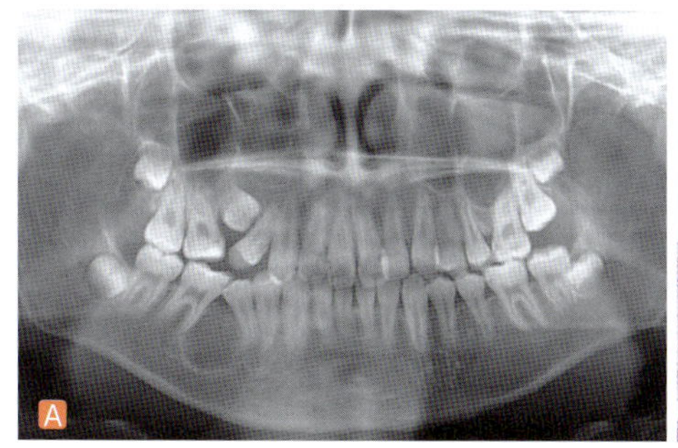
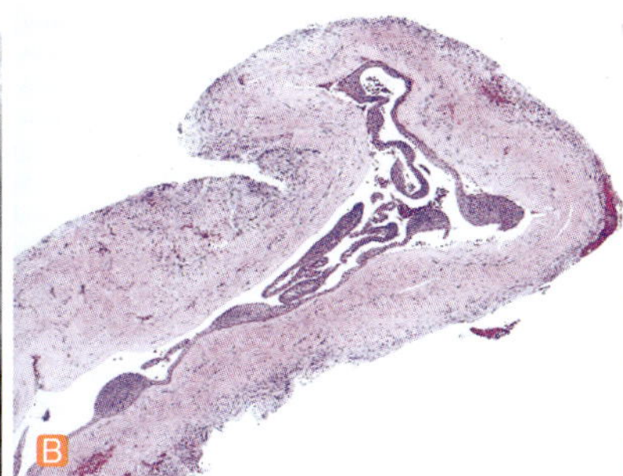
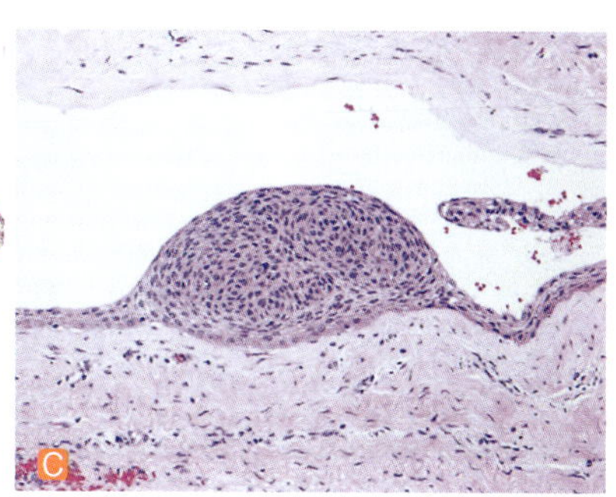

図13-4　側方性歯周囊胞

A 下顎右側第二小臼歯と第一大臼歯の間に境界明瞭な透過像が認められる.
B 囊胞壁は薄い上皮層で裏装された結合組織からなる.
C 囊胞上皮は一部で肥厚を示す.

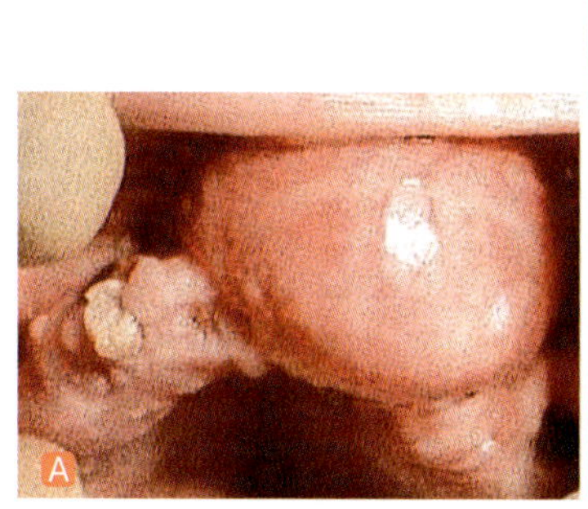
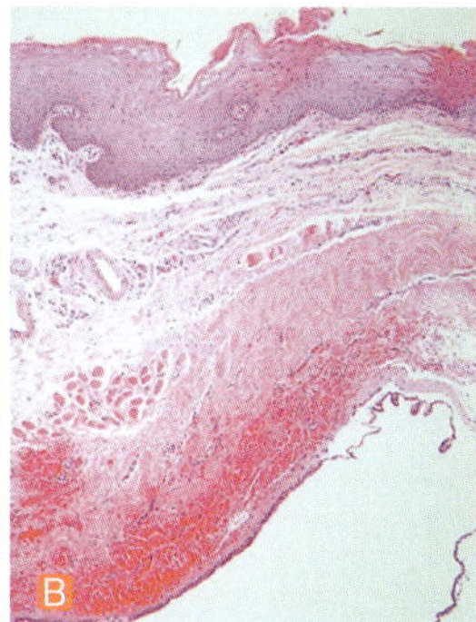
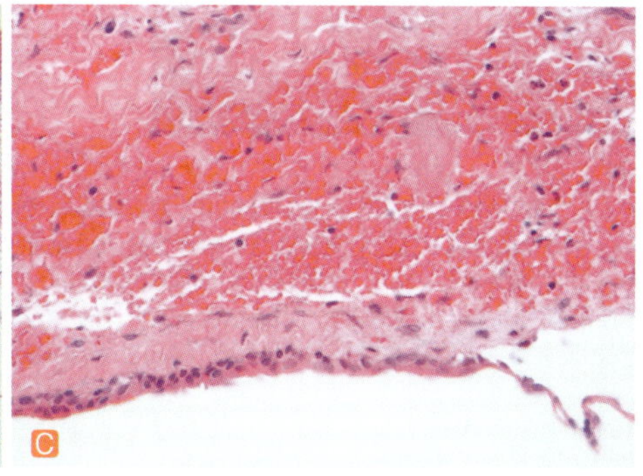

図13-5　成人の歯肉囊胞

A 上顎前歯部歯肉に腫瘍状病変がみられる.〔大木宏介ほか：2002. より〕
B 歯肉粘膜の下部に囊胞がみられる.
C 囊胞壁は薄い上皮層で裏装された結合組織からなる.

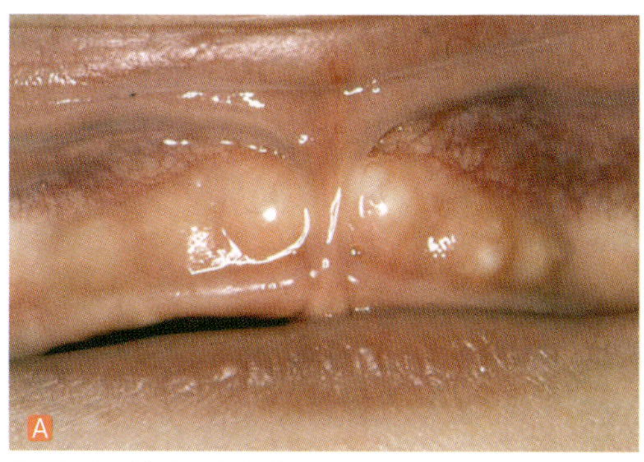
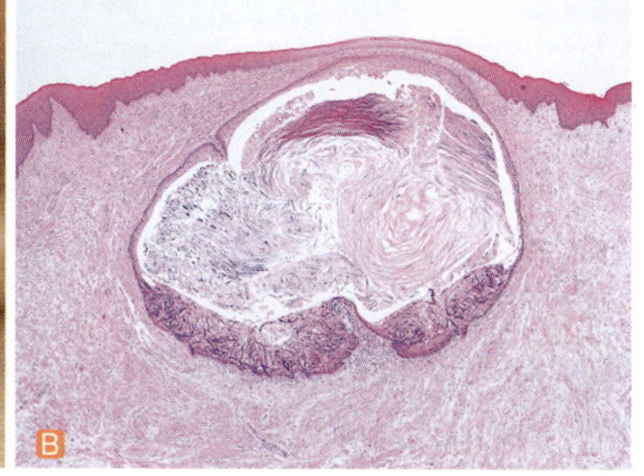

図13-6　幼児の歯肉囊胞

A 歯槽堤に多発性の隆起性病変がみられる.〔東北大学大学院歯学研究科小児発達歯科学分野 福本　敏教授提供〕
B 歯槽粘膜に角化性重層扁平上皮で裏装された囊胞がみられる.

病変はとらえられないが，病変に隣接する骨表面の圧迫吸収を伴うことがある．病理組織学的に，成人の歯肉囊胞は側方性歯周囊胞と同様の囊胞壁を示し（**図13-5B, C**），裏装上皮の由来は歯堤の遺残・退縮エナメル上皮が想定されている．幼児の歯肉囊胞は薄い角化性重層扁平上皮で裏装された結合組織からなる囊胞壁で，腔内に角化物を有し（**図13-6B**），裏装上皮は歯堤の遺残に由来すると考えられている．

成人の歯肉囊胞は切除されると再発はない．幼児の歯肉囊胞は自然に退縮・消退する．

歯原性角化囊胞[25]
odontogenic keratocyst

4 歯原性角化囊胞[25]

錯角化を伴い基底細胞が柵状配列を示す，薄く規則的な重層扁平上皮で裏装された囊胞で

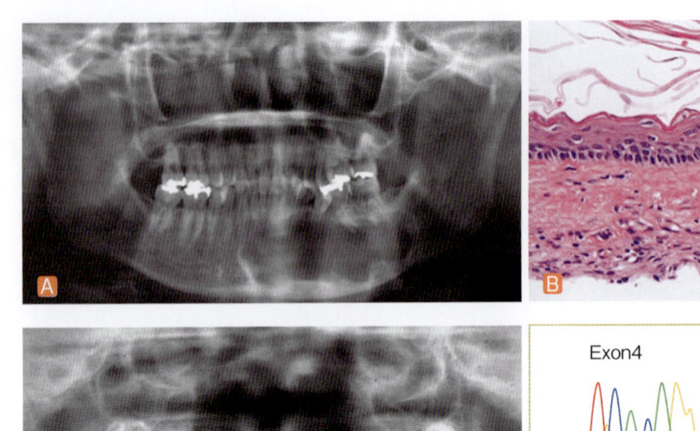

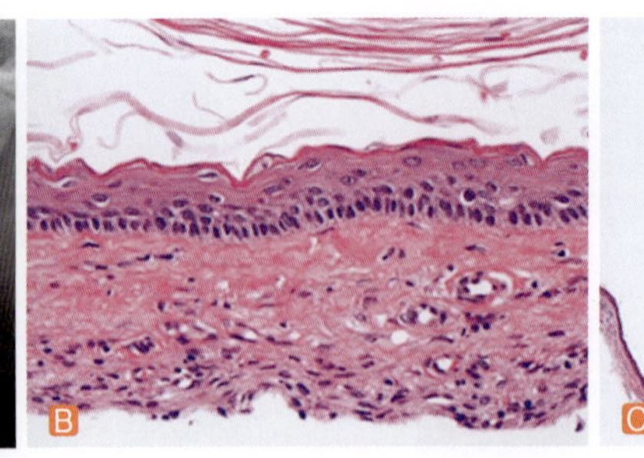

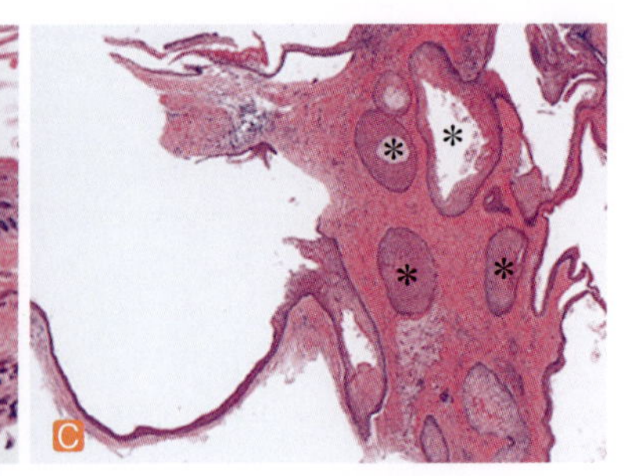

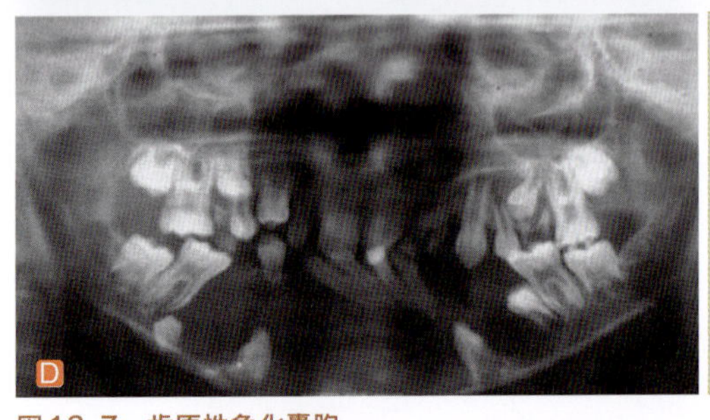

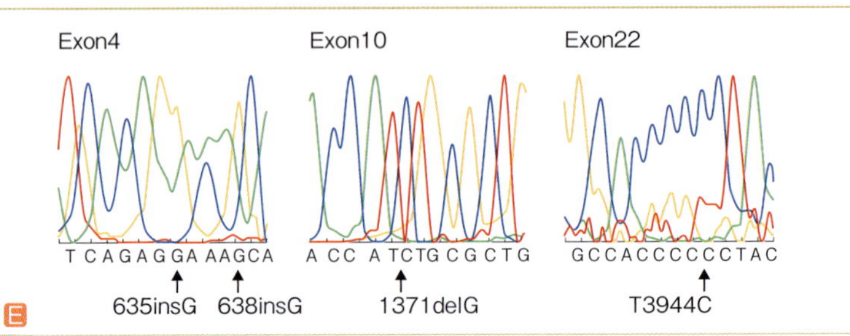

図13-7　歯原性角化囊胞

A 下顎骨前歯部から左側臼歯部にかけて，波状縁を伴う境界明瞭な透過像が認められる．
B 囊胞壁は錯角化を伴う重層扁平上皮で裏装された線維性結合組織からなる．
C 囊胞壁には小囊胞（娘囊胞）や上皮島（娘結節）（*）が散見される．
D 基底細胞母斑症候群では多発性の透過像が認められる〔君　賢司ほか：1999．より〕．
E *PTCH1* 遺伝子の変異はさまざまな部分でみられる〔Ohki, K. et al.：2004．より〕．

角化囊胞性歯原性腫瘍[26]
keratocystic odontogenic tumor

ある．再発傾向があることや，遺伝子異常を示すことから，WHO分類（2005）では角化囊胞性歯原性腫瘍[26]として扱われた．歯根囊胞・含歯性囊胞に次いで多い顎骨囊胞で，10〜20歳代と50〜70歳代に多く，やや男性に多い傾向を示す．下顎骨の顎角部から下顎枝にかけて好発する．

顎骨の無痛性の腫脹をきたす．画像所見では，境界明瞭な単胞性または多胞性の透過像を示し，しばしば波状縁を伴っている（**図13-7A**）．埋伏歯を取り囲んでいたり近接していることがある．病理組織学的には，5〜8層からなる薄く錯角化を伴う重層扁平上皮で裏装された線維性結合組織からなる囊胞壁がみられる．裏装上皮は上皮脚がなく平坦で，基底細胞は柵状配列を示す（**図13-7B**）．囊胞壁にはときに小囊胞（娘囊胞）や上皮島（娘結節）が含まれている（**図13-7C**）．これらの上皮組織の由来は，歯堤の遺残と考えられている．摘出や切断がなされるが，再発率は高い．

母斑様基底細胞癌症候群[27]
nevoid basal cell carcinoma syndrome

基底細胞母斑症候群[28]
basal cell nevus syndrome

ゴーリン症候群[29]
Gorlin syndrome

母斑様基底細胞癌症候群[27]（基底細胞母斑症候群[28]，ゴーリン症候群[29]）は，歯原性角化囊胞が多発性にみられるとともに，皮膚基底細胞癌・掌蹠小窩・骨格系異常などを伴う常染色体優性遺伝を示す疾患である（**図13-7D**）．母斑様基底細胞癌症候群患者での歯原性角化囊胞は，通常のものより発症年齢が低い．症候群性および非症候群性の歯原性角化囊胞において，*PTCH1* 遺伝子異常が確認され（**図13-7E**），歯を含むさまざまな組織の発生に関与するSHHシグナル伝達経路に影響を及ぼすことが成因と考えられている．

正角化性歯原性囊胞[30]
orthokeratinized odontogenic cyst

5　正角化性歯原性囊胞[30]

正角化を伴う重層扁平上皮で裏装された稀な囊胞である．20〜30歳代に多く男性に好発し，下顎臼歯部に発症することが多い．

無痛性の顎骨腫脹をきたし，画像所見では境界明瞭な単胞性または多胞性の透過像が認められる．埋伏歯に隣接してみられることが多い．病理組織学的には，歯原性角化囊胞と同様に薄く平坦な重層扁平上皮で裏装された線維性結合組織からなる囊胞壁がみられるが，歯原性角化囊胞と異なり裏装上皮は顆粒層の出現を伴う正角化を示し，基底細胞の柵状配列は明確でな

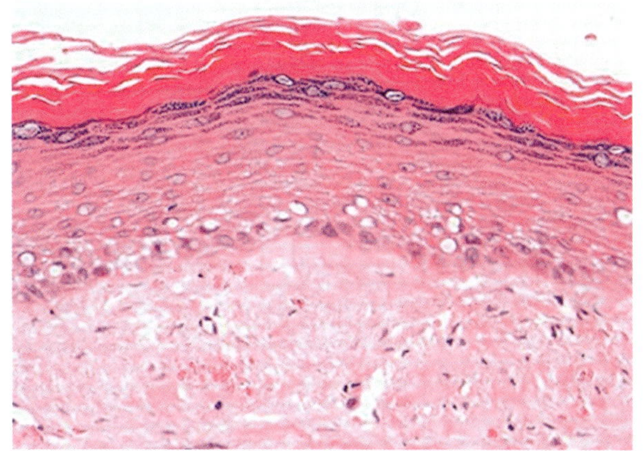

図13-8　正角化性歯原性囊胞

囊胞壁は正角化を伴う重層扁平上皮で裏装された線維性結合組織からなる.

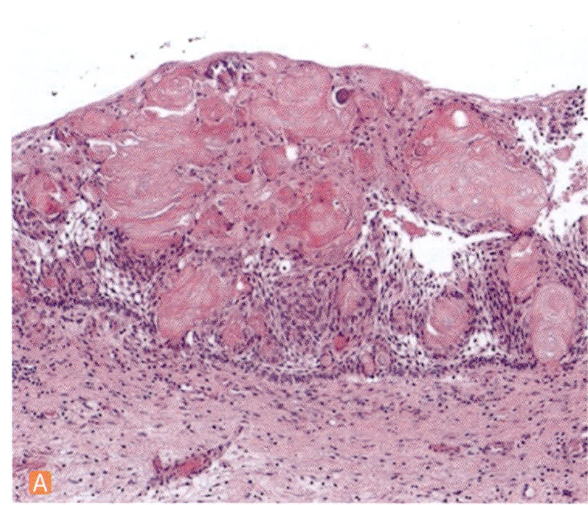

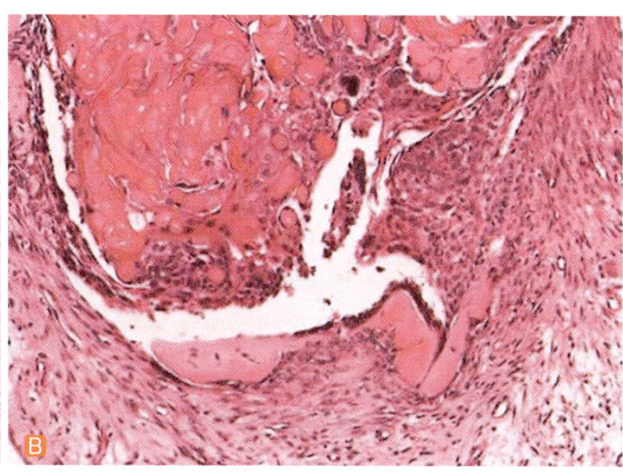

図13-9　石灰化歯原性囊胞

A 囊胞壁はエナメル上皮腫様の上皮組織に裏装された結合組織からなる. 囊胞上皮中には好酸性の幻影細胞が多数みられ, その一部は石灰化を示す.

B 囊胞上皮の基底膜に隣接して類象牙質の形成がみられる.

い（図13-8）. また, 歯原性角化囊胞との相違点として摘出後の再発は稀である.

石灰化歯原性囊胞[31] calcifying odontogenic cyst

幻影細胞[32] ghost cell

ゴーリン囊胞[33] Gorlin cyst

石灰化囊胞性歯原性腫瘍[34] calcifying cystic odontogenic tumor

類象牙質[35] dentinoid

6 石灰化歯原性囊胞[31]

幻影細胞[32]を伴うエナメル上皮腫様上皮組織により裏装された稀な囊胞で, ゴーリン囊胞[33]ともいわれる. 以前の分類では石灰化囊胞性歯原性腫瘍[34]として腫瘍に分類されていた. 10〜20歳代に多く, 顎骨中心性または周辺性に発症し, 上下顎ともに前歯部に好発する. しばしば歯牙腫を合併する.

無痛性の顎骨または歯肉の腫脹をきたす. 画像所見では, 単胞性または波状縁を有する境界明瞭な透過像で, 種々の量の不透過像を伴っている. しばしば埋伏歯に隣接して生じる. 病理組織学的には, 歯堤の遺残由来と考えられる, さまざまな厚さの上皮組織で裏装された結合組織からなる囊胞壁がみられる. 裏装上皮は基底部が柵状配列を示し, その上部はエナメル器星状網様のエナメル上皮腫に類似する上皮組織からなる. その中に腫大した好酸性細胞質を有し核を欠く幻影細胞の出現が認められ, その一部は石灰化を示す（図13-9A）. 裏装上皮の基底膜側に隣接して, 類象牙質[35]の形成がみられることがある（図13-9B）. 多くの組織の発生や腫瘍化に関与するWntシグナル伝達経路中のβカテニン分子の遺伝子変異が同定されている. 摘出により再発はほとんどない.

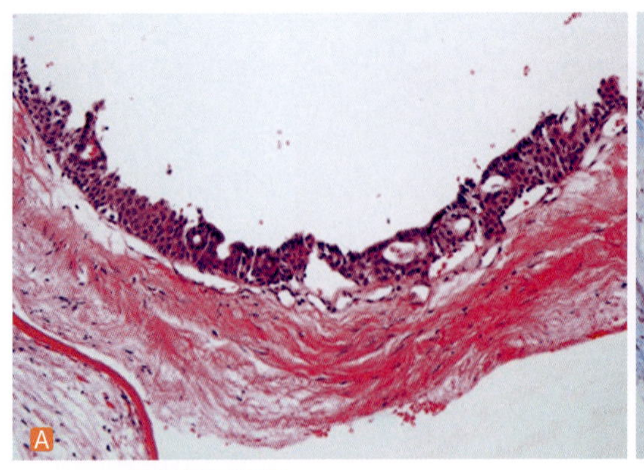
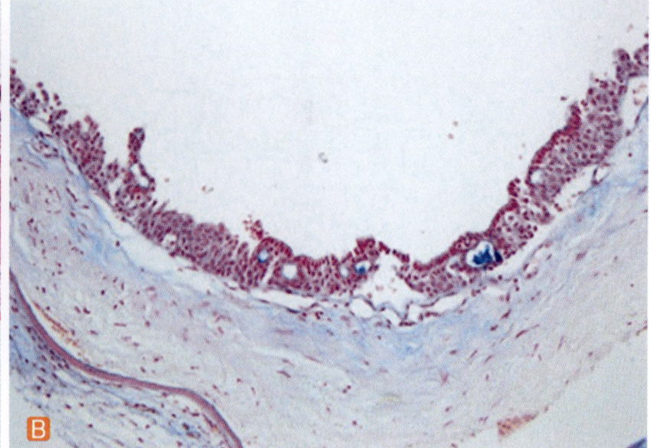

図13-10 腺性歯原性嚢胞

A 嚢胞壁は管腔形成を伴う重層化した上皮組織に裏装された結合組織からなる.
B 嚢胞上皮中の管腔内にはアルシアンブルー陽性の粘液が検出される.

腺性歯原性嚢胞[36]
glandular odontogenic cyst
唾液歯原性嚢胞[37]
sialo-odontogenic cyst

7 腺性歯原性嚢胞[36]

唾液腺成分を想起させる腺性分化を伴う上皮により裏装された稀な嚢胞で，唾液歯原性嚢胞[37]ともいわれる．40～70歳代に多く，上顎に比べ下顎に好発する．

無痛性の腫脹をきたし，画像所見では単胞性または多胞性の境界明瞭な透過像を示す．多数歯の歯根に隣接してみられることが多い．病理組織学的には，歯堤の遺残由来と考えられる，さまざまな厚さの上皮組織で裏装された結合組織からなる嚢胞壁がみられる．裏装上皮は最表層の細胞が少なくとも一部で立方状または低円柱状に配列していることが重要な特徴で，腺管状構造や杯細胞様粘液細胞，淡明細胞，線毛などを伴っている（**図13-10**）．顎骨中心性に発症する粘表皮癌との鑑別が問題となることがあり，その前駆病変との考え方もある．摘出が行われるが，再発率は高い．

（熊本裕行）

□ 1 嚢胞の定義を説明できる．
□ 2 歯原性嚢胞の分類を説明できる．
□ 3 それぞれの歯原性嚢胞の成り立ち・特徴を説明できる．

References

1) El-Naggar, A. K. et al. (eds)：WHO Classification of Head and Neck Tumours, 4th ed. IARC, Lyon, 203～242, 2017.
2) Robinson, R. A. and Vincent, S. D.：Tumors and Cysts of the Jaws. AFIP, Silver Spring, 11～36, 2012.
3) Neville, B. W. et al.：Oral and Maxillofacial Pathology. Elsevier, St. Louis, 632～653, 2016.
4) Regezi, J. A. et al.：Oral Pathology. Elsevier, St. Louis, 246～261, 2012.
5) Robinson, R. A.：Diagnosing the most common odontogenic cystic and osseous lesions of the jaws for the practicing pathologist. *Mod. Pathol.*, 30：S96～103, 2017.
6) Bilodeau, E. A. and Collins,B.M.：Odontogenic cysts and neoplasms. *Surg. Pathol.*, 10：177～222, 2017.
7) 熊本裕行：歯原性腫瘍の病理診断．東北歯誌，34･35：1～12，2016.
8) 熊本裕行：歯原性腫瘍の発生進展に関わる分子．病理と臨床，31：541～546，2013.
9) 大木宏介ほか：黄色肉芽腫性病変を伴った成人の歯肉嚢胞の1例．日口外誌，48：471～474，2002.
10) 君　賢司ほか：14年間の長期観察を行った基底細胞母斑症候群1症例の嚢胞裏装上皮の増殖活性能に関する検討．日口科誌，48：473～478，1999.
11) Ohki, K. et al.：*PTC* gene mutations and expression of SHH, PTC, SMO, and GLI-1 in odontogenic keratocysts. *Int. J. Oral Maxillofac. Surg.*, 33：584～592，2004.
12) Yoshida, M. et al.：Histopathological and immunohistochemical analysis of calcifying odontogenic cysts. *J. Oral Pathol. Med.*, 30：582～588, 2001.

Chapter 14 非歯原性嚢胞

非歯原性嚢胞[1]
non-odontogenic cyst

非歯原性嚢胞[1]とは，嚢胞壁の裏装上皮が歯原性上皮細胞に由来しない嚢胞をいう．非歯原性嚢胞には顎骨内に生じるものと，口腔領域の軟組織に生じるものがある（**表14-1**）．

表14-1　非歯原性嚢胞の種類

顎骨内に発生する非歯原性嚢胞	軟組織に発生する非歯原性嚢胞
鼻口蓋管（切歯管）嚢胞 術後性上顎嚢胞 単純性骨嚢胞 動脈瘤様骨嚢胞 静止性骨空洞	類皮嚢胞および類表皮嚢胞 鼻歯槽嚢胞（鼻唇嚢胞） 鰓裂嚢胞（鰓嚢胞，リンパ上皮性嚢胞） 甲状舌管嚢胞

鼻口蓋管（切歯管）嚢胞[2]
nasopalatine duct (incisive canal) cyst

鼻口蓋管[3]
nasopalatine duct

切歯管[4]
incisive canal

多列線毛円柱上皮[5]
pseudostratified ciliated columnar epithelium

重層扁平上皮[6]
stratified squamous epithelium

I─顎骨内に発生する非歯原性嚢胞

1 鼻口蓋管（切歯管）嚢胞[2]

口腔と鼻腔を連絡する鼻口蓋管[3]（切歯管[4]）の上皮遺残から発生する（**図14-1**）．30～60歳に好発し，3：1の割合で男性に多い．画像所見では上顎中切歯の歯根間に典型的なハート形，あるいは円形の透過像を認める（**図14-2**）．咬合法では切歯の後方にみられる．

病理組織学的には嚢胞は多列線毛円柱上皮[5]か，重層扁平上皮[6]，またはその両方により裏装され，嚢胞壁の結合組織中に神経，血管，粘液腺，皮脂腺などを認めることがある（**図14-3, 4**）．

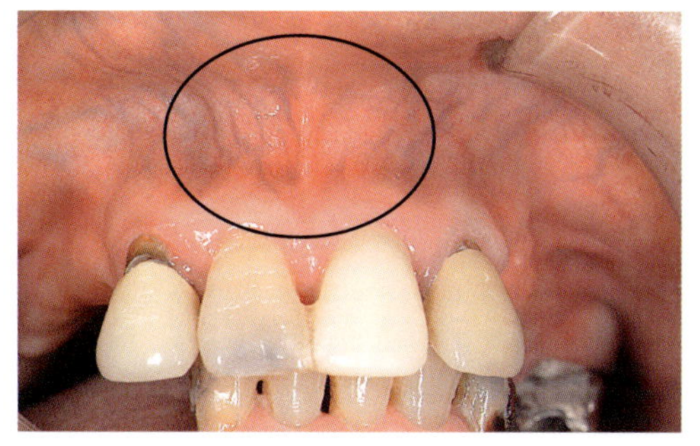

図14-1　鼻口蓋管嚢胞
上顎前歯部の歯肉唇移行部の粘膜面（囲み部分）に軽度の膨隆を認める．

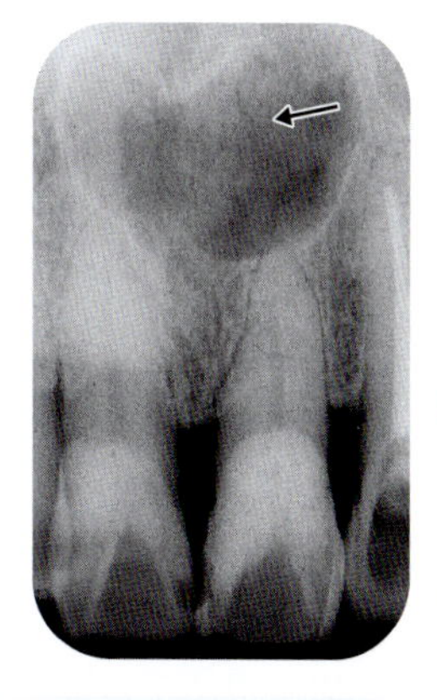

図14-2　鼻口蓋管嚢胞のデンタルエックス線写真
上顎中切歯の根尖部に典型的なハート形の透過像（矢印）を認める．

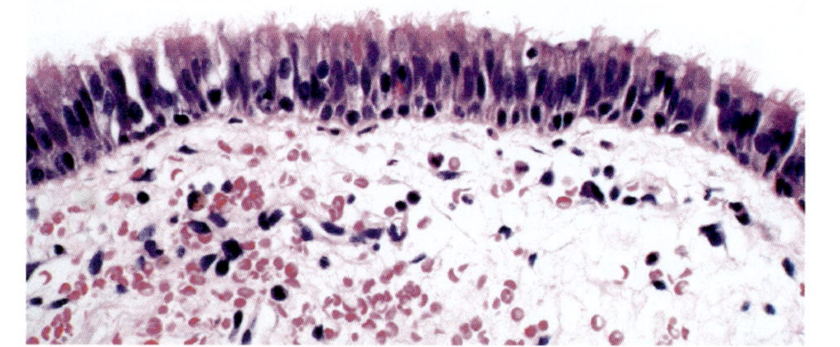

図14-3　鼻口蓋管嚢胞の嚢胞壁の強拡大像-1
嚢胞壁は多列線毛上皮により裏装されている．上皮層の表面に線毛が明瞭に認められる．壁中には少数の炎症性細胞の浸潤がみられる．

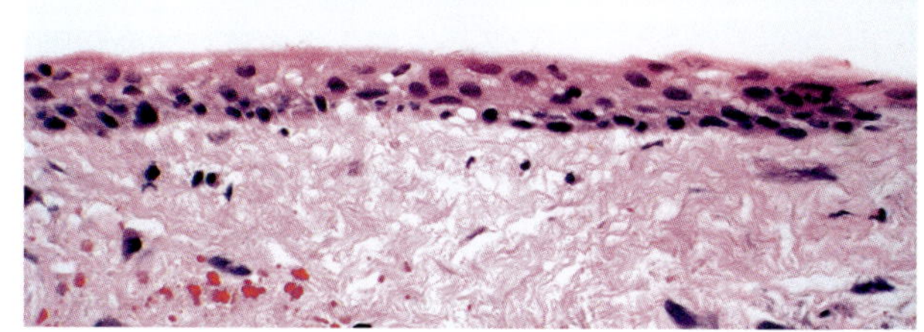

図14-4　鼻口蓋管嚢胞の嚢胞壁の強拡大像-2
嚢胞壁の一部に重層扁平上皮による裏装がみられる．嚢胞壁は密な線維性結合組織よりなっている．

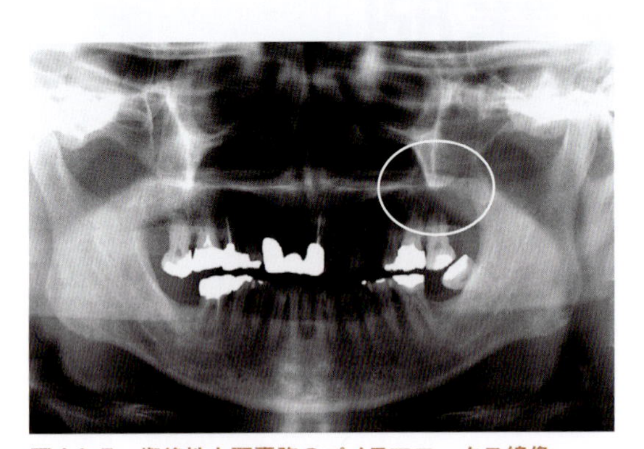

図14-5　術後性上顎嚢胞のパノラマエックス線像
左側の上顎洞領域（囲み部分）に透過性嚢胞性病変を認める．嚢胞周囲に骨の硬化像がみられる．

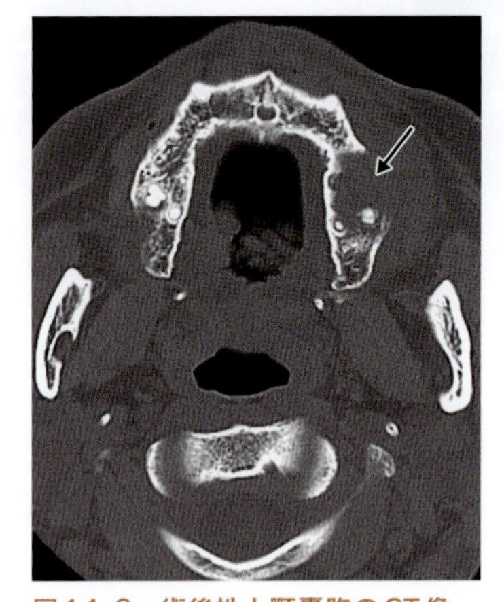

図14-6　術後性上顎嚢胞のCT像
左側上顎洞領域に嚢胞性病変（矢印）を認める．病変の拡大に伴い，上顎骨の頬側皮質骨は消失している．

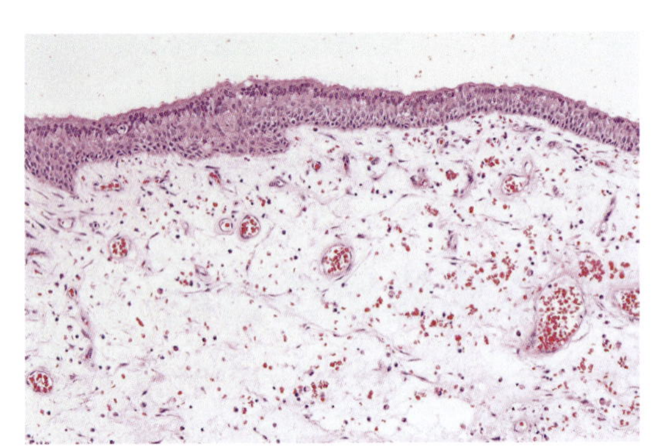

図14-7　術後性上顎嚢胞の嚢胞壁の中拡大像
表面は線毛上皮により裏装され，上皮層の下部には扁平上皮化生がみられる．壁中には少数の炎症性細胞の浸潤と毛細血管の拡張を認める．

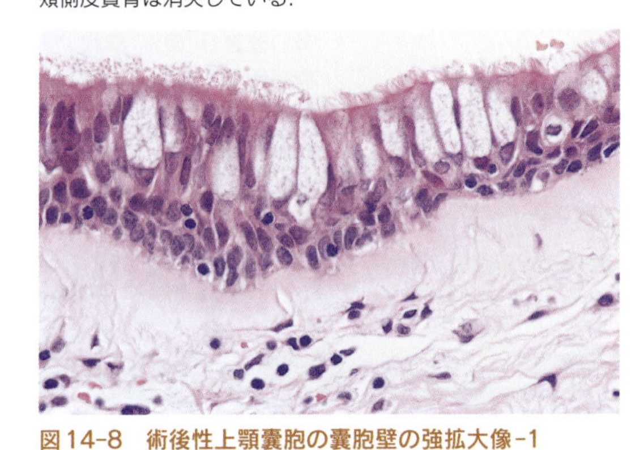

図14-8　術後性上顎嚢胞の嚢胞壁の強拡大像-1
嚢胞壁を裏装する多列線毛上皮を示す．裏装上皮直下に硝子化がみられる．

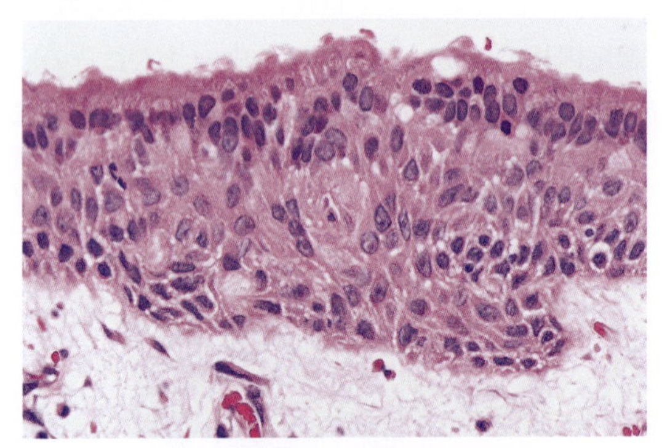

図14-9　術後性上顎嚢胞の嚢胞壁の強拡大像-2
線毛上皮層の下部に扁平上皮化生がみられる．

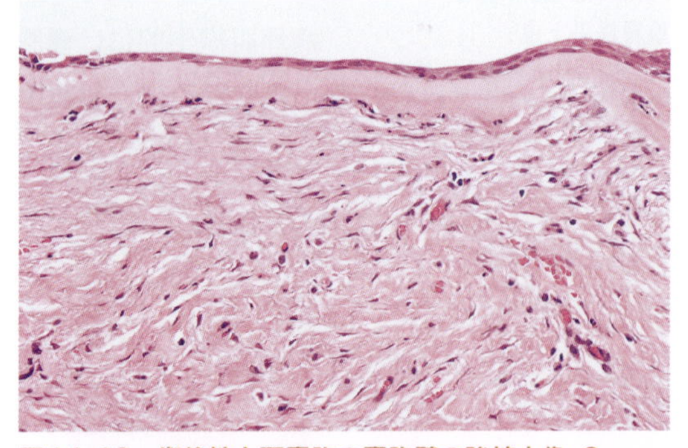

図14-10　術後性上顎嚢胞の嚢胞壁の強拡大像-3
扁平上皮直下に著明な硝子化がみられる．

術後性上顎嚢胞[7]
postoperative maxillary cyst

2 術後性上顎嚢胞[7]

上顎洞根治手術後に現れる合併症で，術後10年以上を経て発見されることが多い．頬部，口蓋や上顎歯肉頬移行部の腫脹や疼痛を伴うことがある．根治手術のときに，残置あるいは埋め込まれた粘膜上皮が増殖することにより発生する．主に上顎洞内に存在し，画像所見では本来の上顎洞と区別が困難な場合もある（**図14-5, 6**）．上顎洞外に存在することもある．増大するにつれて歯肉頬移行部，口蓋，頬部などの膨隆をきたす．

嚢胞壁は瘢痕様の結合組織からなり，線毛上皮や立方上皮により裏装されているが，炎症反応の結果，重層扁平上皮による裏装や，上皮層の萎縮あるいは消失を認めることもある．壁内には種々の程度の硝子化，瘢痕化や炎症性細胞の浸潤を伴う（**図14-7～10**）．

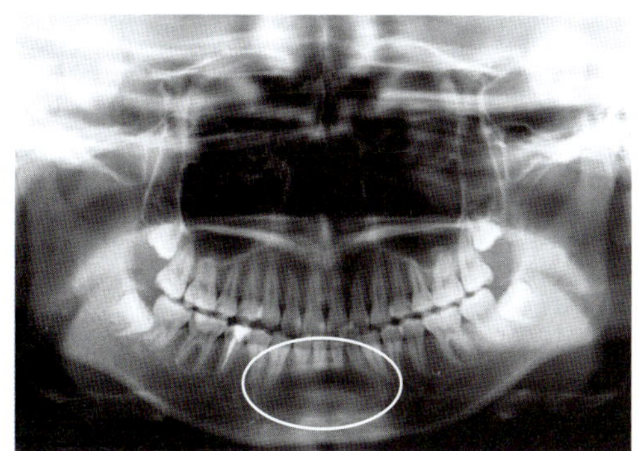

図14-11　単純性骨囊胞
下顎前歯部（囲み部分）に境界明瞭な透過像を認める.

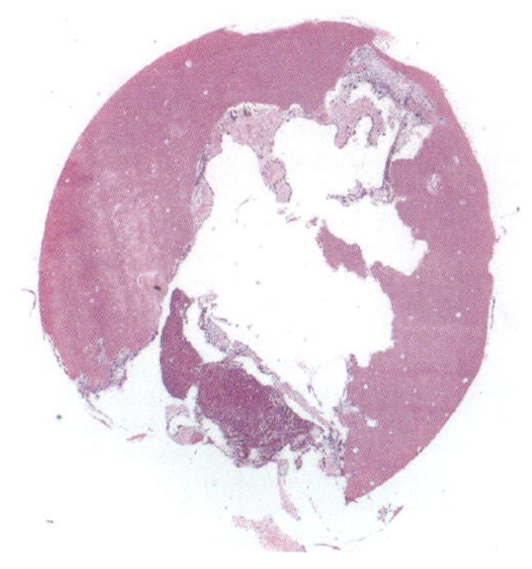

図14-12　単純性骨囊胞の弱拡大像
骨の内部に囊胞腔を認める.

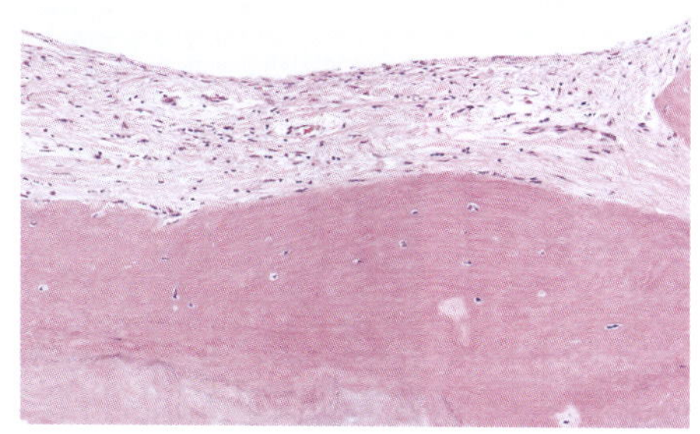

図14-13　単純性骨囊胞の囊胞壁の中拡大像
囊胞の表面には裏装上皮はなく，壁は線維性結合組織からなる.

壁内に粘液腺を伴うこともあり，本来の上顎洞粘膜との鑑別が必要となる．上顎洞根治手術の既往の確認が診断上重要である.

単純性骨囊胞[8]
simple bone cyst

外傷性骨囊胞[9]
traumatic bone cyst

出血性骨囊胞[10]
hemorrhagic bone cyst

孤在性骨囊胞[11]
solitary bone cyst

3 単純性骨囊胞[8]

外傷性骨囊胞[9]，出血性骨囊胞[10]，孤在性骨囊胞[11]などともよばれている．上腕骨，大腿骨などの主に長管骨に認められ，口腔領域では下顎臼歯部に好発する．無症状の場合が多く，エックス線検査により偶然に発見されることが多い.

画像所見では境界明瞭な透過像を示し，大きくなると歯槽中隔へ広がり，帆立貝状の所見を示す（**図14-11**）.

病理組織学的には，囊胞壁は粗な線維性結合組織からなり，上皮の裏装はない．内腔には血液や漿液性の液体を含んでいる（**図14-12, 13**）.

動脈瘤様骨囊胞[12]
aneurysmal bone cyst

4 動脈瘤様骨囊胞[12]

顎骨や長管骨，椎骨などに生じる稀な囊胞性疾患で若年者に多い．かつて反応性病変と考えられていたが，2013年改訂版の骨軟部腫瘍のWHO分類では“Tumours of undefined neoplastic nature”で“Intermediate (locally aggressive)”とされている．特異的キメラ遺伝子の存在が指摘されている.

画像所見では，境界明瞭な単房性あるいは蜂窩状の透過像を示す（**図14-14**）.

囊胞壁は線維性結合組織からなり，大小さまざまな血液を満たした腔がみられる．不規則な形態をした骨梁の形成や破骨細胞様の巨細胞が結合組織中にみられる（**図14-15～17**）．このことから，病理組織学的には巨細胞性肉芽腫や副甲状腺機能亢進に伴う褐色腫との鑑別，また骨梁の形成が多い場合には骨形成性線維腫や線維性骨異形成症との鑑別が重要である.

静止性骨空洞[13]
static bone cavity
（Stafne idiopathic bone cavity）

5 静止性骨空洞[13]

下顎角部に好発する囊胞様の画像所見を呈する病変で，壮年～中年の男性にやや多い．臨床症状はほとんどなく，画像検査で偶然に発見されることが多い.

画像所見では，下顎角付近に境界明瞭な球状の囊胞様透過像を認める（**図14-18**）．真の囊胞ではなく，骨欠損部に唾液腺，結合組織，脂肪組織，リンパ組織，筋肉組織などを認める（**図14-19**）.

上記の組織の肥大増殖や骨内への迷入による骨の欠損と考えられている.

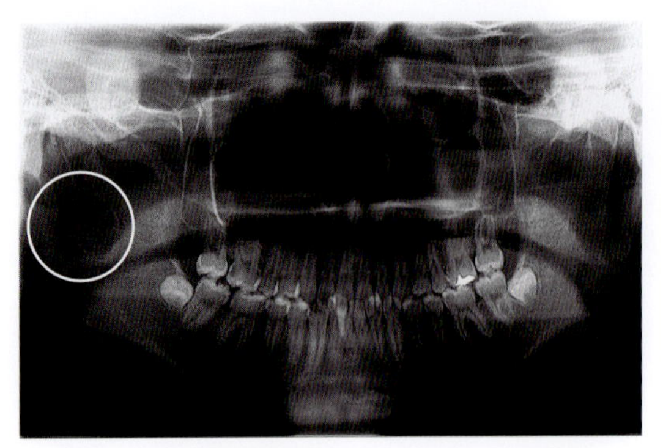

図14-14　動脈瘤様骨嚢胞のパノラマエックス線像
右側下顎枝後方部（囲み部分）に透過性病変を認める．

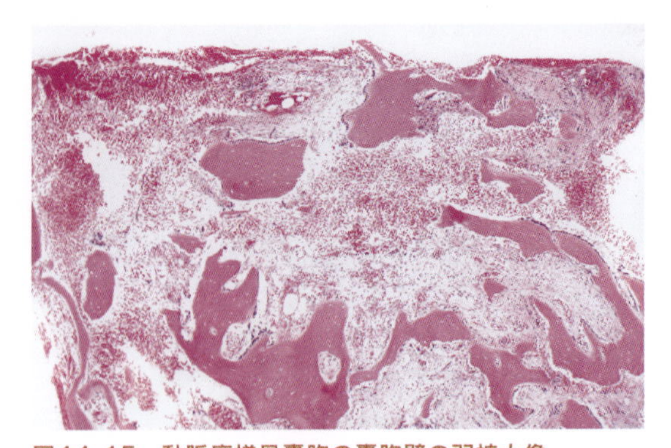

図14-15　動脈瘤様骨嚢胞の嚢胞壁の弱拡大像
嚢胞壁は線維性結合組織からなり，大小さまざまな血液を満たした腔を認める．不規則な形態をした骨梁の形成がみられる．

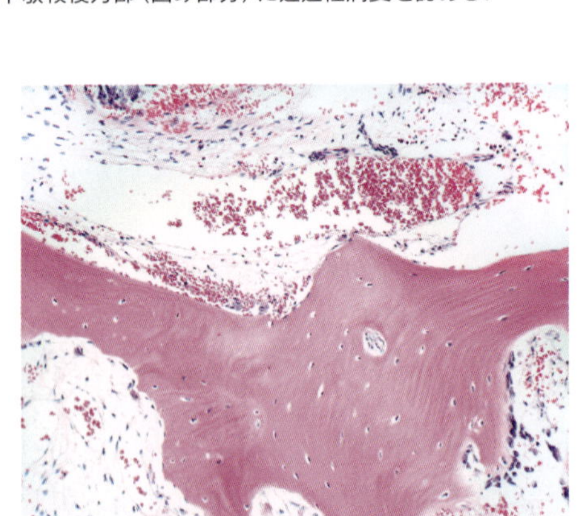

図14-16　動脈瘤様骨嚢胞の嚢胞壁の中拡大像
血液を満たした腔を認める．一見血管にみえるが，内皮細胞は存在しない．

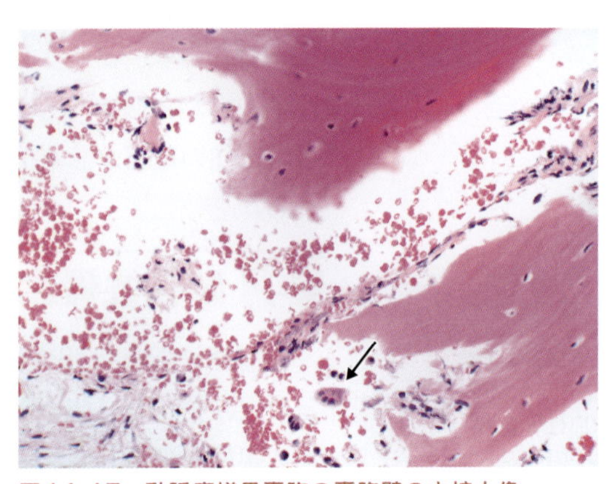

図14-17　動脈瘤様骨嚢胞の嚢胞壁の中拡大像
血液を満たした腔を認める．結合組織中に巨細胞（矢印）を認める．

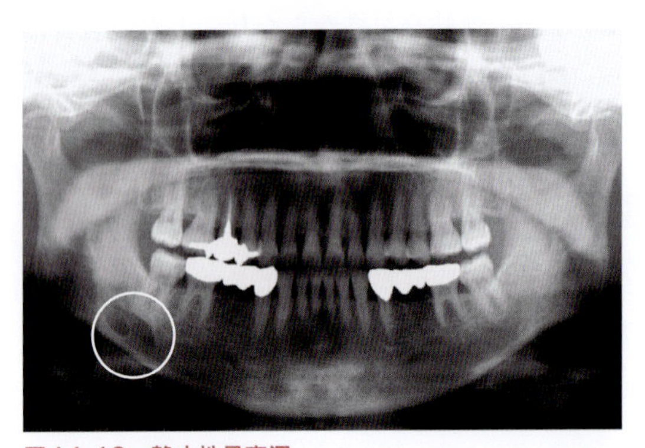

図14-18　静止性骨空洞
右側下顎枝前方部（囲み部分）に境界明瞭な嚢胞様のエックス線透過像がみられる．

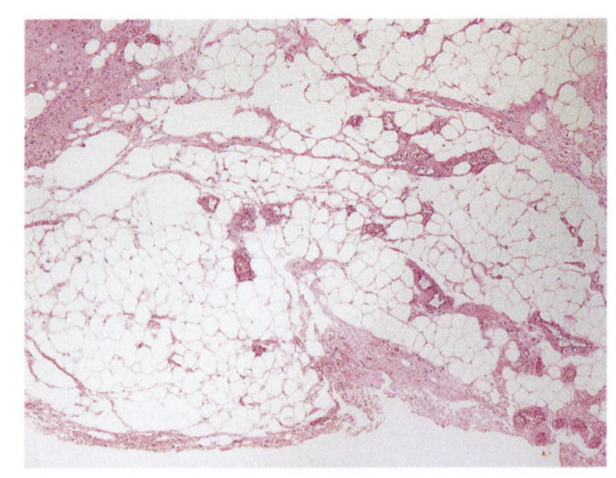

図14-19　静止性骨空洞の骨欠損部内の弱拡大像
腔内にみられた組織は，線維性結合組織と脂肪組織からなる．

Ⅱ－軟組織に発生する非歯原性嚢胞

1　類皮嚢胞[14]および類表皮嚢胞[15]

類皮嚢胞[14]
dermoid cyst
類表皮嚢胞[15]
epidermoid cyst
奇形様嚢胞[16]
teratoid cyst
角質[17]
keratin

上皮性組織（外胚葉性）の迷入により生じる嚢胞で，嚢胞壁内に表皮と皮膚の付属器（汗腺，皮脂腺）を含むものは類皮嚢胞，付属器を含まず表皮のみからなるものは類表皮嚢胞とよばれる．ごく稀に平滑筋，呼吸器系や胃腸管系組織を有する奇形様嚢胞[16]がみられる．口腔底に好発し，臨床的にガマ腫との鑑別が必要となる（**図14-20**）．乳幼児～思春期に好発し，性差はない．波動は触れず，内腔には豆腐のカス（おから）状の物質（角質[17]）を含んでいる．病理組織学的には，嚢胞は角化した重層扁平上皮により被覆されている．類皮嚢胞では汗腺や皮脂腺な

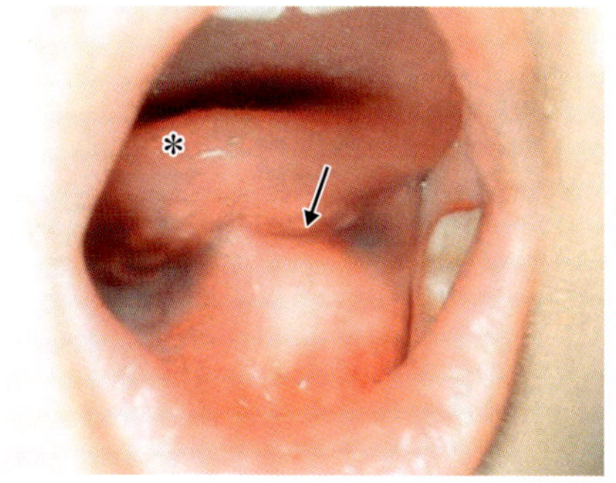

図 14-20　口腔底に発生した類表皮嚢胞

嚢胞の増大（矢印）により舌（＊）が上方へ押し上げられている．表面は平滑で，透明感はなく波動も触れない．

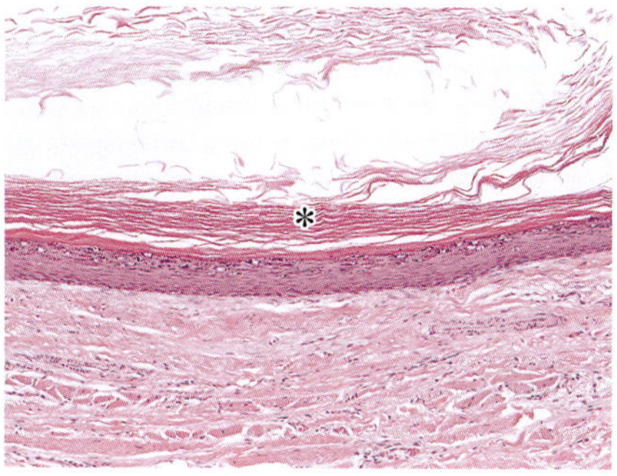

図 14-21　類表皮嚢胞の中拡大像

表層は著明な角化を示す数層の重層扁平上皮により被覆され，嚢胞腔内には角質（＊）がみられる．

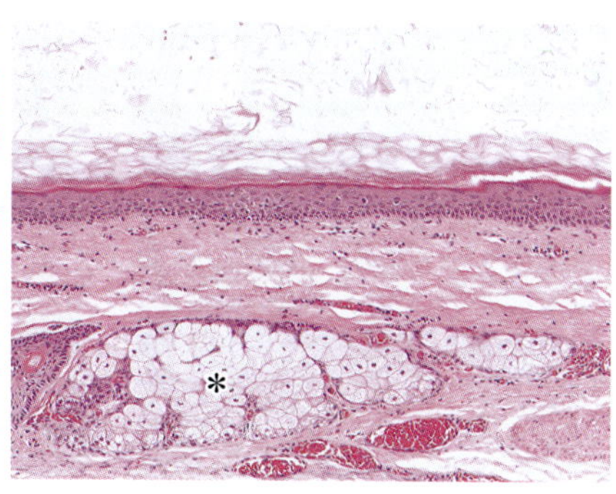

図 14-22　類皮嚢胞の中拡大像

類表皮嚢胞と同様に，表層は著明な角化を示す数層の重層扁平上皮により被覆され，嚢胞腔内には角質がみられる．嚢胞壁に類皮嚢胞の病理組織学的診断の根拠となる皮脂腺（＊）を認める．

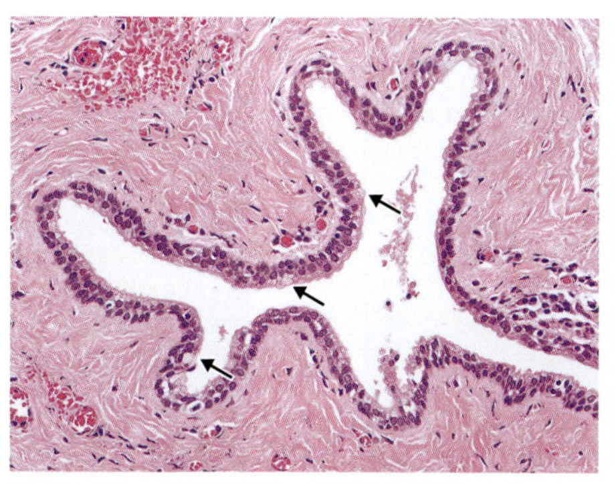

図 14-23　鼻歯槽嚢胞の嚢胞壁の強拡大像-1

表層は線毛上皮により裏装されており，上皮層中に粘液細胞（矢印）が混在している．

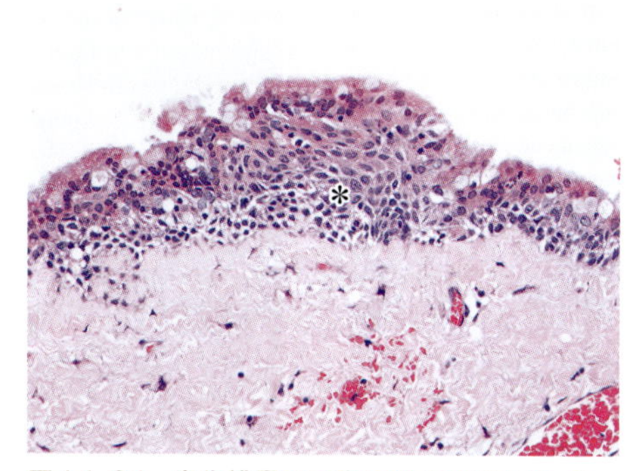

図 14-24　鼻歯槽嚢胞の嚢胞壁の強拡大像-2

裏装上皮層中に扁平上皮化生（＊）を認める．

どの皮膚付属器を認める（**図 14-21, 22**）．

外胚葉の迷入の他，外傷による表皮の嵌入により生じることがある．

鼻歯槽嚢胞[18]
nasoalveolar cyst

鼻唇嚢胞[19]
nasolabial cyst

2　鼻歯槽嚢胞[18]（鼻唇嚢胞[19]）

鼻翼の付け根の歯槽骨面に生じる稀な嚢胞．嚢胞の増大に伴い，鼻翼の付け根～上唇上方部が腫脹し，鼻唇溝の消失や鼻前庭の膨隆（Gerber隆起）が認められる．幅広い年齢層にみられるが，20～40歳代に好発し，女性に多い傾向がある．鼻涙管原基に由来するという．他の説もある．病理組織学的には壁内面は多列円柱上皮で覆われ，粘液細胞を含むこともある．扁平上皮や立方上皮を限局性に認める（**図 14-23, 24**）．

鰓裂嚢胞[20]
branchial cleft cyst

鰓嚢胞[21]
branchial cyst

リンパ上皮性嚢胞[22]
lymphoepithelial cyst

3　鰓裂嚢胞[20]（鰓嚢胞[21]，リンパ上皮性嚢胞[22]）

胎生期の鰓裂に由来する嚢胞で側頸部に好発するが，稀に口腔領域（口底，舌）にも生じる．5歳以下と20～40歳代に多く，無痛性で類球形の膨隆を呈する（**図 14-25**）．鰓裂以外に由来する説もある．

病理組織学的に，嚢胞壁は通常数層の重層扁平上皮で裏装されているが，ときに円柱上皮や立方上皮により裏装されていることもある（**図 14-26**）．

本嚢胞の特徴的な組織所見として，裏装上皮下に濾胞形成を伴うリンパ組織がみられる（**図 14-27**）．

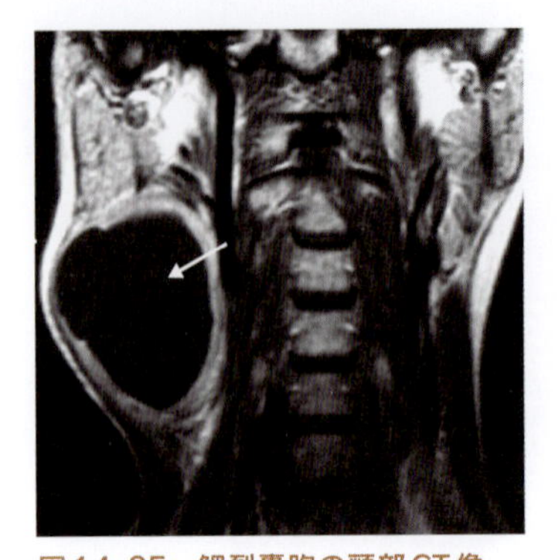

図14-25　鰓裂嚢胞の頸部CT像
右側頸部に境界明瞭な嚢胞性病変（矢印）を認める．

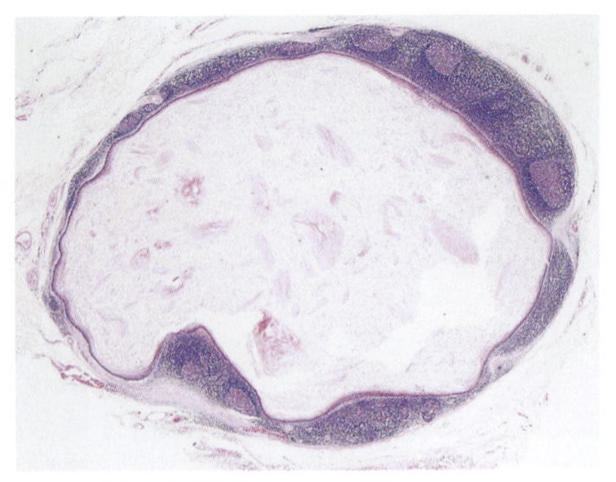

図14-26　鰓裂嚢胞のルーペ像
嚢胞腔には角質が充満している．嚢胞壁中に濾胞の形成を伴うリンパ組織がみられる．

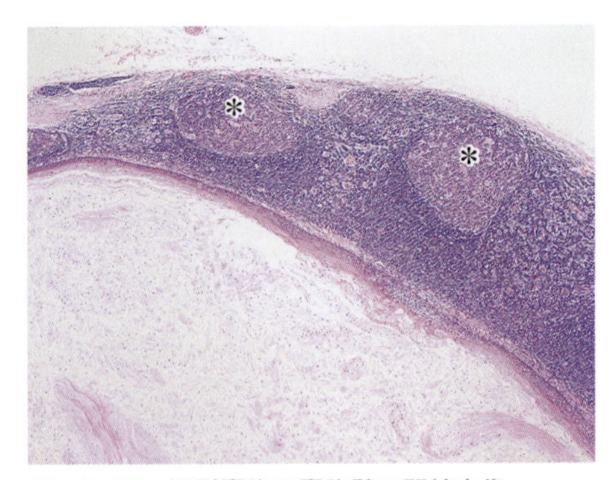

図14-27　鰓裂嚢胞の嚢胞壁の弱拡大像
壁中に本嚢胞の特徴である，濾胞を有するリンパ組織を認める．リンパ濾胞中には胚中心（*）の形成がみられる．

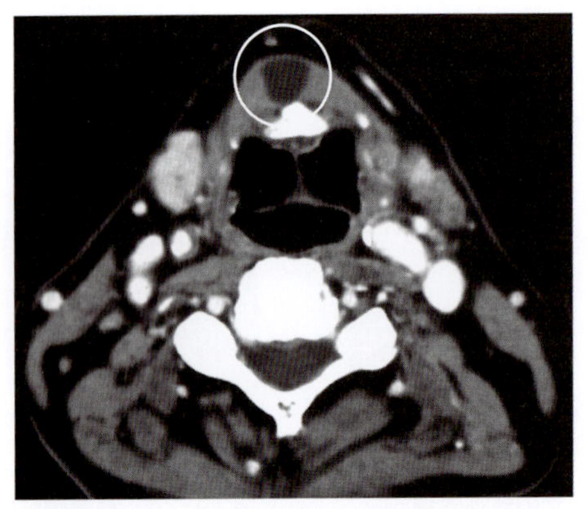

図14-28　甲状舌管嚢胞の病変部CT像
頸部前方のオトガイ下部中央（囲み部分）に嚢胞腔を認める．

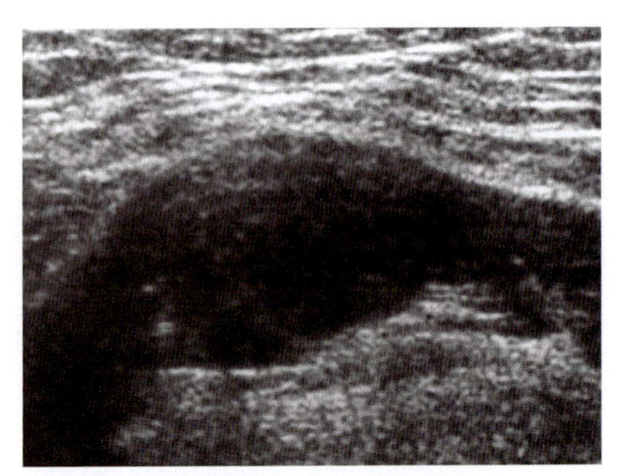

図14-29　甲状舌管嚢胞の病変部超音波像
類球形の低エコー性の病変がみられる．

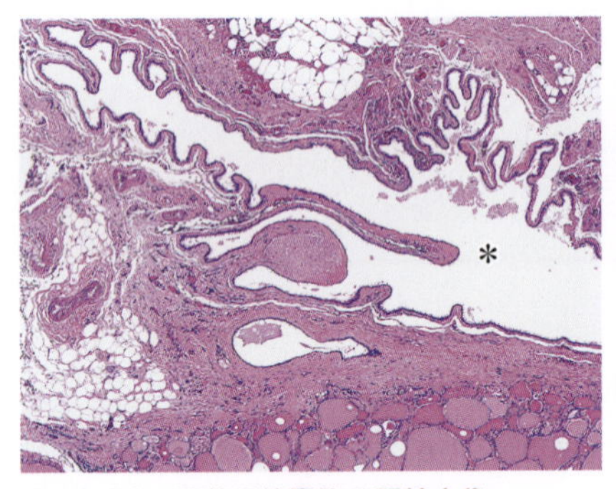

図14-30　甲状舌管嚢胞の弱拡大像
不規則な形態をした嚢胞腔（*）に隣接して甲状腺組織がみられる．

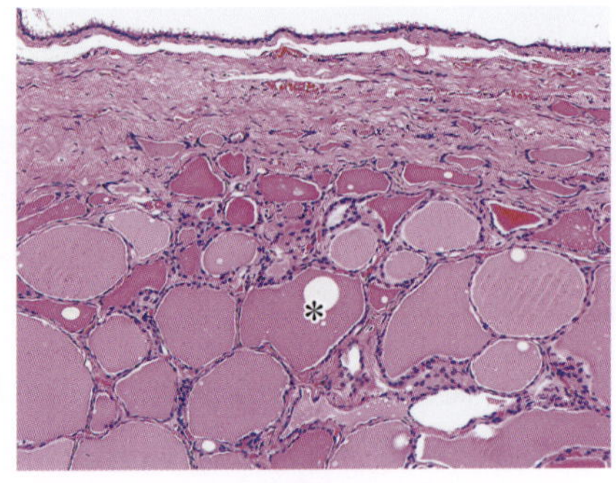

図14-31　甲状舌管嚢胞の中拡大像
嚢胞に隣接して甲状腺組織（*）がみられる．

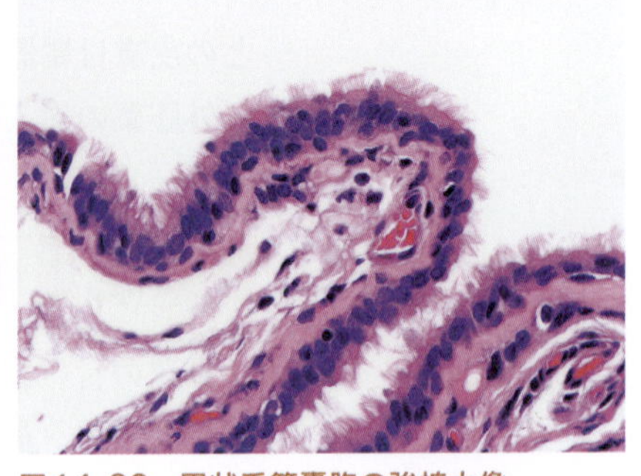

図14-32　甲状舌管嚢胞の強拡大像
裏装上皮は線毛円柱上皮からなる．

甲状舌管嚢胞[23]
thyroglossal duct cyst

4 甲状舌管嚢胞[23]

胎生期の甲状舌管の遺残上皮に由来する先天性嚢胞．舌盲孔と甲状腺の間にみられ，オトガイ下部で舌骨付近の正中部に生じることが多い．口底や舌根部，舌骨下部にも生じる（**図14-28, 29**）．二次感染により頸部や口腔内に瘻孔を形成することがある．

口腔に近い嚢胞では重層扁平上皮，下部のものでは線毛上皮により裏装される（**図14-30～32**）．嚢胞壁内に甲状腺組織を認めることがあり，この組織や裏装上皮から癌の発生が稀に報告されている．

（清島　保）

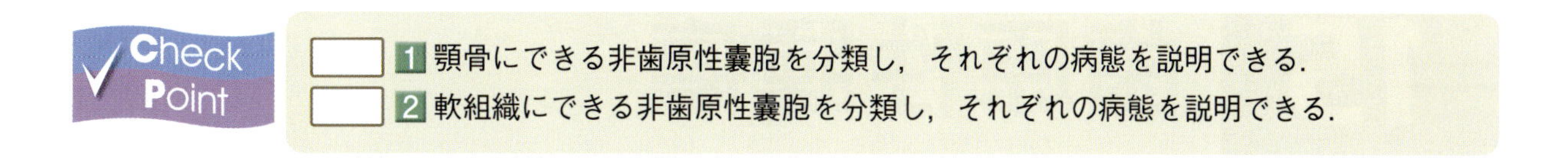

References

1) Sciubba, J. J. et al.：Tumors and Cysts of the Jaws. AFIP, Maryland, 2001.
2) 石川悟郎監修：口腔病理学　改訂版．永末書店，東京，1982.
3) 高木　實ほか：口腔病理アトラス　第2版．文光堂，東京，2006.
4) El-Naggar, A. K. et al.(eds)：WHO Classification of Head and Neck Tumours, 4th ed. IARC, Lyon, 2017.
5) Fletcher, C. D. M. et al.(eds)：WHO Classification of Tumours of Soft Tissue and Bone, 4th ed. IARC, Lyon, 2013.

Chapter 15

歯原性腫瘍

歯原性腫瘍は，歯の形成に関与する組織に由来する腫瘍の総称で，多くは顎骨内部から生じる（顎骨中心性）．ほとんどが良性腫瘍であり，発育は緩慢で経過も長く，初期には無症状で，当該部の膨隆や咬合障害をきたして発症することも少なくない．また，歯科治療時のエックス線撮影によって発見されることもある．発生頻度に関してはさまざまな報告があるが，顎口腔領域に生じる腫瘍の10～15%を占めると思われる[1]．歯原性腫瘍全体に占める悪性腫瘍の割合は数%と少ない．多くは良性腫瘍（あるいは歯原性嚢胞上皮）から悪性転化したものである[2]．

わが国では歯原性腫瘍の中で最も頻度の高いのはエナメル上皮腫で，歯原性腫瘍全体の1/2以上を占めるといわれていた．また，硬組織形成性病変，歯牙腫，歯原性粘液腫などがこれに次いでいた．一方，欧米では歯牙腫が最も多く，エナメル上皮腫は全体の10%前後にすぎないと報告されている．

ほとんどの歯原性腫瘍は病理組織学的に歯の発生過程にみられる構造を模倣するため，歯原性腫瘍を病理学的に理解するためには，歯の発生過程の知識が不可欠である．すなわち，胎生初期に口腔粘膜上皮から生じた歯堤とその周囲の間葉組織との相互作用によって，歯堤尖端部はエナメル器に，それに接する間葉組織は歯乳頭に分化する．エナメル器に内エナメル上皮が出現すると，これに接する歯乳頭の細胞が象牙芽細胞に分化し，象牙質基質を形成する．次いで象牙質基質に接する内エナメル上皮がエナメル芽細胞に分化し，象牙質表面にエナメル質基質を形成しはじめる．このようにして歯冠部が完成すると，引き続き上皮と間葉組織との相互作用によって歯根や歯周組織の形成が進行する．腫瘍においても象牙質の形成にあたっては歯原性上皮の存在が不可欠であり，また，歯原性上皮に接して形成される硬組織ならびにその基質は象牙質とみなすことができる．同様に，象牙質が存在しなければエナメル質の形成は起こらない．したがって，歯原性腫瘍の診断にあたっては，実質が上皮性か間葉性か，あるいはこれら両者が混合しているかどうか，硬組織の形成を伴っているかどうか，硬組織であればどのような性状のものか（象牙質，エナメル質あるいはセメント質）などを判断しなければならない．

歯原性腫瘍の学術的分類は古くから多くの試みがなされてきたが，国際的に統一された分類の必要性から，WHOに歯原性腫瘍の病理組織学的分類委員会が設けられ，1971年に歯原性腫瘍の組織分類が示された．その後，症例の蓄積と解析が進む中で，2017年に3度目の改訂がなされ[3]，この分類が国際的に広く用いられている（**表15-1**）．

最近のWHO分類は臨床的動態を重視しており，悪性腫瘍を最初にあげ，次いで良性腫瘍を列記している．悪性腫瘍は癌腫，癌肉腫，肉腫に分けられている．良性腫瘍は，上皮性，上皮間葉混合性，間葉性に分けられている．なお，嚢胞の分類も2017年に改訂されており〔chap. 13参照〕，2005年に腫瘍に分類されていた「角化嚢胞性歯原性腫瘍」と「石灰化嚢胞性歯原性腫瘍」は，2017年の分類ではそれぞれ「歯原性角化嚢胞」と「石灰化歯原性嚢胞」として嚢胞に分類されている．

本章では他章との整合性を図るため，良性腫瘍から述べる．

表15-1　歯原性腫瘍のWHO組織分類（2017）

歯原性癌腫	Odontogenic carcinomas
エナメル上皮癌	Ameloblastic carcinoma
原発性骨内癌NOS	Primary intraosseous carcinoma, NOS
硬化性歯原性癌	Sclerosing odontogenic carcinoma
明細胞性歯原性癌	Clear cell odontogenic carcinoma
幻影細胞性歯原性癌	Ghost cell odontogenic carcinoma
歯原性癌肉腫	Odontogenic carcinosarcomas
歯原性肉腫	Odontogenic sarcoma
良性上皮性歯原性腫瘍	Benign epithelial odontogenic tumours
エナメル上皮腫	Ameloblastoma
エナメル上皮腫，単嚢胞型	Ameloblastoma, unicystic type
エナメル上皮腫，骨外性/周辺型	Ameloblastoma, extraosseous/peripheral type
転移性エナメル上皮腫	Metastasizing ameloblastom
扁平歯原性腫瘍	Squamous odontogenic tumour
石灰化上皮性歯原性腫瘍	Calcifying epithelial odontogenic tumour
腺腫様歯原性腫瘍	Adenomatoid odontogenic tumour

良性上皮間葉混合性歯原性腫瘍	Benign mixed epithelial and mesenchymal odontogenic tumours
エナメル上皮線維腫	Ameloblastic fibroma
原始性歯原性腫瘍	Primary odontogenic tumour
歯牙腫	Odontoma
歯牙腫，集合型	Odontoma, compound type
歯牙腫，複雑型	Odontoma, complex type
象牙質形成性幻影細胞腫	Dentinogenic ghost cell tumour
良性間葉性歯原性腫瘍	Benign mesenchymal odontogenic tumours
歯原性線維腫	Odontogenic fibroma
歯原性粘液腫/粘液線維腫	Odontogenic myxoma/myxofibroma
セメント芽細胞腫	Cementoblastoma
セメント質骨形成線維腫	Cemento-ossifying fibroma

I—良性腫瘍

1 良性上皮性歯原性腫瘍

エナメル上皮腫[1]
ameloblastoma

1 エナメル上皮腫[1]

病理組織学的に腫瘍実質が歯胚の上皮成分に類似し，骨内性に進行性増大をする歯原性上皮性腫瘍で，適切な処置がなされなければ顎骨の膨隆や破壊をきたす．

多少とも局所侵襲性の増殖傾向を呈し，病変内にしばしば大小の嚢胞を形成する（**図15-1**）．わが国を含めた有色人種地域での発生頻度が高いといわれてきたが，近年，わが国では漸減しているように思われる．20～30歳代の下顎臼歯部～上行枝部，特に智歯部に好発する．腫瘍の発育は緩徐で，顎顔面部の膨隆をきたして受診することが多い．腫瘍の増殖により顎骨は内部からしだいに吸収されて膨隆し，皮質骨は菲薄になり，臨床的に羊皮紙様感を呈するようになる．画像所見では病変部は多胞性の透過像を呈することが多く（**図15-2**），埋伏歯を伴うことも少なくないが，単房性のこともある．

病理組織学的に，濾胞型と網状型の二基本型に大別され，前者が全体の約2/3を占めるといわれているが，両者が種々の程度に混在していることも少なくない．

なお，最近はさまざまな腫瘍における遺伝子異常が明らかにされるとともに，それを標的とした治療も試みられている．エナメル上皮腫では*BRAF*遺伝子の変異がみられ，従来の外科的治療に加え，これに対する分子標的治療が試みられている．

濾胞型[2]
follicular type

(1) 濾胞型[2]

実質は種々の大きさの胞巣からなり，間質に接して高円柱状の細胞が比較的規則的に配列し，その内側は疎に配列する星芒状～不定形の細胞からなるエナメル髄に似た構造を呈する（**図15-3**）．星芒状細胞からなる胞巣の内側にはしばしば小嚢胞が形成され，これらがしだいに大きくなると実質嚢胞[3]とよばれる．間質は比較的細胞成分の多い線維性組織からなる．なお，実質辺縁の高円柱細胞に接する間質に硝子化層の形成をみることがあるが，これは基底膜ならびに結合組織の硝子変性であり，象牙質基質の誘導ではない．

実質嚢胞[3]
parenchymal cyst

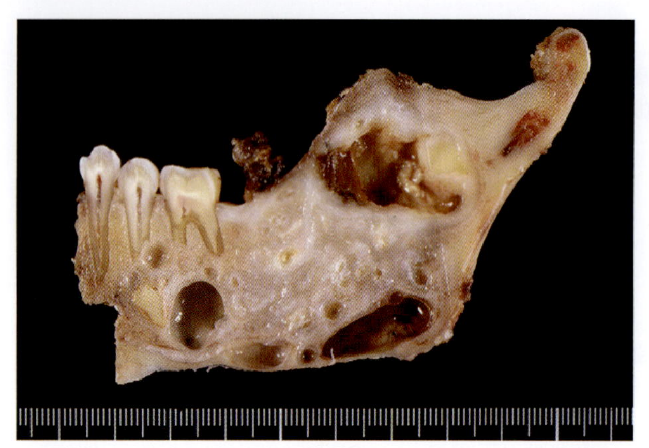

図 15-1　エナメル上皮腫の肉眼所見
腫瘍は灰白色を呈し，大小の嚢胞を形成している．また，臼歯の根吸収や埋伏歯もみられる．

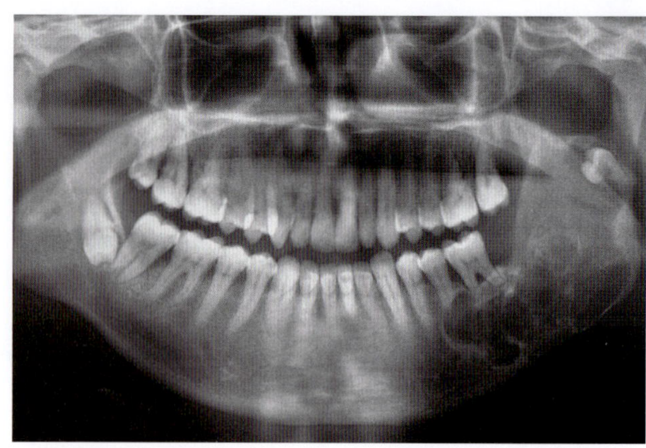

図 15-2　エナメル上皮腫のエックス線所見（図 15-1 症例の術前）
下顎左側小臼歯部から下顎切痕にまで及ぶ多房性透過像を呈する．下顎切痕近くに埋伏歯をみる．また，第二小臼歯と第一大臼歯の歯根が吸収されている．

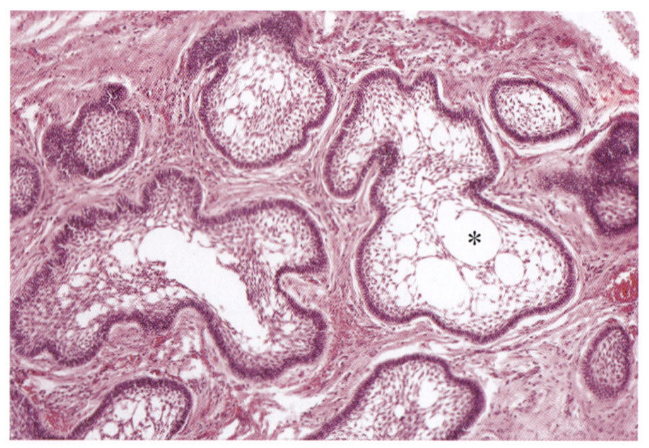

図 15-3　エナメル上皮腫，濾胞型
実質は歯胚のエナメル器に類似する種々の大きさの腫瘍胞巣からなり，胞巣内には嚢胞（*）が形成されつつある．

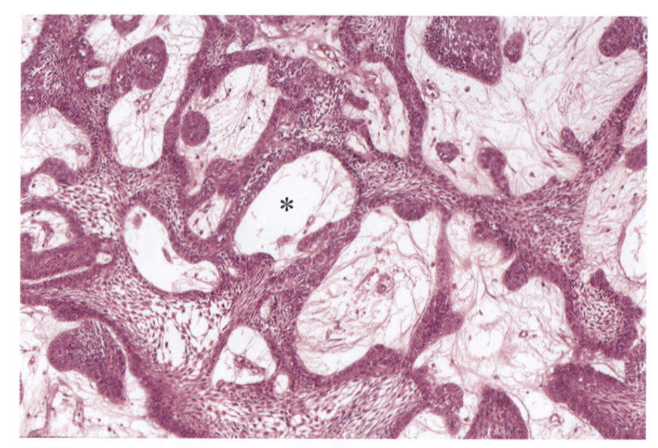

図 15-4　エナメル上皮腫，網状型
実質が不規則な網状～索状構造を形成しながら増殖する．間質は水腫性変化をきたし，やがて間質嚢胞（*）となる．

網状型[4]
plexiform type

(2) 網状型[4]

実質が不規則な網状～索状構造を形成しながら増殖する．間質に接して立方～円柱状の細胞が比較的規則的に配列し，その内側には星芒状の細胞が疎で不規則に配列している（**図 15-4**）．間質は比較的疎な線維性組織からなり，しばしばここに水腫性変化をきたし，種々の大きさの間質嚢胞[5]が形成される．

間質嚢胞[5]
stromal cyst

(3) エナメル上皮腫の組織亜型

以上の二基本型に細胞の特殊な形態変化あるいは化生などをみることがある．

棘細胞型[6]
acanthomatous type

扁平上皮化生[7]
squamous metaplasia

①棘細胞型[6]：腫瘍胞巣内側の細胞が扁平上皮化生[7]をきたし，比較的広い範囲にわたって有棘細胞や角質球の出現をみる型である（**図 15-5**）．扁平上皮化生が高度になっても胞巣辺縁に配列する円柱状細胞が消失することはない．ときに角質球に石灰化をきたすことがあるが，これは誘導作用によって生じた歯の硬組織ではない．

顆粒細胞型[8]
granular type

②顆粒細胞型[8]：腫瘍胞巣内に好酸性の細顆粒を含む膨化した細胞（顆粒細胞）が広範に出現する型である（**図 15-6**）．一般に顆粒細胞はエナメル髄に相当する部分に出現し，しだいに胞巣の大部分を占めるようになる．核は濃縮性で辺縁部に圧排されており，胞体は充満する顆粒状物質で膨化している．これらの顆粒状物質はリソソームに由来すると思われるが，その病理学的意義は不明である．なお，通常のエナメル上皮腫と比較して，顆粒細胞型は臨床動態がやや活発であるといわれている．

類基底細胞型[9]
basaloid type

③類基底細胞型[9]：皮膚の基底細胞腫に類する型で，実質は比較的小型の細胞からなり，これが歯堤の組織構築に似た所見を呈しながら索状に増殖している（**図 15-7**）．

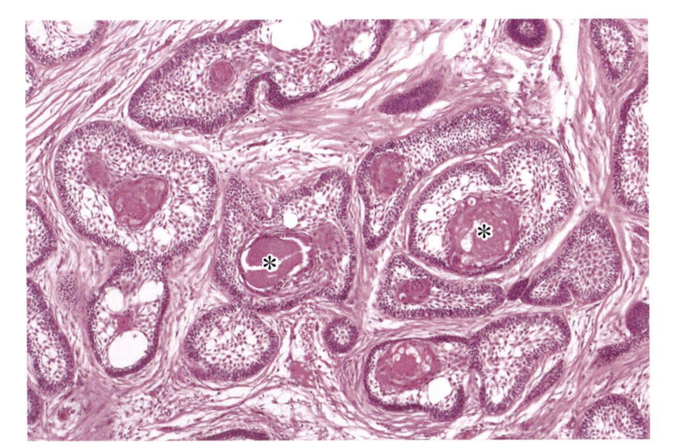

図15-5　エナメル上皮腫，棘細胞型
腫瘍胞巣中央には扁平上皮化生による角質球の形成（*）がみられる．

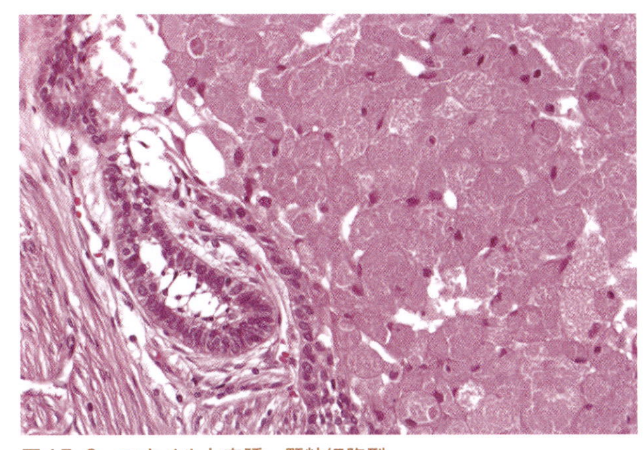

図15-6　エナメル上皮腫，顆粒細胞型
腫瘍胞巣内は顆粒細胞に占められている（図の右2/3）．これらの顆粒細胞の細胞質は充満する好酸性顆粒で膨化し，核は辺縁に圧排されている．

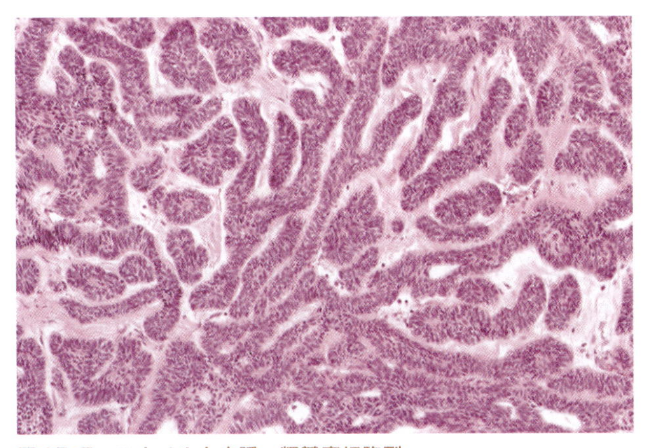

図15-7　エナメル上皮腫，類基底細胞型
実質は比較的小型の細胞からなり，これらが歯堤の組織構築を呈しながら索状に増殖している．

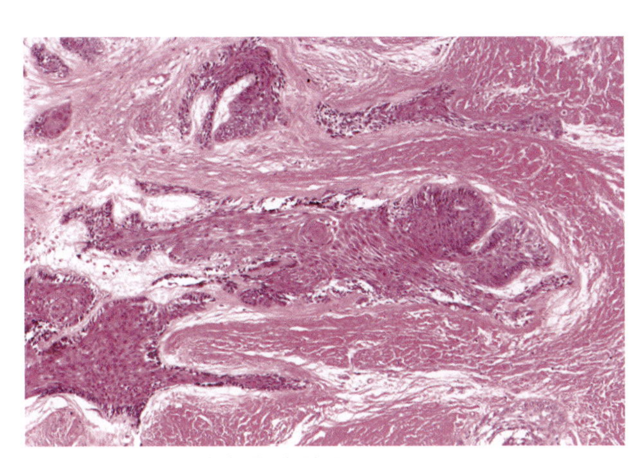

図15-8　エナメル上皮腫，類腱型
瘢痕様の間質内に腫瘍実質が小胞巣状に散在している．

Chap. 15 歯原性腫瘍

類腱型[10]
desmoplastic type

④類腱型[10]：細胞成分の少ない瘢痕様の線維性組織からなる豊富な間質内に，腫瘍実質が小胞巣状または細索状に散在する型である（**図15-8**）．胞巣内側の細胞は扁平で密に配列し，辺縁の細胞配列も不規則になっているものの，全体的にはエナメル器に類する組織構築がうかがわれる．線維性被膜を欠くことが多く，また，ときに間質に化生性の骨形成をみる．

①〜④のような細胞亜型が種々の程度に混在していることがある．また，ごく稀にエナメル上皮腫が歯牙腫を伴って生じることがあり，このようなものは歯牙エナメル上皮腫とよばれてきた．

エナメル上皮腫，単嚢胞型[11]
ameloblastoma, unicystic type

含歯性嚢胞[12]
dentigerous cyst

2 エナメル上皮腫，単嚢胞型[11]

骨内性に生じるエナメル上皮腫の亜型で，単房性の嚢胞を形成する．下顎第三大臼歯部に好発し，埋伏する第三大臼歯を伴っていることが多く，画像所見において含歯性嚢胞[12]との鑑別が困難なことがある．発症年齢は通常型のエナメル上皮腫よりも有意に低く，多くは20歳未満に生じる．

嚢胞型[13]
luminar type

内腔型[14]
intraluminar type

病理組織学的に，嚢胞型[13]と内腔型[14]とに分けられる．嚢胞型は嚢胞腔がかろうじてエナメル上皮腫としての構築を呈する上皮の菲薄な層で覆われている（**図15-9**）．上皮層の外側は間質に相当する線維性組織層である．内腔型は嚢胞腔を覆う上皮層から嚢胞腔側に向かって網状型エナメル上皮腫が乳頭状に種々の程度に増殖している．単嚢胞型のエナメル上皮腫の半数以上では腫瘍が線維性結合組織層内にも増殖しており（壁内成分），このようなものは通常のエナメル上皮腫と同様に侵襲性があるといわれている．

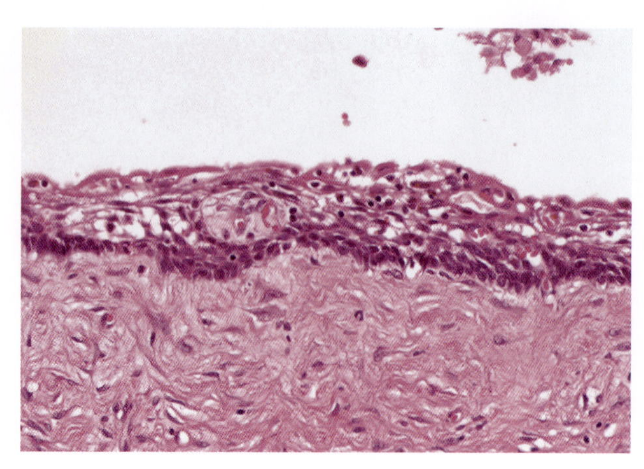

図15-9　エナメル上皮腫，単嚢胞型
嚢胞型で，上皮層にかろうじてエナメル上皮腫としての組織構築がみられる．

エナメル上皮腫，骨外型/周辺型[15]
ameloblastoma, extraosseous/peripheral type

3 エナメル上皮腫，骨外型/周辺型[15]

歯肉あるいは無歯顎の顎堤軟組織に生じるエナメル上皮腫と同様な病理組織像を呈する良性腫瘍で，全エナメル上皮腫の1〜5%に相当する．またすべての周辺性歯原性腫瘍の半数以上を占める．周辺性エナメル上皮腫の発症年齢は骨内性のものよりも有意に高い．好発部位も下顎臼歯部と上顎結節部の歯肉である．臨床的に発育は緩慢で，歯肉部や無歯顎の顎堤に限局性の腫瘤を形成し，ときに骨を軽度に圧迫吸収する．適切な外科処置によって再発することはない．歯肉結合組織内に遺残する歯原性上皮細胞や歯肉上皮基底細胞層から生じると考えられている（**図15-10, 11**）．

なお，きわめて稀に，歯肉や顎堤以外の口腔粘膜（頬部や口唇部など）にエナメル上皮腫に酷似した腫瘍が生じることがあるが，このようなものを周辺性エナメル上皮腫とするかどうかはまだ意見の一致をみない．

転移性エナメル上皮腫[16]
metastasizing ameloblastoma

4 転移性エナメル上皮腫[16]

良性の組織所見を呈するにもかかわらず転移巣を形成するきわめて稀なエナメル上皮腫である．原発巣は下顎であることが多い．転移巣の約70%は肺あるいは胸膜で，次いでリンパ節と骨の順である．転移巣が確認されてから確定診断がなされるが，原発巣と転移巣のいずれもが良性のエナメル上皮腫であることが診断要件である．なお，転移巣に明らかな細胞異型がみられた場合にはエナメル上皮癌との診断になる（後述）．

扁平歯原性腫瘍[17]
squamous odontogenic tumor

5 扁平歯原性腫瘍[17]

腫瘍細胞が成熟した扁平上皮への分化を呈する良性上皮性歯原性腫瘍で，かなり稀なものである．30歳代の男性例が多く報告されており，上顎前歯部や下顎臼歯部に単発性の骨内腫瘍として生じる．初期には無症状で，発育は緩慢である．

病理組織学的に実質がよく分化した扁平上皮からなり，間質が線維成分に富み，多少とも局所侵襲性の性格を有する．本腫瘍は歯根膜の歯原上皮残遺に由来すると考えられている．しかし，腫瘍実質の辺縁には歯原性を思わせる細胞の規則的な配列は認めない（**図15-12**）．

石灰化上皮性歯原性腫瘍[18]
calcifying epithelial odontogenic tumor

アミロイドタンパク[19]
amyloid protein

6 石灰化上皮性歯原性腫瘍[18]

アミロイドタンパク[19]の分泌とその石灰化をきたす良性歯原性腫瘍で，Pindborg腫瘍ともよばれる．比較的稀なものである．無痛性で発育は緩慢だが，ときに局所侵襲性に増殖することもある．成人の下顎臼歯部に好発する．多くは顎骨内に生じるが，周辺性に生じることもあ

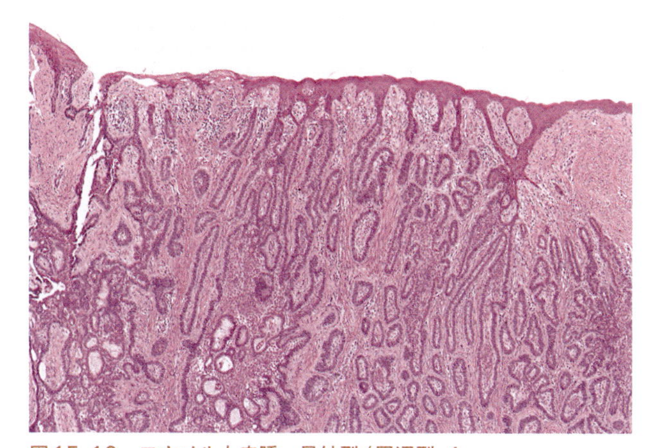

図 15-10　エナメル上皮腫，骨外型/周辺型-1
歯肉上皮基底脚が伸長し，深部に向かって増殖している．

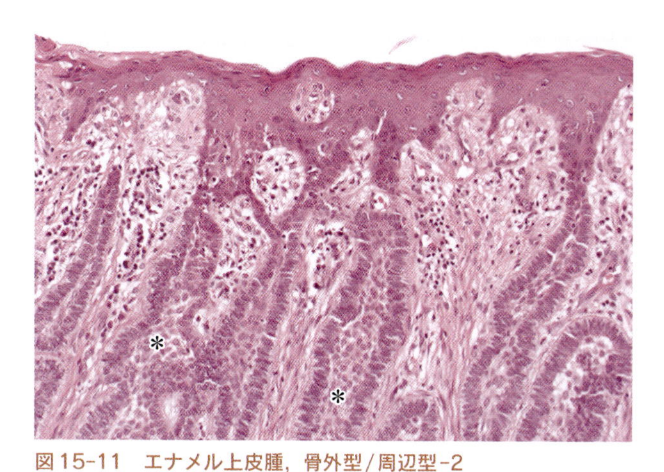

図 15-11　エナメル上皮腫，骨外型/周辺型-2
歯肉上皮基底脚から連続して深部に向かって増殖する腫瘍はエナメル器と同様な組織構築を示す（＊）．

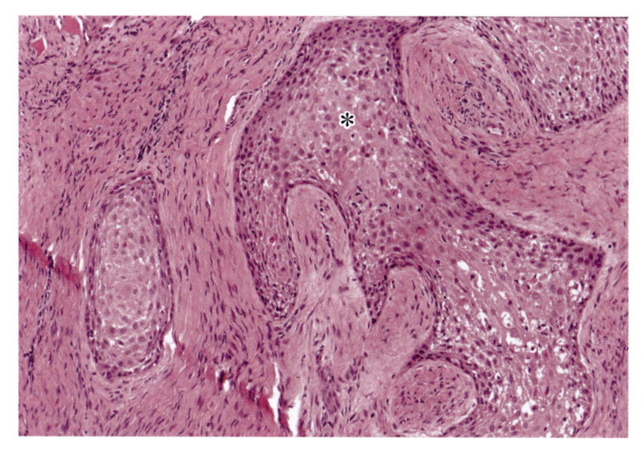

図 15-12　扁平歯原性腫瘍
腫瘍実質がよく分化した扁平上皮細胞（＊）からなる．腫瘍胞巣辺縁の細胞は柵状配列を示さない．

る．無症状で，発育緩慢だが，大きくなると顎骨の膨隆をきたす．画像所見において境界明瞭で，埋伏歯や石灰化物を伴うことが多い．

病理組織学的に，腫瘍胞巣は敷石状に配列する多角形の上皮細胞の増殖からなり，その中にエオジンに好染する類球形の均一無構造物が種々の程度に認められる（**図 15-13, 14**）．この均一無構造物は組織化学的にアミロイドタンパクであり，エナメル基質タンパクに類することから，腫瘍細胞の分泌物とみなされる．この分泌物が石灰化をきたして同心円状の層状構造を呈し，さらにこれらが増大融合して不規則な塊状石灰化物となる（**図 15-14**）．これらの石灰化物は誘導作用によって生じた歯の硬組織ではない．なお，ときに腫瘍細胞は胞体や核の大小不同などを示すが，このような所見は悪性を示唆するものではなく，分裂像もほとんどみられない．明細胞化した腫瘍細胞が主体を占めることもある．間質は比較的豊富である．

腺腫様歯原性腫瘍[20]
adenomatoid odontogenic tumor

7 腺腫様歯原性腫瘍[20]

導管様構造の形成を特徴とする良性上皮性腫瘍であるが，ときに間葉系に種々の誘導性変化がみられる．好発年齢は10～20歳代で，女性に多く，緩慢に発育し，増大すると無痛性腫脹を呈する．上顎前歯部，特に犬歯部に好発する．稀に顎骨周辺性に生じることもある．画像診断では単房性の透過像を呈し，1/3以上で埋伏歯を伴っており（**図 15-15**），含歯性嚢胞を思わせる．また，透過巣内に点在性の不透過物が散見されることもある．

病理組織学的に，線維性組織に被包されて腫瘍が充実性に，あるいは管状～嚢胞状腔を囲んで多結節状に増殖する．弱拡大像では，管状構造を含む上皮塊が多数形成され，それらの間

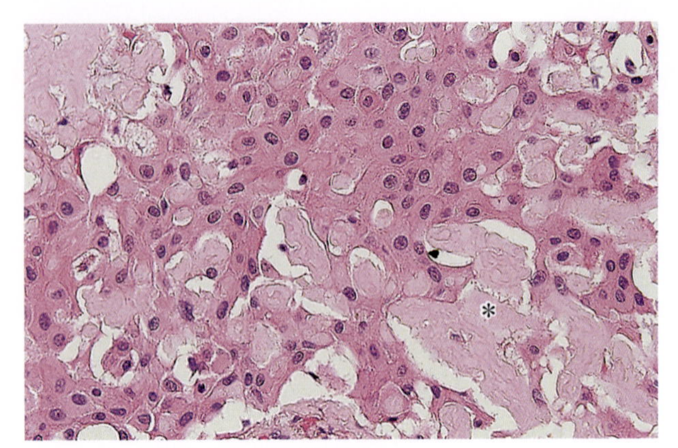

図 15-13　石灰化上皮性歯原性腫瘍-1
敷石状に配列する腫瘍細胞間に類球形でエオジンに淡染する均一無構造な物質(＊)をみる.

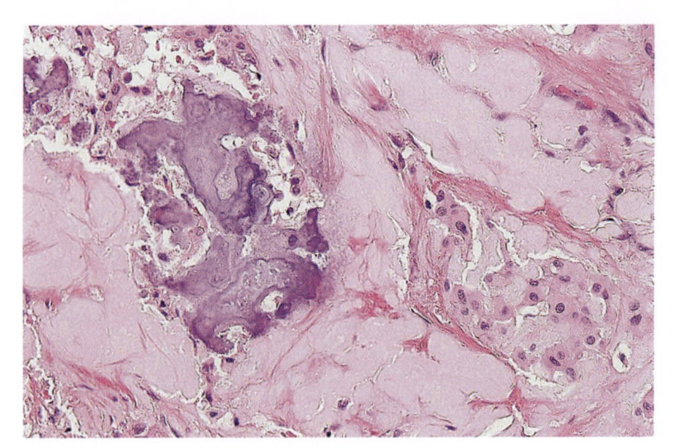

図 15-14　石灰化上皮性歯原性腫瘍-2
類球形でエオジンに淡染する均一無構造な物質が石灰化をきたしている(左).

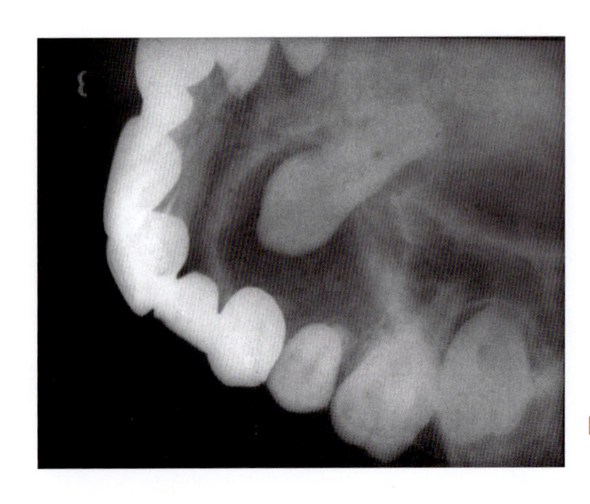

図 15-15　腺腫様歯原性腫瘍のエックス線所見
埋伏した上顎犬歯の歯冠を含む透過像を呈する.

は索状構造あるいはエナメル髄様構造を呈する(**図 15-16**). 間質は乏しい. 管状構造は類円形を呈し, エナメル芽細胞を思わせる円柱状または立方状細胞の1層によって囲まれており, 核は胞体の基底側に位置する(**図 15-17**). 管状構造の内面にはエオジン好性の膜状物がみられる. 連続切片で観察すると, この膜状物は間質へと続いていることがある. 管状構造の腔内は空虚にみえることが多いが, ときに液状物あるいはコロイド状物が含まれている. このような内容物は上皮細胞からの分泌物ではなく, 滲出液が貯留したものと思われる. 円柱状細胞が2列に向き合って配列する花冠状の増殖巣もみられ, 相対する円柱状の細胞間には好酸性物が介在している. 管状構造の外側ならびに塊状を呈する部分は扁平〜紡錘形ならびに多角形の上皮細胞の密な増殖からなり, その中に好酸性の滴状物や石灰化が散見される.

稀に腺腫様歯原性腫瘍と石灰化上皮性歯原性腫瘍とが混在してみられることがある. このような症例の発生部位や患者の年齢は, 腺腫様歯原性腫瘍のそれと同じである. したがって, 腺腫様歯原性腫瘍の一部の実質細胞が石灰化上皮性歯原性腫瘍の性格を現すようになったものと解釈され, 性状の異なる腫瘍が同時性に同一部位に生じたものではない.

2　良性上皮間葉混合性歯原性腫瘍

エナメル上皮線維腫[21]
ameloblastic fibroma

1　エナメル上皮線維腫[21]

歯乳頭に類する間葉成分と歯原性上皮に類する上皮成分との両者の増殖からなる真の混合

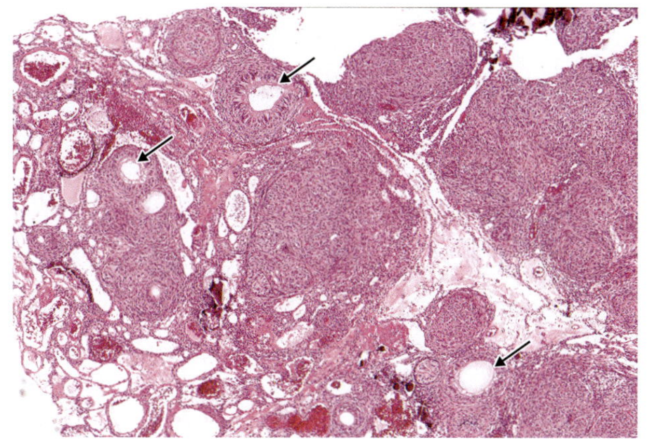

図15-16　腺腫様歯原性腫瘍-1

管状構造（矢印）を含む結節状の増殖巣からなり，それらの間は比較的疎である．

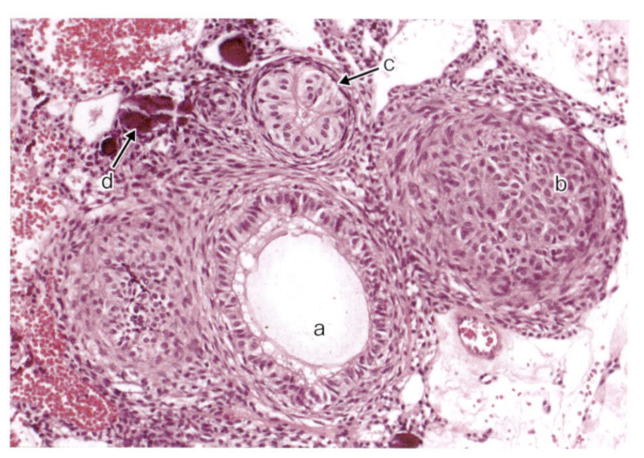

図15-17　腺腫様歯原性腫瘍-2

管状構造（a），結節状構造（b），花冠状構造（c）ならびに石灰化物（d）がみられる．

腫瘍で，歯牙硬組織の形成はみられない．歯原性腫瘍の1〜5％に相当するといわれており，境界明瞭な病変を形成するが，ときに多少とも周囲組織に侵襲性に発育し，術後再発をきたすこともある．10歳代の下顎臼歯部に好発し，緩徐な膨張性発育を呈する．埋伏歯を伴うことが多い．

病理組織学的に細胞成分に富む幼若な線維組織の中に濾胞型エナメル上皮腫の実質と同様な島状あるいは索状の上皮胞巣が散在している（**図15-18**）．上皮成分と間葉成分との混合比はさまざまである．なお，外科的に姑息的な処置がなされた場合には数回の再発を経て悪性転化することがある．

エナメル上皮線維腫において，上皮間葉界面部に象牙質やエナメル質の形成をみることがあり（**図15-19**），前者はエナメル上皮線維象牙質腫[22]，後者はエナメル上皮線維歯牙腫[23]とよばれてきた．しかし，このようなものの多くはエナメル上皮線維腫より若い年齢層にみられることから，多くは発育途上の歯牙腫（発育歯牙腫[24]）と考えられ，真の腫瘍はかなり稀である．

エナメル上皮線維象牙質腫[22]
ameloblastic fibrodentinoma

エナメル上皮線維歯牙腫[23]
ameloblastic fibro-odontoma

発育歯牙腫[24]
developing odontoma

原始性歯原性腫瘍[25]
primordial odontogenic tumor

2 原始性歯原性腫瘍[25]

2017年の改訂WHO分類に新たに取り入れられた腫瘍で，「エナメル器の内エナメル上皮に類する立方〜円柱状上皮に被われ，歯乳頭に類する疎な線維性組織の増殖からなる腫瘍」と定義されている．いまだ内外での記載例はわずかである．乳歯列期〜永久歯列完成期までに生じている．好発部位は下顎臼歯部で，境界明瞭なエックス線透過像を呈し，未萌出歯（多くは第三大臼歯）を伴う．無症状だが，増大すると顎骨膨隆，歯の動揺，歯根吸収などをきたす．

病理組織学的には，紡錘状〜星芒状の線維芽細胞が種々の程度に混じった幼弱な線維性組織の増殖からなる（**図15-20, 21**）．通常は混在する膠原線維は少ないが，観察部によりその多寡はさまざまである．腫瘍全体は円柱〜立方形の細胞からなる上皮層に被われ，その表層にはわずかながら紡錘形の上皮細胞がみられ，さらに外側は線維性の非薄な被膜で囲まれている．腫瘍内には小島状あるいは索状の上皮成分をみるが，これは腫瘍表層の上皮が嵌入したもので，上皮周囲に象牙芽細胞への分化や象牙質形成をきたすことはない．

本腫瘍は若年者に生じ，未萌出歯を伴っていることから，その本態は発育中の歯の歯乳頭に相当する組織が増殖したものと思われる．

歯牙腫[26]
odontoma

3 歯牙腫[26]

歯の硬組織（エナメル質，象牙質ならびにセメント質）の形成を主体とする腫瘍様の形成異

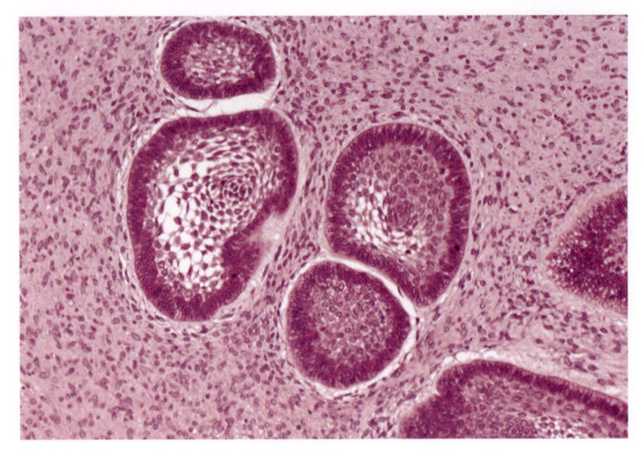

図15-18　エナメル上皮線維腫
上皮成分はエナメル器を思わせる巣状構造を呈し，間葉成分は歯乳頭を思わせる細胞成分に富んだ幼弱な線維性組織からなる．

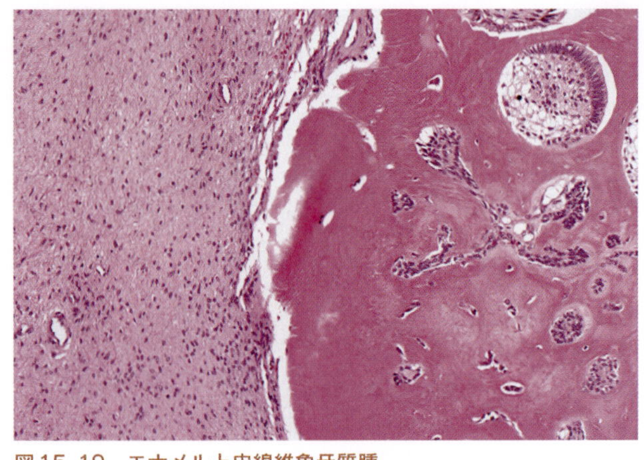

図15-19　エナメル上皮線維象牙質腫
象牙質塊が形成され（右半分），その中に上皮成分や間葉成分が封入されている．左半分は細胞成分に富んだ幼弱な線維性組織．

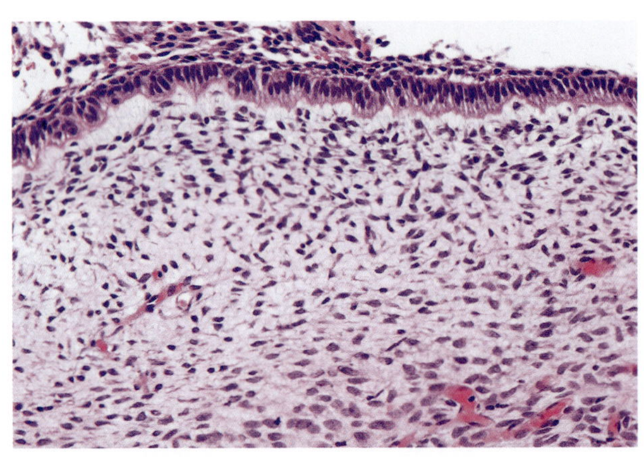

図15-20　原始性歯原性腫瘍-1
疎な線維性組織が増殖し，表面は菲薄な上皮層に覆われている．

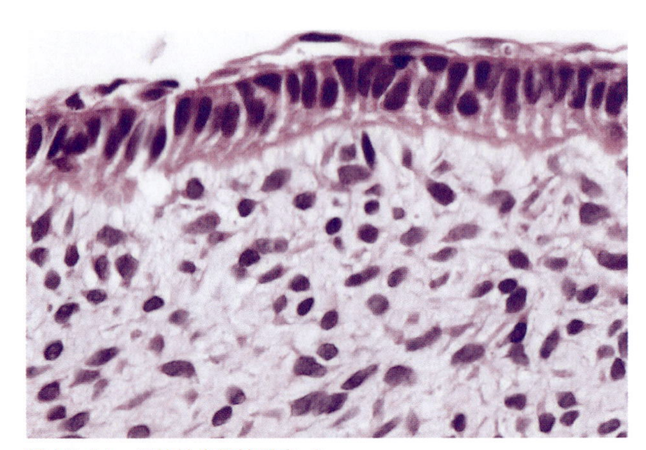

図15-21　原始性歯原性腫瘍-2
紡錘状～星芒状の間葉細胞の疎な増殖からなり，腫瘍表層は円柱形の細胞からなる上皮層に被われ，さらにその外側にはわずかながら紡錘形の上皮細胞がみられる．

常病変（過誤腫）で，組織構築から集合型と複雑型とに大別される．一般に前者が多いといわれており，また，両者の中間型や混在型も存在する．歯牙腫は硬組織形成がある程度まで進むと，発育は停止する．歯牙腫の半数近くは歯科治療時のエックス線写真撮影に際して偶然発見されており，その他に歯の萌出異常や歯槽部の膨隆を呈することがある．また，半数以上で埋伏歯を伴っている．

なお，発育中の歯牙腫で，比較的多くの軟組織成分を含んでおり，その中に不規則な形態の歯胚構造が種々の程度にみられるものは発育歯牙腫とよばれることはエナメル上皮線維腫の項で述べた．

歯牙腫，集合型[27]
odontoma, compound type

(1) 歯牙腫，集合型[27]

多数の小さな歯を思わせる構造物の集合からなる病変で，10歳未満～10歳代の上下顎前歯部に好発する．画像所見において埋伏歯の歯冠部や根間部に境界明瞭な不透過物の集合としてみられる．病変は被膜に包まれており，その中に多くの矮小な歯牙様硬組織が含まれている（**図15-22**）．病理組織学的に，種々の大きさや形状の歯の集合からなり，個々の歯は線維性結合組織よって隔てられている（**図15-23**）．また，それぞれの歯は種々の発育段階を呈することが多い．

歯牙腫，複雑型[28]
odontoma, complex type

(2) 歯牙腫，複雑型[28]

不規則に配列するエナメル質，象牙質ならびにセメント質によって硬組織塊が形成される

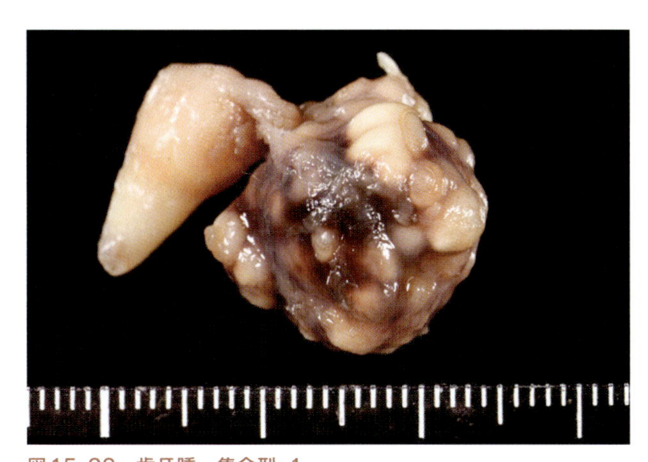

図15-22　歯牙腫，集合型-1
埋伏歯の歯冠に連続して形成され，被膜に包まれている．

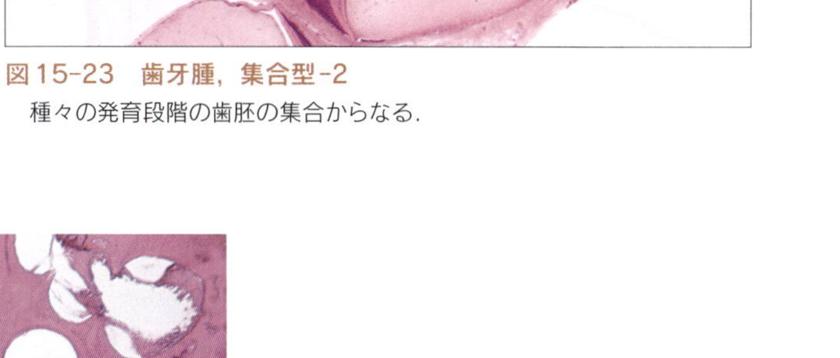

図15-23　歯牙腫，集合型-2
種々の発育段階の歯胚の集合からなる．

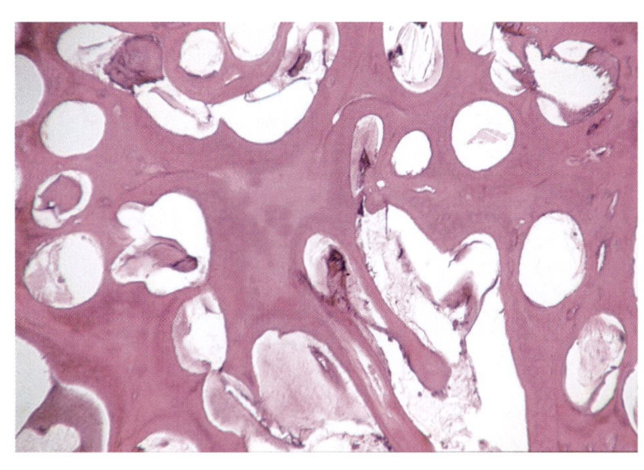

図15-24　歯牙腫，複雑型
象牙質が不規則な網目状に形成されている（エナメル質は脱灰によって消失）．

病変で，その主体をなすのは象牙質である．集合型よりやや年長の者に生じる．下顎臼歯部と上顎前歯部に好発し，乳歯の残存，永久歯の埋伏や欠如を伴うこともある．画像所見では境界明瞭な不透過像を呈する．病理組織学的に，不規則な網状または梁状構造を呈する象牙質に接してエナメル質やセメント質が種々の程度に形成されている（**図15-24**）．

象牙質形成性幻影細胞腫[29]
dentinogenic ghost cell tumor

4 象牙質形成性幻影細胞腫[29]

良性であるものの，多少とも浸潤性に発育する腫瘍である．好発部位は下顎と上顎の臼歯部で，進行性の顎骨膨隆をきたす．画像所見では境界明瞭で，透過像と不透過像とが混在した所見を呈するが，透過像のみのこともある．

幻影細胞[30]
ghost cell

腫瘍実質は基本的には，エナメル上皮腫と同様の腫瘍胞巣を形成しながら増殖しており，腫瘍実質と間質との界面には象牙質様の硬組織（類象牙質）形成が種々の程度に認められる．加えて，特徴的な病理組織所見は異常角化をきたした幻影細胞[30]の出現とその石灰化である（**図15-25, 26**）．なお，幻影細胞はエナメル上皮腫や他の歯原性腫瘍でも出現することから，これらの腫瘍との鑑別を要する．象牙質形成性幻影細胞腫の診断のポイントは，幻影細胞の占める割合が1～2％以上で，かつ，類象牙質の形成をみることである．間質は比較的密な線維性組織からなっている．

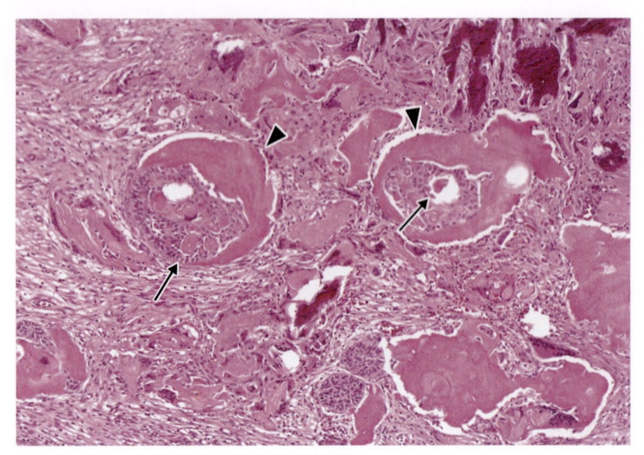

図15-25　象牙質形成性幻影細胞腫-1

線維性基質内にエナメル器に類する上皮巣（矢印）が散在し，これら上皮巣周囲には象牙質様硬組織（矢頭）が形成されている．

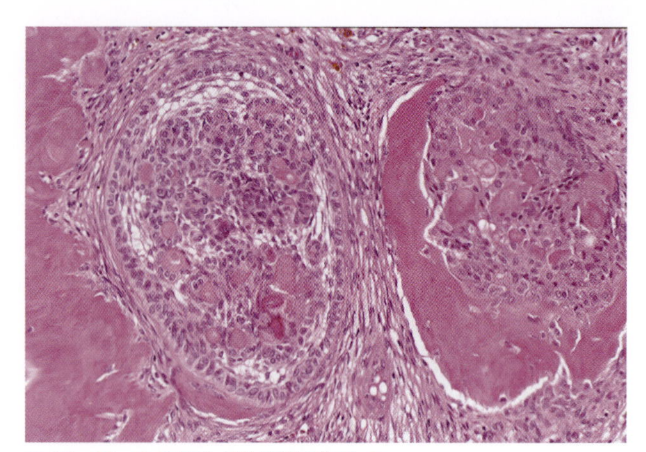

図15-26　象牙質形成性幻影細胞腫-2

図15-25の一部拡大．上皮巣内には多くの幻影細胞がみられ，一部が石灰化をきたしている．

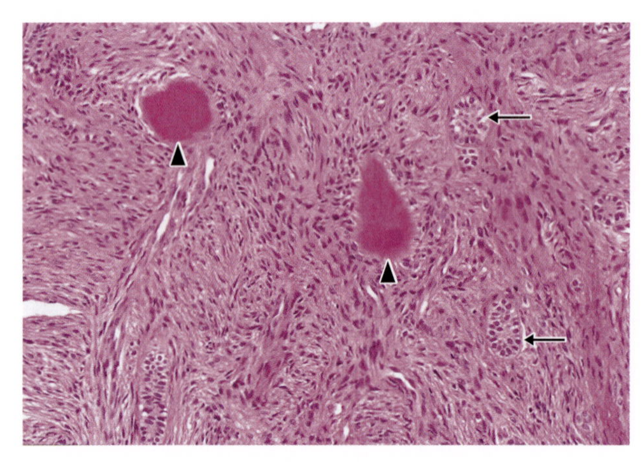

図15-27　歯原性線維腫

細胞成分に富んだ線維組織の増殖巣内に歯原性上皮（矢印）と硬組織小塊（矢頭）が散在している．

3 良性間葉性歯原性腫瘍

1 歯原性線維腫[31]

歯原性線維腫[31]
odontogenic fibroma

歯小嚢あるいは歯根膜に由来する線維組織の増殖からなる腫瘍で，活性に乏しい歯原性上皮の混在を伴っている．顎骨内に生じるもの（顎骨中心性）と，歯肉部に生じるもの（顎骨周辺性）との2つに分けられる．前者は稀で，顎骨内に生じて無痛性膨隆をきたす．後者はそれほど稀ではなく，歯肉に腫瘤を形成する．いずれも被膜は明瞭でない．

病理組織学的に，線維芽細胞と膠原線維とが混在して増殖し，その中に索状あるいは小島状の歯原性上皮成分が種々の程度に散在している（**図15-27**）．この上皮成分はエナメル器に類する組織構築をきたすことはなく，ヘルトヴィッヒ上皮鞘類似，あるいはマラッセの上皮遺残のような退化型を示す．上皮成分とともに，石灰化物や象牙質あるいはセメント質に類する硬組織小塊の形成をみることもある．

過形成性歯小嚢[32]
hyperplastic dental follicle

なお，埋伏歯の歯冠を囲むようにエックス線透過像がみられ，病理組織学的に歯原性線維腫に類する所見を呈することがある．これは腫瘍ではなく，歯小嚢の過形成的な病変で，過形成性歯小嚢[32]とよばれる．

歯原性粘液腫[33]
odontogenic myxoma

歯原性粘液線維腫[34]
odontogenic myxofibroma

2 歯原性粘液腫[33]，歯原性粘液線維腫[34]

豊富な粘液様の細胞外基質の中に紡錘形～星芒状の細胞が疎に配列する間葉性腫瘍で，被

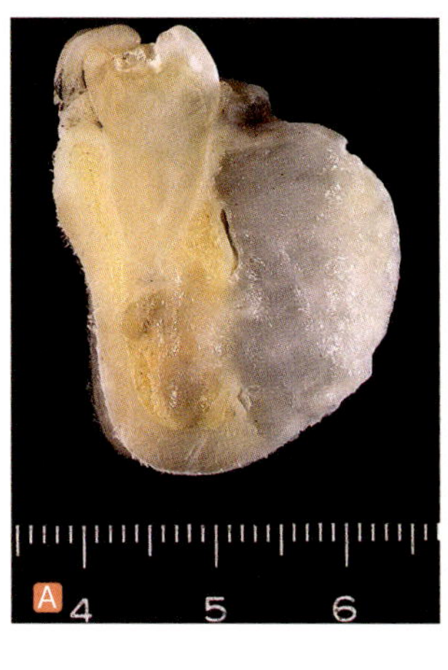

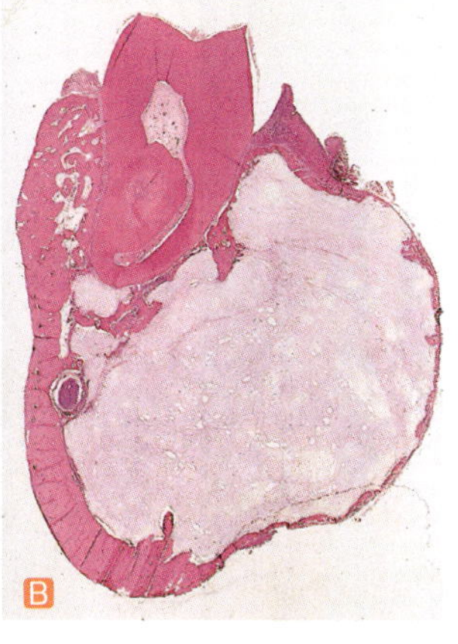

図 15-28　歯原性粘液腫-1
肉眼所見（A）とルーペ像（B）．

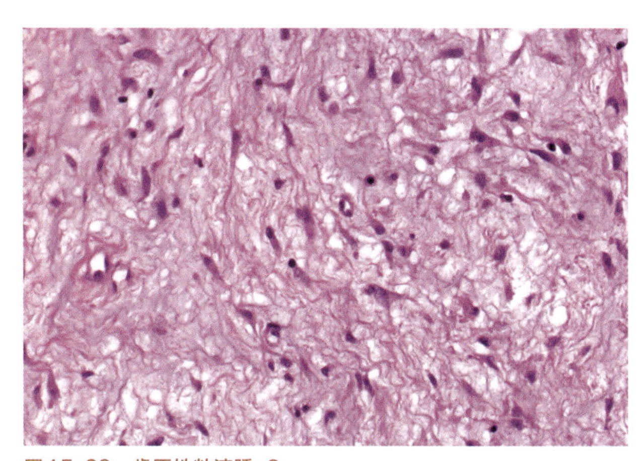

図 15-29　歯原性粘液腫-2
粘液様基質内に，濃縮性の核と細長い突起をもった腫瘍細胞が疎で不規則に配列している．

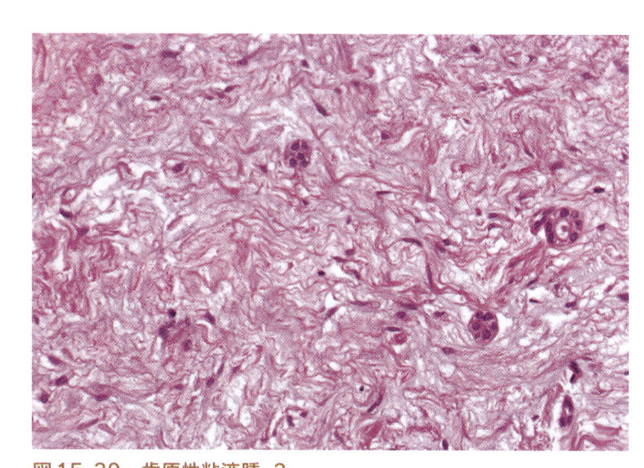

図 15-30　歯原性粘液腫-3
錯走する膠原線維がやや増加するとともに，上皮の小塊がみられる．

膜を欠き，多少とも局所侵襲性を有する．発育は緩慢だが，大きくなると骨の著しい破壊吸収をきたす．好発年齢は10～30歳代で，2/3前後が下顎臼歯部に生じている．

肉眼的に半透明な白色で，特有な粘液状のぬるぬるした所見を呈する（**図15-28**）．病理組織学的に，粘液様基質内に濃縮性の核と細長い突起をもった紡錘形～星芒状の細胞が疎で不規則に配列している（**図15-29**）．粘液様基質内に膠原線維が比較的多くみられる場合には粘液線維腫という（**図15-30**）．ときに腫瘍内に索状あるいは小島状の退化傾向を呈する上皮成分を認めることがある（**図15-30**）．これらの上皮成分は顎骨内に散在する退化歯原性上皮が腫瘍の増殖とともに内部に取り込まれたものであり，腫瘍の発生や増殖とは関係ない．被膜の形成はない．腫瘍が多少とも周囲の骨梁間に広がるが，これは腫瘍細胞が浸潤したのではなく，細胞外粘液基質が浸透した結果と考えられる．

セメント芽細胞腫[35]
cementoblastoma

3 セメント芽細胞腫[35]

歯根に連続したセメント質の塊状増殖からなる腫瘍で，組織所見が骨芽細胞腫に類似することから付けられた名称だが，悪性型は存在しない．発育は緩慢で顎骨を膨隆させることもあるが，著しく大きくなることはない．

病理組織学的に，歯根と連続して種々の成熟度を呈する硬組織が多量に形成されている（**図15-31**）．歯根を含む腫瘍中央部では成熟した梁状の有細胞性硬組織が塊状となっており，不規則な改造線もみられる．中央部から周辺部に向かって梁状の硬組織は不規則ながら放射状を呈する．梁状硬組織間には線維組織が介在し，また，硬組織に接してセメント芽細胞や破セメ

図15-31　セメント芽細胞腫-1
非脱灰研磨標本（A）とそのエックス線写真（B）.

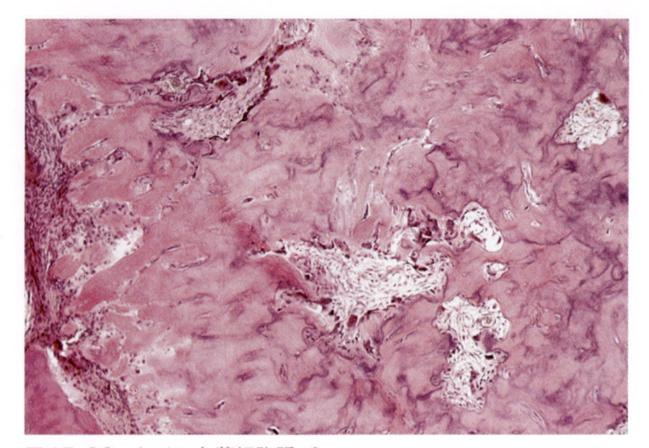

図15-32　セメント芽細胞腫-2
梁状のセメント質が不規則ながら放射状に形成され，軟組織との境界部にはセメント芽細胞や破セメント細胞がみられる.

ント細胞が認められる（**図15-32**）．腫瘍周辺部は未石灰化の層で，その外側に菲薄な線維性被膜が形成され，周囲組織との境界はきわめて明瞭である．

Ⅱ—悪性腫瘍

1　歯原性癌腫

エナメル上皮癌[36]
ameloblastic carcinoma

1　エナメル上皮癌[36]

エナメル上皮腫の悪性型で，転移の有無にかかわらず，病理組織学的にエナメル上皮腫としての基本構造を有し，かつ，悪性像を呈するものである．最初から悪性として生じる場合と，前駆する良性のエナメル上皮腫が悪性転化する場合とがある．

稀なものだが，中年以降の下顎臼歯部に多くみられている．発育は緩慢だが，境界は不明瞭である．原発部では局所破壊性に増殖し，肺，胸膜，頸部リンパ節，骨などに転移する（**図15-33**）．エナメル上皮癌の病理組織学的悪性度はさまざまで，種々の程度の細胞異型を呈するものの，腫瘍胞巣辺縁には円柱細胞の柵状配列をみるもの，全体的に高度の細胞異型を呈するとともに，エナメル上皮腫としての基本構造が部分的にかろうじて保たれているもの（**図15-34**）などがある．腫瘍の細胞異型や構造異型の程度が異なると，当然のことながら臨床動態や予後も異なってくる．

原発性骨内癌NOS[37]
primary intraosseous carcinoma, NOS (not otherwise specified)

2　原発性骨内癌NOS[37]

歯原性上皮由来と思われるが，歯原性癌腫として分類可能ないずれにも該当する組織所見を欠くものである．前駆する歯原性嚢胞や良性歯原性腫瘍から悪性転化して生じることもあるが，進行した症例では前駆する良性病変は推測できない．中年以降の下顎臼歯部～上行枝部に生じた記載が多い．

病理組織学的にはほとんどが扁平上皮癌で，これまでは原発性骨内扁平上皮癌とよばれてきた．分化度は多くは中等度で，著しい角化を呈するものは少ない．

硬化性歯原性癌[38]
sclerosing odontogenic carcinoma

3　硬化性歯原性癌[38]

腫瘍実質は目立たず，間質が著しい硬化性変化をきたすとともに，侵襲性増殖をする原発

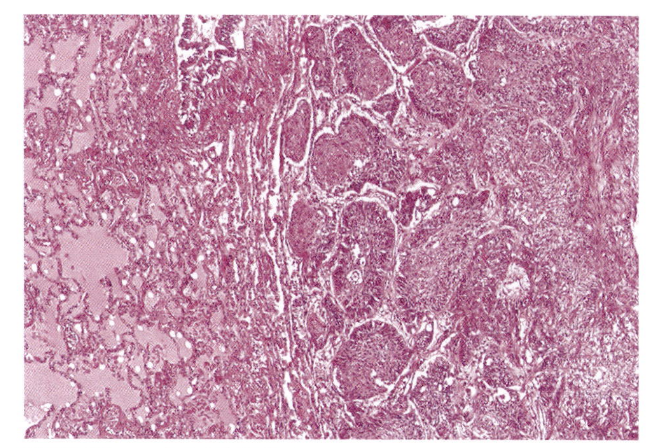

図15-33　エナメル上皮癌-1
肺への転移巣（右半分）．

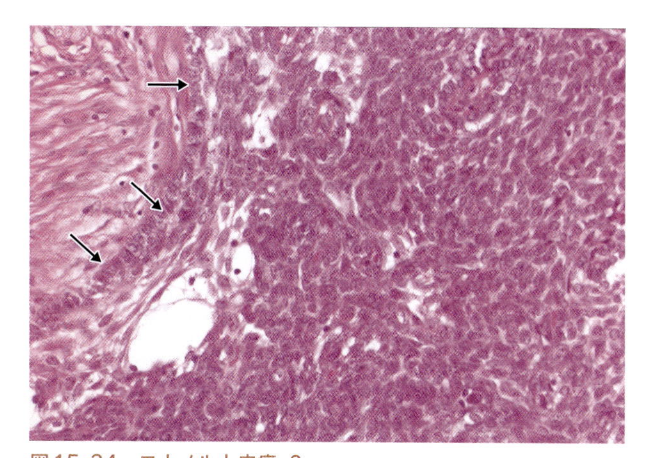

図15-34　エナメル上皮癌-2
細胞異型が著しく，腫瘍胞巣周辺にわずかにみられる柵状配列が診断の決め手となる（矢印，腫瘍胞巣の左縁）．

性の顎骨内癌である．これまでにわずかな記載しかなく，広くは知られていないが，下顎小臼歯～大臼歯部に生じている．悪性度は高くはない．

病理組織学的に，索状あるいは小胞巣状の実質が膠原線維の密な間質内に織り込まれるような所見を呈し，特殊染色や免疫染色によって初めて実質を同定できる場合もある．

明細胞性歯原性癌[39]
clear cell odontogenic carcinoma

4 明細胞性歯原性癌[39]

明調あるいは空胞状の胞体を有する細胞がシート状～島状に増殖する歯原性癌腫で，かつては明細胞性歯原性腫瘍あるいは明細胞性エナメル上皮腫とよばれた．再発例が多く，転移例もある．内外で100例前後が記載されており，40～70歳代の下顎臼歯部～上行枝部に好発している．

病理組織学的に，明調～淡好酸性の上皮細胞の胞巣状増殖からなり，胞巣辺縁には小型で暗調の細胞が規則的に配列している．細胞異型や分裂像は目立たない．明調細胞は石灰化上皮性歯原性腫瘍や顎骨中心性粘表皮癌などの他の腫瘍でもみられることから，確定診断にあたってはこれらとの鑑別を要する．

幻影細胞性歯原性癌[40]
ghost cell odontogenic carcinoma

5 幻影細胞性歯原性癌[40]

異常角化をきたした幻影細胞の出現と種々の程度の類象牙質形成を特徴とする歯原性の癌腫である．象牙質形成性幻影細胞腫の病理組織学的特徴を有する悪性腫瘍で，40例前後の記載しかないが，40～70歳代の男性の上顎に多く生じている．半数近くは前駆する良性病変から悪性転化している．

病理組織所見は基本的には象牙質形成性幻影細胞腫や石灰化歯原性嚢胞と同じで，幻影細胞の出現と類象牙質の形成をみる．加えて，幻影細胞性歯原性癌では異常分裂像を含めた細胞学的悪性，壊死や浸潤増殖像などの所見をみる（**図15-35**）．

歯原性癌肉腫[41]
odontogenic carcinosarcoma

2 歯原性癌肉腫[41]

エナメル上皮線維腫と同様の組織構成であるものの，上皮成分と間葉成分の両者が細胞学的に悪性像を呈する真の悪性混合腫瘍である．きわめて稀なもので，現在までにごくわずかな報告しかない．

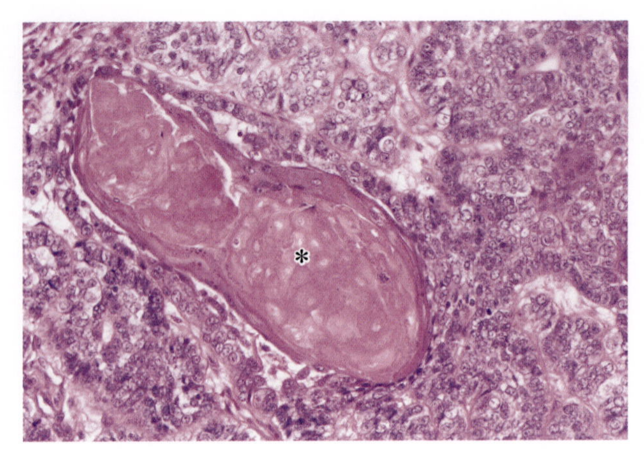

図15-35　幻影細胞性歯原性癌
幻影細胞の集塊（＊）を取り囲んで，高度な異型性を呈する歯原性上皮細胞の増殖をみる．

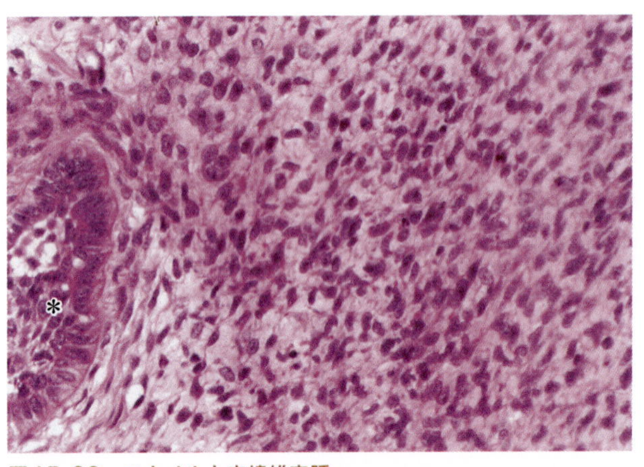

図15-36　エナメル上皮線維肉腫
間葉成分と上皮成分（＊）とからなり，間葉成分には高度の細胞異型と分裂像がみられる．

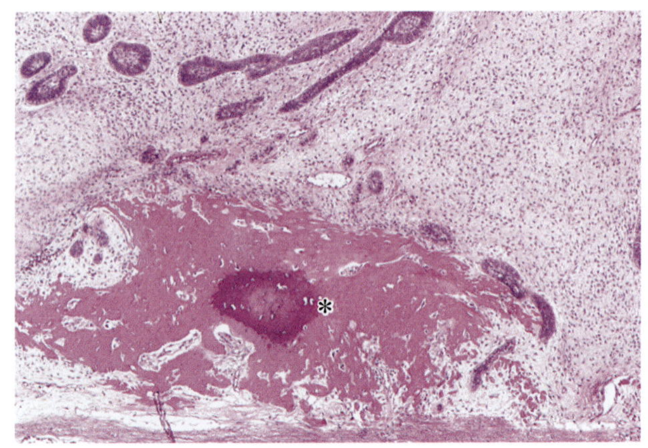

図15-37　エナメル上皮線維象牙質肉腫
エナメル上皮線維肉腫と同様な組織内に異型象牙質の形成をみる（＊）．

歯原性肉腫[42]
odontogenic sarcoma

エナメル上皮線維肉腫[43]
ameloblastic fibrosarcoma

3 歯原性肉腫[42]

上皮間葉混合性腫瘍の中で，上皮成分は細胞学的に良性であるものの，間葉成分が悪性を呈する腫瘍である．最もよく知られているのは，エナメル上皮線維腫の悪性型に相当するエナメル上皮線維肉腫[43]である．多くは良性の前駆病変（エナメル上皮線維腫）が悪性転化したものである．病理組織学的に，間葉成分は紡錘形～多角形で異型性の明らかな細胞の密な増殖からなり，分裂像も散見される（**図15-36**）．

エナメル上皮線維肉腫と同様な組織所見とともに歯牙硬組織の形成をみることがあり，象牙質を形成する場合はエナメル上皮線維象牙質肉腫（**図15-37**），エナメル質と象牙質とを形成する場合はエナメル上皮線維歯牙肉腫とよぶ．しかし，いずれもエナメル上皮線維肉腫とは臨床的動態に差はない．

（武田泰典，入江太朗）

Check Point

- [ ] 1 歯の組織発生の過程を説明できる.
- [ ] 2 歯原性腫瘍の特徴を説明できる.
- [ ] 3 歯原性腫瘍を分類できる.
- [ ] 4 エナメル上皮腫をはじめとする主な良性上皮性歯原性腫瘍の病態と組織所見を説明できる.
- [ ] 5 エナメル上皮線維腫をはじめとする主な良性上皮間葉混合性腫瘍の病態と組織所見を説明できる.
- [ ] 6 歯原性線維腫や歯原性粘液腫などの良性間葉性歯原性腫瘍の病態と組織所見を説明できる.
- [ ] 7 悪性歯原性腫瘍の由来について説明できる.
- [ ] 8 エナメル上皮癌と転移性エナメル上皮腫との違いを説明できる.

References

1) 日本口腔腫瘍学会学術委員会「歯原性腫瘍治療のガイドライン」ワーキング・グループ：2005年新WHO国際分類による歯原性腫瘍の発生状況に関する疫学的研究. 口腔腫瘍, 20：245～254, 2008.

2) 武田泰典ほか：歯原性腫瘍ならびに関連病変の病理. 1～12. 病理と臨床, 20(7)：722～728, 20(8)：839～845, 20(9)：951～956, 20(10)：1057～1062, 20(11)：1169～1174, 20(12)：1289～1292, 2002., 21(1)：75～82, 21(2)：191～198, 21(3)：313～318, 21(4)：421～426, 21(5)：523～430, 21(6)：639～647, 2003.

3) El-Naggar, A. K. et al.(eds)：World Health Organization Classification of Tumours. WHO Classification of Head and Neck Tumours, 4th ed. IARC, Lyon, 203～231, 2017.

〔＊本章中の図の多くは2)から引用した〕

Chapter 16

顎骨の非歯原性腫瘍と腫瘍様病変

顎骨には，歯原性腫瘍以外の非歯原性腫瘍や腫瘍様病変が発生する．これらには，顎骨特異的に発生するものや全身骨格にも発生する病変があり，2017年に改訂されたWHO分類では22病変が記載されている（**表16-1**）．

本章では，これらの22病変と，それ以外でも臨床的に重要な病変を含めて，線維・骨・軟骨の形成を特徴とするものや破骨細胞型多核巨細胞の出現を特徴とするもの，または小円形細胞の増生を特徴とするものに分けて取り上げる．

表16-1 顎顔面骨腫瘍の分類（WHO，2017年）

悪性顎顔面骨ならびに軟骨腫瘍	**Malignant maxillofacial bone and cartilage tumours**
軟骨肉腫	Chondrosarcoma
軟骨肉腫，グレード1	Chondrosarcoma, grade 1
軟骨肉腫，グレード2/3	Chondrosarcoma, grade 2/3
間葉性軟骨肉腫	Mesenchymal chondrosarcoma
骨肉腫，NOS	Osteosarcoma, NOS
低悪性中心性骨肉腫	Low-grade central osteosarcoma
軟骨芽細胞型骨肉腫	Chondroblastic osteosarcoma
傍骨性骨肉腫	Parosteal osteosarcoma
骨膜性骨肉腫	Periosteal osteosarcoma
良性顎顔面骨ならびに軟骨腫	**Benign maxillofacial bone and cartilage tumours**
軟骨腫	Chondroma
骨腫	Osteoma
乳児のメラニン（黒色）性神経外胚葉性腫瘍	Melanotic neuroectodermal tumour of infancy
軟骨芽細胞腫	Chondroblastoma
軟骨粘液様線維腫	Chondromyxoid fibroma
類骨骨腫	Osteoid osteoma
骨芽細胞腫	Osteoblastoma
類腱線維腫	Desmoplastic fibroma
線維骨性ならびに骨軟骨腫様病変	**Fibro-osseous and osteochondromatous lesions**
骨形成線維腫	Ossifying fibroma
家族性巨大型セメント質腫	Familial gigantiform cementoma
線維性異形成症	Fibrous dysplasia
セメント質骨性異形成症	Cemento-osseous dysplasia
骨軟骨腫	Osteochondroma
巨細胞性病変と骨嚢胞	**Giant cell lesions and bone cysts**
中心性巨細胞肉芽腫	Central giant cell granuloma
周辺性巨細胞肉芽腫	Peripheral giant cell granuloma
ケルビズム	Cherubism
動脈瘤様骨嚢胞	Aneurysmal bone cyst
単純性骨嚢胞	Simple bone cyst
血液リンパ性腫瘍	**Haematolymphoid tumours**
骨の孤立性形質細胞腫	Solitary plasmacytoma of bone

I ─線維骨性病変

未熟な骨様硬組織を伴った線維性結合組織が増生する良性病変は，線維骨性病変とよばれている．顎骨には，骨形成線維腫，線維性異形成症，セメント質骨性異形成症，家族性巨大型セメント質腫の4つの病変が知られている．

骨形成線維腫[1]
ossifying fibroma

1 骨形成線維腫[1]

頭蓋顎顔面骨に発生する良性腫瘍である．骨形成線維腫には，顎骨の歯の植立領域にのみ発生する歯原性由来のセメント質骨形成線維腫と，非歯原性由来の若年性骨形成線維腫がある．セメント質骨形成線維腫は歯原性腫瘍に分類されるが，慣例上，線維骨性病変の本項で説明する．

〔注：2017年のWHO分類では，2005年のWHO分類で骨形成線維腫とよばれていたものの中で，顎骨の歯の植立領域に限って発生する歯原性由来のものを，"セメント質"をつけてセメント質骨形成線維腫とよび，歯原性と非歯原性の骨形成線維腫が区別されている．〕

セメント骨形成線維腫[2]
cemento-ossifying fibroma

1 セメント質骨形成線維腫[2]

顎骨の歯の植立領域にのみ発生する良性歯原性腫瘍である．好発年齢は30〜40歳代であり，女性に多い．上顎骨より下顎骨に好発し，下顎骨の小臼歯部から臼歯部に発生することが多い．

臨床的に，発育は緩慢で無症状であるが，顎骨膨隆による顔面変形や骨皮質の菲薄化を引き起こすこともある．歯の位置異常や稀に歯根吸収が認められる．外科的切除による再発はほとんどない．

画像診断では，境界明瞭な単房性の透過像を示し，その内部には硬組織形成量に応じた不透過像がみられる（**図16-1**）．

病理組織学的に，細胞密度に富む線維性結合組織からなり，その中にはセメント質様または骨様の硬組織が分布し（**図16-2，3**），これらの表層を縁取るように骨芽細胞が認められる．本腫瘍と周囲の正常骨の間には明瞭な境界を認める．

若年性骨形成線維腫[3]
juvenile ossifying fibroma

若年性梁状骨形成線維腫[4]
juvenile trabecular ossifying fibroma

若年性砂粒様骨形成線維腫[5]
juvenile psammomatoid ossifying fibroma

2 若年性骨形成線維腫[3]

頭蓋顎顔面骨に発生する稀な良性骨腫瘍で，若年性梁状骨形成線維腫[4]と若年性砂粒様骨形成線維腫[5]に分けられる．両者とも若年者に好発し，臨床的に進行性の骨膨隆を引き起こし，

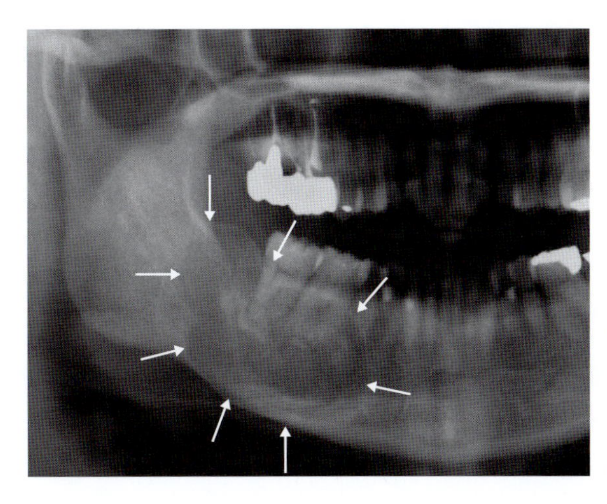

図16-1 セメント質骨形成線維腫のパノラマエックス線写真
右側下顎臼歯部に境界明瞭な透過像がみられ（矢印），その内部には不規則な不透過像をみる．
〔Toyosawa S. et al. *Mod.Pathol.*, 20：389〜396, 2007. Nature America, Inc.より転載〕

Chap. 16 顎骨の非歯原性腫瘍と腫瘍様病変

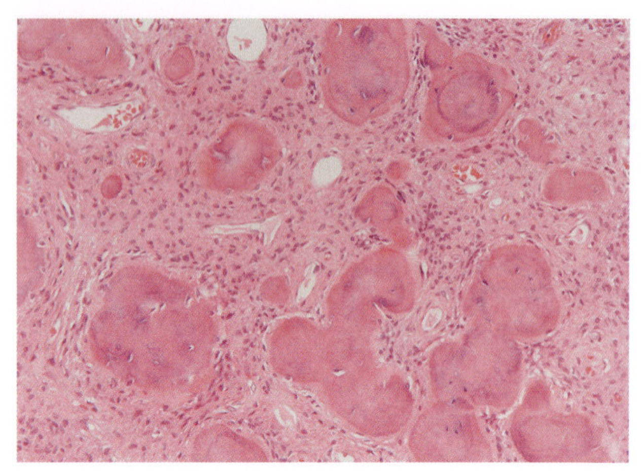

図16-2　セメント質骨形成線維腫-1
細胞密度に富む線維性結合組織中にセメント質様硬組織の形成をみる.

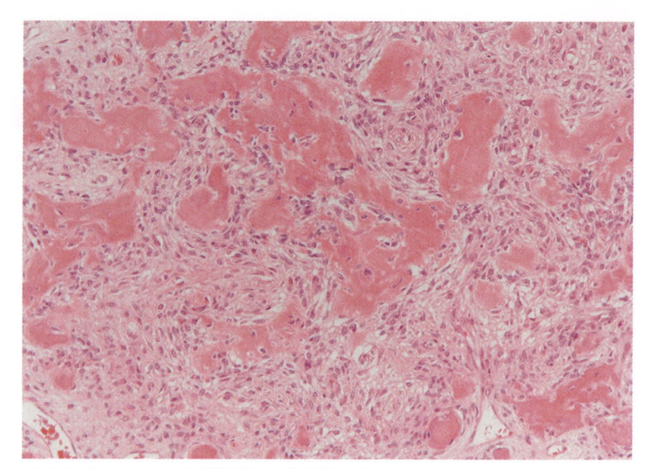

図16-3　セメント質骨形成線維腫-2
細胞密度に富む線維性結合組織中に骨様硬組織の形成をみる.

しばしば急速に増大する．外科的切除後の再発も多い．

上顎骨に好発する若年性梁状骨形成線維腫では，病理組織学的に，被膜は不明瞭で，細胞密度に富む線維性結合組織中には骨芽細胞の縁取りを伴わない未熟骨が分布する．

若年者の顎骨以外の頭蓋顔面骨（特に眼窩周囲の前頭骨や篩骨）に好発する若年性砂粒様骨形成線維腫では，病理組織学的に被膜を有さず，細胞密度に富む膠原線維に乏しい結合組織内に多数の砂粒体様硬組織が分布する．

2　線維性異形成症[6]

未熟骨を伴う線維性結合組織が骨髄を置換する良性病変である．ほとんどは単一骨に発生するが，複数骨に多発することもあり，マッキューン-オールブライト症候群[7]では多発性の線維性異形成症に，内分泌異常と皮膚病変を併発する．これらの骨病変と骨外病変は，すべて*GNAS*遺伝子[8]の体細胞変異に起因する．好発年齢は10～20歳代で，性差はほとんどないが，多発性の線維性異形成症は女性にやや多い．いずれの骨格でも発生するが，顎骨で最も発生頻度が高く，下顎骨より上顎骨に好発する（**図16-4**）．頭蓋骨，大腿骨，肋骨にも好発する．

臨床的に，発育緩慢な無痛性の骨膨隆がみられ，長管骨では病変部の骨変形や病的骨折を引き起こす．顎骨発生例では，顔面変形，歯の位置異常，咬合不全，歯の萌出障害などを引き起こす．骨格成長後，単骨性病変はその増殖を静止する傾向にある．主な治療法は，顔面変形や症状に対する外科的処置や掻爬である．本病変は良性であるが，ごく稀に悪性転化する．

画像診断で，初期病変は境界不明瞭な透過像を示すが，病変部の硬組織形成量が増すと均一に不透過性が増して，スリガラス様[9]に変化する（**図16-5**）．

病理組織学的に，線維性結合組織の増生を背景に，線維骨[10]からなる不規則で未熟な骨梁が病変部全体に均一に形成される．一般にこれらの骨梁表層には骨芽細胞の分布はみられない（**図16-6**）．これらの骨梁は周囲の正常骨と癒合するため（**図16-7**），被膜形成はみられない．

3　セメント質骨性異形成症[11]

顎骨の歯の植立領域にのみ発生する非腫瘍性の良性病変である．顎骨の線維骨性病変の中では発生頻度が最も高いが，発生原因は不明である．臨床的特徴により，根尖性，限局性，開花性の3つに亜分類される．

線維性異形成症[6]
fibrous dysplasia

マッキューン-オールブライト症候[7]
McCune-Albright syndrome：線維性異形成症に皮膚の色素沈着（カフェオレ斑）と女児の性的早熟などの内分泌系異常を合併した症候群.

***GNAS*遺伝子**[8]
GNAS gene：膜受容体から細胞内のcAMPへシグナルを伝達するGタンパク質の活性型α-サブユニットをコードしている遺伝子.

スリガラス様[9]
ground glass appearance

線維骨[10]
woven bone：層板構造がみられず，コラーゲン線維が不規則に走行している未熟な骨.

セメント質骨性異形成症[11]
cemento-osseous dysplasia

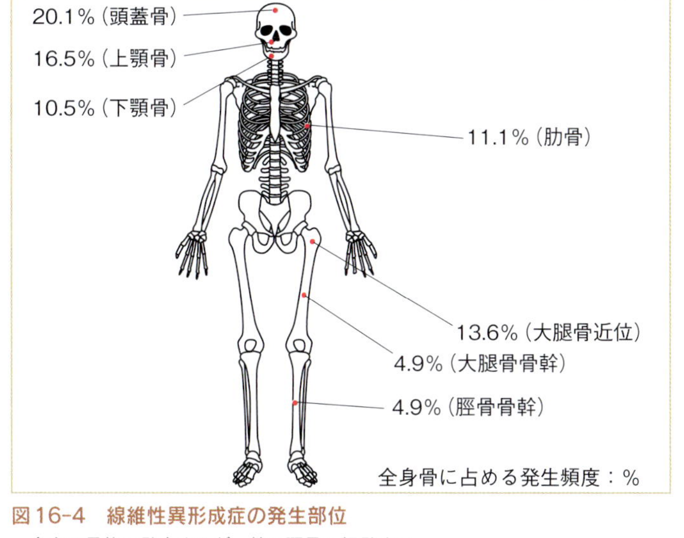

図16-4　線維性異形成症の発生部位
全身の骨格に発生するが，特に顎骨に好発する．
〔文献[6]より改変〕

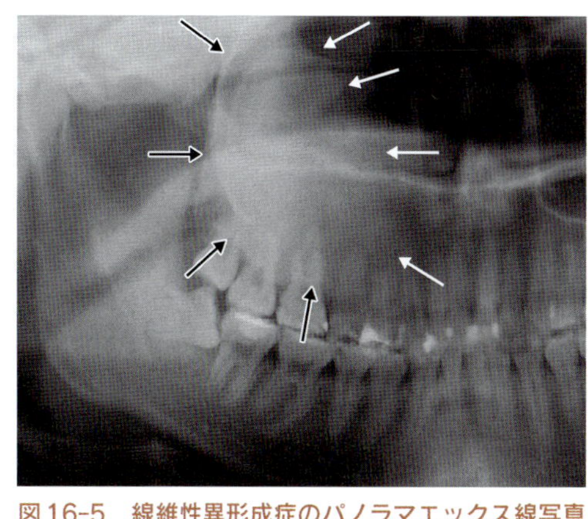

図16-5　線維性異形成症のパノラマエックス線写真
右側上顎臼歯部に境界不明瞭な透過像がみられ（矢印），その内部はスリガラス様の不透過像を認める．
〔Toyosawa S. et al.：Ossifying fibroma vs fibrous dysplasia of the jaw：molecular and immunological characterization. *Mod. Pathol.*, 20：389～396, 2007. Nature America, Inc.より転載〕

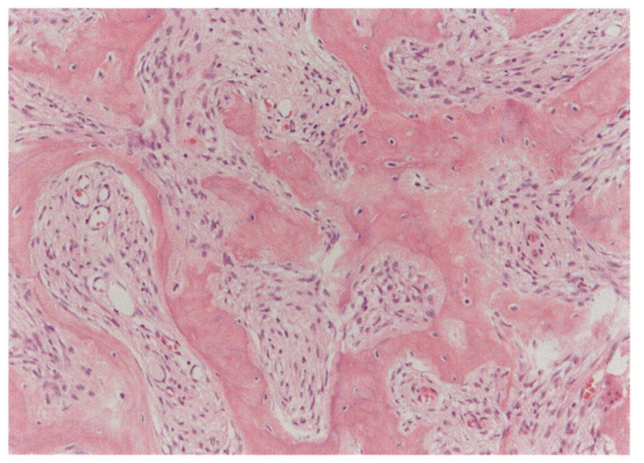

図16-6　線維性異形成症-1
線維性結合組織中に未熟な線維骨からなる不規則な骨梁がみられる．

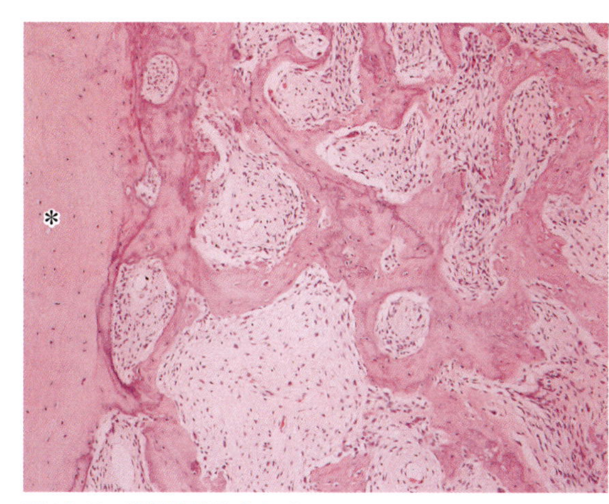

図16-7　線維性異形成症-2
病変部に形成された不規則な骨梁は周囲の正常骨組織（*）と癒合している．

根尖性セメント質骨性異形成症[12]
periapical cemento-osseous dysplasia

1 根尖性セメント質骨性異形成症[12]

下顎前歯部の生活歯の根尖部に，セメント質様または骨様硬組織を伴った線維性結合組織の限局性病巣として認められる．単一歯から数歯の根尖部に発生する．30～50歳代の特に黒人女性に好発する．

臨床的に，病変は径1cmを超えず，無症状で顎骨膨隆もないため，画像検査で偶然に発見されることが多い．根尖部に病変があってもその歯は生活歯で異常はない．本病変に対する治療は必要ない．

エックス線画像や病理組織像は病期によって異なる．初期は根尖部の線維性結合組織の増生が主体であるため，画像診断では球状の透過像を示すが，時間経過とともにセメント質様または骨様の硬組織形成量が増加して，不透過像が混在するようになる（**図16-8，9**）．最終的には球状の不透過像を示すようになり，その周囲を1層の透過帯が囲むようになる．

限局性セメント質骨性異形成症[13]
focal cemento-osseous dysplasia

2 限局性セメント質骨性異形成症[13]

前述の根尖性セメント質骨性異形成症と同様の病変であるが，臼歯根尖部付近に単発性に発生する．中年の黒人女性に好発し，病変が径1.5cmを超えることはなく，無症状で顎骨膨

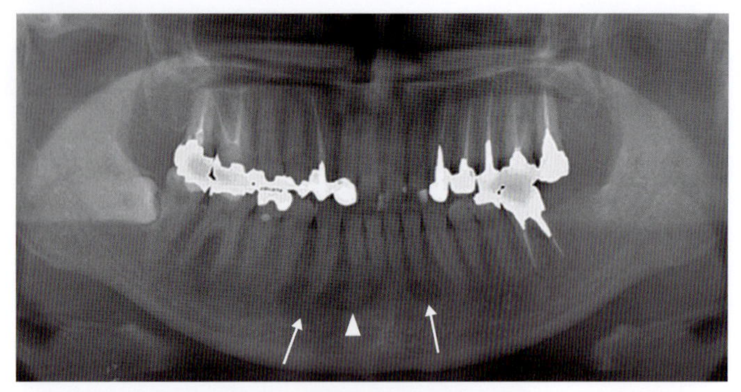

図16-8　根尖性セメント質骨性異形成症のパノラマエックス線写真

数歯の下顎前歯の根尖部に境界明瞭な透過像がみられ（矢印），一部では不透過像が混在する（矢頭）.

〔豊澤　悟ほか：顎骨の線維-骨病変-歯原性腫瘍との鑑別を含めて．病理と臨床，31(5)：527～534，2013．より転載〕

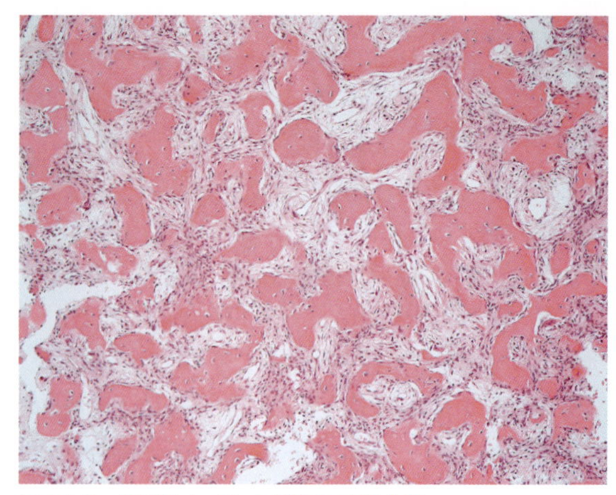

図16-9　根尖性セメント質骨性異形成症

線維性結合組織中にセメント質様または骨様硬組織の形成がみられる.

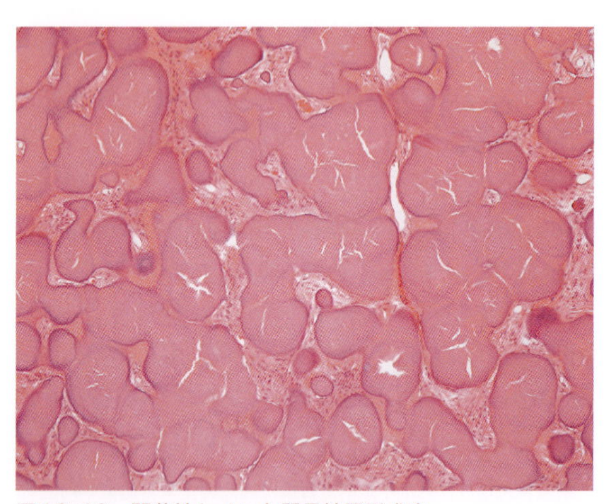

図16-10　開花性セメント質骨性異形成症

無細胞性セメント質に類似した細胞封入に乏しい塊状硬組織の形成がみられる.

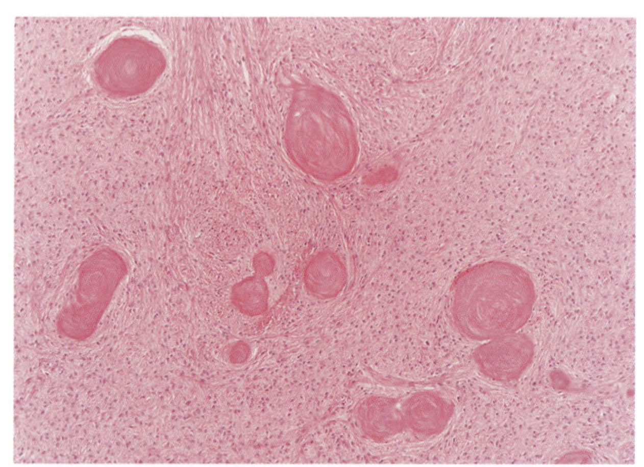

図16-11　家族性巨大型セメント質腫

細胞密度の高い線維性結合組織中に細胞封入に乏しいセメント質様硬組織の形成が認められる.

隆もみられない．臨床およびエックス線画像や病理組織像の特徴は根尖性セメント質骨性異形性症と同じで，本病変に対する治療は必要ない.

開花性セメント質骨性異形成症[14]
florid cemento-osseous dysplasia

3 開花性セメント質骨性異形成症[14]

広範囲の顎骨が，硬組織形成を伴った線維性結合組織に置換される疾患である．主に中年女性の下顎臼歯部を中心に左右対称性に発生する傾向があり，上下顎骨に多発することもある.

臨床的に，無症状で，根尖部に病変があってもその歯は生活歯である．ときに顎骨膨隆を認める．硬組織形成が広範囲に及ぶ場合は，血行不良による虚血のため口腔内に顎骨が露出し，二次感染による骨髄炎を伴いやすい．二次感染を伴わないかぎり基本的に治療は必要ない.

画像診断では，初期には境界明瞭な透過像を示すが，硬組織形成量の増加に伴って広範囲に不透過像が増す.

無細胞性セメント質[15]
acellular cementum：正常の歯根の歯頸部付近を主に覆うセメント細胞が含まれないセメント質.

病理組織学的に，線維性結合組織内に無細胞セメント性質[15]様または骨様硬組織が形成され，進行すると顎骨は細胞封入の乏しい塊状硬組織により占められる（**図16-10**）.

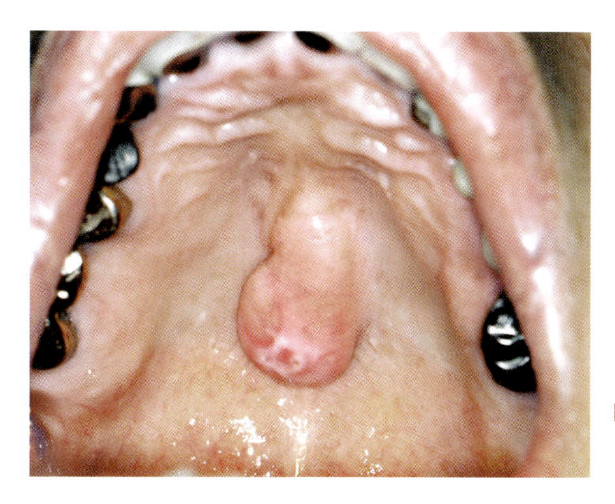

図16-12　外骨症
口蓋正中部に口蓋隆起がみられる.
〔大阪大学大学院歯学研究科口腔外科学第一教室症例〕

家族性巨大型セメント質腫[16]
familial gigantiform cementoma

4 家族性巨大型セメント質腫[16]

若年者の顎骨に発生し，急速に顎骨膨隆を引き起こす稀な遺伝性疾患である．常染色体優性遺伝形式を示すが，散発例も報告されている．原因遺伝子は不明である．

臨床的に，急速増大する多発性の顎骨膨隆により，著しい顔面変形を引き起こす．画像診断では，病変は境界明瞭な透過像を示し，内部に硬組織形成量に応じた不透過像を混じる．病理組織学的に，細胞密度が高く，密な膠原線維からなる線維性結合組織を認め，その中にはセメント質様または骨様硬組織がみられる（**図16-11**）．

Ⅱ―骨形成性病変

外骨症[17]
exostosis

口蓋隆起[18]
torus palatinus

下顎隆起[19]
torus mandibularis

骨腫[20]
osteoma

膜性骨化[21]
intramembranous ossification：結合組織から骨組織が直接形成されることを指す.

1 外骨症[17]

臨床的に骨表面から突出する骨隆起を外骨症とよぶ．非腫瘍性の成熟骨からなる病変で，硬口蓋に発生する口蓋隆起[18]（**図16-12**）と下顎小臼歯部舌側に発生する下顎隆起[19]がよく知られているが，上下顎の歯槽骨の頬側にも発生する．いずれも大人に好発し，小児では稀である．アジア系人種に発生する傾向があり，遺伝および環境要因が示唆されている．口蓋隆起は，硬口蓋の正中線に沿って対称性に発生し，男性より女性に好発する．下顎隆起は，下顎骨小臼歯部の顎舌骨筋線より上方に両側性に発生し，発生頻度に性差はない．臨床的に，発育は緩慢で無症状であるが，しばしば外傷による潰瘍形成を認める．義歯装着などの妨げになるときは外科的切除を行う．病理組織学的には，緻密な層板骨と海綿骨がみられる．

骨膜性骨腫[22]
periosteal or surface osteoma

内骨性骨腫[23]
endosteal or central osteoma

ガードナー症候群[24]
Gardner syndrome：常染色体優性遺伝性疾患で，大腸の腺腫性ポリープ症，多発性の骨腫，軟組織腫瘍を合併した症候群.

2 骨　腫[20]

成熟した緻密骨からなる良性腫瘍である．好発年齢は30～40歳代であり，男性に多い．病変は膜性骨化[21]によって形成される頭蓋顎顔面骨に好発し，それ以外の骨に発生することは稀である．骨表面から突出して有茎性に生じる骨膜性骨腫[22]と骨髄腔内に生じる内骨性骨腫[23]がある．通常は単発性であるが，ガードナー症候群[24]では主に頭蓋顎顔面骨に多発性の骨腫を認める．臨床的に，径2cm以下で，発育緩慢で無症状であるが，骨膨隆による顔面変形や機能障害を引き起こすこともある．外科的切除により完治する．

画像診断では，境界明瞭な不透過像を示し，病理組織学的には，骨髄腔の乏しい緻密な層

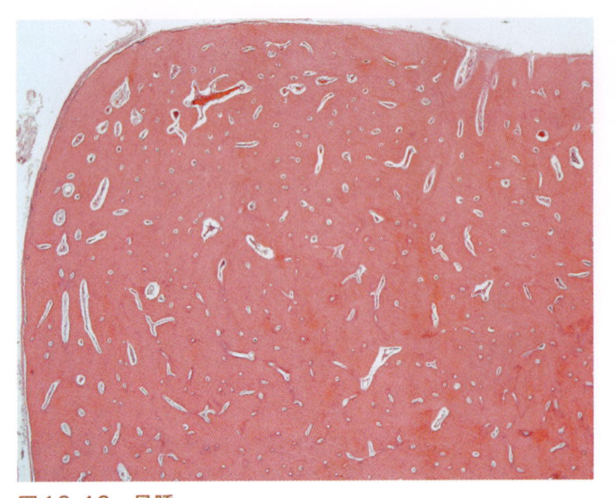

図16-13　骨腫

骨髄腔に乏しい緻密な層板骨からなる.

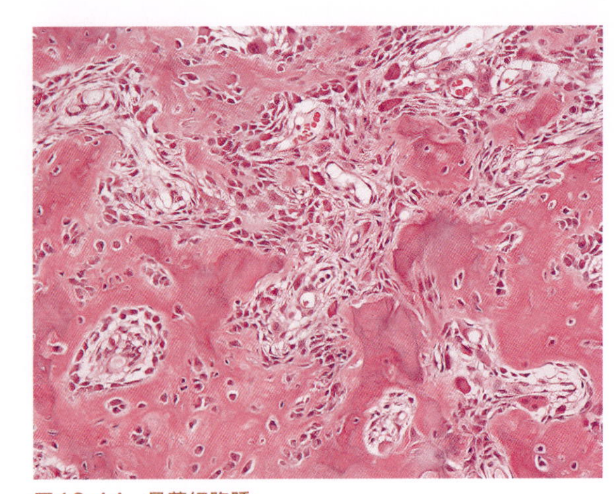

図16-14　骨芽細胞腫

新生骨周囲に多数の大型の腫瘍性骨芽細胞が分布し，骨梁間には豊富な毛細血管がみられる.

板骨（図16-13）や，脂肪髄や線維髄を伴った海綿骨がみられる.

3 類骨骨腫と骨芽細胞腫

類骨骨腫と骨芽細胞腫の両病変は，骨形成性の良性腫瘍で，病理組織学的に区別がつかず近縁疾患と考えられており，その大きさにより区別される.

1 類骨骨腫[25]

病変の大きさが2cm以下で，若年男性の長幹骨の皮質骨内に好発するが，顎骨発生は稀である．臨床的には，非ステロイド性抗炎症薬（アスピリンなど）により軽減する夜間痛が特徴で，腫瘍細胞が産生するプロスタグランジン[26]が疼痛の原因と考えられている．摘出後の再発は稀である.

画像診断では，病変周囲を不透過帯で囲まれたナイダス（nidus）とよばれる境界明瞭な類円形透過像を認め，その内部には骨形成に伴って不透過像がみられる.

病理組織学的に，血管に富んだ結合組織内に類骨や新生骨が認められ，その骨梁表層を縁取るように多数の腫瘍性骨芽細胞が分布する．ナイダス周囲には骨硬化像を認める.

2 骨芽細胞腫[27]

病変の大きさが径2cmを超え，脊椎骨や長幹骨の骨髄内に好発する．30歳以下に好発し，男性にやや多い．全骨芽細胞腫の約10%が頭蓋顎顔面骨に発生し，下顎臼歯部に好発する.

臨床的に，腫脹や疼痛が生じることが多く，疼痛は非ステロイド性抗炎症薬では軽減しない．径4cmを超えるものや，摘出困難な部位に発生した場合は予後に影響する.

画像診断では，境界明瞭な透過像を示すが，内部に骨形成に伴う不透過像を認める.

病理組織学的に，血管に富んだ結合組織内に類骨や骨の形成がみられる．これらの骨梁表層を縁取るように多数の腫瘍性骨芽細胞が分布する（図16-14）.

4 骨肉腫[28]

腫瘍細胞が類骨や骨を形成する悪性腫瘍である．*p53*遺伝子[29]異常を有するLi-Fraumeni症候群や*Rb*遺伝子[30]異常を有する遺伝性網膜芽細胞腫の家系では骨肉腫が発生しやすいことか

類骨骨腫[25]
osteoid osteoma

プロスタグランジン[26]
prostaglandin：生理的活性物質で，痛みや発熱，血液凝固，血圧調節などの作用を有する.

骨芽細胞腫[27]
osteoblastoma

骨肉腫[28]
osteosarcoma

*p53*遺伝子[29]
p53 gene：p53タンパクをコードする癌抑制遺伝子で，細胞周期の回転調節やアポトーシスに関連し，多くのヒト腫瘍で本遺伝子の変異をみる.

*Rb*遺伝子[30]
retinoblastoma gene：網膜芽細胞腫で最初に発見されたpRbタンパクをコードする癌抑制遺伝子で，細胞周期の回転調節を担う.

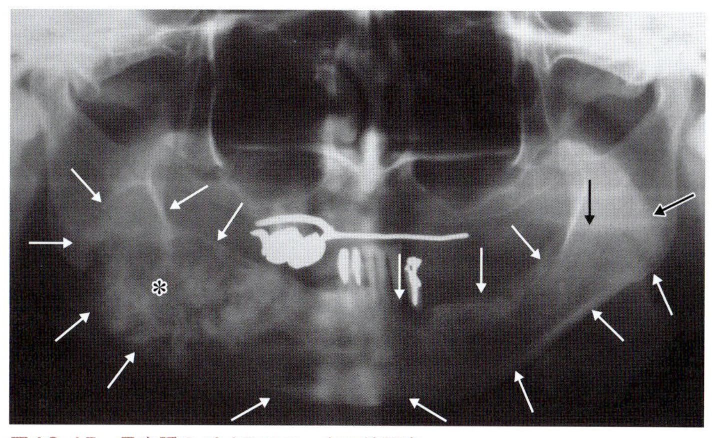

図16-15　骨肉腫のパノラマエックス線写真

右側下顎臼歯部から左側下顎臼歯部にかけて境界不明瞭な透過性を示す骨破壊像（矢印）がみられる．右側下顎病巣内には腫瘍の骨形成による不透過像（＊）がみられる．

〔大阪大学大学院歯学研究科歯科放射線学教室症例〕

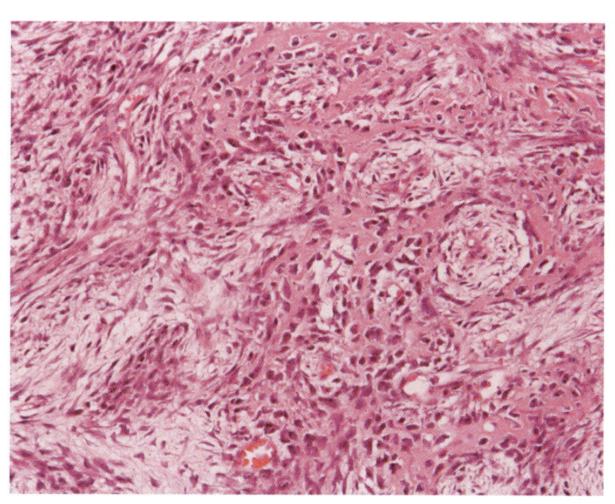

図16-16　骨肉腫（骨芽細胞型）

異型性の強い骨芽細胞様腫瘍細胞による不規則な類骨形成がみられる．

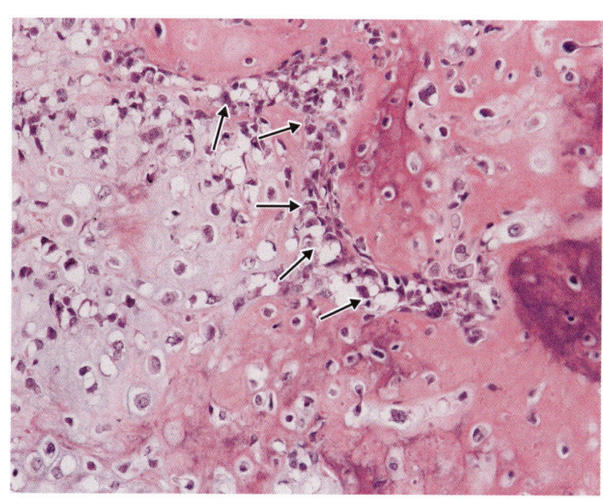

図16-17　骨肉腫（軟骨芽細胞型）

軟骨組織内に新生骨がみられる（写真右側）．新生骨の辺縁部に異型性の強い骨芽細胞様腫瘍細胞の分布がみられる（矢印）．

ら，これらの癌抑制遺伝子が骨肉腫発生に関与すると考えられている．好発部位は，大腿骨遠位，脛骨近位，上腕骨近位などの長幹骨の骨幹端部であるが，全骨肉腫の約5～7%が顎骨に発生する．顎骨では，上顎より下顎に好発し，下顎骨体部に多い．長幹骨における好発年齢は10歳代で，男性にやや多く，高齢者でも骨Paget病[31]や放射線治療後に二次的に発生することがある．一方，顎骨の好発年齢は30～40歳代で，発症頻度に性差はない．

骨肉腫の約90%は，骨髄内に発生する高悪性度の通常型骨肉腫[32]であるが，その他に低悪性度骨内型骨肉腫[33]がある．骨表面から発生するものには，高悪性度表在型骨肉腫[34]，中間悪性度の骨膜性骨肉腫[35]，低悪性度の傍骨性骨肉腫[36]がある．

臨床的に，疼痛や腫脹が主な症状である．長管骨では病期の初期から肺などへ血行性に転移し，予後不良である．一方，顎骨発生例は局所再発を起こすが遠隔転移は少なく，長管骨発生例より予後はよい．顎骨では，歯の弛緩動揺，位置異常，知覚異常，鼻閉，視覚障害を伴う．

画像診断では，境界不明瞭な透過像を示す骨破壊像がみられ，腫瘍による骨形成のため病巣内に不透過像を混じる（**図16-15**）．病巣周辺には，骨膜反応による“旭日（sun-ray）”像とよばれる放射状の骨形成がみられることがある．

病理組織学的に，細胞異型の強い腫瘍性骨芽細胞が増殖し，類骨や骨が形成される．腫瘍

骨Paget病[31]
Paget's disease of bone

通常型骨肉腫[32]
conventional osteosarcoma

低悪性度骨内型骨肉腫[33]
low-grade central osteosarcoma

高悪性度表在型骨肉腫[34]
high grade surface osteosarcoma

骨膜性骨肉腫[35]
periosteal osteosarcoma

傍骨性骨肉腫[36]
parosteal osteosarcoma

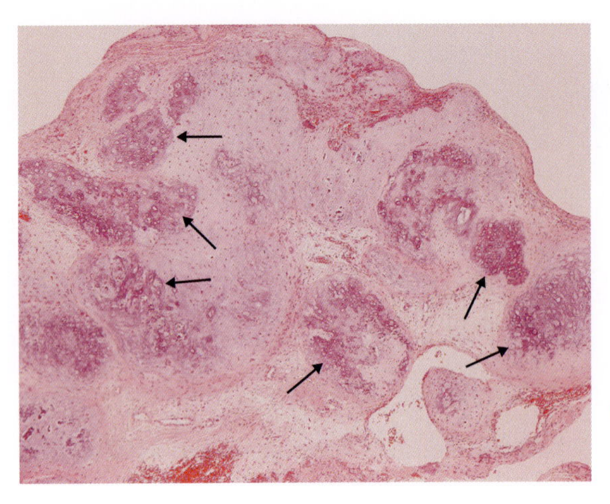

図16-18　滑膜軟骨腫症
滑膜内に硝子軟骨の形成がみられ，一部では軟骨の石灰化がみられる（矢印）.

中に占める優勢な病理組織像によって，骨芽細胞型（**図16-16**），軟骨芽細胞型（**図16-17**），線維芽細胞型に分類されており，顎骨発生例では軟骨芽細胞型が多い．その他，稀に小型細胞型や血管拡張型がある．

Ⅲ―軟骨形成性病変

1 滑膜軟骨腫症[37]

滑膜軟骨腫症[37]
synovial chondromatosis

滑膜内に多数の軟骨結節が生じる非腫瘍性病変である．若年から中年男性の膝関節や股関節に好発するが，顎関節にもしばしば発生し，その場合は中年女性に多い．

臨床的に，顎関節周囲の腫脹や疼痛，摩擦音，顎運動障害などの症状を示す．外科的切除が適応であるが，ときに再発する．

硝子軟骨[38]
hyaline cartilage：半透明なガラス様の最も典型的な軟骨で，軟骨細胞と豊富な細胞間質からなる．

画像診断では，関節腔内の透過像内に硝子軟骨からなる遊離体が不透過像として認められ，関節腔の拡大や下顎頭の侵食性変化がみられる．

病理組織学的に，滑膜内に小葉状構造を示す硝子軟骨[38]の多発性結節を認める（**図16-18**）．この軟骨細胞はときに軟骨肉腫と誤診するほどの高度な異型性を示すこともある．

2 軟骨腫[39]

軟骨腫[39]
chondroma

内軟骨腫[40]
enchondroma

骨膜性軟骨腫[41]
periosteal chondroma

成熟した軟骨を形成する良性腫瘍である．骨髄内に発生する内軟骨腫[40]と，骨表面に発生する骨膜性軟骨腫[41]があるが，大部分は内軟骨腫である．内軟骨腫は，30～50歳代の指趾の短管骨に好発するが，顎骨発生は非常に稀である．

オリエ病[42]
Ollier disease：身体の片側に多発性の内軟骨腫が発生する疾患．

マフッチ症候群[43]
Maffucci syndrome：多発性の内軟骨腫に軟部組織の血管腫を合併した症候群．

臨床的に，無症状で発育緩慢な病変で，通常は単発性である．外科的切除による再発はほとんどない．オリエ病[42]やマフッチ症候群[43]では，多発性に軟骨腫が発生し，悪性化することがある．

画像診断では透過像を示すが，内部に軟骨の石灰化による不透過像を伴う．

病理組織学的に成熟した硝子軟骨の分葉状増殖を認め，軟骨基質内に異型性のない軟骨細胞を認める（**図16-19**）．

3 骨軟骨腫[44]

骨軟骨腫[44]
osteochondroma

長管骨では，最も発生頻度の高い良性腫瘍で，骨表面から突出した骨隆起が形成される．

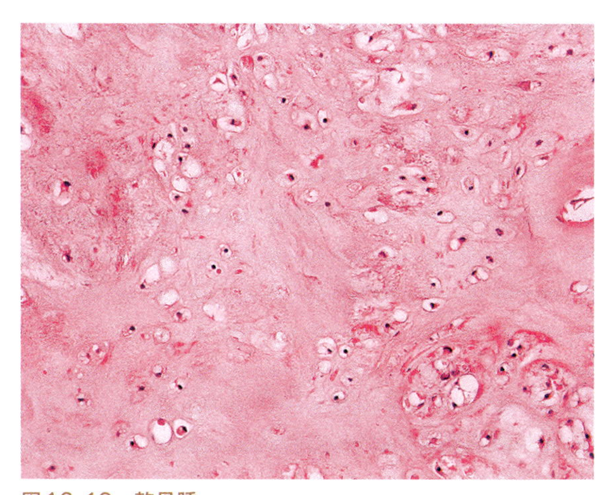

図16-19　軟骨腫
軟骨基質内に成熟した異型性のない軟骨細胞がみられる.

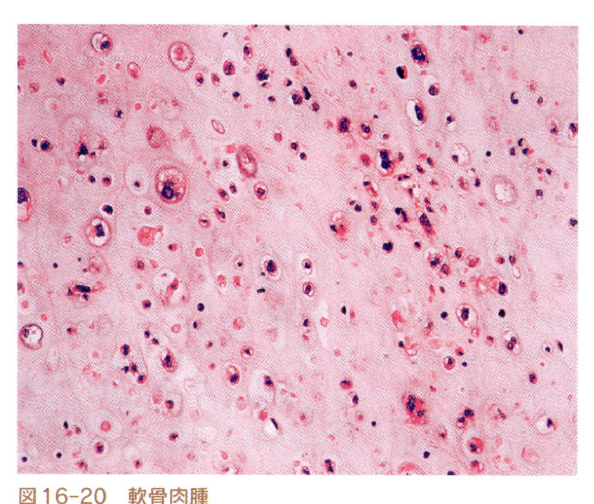

図16-20　軟骨肉腫
軟骨基質内に大小不同のある異型性の強い腫瘍性軟骨細胞がみられる.

軟骨帽[45]
cartilaginous cap

骨隆起の表層は，軟骨帽[45]とよばれる厚い硝子軟骨で覆われている．10〜20歳代の大腿骨や脛骨の骨幹端部に好発するが，非常に稀に，中高年の顎顔面骨にも発生する.

臨床的に，下顎骨発生例では，顔面の非対称，咬合不正，疼痛，開口障害がみられる．外科的切除後の再発はほとんどない.

画像診断では，既存の骨皮質に連続して形成された骨隆起病変として認められる.

内軟骨性骨化（軟骨内骨化）[46]
endochondral ossification：結合組織からまず軟骨ができ，次に骨組織が形成されることをいう.

病理組織学的に，硝子軟骨からなる軟骨帽の深部では内軟骨性骨化[46]が起こり，既存骨と骨隆起部の骨髄は連続している.

4 軟骨肉腫[47]

軟骨肉腫[47]
chondrosarcoma

軟骨形成性の悪性腫瘍で，ほとんどが原発性であるが，多発性軟骨腫などの悪性転化による続発性軟骨肉腫もある．中高年の男性にやや多く，好発部位は骨盤，大腿骨，上腕骨，肋骨である．全軟骨肉腫の約3〜4%が顎顔面骨に発生し，上顎骨や鼻中隔に好発する.

臨床的に，発育は緩慢で，局所の腫脹と疼痛がみられる．局所再発は多いが，遠隔転移は稀である．顎骨では歯の弛緩動揺，視覚障害，鼻閉などを伴う.

画像診断では，境界不明瞭な骨破壊による透過像を認める．透過像内部に軟骨石灰化による斑状の不透過像がみられる.

病理組織学的に，腫瘍性軟骨細胞を含んだ軟骨性結節からなり（**図16-20**），骨破壊性に浸潤増殖する．悪性度は3段階の病理組織学的異型度により分けられている．Grade1は，軟骨腫に類似した硝子様軟骨の分葉状増殖からなり，細胞異型の軽度な腫瘍細胞の増生を認める．二核や多核細胞をしばしば認めるが，核分裂像は認めない．Grade2では，細胞密度が高くなり，核異型や核分裂像を認めるようになる．粘液様基質を伴う．Grade3では，細胞密度が高く，腫瘍細胞の多形性や異型性が強くなり，核分裂像が目立つ.

5 その他

1 軟骨芽細胞腫[48]

軟骨芽細胞腫[48]
chondroblastoma

軟骨芽細胞からなる軟骨形成性の良性腫瘍である．10歳代の大腿骨近位や上腕骨近位の骨端に好発する．顎顔面骨の発生は非常に稀であるが，顎関節部周囲，特に側頭骨に発生する.

網目状石灰化[49]
chicken-wire calcification

軟骨粘液様線維腫[50]
chondromyxoid fibroma

産生される軟骨基質は，腫瘍細胞を区画するように網目状石灰化[49]が特徴である．

2 軟骨粘液様線維腫[50]

粘液様軟骨基質を伴って紡錘形または星芒状の腫瘍細胞の分葉状増殖が特徴の良性腫瘍である．10～30歳代の脛骨近位部の骨幹端部に好発する．顎骨には全軟骨粘液様線維腫の約5%が発生する．

間葉性軟骨肉腫[51]
mesenchymal chondrosarcoma

3 間葉性軟骨肉腫[51]

軟骨形成を伴って間葉系の未分化小円形細胞の増殖する悪性腫瘍である．発生頻度は非常に稀であるが，顎骨における発生頻度が最も高く，20～40歳代に好発する．発生後，数年から数十年後に遠隔転移するので経過観察を要する．

Ⅳ—線維性病変

類腱線維腫[52]
desmoplastic fibroma

デスモイド型線維腫症[53]
desmoid-type fibromatosis

1 類腱線維腫[52]

局所侵襲性に発育する良性腫瘍で，軟部のデスモイド型線維腫症[53]に酷似した病理組織像を示す．好発年齢は30歳以下の若年者で，性差はない．好発部位は，下顎骨と長管骨で，下顎骨では下顎枝や下顎角に好発する．

臨床的に，発育は緩慢で，無痛性に顎骨を膨隆させる．

画像診断では，単房性または多房性の透過像を示し，ときに境界は不明瞭である．骨膨隆に伴って皮質骨の菲薄化や皮質骨の穿孔，また歯根吸収がしばしばみられる．外科的切除後，再発傾向を有する．

病理組織学的に，腫瘍性（筋）線維芽細胞の増殖と交錯する膠原線維の増生からなる（**図16-21**）．腫瘍細胞の細胞密度は高く，稀に核分裂像を認めるが，細胞異型はほとんどみられない．

Ⅴ—巨細胞性病変

顎骨病変には破骨細胞型多核巨細胞が出現することが多い．線維性異形成症，骨芽細胞腫，軟骨芽細胞腫，ランゲルハンス細胞組織球症などにも破骨細胞型多核巨細胞が出現するが，本項では特に著しく出現する病変を取り上げる．

中心性巨細胞肉芽腫[54]
central giant cell granuloma

中心性巨細胞病変[55]
central giant cell lesion

神経線維腫症1型[56]
neurofibromatosis type 1：Chap.18の248頁参照.

Noonan syndrome[57]
RAS/MAPKシグナル伝達系に関与する遺伝子異常により発生する遺伝病である．心奇形，低身長，骨格異常，特徴的顔貌，学習障害がある．

1 中心性巨細胞肉芽腫[54]または中心性巨細胞病変[55]

破骨細胞型多核巨細胞が多数出現する良性の溶骨性病変で，もっぱら顎骨に発生する．20歳以下の若年者に好発し，女性にやや多い．上顎骨より下顎骨に好発し，臼歯部より前歯部に好発する．神経線維腫症1型[56]やNoonan syndrome[57]などの遺伝性疾患では，本病変が多発することがある．

臨床的に，発育緩慢で無症状に顎骨膨隆を引き起こす．ときに疼痛を伴って侵襲性に急速増大し，歯根吸収や皮質骨の穿孔をきたす．通常は掻爬や外科的切除により治癒するが，再発することがある．

画像診断では，単房性または多房性の境界明瞭な透過像を示すが，辺縁は不整である（**図16-22**）．

病理組織学的に，血管の豊富な結合組織内に，紡錘形～卵円形細胞の増生がみられ，多数

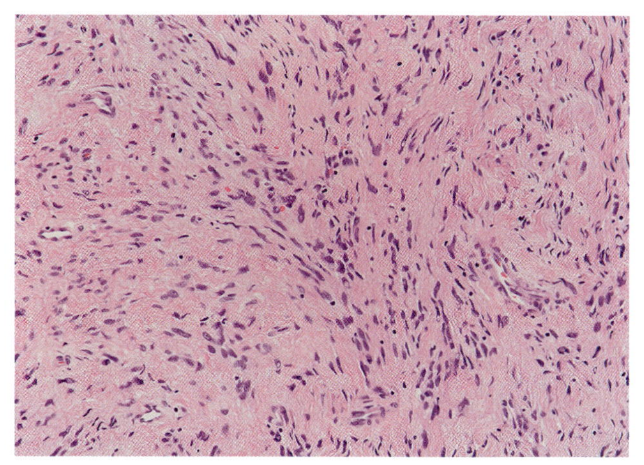

図 16-21　類腱線維腫
腫瘍性筋線維芽細胞の増殖と交錯する膠原線維の増生がみられる.

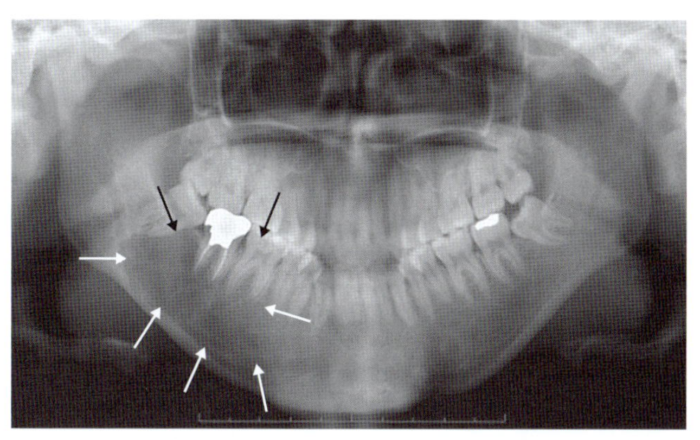

図 16-22　中心性巨細胞肉芽腫のパノラマエックス線写真
右側下顎骨臼歯部に境界明瞭で辺縁不整な透過性病変を認める（矢印）. 病変内部に隔壁構造がみられる.
〔大阪大学大学院歯学研究科歯科放射線学教室症例. 豊澤　悟ほか：中心性巨細胞肉芽腫・骨巨細胞腫. 口腔病理アトラス 第3版（髙木　實監）. 文光堂, 東京, 287, 2018. より転載〕

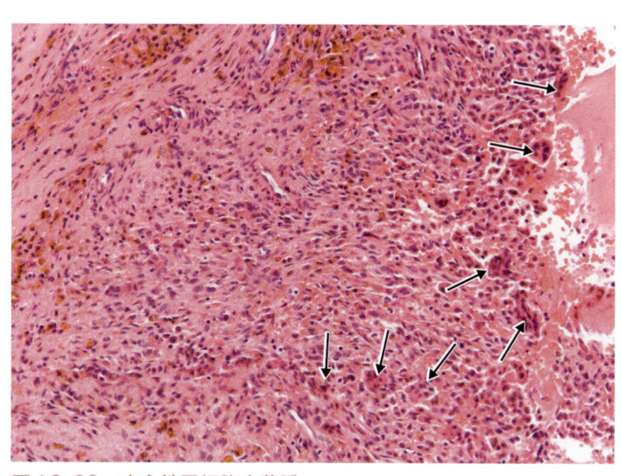

図 16-23　中心性巨細胞肉芽腫
線維性結合組織中に多数の破骨細胞型多核巨細胞（矢印）が出現している.

の破骨細胞型多核巨細胞が出現する（**図 16-23**）. 病巣内には出血巣やヘモジデリン沈着が認められ, ときには類骨形成がみられる.

周辺性巨細胞肉芽腫[58]
peripheral giant cell granuloma

中心性巨細胞肉芽腫と同じ病理組織像を示す病変が, 顎骨外の歯肉や歯槽粘膜部に発生したものを周辺性巨細胞肉芽腫[58]とよぶ. 外的刺激や外傷による反応性病変と考えられている. 肉眼的に暗赤色調のポリープ状病変で, 下顎粘膜部に好発する. 病変下部の歯槽骨に骨吸収がみられることがあるが, 摘出後の再発は稀である.

骨巨細胞腫[59]
giant cell tumour of bone

2 骨巨細胞腫[59]

破骨細胞型多核巨細胞の出現が著しい良性腫瘍である. 好発年齢は20～40歳代で, 女性に多い. 主に長管骨の骨端部, 特に膝関節周囲に好発するが, 稀に顎骨にも発生する. 臨床的に, 発育緩慢な骨膨隆を引き起こす良性病変であるが, 浸潤性増殖を示して再発や転移をきたす悪性型も知られている.

画像診断では, 境界明瞭な透過像を示す.

病理組織学的に, 間葉系の単核細胞の増殖と, 大型の破骨細胞型多核巨細胞の著しい出現がみられる（**図 16-24**）. 破骨細胞型多核巨細胞は病巣全体に均一に高密度で分布するが, 反応性に出現したもので, 間葉系の単核細胞が腫瘍成分である.

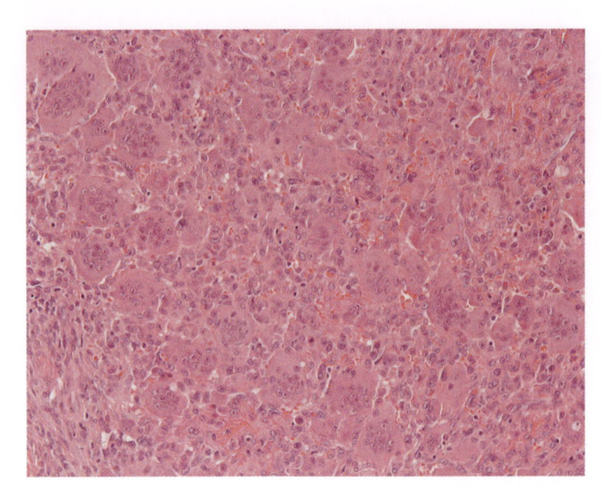

図16-24 骨巨細胞腫
著しい数の破骨細胞型多核巨細胞が均一に分布し，その間に単核間質細胞の増殖がみられる．

ケルビズム[60]
cherubisum

3 ケルビズム[60]

顎骨が左右対称性に膨隆する稀な常染色体優性遺伝病である．多発する無痛性の顎骨膨隆が6歳までに発症し，思春期以降には消退傾向を示す．上顎骨より下顎骨に好発するが，両側性の上顎骨膨隆は，ルネッサンス絵画にみられる天使様顔貌に類似し，本疾患名の由来となっている．発音や視聴覚の障害に加えて，歯の交換期に発生するため，歯の萌出障害や喪失が著しい．初期には頸部リンパ節腫脹がみられる．*SH3BP2*遺伝子[61]変異が原因とされ，破骨細胞の活性化が疾患発生に関与すると考えられている．

*SH3BP2*遺伝子[61]
SH3 domain-binding protein 2 gene：チロシンキナーゼ(c-Ab1)に結合するアダプタータンパク質をコードする遺伝子．

画像診断では，両側性の境界明瞭な多房性透過像を示す（**図16-25**）．

病理組織学的に，破骨細胞型多核巨細胞が多数出現する結合組織の増生が認められ，出血やヘモジデリン沈着を伴う（**図16-26**）．病期の経過に伴って破骨細胞型多核巨細胞の数は減少し，線維性結合組織が主体となり，新生骨が認められるようになる．

Ⅵ－円形細胞腫瘍

小円形細胞が均一かつ密に増生し，骨・軟骨や膠原線維などの間質成分がほとんど含まれない病理組織学的な類似性から便宜的にまとめられた病変群である．

形質細胞性腫瘍[62]
plasma cell neoplasms

1 形質細胞性腫瘍[62]

B細胞が最終分化した形質細胞の単クローン性増殖を特徴とする腫瘍性疾患である．多発性に骨破壊を伴う形質細胞性骨髄腫と，骨もしくは髄外性に単一に発生する形質細胞腫がある．

形質細胞性骨髄腫[63]
plasma cell myeloma
多発性骨髄腫[64]
multiple myeloma

1 形質細胞性骨髄腫[63]または多発性骨髄腫[64]

骨髄で形質細胞が単クローン性に腫瘍性増殖する悪性腫瘍である．血清中には腫瘍性形質細胞が分泌した単一の免疫グロブリンが増加する．造血髄を有する脊椎骨，肋骨，腸骨，頭蓋骨などに好発する．病期の進行とともに他の骨にも多発し，顎骨にも病変がみられるようになる．好発年齢は60歳代の高齢者で，やや男性に多い．

臨床的に，全身骨格の多発性骨溶解，骨折，骨痛，高カルシウム血症がみられる．主な症状は貧血で，高グロブリン血症や尿中のBence-Jonesタンパク[65]や腎不全を認めることがある．その他，体重減少，出血性素因，アミロイドーシスを伴い，口腔では舌や歯肉にアミロイドが沈着することがある．

Bence-Jonesタンパク[65]
Bence-Jones protein：腫瘍性形質細胞が産生した多量の軽鎖が血清中に放出され，尿中に排泄されたもの．

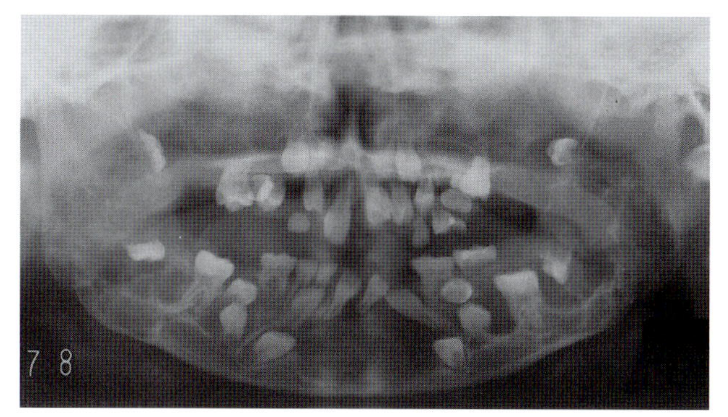

図16-25　ケルビズムのパノラマエックス線写真

上下左右の顎骨に多発性に透過性病変がみられる．皮質骨の菲薄化が認められ，混合歯列期にある歯の転位が著しい．
〔奥羽大学歯学部口腔外科・歯科放射線科症例〕

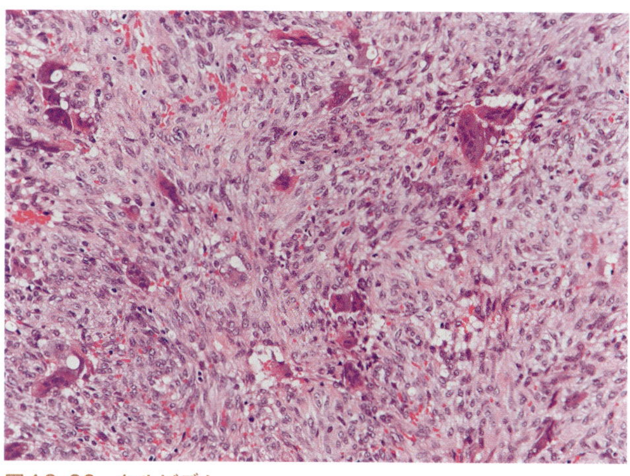

図16-26　ケルビズム

細胞密度に富む線維性結合組織中に多数の破骨細胞型多核巨細胞が出現している．
〔奥羽大学歯学部口腔病理学分野標本〕

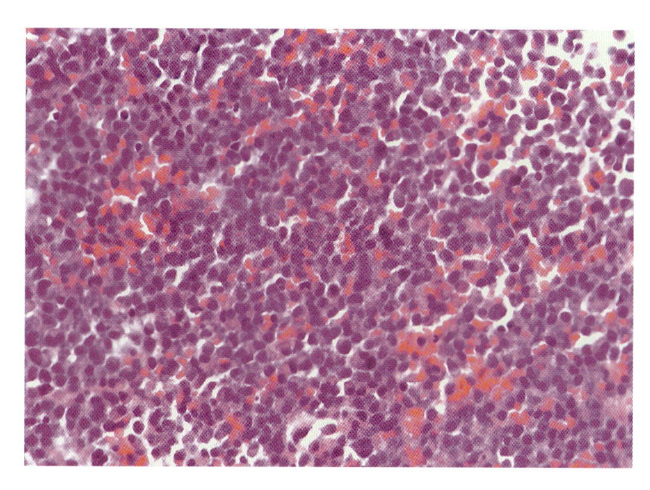

図16-27　形質細胞性骨髄腫（多発性骨髄腫）

異型性を示す腫瘍性形質細胞が均一に増殖している．

画像診断では，“骨の打ち抜き像（punched-out lesion）”とよばれる境界明瞭な円形透過像が長管骨，頭蓋骨，顎骨にみられる．

病理組織学的に，単クローン性に増殖した腫瘍性形質細胞には核分裂像や多核化など高度な細胞異型がみられる（**図16-27**）．

形質細胞腫[66]
plasmacytoma

骨の孤立性形質細胞腫[67]
solitary plasmacytoma of bone

髄外性形質細胞腫[68]
extramedullary plasmacytoma

バーキットリンパ腫[69]
Burkitt lymphoma

2 形質細胞腫[66]

細胞学的および免疫形質学的に前述と同様の腫瘍性形質細胞の単クローン性増殖が，単一に骨組織に生じるものを骨の孤立性形質細胞腫[67]，単一に軟組織に生じるものを髄外性形質細胞腫[68]とよび，髄外性形質細胞腫は頭頸部領域に好発する．

2 バーキットリンパ腫[69]

染色体転座[70]
chromosomal translocation：染色体の一部が別の部位の染色体に位置を変える染色体異常．

B細胞性の悪性リンパ腫である．臨床病態などにより，アフリカ地域に多発して顎骨膨隆をきたす風土病型と欧米地域に発生する散発型に分類される．風土病型は小児期や若年者の頭頸部，特に顎骨に好発するのに対し，散発型は大人に発生し，腹部膨隆を引き起こす．いずれも染色体転座[70]により，染色体8q24上の*MYC*遺伝子が染色体14q32上の免疫グロブリン重鎖の転写活性領域に転座した結果，*MYC*遺伝子が転写活性化され，細胞増殖異常を引き起こす．

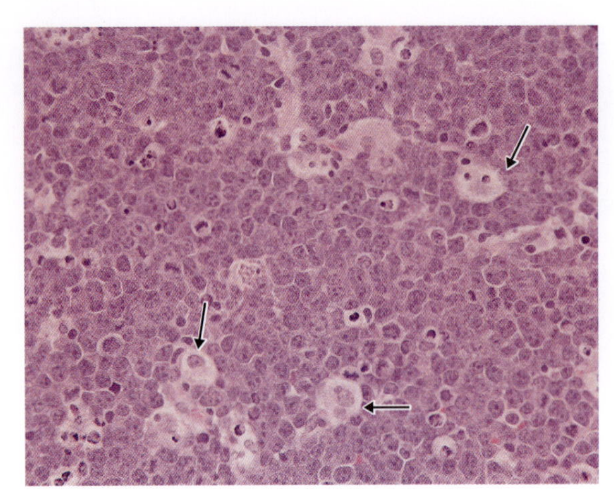

図16-28　バーキットリンパ腫
単調に増殖する円形腫瘍細胞の中に，核片を貪食したマクロファージ（矢印）が散在性に分布する（starry sky像）．

エプスタイン-バーウイルス[71]
Epstein-Barr virus：伝染性単核症の病原ウイルスで，ほとんどの成人は小児期にすでに不顕性感染している．

風土病型では約90％の症例にエプスタイン-バーウイルス（EBV）[71]が検出されるが，散発型ではEBV感染が検出されるものは少ない．

臨床的に，風土病型では上顎や下顎の顎骨膨隆，顔面腫脹，眼球突出，知覚麻痺などがみられる．本疾患は高悪性度の腫瘍で，かつては予後がきわめて悪かったが，化学療法の併用により生存率が著しく改善された．

画像診断では，顎骨病変は境界不明瞭な透過性を示し，骨破壊像が認められる．

病理組織学的に，腫瘍細胞は中型の円形細胞で，単クローン性に増殖し，高度な細胞異型がみられる．腫瘍細胞は著しい増殖を示すとともにアポトーシスが亢進しており，腫瘍細胞の死滅を反映して核破砕片を貪食したマクロファージが散在性に認められ，“starry-sky（星空）”像とよばれる特徴的な病理組織像を示す（**図16-28**）．

ユーイング肉腫[72]
Ewing's sarcoma

3　ユーイング肉腫[72]

末梢型神経外胚葉性腫瘍[73]
peripheral primitive neuroectodermal tumours（PNET）

神経系由来と考えられている悪性腫瘍である．染色体転座により，染色体22q12上の*EWS*（Ewing sarcoma）遺伝子が染色体11q24上の転写因子*FLI1*遺伝子と融合したキメラタンパク質が標的遺伝子の転写を活性化し，細胞増殖と分化異常を起こす．同染色体転座は末梢型神経外胚葉性腫瘍（PNET）[73]にも認められるため，本疾患は組織発生学的にPNETと同一疾患群に属すると考えられている．男児の大腿骨や脛骨などの長管骨に多く，顎骨の発生頻度は低い．

臨床的に，疼痛と腫脹が主な症状であるが，しばしば発熱を伴うため，骨髄炎と誤診されることもある．

画像診断では，境界不明瞭で不規則な透過像を示し，病巣周辺には“onion-skin（タマネギの皮状）”像とよばれる骨膜の層状骨形成がみられる．

病理組織学的に，腫瘍胞巣は線維性隔壁に囲まれた小円形細胞のシート状配列を示し，腫瘍細胞の細胞質はグリコーゲンに富んでいる．

乳児のメラニン（黒色）性神経外胚葉性腫瘍[74]
melanotic neuroectodermal tumor of infancy

Ⅶ—その他の病変

1　乳児のメラニン（黒色）性神経外胚葉性腫瘍[74]

神経堤[75]
neural crest：外胚葉由来の細胞集団で，発生後，脊髄神経節や自律神経節の細胞，メラニン色素細胞などに分化する．

乳児の顎骨に発生する神経堤[75]由来の非常に稀な良性腫瘍である．そのほとんどが生後1年以内に乳児の頭頸部に発生する．特に上顎前歯部が多いが頭蓋骨や下顎骨にも発生する．頭頸部以外では精巣上体や縦隔にも生じる．

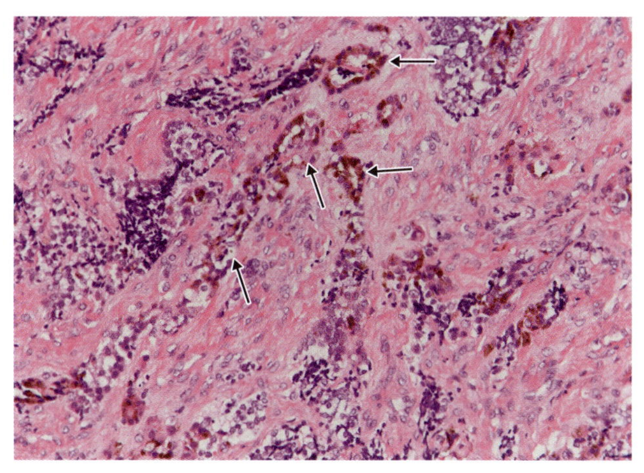

図16-29　乳児のメラニン性神経外胚葉性腫瘍

メラニン色素を産生する大型の上皮細胞（矢印）と神経芽細胞様小型細胞からなる腫瘍胞巣がみられる．

バニリルマンデル酸[76]
vanillylmandelic acid：カテコールアミンの代謝産物の1つで，カテコールアミン産生腫瘍では，尿中濃度が高値を示す．

臨床的に，腫瘍は無痛性に急速増大し，顎骨を破壊して発育歯胚を巻き込み，周囲組織にも進展する．顔面変形や摂食障害を引き起こす．腫瘍は，多量のメラニンを含むため色調は黒色で，ときにバニリルマンデル酸[76]を産生し，尿中で検出される．外科的切除が適応であるが，再発傾向がある．

画像診断では，病変は境界がやや不明瞭な透過像を示し，しばしば歯胚が含まれる．

病理組織学的に，腫瘍胞巣は，メラニン顆粒を産生する大型の上皮細胞と神経芽細胞様小型細胞から構成され，線維性間質を伴って増生する（**図16-29**）．

ランゲルハンス細胞組織球症[77]
Langerhans cell histiocytosis

2 ランゲルハンス細胞組織球症[77] ［Chap.18（255頁）参照］

ランゲルハンス細胞[78]
Langerhans cell：主に表皮の基底層に分布する単球・マクロファージ系の樹枝状細胞で，抗原提示機能など皮膚の免疫機構を担う．

好酸球性肉芽腫[79]
eosinophilic granuloma

ハンド・シュラー・クリスチャン病[80]
Hand-Schüller-Christian disease

レッテラー・ジーベ病[81]
Letterer-Siwe disease

組織球症X[82]
histiocytosis X

ランゲルハンス細胞[78]の腫瘍性増殖を特徴とするランゲルハンス細胞組織球症には，以前，好酸球性肉芽腫[79]，ハンド・シューラー・クリスチャン病[80]，レッテラー・ジーベ病[81]とよばれていた3亜型の病名があり，総称して組織球症X[82]とよばれていた．

現在は，病変の部位が単一の臓器（単一臓器型）か，2つ以上の臓器（多臓器型）かで分類され，さらに単一臓器型は単独病変か多発性病変かで，多臓器型はリスク臓器に病変があるかどうかで分類されている（**表16-2**）．

単一臓器型は，小児から若年成人の骨に単発性または多発性に発生する．好発部位は，頭蓋骨，肋骨，脊椎骨，下顎骨である．

臨床的に，腫脹と疼痛が主な症状で，骨破壊性病巣を形成するが，予後良好である．

画像診断では，単発性または多発性の境界明瞭な円形の骨透過像を示す．

病理組織学的に，大型の切れ込みのある核を有し，豊富な細胞質を有するランゲルハンス細胞の増殖からなる（**図16-30**）．これらの細胞質内には電子顕微鏡にてバーベック顆粒[83]が観察される．また，著しい好酸球浸潤を伴う．

バーベック顆粒[83]
Birbeck granules：ランゲルハンス細胞内にみられる顆粒で，電子顕微鏡では馬蹄形もしくはラケット状構造物として観察される．

表16-2　ランゲルハンス細胞組織球症の分類

現在の分類		病変の臓器	過去の呼び名
単一臓器型	単独病変	多くが骨（皮膚やリンパ節もあり）	好酸球性肉芽腫
	多病変		
多臓器型	リスク臓器病変なし	骨と皮膚など	ハンド・シューラー・クリスチャン病
	リスク臓器病変あり	皮膚と肝臓，脾臓など	レッテラー・ジーベ病

〔ランゲルハンス細胞組織球症（LCH）ってどんな病気？（Ver. 2. 2017/8）：日本ランゲルハンス細胞組織球症研究グループHPより．http://www.jlsg.jp/WhatsLCH/WhatsLCH.pdf〕

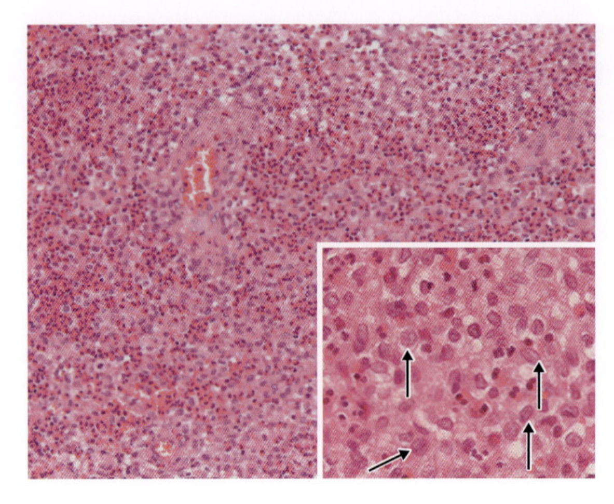

図16-30 ランゲルハンス細胞組織球症（単一臓器型）

ランゲルハンス細胞の異常増殖と好酸球浸潤がみられる．強拡大写真では大型の切れ込みのある核を有する腫瘍性ランゲルハンス細胞がみられる（矢印）．

多臓器型では，皮膚の発疹，骨病変，リンパ節腫脹や肝脾腫などの症状がみられる．

3 転移性腫瘍

骨の悪性腫瘍の中では，転移性悪性腫瘍の発生頻度が最も高い．骨格の中で顎骨への転移は稀であるが，上顎より下顎骨に多い．原発性腫瘍としては，乳癌，肺癌，前立腺癌，腎癌が多く，その他，甲状腺癌，大腸癌などの顎骨転移もみられる．

臨床的に，疼痛，麻痺，歯の動揺などの症状を伴い，エックス線的には，不規則で境界不明瞭な骨透過像がみられる．前立腺癌では，転移部に骨形成による不透過像を認めることもある．顎骨に転移した癌の臨床病期は進行期にあり，予後は不良である．

（豊澤　悟）

- [ ] 1 顎骨に発生する非歯原性腫瘍と腫瘍様病変を分類できる．
- [ ] 2 顎骨に発生する非歯原性腫瘍の良性と悪性を区別できる．
- [ ] 3 顎骨にのみ発生する非歯原性腫瘍や腫瘍様病変をあげることができる．
- [ ] 4 顎骨に発生する非歯原性腫瘍と腫瘍様病変の臨床的特徴を説明できる．
- [ ] 5 顎骨に発生する非歯原性腫瘍と腫瘍様病変の病理組織学的特徴を説明できる．

References

1) Regezi, J.A. et al.：Oral Pathology, Clinical Pathologic Correlations 7th ed. Saunders, St.Louis, 284～286, 292～312, 2017.
2) Neville, B.W. et al.：Oral & Maxillofacial Pathology, 4th ed. W.B.Saunders Company, Philadelphia, 584～631, 2016.
3) El-Naggar, A.K. et al.(eds)：WHO Classification of Head and Neck Tumours, 4th ed. IARC Press, Lyon, 243～260, 2017.
4) Fletcher, C.D.M. et al.(eds)：WHO Classification of Tumours of Soft Tissue and Bone, 4th ed. IARC Press, Lyon, 239～296, 2013.
5) Ronbinson, R.A. et al.：AFIP Atlas of Tumor Pathology Series4, Tumors and Cysts of the Jaws. American Registry of Pathology, Washington DC, 151～274, 2012.
6) Unni, K.K. et al.：AFIP Atlas of Tumor Pathology Series 4, Tumors of the Bones and Joints. American Registry of Pathology, Washington DC, 37～192, 209～248, 281～298, 321～382, 2005.

Chapter 17

顎・顎関節の非腫瘍性病変

全身の各部の骨と比較した顎骨の特殊性として，顎骨には多数の歯が植立していることがあげられる．また，顎関節の特殊性は，左右の関節が協調して咬合機能の支点となっていることである．これらの特殊性がそれぞれの部位における病変の発生に深く関与している．

顎骨の非腫瘍性病変として最も重要なのは骨髄炎であり，顎骨骨髄炎の大部分は，歯性感染病巣から細菌感染が波及して起こる化膿性骨髄炎である．顎骨骨髄炎には化膿性炎を伴わず骨硬化が著明で，かつ抗菌薬が著効しないものがあり，それらは慢性びまん性硬化性骨髄炎と総称される．

今世紀初頭，骨吸収抑制薬を投与された患者に難治性顎骨壊死が起こることが報告されて以来，特定薬剤に関連した顎骨壊死の発生機序について議論が続けられている．

顎関節には全身の諸関節に生じる種々の炎症性病変がみられる．顎関節特有の病変としては顎関節症が臨床的に重要であり，顎関節症の発生には咬合異常が深く関連している．

I－顎骨の病変

1 顎骨の骨折

外傷性骨折[1] traumatic fracture

病的骨折[2] pathologic fracture

骨折とは1個の骨の連続性が断たれた状態である．骨折は原因別に外傷性骨折[1]，病的骨折[2]および疲労骨折に分けられる．顎骨骨折の大多数は外傷性骨折であり，外傷性顎骨骨折のほとんどが交通事故により起こる．顎骨の病的骨折は，顎骨の腫瘍や骨髄炎，薬剤性顎骨壊死などによって著しい顎骨吸収が生じたときにみられる．顎骨骨折は上顎骨よりも下顎骨に高頻度で起こる．これは下顎骨が上顎骨よりも外力を直接受けやすいことによる．顎骨骨折好発年齢は10歳代と30歳代で，性別では男性に多い．

上顎骨骨折の好発部位は歯槽突起部と骨体部であり，骨体部の骨折は骨折線の走行により，水平骨折と垂直骨折に大別される．上顎骨は頬骨，口蓋骨，鼻骨などと結合して上顎を形成しているため，上顎骨骨折はそれら周囲骨の骨折と合併することが多い（**図17-1**）．上顎骨骨折により咬合異常，発語障害，上顎の変形が起こる．また，上顎骨垂直骨折の際には鼻出血もみられる．

下顎骨は外力を受けやすい部位に位置しているので，顔面骨骨折の中では下顎骨骨折の頻度は高い．下顎骨骨折はオトガイ正中部，下顎角部および関節突起に多い（**図17-2**）．下顎骨骨折によって下顎の変形，咬合異常，下顎歯列の断裂が起こる．骨折の部位と下顎骨に付着する筋肉の作用により骨折片は種々の方向に変異する．

顎骨骨折の治癒過程は他部位の骨折の治癒過程と同様であり，血腫形成，肉芽組織増殖，仮骨形成および成熟骨組織へのリモデリングを経て治癒する．なお，不適切な整復固定処置は咬合の支障をきたす．

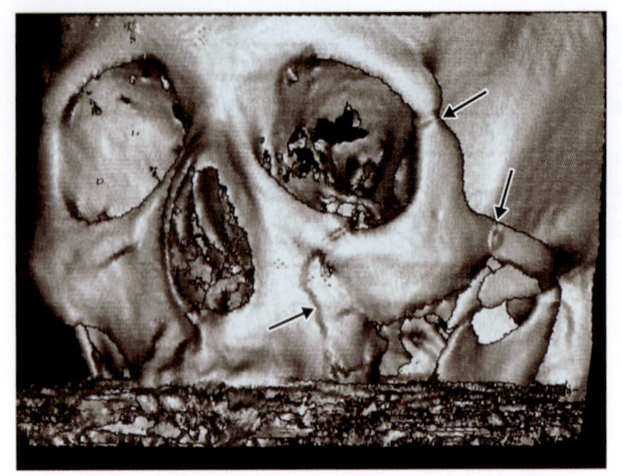

図17-1 上顎骨骨折
三次元構築CT像．左側上顎骨縦骨折，頬骨・前頭骨縫合部骨折および頬骨弓骨折それぞれの骨折線を矢印で示す．
〔奥羽大学歯学部口腔外科症例〕

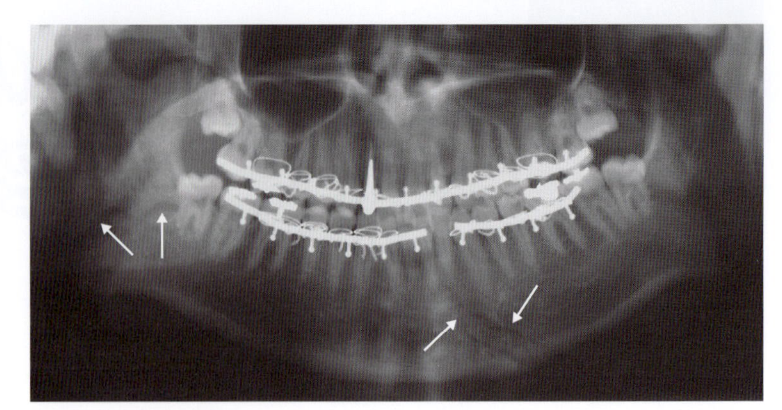

図17-2 下顎骨骨折
オトガイ部と右側下顎角部に骨折線（矢印）がみられる．
〔奥羽大学歯学部口腔外科症例〕

2 顎骨骨髄炎

1 化膿性骨髄炎[3]

化膿性骨髄炎[3]
suppurative osteomyelitis

顎骨骨髄炎のほとんどすべてが化膿性骨髄炎であり，いずれの年代にも起こる．男性に多く，男女比はおおよそ3：1である．大部分は下顎に発生し，これは上顎と比べ下顎は血液供給量が少ないこと，また，骨皮質が厚いことによる．なお小児では，化膿性骨髄炎が上顎にみられることが多い．

(1) 急性化膿性骨髄炎[4]

急性化膿性骨髄炎[4]
acute suppurative osteomyelitis

原因菌の主なものはレンサ球菌であり，多くは歯性感染あるいは外傷性顎骨骨折に引き続いて起こる．原因となる歯性感染としては根尖性歯周炎が最も多く，この他に歯周ポケット，智歯周囲炎あるいは抜歯創からの感染などが原因となりうる．歯性感染の原因歯となる頻度が高いのは下顎第一大臼歯である．

急性炎症の徴候である患部の疼痛や患部周囲軟組織と所属リンパ節の腫脹の他，下顎骨症例では，原因歯の近心に位置する歯の打診痛や下唇の知覚異常もみられる．炎症が皮質骨を破って周囲軟組織に波及すると，その部を覆う皮膚に発赤や腫脹が生じる（**図17-3**）．全身症状としては発熱と白血球増多が起こる．

初期には画像所見的な変化を示さないが，1～2週経過後には患部に不規則かつ境界不明瞭な骨破壊像，いわゆる虫食い様[5]透過像が出現し，その透過像は周囲へと急速に広がる（**図17-4**）．骨破壊が伸展する過程で，吸収を免れた壊死骨が周囲の生きた骨から分離されることがしばしば観察され，このようにして分離された壊死骨を腐骨[6]とよぶ（**図17-5**）．

虫食い様[5]
moth-eaten appearance

腐骨[6]
sequestrum

好中球浸潤[7]
neutrophilic infiltration

病理組織学的には，広範囲に広がる好中球浸潤[7]が観察され，骨髄組織は消失している．病巣内の骨梁は，骨細胞が消失して骨小腔が空虚となった壊死骨梁となり，その表面では破骨細胞による骨吸収や細菌塊の付着がみられる（**図17-6**）．

(2) 慢性化膿性骨髄炎[8]

慢性化膿性骨髄炎[8]
chronic suppurative osteomyelitis

急性化膿性骨髄炎が慢性化したものが多いが，急性化膿性骨髄炎の先行なしに起こることもある．また，慢性化膿性骨髄炎が急性増悪をきたすことがある．原因歯は下顎智歯であることが多い．

患部に疼痛と腫脹がみられるが，それらの程度は急性化膿性骨髄炎と比べ軽い．その他の症状として，瘻孔[9]形成と瘻孔からの排膿がある．

瘻孔[9]
fistula：膿汁の排出路．

画像所見的には境界不明瞭な透過像がみられ，透過像内に腐骨が含まれることや，透過像

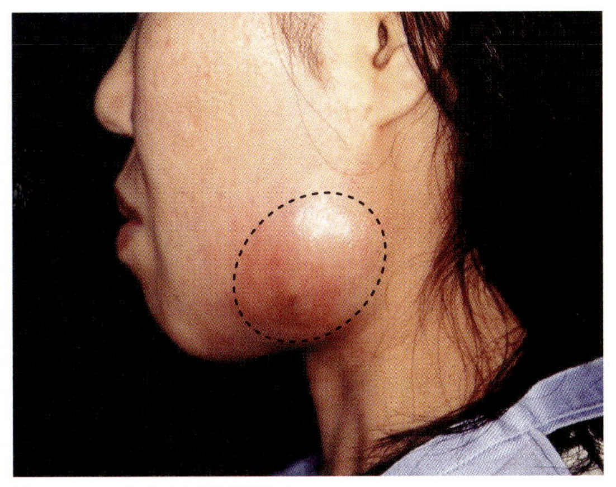

図17-3　急性化膿性骨髄炎

骨髄内の化膿性炎が皮質骨を破壊して頬部皮下組織に伸展したため，頬部皮膚には発赤と腫脹がみられる．
〔奥羽大学歯学部口腔外科学講座 大野　敬教授提供〕

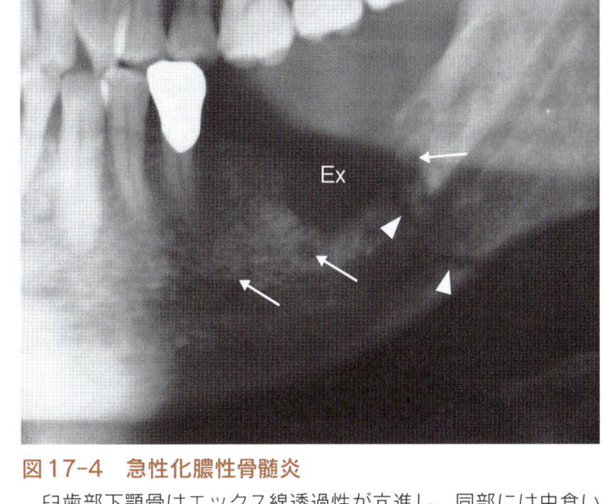

図17-4　急性化膿性骨髄炎

臼歯部下顎骨はエックス線透過性が亢進し，同部には虫食い様骨吸収像（矢印）がみられる．抜歯窩（Ex）に病的骨折線（矢頭）が達している．
〔大阪歯科大学歯学部歯科放射線科症例〕

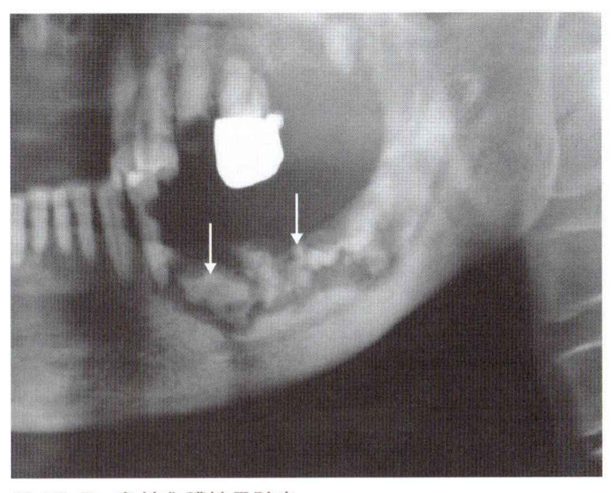

図17-5　急性化膿性骨髄炎

腐骨形成が広範囲にみられ（矢印），腐骨周囲の骨はエックス線不透過性を増している．
〔大阪歯科大学歯学部歯科放射線科症例〕

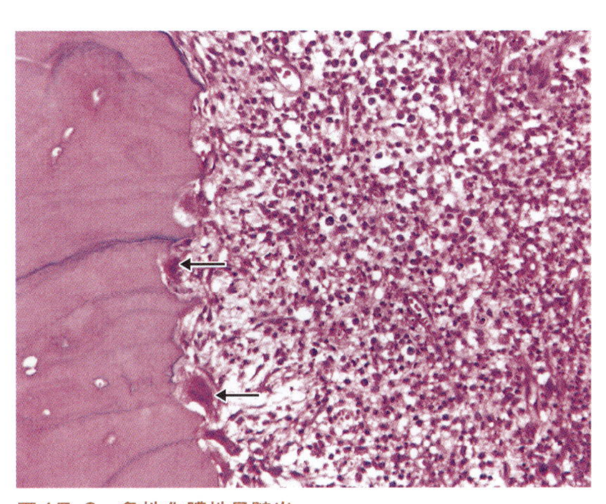

図17-6　急性化膿性骨髄炎

骨髄組織は消失し，骨髄腔には好中球浸潤がみられる．骨梁表面では骨芽細胞が消失し，破骨細胞による骨吸収が観察される（矢印）．骨細胞の消失により，骨小腔は空虚となっている．
〔山崎　章：顎・顎関節の非腫瘍性病変．新口腔病理学．医歯薬出版，東京，243～252，2008．（以下前版）より〕

と不透過像が入り混じる像が観察されることもある．

病理組織像として，リンパ球，形質細胞および好中球の浸潤を伴う線維性結合組織が骨梁間を埋めているのがみられ，結合組織内では膿瘍膜で囲まれた膿瘍が観察されることがある．残存する骨は吸収を受け壊死に陥っていることが多いが（**図17-7**），ときには骨新生がみられることもある．

慢性硬化性骨髄炎[10]
chronic sclerosing osteomyelitis

2 慢性硬化性骨髄炎[10]

骨形成が明らかな慢性骨髄炎であり，骨硬化像の広がりから巣状硬化性骨髄炎とびまん性硬化性骨髄炎に分ける．

慢性巣状硬化性骨髄炎[11]
chronic focal sclerosing osteomyelitis

硬化性骨炎[12]
condensing ostitis

(1) 慢性巣状硬化性骨髄炎[11]

歯髄炎や歯髄壊死を伴う歯の根尖部において，限局性の骨硬化像をみる病変で硬化性骨炎[12]ともよばれる．小児と若年者に多くみられ，下顎の小臼歯と大臼歯の根尖部に好発する．疼痛や腫脹はなく，大部分は歯科治療時に偶然発見される．

画像所見的には，歯髄病変を伴う歯の根尖部に限局して広がる，周囲との境界が不明瞭な不透過像が観察される（**図17-8**）．この画像所見と歯髄病変の存在が，本病変と他の顎骨病変

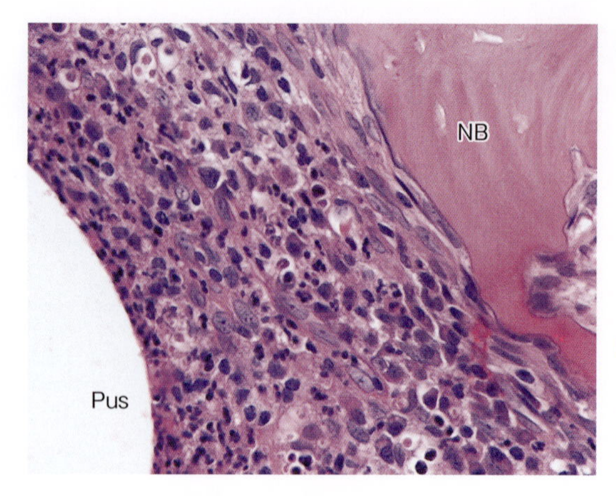

図 17-7　慢性化膿性骨髄炎
膿汁の流失（Pus）により空洞化した膿瘍の周囲には炎症性肉芽組織からなる膿瘍膜が形成されている．急性化膿性骨髄炎が慢性化した状態である．NB：壊死骨．
〔山崎　章：前版より〕

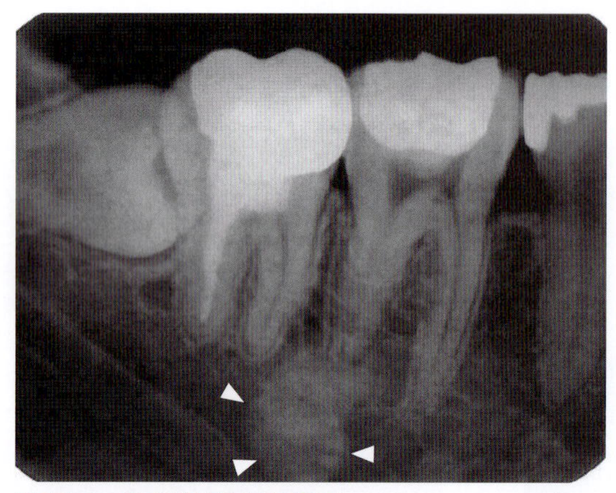

図 17-8　慢性巣状硬化性骨髄炎
歯髄が壊死に陥った第一大臼歯の遠心歯根尖部に周囲との境界が不明瞭なエックス線不透過像がみられる（矢頭）．
〔奥羽大学歯学部歯科放射線科症例〕

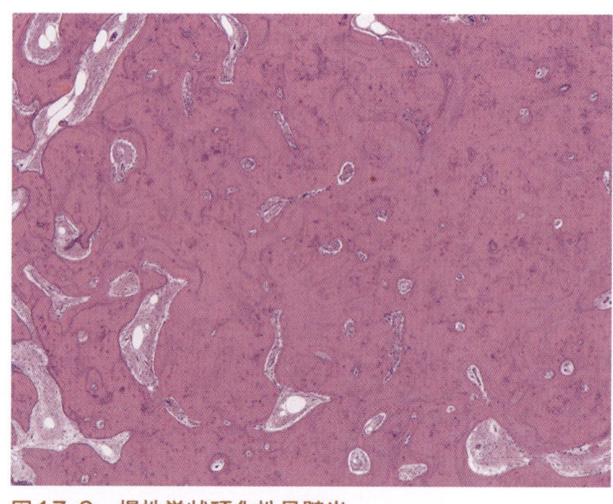

図 17-9　慢性巣状硬化性骨髄炎
少量の線維髄を伴った緻密骨の増生がみられる．緻密骨内では改造線が不規則に走行している．
〔山崎　章：前版より〕

との鑑別点となる．

病理組織学的には緻密骨の増生と少量の線維性結合組織がみられ（**図 17-9**），線維性結合組織に浸潤している炎症細胞は少数である．

慢性びまん性硬化性骨髄炎[13]
chronic diffuse sclerosing osteomyelitis

原発性慢性骨髄炎[14]
primary chronic osteomyelitis

(2) 慢性びまん性硬化性骨髄炎[13]

慢性びまん性硬化性骨髄炎は疼痛，炎症，骨硬化などを特徴とする複数の疾患からなる疾患群で，その病理発生などについて種々の議論がなされている．この疾患群の中では原発性慢性骨髄炎[14]が最も重要である．

原発性慢性骨髄炎は細菌感染と病変の発生・進行との関連様式が明らかではなく，弱毒菌に対する異常な免疫応答が本疾患の原因であるともいわれているが，定説となっていない．思春期と40歳以降の下顎に多い．疼痛，腫脹，開口障害がいずれも反復してみられ，領域リンパ節の腫脹や下唇の知覚鈍麻が生じることもある．歯性感染はみられず，発熱や化膿も生じない．

初期の画像所見は透過性不透過性混在像である．時間の経過とともに骨髄の硬化性変化が病変の主体を占めるようになり，腐骨形成はみられない（**図 17-10**）．骨シンチグラフィーでは病変部に高度の集積が観察される．

病理組織学的には不規則な形態を示す骨梁と緻密骨の増生がみられ，しばしば骨梁は骨芽細胞により縁取られる．骨梁間には慢性炎症細胞を伴う線維性結合組織があり（**図 17-11**），ときには小膿瘍が形成されるが，細菌塊は認められず，壊死骨もみられない．

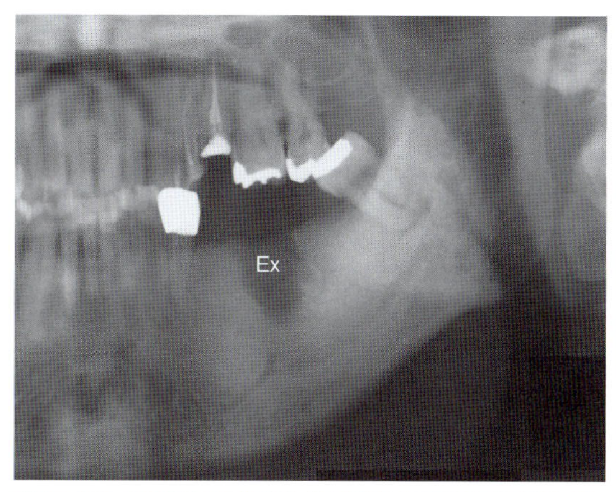

図17-10　慢性びまん性硬化性骨髄炎（原発性慢性骨髄炎）
左側下顎骨体部全体に広がる，びまん性の骨硬化像がみられる．Ex：抜歯窩．
〔奥羽大学歯学部歯科放射線科症例〕

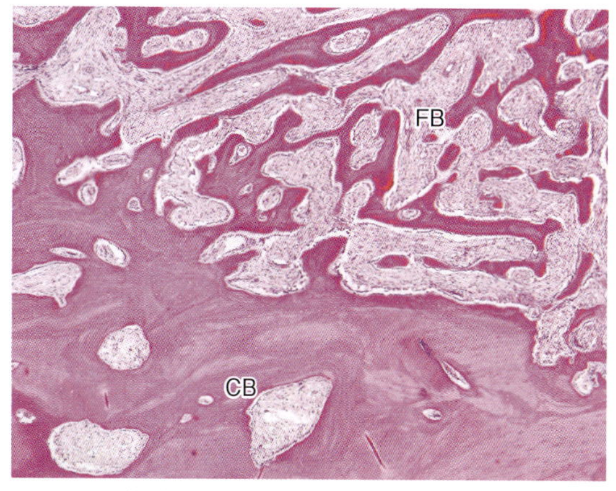

図17-11　慢性びまん性硬化性骨髄炎（原発性慢性骨髄炎）
緻密骨（CB）と不規則な形態をとる線維骨梁（FB）の増生がみられ，炎症細胞浸潤は軽度である．
〔山崎　章：前版より〕

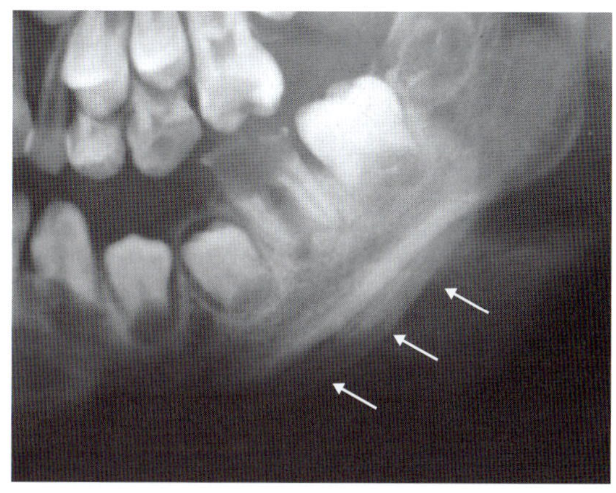

図17-12　増殖性骨膜炎を伴う慢性骨髄炎
下顎骨下縁に層状の骨膜性骨増生がみられる．歯冠が崩壊した大臼歯の根尖性歯周炎が骨膜性骨増生に関与しているのであろう．
〔大阪歯科大学歯学部歯科放射線科症例〕

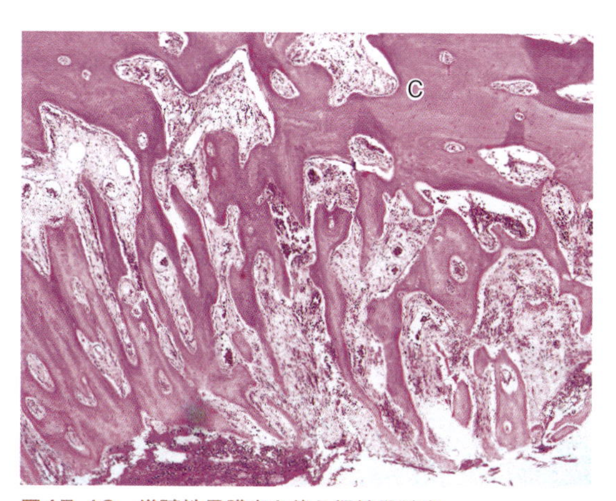

図17-13　増殖性骨膜炎を伴う慢性骨髄炎
多数の細長い骨梁が骨皮質表面（C）と垂直な方向に伸張し，それら骨梁は互いに平行に配列している．
〔山崎　章：前版より〕

慢性再発性多発性骨髄炎[15]
chronic recurrent multifocal osteomyelitis

SAPHO症候群[16]
SAPHO syndrome：滑膜炎（synovitis），痤瘡（acne），膿疱症（pustulosis），骨過形成（hyperostosis），骨炎（osteitis）を主症状とする症候群．

慢性腱骨膜炎[17]
chronic tendoperiostitis

増殖性骨膜炎を伴う慢性骨髄炎[18]
chronic osteomyelitis with proliferative periostitis

ガレー[19]
Carl Garrè：スイスの内科医．

仮骨性骨膜炎[20]
periostitis ossificans

原発性慢性骨髄炎と他の骨病変との関係について，多数の骨に病変が発生する全身疾患である慢性再発性多発性骨髄炎[15]は本疾患が全身性に生じたものであるとする見解が述べられており，SAPHO症候群[16]でみられる顎骨病変が本疾患であることが多いという報告もある．また，慢性腱骨膜炎[17]と本疾患との関連性も指摘されている．

3 増殖性骨膜炎を伴う慢性骨髄炎[18]

層状の骨皮質増生により特徴的な画像所見を示す慢性骨髄炎であり，本疾患は根尖性歯周炎の刺激が骨膜に達することにより生じると考えられている．ガレー[19]による1893年の報告を発端として本病変の疾患概念が確立されたことから，ガレーの骨髄炎とよばれてきたが，現在では仮骨性骨膜炎[20]ともよばれる．小児と若年者に多く，性差はない．大部分は下顎の小臼歯部と大臼歯部に発生し，病変部には弾性硬の腫脹が生じる．

画像所見では，骨皮質表面において層状に配列する硬化線を伴った骨膜性骨増生がみられる（**図17-12**）．この画像所見は玉ねぎの皮の外観と類似していることから，玉ねぎの皮様の骨増生とよばれる．

病理組織学的には，骨皮質表面と垂直な方向に伸びる細長い骨梁が多数形成され，骨梁間を線維性結合組織が埋めている（**図17-13**）．

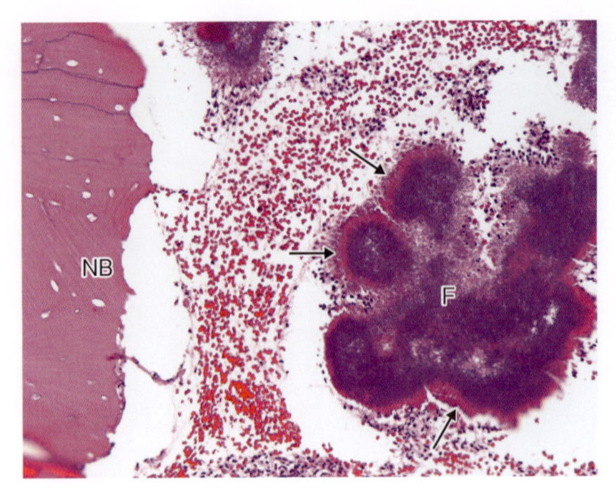

図17-14　放線菌性骨髄炎

放線菌塊（F）は好塩基性菌子の凝集とその周囲の好酸性領域（矢印）からなる．放線菌塊は膿瘍内に浮遊しているため，多数の好中球が放線菌塊に付着している．NB：壊死骨．

〔山崎　章：前版より〕

放線菌性骨髄炎[21]
actinomycotic osteomyelitis

放線菌塊[22]
sulfur granule

好中球細胞外トラップ[23]
neutrophilic extracellular traps：抗菌酵素や抗菌ペプチドが結合したDNAからなる網状構造物．

放射線骨壊死[24]
osteoradionecrosis

4 放線菌性骨髄炎[21]

男性の下顎に好発し，上顎での発生は稀である．患部には腫脹と疼痛がみられ，患部皮膚に瘻孔が形成されることがあり，排出された膿汁には硫黄に似た黄白色の放線菌塊[22]が含まれる．この放線菌塊は直径数mmにまで増大することがある．病変が顎骨周囲軟組織に波及すると軟組織放線菌症に特徴的な板状硬結が出現する．

画像所見として腐骨形成を伴う骨吸収像がみられる．細菌検査よりも，病理検査で放線菌塊を確認することによって本疾患の確定診断がなされることが多い．

本疾患に特徴的な病理組織所見は，菌塊を含む膿瘍の形成である．菌塊は好塩基性菌糸の密な凝集塊とそれを取り巻く好酸性領域からなり，好酸性領域では棍棒状構造物が放射状に配列している（**図17-14**）．膿瘍内では好中球による細菌の貪食・消化とともに好中球細胞外トラップ[23]による殺菌もなされている．膿瘍を囲む肉芽組織には泡沫状細胞質を有するマクロファージが多数浸潤している．病変部の骨には壊死と破骨細胞による骨吸収がみられる．

5 放射線骨壊死[24]

放射線照射を受けた顎骨に生じる骨壊死である．頭頸部への放射線治療の際に起こる重篤な疾患で，放射線治療を受けた患者の約5%に発生する．骨壊死の発生に深く関連するのは放射線量であり，本疾患の大部分は60Gy以上の照射を受けた後に発生する．発症までの期間は放射線照射終了後数カ月間から数年間である．圧倒的に下顎に多く発生し，また，義歯装着者の発症率は義歯非装着者の3倍である．その他，本疾患の発症を促す因子として加齢や喫煙，アルコールの摂取などがあげられる．

放射線骨壊死は，放射線照射の影響で血管が減少して骨組織への酸素供給量が低下し，それにより骨組織の細胞数が減少した結果として生じ，壊死骨には二次的な細菌感染が起こる．細菌感染の原因となるのは外傷や抜歯である．患部には難治性の疼痛が生じ，口腔内では壊死骨の露出を伴う潰瘍が形成される．瘻孔もしばしばみられ，病的骨折が生じることもある．

画像所見的には，周囲との境界が不明瞭な透過性不透過性混在病変や骨皮質の破壊がみられる．

病理組織学的に，骨細胞と骨芽細胞の壊死，消失および破骨細胞性骨吸収がみられる．また，骨髄腔は疎な結合組織で満たされ，同部の血管には壁の肥厚による血管腔の狭小化が生じ，血管の閉塞が観察されることもある．

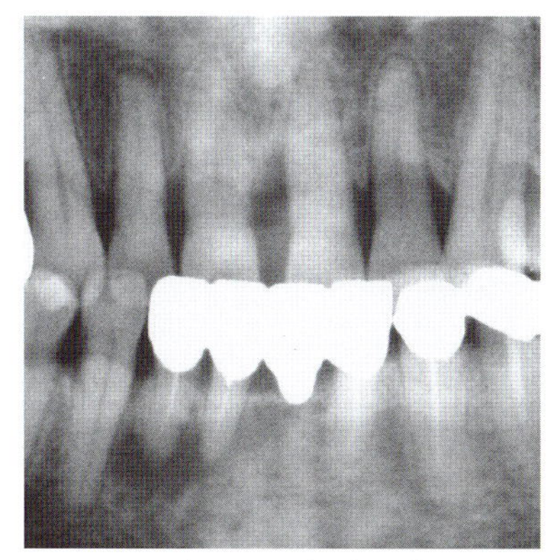

図17-15　ビスホスホネート関連顎骨壊死
ビスホスホネートを長期服用した76歳男性の上顎前歯部歯槽骨において，歯槽硬線が明瞭化している．
〔奥羽大学歯学部口腔外科症例〕

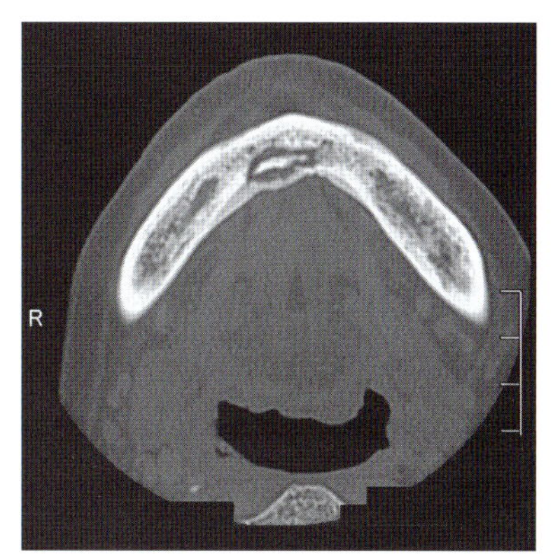

図17-16　ビスホスホネート関連顎骨壊死
ビスホスホネート長期服用者の下顎骨オトガイ部に腐骨形成がみられる．
〔奥羽大学歯学部歯科放射線科症例〕

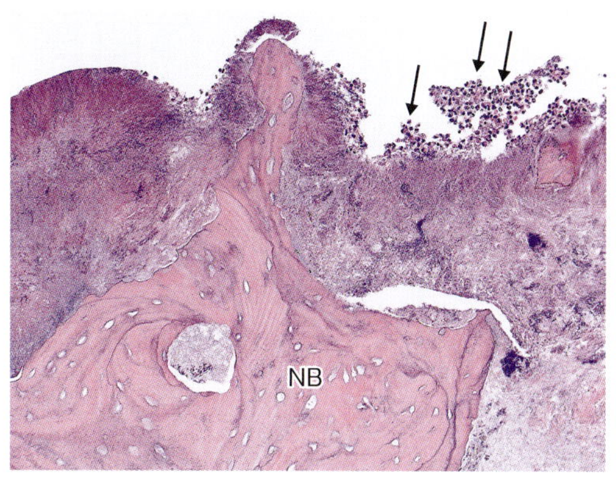

図17-17　ビスホスホネート関連顎骨壊死
不規則な吸収を受けた壊死骨は大量の細菌塊で覆われ，細菌塊の表面には好中球（矢印）が多数付着している．壊死骨（NB）には複雑な改造線がみられる．

3 ビスホスホネート関連顎骨壊死[25]

ビスホスホネート関連顎骨壊死[25]
bisphosphonate-related osteonecrosis of the jaw：BRONJと略される．

薬剤関連顎骨壊死[26]
medication-related osteonecrosis of the jaw：MRONJと略される．

特定の薬物治療を受けた患者に発生する顎骨壊死である．骨吸収抑制薬であるビスホスホネート投与を受けた患者に難治性の顎骨壊死が起こることが2003年に初めて報告され，ビスホスホネート関連顎骨壊死という病名が付された．その後，ビスホスホネートとは作用機序の異なる骨吸収抑制薬である抗RANKL抗体を投与された患者にも顎骨壊死が起こることから，骨吸収抑制薬関連顎骨壊死とよばれるようになり，さらに，血管形成阻害薬の投与も顎骨壊死に関与していることから，薬剤関連顎骨壊死[26]という名称も用いられている．

本疾患の病因は，ビスホスホネートと抗RANKL抗体に共通する骨吸収抑制作用にあると考えられているが，そのメカニズムはいまだ十分には解明されていない．しかし，全身骨格に作用する骨吸収抑制薬により，顎骨だけに壊死が発生するのは，顎骨は他の骨と比較して細菌感染を非常に受けやすい環境にあるためと考えられている．すなわち，薄い口腔粘膜を隔壁として顎骨に隣接する口腔には夥しい数の細菌が常在する．これらの細菌は外科的歯科治療や粘膜傷害により，容易にその直下の顎骨に感染する．

また，歯は顎骨内に釘植しているため，歯周病や根尖病変などの歯性感染症から，細菌感染が顎骨にたやすく波及する．口腔内細菌を除去するための，洗口剤や抗菌薬による予防的処置によりビスホスホネート関連顎骨壊死の発生頻度が低下することが報告されている．

画像所見では，顎骨壊死が明らかとなる以前に，歯槽骨のエックス線不透過性が亢進して歯槽硬線が明瞭となることがある（**図17-15**）．進行例では境界不明瞭な虫食い様透過像が観察され，骨硬化・骨溶解の混合像，腐骨形成，骨膜反応もしばしば認められる（**図17-16**）．病的骨折や瘻孔形成が起こることもある．

病理組織像として，壊死骨と骨髄腔での慢性炎症細胞浸潤が観察される．壊死骨にはモザイク様の骨改造線がみられ，壊死骨表面では細菌塊，特に放線菌塊の付着が目立つ（**図17-17**）．また，骨表面から離れている破骨細胞や，アポトーシスに陥った破骨細胞が出現する．

II－顎関節の病変

1 顎関節の損傷

脱臼[27]
luxation

顎関節の損傷として，関節突起の骨折，関節包・関節円板の損傷，顎関節の脱臼[27]があげられる．

関節突起の骨折の多くはオトガイ部に過大な外力が加わったときに起こる．関節突起骨折の際には関節包・関節円板の損傷をしばしば伴う．

関節円板の損傷は，骨折に伴って生じる場合の他，過剰開口や咬合異常により生じる．また，顎関節脱臼の際に関節円板に損傷が生じることもある．

顎関節脱臼は，下顎頭が下顎窩となす正常位置関係から著しく転位し，元の正常位置に戻らない状態である．顎関節脱臼のほとんどで関節突起が前方に大きく転位している．近年では過度の開口を抑制する生理学的調節機能の異常により生じる場合が多いとされるが，歯科治療時の過剰開口や欠伸（あくび）なども原因となる．

2 顎関節炎[28]と関連疾患

顎関節炎[28]
temporomandibular arthritis

化膿性顎関節炎[29]
suppurative temporomandibular arthritis

1 化膿性顎関節炎[29]

レンサ球菌，黄色ブドウ球菌などによる関節炎で，最近ではきわめて稀な疾患である．血行性感染，あるいは周囲の感染巣からの直接波及により起こる．

関節リウマチ[30]
rheumatoid arthritis

2 関節リウマチ[30]

リウマチ因子[31]
rheumatoid factor：IgGのFc部分に結合する自己抗体．

関節リウマチ（リウマチ性関節炎）は原因不明の慢性炎症性疾患，かつ全身性自己免疫疾患であり，患者の大部分にはリウマチ因子[31]とよばれる自己抗体がみられる．全身の関節，特に指の関節が侵され，中年の女性に多い．

顎関節病変は患者の50～70%において起こり，両側顎関節に病変が出現する．顎関節病変の臨床症状として，他関節病変と同様に，関節のこわばり，疼痛，可動制限などがみられる他，開咬も生じる．画像所見的には，下顎頭上面や下顎窩表面が凹凸不整となり，下顎頭は前方に転位する．

パンヌス[32]
punnus

病理組織学的に，滑膜組織は増殖し，絨毛状突起を形成する．増殖した滑膜にはリンパ濾胞形成を伴うリンパ球・形質細胞の浸潤や，フィブリン沈着がみられる．病変が進行すると，滑膜組織からパンヌス[32]とよばれる炎症性肉芽組織が形成され，関節軟骨がパンヌスで覆われる．その後，パンヌスは関節軟骨とそれに被覆された骨を破壊しつつ，骨内へと浸入する．病変が重篤な場合，関節円板は瘢痕組織により置換される．

痛風性関節炎[33]
gouty arthritis

3 痛風性関節炎[33]

痛風結節[34]
gouty node

痛風は，核酸代謝異常により関節に沈着した尿酸結晶を貪食したマクロファージがインターロイキン1βを放出することで生じる自然炎症である．男性に多く，激しい痛みが起こり，足趾の関節に好発するが，顎関節での発症は非常に稀である．病理組織学的には，多量の尿酸結晶とそれを取り囲む異物肉芽組織からなる痛風結節[34]がみられる．

骨関節炎[35]
osteoarthritis

変形性関節症[36]
arthrosis deformans

4 骨関節炎[35]

変形性関節症[36]ともよばれるが，本病変の進行には炎症が大いに関与しているとみなされて

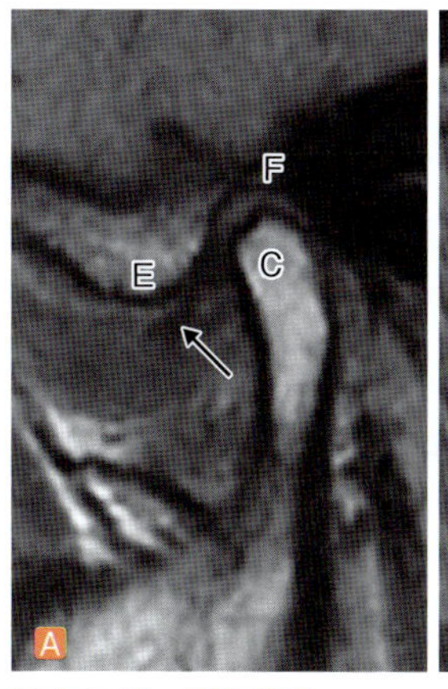

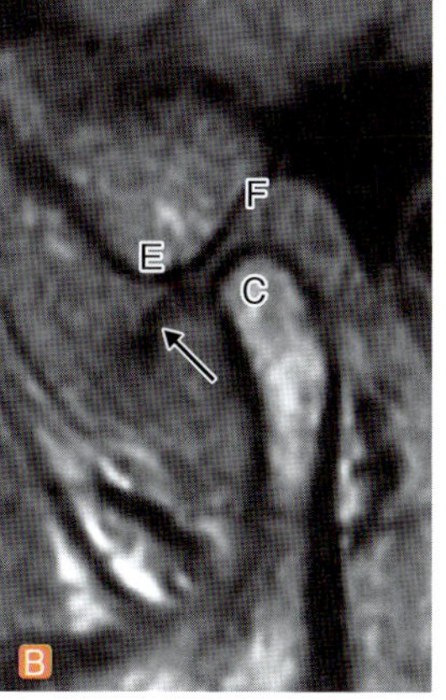

図17-18　顎関節症

高度の開口障害をきたした症例の閉口時（A）と開口時（B）のMRI像．

開口時に下顎頭は（C）前方にはほとんど移動せず，閉口時と同様，関節窩（F）に位置している．閉口時，開口時のいずれでも関節円板（矢印）は前方に転位している．E：関節結節．

〔奥羽大学歯学部口腔外科症例〕

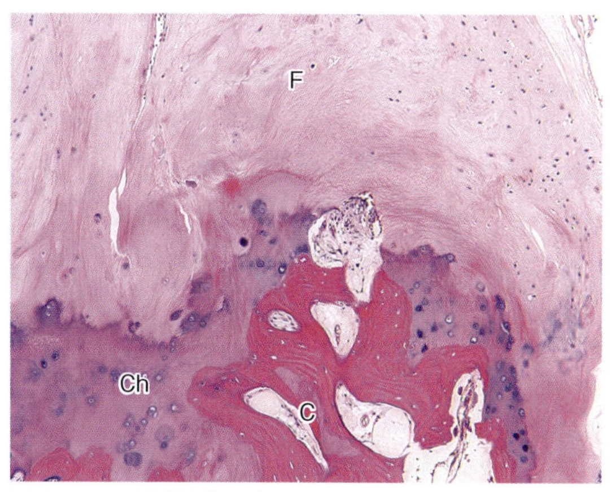

図17-19　顎関節強直症

下顎頭は破壊され，その外形線は不整となっている．下顎頭の関節軟骨（Ch）は硝子化を示す線維性結合組織（F）と癒着している．軟骨下骨（C）にも吸収がみられる．

〔山崎　章：前版より〕

いる．本疾患は，主に全身各所の関節に発生し，長年の荷重負荷によって脆弱化した関節軟骨が運動時の外力により破壊され，次いで関節軟骨に覆われていた骨が変性し，さらには破壊されるものであると考えられている．わが国では，顎関節に起こった骨関節炎は後述する顎関節症の病態の一つであるとされている．

他の関節の骨関節炎と比べ顎関節における発症年齢はやや若く，40歳代以降の中高年に多くみられる．患部に疼痛が生じ，腫脹や熱感，咀嚼筋の圧痛がみられることもある．病変が進行すると開閉口時に捻髪音が発生する．画像所見として，下顎骨関節頭骨皮質の侵食や関節腔の狭小化などがみられる．

病理組織学的には，関節軟骨表面の粗造化と軟骨細胞の減少が観察される．滑膜には炎症細胞浸潤がみられ，滑膜は肥厚する．関節軟骨中央部の破壊が生じることもある．

顎関節症[37]
temporomandibular arthrosis

3 顎関節症[37]

わが国においては顎関節症の概念として次のように記載されている．「顎関節症は，顎関節や咀嚼筋の疼痛，関節（雑）音，開口障害あるいは顎運動異常を主要症候とする障害の包括的診断名である．その病態は咀嚼筋痛障害，顎関節痛障害，顎関節円板障害および変形性顎関節症である」（日本顎関節学会2014）．

顎関節症の好発年代は20歳代であり，男女比は1：3で女性に多い．原因としては咬合異常，過剰開口，不良補綴装置，顎関節部の外傷，咀嚼筋の過度の緊張，精神的ストレスなどがあげられ，それらが組み合わさって発症すると考えられている．

画像所見的には，下顎頭と関節突起の平坦化，下顎頭上面の粗糙化，関節円板の転位，関節腔の狭小化がみられ，下顎頭と関節窩の位置関係が異常となっている（**図17-18**）．

病理組織学的には，関節円板と下顎頭の線維性癒着，下顎頭関節軟骨の変性と破壊などがみられる．

顎関節強直症[38]
temporomandibular ankylosis

4 顎関節強直症[38]

顎関節強直症は，顎関節を構成する組織に生じた病変により，顎関節の可動性が障害され，高度の開口障害または下顎の不動化をきたした状態である．

顎関節部に生じた外傷が主な原因となる．原因となる外傷には，関節突起の骨折，関節包・関節円板の損傷などがあり，それら外傷の治癒過程で形成された線維性結合組織または骨組織が，顎関節を構成する組織と癒着することにより，顎関節の可動性が制限されると考えられている．若年者に好発し，片側性であることが多い．幼少期に本疾患が起こると，下顎の成長発育が障害され，小顎症となる．

病理組織学的には，線維性結合組織または骨組織により下顎頭と関節窩が互いに癒着している（**図17-19**）．顎関節部の関節突起には廃用萎縮がみられる．

（伊東博司）

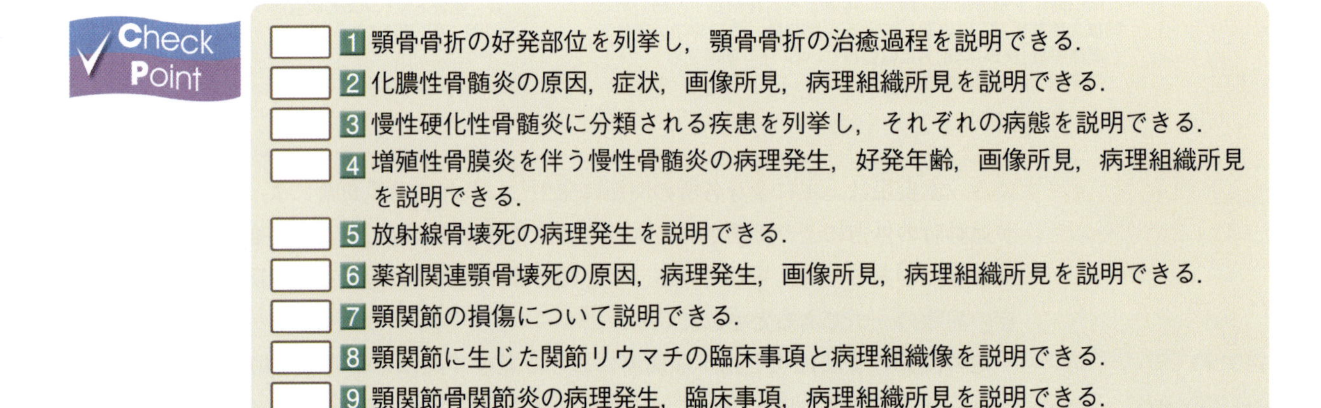

References

1）Neville, B.W. et al.：Oral and Maxillofacial Pathology, 4th ed. Elsevier, St. Louis, 2016.
2）Marx, R. E. and Stern, D.：Oral and Maxillofacial Pathology, 2nd ed. Quintessence Publishing, Hanover Park, 2012.
3）白砂兼光，古郷幹彦（編）：口腔外科学 第3版．医歯薬出版，東京，2010.
4）坂本穆彦（監），北川昌伸，仁木利郎（編）：標準病理学 第5版．医学書院，東京，2015.
5）顎骨壊死検討委員会：骨吸収抑制薬関連顎骨壊死の病態と管理：顎骨壊死検討委員会ポジションペーパー2016.
6）一般社団法人日本顎関節学会：「顎関節症の概念（2013年）」「顎関節症と鑑別を要する疾患あるいは障害（2014年）」「顎関節・咀嚼筋の疾患あるいは障害（2014年）」および「顎関節症の病態分類（2013年）」の公表にあたって．日顎誌，**26**（2）：120～125，2014.

Chapter 18 口腔領域軟組織の腫瘍と腫瘍様病変

口腔領域は外来性の刺激を受けやすい場であり，真の腫瘍性病変と二次的な炎症性刺激による反応性過形成病変など腫瘍様病変との鑑別も問題となる．軟組織の腫瘍に関しては2013年に骨軟部腫瘍のWHO分類[1)]が10年ぶりに改訂となった．この中で，intermediate（locally aggressiveとrarely metastasizing）の概念が導入され，hemangiopericytomaの名称 および undifferentiated pleomorphic sarcoma/malignant fibrous histiocytoma（UPS/MFH）の概念が消失し，UPS/MFHがundifferentiated/unclassified sarcomas（US）（大項目）の中の亜型分類のundifferentiated pleomorphic sarcomaに相当するとされるなど，大きな改変がなされた．また，2003年骨軟部腫瘍のWHO分類で大項目のmiscellaneous lesionsの名称がtumors of undefined neoplastic natureとなり，この中で，simple bone cyst，fibrous dysplasia，osteofibrous dysplasia，Rosai-Dorfman diseaseが良性に，aneurysmal bone cyst，Langerhans cell histiocytosis，Erdheim-Chester diseaseがintermediate（locally aggressive）に分類された．

本章では，2017年 頭頸部腫瘍のWHO分類[2)]，ならびに2013年 骨軟部腫瘍のWHO分類に準拠し，口腔領域軟組織の腫瘍と腫瘍様病変について解説する．

乳頭腫[1]
papilloma

I―乳頭腫[1]

乳頭腫は，外向性に乳頭状（あるいは，樹枝状，カリフラワー状，疣贅状）に増殖する形態を示す良性上皮性腫瘍である[3)]．口腔領域では以下の4つに分類される．

扁平上皮乳頭腫[2]
squamous cell papilloma

1 扁平上皮乳頭腫[2]

扁平上皮が線維血管性の間質軸を伴いながら乳頭状に外向性に増殖する良性腫瘍である．どの年齢層にもみられるが，20歳代から40歳代に好発する．性差はみられない．口腔領域では良性腫瘍の中で最も発生頻度が高く，軟口蓋，舌，口唇および歯肉に好発する[3)]．

腫瘍は一般に孤在性，無症候性で，比較的早い速度で通常5mmほどの大きさまで増大する．角化の程度により白色調から健常粘膜色調を呈する有茎性またはドーム状結節性に隆起し表面が乳頭状から疣状を呈する無茎性の病変を呈する．発生要因にヒトパピローマウイルス（HPV）[3]感染，特に，HPV6と11のサブタイプとの関連が報告されている．HPVは外傷や炎症などで傷害を受けた扁平上皮に感染すると基底細胞の増殖を促進する．

ヒトパピローマウイルス[3]
human papilloma virus：HPV

病理組織像は，非角化性から種々の程度の角化あるいは錯角化を呈する肥厚した過形成性の重層扁平上皮が，線維血管性の間質軸を伴いながら乳頭状に増殖し，腫瘍全体として外向性，隆起性に増殖する形態をとる（**図18-1A**）．基底細胞，傍基底細胞の核の濃染性がみられるが，明らかな異型性はみられない．コイロサイト[4]が有棘層にみられることもある（**図18-1B**）．

コイロサイト[4]
koilocyte：細胞内境界明瞭なひだ状の濃染性の核と核周囲明庭を呈する，HPVウイルス感染が示唆される扁平上皮細胞．

治療としては，単純切除術が行われ，通常再発はみられない．

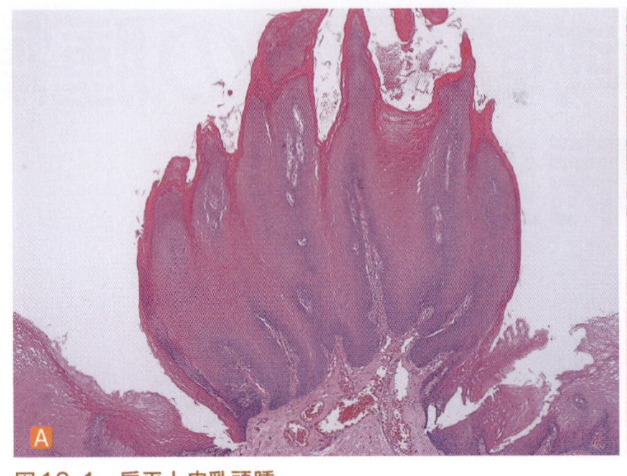
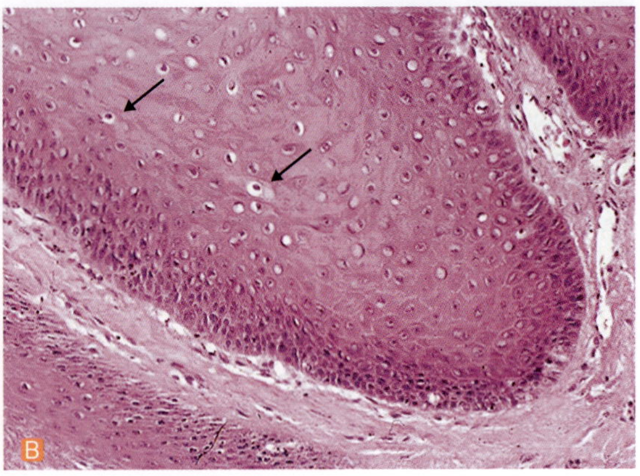

図18-1　扁平上皮乳頭腫

A 角化・錯角化を呈する肥厚した扁平上皮が，線維血管性の間質軸を伴いながら乳頭状（樹枝状）に有茎性・外向性に増殖している．
B コイロサイト（矢印）が有棘層にみられる．細胞異型は明らかではない．

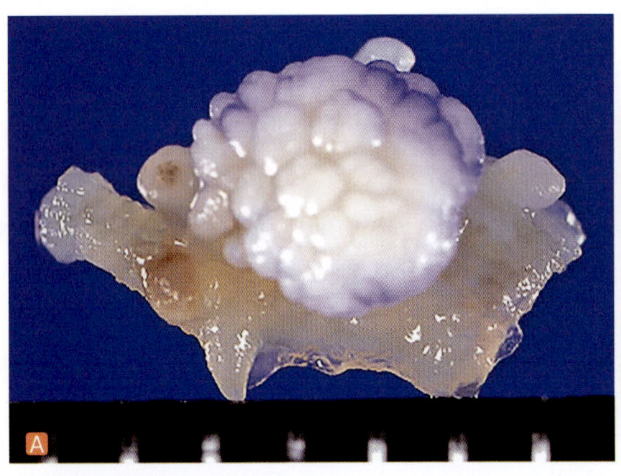
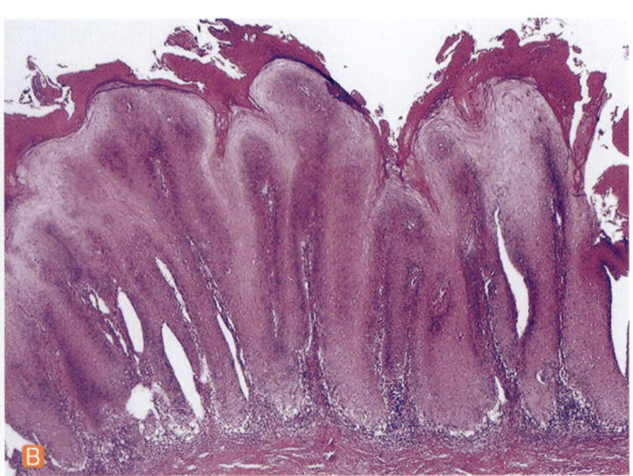

図18-2　尖圭コンジローム

A 無茎性隆起性の結節性病変を呈する．
B 肥厚性の扁平上皮が線維血管性の間質軸を伴いながら乳頭状に外向性に増殖している．扁平上皮乳頭腫に比し幅の広い乳頭状増殖を示し，先端はやや鈍な形態を呈する．角化も比較的軽度である．また，上皮脚は短く球根状で先端は直線的な配列様相を呈する．

〔新潟大学大学院医歯学総合研究科　田沼順一教授提供〕

尖圭コンジローム[5]
condyloma acuminatum

性感染性コンジローム[6]
venereal condyloma

2 尖圭コンジローム[5]

性感染性コンジローム[6]と同義語．肛門・性器領域に生じるものと同じ病変が口腔領域でも生じ，軟口蓋，舌小帯，口唇粘膜に多くみられる．10歳代から若年成人に発症のピークがみられ，男性に多い傾向がある．HPV感染と関連があり，多くの例でHPV6，11のサブタイプが検出されている．性感染による発症が考えられているが，自己接種例，母児感染例もみられる[3]．無症候性で無茎性隆起性の結節性病変としてみられる．表面は微細結節性でピンクから赤色調を呈し，尋常性疣贅よりは平坦な形状を呈する．

病理組織像は，過形成性扁平上皮が線維血管性の間質軸を伴いながら乳頭状に外向性に増殖する像を呈する（**図18-2A**）．扁平上皮乳頭腫と比べ，幅の広い乳頭状増殖を示し，先端はやや鈍な形態を呈する．一般に角化は少ない．有棘層のコイロサイトも肛門・性器領域のものほど一般的にはみられない．上皮脚は短く，球根状で先端は直線的な配列様相を呈する（**図18-2B**）．

治癒切除後の再発が扁平上皮乳頭腫よりは多くみられる．HPV6，11に対するワクチンが本症の発生の予防に効力があるとの報告もみられている．

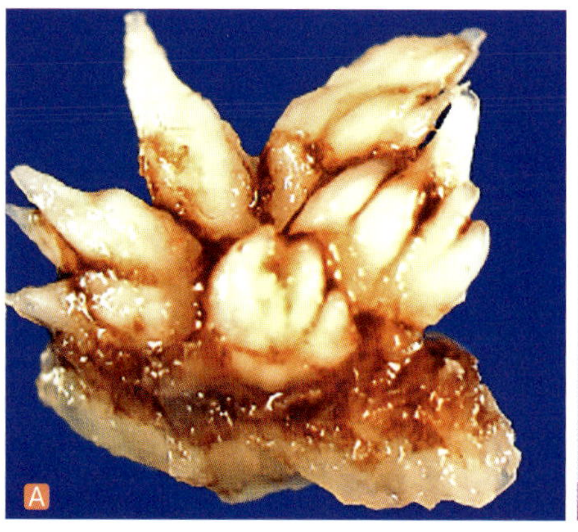
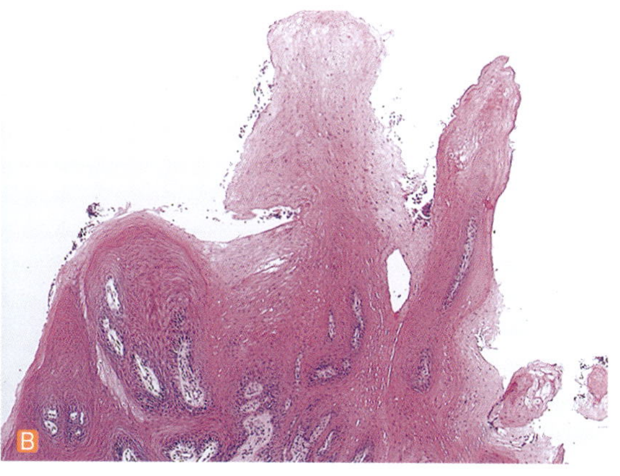

図18-3　尋常性疣贅

A 表面が粗顆粒状あるいは乳頭状で白色調の隆起性病変を示す.

B 高度な角化を示す肥厚した扁平上皮が乳頭状に外向性に増殖する像を呈する. 延長した上皮脚は中心に収束する様相を呈している.

〔新潟大学大学院医歯学総合研究科　田沼順一教授提供〕

尋常性疣贅[7]
verruca vulgaris

3 尋常性疣贅[7]

良性のウイルス誘発性に生じる疣状あるいはカリフラワー様形態を示す過形成性の局所増殖性病変である[3]. 一般に皮膚でみられるが, 口腔領域でもみられる. 20歳代から30歳代に多くみられ, やや男性に多い傾向がある. 口唇, 硬口蓋, 舌前方, 歯肉に好発する. 無症候性で, 有茎性あるいは無茎性の隆起性病変を示し, 表面は粗顆粒状あるいは乳頭状で白色調を呈する. 早い速度で5mmほどの大きさまで増大する. 成因にHPV感染が示唆され, HPV2, 4, 40, 57が検出されている[3].

病理組織像は, 過形成性の重層扁平上皮が著明な厚い正角化層を伴って乳頭状に外向性に増殖する像を呈する(**図18-3A**). ケラトヒアリン顆粒を有する顆粒細胞層が顕著であり, しばしばコイロサイト様変化を示す. 延長した上皮脚は中心に収束する様相を呈する(**図18-3B**).

治療は単純切除術が行われ, 再発が生じうる. 自然退縮も特に小児例でみられる.

多巣性上皮過形成[8]
multifocal epithelial hyperplasia (MFEH)

ヘック病[9]
Heck disease

巣状上皮性過形成[10]
focal epithelial hyperplasia

4 多巣性上皮過形成[8]

HPV感染が誘因となり口腔領域粘膜に多巣性に発生する良性の扁平上皮増殖性病変である[4]. ヘック病[9], 巣状上皮性過形成[10]と同義語. 口唇粘膜(下唇>上唇), 頬粘膜(咬合平面), および舌の辺縁に好発する. 硬口蓋, 歯肉発生例はほとんどみられない. 小児および青年期に多く発生し, 女性に多い(男：女=1：5). 成因にHPV感染が示唆され, HPV13, 32のサブタイプが関連しているとされるが, この他にHPV1, 6, 11, 16, 18, 55の検出例もみられる[4].

肉眼的には, 大きさ約3〜10mmの丘疹の多巣性病変の像を呈し, 近縁正常粘膜と類似の色調を示す. 典型的には非角化粘膜に生じ表面が平滑な乳頭状結節性の形態を呈する. 丘疹は癒合し二次的に角化を生じ斑状になるものもみられる.

病理組織像は, 高度に肥厚した扁平上皮が正常の細胞成熟を保持しながら軽度の過角化と幅の広い上皮脚の延長を伴いながら表層が軽度の乳頭状を呈するように増殖する像を示す. コイロサイトもときおりみられ, また, "mitosoid cell[11]"が上皮層内にみられる[4]. この"mitosoid cell"がこの疾患の最も特徴的な像を表しているが, 細胞異型と解釈しないように注意しなければならない.

mitosoid cell[11]
ウイルス傷害による変性核像を表しているとされる, 核分裂像に類似した核崩壊像を呈する細胞

本病変はしばしば自然退縮を示し, 悪性を示す潜在能は報告されていない. 本病変の成因

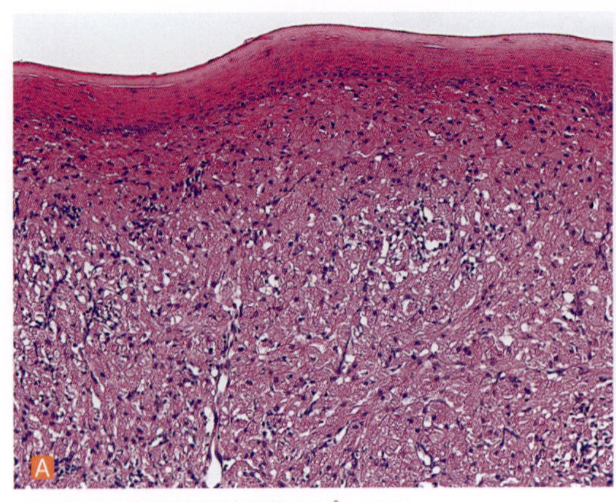
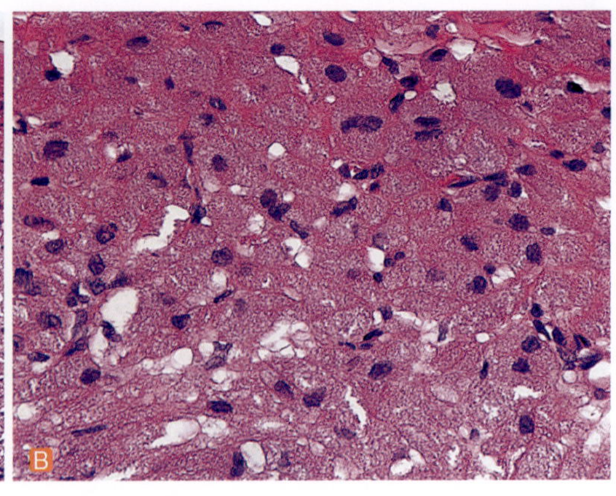

図18-4　先天性顆粒細胞エプーリス

A 扁平上皮直下より顆粒状細胞質を有する腫瘍細胞がシート状あるいは胞巣状に増殖する形態を示す．間質には薄壁性の小血管が均一に分布する像がみられる．
B 腫瘍細胞は大型，境界明瞭で，多形性を呈する．核は小型，均一で，淡染性を示し，核分裂像はみられない．
〔九州大学大学院歯学研究院口腔顎顔面病態学講座口腔病理学分野 清島 保教授提供〕

に関連するHPVサブタイプは*RB*遺伝子の機能的不活化は引き起こさないことから，p16の免疫組織化学的検索は診断的役割を担わない．

組織発生不明な腫瘍[12]
tumours of uncertain histogenesis

先天性顆粒細胞エプーリス[13]
congenital granular cell epulis

先天性エプーリス[14]
congenital epulis

新生児の先天性エプーリス[15]
congenital epulis of the newborn

先天性歯肉顆粒細胞腫[16]
congenital gingival granular cell tumour

ノイマン腫瘍[17]
Neumann tumour

Ⅱ―組織発生不明な腫瘍[12]

1 先天性顆粒細胞エプーリス[13]

新生児の歯槽突起上部歯肉に発生する稀な良性腫瘍で，豊富な顆粒状細胞質を有する細胞のシート状あるいは胞巣状増殖を特徴とする．“先天性エプーリス[14]”“新生児の先天性エプーリス[15]”“先天性歯肉顆粒細胞腫[16]”“ノイマン腫瘍[17]”などの同義語がある．女性に目立って多い傾向がある（男：女＝1：8～10）[5]．下顎より上顎に多く発生し，主に上顎前方の歯槽突起の上部歯肉に発育する．

肉眼像は，典型的には正常の粘膜色調を呈する有茎性の表面平滑なポリープ様軟組織塊としてみられる．1cm以下から数cmまでの大きさを呈する．

病理組織像は，顆粒状細胞質を有する境界明瞭な大型で多形性を呈する細胞がシート状あるいは胞巣状に増殖する形態を示す（**図18-4A**）．核は典型的には小型，均一で，淡染性を示し，核分裂像はみられない（**図18-4B**）．間質には多くの例で薄壁性の多数の小血管が均一に分布する像がみられる（**図18-4A**）．免疫染色では，vimentin，CD68に陽性であるが，舌でみられるような顆粒細胞腫と異なり，本腫瘍ではS100あるいはSox10に陰性である．

治療は，特に摂食障害，呼吸障害例に対し保存的外科切除が選択となる．小さな病変に対しては，自然消退例もみられるため経過観察も適切な処置として取られることもある．再発例や悪性転化例はみられない．

外胚葉間葉軟骨粘液腫瘍[18]
ectomesenchymal chondromyxoid tumour（EMCMT）

筋上皮腫[19]
myoepithelioma

2 外胚葉間葉軟骨粘液腫瘍[18]

未分化な外胚葉間葉細胞由来が示唆される良性腫瘍で，腫瘍細胞の表現型は筋上皮細胞に類似する特徴を示す．筋上皮腫[19]と同義語．幅広い年齢層での報告がみられる（7～78歳．平均37歳）．性差はみられない．ほぼ例外なく舌の前方背側に発生する．稀に舌後方あるいは硬口蓋に発生する．無痛性に長期間（数カ月から数年）かけて緩徐に増殖する舌粘膜下腫瘤として認められ，潰瘍形成は伴わない．

肉眼所見では，大きさは一般に2cm以下で，粘膜下に境界明瞭な結節病変としてみられる．割面は黄褐色から灰色の色調を呈し，膠様（ゼリー状）の性状を示す．細胞診塗抹標本では，均一な核を有する卵円形，多形性，あるいは紡錘形細胞の集簇を含む粘液状から厚い線維性組織片からなる像としてみられる．

病理組織像では，舌粘膜下層に被膜を有さない比較的境界明瞭な病変としてみられる．骨格筋線維による被包がみられる場合がある．弱拡大像では，線維束に隔てられた分葉状に増殖する構造を呈し，スリット状裂隙が頻繁に認められる．腫瘍細胞は円形から紡錘形を呈し，粘液状あるいは軟骨粘液状間質中に，索状，シート状，あるいは網状に増殖配列する像を示す．腫瘍細胞間の境界は不明瞭で，腫瘍細胞は好酸性から両染性の細胞質を有し，核膜陥入あるいは偽封入像などの不規則な核膜像を呈する．濃染性の核，核腫大，あるいは多核の像がみられることもある．核分裂像は稀である．形質細胞様細胞や管状構造はみられない．免疫染色で，腫瘍細胞は一貫してGFAP陽性であり，また，通常はS100およびCD57にも陽性である．サイトケラチン，EMA，アクチン，p63の染色性はさまざまである．細胞起源は不明で，第一鰓弓の胎児神経堤間葉からの未分化な外胚葉間葉細胞に由来する可能性が報告されている．免疫染色でのサイトケラチン染色の非均一性や舌背前方に小唾液腺がみられないことなどより，小唾液腺由来の可能性は低いとされる．

治療は，外科的切除摘出術が行われる．予後は非常に良好であり，再発の危険性も低いとされる．

軟組織および神経系腫瘍[20]
soft tissue and neural tumours

顆粒細胞腫[21]
granular cell tumour

シュワン細胞[22]
Schwann cell

顆粒細胞筋芽腫[23]
granular cell myoblastoma

顆粒細胞シュワン腫[24]
granular cell schwannoma

顆粒細胞神経線維腫[25]
granular cell neurofibroma

アブリコソフ腫瘍[26]
Abrikossoff tumour

Ⅲ—軟組織および神経系腫瘍[20]

1 顆粒細胞腫[21]

シュワン細胞[22]由来の稀な良性腫瘍で，膨張性の顆粒状の細胞質を呈する細胞の集簇からなる境界不明瞭な病変を形成する．顆粒細胞筋芽腫[23]，顆粒細胞シュワン腫[24]，顆粒細胞神経線維腫[25]，アブリコソフ腫瘍[26]などの同義語がある．頭頸部腫瘍の1%未満にみられ，その70%ほどまでが口腔領域に発生するとされる．逆に，顆粒細胞腫の約半数以上が頭頸部領域に発生するとされる．どの年齢層にも起こりうるが，ほとんどは20歳代から40歳代に発生する．口腔領域では，女性に多くみられ（男：女=1：2），白人より黒人に多いとされる．舌に最も多く発生し（頭頸部発生例の約半数以上），次に頬粘膜に多くみられる．その他，口唇，口腔底，硬口蓋にも発生例がみられる．また，舌では側部より背部に多くみられる．口腔領域と他の領域も含めると20%ほどまでの症例で多発例も報告されている．

腫瘍の大部分は無痛性，硬さはゴム様硬で，緩徐に発育し，3cmほどまで大きくなる（平均：1〜2cm）．肉眼的には無茎性の粘膜下腫瘤としてみられる．割面は淡黄色から乳白色調を呈し，境界は比較的明瞭であるが被膜は有さない（**図18-5A**）．

病理組織像では，腫瘍領域に近接周囲組織が混在し（特に骨格筋．**図18-5A**），娘結節も起こりうる．腫瘍細胞は，細胞膜は不明瞭で，丸みを帯びた形態または多角から短紡錘形の形態をとり，豊富な好酸性，顆粒状の細胞質を呈する（**図18-5B**）．細胞内顆粒はジアスターゼ抵抗性で，PAS染色に陽性を呈する．核は一般に，均一，小型，円形，淡染性で，中心性あるいは偏心性の局在を示す．腫瘍細胞はしばしば，近接する筋線維束あるいは神経と親和性がみられ，また，一部は背景にさまざまな程度の線維化を伴う．30〜40%の例で腫瘍領域を被覆する上皮に偽上皮腫性過形成[27]の像がみられることもあるため扁平上皮癌と間違わないように注意しなければならない．一方で，稀ではあるが，同時発生的扁平上皮癌を伴う顆粒細胞腫の

PAS染色
periodic acid-Schiff stain

偽上皮腫性過形成[27]
pseudoepitheliomatous hyperplasia：反応性の上皮過形成で扁平上皮癌の浸潤を模倣した上皮脚の粘膜固有層深くへの延長像を呈する．

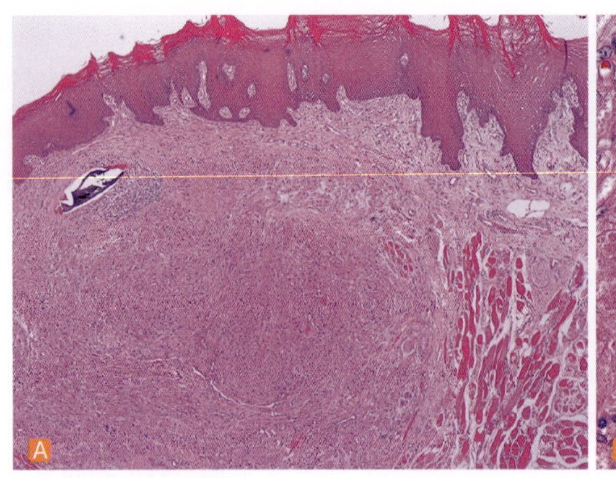

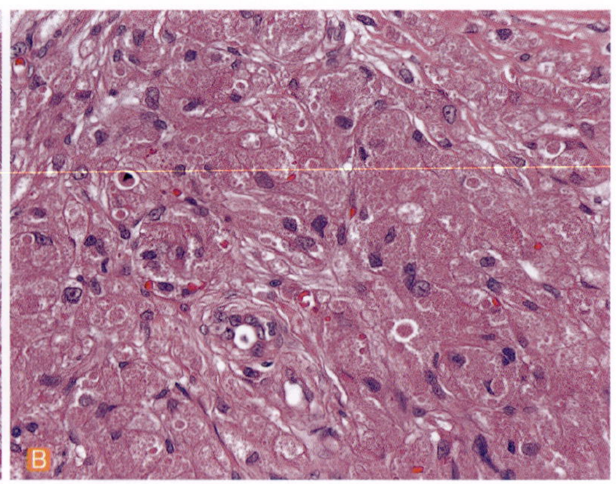

図18-5 顆粒細胞腫

A 粘膜下に腫瘍形成がみられる．被膜は有さず境界は不鮮明で，一部周囲筋組織との混在がみられる（図右下方）．
B 腫瘍細胞は，細胞膜は不明瞭で，丸みを帯びた形態または多角から短紡錘形の形態をとり，豊富な好酸性，顆粒状の細胞質を呈する．

報告や，細胞多形性，核分裂像，紡錘形態などの腫瘍細胞像や壊死像を呈する悪性の顆粒細胞腫の報告もみられるため，生検診断の際は鑑別に十分注意しなければならない．免疫染色では，腫瘍細胞は，S100，CD57およびSox10に陽性で，また，細胞質内顆粒はCD68に陽性である．これらの免疫染色の結果から，本腫瘍はシュワン細胞起源と考えられている．

治療は外科的切除が行われるが，再発の可能性は低いと考えられている．

2 横紋筋腫[28]

横紋筋腫[28]
rhabdomyoma

成人型[29]
adult rhabdomyoma
胎児型[30]
fetal rhabdomyoma
性器型[31]
genital rhabdomyoma
粘液型[32]
myxoid type
中間型[33]
intermediate type
幼児型[34]
juvenile type
細胞型[35]
cellular type
咽頭傍間隙[36]
parapharyngeal space

骨格筋への分化を呈する良性腫瘍である．心臓以外で発生する例はきわめて稀である．心臓以外では主に頭頸部領域に発生する．年齢よりは組織所見に基づき，成人型[29]，胎児型[30]，性器型[31]の3型に分類される．胎児型はさらに粘液型[32]と中間型[33]（あるいは幼児型[34]，細胞型[35]）に分けられる．成人型の発生年齢は広範にわたり（平均：50歳代），男性に多い（男：女＝3～4：1）．胎児型は，半数ほどは生後1歳以内に発生し，残りは15歳以降までみられる（平均：4.5歳）．男性に多い傾向がみられる（男：女＝2：1）．また，約25％は先天性とされる．性器型は，中年女性の膣に発生しやすいが，外陰や子宮頸部にも発生する．成人型の約15％に多発例の報告があり，その共通局在部位として，36％が咽頭傍間隙[36]に，15％が喉頭に，14％が顎下腺に，12％が甲状腺近接部傍気管領域に，11％が舌に，9％が口腔底にみられている[6]．胎児型の70～90％は頭頸部領域に生じ，特に耳介後部に多いとされる．口腔領域では，舌，軟口蓋，鼻咽頭領域に発生がみられる．

腫瘍は軟らかく無痛性で圧痛もみられない．肉眼的には，境界明瞭で，結節状から分葉状を呈し，表面平滑な無茎性あるいは有茎性の粘膜下腫瘤として認められる．割面は灰黄色から赤褐色を呈する．また，胎児型の割面では光沢感がみられる．大きさは径0.5～10cmの範囲でみられ，大半は1～3cmである．出血や壊死はみられない．

星状細胞/クモ（の巣）様細胞[37]
spider cell or spider-web-like cell

ジャックストロー封入体[38]
jackstraws inclusions：：棒状の細胞質内結晶体．

胎児筋細管[39]
fetal myotubule

病理組織像は，成人型は，被膜を有さず，分葉状，シート状あるいは胞巣状増殖を示し，腫瘍細胞は，種々の大きさの，好酸性で顆粒状の豊富な細胞質を有する多角形細胞あるいは空胞化した細胞質を呈する細胞（星状細胞/クモ（の巣）様細胞[37]）からなっている．核は小型円形で小胞状を呈し，細胞境界は明瞭である．棒状の細胞質内結晶体（いわゆるジャックストロー封入体[38]），あるいは，横紋がみられることもある．壊死と核分裂像はみられない．胎児型のうち，粘液型は，不明瞭な細胞質と軽度濃染性の核を呈する幼若な卵円形から紡錘形を呈する腫瘍細胞が胎児筋細管[39]類似の未熟な骨格筋線維を伴って豊富なムコ多糖基質を有する線維粘

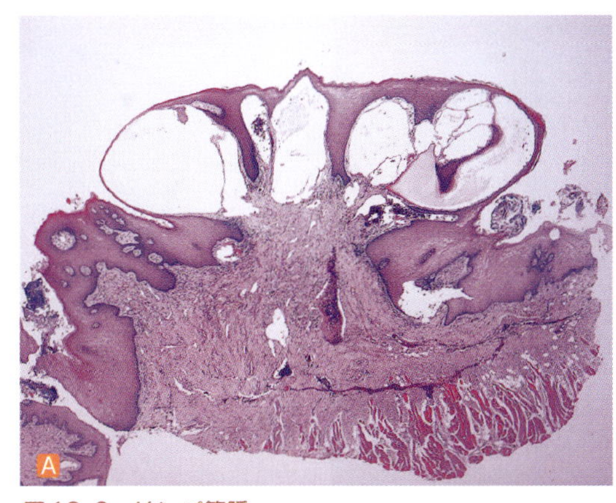
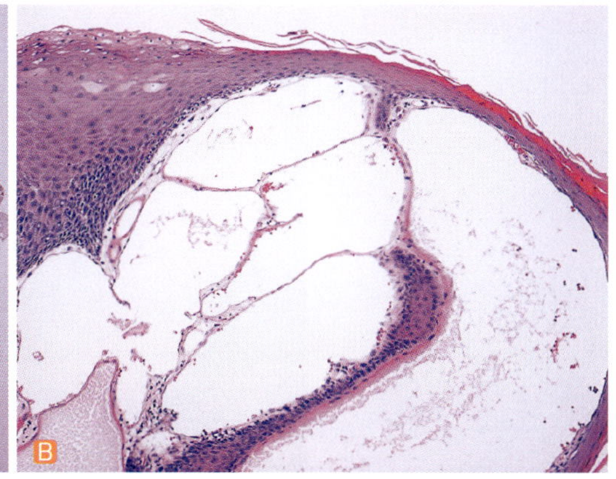

図18-6 リンパ管腫

A 扁平上皮直下に不規則で薄壁性の，さまざまな大きさの管腔の増生がみられる．
B 管腔はリンパ管内皮に裏装され，腔内にタンパク液やリンパ球を含んでいる．

液性間質中に不規則に配列して増殖する像を呈する．核分裂像はほとんどみられず，異型性や壊死組織像もみられない．中間型は，細胞密度が高く粘液間質の少ない像を呈する．腫瘍細胞の大部分はかなりの程度で骨格筋への分化を示し，小胞状核と顕著な核小体を呈し横紋がみられる大型で神経節細胞様の横紋筋芽細胞[40]，あるいは，索状，リボン状，ヒモ状を呈する横紋筋芽細胞，または繊細な紡錘形を呈する横紋筋芽細胞の広い束状配列からなる．脂肪組織や骨格筋の腫瘍領域内取り込み像もみられる．核分裂像は通常はみられないが，増加してみられる例もある（〜14/50高倍率視野〔HPFs〕）．核異型や異常核分裂像はみられない．免疫染色では，desmin，myoglobin，actin-HHF35，SMAが腫瘍細胞の細胞質に，MYOD1，myogeninが胎児型の腫瘍細胞の核に陽性となる．S100，GFAPは一部に陽性であり，Keratin，EMA，Sox10，CD68は陰性である．胎児型はしばしば癌抑制遺伝子*PTCH1*の機能喪失型変異により生じる母斑性基底細胞癌症候群[41]（ゴーリン［-ゴルツ］症候群[42]）と関連して発生する．同症候群に合併する胎児型における*PTCH1*の変異によるPTCH1の機能失活がshhシグナル伝達系を活性化する報告もなされている．

治療は外科的腫瘍切除術が行われ，再発は通常みられない．また，悪性転化も起こらない．

横紋筋芽細胞[40]
rhabdomyoblast

母斑性基底細胞癌症候群[41]
nevoid basal cell carcinoma syndrome

ゴーリン［-ゴルツ］症候群[42]
Gorlin［-Goltz］syndrome

リンパ管腫[43]
lymphangioma

3 リンパ管腫[43]

リンパ管の先天性形成異常で，比較的稀な疾患である．通常は幼児期あるいは幼少期に診断される．頭頸部領域の皮膚および皮下組織に最も一般的にみられ，ときに口腔領域での報告がみられる．口腔内発生例では，通常舌背にみられ，続いて口蓋，頬粘膜，歯肉および口唇にみられる．異常な発育，進展を示す例や，また，20歳までに自然消退を示す例があるなど，臨床動態はさまざまである．症状は大きさや構造動態に関連してさまざまである．病変は有茎性あるいは無茎性の様相を呈する．

病理組織像は，リンパ管内皮に裏装され，不規則で薄壁性の，さまざまな大きさの管腔の増生からなる．腔内にタンパク液やリンパ球を含み，ときには赤血球もみられることもある．周囲は平滑筋，線維性組織などからなる間質で囲まれ，リンパ球浸潤がみられる（**図18-6**）．免疫染色で，リンパ管内皮細胞はpodoplanin（D2-40），LYVE1，PROX1，VEGFR3に陽性であり，血管内皮細胞との識別に有用とされる．遺伝子異常との関連では，他の血管形成異常と同様に，リンパ管形成異常が体細胞性*AKT1*遺伝子活性化変異により生じるプロテウス症候群[44]に共通してみられる．ターナー症候群[45]（45，X症候群）や21トリソミー[46]などの遺伝病と

プロテウス症候群[44]
Proteus syndrome

ターナー症候群[45]
Turner syndrome

21トリソミー[46]
trisomy 21

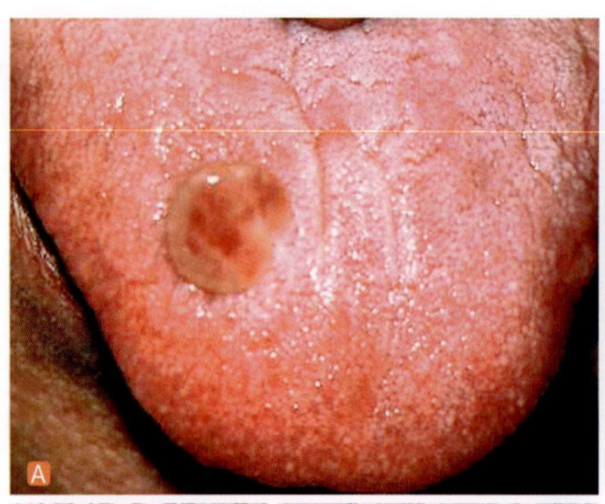

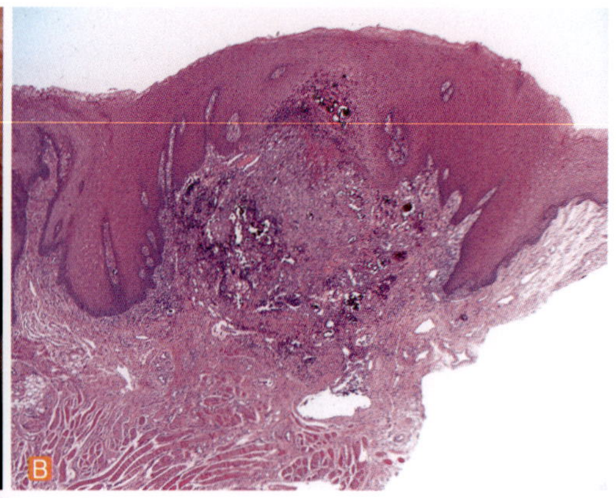

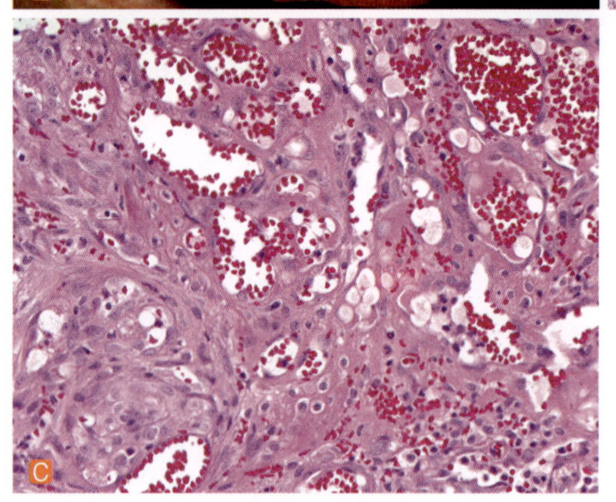

図18-7　毛細血管腫

A 舌背部の表面から隆起性に暗赤色の肉芽様組織がみられる.

B 粘膜上皮の不規則な肥厚がみられ，写真中央に限局した小型血管が多数増生してみられる．血管内には赤血球が充満してみられるが，下縁や周囲では拡張した空虚な血管もみられる．腫瘍の境界は明らかではなく，一部筋層内（下縁）へも浸潤している.

C 腫瘍組織はしばしば線維性結合組織で境され，分葉構造を示す．また毛細血管の盛んな新生は，炎症性肉芽組織でも起こり，膠原性肉芽腫，肉芽腫性エプーリスなどと病理組織像が類似しており，鑑別は困難である.

〔小宮山一雄：口腔領域軟組織の腫瘍と腫瘍様病変．新口腔病理学．医歯薬出版，東京，253～272，2008．（以下，前版）より〕

リンパ管腫との関連も報告されている.

治療は外科的切除が行われるが，稀に不完全切除による再発例がみられる．悪性転化はみられない.

血管腫[47]
haemangioma

血管拡張症[48]
vascular ectasia

血管奇形[49]
vascular malformation

膿原性（化膿性）肉芽腫[50]
pyogenic granuloma：歯肉によくみられる潰瘍性反応性病変で，血管に富む成熟肉芽組織からなる分葉構造を特徴とする.

小葉性毛細血管腫[51]
lobular capillary haemangioma

幼児期血管腫[52]
infantile haemangioma

毛細血管腫[53]
capillary haemangioma

海綿状血管腫[54]
cavernous haemangioma

先天性血管腫[55]
congenital haemangioma

多染色体性[56]
polysomy

血管内硬化療法[57]
endovascular sclerotherapy

4 血管腫[47]

口腔領域の血管腫は粘膜に生じる良性の血管性過誤腫と定義され，血管拡張症[48]，血管奇形[49]，膿原性（化膿性）肉芽腫[50]（同義語：小葉性毛細血管腫[51]）とは区別される．幼年期に多くみられ，女性に多い傾向がみられる．一般に頭頸部領域に発生するが，稀に口腔領域で発生がみられる．口腔領域では，舌，口唇，頬粘膜，歯肉および口蓋に発生がみられる．幼児期血管腫[52]は小児の口腔領域および舌可動領域における最も一般的な良性腫瘍である.

腫瘍は表面平滑で赤紫色を呈するポリープ様あるいは有茎性の腫瘤としてみられ，しばしば大きさの増加と出血を伴う.

病理組織像では，毛細血管腫[53]（**図18-7**）と海綿状血管腫[54]（**図18-8**）に分類される．毛細血管腫は，多小葉性の構造を呈し，それぞれの小葉は内皮細胞の増殖および周皮細胞により取り囲まれさまざまな形態と大きさを呈する毛細血管の増殖からなっている．海綿状血管腫は，内皮細胞により裏装され大きく拡張した血管腔の像を呈する．免疫染色では，内皮細胞はCD34，CD31およびERGに陽性である．また，GLUT1は幼児期血管腫で陽性であるが，膿原性（化膿性）肉芽腫，血管拡張症および先天性血管腫[55]では陰性である．遺伝子異常では，種々の染色体に異常がみられる報告があるが，しばしば13番遺伝子の多染色体性[56]異常との関連が報告されている.

有効な治療法として，β-遮断薬投与，ステロイド注入，血管内硬化療法[57]，手術などが行われる．幼児期血管腫は，発生当初は急速に増大するが，ほとんどの例でその後は元の大きさに戻る傾向があるため治療は必要とされない.

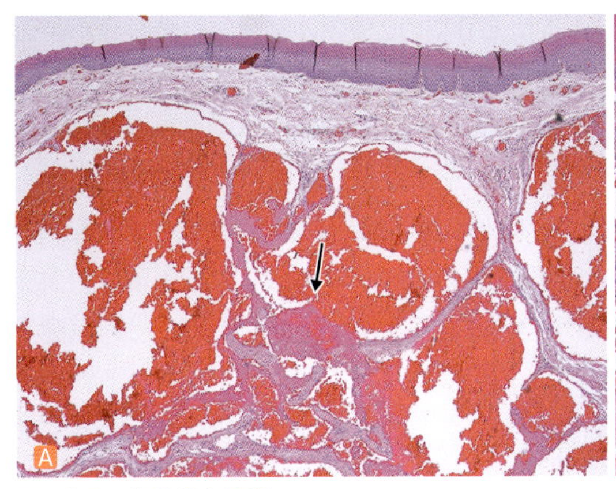
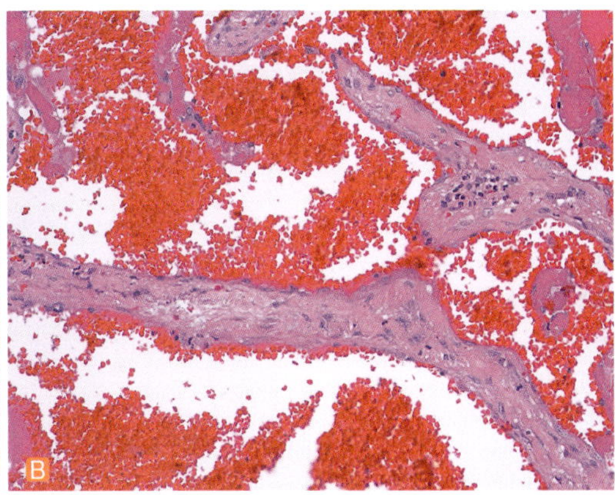

図18-8　海綿状血管腫

A 粘膜下に大きく拡張した血管腔の増生がみられる．腔内に赤血球が充満し，一部にフィブリン血栓形成がみられる（矢印）．
B 内皮細胞により裏装され大きく拡張した血管腔を呈する．内腔は赤血球で充満している．

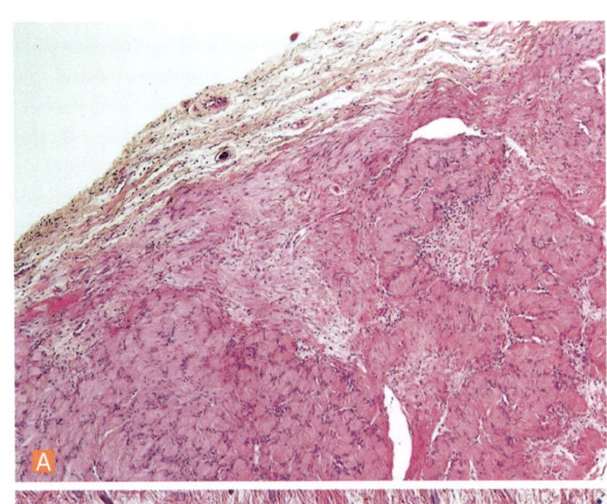
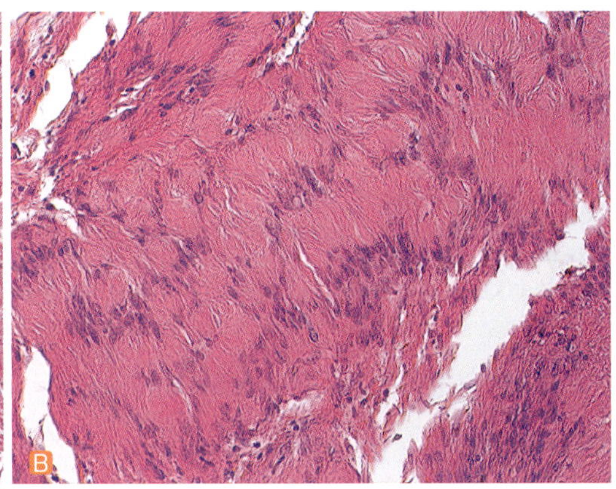
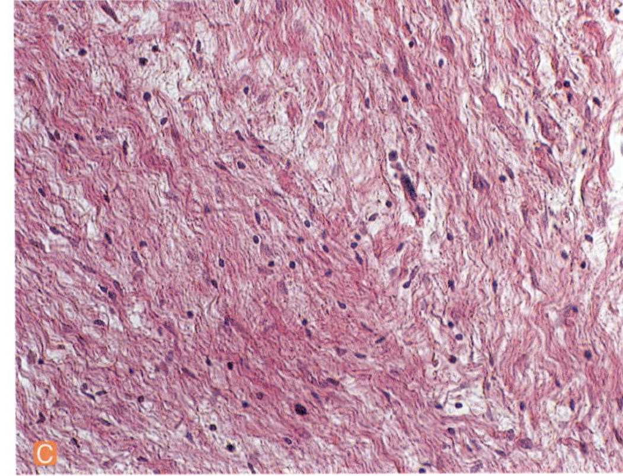

図18-9　神経鞘腫

A 腫瘍は境界明瞭で，被膜を有し結節状に増殖している．腫瘍細胞の増殖が密な部分（Antoni A 型）と疎な部分（Antoni B 型）が混在してみられる．
B 紡錘形腫瘍細胞は密に増殖し，束状に直行して増殖する形態を呈する．ヘマトキシリンに軽度過染性の核の柵状配列とVerocay 体 がみられる（Antoni A 型）．
C 紡錘形から波状を呈する腫瘍細胞が粘液状の間質中に疎に増殖している（Antoni B 型）．両型において核分裂像はみられない．

神経鞘腫[58]
schwannoma/neurilem(m)oma/neurinoma

神経鞘[59]
neurilemma/nerve sheath

シュワン鞘[60]
Schwann sheath

シュワン細胞[61]
Schwann cell：鞘細胞．末梢神経の軸索を取り囲む神経膠細胞．外胚葉の神経堤に由来する．

神経線維腫症２型[62]
neurofibromatosis type 2（NF2）：22番染色体22qに存在するNF2遺伝子の変異によるmerlin蛋白の機能異常による．

シュワノマトーシス[63]
schwannomatosis

Gorlin-Koutlas症候群[64]
Gorlin-Koutlas syndrome：優性遺伝で，多発性の母斑，神経鞘腫，平滑筋腫を生じる．

5 神経鞘腫[58]

末梢神経の神経鞘[59]（シュワン鞘[60]）から生じる良性腫瘍で，シュワン細胞[61]と膠原線維性基質から構成される．通常，成人にみられ多くは孤在性で散発性に発生する．口腔領域では，舌に最も多くみられ，続いて口蓋，頬粘膜，口腔底，口唇，歯肉および下顎にみられる．緩やかな発育を示し，ときに有痛性の粘膜下腫瘤として認められる．多発性神経鞘腫は，神経線維腫症2型[62]，シュワノマトーシス[63]，Gorlin-Koutlas症候群[64]の一病変としてみられる．

肉眼像では，弾性硬から軟の境界明瞭で被膜を有する孤在性の結節性腫瘤を形成する．ときに被膜がみられず，また，囊胞状を呈することもある．割面は淡褐色調で光沢感があり，ときに白色から黄色斑の混在や出血斑がみられる．

病理組織像では，Antoni A型とB型の2種類の特徴的組織形態が区別される（**図18-9A**）．A型（**図18-9B**）では，紡錘形腫瘍細胞が密に存在し，束状に直行して，あるいは索状に，また一部では渦状を示す増殖形態を呈する．腫瘍細胞は，ヘマトキシリンに軽度過染性で，卵円形から先細り状，あるいは屈曲した形態を示す核と輪郭が不明瞭で好酸性を示す細胞質の像を呈する．しばしば，核が長軸に平行に並ぶ柵状配列[65]あるいは観兵式様配列[66]を呈する像がみられる．これらの核の柵状配列の間に線維束の領域がみられ，線維束領域の両極に核の柵状配列があり球状の類臓器構造を呈する場合，これをVerocay体[67]とよぶ．B型（**図18-9C**）では，腫瘍細胞の密度は疎で，基質は浮腫状あるいは粘液状を呈するが，ムコ多糖類の成分は少ない．両型において，核分裂像はみられないか，あってもきわめて少ない．付随する血管の硝子化像や泡沫状組織球集簇も一般にみられる．しばしば出血や血栓形成，ヘモジデリン貪食マクロファージ，リンパ球浸潤などもみられる．これらA型とB型の組織形態を示す領域が同一腫瘍内で種々の割合に混在してみられるが，いずれかの型が腫瘍のほとんど全体を占める場合もみられる．

柵状配列[65]
palisading

観兵式様配列[66]
paradestellung

Verocay体[67]
Verocay body

以上のような病理組織像を示すものは通常型[68]とされ，他に特殊型として，腫瘍細胞分布が疎で，しばしば多形を示し，硝子化，石灰化，嚢胞形成などの二次変化が目立つ陳旧型[69]，腫瘍細胞が全体にわたって密在し，Verocay体など分化の形態に乏しい富細胞型[70]，多結節性の発育を示し，各結節が線維性被膜に包まれる像を呈する蔓状型[71]，腫瘍細胞にメラニン色素を有し腫瘍が黒褐色を示す色素型[72]，リンパ球様小型Schwann細胞が膠原線維束を囲んでロゼット状構造を呈する神経芽腫様[73]などに亜型分類されることがある．

通常型[68]
ordinary type

陳旧型[69]
ancient type

富細胞型[70]
cellular type

蔓状型[71]
plexiform type

色素型[72]
melanotic type

神経芽腫様[73]
neuroblastoma-like

免疫染色では，S100が腫瘍細胞の核および細胞質にびまん性に強陽性に染まり，Sox10は腫瘍細胞の核に陽性となる．NFP[74]は陰性である．遺伝子異常として，22番染色体の完全あるいは部分喪失が最も一般にみられ，染色体22q12に位置する腫瘍抑制遺伝子*NF2*によりコードされる細胞増殖抑制タンパクであるmerlin発現低下と神経鞘腫発生との関連が報告されている．

NFP[74]
neurofilament protein：軸索に発現がみられる．

治療は外科的切除が行われ，完全摘除の場合通常再発はみられない．悪性転化は稀である．

6 神経線維腫[75]

神経線維腫[75]
neurofibroma

神経鞘腫と同様に末梢神経から生じる代表的良性腫瘍である．腫瘍の構成成分はシュワン細胞に加え，神経周膜様細胞[76]，軸索および線維芽細胞の混在成分からなり，神経鞘腫とは明確に区別される．通常，成人にみられ，ほとんどは散発性，孤在性に発生する．口腔領域では，舌に最も多くみられ，続いて口蓋，頬粘膜，口腔底，口唇，歯肉および下顎にみられる．ときに痛みを伴いながら緩徐に発育し，粘膜下腫瘍としてみられるようになる．多発例は神経線維腫症I型[77]との関連が報告されている．

神経周膜様細胞[76]
Perineurial-like cell

神経線維腫症1型[77]
neurofibromatosis type 1（NF1）：フォンレックリングハウゼン病Recklinghausen diseaseともよばれる．皮膚のカフェオレ斑café-au-lait spotsが特徴的である．染色体17q11.2に位置するNF1遺伝子異常とその遺伝子産物ニューロフィブロミンneurofibrominの異常によるRas/MAPK経路の活性化による．

肉眼像では，隆起性から有茎性を示す弾性硬から軟の可動性の結節性腫瘤としてみられ，平均で約3cmの大きさを呈する．腫瘍と関連する末梢神経分枝組織もみられる．割面では，腫瘍境界は明瞭であるが被膜は有せず，平滑で淡褐色調を示し光沢感がある．

病理組織像は，紡錘形を呈する腫瘍性シュワン細胞が，膠原線維性から粘液状を示す間質中に疎に，びまん性に増殖する像を呈する（**図18-10A**）．腫瘍細胞の核は軽度過染性で紡錘形から波状を示し，少量で不明瞭な細胞質の像を示す．核分裂像はほとんどみられない（**図18-10B**）．間質膠原線維束の典型的部分ではいわゆる細切り人参像[78]を呈する．間質中にはムコ多糖類を有する．また，肥満細胞が多数出現することが神経鞘腫との鑑別点の1つとしてあげられる（**図18-10C**）．その他，神経鞘腫との相違点としてVerocay体，核の柵状配列，血管壁の硝子様肥厚などはみられない．

細切り人参像[78]
shredded-carrots appearance

発生部位，増殖形態などにより以下のように亜分類される．

・全身の皮下など浅在部に限局して生じる孤立性神経線維腫[79]

孤立性神経線維腫[79]
solitary neurofibroma

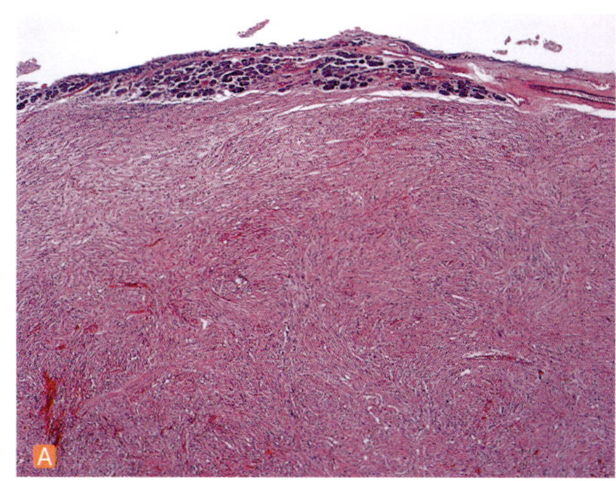
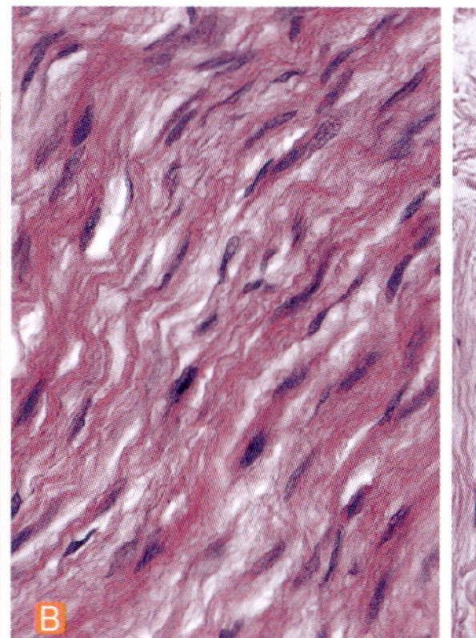
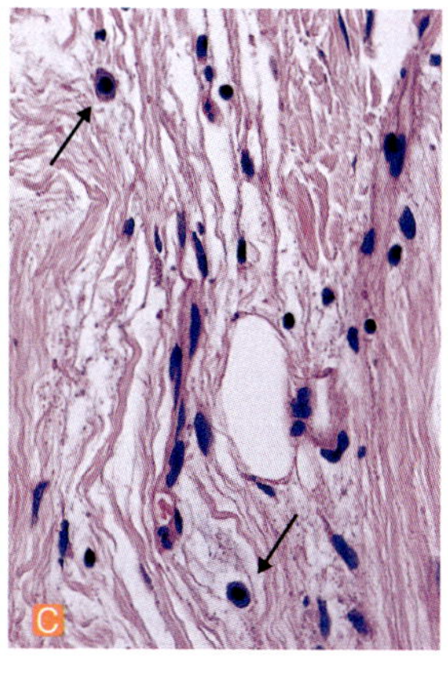

図18-10　神経線維腫

A 腫瘍は被膜を有さないが境界は比較的明瞭で，結節性に増殖している．
B 紡錘形から波状を呈する腫瘍細胞が，膠原線維性から粘液状を示す間質中に疎に，びまん性に増殖している．腫瘍細胞の核は軽度過染性で紡錘形から波状を示し，少量で不明瞭な細胞質の像を示す．核分裂像はほとんどみられない．
C 肥満細胞（矢印）が散在性にみられる．

・眼窩，頸部，背部，鼠径部に多く，神経線維腫症1型に合併することも多い．神経の中あるいは周囲に生じ，神経幹に纏絡して蔓状を呈する蔓状神経線維腫[80]
・手指の皮膚に好発し，Vater-Pacini小体に類似の同心円状または層板状構造を作る紡錘形の細胞からなるPacini神経線維腫[81]
・上皮様の類円形または多角形の細胞からなる類上皮型神経線維腫[82]
・腫瘍細胞がメラニン色素を有し腫瘍が黒褐色を呈する色素型神経線維腫[83]
・真皮に発生し，辺縁小型I型細胞と中心大型II型細胞からなるロゼット様構造がみられるロゼット様構造を伴う樹枝状細胞神経線維腫[84]
・小児または若年成人の頭頸部に好発し，皮下脂肪組織への浸潤を示し，しばしばWagner-Meissner小体を形成するびまん性神経線維腫[85]．

免疫染色では，腫瘍性シュワン細胞はS100に陽性であり，神経周膜様細胞はEMAおよびGLUT1に陽性で，間質細胞にCD34陽性像がみられる．遺伝子異常では，*NF1*遺伝子の不活性化が特徴的である．

治療は外科的切除が行われ，良性腫瘍としての経過をとるが，約5%の率で不完全切除による再発がみられる．また，神経線維腫症1型に関連するものは悪性転化の潜在性を有するとされる．

7　カポジ肉腫[86]

霊長類gamma-2ヘルペスウイルスであるHHV8/KSHV[87]感染と関連し，局所侵襲性であるが転移をほとんど示さないintermediate typeの血管腫瘍である．

疫学的に明確な以下の4種類に区分される．①古典的緩慢性KS[88]：地中海/東ヨーロッパ地方の主に高齢者にみられる．②風土病性アフリカKS[89]：赤道直下アフリカの中年成人や子供に発生し，子供で侵襲性が強い．③医原性/移植関連KS[90]：免疫抑制剤の投与を受けた固形臓器移植受容者（腎移植患者の0.5%）にみられる．④エイズ関連KS[91]：最も侵襲性の強い型で，先進国ではHIV-1[92]感染者，特に，同性愛者および両性愛者の男性にみられるが，発展途上国では性差はみられていない．これらのうち，エイズ関連KSのみが口腔領域での発生と関連し，HIV-1感染者の20%ほどが通常40から50歳代に口腔領域にカポジ肉腫を発生する．唾液あるいは血液内のHHV8への暴露後，HIV誘導性の免疫抑制状態，環境および遺伝因子などが複雑にからみあって腫瘍の進展がみられる．口腔領域では硬口蓋に最も多くみられ，続いて歯

蔓状神経線維腫[80]
plexiform neurofibroma

Pacini神経線維腫[81]
Pacinian neurofibroma

類上皮型神経線維腫[82]
epithelioid neurofibroma

色素型神経線維腫[83]
pigmented neurofibroma

ロゼット様構造を伴う樹枝状細胞神経線維腫[84]
dendritic cell neurofibroma with pseudorosettes

びまん性神経線維腫[85]
diffuse neurofibroma

カポジ肉腫[86]
Kaposi sarcoma；KS

HHV8/KSHV[87]
human herpesvirus 8/Kaposi sarcoma-associated herpesvirus

古典的緩慢性KS[88]
classic indolent KS

風土病性アフリカKS[89]
endemic African KS

医原性/移植関連KS[90]
iatrogenic/transplant-associated KS

エイズ関連KS[91]
AIDS (acquired immune deficiency syndrome)-related KS

HIV-1[92]
Human immunodeficiency virus-1：ヒト免疫不全ウイルス-タイプ1．

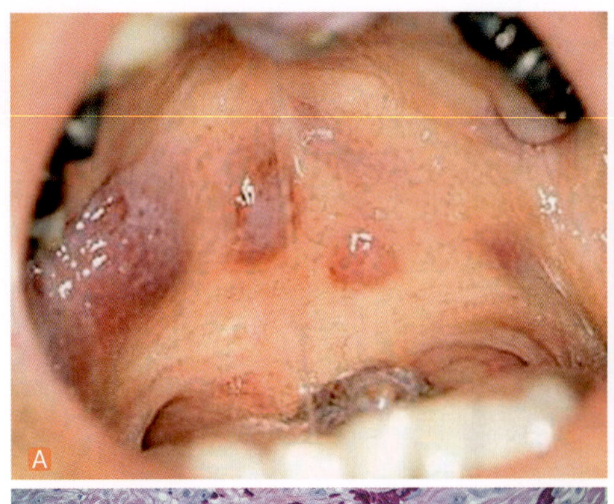

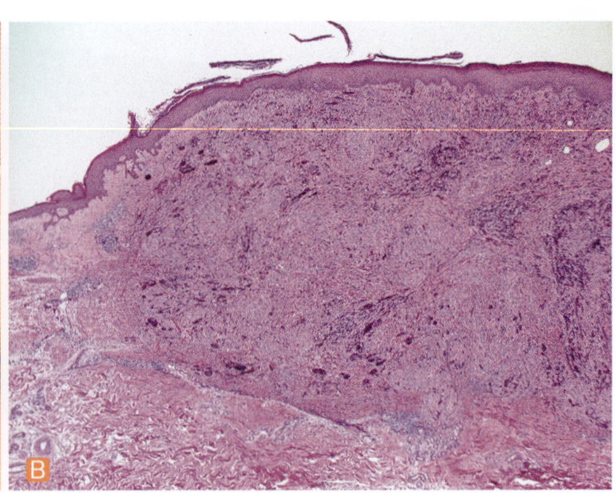

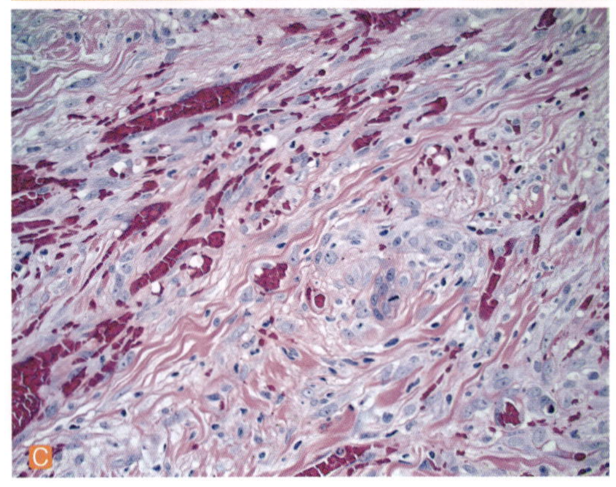

図18-11　カポジ肉腫

A 硬口蓋部の3カ所に暗紫色の肉芽腫形成がみられる．〔国立国際医療センター口腔外科提供写真〕

B 皮下に多数の血管の増生を伴った肉芽組織様の結節性病変がみられる．境界は明らかではない．

C スリット状の裂隙に赤血球が列をなし，周囲に紡績形細胞が増殖している．細胞異型は軽度だが，核分裂像を認める．わずかにリンパ球が混在し，マクロファージの赤血球貪食像もみられる．〔日本大学医学部附属板橋病院病理部提供写真〕

〔前版より〕

肉，舌にみられる．皮膚カポジ肉腫を有する患者の70%ほどまでに口腔領域にも同腫瘍の発生がみられる．

しみ状疹[93] macules

丘状疹[94] papules

点状病変期[95] patch stage

斑状病変期[96] plaque stage

硝子滴[97] hyaline globules

結節状病変期[98] nodular stage

乳頭状房状[99] papillary tufting

肉眼像（**図18-11A**）では，最初は多発性の赤色から青紫色を呈する点状のしみ状疹[93]から丘状疹[94]として認められ，斑状から結節状病変へと進展する．進展病変では，出血，潰瘍や疼痛がみられる．

病理組織像（**図18-11B，C**）は，点状病変期[95]では，不規則な形態を示し膠原線維束により隔てられた裂隙状の血管腔の像を呈し，しばしば上皮と平行な配列を示す．また，赤血球やリンパ球の血管外への浸出がみられる．斑状病変期[96]では，さらに細胞内あるいは細胞外硝子滴[97]を伴った紡錘形細胞の増殖がみられ，結節状病変期[98]では広範囲浸潤性に異型紡錘形細胞の増殖が核分裂像の増加を伴ってみられる．リンパ管腫様の像を呈するカポジ肉腫においては，大きく拡張した吻合性血管腔内に乳頭状房状[99]構造がみられる．免疫染色では，腫瘍細胞はHHV8，podoplanin（D2-40），LYVE1，VEGFR3，PROX1，CD34，CD31，FLI1およびERGに陽性を示す．これらのうちHHV8陽性像が最も特異性が高いとされる．腫瘍の細胞起源についてはリンパ管内皮細胞由来とされている．

予後については，口腔内発生カポジ肉腫は，皮膚発生のエイズ関連KSより高い死亡率を示す．その要因として，口腔内発生例では，CD4陽性細胞数が300個/mL未満などを呈する免疫低下状態，潰瘍形成や結節性病変を呈するなどの予後不良因子と関連していることがあげられる．カポジ肉腫は，しばしば多発性にみられるが，転移は稀である．

筋線維芽細胞肉腫[100] myofibroblastic sarcoma

筋膜炎[101] fasciitis

線維腫症[102] fibromatosis

線維肉腫[103] fibrosarcoma

8 筋線維芽細胞肉腫[100]

筋膜炎[101]様あるいは線維腫症[102]様から線維肉腫[103]様のさまざまな形態を呈しながら深部軟部組織に浸潤性の増殖を示す低悪性度の腫瘍で，成人の頭頸部および四肢に好発する．低悪性筋

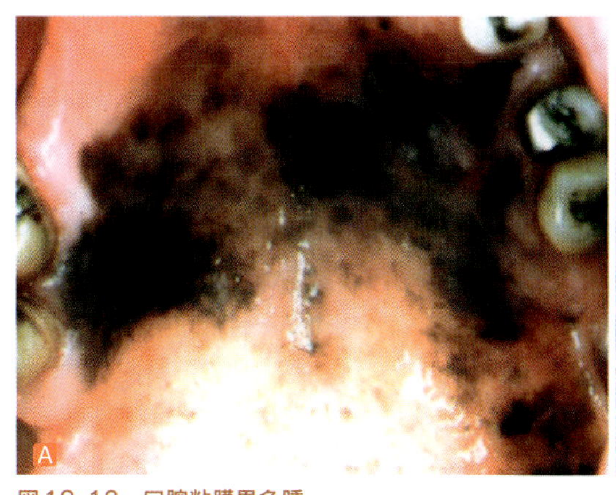

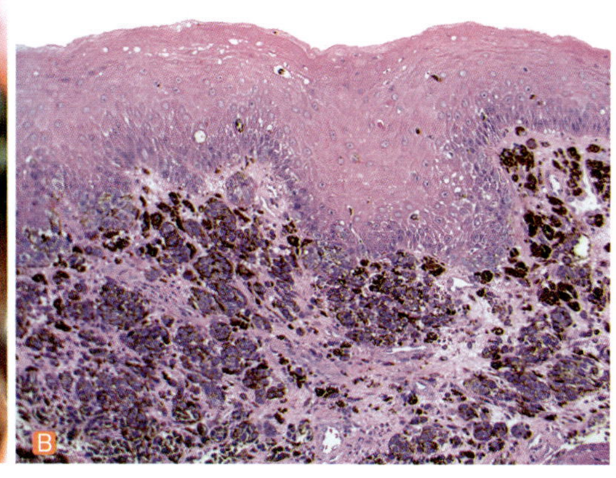

図18-12　口腔粘膜黒色腫

A 口蓋部に辺縁が不整な黒色の色素斑がみられる.
B 粘膜上皮下に多量のメラニンを産生する腫瘍細胞層がみられる. 胞巣周囲ではマクロファージがメラニンを貪食している.
〔前版より〕

低悪性筋線維芽細胞肉腫[104]
low-grade myofibroblastic sarcoma
筋線維肉腫[105]
myofibrosarcoma

線維芽細胞肉腫[104], 筋線維肉腫[105]の同義語がある. 主に成人にみられ (平均年齢 : 40歳), やや男性に多い傾向がみられる. 口腔領域, 特に舌に好発してみられる. 稀に, 鼻腔や副鼻腔に発生し, また, 顎骨にも発生がみられる. 粘膜下, 特に深部での発生が多い. 臨床的には, 無痛性の腫脹性病変あるいは増大性の腫瘤性病変としてみられる. また, 局所再発は一般にみられるが, 転移はきわめて稀にしかみられない.

肉眼像では, 淡青色を呈する硬い腫瘤像を示し, 割面では辺縁不正の線維性の様相を示す.

ヘリンボーン[106]
herringbone : ニシンの骨のように交差性に配列するいわゆる杉綾模様/矢筈模様.
花むしろ状[107]
storiform
格子縞模様状[108]
Checkerboard-like

病理組織像では, 富細胞性で紡錘形を呈する腫瘍細胞が束状あるいは広いシート状にびまん性に増殖する線維腫症様あるいは線維肉腫様病変の像を示す. 一部にヘリンボーン[106]あるいは花むしろ状[107]配列がみられることもある. 近接する骨格筋 (随意筋) への格子縞模様状[108]浸潤像が診断上の特徴として重要である. 腫瘍細胞は境界不明瞭で淡好酸性の細胞質と長紡錘状から波状を呈し均等分布状のクロマチン像を示す核ならびに小さな核小体の像を呈する. また, 先細りの筋線維芽細胞様核は濃染性で異型を呈する. 核分裂像はさまざまの程度にみられる. 間質は膠原線維の増生が目立つこともありまた粘液状のこともある. 高悪性度肉腫への形質転換例の報告もみられる. 免疫染色では, 腫瘍細胞はSMA, desmin, calponinおよびCD34に対しさまざまな発現の様相を示す.

口腔粘膜黒色腫[109]
oral mucosal melanoma
メラノサイト[110]
melanocyte

Ⅳ－口腔粘膜黒色腫[109]

メラノサイト[110]起源の悪性腫瘍である. 全黒色腫の約0.5%にみられる稀な腫瘍である. 男性にやや多い傾向があり, 診断時の平均年齢は55〜66歳である. 発生要因は不明で, 皮膚由来の黒色腫とは生物学的に異なるとされている. ほとんどは口蓋あるいは歯肉に発生し, しばしば無症候性の発育を示す.

肉眼像 (**図18-12A**) では, 大きさは1.5〜4cmほどで, 表面不整から平坦, あるいは結節性の黒灰色調の病変を呈し, 約1/3の症例で潰瘍形成を伴う. また, 約30%の症例でリンパ節転移がみられる.

病理組織像 (**図18-12B**) では, 異型を示す色素含有メラノサイトが上皮-上皮下組織接合部に, あるいは浸潤性の胞巣としてみられ, また, 細胞単位で粘膜下層に浸潤する. 異型細胞は一般に上皮様で, 顕著な核小体を示す. また, 紡錘状を示す異型細胞もみられる. 10〜30%の症例で*KIT*遺伝子の, 10〜20%の症例で*RAS*遺伝子の, また, 10%未満の症例で*BRAF*遺伝子の変異がみられる. 予後は不良で, 平均生存期間は2年とされる.

唾液腺型腫瘍[111]
salivary type tumours
粘表皮癌[112]
mucoepidermoid carcinoma

Ⅴ—唾液腺型腫瘍[111]

1 粘表皮癌[112] [Chap.19 (263頁) 参照]

唾液腺特有の悪性腫瘍である．口腔内発生例では口蓋に最も多く，半数以上を占める．やや女性に多い傾向がみられ，患者の平均年齢は50歳代である．肉眼的には青色調を呈し，半球状隆起性の腫大性変化を示す．

病理組織像では，腫瘍は，粘液産生細胞，中間細胞，類表皮(扁平上皮)細胞からなり，嚢胞状あるいは充実性の増殖を示す〔詳細はChap.19 (263頁) 参照〕．大半の患者は低悪性度の腫瘍像，あるいは低い病期を示し，良好な転帰をとる．

多形腺腫[113]
pleomorphic adenoma (PA)

2 多形腺腫[113] [Chap.19 (259頁) 参照]

口腔内の多形腺腫は，口蓋，上口唇，および頬部に最も多く発生がみられる．舌可動部内発生の多形腺腫はまれである．臨床的には，腫瘍は粘膜下に無痛性の緩徐な発育を示し，硬口蓋部では固着性，頬部では可動性の腫瘤性病変を示す．口蓋部では側方性に発生して中央線を超える例はまれである．一般に腫瘍は早期に発見され，大きさが1〜2cmを超えることは稀である．

肉眼的には，口蓋発生例では骨膜あるいは骨を取り込む例が頻繁にみられる．

病理組織像では，口腔内発生多形腺腫は形質細胞様筋上皮の細胞形態を示し，しばしば被膜を欠いている．口蓋および口唇発生例では皮膚付属器への分化がみられることがある．

多形腺腫の予後は概して良好である．十分な切除範囲の手術後には再発はみられないか，再発率は非常に低い．一方で，悪性転化が多形腺腫の約6.2%に起こるとされる．

血液リンパ腫瘍[114]
haematolymphoid tumours

リンパ腫[115]
lymphoma

骨髄性肉腫[116]
myeloid sarcoma
形質細胞腫[117]
plasmacytoma
異種性[118]
heterogeneous
びまん性B細胞リンパ腫[119]
diffuse B-cell lymphoma
濾胞性リンパ腫[120]
follicular lymphoma
バーキットリンパ腫[121]
Burkitt lymphoma
マントル細胞リンパ腫[122]
mantle cell lymphoma
Bリンパ芽球性リンパ腫[123]
B-lymphoblastic lymphoma
高悪性度B細胞リンパ腫[124]
high-grade B-cell lymphoma

Ⅵ—血液リンパ腫瘍[114]

口腔の血液リンパ腫瘍は，口腔に発生するリンパ球，形質細胞，組織球/樹状細胞，骨髄細胞由来の新生物である．リンパ腫[115]は口腔悪性腫瘍の3.5%を占める[7]．節外リンパ腫の約2%が口腔内に発生する．免疫性の保たれている患者では，リンパ腫は主に年長者にみられ子供ではきわめて稀である．性別では男性にやや多い傾向がある[7]．HIV陽性患者のほとんどは若年者から中年成人である．骨髄性肉腫[116]では口腔領域が頭頸部領域において最もよく発生がみられる部位である．口腔の形質細胞腫[117]は稀で，頭頸部領域の骨外性形質細胞腫の0〜6%を占める．組織球性/樹状細胞性新生物も稀である．

ほとんどのリンパ腫は散発性に発生する．少数の患者がHIV陽性あるいは医原的に免疫不全状態でみられる．リンパ腫はほとんどの場合口蓋あるいは歯肉に発生し，ときに下部骨組織に広がることがあるが，舌，頬粘膜，口腔底あるいは口唇に発生することは少ない．全てのリンパ腫の1/3から半数は骨から生じ，残りは粘膜から生じる．また，ほとんどの患者で局在性の病変(stage Ⅰ/Ⅱ)としてみられる[7]．

臨床的には，圧痛のない腫脹として最も一般にみられ，引き続き潰瘍，疼痛，知覚障害，そして無感覚の症状がみられる．全身症状がみられるのは稀である．肉眼所見としては，口腔血液リンパ腫瘍は辺縁不明瞭で個別の腫瘤としてみられ，潰瘍を伴うことも伴わないこともある．

病理組織像では，免疫性の保たれた患者に生じるリンパ腫は異種性[118]を呈する．びまん性B細胞リンパ腫[119]が最も一般的で，胚中心性と非胚中心性のB細胞亜型の報告がある．他には濾胞性リンパ腫[120]，バーキットリンパ腫[121][Chap.16 (225頁) 参照]，マントル細胞リンパ腫[122]が含まれ，稀に，Bリンパ芽球性リンパ腫[123]，高悪性度B細胞リンパ腫[124]がみられる．バーキットリンパ腫は稀な小児のリンパ腫の中では最も頻度が高くみられる．T細胞性およびNK細胞性リンパ腫は西洋人では稀であるが，アジア人ではしばしばみられる．HIV陽性患者は，びまん性大細胞性B細胞リンパ腫[125]，形質芽球性リンパ腫[126]およびバーキット-リンパ腫を含む，びまん性高悪性度B細胞リンパ腫を頻繁に発症する．ほとんどの免疫不全状態と関連したリンパ腫はエプスタイン-バーウイルス（EBV）が陽性である．

リンパ腫は原発性粘膜CD30陽性T細胞リンパ増殖異常症[127]およびEBV陽性粘膜皮膚潰瘍[128]などの緩徐進行性および自己限定性疾患から区別されなければならない．EBV陽性粘膜皮膚潰瘍は免疫不全患者あるいは高齢患者の舌あるいは頬粘膜に境界明瞭な潰瘍性病変として認められ，しばしばリード-ステルンベルグ細胞[129]類似の異型大型B細胞を伴う多形性細胞浸潤が特徴である．EBV陽性粘膜皮膚潰瘍は自然消退するか再発緩解の経過をとる．リンパ腫の転帰はそれぞれのタイプ，病期，あるいはHIV感染の状態にあるかなどの患者の特徴に依存する．

びまん性大細胞性B細胞リンパ腫[125]
diffuse large B-cell lymphoma

形質芽球性リンパ腫[126]
plasmablastic lymphoma（PBL）

原発性粘膜CD30陽性T細胞リンパ増殖異常症[127]
primary mucosal CD30-positive T-cell lymphoproliferative disorder（TLPD）

EBV陽性粘膜皮膚潰瘍[128]
EBV-positive mucocutaneous ulcer

リード-ステルンベルグ細胞[129]
Reed-Sternberg（RS）cell：ホジキンリンパ腫Hodgkin lymphomaの診断の決め手となる大型の細胞で，大型の2核の鏡面像mirror imageが特徴．

全身性未分化大細胞リンパ腫[130]
systemic anaplastic large cell lymphoma

1 CD30陽性T細胞リンパ増殖異常症

口腔あるいはときに頭頸部の他の粘膜領域に発生する，大型で，CD30陽性のT細胞の腫瘍性増殖である．本疾患概念はリンパ増殖性病変の臨床病理学的範疇の所見からなり，原発性皮膚CD30陽性T細胞リンパ増殖異常症でみられる範疇の所見に類似する．本異常症は口腔の反応性炎症性病変や全身性未分化大細胞リンパ腫[130]による二次性病変とは区別されなければならない．性別では男性にやや多く（男：女＝2：1），主に成人に発症し平均年齢は50歳代である[8]．病変は口腔あるいは舌でみられるが，類似病変が鼻咽頭，結膜および眼窩でもみられている．臨床的には，本異常症は典型的には塊状病変としてみられ，しばしば潰瘍形成を伴う．自然消退の報告もみられる．病歴および病期分類が全身性リンパ腫による二次性病変を除外するために重要である．

病理組織像では原発性粘膜CD30陽性T細胞リンパ増殖異常症は原発性の同皮膚病変に類似した形態学的範疇の所見を呈する．腫瘍細胞は大型で多形性を示す核と豊富な細胞質を有する異型リンパ球様細胞である．未分化大細胞リンパ腫の特徴的細胞と類似した細胞がしばしばみられる．ほとんどの症例はびまん性あるいはシート様増殖形態を呈する．高度の好酸球浸潤あるいは好中球浸潤を含む炎症性背景が混在してみられることがある．間質の好酸球増加症を伴う外傷性潰瘍性肉芽腫の少数例でCD30陽性T細胞リンパ増殖異常症の形態学的範疇の所見であると考えられる例がみられている．大型のリンパ球様細胞は典型的にはT細胞の細胞亜型を示すが，しばしば汎T細胞抗原の1つあるいはそれ以上の消失を示すことがある．CD4はCD8よりも頻繁に発現がみられる．TIA1，granzyme B，perforinなどの細胞傷害性指標の発現がしばしばみられ，EMAが陽性になることもある．CD56，ALKおよびEBVは陰性である．小児で報告のあるEBV陽性例では，むしろ慢性活動性EBV感染に最も類似した所見を示す．

遺伝子解析では，クローン性T細胞受容体遺伝子の再配列がほとんどの例でみられる．CD30陽性T細胞リンパ増殖異常症の原発性皮膚症の一部の例およびALK陰性未分化大細胞リンパ腫でみられる遺伝子再配列に類似した，*6p25.3*遺伝子座の*DUSP22-IRF4*遺伝子の再配列がみられることがときにある[8]．

ほとんどの例で，全身化学療法の併用/非併用による局所療法（放射線療法を伴う/伴わない切除術）により完全緩解がみられる[8]．ときに自然消退の例もみられる．

2 形質芽球性リンパ腫

形質芽球性リンパ腫（PBL）は，形質細胞の免疫表現型を呈し節外増殖の傾向を示す高悪性

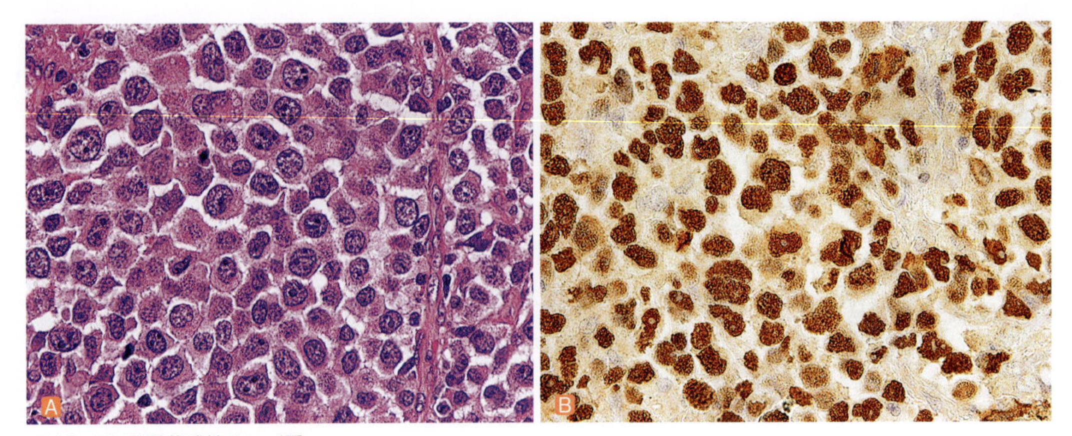

図18-13 形質芽球性リンパ腫

A 免疫芽球様細胞および円形核，クロマチンの凝集，大型の核小体を呈する中型から大型の形質芽細胞の混在する像に，リンパ球，成熟形質細胞を伴う像がみられる．
B ISHで腫瘍細胞の核にEBER陽性シグナルがみられる．
〔九州大学大学院歯学研究院口腔顎顔面病態学講座口腔病理学分野 清島 保教授提供〕

度B細胞非ホジキンリンパ腫である．診断は形質細胞新生物および形質芽細胞への分化を示すB細胞リンパ腫と重なる部分があるため困難である．ALK陽性の大細胞型B細胞リンパ腫は除外される．

PBLの発生には，エイズを決定づけるHIV関連免疫抑制状態と強く関連している．PBLはまた，HIV陰性の高齢者および医原性免疫不全状態にある患者でも発生する．HIV関連PBLは平均年齢約40歳の男性に発生し，通常は進行性の病状を示す．HIV陰性PBLは一般に60歳以上の女性に局所性病変として発生する．臓器移植後PBL[131]は稀で，通常は年長者に発生し進行性の病状を伴う．EBV感染と関連するPBLは，形質芽細胞の活性化をもたらすことや，細胞増殖の促進に働くMYCの脱制御機構をもたらすことが知られているが，発病における詳細な分子機序は不明である．

臓器移植後PBL[131]
post-transplant PBL

発生部位としては，頭頸部領域においては，特に，口腔，中咽頭，鼻咽頭および副鼻腔道に発生がみられる．ときに，HIV陰性の患者に典型的にリンパ節発生例がみられる．臨床像では，口，鼻あるいは副鼻腔内に腫瘤性病変としてみられるのが最も一般的である．また，皮膚あるいはリンパ節病変も伴ってみられることがあるが，これらは臓器移植後PBLでみられるのが通例である．

病理組織像では，PBLは免疫芽球様細胞および円形核，クロマチンの凝集，大型の核小体および両染性の細胞質を呈する中型から大型の形質芽細胞の混在する像に，さまざまな数の反応性T細胞，成熟形質細胞および多形性を呈する巨細胞を伴う像を呈する（**図18-13A**）．腫瘍細胞はCD19，CD20，PAX5，ALKおよびHHV8に陰性であるが，いくつかのB細胞マーカーに陽性を示すとする報告もあり議論を要する．CD45，CD10，CD79a，CD56，EMA，CD38，VS36c，CD138，CD30および細胞質免疫ブロブリン[132]などさまざまな発現が報告されている．MUM1/IRF4，PRDM1/BLIMP1およびXBP1の発現は一般に強く，びまん性にみられ，Ki-67指標は通常80%を超える値を示す．EBVはHIV関連および移植後PBLの例では70%を超える例で，また，HIV陰性例では50%の例で陽性を示す．EBV陽性例で，*in situ* hybridization（ISH）法により腫瘍細胞の核内にEBV-encoded small RNA（EBER）の陽性シグナルがみられる（**図18-13B**）．遺伝子異常としては*MYC*遺伝子の転座，増幅がすべてのPBL症例の約半数例でみられる．

細胞質免疫グロブリン[132]
cytoplasmic immunoglobulins

PBLは高度悪性で低い生存率（6～12カ月）を示す．予後良好を示す因子としては，EBVおよびCD45陽性，低い病期，HIV陰性，若い患者年齢，および*MYC-IGH*遺伝子融合がみられないことがあげられる．

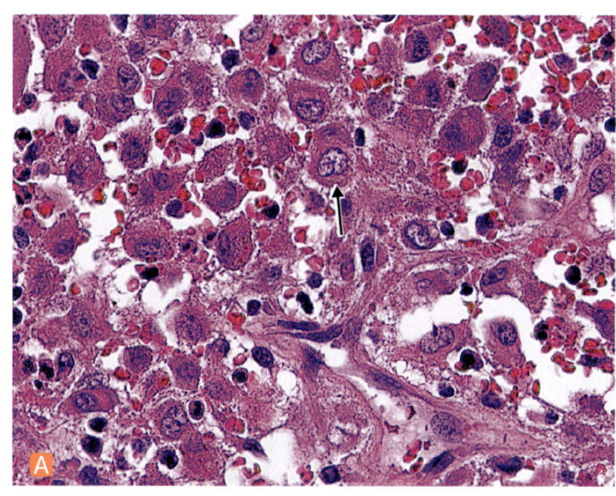
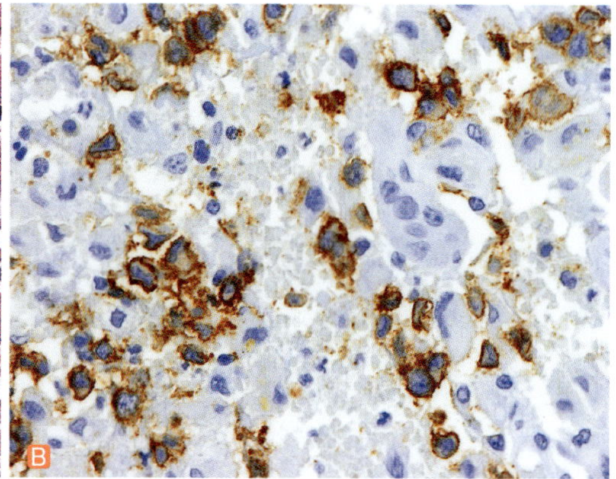

図18-14 ランゲルハンス細胞組織球症

A 腫瘍細胞は軽度の異型を呈する切れ込みのある核(矢印)を有し，炎症細胞浸潤の混在がみられる.
B 免疫染色で，腫瘍細胞はCD1aに陽性を示す.
〔九州大学大学院歯学研究院口腔顎顔面病態学講座口腔病理学分野 清島 保教授提供〕

ランゲルハンス細胞組織球症[133]
Langerhans cell histiocytosis

組織球症X[134]
histiocytosis X

好酸球性肉芽腫[135]
eosinophilic granuloma

ハンド・シューラー・クリスチャン病[136]
Hand-Schüller-Christian disease

レッテラー・ジーベ病[137]
Letterer-Siwe disease

3 ランゲルハンス細胞組織球症[133] 〔Chap.16 (227頁) 参照〕

ランゲルハンス細胞組織球症はランゲルハンス細胞の腫瘍性増殖である．組織球症X[134]，好酸球性肉芽腫[135]，ハンド・シューラー・クリスチャン病[136]，レッテラー・ジーベ病[137]の同義語がある．稀な腫瘍であり，西欧や北欧の統計では年間で人口100万人に対し5例の発生があるとされている．また，発生のピークは3～5歳の幼年期で，やや男性に多い傾向がみられている(男：女＝1.5～2：1)[9]．頭頸部発生は発生例の60～80％にみられ，それらのうち25％は全身性疾患の部分症としてみられる．最も発生のよくみられる部位としては，骨(頭蓋冠，側頭骨，眼窩および顎骨)，頭皮，耳介周囲の皮膚，頸部リンパ節，副鼻腔および口腔粘膜があげられる．臨床症状としては，発生部位にもよるが，疼痛および腫脹，眼窩内腫瘤，皮疹，頸部リンパ節腫脹，耳漏，耳痛，めまい，顔面神経麻痺，口腔潰瘍あるいは腫瘤などがみられる．

病理組織像では，腫瘍細胞は軽度の異型を呈する切れ込みのある核を有し，種々の数の炎症細胞浸潤の混在がみられる(**図18-14A**)．免疫染色では腫瘍細胞はS100，CD1a(**図18-14B**)およびCD207(langerin)の発現がみられる．超微形態的には電子顕微鏡で腫瘍細胞内にテニスラケット状形態を示すバーベック顆粒[138]を含む像がみられる．遺伝子異常では，30％の例でIGH，T細胞受容体遺伝子のどちらか，あるいはその両方にクローナルな再編成がみられ，ときに，リンパ性悪性疾患への分化転換[139]を示すことがある．また，*BRAF*遺伝子のV600E変異(あるいは，頻度はそれほど多くはないが*MAP2K1*あるいは*ARAF*変異)が全体の約半数例でみられている．

バーベック顆粒[138]
Birbeck granules

分化転換[139]
transdifferentiation

肝，脾，骨髄，肺などの臓器内発生がみられない患者では予後良好な経過がみられ，死亡率は10％未満である．しかしながら，永続的な臓器障害や病気の再燃は頭頸部領域の腫瘍においては稀ではない．

髄外骨髄性肉腫[140]
extramedullary myeloid sarcoma

骨髄異形成症候群[141]
myelodysplastic syndrome

骨髄増殖性新生物[142]
myeloproliferative neoplasm

芽球化転換[143]
blastic transformation

顆粒球性肉腫[144]
granulocytic sarcoma

緑色腫[145]
chloroma

4 髄外骨髄性肉腫[140]

髄外骨髄性肉腫は骨髄外の部位に発生する骨髄性芽球からなる腫瘤性病変である．本肉腫は*de novo*に発生することもあれば，急性骨髄性白血病に先立って，あるいは同時に，あるいは後発して発生する．さらには，骨髄異形成症候群[141]あるいは骨髄増殖性新生物[142]の芽球化転換[143]を形成しうるとされる．顆粒球性肉腫[144]，緑色腫[145]の同義語がある．急性骨髄性白血病の罹患患者の3～8％に発生するとする報告がみられる．頭頸部領域の発生は1～85歳の幅広い年齢でみられ，患者の平均年齢は61歳で，男性にやや多くみられる(男：女＝1.2～2.4：1)[10]．

頭頸部領域のどの部位にも発生がみられるが，口腔領域に最も頻繁に発生する．稀に鼻咽頭領域に発生がみられる．臨床的にはしばしば非特異的な症状を示す．

病理組織像では，腫瘍塊は円形または襞状核，微細顆粒状クロマチン，小型の核小体，好酸性を呈する乏しいあるいは中等量の細胞質を特徴とする骨髄芽球のびまん性シート状の増殖からなり，種々の数の好酸性骨髄球の混在をみる．免疫染色では，腫瘍細胞はmyeloperoxidase，CD68（KP-1により認識），lysozyme，CD33，CD34，KIT/CD117およびCD163のような骨髄性あるいは骨髄単核細胞のマーカーの発現がみられる．CD43は一般に陽性を呈する．遺伝子異常では，7モノソミー[146]，8トリソミー[147]および16番染色体逆位[148]などのさまざまな染色体異常が報告されている．t(8；21)(q22；q22)の転座が小児発生例でより一般的にみられる．また，約16%の例で*NPM1*遺伝子変異がみられる．

モノソミー[146]
monosomy：一染色体性

トリソミー[147]
trisomy；三染色体性

逆位[148]
inversion＝inv

予後はさまざまであるが，しばしば不良である．骨髄病変を伴わない患者，同種あるいは自家幹細胞移植を受けた患者はよい結果を示す報告がみられる．

（橋本修一）

Check Point

- [ ] 1 口腔領域軟組織の腫瘍と腫瘍様病変の違いを理解し症例を列挙できる．
- [ ] 2 乳頭腫の発生とHPV感染，コイロサイトーシスの病理組織像との関連を説明できる．
- [ ] 3 顆粒細胞腫の細胞由来，腫瘍細胞の性状，口腔での好発部位について説明できる．
- [ ] 4 リンパ管腫の好発年齢，口腔領域での好発部位について説明できる．
- [ ] 5 血管腫の好発年齢，毛細血管腫と海綿状血管腫の病理組織像の違いを説明できる．
- [ ] 6 神経鞘腫の細胞由来，好発年齢，好発部位，病理組織像におけるAntoni A型，B型の特徴的組織形態について説明できる．
- [ ] 7 神経線維腫の細胞由来，好発年齢，好発部位，病理組織像について説明できる．また，神経鞘腫との病理組織像の違い，鑑別点を列挙できる．
- [ ] 8 カポジ肉腫（KS）の発生とHHV8/KSHV感染，エイズ（AIDS）との関連，悪性度を説明できる．
- [ ] 9 口腔粘膜黒色腫の細胞起源，好発部位，発育様式，病理組織像を説明できる．
- [ ] 10 口腔領域の粘表皮癌の好発部位，病理組織像と悪性度との関連を説明できる．
- [ ] 11 多型腺腫の上皮系由来を理解し，2種類の腫瘍細胞，間質の特徴を説明できる．
- [ ] 12 口腔内発生のリンパ腫の好発部位を理解し代表的種類を列挙できる．また，HIV，EBV感染と関連したリンパ腫を列挙できる．

References

1) Fletcher, C.D.M. et al.(eds)：WHO Classification of Soft Tissue and Bone, fourth edition：summary and commentary, 4th Edition. IARC, Lyon, 2013.
2) El-Naggar, A.K. et al.(eds)：WHO Classification of Head and Neck Tumours, 4th Edition. IARC, Lyon, 2017.
3) Stojanov, I.J. and Woo, S.B.：Human papillomavirus and Epstein-Barr virus associated conditions of the oral mucosa. *Semin. Diagn. Pathol.*, 32：3〜11, 2015.
4) Said, A.K. et al.：Focal epithelial hyperplasia - an update. *J. Oral Pathol. Med.*, 42：435〜442, 2013.
5) Yuwanati, M. et al.：Congenital granular cell tumor - a rare entity. *J. Neonatal Surg.*, 4：17, 2015.
6) de Trey, L.A. et al.：Multifocal adult rhabdomyoma of the head and neck manifestation in 7 locations and review of the literature. *Case Rep. in Otolaryngol.*, 2013：758416, 2013.
7) Guevara-Canales, J.O. et al.：Systematic review of lymphoma in oral cavity and maxillofacial region. *Acta Odontol. Latinoam.*, 24：245〜250, 2011.
8) Sciallis, A.P. et al.：Mucosal CD30-positive T-cell lymphoproliferations of the head and neck show a clinicopathologic spectrum similar to cutaneous CD30-positive T-cell lymphoproliferative disorders. *Mod. Pathol.*, 25：983〜992, 2012.
9) Guyot-Goubin, A. et al.：Descriptive epidemiology of childhood Langerhans cell histiocytosis in France, 2000〜2004. *Pediatr. Blood Cancer*, 51：71〜75, 2008.
10) Zhou, J. et al.：Myeloid sarcoma of the head and neck region. *Arch Pathol. Lab. Med.*, 137：1560〜1568, 2013.

Chapter 19

唾液腺腫瘍

口腔領域に発生する腫瘍の中で，歯原性腫瘍とともに特徴的な病理組織像を呈するのが唾液腺の実質から発生する腫瘍（上皮性唾液腺腫瘍）であり，その正確な理解は，歯科にとって大切である．発生頻度は，全腫瘍の約1%，悪性腫瘍に限ればその約0.3%，頭頸部癌の約6%と低く，稀な腫瘍であるが，臨床態度や病理組織学的な特徴から良性・悪性腫瘍ともに数多くの腫瘍型に分けられ，2017年に発行されたWHO国際分類では30以上の腫瘍型が記載されている（**表19-1**）．

唾液腺腫瘍の発生頻度やその部位別特徴を**表19-2**に示す．

臨床的には，良性腫瘍は多くの場合，ゆっくりと大きさを増す無痛性の腫瘤として自覚され，境界が明瞭で周囲組織との癒着はなく，可動性である（**図19-1**）．これに対して悪性腫瘍では悪性度の程度により症状はさまざまであるが，大きさの急速な増大，周囲組織との不明瞭な境界や癒着，疼痛・知覚異常などの神経症状は悪性を示唆する．

また悪性腫瘍では，腫瘍細胞の浸潤によって表面を覆う皮膚や粘膜に潰瘍を形成することが多い（**図19-2**）．しかし，良性腫瘍でも口腔小唾液腺に生じた場合には，咀嚼などによる機械的刺激のために潰瘍が生じることがある．悪性唾液腺腫瘍には臨床的な悪性度の低いものが多く，それらでは病理組織学的にも細胞異型に乏しく，分裂像も少ない．なお，良性腫瘍が長い経過を経て悪性化するものもあり，同一の腫瘍内に良性と悪性の腫瘍が混在していることが病理組織学的に証明される．

唾液腺腫瘍の病理組織学的特徴は多様なことであり，同じ腫瘍型であっても，また同じ症例内でさえも，さまざまな病理組織像が認められることがある．その理由の1つは，唾液腺そのものの組織構造の複雑さにあり，漿液性ならびに粘液性腺房細胞，介在部，線条部，小葉間および排泄部導管上皮細胞とそれらの外層に位置する筋上皮細胞，基底細胞によって構成される唾液腺が腫瘍化すると，それらがさまざまな割合で増殖し，また，種々の程度の分化を示すことによって，異なった病理組織像を示す多くの腫瘍型が形成される（**図19-3**）．特に，筋上皮細胞は，正常とは異なる形態と機能を示し，唾液腺腫瘍の病理組織学的多様性の大きな要因となっている．このため，唾液腺腫瘍は，構成細胞の分化から，①腺上皮細胞のみからなる腫瘍型，②腫瘍性筋上皮細胞のみからなる腫瘍型，③腺上皮細胞-腫瘍性筋上皮細胞の2種類の細胞からなる腫瘍型，の3つに大別され，病理組織学的な多様さは③で特に目立つ．

本章では，多数に分類された上皮性唾液腺腫瘍の中から発生頻度の高い腫瘍型や臨床病理学的に重要な腫瘍型を取り上げる．なお，唾液腺には稀ではあるが非上皮性腫瘍も発生するため，その代表的な腫瘍についても概説する．

表19-1　上皮性唾液腺腫瘍の分類（WHO，2017）

悪性上皮性腫瘍	Malignant epithelial tumours
粘表皮癌	Mucoepidermoid carcinoma
腺様嚢胞癌	Adenoid cystic carcinoma
腺房細胞癌	Acinic cell carcinoma
多型腺癌	Polymorphous adenocarcinoma
明細胞癌	Clear cell carcinoma
基底細胞腺癌	Basal cell adenocarcinoma
導管内癌	Intraductal carcinoma
腺癌NOS	Adenocarcinoma, NOS
唾液腺導管癌	Salivary duct carcinoma
筋上皮癌	Myoepithelial carcinoma
上皮筋上皮癌	Epithelial-myoepithelial carcinoma
多形腺腫由来癌	Carcinoma ex pleomorphic adenoma
分泌癌	Secretory carcinoma
脂腺腺癌	Sebaceous adenocarcinoma
癌肉腫	Carcinosarcoma
低分化癌	Poorly differentiated carcinoma：
未分化癌	Undifferentiated carcinoma
大細胞神経内分泌癌	Large cell neuroendocrine carcinoma
小細胞神経内分泌癌	Small cell neuroendocrine carcinoma
リンパ上皮癌	Lymphoepithelial carcinoma
扁平上皮癌	Squamous cell carcinoma
オンコサイト癌	Oncocytic carcinoma
境界悪性腫瘍	*Uncertain malignant potential*
唾液腺芽腫	Sialoblastoma

良性上皮性腫瘍	Benign epithelial tumours
多形腺腫	Pleomorphic adenoma
筋上皮腫	Myoepithelioma
基底細胞腺腫	Basal cell adenoma
ワルチン腫瘍	Warthin tumour
オンコサイトーマ	Oncocytoma
リンパ腺腫	Lymphadenoma
嚢胞腺腫	Cystadenoma
乳頭状唾液腺腺腫	Sialadenoma papilliferum
導管乳頭腫	Ductal papillomas
脂腺腺腫	Sebaceous adenoma
細管状腺腫とその他の導管腺腫	Canalicular adenoma and other ductal adenomas

表19-2　唾液腺腫瘍の発生頻度と部位別特徴

上皮性：非上皮性：転移性	92%：5%：3%
上皮性腫瘍	
良性：悪性	55～80%：45～20%
男性：女性	40%：60%
	男性に多い腫瘍型　ワルチン腫瘍，唾液腺導管癌
部位別の発生頻度	
耳下腺：顎下腺：舌下腺：小唾液腺	64～80%：7～11%：1%以下：9～23%
耳下腺腫瘍	多形腺腫≫ワルチン腫瘍≒粘表皮癌≒腺房細胞癌
顎下腺腫瘍	多形腺腫≫腺様嚢胞癌≒粘表皮癌
舌下腺腫瘍	粘表皮癌＞多形腺腫≧腺様嚢胞癌
口蓋腺腫瘍	多形腺腫＞粘表皮癌≧腺様嚢胞癌
後臼歯腺腫瘍	粘表皮癌≫腺様嚢胞癌
悪性唾液腺腫瘍の占める割合	耳下腺15～32%，顎下腺41～45%，舌下腺70～90% 小唾液腺50%（舌，口腔底，後臼歯部では約90%）

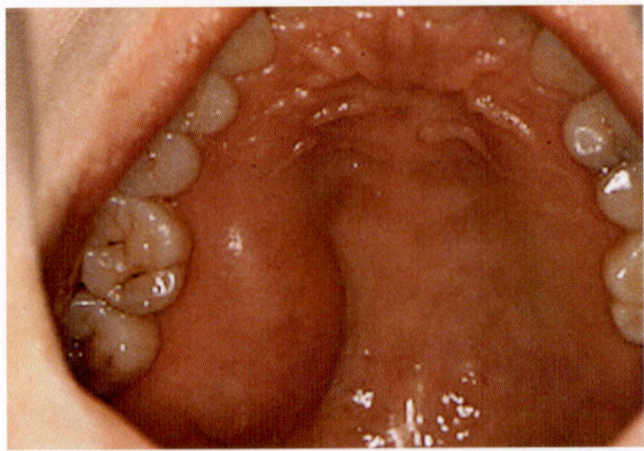

図19-1　良性唾液腺腫瘍の肉眼像

口蓋に境界明瞭なドーム型の腫瘤が形成され，表面は正常な粘膜上皮で覆われている．

〔東京歯科大学口腔外科学講座 柴原孝彦教授提供〕

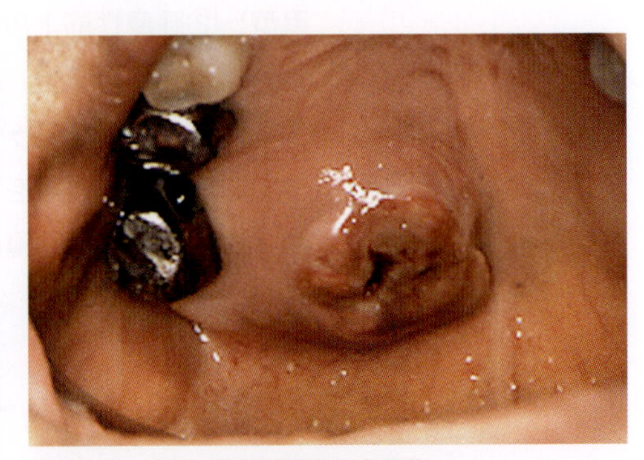

図19-2　悪性唾液腺腫瘍の肉眼像

形がいびつで，表面は潰瘍に陥っている．

〔東京歯科大学口腔外科学講座 柴原孝彦教授提供〕

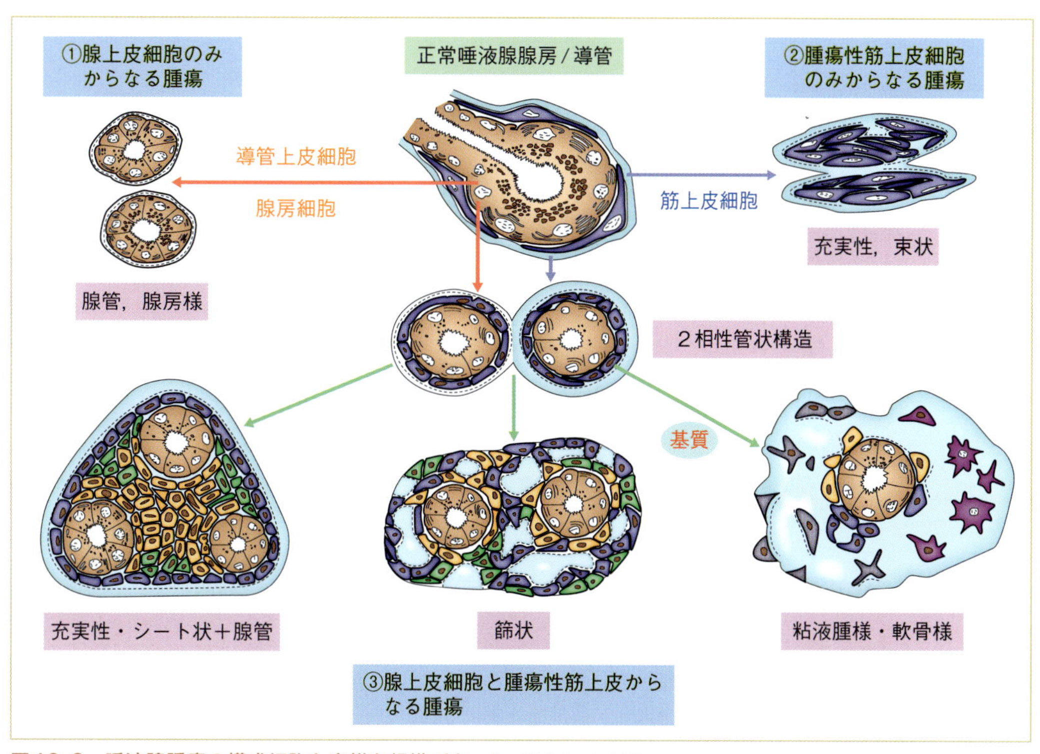

図19-3 唾液腺腫瘍の構成細胞と多様な組織パターン〔文献[7]より改変〕

I—良性上皮性腫瘍

1 多形腺腫[1]

多形腺腫[1]
pleomorphic adenoma

大・小唾液腺ともに最も発生頻度の高い代表的な唾液腺腫瘍で，全唾液腺腫瘍の約60%を占める．その約8割は耳下腺に発生し，小唾液腺には1割程度が生じる．口腔では半数以上が口蓋に発生し，口唇，頬粘膜がこれに次ぐ．好発年齢は20〜50歳代であるが，小児から高齢者まで幅広い年代に発生し，女性にやや多い．ゆっくりと大きさを増す無痛性で周囲との境界明瞭な腫瘤として自覚される．硬さは，腫瘍の病理組織像に対応し，柔らかいものから硬いものまでさまざまで，1つの腫瘍内でも異なる場合がある．通常，線維性結合組織からなる被膜で囲まれている（図19-4）が，小唾液腺例では完全な被膜の形成を欠くことがある．また，被膜内やその外側に腫瘍細胞の小塊を認めることもあり（図19-5），不完全な摘出による再発の一因となる．

混合腫瘍[2]
mixed tumor

病理組織学的には，きわめて多彩な像を呈することが特徴であり，腫瘍細胞が大小の腺管を形成し，また，索状，充実性に増殖する上皮性構造に加えて，粘液腫様や軟骨様の間葉様構造を伴う複雑な像を呈する（図19-6）．このため，混合腫瘍[2]ともよばれるが，間葉様にみえる構造も上皮性の腫瘍細胞と，それによって産生された基質からなることが示され，現在では純上皮性腫瘍に位置づけられている．上皮性構造と間葉様構造との割合はさまざまで，耳下腺例では間葉様構造が広範に認められる傾向があるのに対して，小唾液腺例では間葉様構造，特に軟骨様域に乏しいことが多い．

腫瘍性筋上皮細胞[3]
neoplastic myoepithelial cell：正常の筋上皮細胞とは異なる多様な形態（紡錘形，形質細胞様，明細胞など）や基質産生能を有するため，「腫瘍性」を付ける．

2相性分化[4]
biphasic differentiation：腺管を囲む腺上皮細胞とその外側の腫瘍性筋上皮細胞の2種類の細胞からなることを表す．唾液腺腫瘍の組織構築の基本となる考え方である．

腫瘍細胞は，腺腔を囲む腺上皮細胞と，その外周に位置する腫瘍性筋上皮細胞[3]の2種類からなり（2相性分化[4]．図19-7），両者の割合はさまざまである．腺上皮細胞は，好酸性細胞質と円形核を有する立方形〜短円柱状細胞で，腺腔が拡張し嚢胞状になると扁平化する（図19-7）．一方，腫瘍性筋上皮細胞は，多角形，紡錘形，形質細胞に類似した偏在核を有する楕円形（形質細胞様細胞），グリコーゲンの蓄積により細胞質が淡明化した明細胞など，多様な形

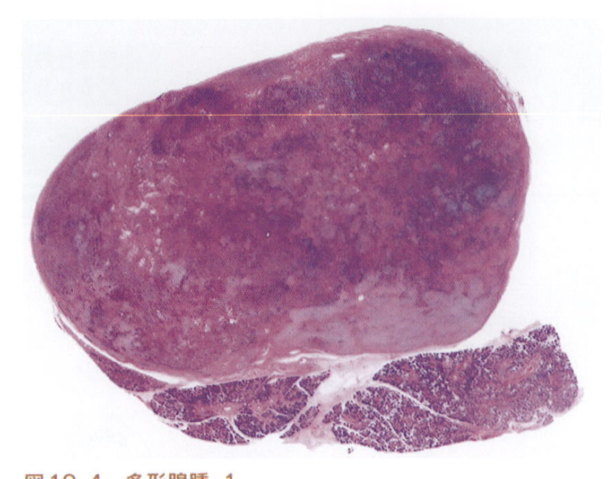

図19-4　多形腺腫-1
腫瘍は顎下腺から発生し，線維性結合組織からなる被膜で囲まれ，境界は明瞭である．

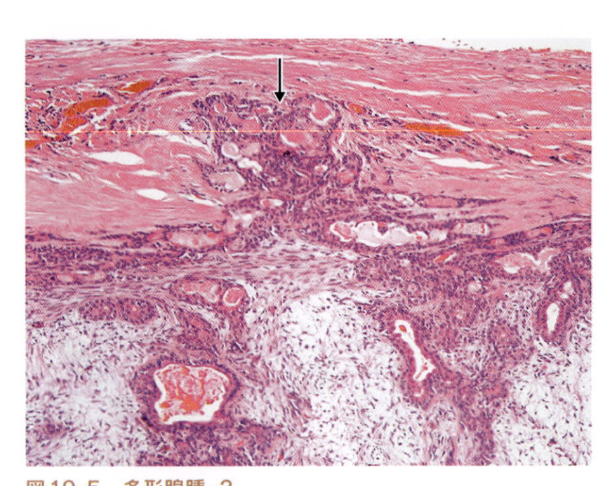

図19-5　多形腺腫-2
被膜内に腫瘍が突出している（矢印）．

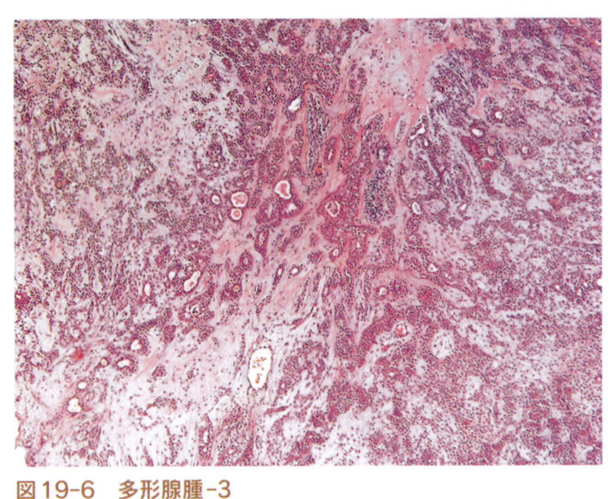

図19-6　多形腺腫-3
腫瘍は，上皮性構造と間葉様構造（粘液腫様，軟骨様）からなる多彩な像を呈する．

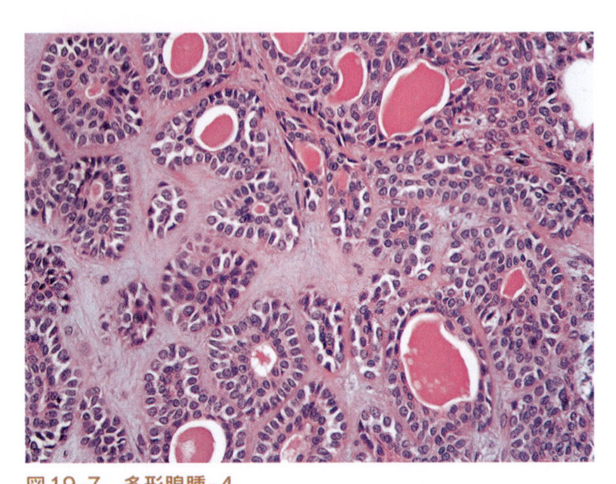

図19-7　多形腺腫-4
腫瘍の上皮性構造部．分泌物を入れた腺管を囲む腺上皮細胞と，その外周に位置する腫瘍性筋上皮細胞の2種類の細胞で構成される．

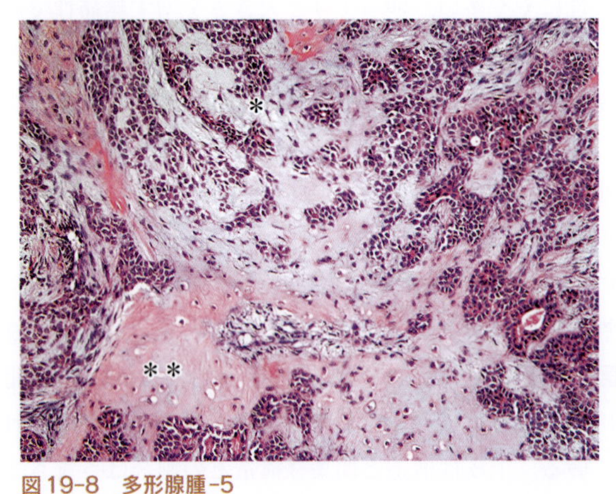

図19-8　多形腺腫-5
腫瘍性筋上皮細胞は，上皮性構造の部分から解離し，間葉様構造へと移行する．粘液腫様（*），軟骨様（**）域．

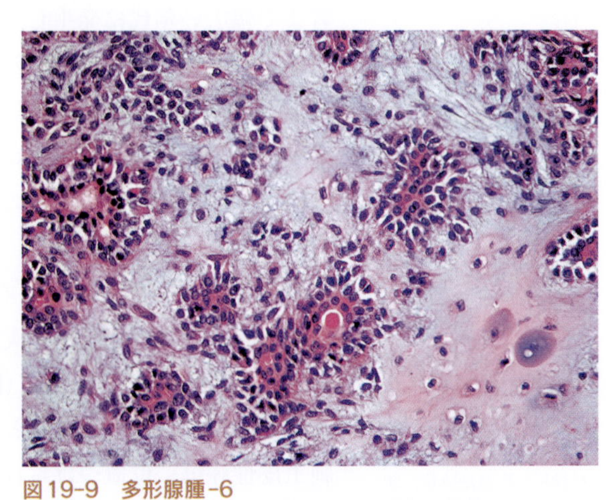

図19-9　多形腺腫-6
腫瘍性筋上皮細胞は，豊富な細胞外基質により細胞間が開き，基質内に解離している．

態を示す．腫瘍性筋上皮細胞は，索状あるいは充実性に増殖するのに加えて，粘液腫様や軟骨様域を形成する（**図19-8**）．すなわち，グリコサミノグリカン（コンドロイチン硫酸，ヒアルロン酸など）を豊富に含む粘液様，軟骨様基質を細胞周囲に産生・分泌することによって細胞間が開き，基質内に解離して，豊富な基質内に散在性に，あるいは集塊を形成して存在する

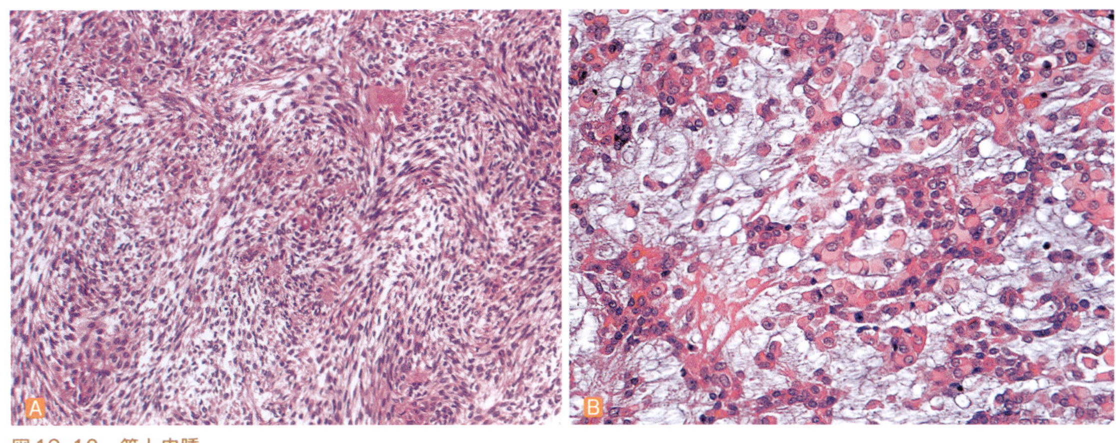

図19-10 筋上皮腫

束状に増殖する紡錘形細胞（A）や粘液性基質を伴う形質細胞様細胞（B）からなる．

（図19-8, 9）．このため，上皮性腫瘍でありながら腫瘍実質と間質（結合組織）との境界は不明瞭となり，この像は，多形腺腫のみにみられる特徴的な所見で，診断確定の根拠とされる．

亜鉛フィンガータンパク質[5]
zinc finger protein

高移動度グループタンパク質[6]
high-mobility group protein

多形腺腫の約70%に遺伝子異常がみられる．転写因子遺伝子*PLAG1*では8q12の，*HMGA2*では12q14～15の遺伝子座で遺伝子融合が生じる[1]．*PLAG1*は細胞周期の増殖関連亜鉛フィンガータンパク[5]をコードするが，*CTNNB1*，*FGFR1*，*LIFR*，*CHCHD7*あるいは*TCEA1*などのさまざまな融合パートナー遺伝子とプロモータースワッピングすることで活性化される．また，過剰発現は*PLAG1*のターゲット遺伝子，なかでも最も重要な*IGF2*遺伝子の脱制御性を引き起こす．*HMGA2*は構造上の転写因子として機能する高移動度グループタンパク質[6]をコードする．*HMGA2*は*HMGA2*の3'端が，融合パートナー遺伝子である*NFIB*，*WIF1*あるいは*FHIT*の3'端によって置換・融合されることにより活性化される．一部の多形腺腫においては*HMGA2-WIF1*融合遺伝子が染色体12q15上の*MDM2*遺伝子と共増幅される．*HMGA2*融合遺伝子は細胞周期制御因子であるcyclin A1およびcyclin B2の発現を活性化する．近年，*WIF1*の発現低下が一部の多形腺腫で報告があり，悪性転化の危険性の増加と関連するとされている[2]．*HRAS*の変異あるいは過剰発現も一部の多形腺腫でみられている．最近の研究では多形腺腫の腫瘍性筋上皮細胞が幹細胞マーカーであるCD44を発現することが示されている[3]．

多形腺腫由来癌[7]
carcinoma ex pleomorphic adenoma

完全な切除により予後は良好であるが，耳下腺例では5%前後の再発率が報告されている．処置されずに10年以上経過した例や再発例では悪性化することがあり，多形腺腫由来癌[7]とよばれる（後述）．

転移性多形腺腫[8]
metastasizing pleomorphic adenoma

きわめて稀であるが，病理組織学的には多形腺腫と同様の良性腫瘍の像を示しているにもかかわらず，肺などに転移をきたす転移性多形腺腫[8]がある．

筋上皮腫[9]
myoepithelioma

2 筋上皮腫[9]

筋上皮癌[10]
myoepithelial carcinoma

多形腺腫を構成するのと同じ腫瘍性筋上皮が増殖の主体をなす稀な腫瘍（図19-10）で，腺管形成は欠くか，部分的にごく少数認めるのみである．好発部位や年齢も多形腺腫とほぼ同じである．浸潤性増殖を示したり，細胞異型が明瞭で核分裂像の多い場合は悪性で，筋上皮癌[10]とよばれる．

ワルチン腫瘍[11]
Warthin tumor (tumour)

3 ワルチン腫瘍[11]

多形腺腫に次いで発生頻度の高い腫瘍である．ほとんどが耳下腺（特に下極）かその近傍に

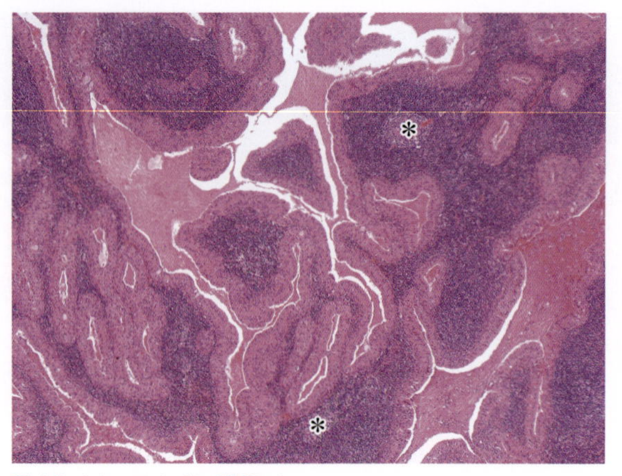

図19-11　ワルチン腫瘍-1
好酸性細胞質を有する腺上皮細胞が管状，乳頭嚢胞状構造を形成して増殖し，間質は，濾胞形成（*）を示すリンパ組織である．

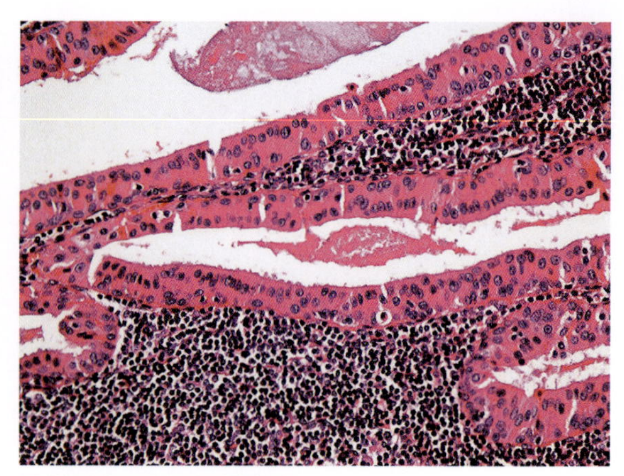

図19-12　ワルチン腫瘍-2
上皮は，腔に面する円柱状細胞と間質に接する立方形細胞が２列に並び，どちらも好酸性顆粒状の細胞質を有するオンコサイトである．

発生し，中高年の男性に多い．約10～20%が多発例で，両側性の場合もある．なお，喫煙者に好発する傾向があり，煙草による刺激が発生にかかわる可能性が指摘されている．徐々に大きさを増す柔らかい腫瘤を形成し，波動を触れることもある．

集積[12]
hot nodule

周囲を被膜で囲まれた境界明瞭な腫瘍で，割面では混濁した液状～泥状物を含む大小の嚢胞状腔が認められる．なお，テクネシウム（^{99m}Tc）のシンチグラムで集積[12]を示すことが画像上の特徴である．

病理組織学的には，好酸性顆粒状の細胞質を有する円柱状～立方形の腺上皮細胞が形成する管状，嚢胞状構造とその間を埋めるリンパ性間質からなる特徴的な像を示す（**図19-11**）．拡張した嚢胞状腔では，上皮細胞が腔内に乳頭状に増殖し，腔に面する細胞は円柱状，間質に接する細胞は立方形で，2列に並んでいる（**図19-12**）．上皮細胞が充実性胞巣を形成する部分もある．筋上皮細胞は認められない．

オンコサイト[13]
oncocyte

腺リンパ腫[14]
adenolymphoma

好酸性顆粒状の上皮細胞は，細胞質内に腫大した異常な形態のミトコンドリアを充満しており，オンコサイト[13]とよばれる．間質は，胚中心を有する濾胞を形成するリンパ組織である．ワルチン腫瘍には腺リンパ腫[14]という別名があるが，腫瘍の実質は上皮のみであり，リンパ球の腫瘍を表す「リンパ腫」という名称は適切ではない．

組織発生は，唾液腺内に含まれるリンパ節内に封入された唾液腺導管由来とする説が一般的であるが，上皮細胞も腫瘍性増殖ではなく，ワルチン腫瘍は真の腫瘍ではないという考えも報告されている．

摘出により予後は良好である．ごく稀に悪性化することがあり，粘表皮癌，扁平上皮癌や悪性リンパ腫などが発生する．

基底細胞腺腫[15]
basal cell adenoma

4　基底細胞腺腫[15]

主に高齢者の耳下腺に発生する稀な腫瘍で，ときに小唾液腺にも生じる．多形腺腫と同様に腺上皮細胞と腫瘍性筋上皮細胞からなるが，粘液腫様や軟骨様の間葉様構造はなく，腫瘍胞巣と間質とは基底膜で明瞭に区画され，筋上皮細胞が基質形成を伴って解離する像は認められない．被膜に囲まれた境界明瞭な腫瘍で，内部に嚢胞化を伴うことがある．

腫瘍細胞の配列パターンにより，管状，索状，充実性および胞巣内外に好酸性の硝子様物質が大量に沈着した膜性の4型に分けられる．皮膚に発生する基底細胞癌に類似して，胞巣最外層の細胞が柵状に並ぶのが特徴である（**図19-13**）．摘出により予後は良好である．

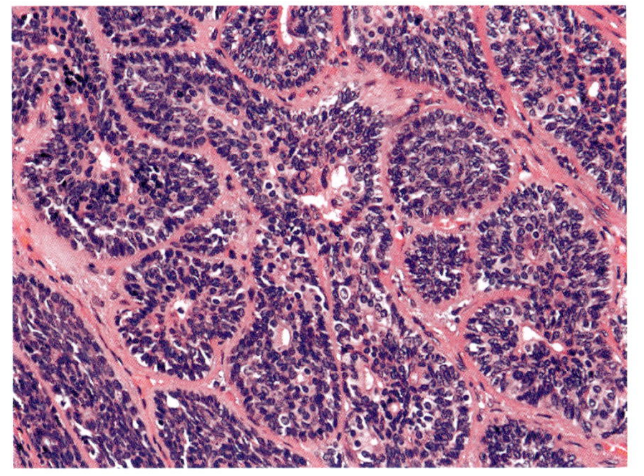

図19-13　基底細胞腺腫
管状，充実性胞巣からなり，胞巣最外層細胞の柵状配列が特徴的である．胞巣と間質との境界は明瞭である．

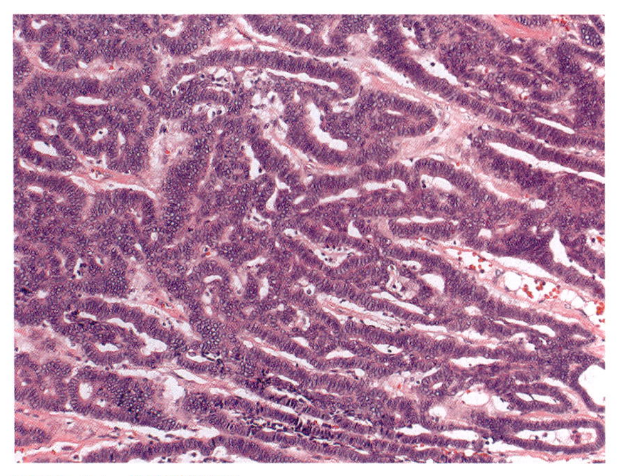

図19-14　細管状腺腫
腺上皮細胞からなる索状，管状胞巣が吻合して増殖し，血管に富む疎な結合組織の間質を伴っている．

被膜を欠き，周囲組織内へ浸潤性に増殖したり，細胞異型が明瞭で核分裂像が多い例は悪性とみなされ，基底細胞腺癌[16]とよばれる．

基底細胞腺癌[16]
basal cell adenocarcinoma

細管状腺腫[17]
canalicular adenoma

5 細管状腺腫[17]

大多数が上口唇に発生する稀な腫瘍で，高齢者に多い．腺上皮性の円柱状細胞が2列に並ぶ索状胞巣が網状に吻合して増殖し，ところどころで胞巣内に単層性の腺管を形成してビーズ状を呈する（図19-14）．間質は，血管に富む疎な線維性結合組織である．

NOS[18]
not otherwise specified：「特徴的な病理組織像を示す腫瘍型には当たらない」という意味．

Ⅱ─悪性上皮性腫瘍

臨床態度の違いや病理組織学的特徴から20以上の腫瘍型に分類されているが，発生頻度の高いものは，粘表皮癌，腺様嚢胞癌，腺房細胞癌，唾液腺導管癌，腺癌NOS[18]（後述），多形腺腫由来癌である．

粘表皮癌[19]
mucoepidermoid carcinoma

1 粘表皮癌[19]

発生頻度の最も高い悪性唾液腺腫瘍で，女性にやや多い．約半数が耳下腺に生じるが，小唾液腺にもしばしば発生し，口蓋と頬粘膜が好発部位である．平均年齢は40歳代であるが，各年齢層に均等に生じ，小児の悪性唾液腺腫瘍としても最多を占める．低悪性度のものは，緩徐な増大を示す境界明瞭な無痛性腫瘤を形成し，小唾液腺では粘液瘤に類似することがあり，割面では嚢胞の形成を認める．一方，高悪性度例では急速な増大，疼痛，骨破壊や潰瘍形成がみられ，充実性増殖が主体で，周囲組織に浸潤性に増殖する．

病理組織学的には，粘液細胞，類表皮細胞（扁平上皮細胞）と，分化の明らかでない小型の中間細胞からなる．低悪性型（高分化型）では，粘液細胞と分化の明瞭な類表皮細胞が主体で，嚢胞や腺腔を伴う胞巣を形成して増殖する（図19-15）．類表皮細胞は細胞間橋の形成を示す棘細胞で，角化は通常認められない．これに対して，高悪性型（低分化型）では，細胞異型の明瞭な類表皮細胞と中間細胞が充実性胞巣を形成して増殖し，粘液細胞，腺腔や嚢胞腔には乏しい（図19-16）．このため，扁平上皮癌との鑑別が問題となり，PAS染色やムチカルミン染色，アルシアンブルー染色などにより粘液細胞の存在を確認する必要がある．嚢胞腔が腫瘍胞

PAS染色
periodic acid-Schiff stain

ムチカルミン染色
Mucicarmine stain

アルシアンブルー染色
Alcian blue stain

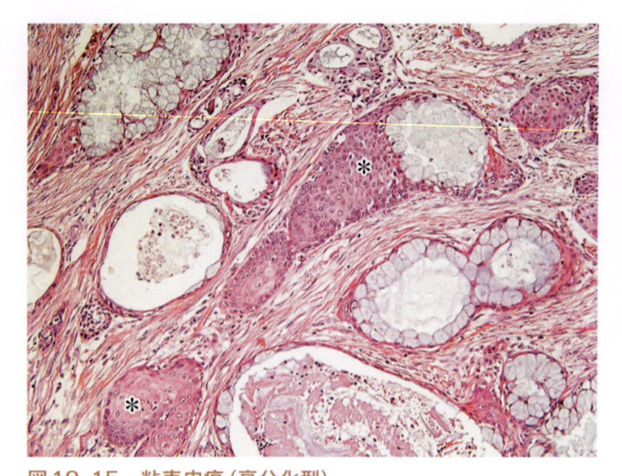

図19-15　粘表皮癌（高分化型）
粘液細胞と類表皮細胞（*）が主体で，嚢胞や腺管形成が目立ち，細胞異型や分裂像には乏しい．

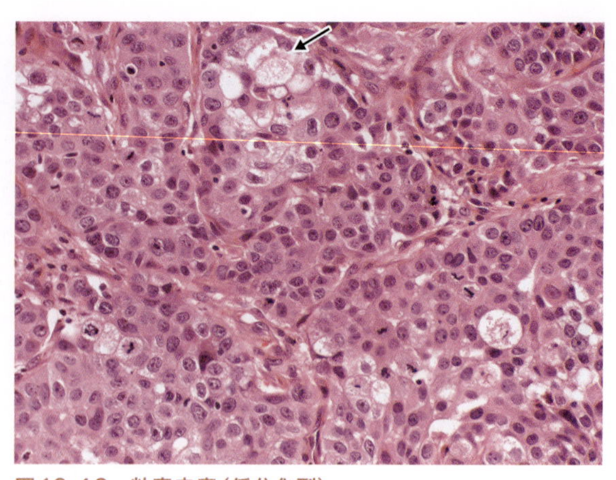

図19-16　粘表皮癌（低分化型）
細胞異型が明瞭で，多数の分裂像を示す類表皮細胞や中間細胞が充実性に増殖する．粘液細胞（矢印）がごく少数みられる．

巣全体の20%以下しかないこと，神経浸潤や壊死巣があること，強拡大10視野に核分裂像が4個以上あること，細胞異型が著明であることなどが重複してみられる腫瘍は悪性度が高いとみなされる．

間質は硝子化を伴うことが多い．粘表皮癌の約10%の症例には細胞質内にグリコーゲンが蓄積した明細胞が認められ，これが主体を占める場合には他の唾液腺腫瘍（筋上皮癌，上皮筋上皮癌，明細胞癌など）や悪性黒色腫，腎癌の転移などとの鑑別が必要となる．近年，粘表皮癌に特異的な融合遺伝子*CRTC1/3::MAML2*が同定された．約40～80%の症例に検出され，陽性例は予後良好の傾向があることから，鑑別診断や予後推測の一助として使用されている．

周囲組織も含めた切除により低悪性型の予後は良好であるが，高悪性型では局所再発，リンパ節や遠隔転移をきたし，10年生存率は約25%と低い．なお，顎骨内に粘表皮癌と類似の病理組織像を示す腫瘍がごく稀に発生（顎骨中心性粘表皮癌）し，骨内に迷入した異所性唾液腺由来とされてきたが，今日では歯原性とする説が支持されている．

腺様嚢胞癌[20]
adenoid cystic carcinoma

2　腺様嚢胞癌[20]

代表的な悪性唾液腺腫瘍の1つで，全唾液腺腫瘍の約10%に相当し，耳下腺，顎下腺に加えて小唾液腺にも好発する．小唾液腺では口蓋が最好発部位である．30～50歳代に発生のピークを有し，やや女性に多い．発育は緩徐で，良性腫瘍を思わせるが，腫瘍細胞の浸潤による潰瘍形成や神経の周囲，内部への浸潤による疼痛，知覚異常を伴うことがある．再発率が高く，最終的には血行性転移をきたし，死の転帰をたどる例が多く，長期的には予後不良の腫瘍である．

病理組織学的には，多形腺腫と同様に，腺上皮細胞と腫瘍性筋上皮細胞の2種類からなり（2相性分化），篩状，管状，充実性胞巣を形成し，周囲組織を破壊して浸潤性に増殖する（**図19-17**）．神経周囲リンパ隙や神経線維束内に浸潤する傾向が強く（**図19-18**），神経に沿って広範に広がっていることがあり，術後再発の原因の1つとなる．

本腫瘍に最も特徴的な篩状（スイスチーズ様）胞巣には，腺上皮細胞によって囲まれた真の腺腔と腫瘍性筋上皮細胞が形成する偽嚢胞腔の2つが識別される（**図19-19**）．真の腺腔は小さく，好酸性でPAS染色陽性の上皮性分泌物を入れており，それを囲む腺上皮細胞は，介在部導管上皮細胞に類似し，好酸性細胞質を有する立方形細胞である．一方，偽嚢胞腔はより大きく，淡い好塩基性でアルシアンブルー染色陽性のグリコサミノグリカンを含む間葉性粘液を入れている．クロマチンに富む小型で角張った核を有し，細胞質に乏しい腫瘍性筋上皮細胞で

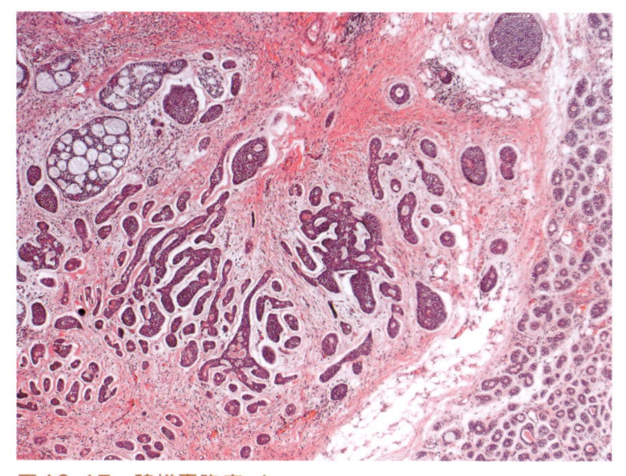

図19-17　腺様嚢胞癌-1
腫瘍細胞は，篩状，管状，充実性胞巣を形成し，浸潤性に増殖する．

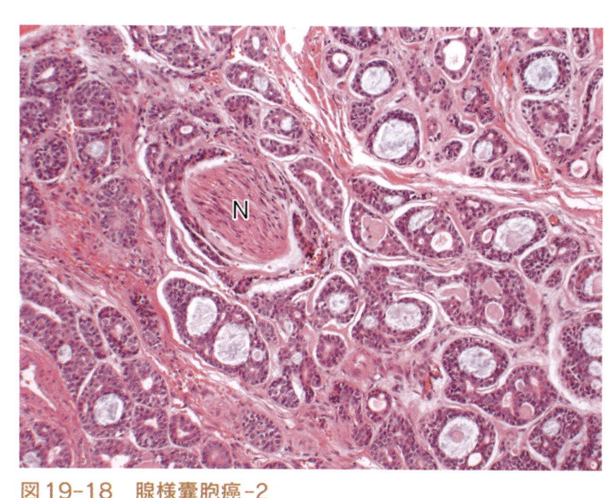

図19-18　腺様嚢胞癌-2
腫瘍胞巣は，神経周囲リンパ隙に浸潤している（N：神経線維束）．

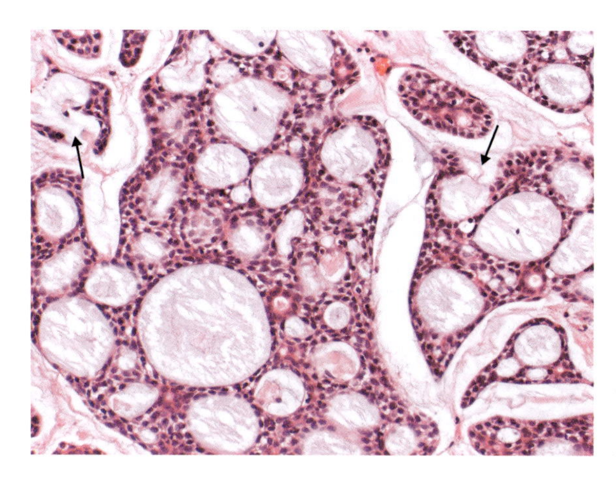

図19-19　腺様嚢胞癌（篩状胞巣）
好酸性細胞質を有する腺上皮細胞によって囲まれた小型の真の腺腔と，細胞質に乏しく，クロマチンに富む核を有する腫瘍性筋上皮が形成する偽嚢胞腔とが識別される．偽嚢胞腔と間質との連続が観察される（矢印）．腫瘍細胞は，異型性や分裂像に乏しい．

囲まれているが，胞巣周囲の間質と連続していることから偽嚢胞腔とよばれる．間葉性粘液は腫瘍性筋上皮細胞によって産生され，腫瘍細胞間や胞巣周囲にも存在している．また，偽嚢胞腔内や胞巣を取り囲むように好酸性の硝子様物が認められることもあり，これには基底膜成分が豊富に含まれており，その形成にも腫瘍性筋上皮細胞がかかわっている．管状胞巣は，腺上皮細胞とその外周の腫瘍性筋上皮細胞の2相性で，真の腺腔を形成している（**図19-20**）．充実性胞巣は，腫瘍性筋上皮細胞，腺上皮細胞や分化の明らかでない細胞が単独で，あるいは混在して増殖している（**図19-21**）．腺様嚢胞癌の典型例では，腫瘍細胞は細胞異型に乏しく，分裂像も少数認められるのみであるが，充実性胞巣では異型が強く，多数の核分裂像の出現と壊死を伴うこともある．また，ごく稀ではあるが，より悪性度の高い腫瘍型（腺癌NOSなど）が発生する（高悪性度転化[21]，脱分化[22]）．

高悪性度転化[21]
high-grade transformation
脱分化[22]
dedifferentiation

5年生存率は60～80％であるが，15年生存率は25～35％で，長期経過後の予後は不良である．リンパ節転移は稀であるが，遠隔臓器，特に肺への血行性転移が多く，骨，脳，肝臓にも転移する．病理組織学的所見が予後判定の参考となり，充実性胞巣が腫瘍胞巣全体の30％以上を占める場合や細胞異型，分裂像が目立つ場合は，通常よりもさらに予後不良と推測される．

腺房細胞癌[23]
acinic cell carcinoma

3 腺房細胞癌[23]

90～95％以上が耳下腺に生じるが，次いで小唾液腺が好発部位であり，頬粘膜，上口唇などに発生する．女性にやや多く，平均年齢は50歳代であるが，小児でも粘表皮癌に次いで多い悪性唾液腺腫瘍である．悪性度の低い例が大半を占め，多形腺腫に類似した緩徐に増大する

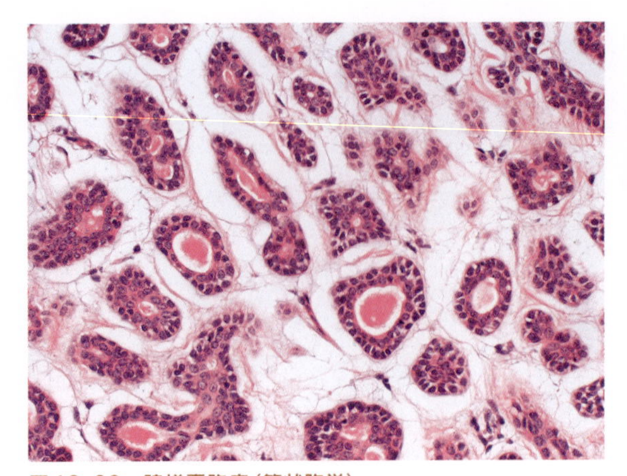

図 19-20　腺様嚢胞癌（管状胞巣）
腺上皮細胞と腫瘍性筋上皮からなる２層性腺管を形成する．

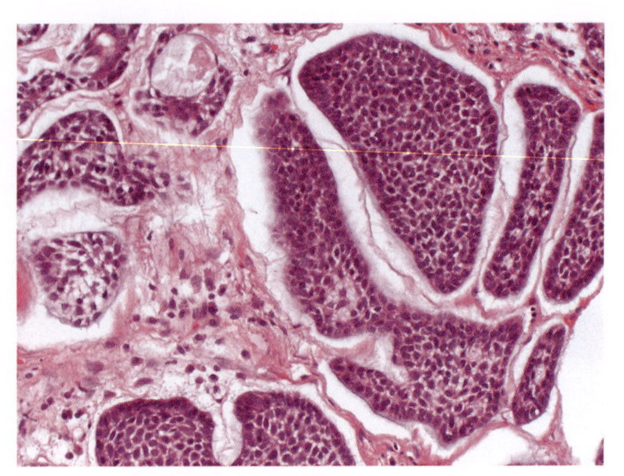

図 19-21　腺様嚢胞癌（充実性胞巣）
充実性胞巣が篩状胞巣（左上）と混在している．

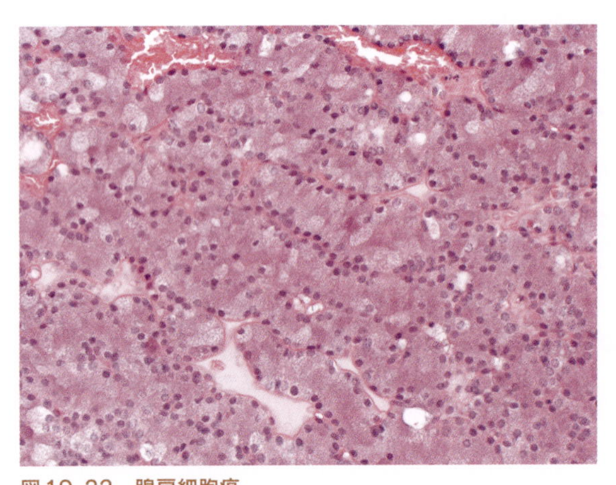

図 19-22　腺房細胞癌
好塩基性顆粒状の細胞質と偏在した小型の核を有し，漿液性腺房細胞に類似した細胞が充実性，索状に増殖する．細胞異型や分裂像には乏しい．

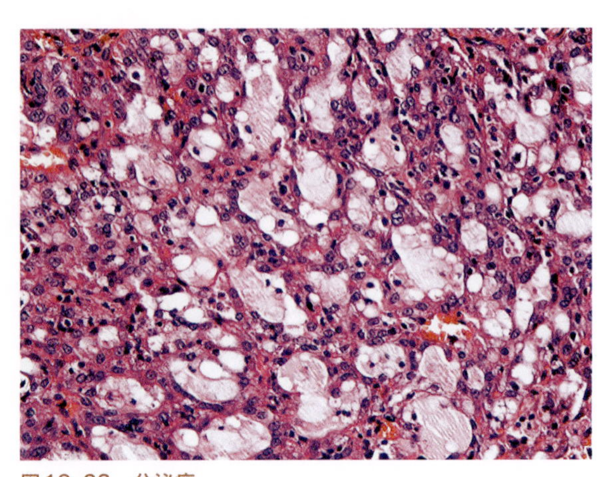

図 19-23　分泌癌
腫瘍細胞は好酸性細胞質と円形核を有し，細胞間には分泌物を入れた腔が目立つ．

境界明瞭な無痛性腫瘤を形成するが，被膜が不完全で多結節性の浸潤性増殖を示すことがある．

病理組織学的には，好塩基性顆粒状の細胞質と偏在した小型の濃染核を有し，漿液性腺房細胞に類似する類円形の腫瘍細胞（漿液性腺房細胞様細胞）が細い線維性結合組織の間質を伴って充実性，索状に増殖するのが基本型である（**図 19-22**）．細胞質内の顆粒は，PAS染色陽性のチモーゲン顆粒である．腫瘍細胞には，細胞質が好酸性で小型の介在部導管様細胞，細胞質内に空胞を有する空胞細胞，細胞質が淡明な明細胞などが，増殖パターンには，微小嚢胞型，乳頭状嚢胞型，濾胞型などが存在し，それらが混在して認められることもある．筋上皮細胞は通常みられない．核分裂像や細胞異型に乏しい例が多く，転移は少ないが，再発は約1/3の症例に認められる．低悪性度腫瘍に位置づけられているが，稀に腺癌NOSなどより悪性度の高い腫瘍が発生する（高悪性度転化，脱分化）場合がある．

分泌癌[24]
secretory carcinoma

4 分泌癌[24]

2005年発行のWHO分類（WHO 2005）では，介在部導管様細胞や空胞細胞が微小嚢胞，乳頭状嚢胞や濾胞様構造を形成して増殖する症例は，漿液性腺房細胞様細胞が明らかでなくても腺房細胞癌の亜型とされていた．しかし，近年，それらには定型的な腺房細胞癌ではみられない*ETV6::NTRK3*融合遺伝子が同定されることに基づいて，腺房細胞癌とは別の腫瘍型であ

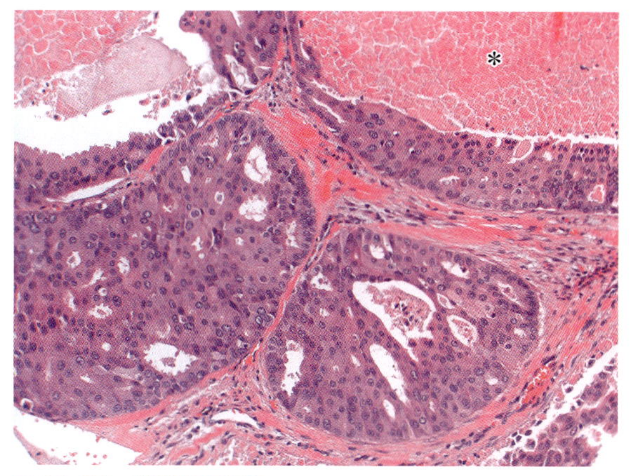

図19-24　唾液腺導管癌
多数の真の腺腔により篩状を呈する胞巣が特徴的で，胞巣中心部はしばしば壊死に陥っている（*）.

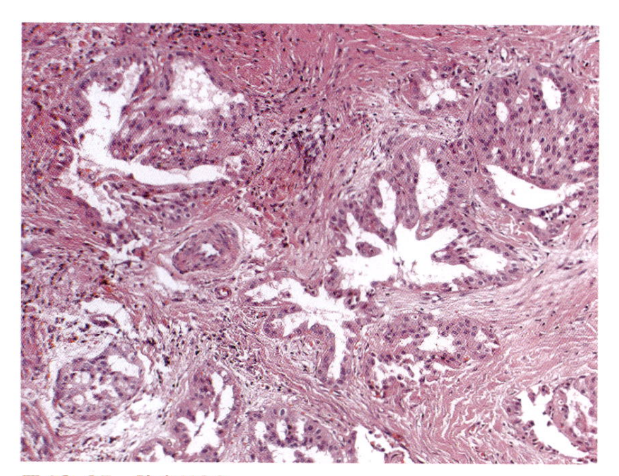

図19-25　腺癌NOS
特徴のない乳頭状腺管の増殖よりなる.

ることが提唱され，2017年発行のWHO分類（WHO 2017）に「分泌癌secretory carcinoma」の名称で新しい腫瘍型として採択された.

乳腺の分泌癌に類似の病理組織像を呈する低悪性度腫瘍で，成人の耳下腺に好発する．性差はない.

病理組織学的には前述のとおり多彩な像があり，好酸性分泌物を入れた腔が目立つ（**図19-23**）．腫瘍細胞は，好酸性細胞質と核小体のみられる円形核を有し，異型や分裂像には乏しい．細胞質内にチモーゲン顆粒は認めない.

完全な切除により予後良好であるが，腺房細胞癌よりも転移の多いことが指摘され，25%にリンパ節転移，肺，骨などへの遠隔転移も5%にみられる.

唾液腺導管癌[25]
salivary duct carcinoma

5　唾液腺導管癌[25]

悪性度が低～中程度である腫瘍型が多い悪性唾液腺腫瘍において，例外的な高悪性度腫瘍の代表である．耳下腺に好発し，大部分が50歳以上に生じる．多くの唾液腺腫瘍は女性での発生頻度が高いが，唾液腺導管癌は男性に好発する．多形腺腫由来癌の癌腫成分として発生する例も多い.

乳腺の導管癌に類似した病理組織像を示し，腫瘍細胞は充実性に，あるいは嚢胞状に拡張した腔を囲むように増殖する．しばしば胞巣中心部の壊死を伴う．充実性胞巣では内部に多数の腺管を形成し，篩状にみえるが，腺様嚢胞癌とは異なり，すべて真の腺腔で，好酸性の豊富な細胞質を有する大型の腺上皮細胞のみからなる（**図19-24**）．高度の細胞異型と多数の分裂像を示し，予後はきわめて不良で，早期に転移を生じ，5割以上が5年以内に腫瘍死する．乳癌と同様に，腫瘍細胞は，上皮成長因子受容体[26]に類似するHER2をしばしば発現することから，HER2陽性の進行例では，これを標的とした分子標的療法が補助的治療として行われている.

上皮成長因子受容体[26]
EGFR（epidermal growth factor receptor）

腺癌NOS[27]
adenocarcinoma, NOS (not otherwise specified)

6　腺癌NOS[27]

腺上皮細胞からなり，腺腔を形成する悪性腫瘍で，腺房細胞癌，粘表皮癌，腺様嚢胞癌，唾液腺導管癌など特徴的な病理組織像を示す腫瘍型には当たらないものを腺癌NOS（not otherwise specified）としてまとめる．そのため，この中には悪性度の低いものから高いものまで生物学的態度の異なる腫瘍が含まれている．悪性唾液腺腫瘍の多くは腺上皮細胞からなる「腺癌」であるため，NOSを付けることにより腺上皮細胞からなる他の腫瘍型と区別する.

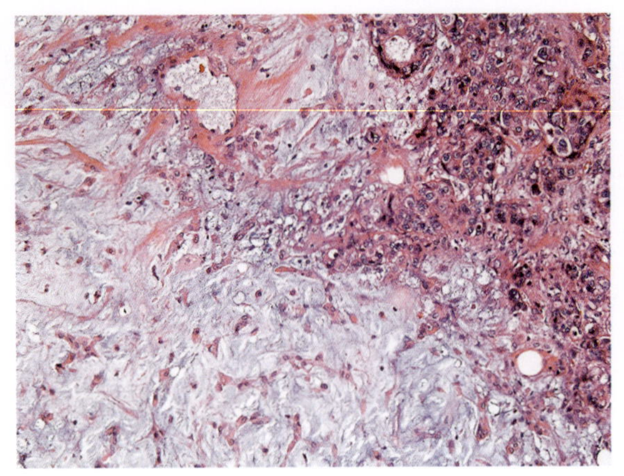

図19-26 多形腺腫由来癌
多形腺腫の粘液腫様域(左下)と，高度の細胞異型を示す癌(右上)が認められる.

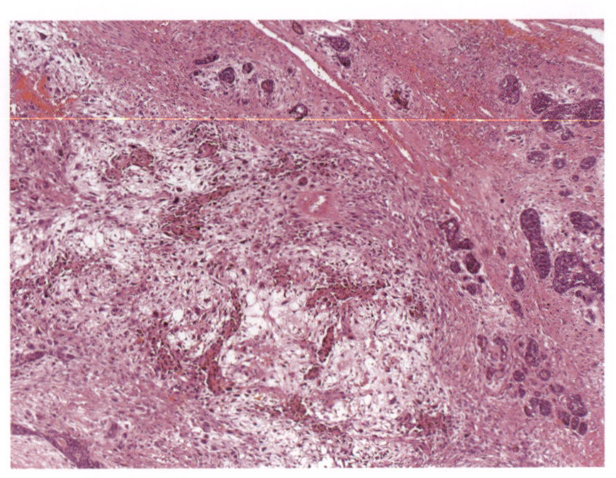

図19-27 癌肉腫
上皮成分に加えて，間葉様成分も明らかな細胞異型を示し，粘液肉腫や線維肉腫の像を呈している(左下).

欧米では全悪性唾液腺腫瘍の10〜15%を占め，大唾液腺では耳下腺に，小唾液腺では口蓋に好発する．多形腺腫由来癌の癌腫成分として発生するものもある．境界不明瞭な腫瘤を形成し，悪性度の高いものでは出血，壊死を伴う．

病理組織学的には，腺上皮細胞が管状，乳頭状，充実性などの増殖パターンを示して浸潤性に増殖する(**図19-25**)．立方形，円柱状細胞に加えて明細胞，粘液細胞などが認められることもあり，細胞異型は軽度から高度のものまでさまざまで，悪性度が高い例では強い細胞異型と多数の分裂像が認められる．予後もさまざまで，高悪性のものでは再発，転移が多く，15年生存率は5%以下である．小唾液腺発生例は，大唾液腺のものよりも予後良好であるとされている．

多形腺腫由来癌[28]
carcinoma ex pleomorphic adenoma

7 多形腺腫由来癌[28]

既存の多形腺腫内に癌腫が発生したもので，多形腺腫の1割弱に生じ，悪性唾液腺腫瘍の約10%に相当する．長期間経過した後に悪性化することが多く，50〜60歳代に好発し，平均年齢は多形腺腫よりも10〜20歳高い．多形腺腫の再発時に悪性化が生じることもある．好発部位は多形腺腫と同様である．緩徐な増大を示してきた無痛性腫瘤が急速に大きさを増し，潰瘍を形成したり，周囲との境界が不明瞭になる，疼痛や知覚異常が生じるなど，悪性腫瘍としての症状を呈するようになる．

病理組織学的には，多形腺腫と癌腫が同一腫瘍内に確認される(**図19-26**)が，多形腺腫の実質細胞は萎縮・消失し，腫瘍性筋上皮細胞が産生した弾性線維を豊富に含む著明な硝子化と，しばしば異栄養性石灰化を伴う結節状領域や軟骨様域のみが認められることもある．癌腫成分は，腺癌NOS，唾液腺導管癌，未分化癌が多いが，筋上皮癌が発生することもある．癌腫が多形腺腫の被膜内に留まっている場合には完全な切除により予後は良好であるが，被膜外への広範な浸潤や転移をきたした症例の予後は不良である．

なお，多形腺腫と同様に上皮性構造と間葉様構造からなり，そのどちらもが病理組織学的な悪性所見を示す腫瘍型がごく稀に発生し，癌肉腫[29]とよばれる(**図19-27**)．

癌肉腫[29]
carcinosarcoma

多型腺癌[30]
polymorphous adenocarcinoma

8 多型腺癌[30]

大多数が小唾液腺に発生する腫瘍で，細胞の配列パターンの多様性を特徴とすることから名付けられた．WHO 2005では多型低悪性度腺癌の名称であったが，低悪性ではない例も報

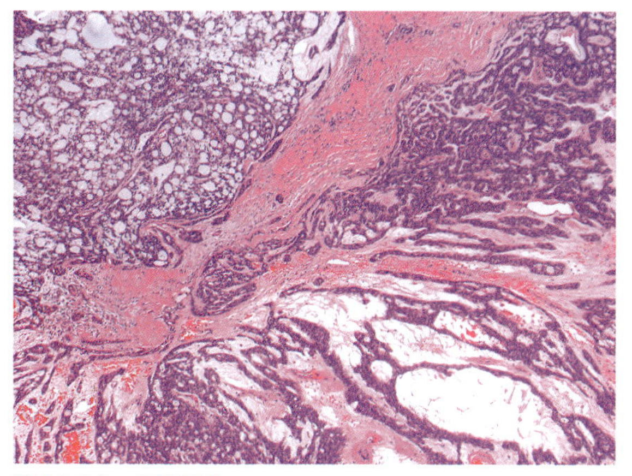

図19-28　多型腺癌

腫瘍細胞は，篩状，索状，乳頭状など多様な配列パターンをとって増殖する．

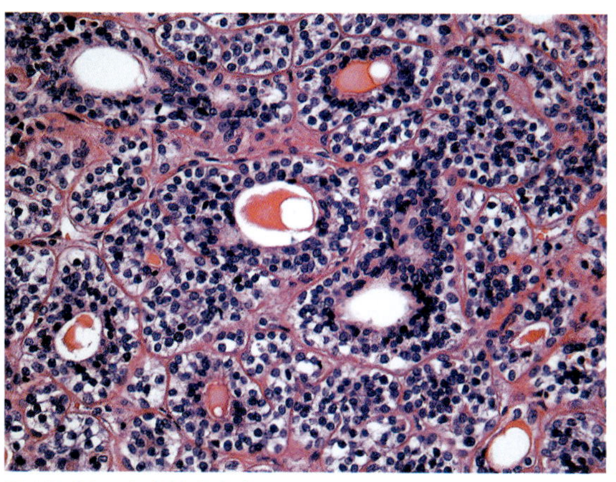

図19-29　上皮筋上皮癌

好酸性細胞質を有し，介在部導管細胞に類似した腺上皮細胞（内層細胞）と淡明な細胞質を有する筋上皮性細胞（外層細胞）からなる2相性の腺管が密に増殖する．

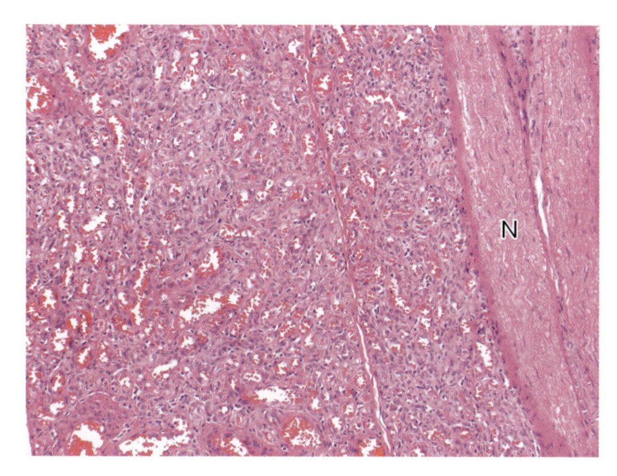

図19-30　若年性血管腫

内皮細胞で囲まれた小血管が密に増殖している．
N：耳下腺内の顔面神経．

告され，WHO 2017で多型腺癌と変更された．欧米では口腔内小唾液腺に発生する悪性腫瘍として粘表皮癌に次いで多いとされているが，わが国では稀である．約60％が口蓋に発生し，頬粘膜，上口唇がそれに続く．女性に多く，50～70歳代に好発する．緩徐な増大を示す無痛性の小腫瘤を形成し，出血や粘膜表面の血管拡張，潰瘍を伴うこともある．周囲との境界は比較的明瞭であるが，明らかな被膜の形成を欠き，浸潤傾向を有する．

病理組織学的には，腫瘍細胞は管状，篩状，乳頭状，充実性，索状など多様な配列パターンを示し（**図19-28**），これらの割合は症例により，また，同一症例内でも部位によってさまざまである．神経線維束周囲への浸潤がしばしば認められ，神経線維束を囲んで同心円状の配列を示す．多様な配列パターンにもかかわらず，腫瘍細胞の形態は均一で，明るい円形核を有する立方形～円柱状の小型～中型の細胞よりなる．細胞異型や分裂像には乏しい．間質には粘液様基質や硝子化がしばしば認められる．再発は約20％，リンパ節転移は約10％に生じるが，遠隔転移は少なく，腫瘍死も稀である．

上皮筋上皮癌[31]
epithelial-myoepithelial carcinoma

9　上皮筋上皮癌[31]

大唾液腺，特に高齢者の耳下腺に好発する稀な腫瘍で，介在部導管上皮に類似した好酸性細胞質を有する内層の腺上皮細胞とグリコーゲンの貯留のために明細胞化した筋上皮性の外層細胞からなる2相性の腺管構造が密に増殖する特徴的な病理組織像を呈する（**図19-29**）．細胞異型や分裂像には乏しく，腫瘍死は少ないが，約40％の症例で再発が，10～20％で転移が生じる．

Ⅲ—非上皮性腫瘍

成人では，唾液腺原発の非上皮性腫瘍は，上皮性腫瘍よりもさらに稀であるが，小児では比較的多くを占める．大部分が良性腫瘍でほとんどが耳下腺に発生し，血管腫が最も多く，リンパ管腫，脂肪腫，神経鞘腫，神経線維腫がそれに次ぐ．血管腫には，通常生後1年以内に生じる若年性血管腫[32]（図19-30）があり，急速に大きさを増す場合には臨床的に悪性腫瘍と診断されることがある．悪性腫瘍では，悪性末梢神経鞘腫瘍，血管肉腫，横紋筋肉腫などがみられる．なお，唾液腺における悪性リンパ腫は，全唾液腺腫瘍の1〜4%を占め，シェーグレン症候群やワルチン腫瘍から発生するものもある．多くは低悪性のB細胞性リンパ腫であるMALTリンパ腫[33]であり，びまん性大細胞型B細胞リンパ腫も稀に発生する．

若年性血管腫[32]
juvenile hemangioma

MALTリンパ腫[33]
mucosa-associated lymphoid tissue lymphoma

なお，唾液腺には頭頸部に発生した扁平上皮癌や悪性黒色腫，甲状腺癌に加えて，肺，腎，乳腺などからの腫瘍の転移が，稀ではあるが生じる．

（小川郁子，髙田　隆）

- [ ] 1 上皮性唾液腺腫瘍の病理組織学的分類に従って代表的な腫瘍名をあげることができる．
- [ ] 2 良性，悪性唾液腺腫瘍の臨床的特徴について説明できる．
- [ ] 3 口腔小唾液腺に発生する腫瘍の臨床的特徴について説明できる．
- [ ] 4 多形腺腫の臨床的，病理組織学的特徴を説明できる．
- [ ] 5 ワルチン腫瘍の臨床的，病理組織学的特徴を説明できる．
- [ ] 6 粘表皮癌の臨床的，病理組織学的特徴を説明できる．
- [ ] 7 腺様嚢胞癌の臨床的，病理組織学的特徴を説明できる．
- [ ] 8 腺房細胞癌の臨床的，病理組織学的特徴を説明できる．
- [ ] 9 多形腺腫由来癌の臨床的，病理組織学的特徴を説明できる．
- [ ] 10 非上皮性唾液腺腫瘍の代表的な腫瘍名をあげることができる．

References

1) Stenman, G.：Fusion oncogenes in salivary gland tumors：molecular and clinical consequences. *Head Neck Pathol.*, 7 (Suppl 1)：S12〜19, 2013.
2) Ramachandran, I. et al.：Wnt inhibitory factor 1 suppresses cancer stemness and induces cellular senescence. *Cell Death Dis*, 5：e1246, 2014.
3) Ianez, R.C. et al.：CD24 and CD44 in salivary gland pleomorphic adenoma and in human salivary gland morphogenesis：differential markers of glandular structure or stem cell indicators? *Histopathology*, 62：1075〜1082, 2013.
4) El-Naggar, A. K. et al. (eds)：WHO Classification of Head and Neck Tumours, 4th ed. IARC, Lyon, 159〜202, 2017.
5) Ellis, G. L. and Auclair, P. L.：Tumors of the Salivary Glands, Atlas of Tumor Pathology, 3rd series, Fascicle 17. Armed Forces Institute of Pathology, Washington DC, 1999.
6) 高木　實監：口腔病理アトラス 第3版．文光堂，東京，305〜331，2018.
7) Dardick, I.：Color Atlas/Textbook of Salivary Gland Tumor Pathology. Igaku-Shoin, New York, 1991.
8) 日本唾液腺学会編：唾液腺腫瘍アトラス．金原出版，東京，2005.
9) 森永正二朗ほか：腫瘍病理鑑別診断アトラス 頭頸部腫瘍Ⅰ　唾液腺腫瘍．文光堂，東京，2015.

Chapter 20 唾液腺の非腫瘍性病変

耳下腺[1]
parotid gland
顎下腺[2]
submandibular gland
舌下腺[3]
sublingual gland
耳下腺管[4]
parotid duct
ステンセン管(ステノン管)[5]
Stensen duct (Steno's duct)
顎下腺窩[6]
submandibular fossa
顎下腺管[7]
submandibular duct
ワルトン管[8]
Wharrton's duct
舌下腺管[9]
sublingual duct
バルトリン管[10]
Bartholin duct
エブネル腺[11]
Ebner gland
唾液[12]
saliva
口腔乾燥症[13]
xerostomia, dry mouth

唾液腺は，耳下腺[1]，顎下腺[2]および舌下腺[3]からなる大唾液腺と歯肉と硬口蓋の一部を除く口腔粘膜に多数分布する5つの小唾液腺(口蓋腺，舌腺，口唇線，頬腺，臼後腺)からなる[1)]．その中でも最大の唾液腺である耳下腺は咬筋の外側に位置し，顔面神経を境に浅葉と深葉に分かれる．また，耳下腺の排出導管である耳下腺管[4]は，ステンセン管(ステノン管)[5]ともよばれ，頬粘膜の耳下腺乳頭に開口する．顎下腺は顎二腹筋の前腹と後腹および下顎骨下縁に境界された顎下三角内の顎下腺窩[6]に位置する．その排出導管である顎下腺管[7]はワルトン管[8]ともよばれ舌下面の舌下小丘に開口する．舌下腺は，口腔底部の粘膜下下顎骨内面に位置し，排出導管である舌下腺管[9]はバルトリン管[10]ともよばれ複数みられ，顎下腺管と合流して舌下小丘または単独で舌下ヒダに開口する．

病理組織学的に，唾液腺を構成する細胞には導管上皮細胞，腺房細胞および筋上皮細胞がある．腺房細胞は，消化酵素であるアミラーゼを多く含む漿液腺と粘液であるムチンを多く含む粘液腺に分けられる．耳下腺は純漿液腺，顎下腺および舌下腺は漿液腺および粘液腺からなる混合腺である．小唾液腺は口蓋腺(粘液腺)，舌腺の1つであるエブネル腺[11](漿液腺)を除いて基本的には粘液腺優位の混合腺である．

唾液[12]は，1日に約1～1.5L分泌され，その大部分が口腔内の左右に対をなして存在する大唾液腺から分泌される．残りの唾液は小唾液腺から分泌され，この少量の唾液も口腔内の潤いに大切と考えられている．唾液の成分はほとんどが水(99%以上)で，その中に電解質やタンパク質が混ざり，それらが相互に関連しながら口腔内環境を維持している．唾液の機能には，抗菌作用，粘膜保護作用および食塊形成作用があり，唾液分泌減少による口腔乾燥症[13]では種々の口腔内症状を呈することになる．

I—発育異常および機能異常

耳下腺の形成は胎生4週に，顎下腺の形成は胎生6週に，さらに舌下腺の形成は胎生6週以降に口腔粘膜上皮の肥厚とその陥入から始まる．次いで上皮・間葉の相互作用により導管の伸長，分枝および腺房形成を繰り返し，その大きさを増し生後すぐに唾液を分泌する[1)]．これらの発達段階が障害されると唾液腺の形成障害が生じることになる．

無形成[14]
aplasia
トリーチャー-コリンズ症候群[15]
Treacher Collins syndrome
涙腺耳介歯指症候群[16]
Lacrimo-auriculo-dento-digital syndrome (LADD)

1 唾液腺の無形成[14]

稀な発育異常で先天的に大唾液腺の一部またはすべての欠損を伴う病態である．トリーチャー-コリンズ症候群[15]，Aplasia of lacrimal and salivary glandsや涙腺耳介歯指症候群[16]などで認められる[2)]．

1 Aplasia of lacrimal and salivary glands (ALSG)

常染色体優性遺伝を示す稀な疾患で，涙腺，唾液腺の欠損または低形成が認められる．これらの患者においてはFGF10遺伝子の変異が報告されている[3,4)].

2 涙腺耳介歯指症候群

常染色体優性遺伝を示す稀な疾患でALSGの症状に加えて，難聴，耳や手指の奇形を伴う疾患である．*FGFR2*，*FGFR3*および*FGF10*遺伝子の変異が報告されている[3,4)].

2 導管の異常

大唾液腺の導管に走行異常，重複および閉鎖がみられることがあるが，特に顎下腺管に異常が認められる頻度が高い．

3 開口部位や分泌機能の異常

唾液瘻[17]
salivary fistula

先天性に口腔内以外の顔面部皮膚に唾液腺の導管が開口する場合や，外傷や手術により唾液腺導管の閉塞または皮膚への開口がみられ，唾液瘻[17]を形成する場合がある．

分泌機能の異常としては，唾液腺腫瘍の摘出後に再生した耳介側頭神経が汗腺に迷入し生じるFrey症候群があげられる．Frey症候群では食事時に耳前部の発赤と発汗を生じる．

異所性唾液腺[18]
ectopic salivary gland

副唾液腺[19]
accessory salivary gland

迷入唾液腺[20]
aberrant salivary gland

リンパ上皮性嚢胞[21]
lymphoepithelial cyst

ワルチン腫瘍[22]
Warthin tumor

静止性骨空洞[23]
static bone cyst

4 異所性唾液腺[18]

本来とは異なる部位に存在する唾液腺のことである．分泌能および排泄導管をもつ副唾液腺[19]と，排泄導管をもたない迷入唾液腺[20]がある．迷入唾液腺の最も多い部位は，耳下腺リンパ節であり，リンパ上皮性嚢胞[21]やワルチン腫瘍[22]の発生との関連性が指摘されている．また，下顎角部の舌側骨欠損を伴う静止性骨空洞[23]では，空洞内に唾液腺組織の存在を認めることがある．その他，中耳および頸部に唾液腺組織が存在する場合もある．

Ⅱ—退行性および進行性病変

加齢や疾患による退行性病変として唾液腺実質組織の障害，すなわち，腺房細胞の萎縮・消失が認められ，それに続く変化として脂肪変性や線維化を伴う．また，障害への適応反応として進行性変化，すなわち化生を認めることがある．

萎縮[24]
atrophy

1 萎　縮[24]

唾液腺が形態的に大きさを減じることを萎縮といい，加齢や唾石症などの唾液腺の炎症性疾患に付随してみられる．

病理組織学的には，腺房細胞の萎縮，脂肪細胞の増加および線維化が認められ，特にその変化は漿液腺房で顕著である(**図20-1，2**)．

2 放射線障害

頭頸部癌に対する放射線照射では，その照射野に含まれた唾液腺に30 Gy以上の放射線が照射された場合，唾液腺実質に不可逆的変化が生じて唾液量が恒常的に減少する[5)].

病理組織学的には，初期病変として腺房細胞の萎縮・消失，導管の拡張や間質への慢性炎

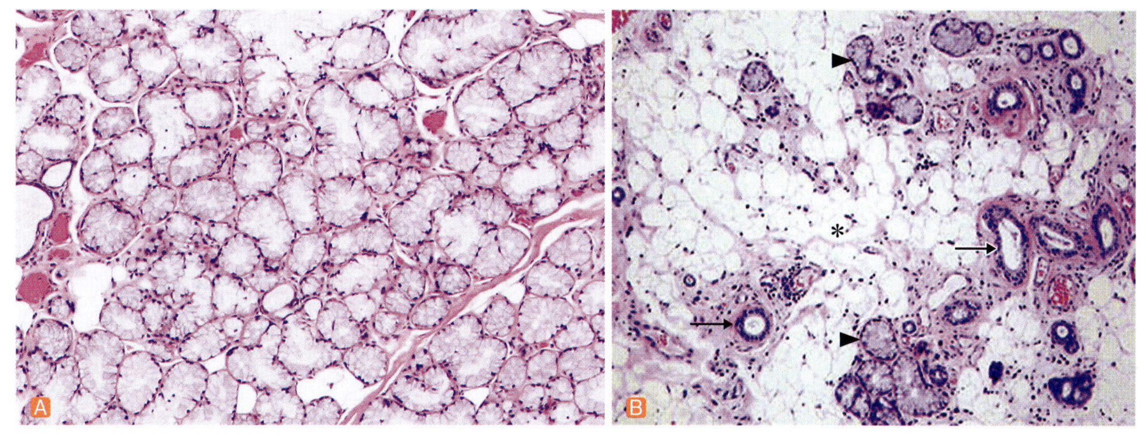

図20-1　唾液腺の加齢性変化

A 正常小唾液腺組織；密な粘液性腺房からなる．
B 萎縮した唾液腺組織；腺房細胞はほとんど萎縮・消失し，脂肪組織により置換されている．
残存する粘液腺（矢頭）．導管（矢印）．脂肪組織（＊）．

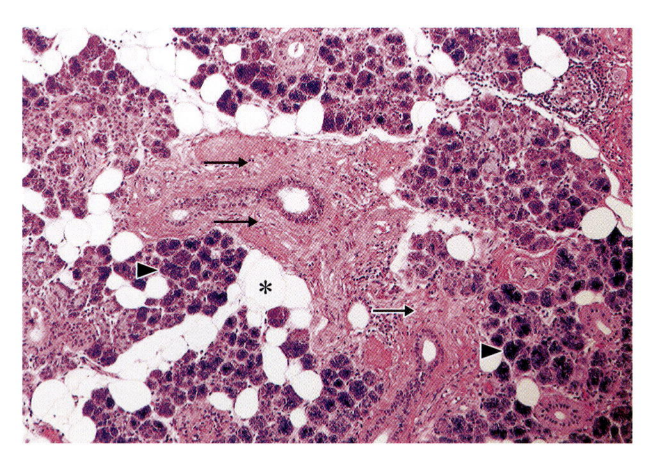

図20-2　唾液腺の加齢性変化

顎下腺，腺房細胞の萎縮，脂肪組織による置換および線維化を認める．
残存する漿液腺（矢頭）．導管周囲の線維化（矢印）．脂肪組織（＊）．

症性細胞浸潤像が認められる．腺房では漿液腺における障害が顕著で粘液腺の障害は少ない．障害が持続した晩期病変では腺房細胞の萎縮・消失が進行し，間質の線維化や脂肪変性が認められる．その結果，重篤な唾液分泌障害を生じる．

3 化　生[25]

成熟分化した細胞が加齢や炎症などの刺激により他の分化した細胞に変化することである．

1 扁平上皮化生[26]

慢性唾液腺炎や加齢に付随する変化としてみられ，導管上皮細胞が円柱上皮から扁平上皮に変化することをいう（**図20-3**）．また，比較的稀な病変であるが，壊死性唾液腺化生[27]でも認められる．その他，気管支，細気管支，子宮頸部などにもみられる．

2 オンコサイト化生[28]

慢性唾液腺炎や加齢性変化としてみられ，導管上皮の細胞質が好酸性に腫大することをいい，腫大した細胞をオンコサイトとよぶ（**図20-4**）．オンコサイトの細胞質が好酸性を示すのは電子顕微鏡的観察でミトコンドリアの増加によるものであることが明らかとなっている．オンコサイトは，オンコサイトーマ[29]とよばれる唾液腺腫瘍でも認められる．

化生[25]
metaplasia

扁平上皮化生[26]
squamous metaplasia

壊死性唾液腺化生[27]
necrotizing sialometaplasia：口蓋粘膜の潰瘍形成を伴う比較的稀な疾患で，唾液腺組織の壊死と扁平上皮化生が認められる．

オンコサイト化生[28]
oncocytic metaplasia

オンコサイトーマ[29]
oncocytoma：オンコサイトからなる唾液腺の良性腫瘍で耳下腺に好発する．

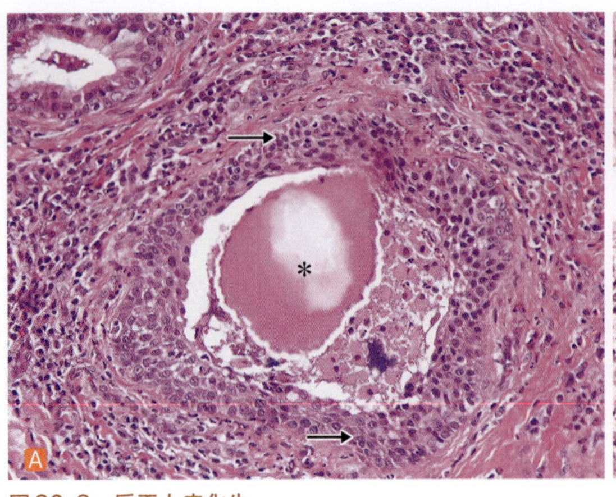

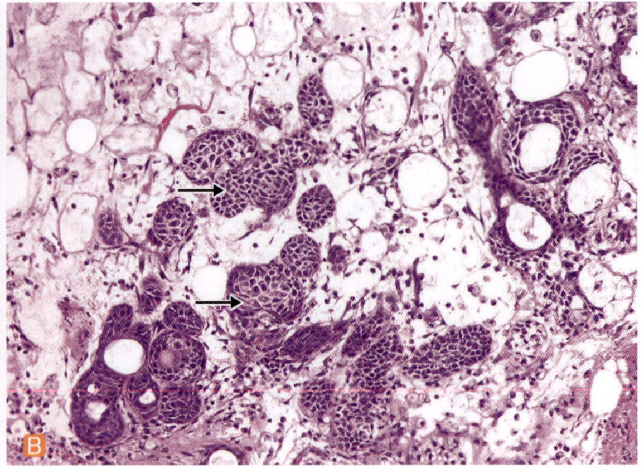

図20-3　扁平上皮化生

A 唾石（＊）周囲の導管上皮は円柱上皮から重層扁平上皮に化生性変化を示している（矢印）.
B 壊死性唾液腺化生，腺房細胞の壊死と扁平上皮化生を認める.

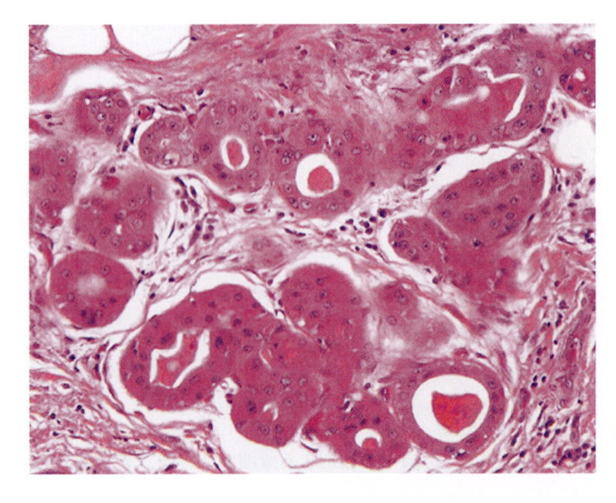

図20-4　オンコサイト化生

好酸性に腫大したオンコサイトからなる導管を認める.

3 粘液細胞[30]の出現

粘液細胞[30]
mucous cell

脂腺細胞[31]
sebaceous cell

純漿液腺である耳下腺の導管上皮細胞に粘液細胞の出現を認めることがある.

4 脂腺細胞[31]の出現

稀に耳下腺，顎下腺の導管に皮膚の脂腺細胞を認めることがある.

唾液腺症[32]
sialadenosis

4 唾液腺症[32]

唾液腺の再発性，無痛性，両側性肥大を伴う稀な非炎症性病変で，耳下腺に多く認められる．糖尿病，栄養不良，アルコール依存症および過食症が原因となることが報告されているが，唾液分泌に関連する自律神経系の機能不全による可能性が考えられている.

病理組織学的には，腺房細胞が通常サイズの2～3倍に肥大し，核の基底側への偏在を認める.

アミロイドーシス[33]
amyloidosis：アミロイドが局所性または全身諸臓器に沈着する疾患で巨舌の原因にもなる.

5 アミロイドーシス[33]

全身性アミロイドーシスでは，アミロイドタンパクの沈着が全身臓器に及び，その1つとして唾液腺にアミロイドタンパクの沈着を伴う場合がある．唾液腺局所にアミロイドタンパクの沈着を伴う限局性アミロイドーシスもみられるが，頻度は少ない[6)].

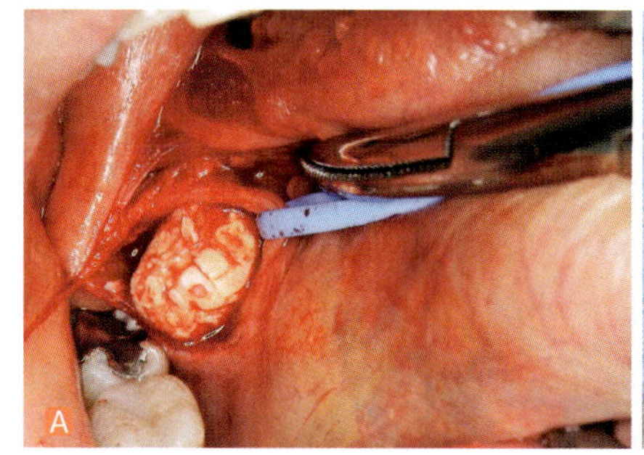

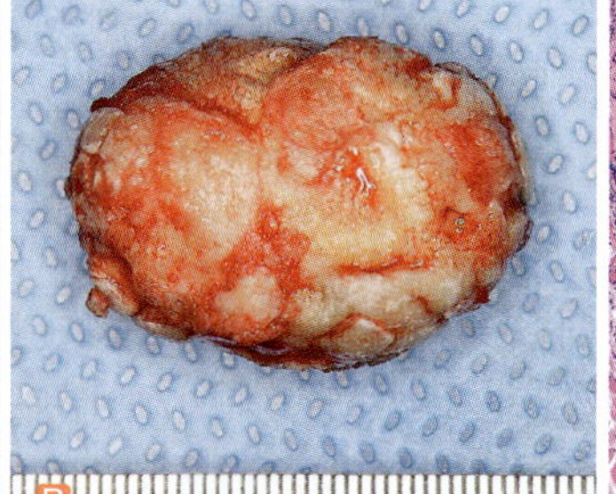

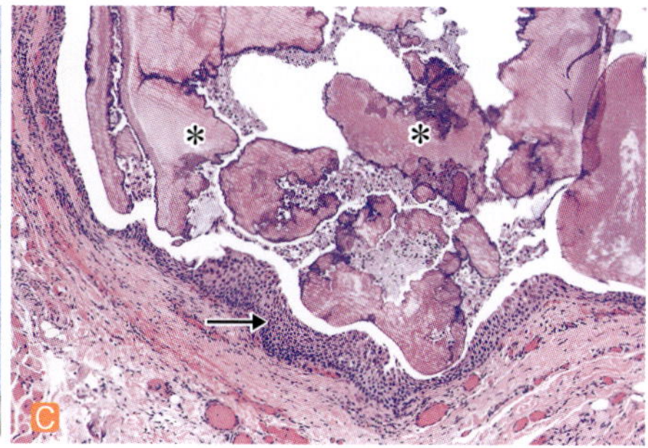

図20-5　顎下腺導管内に形成された唾石

A 導管内に唾石が認められる．
B 摘出した唾石．
C 導管内に層状構造を呈する唾石（＊）の存在が認められ，唾石周囲の導管上皮には扁平上皮化生（矢印）が認められる．
〔A，B：昭和大学歯学部顎顔面口腔外科　鎌谷宇明先生提供〕

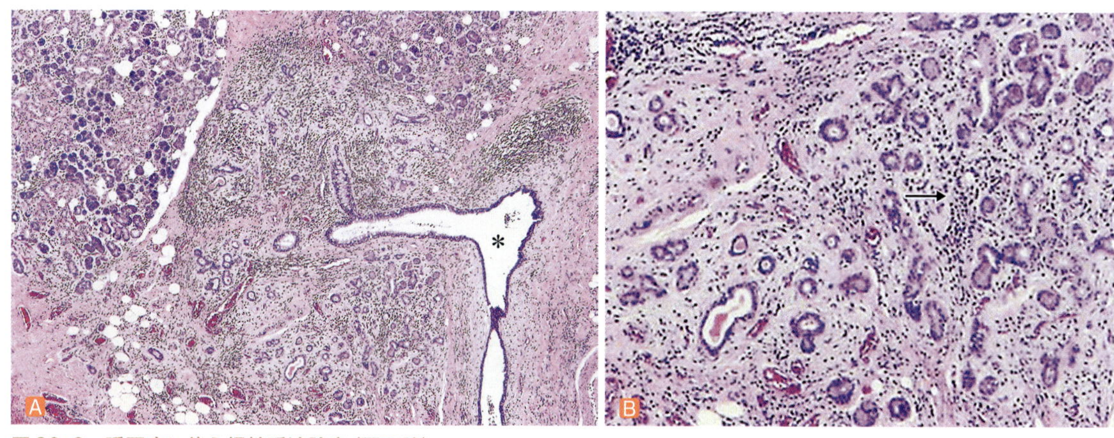

図20-6　唾石症に伴う慢性唾液腺炎（顎下腺）

A 正常の顎下腺構造は消失し，腺房の萎縮と間質の線維化および導管の拡張（＊）が認められる．
B 間質にはリンパ球を主体とした慢性炎症細胞浸潤（矢印）がみられる．

アミロイドタンパクが間質の結合組織や血管壁に沈着した結果，唾液腺の腫大がみられる．重篤になると唾液腺実質組織の圧迫萎縮により唾液腺機能の低下を伴う．

唾石症[34]
sialolithiasis

Ⅲ─唾石症[34]

唾石[35]
sialolith, salivary stone：同心円状の層構造を有する石灰化物であり，その組成はリン酸カルシウムが主体で，炭酸カルシウムも含まれている．

唾仙痛[36]
salivary colic：唾液の流通障害による食事摂取時の急激で強い疼痛．

唾液腺導管内に石灰化物（唾石[35]）を生じる疾患で，急性または慢性の唾液腺炎を伴う．顎下腺に最も多くみられ，耳下腺では頻度が少ない．顎下腺に多くみられる理由としては，顎下腺の導管が長く蛇行していることや，ムチンに富んだ粘稠な唾液を含むことがあげられる．唾石の多くは腺体外導管に形成されることが多く，腺体内導管は少ない．小唾液腺では，上口唇や頬粘膜にみられることが多い．臨床症状として，食事時における唾液腺腫張と唾仙痛[36]を認める．エックス線撮影により偶然認められる場合や開口部付近に生じたものは触知される．

病理組織学的には，唾石は同心円状の層構造を有する石灰化物であり，唾石に接する導管には，びらん，潰瘍や扁平上皮化生がみられる（**図20-5**）．また，周囲の導管には拡張が目立ち，腺房の変性・萎縮，リンパ球，形質細胞を主体とする慢性炎症性細胞浸潤および間質の線維化を伴う（**図20-6**）．

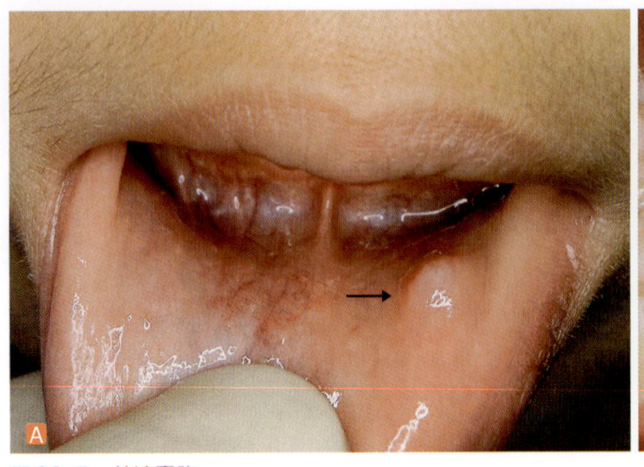
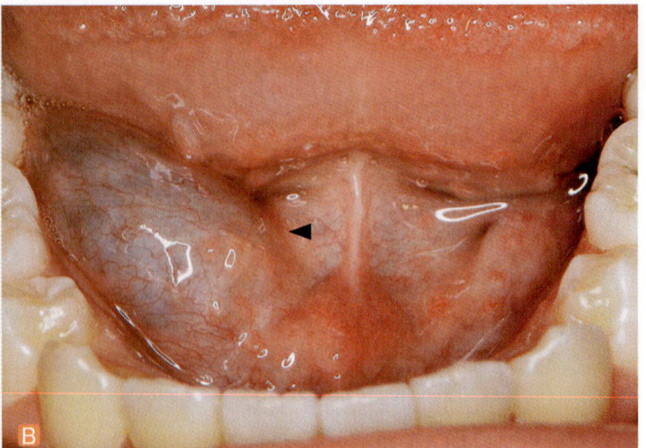

図20-7　粘液囊胞

A 下口唇に生じた粘液囊胞（矢印）.
B 右側口腔底部に生じたガマ腫（矢頭）.
〔昭和大学歯学部顎顔面口腔外科 鎌谷宇明先生提供〕

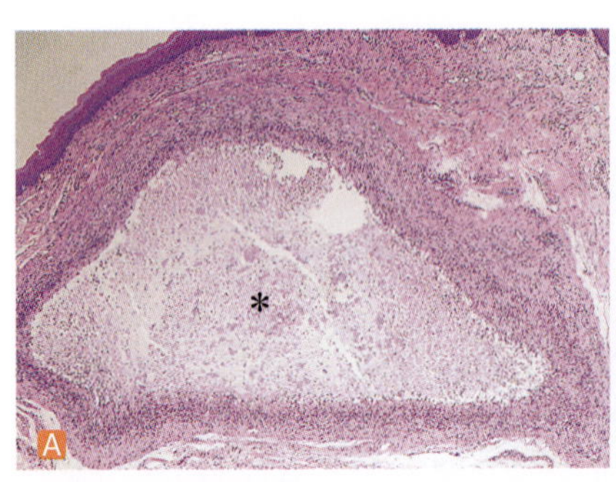
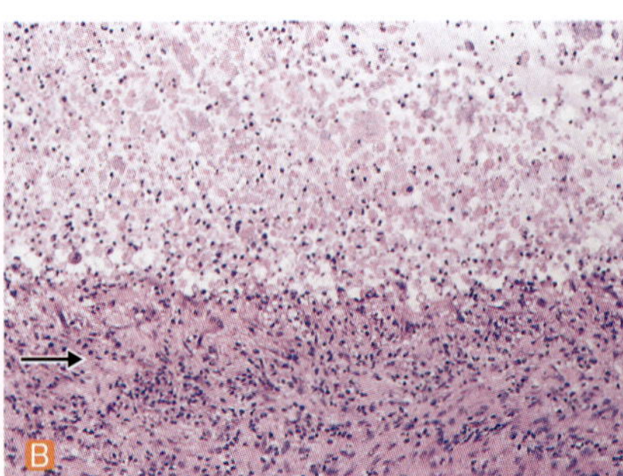
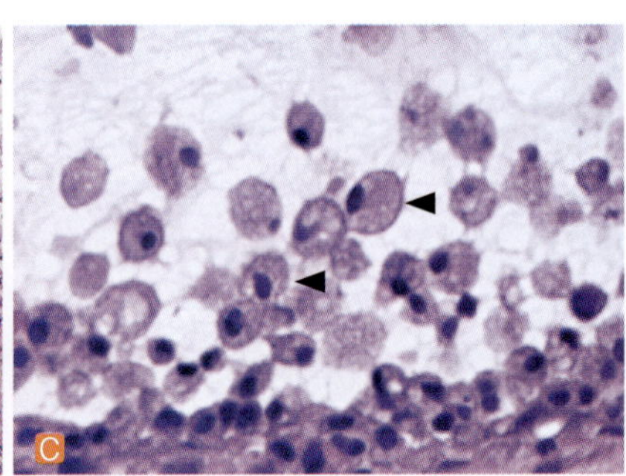

図20-8　粘液囊胞溢出型

A 粘膜上皮下に粘液（*）を貯留した囊胞の存在を認める.
B 囊胞壁は明らかな裏装上皮を欠き肉芽組織からなる（矢印）.
C 囊胞腔内には粘液を貪食する多数の泡沫細胞（矢頭）が認められる.

Ⅳ—唾液腺の囊胞

1 粘液囊胞[37]

唾液の流出障害により生じる囊胞で下口唇および舌下面の小唾液腺に好発する．舌下面の前舌腺に生じたものは前舌腺囊胞[38]とよばれる．また，口腔底に生じた粘液囊胞は外観がガマの喉頭囊に似ていることよりガマ腫[39]とよばれる．肉眼的には，半透明の青みがかった半球状腫瘤が認められ，内腔に唾液を貯留し波動を触知する（図20-7）.

粘液囊胞の多くは，排出導管の損傷により周囲組織に唾液が漏出した溢出型が主なもので，導管の閉塞または狭窄による停滞型は少ない.

病理組織学的には，溢出型は炎症性肉芽組織からなる囊胞壁を有し，内腔には粘液様物質の貯留を認める．囊胞壁に裏装上皮をもたないことより偽囊胞に分類される．囊胞腔内および囊胞壁内には多数の泡沫細胞[40]の存在を認める（図20-8）．一方，停滞型では，円柱または扁平上皮からなる裏装上皮の存在を認めるが，頻度はきわめて少ない（図20-9）.

隣接する唾液腺には導管の拡張と慢性炎症性細胞浸潤がみられる（図20-10）.

粘液囊胞[37]
mucous cyst：粘液瘤 mucoceleともいう.

前舌腺囊胞[38]
anterior linqual gland cyst：ブランディン・ヌーン（Blandin-Nuhn）囊胞ともいう.

ガマ腫[39]
ranula：ラヌーラ．舌下腺の唾液が周囲組織に貯留してできる囊胞で，口腔底部に透明感のあるやや青みをおびた腫脹として生じる．顎舌骨筋を境に舌下型，顎下型，および舌下・顎下型に分類される.

泡沫細胞[40]
foam cell：粘液を貪食した組織球（マクロファージ）で貪食した粘液を細胞質に貯留し泡沫様にみえる.

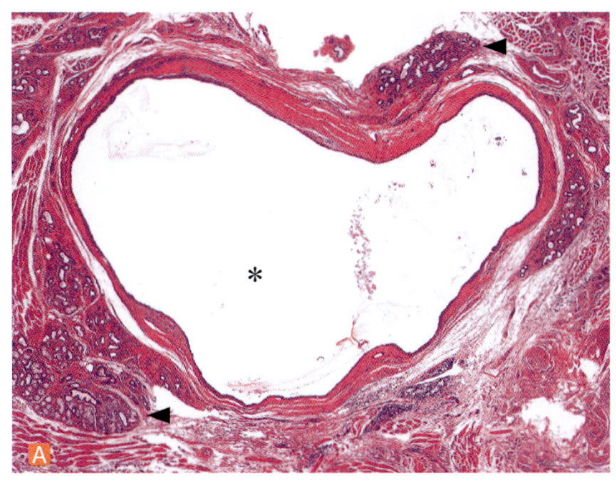
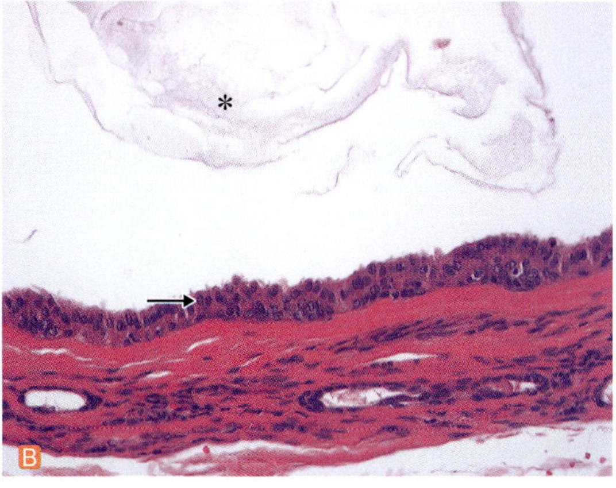

図20-9　粘液嚢胞停滞型

A 粘液（＊）を貯留した嚢胞の存在を認める．隣接する小唾液腺組織（矢頭）．
B 嚢胞壁は円柱上皮（矢印）より裏装されている．

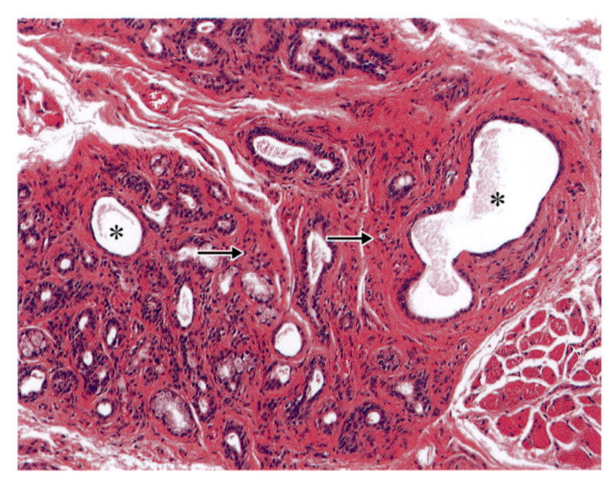

図20-10　粘液嚢胞に隣接する小唾液腺組織

腺房細胞の萎縮・消失および間質の線維化（矢印）と慢性炎症性細胞浸潤を認める．また，導管の拡張（＊）が目立つ．

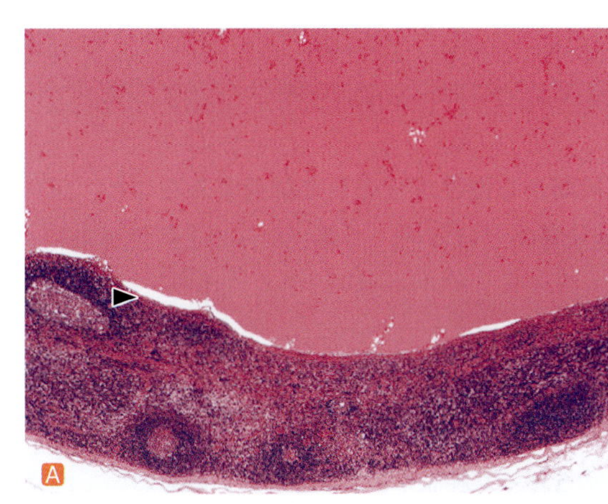
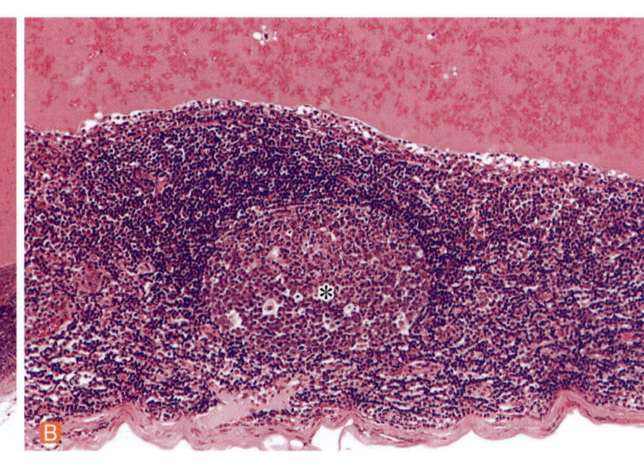

図20-11　リンパ上皮性嚢胞

A 錯角化重層扁平上皮（矢印）により裏装された嚢胞で，嚢胞壁にはリンパ組織の存在を認める．
B 嚢胞壁のリンパ組織にみられるリンパ濾胞（＊）．

リンパ上皮性嚢胞[41]
lymphoepithelial cyst

2 リンパ上皮性嚢胞[41]

側頸部に出現する鰓嚢胞と同様の病理組織像を示し，耳下腺や口腔底，舌に生じる嚢胞である．

病理組織学的には，錯角化重層扁平上皮により裏装された嚢胞で，嚢胞壁の上皮下にリンパ濾胞形成を伴うリンパ組織の存在を認める（**図20-11**）．

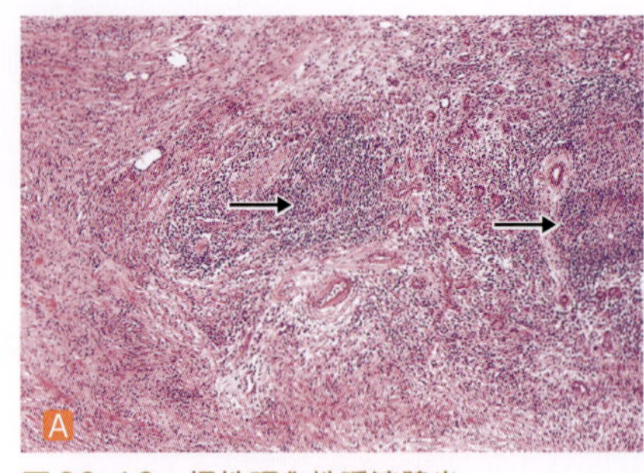

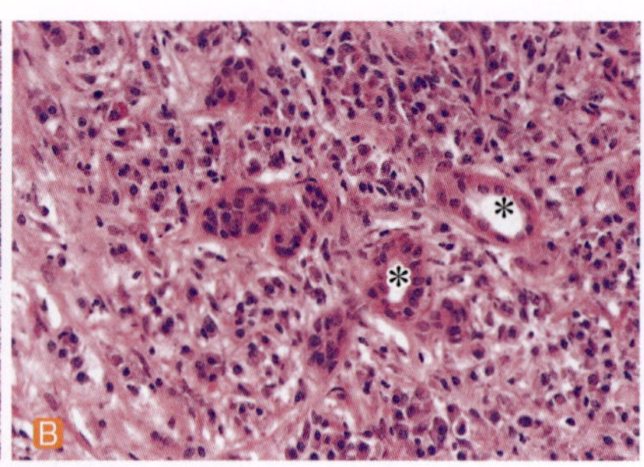

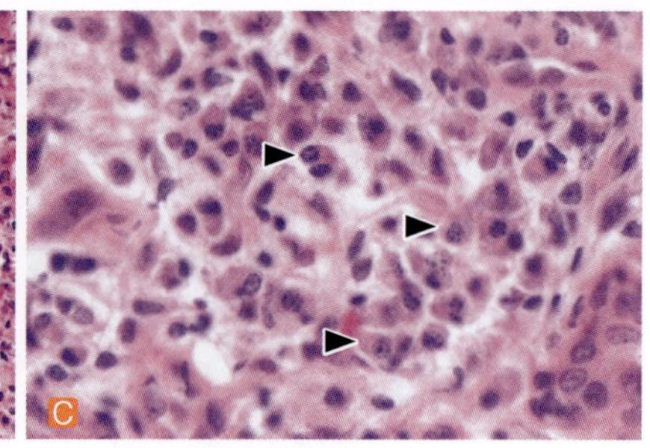

図20-12　慢性硬化性唾液腺炎

A 正常の顎下腺組織はほぼ消失し，間質には高度の線維化と慢性炎症性細胞浸潤（矢印）を認める．
B 腺房はほぼ消失し，拡張した小型の導管（＊）が目立つ．
C 間質には多数の形質細胞（矢頭）の存在が認められる．

V―唾液腺の炎症性疾患

唾液腺炎は細菌感染，ウイルス感染，自己免疫疾患，放射線治療などにより生じ，大唾液腺では耳下腺がほとんどで顎下腺や小唾液腺にもしばしば認められる．

急性唾液腺炎[42]
acute sialadenitis

1 急性唾液腺炎[42]

唾石，外傷，悪性腫瘍，長時間の手術による脱水などが原因で生じ，化膿性レンサ球菌や黄色ブドウ球菌の上行性感染によることが多い．耳下腺に多くみられ，両側性に有痛性の腫脹として認められる．導管開口部の発赤腫脹，膿瘍形成と排膿を伴う．

病理組織学的には導管周囲を中心に顕著な好中球浸潤と膿瘍形成を認める．

慢性唾液腺炎[43]
chronic sialadenitis

2 慢性唾液腺炎[43]

主に耳下腺と顎下腺にみられ，初期から慢性炎症として経過するものと，急性炎症の慢性化によるものがある．原因は急性唾液腺炎とほぼ同一で導管からの上行性感染による．

慢性再発性耳下腺炎[44]
chronic recurrent parotitis

3 慢性再発性耳下腺炎[44]

病因不明の反復性の慢性耳下腺炎であり，片側性，ときには両側性に認められる．3～6歳の小児や中年女性に好発し，急性炎症を伴った腫脹が数日間続き，間隔をおいて再発を繰り返す．

病理組織学的には，導管周囲の間質に慢性炎症性細胞浸潤と腺房の萎縮・消失が認められる．

慢性硬化性唾液腺炎[45]
chronic sclerosing sialadenitis

4 慢性硬化性唾液腺炎[45]

青壮年期の男性の顎下腺に無痛性腫脹として生じ，片側性にみられることが多い．著しい線維性組織の増生により腺体部は硬化し，腫瘤として触知されることからKüttner腫瘍ともよばれてきた．

病理組織学的には，導管の拡張と，その周囲の著しい線維化，間質の慢性炎症細胞浸潤および腺房細胞の萎縮・消失が認められる（**図20-12**）．現在では，IgG4陽性形質細胞が唾液腺局所に浸潤することよりIgG4関連硬化性疾患の1つとされている（後述）．

5 肉芽腫性病変

稀にではあるが，結核症や梅毒患者の耳下腺に肉芽腫性の結節形成を認めることがある．病理組織学的には，類上皮細胞と多核巨細胞からなる肉芽腫を認める．

ウイルス性唾液腺炎[46]
viral sialadenitis

6 ウイルス性唾液腺炎[46]

流行性耳下腺炎[47]
epidemic parotitis

ムンプスウイルス[48]
mumps virus

1 流行性耳下腺炎[47]

ムンプスウイルス[48]による感染症で，主に小児期に耳下腺炎を生じるが，成人期でも感染し，唾液腺，膵，性腺に病変を形成する．

病理組織学的には，腺房細胞の変性，壊死および間質への著明なリンパ球浸潤が認められる．

巨細胞封入体症[49]
cytomegalic inclusion disease

サイトメガロウイルス[50]
cytomegalovirus

2 巨細胞封入体症[49]

サイトメガロウイルス[50]感染によって引き起こされ，特異な封入体を入れた巨細胞の出現を特徴とする疾患である．主として未熟児，乳幼児の耳下腺，顎下腺に認められ，成人では稀であるが，臓器移植後の免疫抑制状態やHIV感染症に関連して生じることがある．

病理組織学的には，唾液腺導管上皮に封入体細胞（核内封入体）の存在を認める．

Ⅵ—唾液腺の自己免疫疾患

シェーグレン症候群[51]
Sjögren syndrome

1 シェーグレン症候群[51] ［Chap.21（290頁）を参照］

中高年の女性に好発し，慢性唾液腺炎（口腔乾燥症，ドライマウス）と乾燥性角結膜炎（ドライアイ）を主徴とする自己免疫疾患である．原因は不明であるが，特定のHLA（HLA-DRw52）やウイルス感染（EBウイルスなど）との関連が指摘されている．

シェーグレン症候群の病型は，関節リウマチや全身性エリテマトーデスなどの膠原病に合併する二次性（続発性）と，これらの合併のない一次性（原発性）に大別される．さらに一次性は，涙腺，唾液腺などの腺症状のみの腺型と，腺以外の臓器に病変がみられる腺外型に分けられる．血清中の抗SS-A/Ro抗体，抗SS-B/La抗体陽性は特異的な診断マーカーとして利用されている．確定診断は血清学的検査，眼科的検査，唾液腺造影（**図20-13**），涙液（シルマーテストなど）・唾液量（ガムテスト，サクソンテスト）測定，口唇腺生検所見をあわせて厚生労働省研究班の策定した判定基準に従って行われる．

シェーグレン症候群患者の口腔症状としては，口渇，唾液の粘稠感，口角の発赤びらん，口腔粘膜の発赤・疼痛，難治性口内炎，味覚異常，舌乳頭の萎縮（平滑舌や溝状舌）などが認められる．また，耳下腺の再発性腫脹も認められる（**図20-14**）．

上皮筋上皮島[52]
epimyoepithelial island：シェーグレン症候群の唾液腺組織にみられる構造で，リンパ球を背景に導管上皮細胞と筋上皮細胞の増殖からなる島状の上皮細胞塊のこと．

病理組織学的には，リンパ球浸潤，腺房の萎縮と消失，上皮筋上皮島[52]の形成がみられる．リンパ球浸潤は小葉内の導管周囲に始まり，しだいに腺組織内にびまん性に広がり腺房細胞の破壊をきたす（**図20-15**）．この唾液腺組織の破壊により唾液分泌量が減少する．導管周囲のリンパ球浸潤（50個以上）を1 focus/mm^{2}以上認めることが本症の診断基準の1つとされ，その特異性が確認されている[7)]．腺外症状としては，関節炎，間質性肺炎，間質性腎炎などがある．本症の患者では唾液腺原発悪性リンパ腫（B細胞性）発症が報告され臨床上注意が必要である．

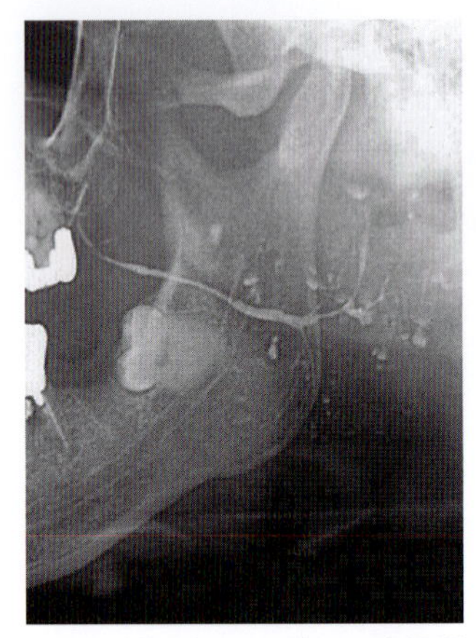

図20-13　シェーグレン症候群患者の耳下腺造影像

造影により耳下腺に顆粒状陰影および嚢胞状拡張像が認められる.
〔奈良県立医科大学口腔外科学講座　桐田忠昭教授提供〕

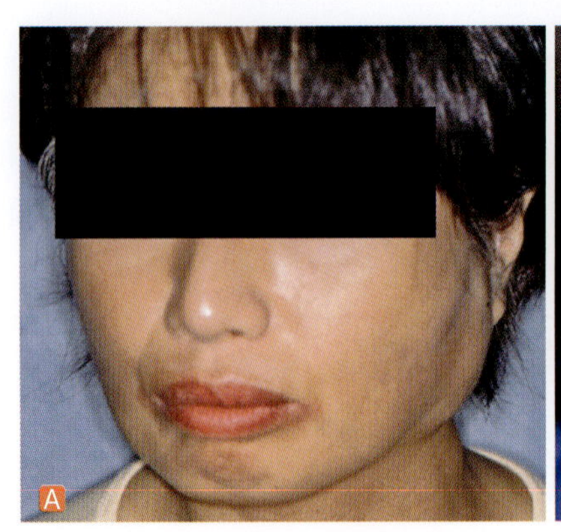

図20-14　シェーグレン症候群患者

A 左側耳下腺の腫脹を認める.
B 口角びらん.
〔奈良県立医科大学口腔外科学講座　桐田忠昭教授提供〕

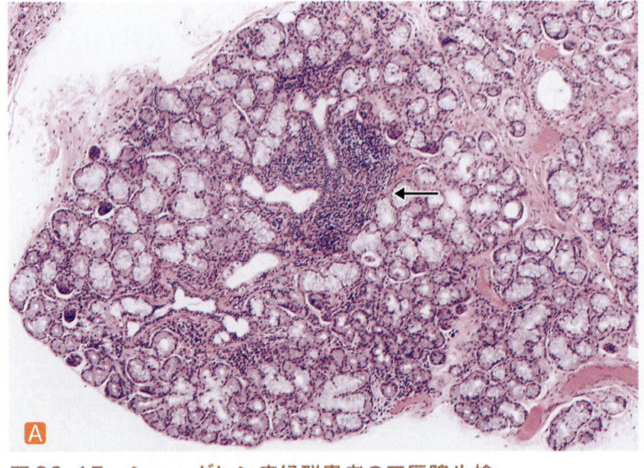

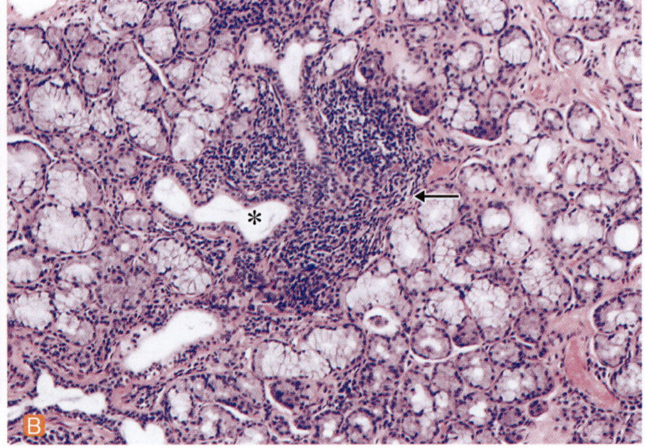

図20-15　シェーグレン症候群患者の口唇腺生検

A 小葉内に巣状のリンパ球浸潤（矢印）が認められる.
B 拡張した導管（＊）周囲にリンパ球浸潤（矢印）が認められ腺房細胞の萎縮・消失を伴う.

ミクリッツ病[53]
Mikulicz disease
ミクリッツ症候群[54]
Mikulicz syndrome
IgG4関連疾患[55]
IgG4-related disease, IgG4 RD

2 ミクリッツ病[53]，ミクリッツ症候群[54]およびIgG4関連疾患[55]

［Chap.21（290頁）を参照］

涙腺と唾液腺に対称性の腫張をきたす慢性炎症性病変であり，原因不明で高度のリンパ球浸潤を伴うものをミクリッツ病，白血病，結核など原疾患の明らかなものをミクリッツ症候群とよぶ[4)].

これまで，ミクリッツ病とシェーグレン症候群は同一の疾患であるという概念が提唱されてきたが，最近になりミクリッツ病では，血清IgG分画中のIgG4が著しい高値を示すとともに，腺組織にIgG4陽性形質細胞の浸潤を伴うことからIgG4関連疾患の1つとしてまとめられた.

IgG4関連疾患は，血清IgG4高値に加え，IgG4陽性形質細胞の著しい浸潤と線維化により全身臓器の腫大や結節形成を伴う原因不明の疾患である．自己免疫性膵炎や涙腺・唾液腺炎が代表的な疾患として注目され，現在ではほとんどすべての臓器に発症しうることが知られている[8)].

病理組織学的には，唾液腺の中でも特に顎下腺に高度のリンパ球，形質細胞浸潤，リンパ濾胞の形成と腺房の萎縮を特徴とする慢性硬化性唾液腺炎像が認められる.

なお，本症では，血清中の抗SS-A/Ro抗体，抗SS-B/La抗体は陰性であり，ステロイド薬に対する治療反応性がよくシェーグレン症候群とは異なる特徴を示す.

Ⅶ—口腔乾燥症

口腔乾燥感は唾液分泌量の低下や水分の過蒸発に起因する口腔粘膜の乾燥症状のことである．高齢者における唾液分泌低下は加齢による可能性が考えられてきたが，近年ではその唾液分泌障害の多くが薬剤の副作用に起因することが知られている[4]．

副作用として唾液分泌障害を呈する薬剤には，抗ヒスタミン薬，抗うつ薬，抗けいれん薬，抗精神病薬，鎮静薬，降圧薬，利尿薬，抗コリン薬などがある．その作用機序には中枢性の水分泌刺激（副交感神経）を抑制する場合や唾液の原料となる血中の水分量の減少による場合がある．その他，全身性疾患である糖尿病や尿崩症では脱水により，また，高齢者に多くみられる口呼吸では唾液の蒸散により口腔乾燥症状を呈する．これらの病態においては，唾液腺実質組織の損傷は認められない．一方，シェーグレン症候群や頭頸部癌の放射線照射後にみられる唾液分泌障害では，唾液腺実質組織の破壊・消失が顕著で重篤な分泌障害を呈する結果，著しいQOLの低下を伴うことがある．

口腔乾燥症患者にみられる口腔内症状には，粘膜の灼熱感をはじめ，溝状舌・舌乳頭の萎縮などがあり，カンジダ症，齲蝕，歯周病や種々の口腔感染症の罹患率の上昇をもたらす．さらに，高齢者においては摂食嚥下障害による誤嚥性肺炎の誘因ともなりうる．

次に，口腔乾燥症を呈する全身性疾患について口腔乾燥症を生じるメカニズムを概説する．

糖尿病[56]
diabetes mellitus, DM

尿崩症[57]
diabetes insipidus

甲状腺機能亢進症，機能低下症[58]
hyperthyroidism, hypothydism

バセドウ病[59]
Basedow disease：甲状腺細胞のTSH受容体に対する自己抗体が産生される自己免疫疾患である．TSH受容体が刺激されることにより甲状腺ホルモンが過剰に産生される結果，甲状腺機能は亢進する．

橋本病[60]
Hashimoto disease：慢性甲状腺炎ともよばれ，甲状腺ホルモンに対する自己抗体により甲状腺組織が破壊される自己免疫疾患である．バセドウ病とは逆に甲状腺機能は低下する．

高アミラーゼ血症[61]
hyperamylasemia

1 糖尿病[56]

高血糖の結果，尿中に糖が排出（尿糖）され，尿細管内の浸透圧が上昇することにより水の再吸収が抑制され多尿となる（浸透圧性利尿）．その結果，脱水状態となり口腔乾燥が生じる．

2 尿崩症[57]

下垂体後葉から分泌される抗利尿ホルモンの合成・分泌低下による中枢性尿崩症と抗利尿ホルモンへの反応性低下による腎性尿崩症がある．いずれの場合も腎臓の尿細管における水の再吸収が障害され多尿となり，血中水分量の減少による口腔乾燥を生じる．

3 甲状腺機能亢進症，機能低下症[58]

甲状腺機能亢進症（バセドウ病[59]など）では，交感神経が優位となり口腔乾燥症を生じる．また，甲状腺機能低下症（橋本病[60]など）でも代謝の低下により口腔乾燥症を生じる．

Ⅷ—高アミラーゼ血症[61]

血液中のアミラーゼが高値を示す病態で，アミラーゼを産生する臓器である膵臓または唾液腺の障害が主な原因である．唾液腺疾患としては，流行性耳下腺炎や唾石症でアミラーゼが上昇することが知られ，その場合S型アミラーゼが上昇する[6]．

（美島健二）

Check Point

- [ ] 1 唾液腺の発育異常を説明できる.
- [ ] 2 唾液腺の萎縮を説明できる.
- [ ] 3 唾液腺の放射線障害を説明できる.
- [ ] 4 唾液腺の化生を説明できる.
- [ ] 5 唾液腺のアミロイドーシスを説明できる.
- [ ] 6 唾石症を説明できる.
- [ ] 7 粘液嚢胞を説明できる.
- [ ] 8 唾液腺の炎症性疾患を列挙できる.
- [ ] 9 慢性硬化性唾液腺炎を説明できる.
- [ ] 10 ウイルス性唾液腺炎を説明できる.
- [ ] 11 シェーグレン症候群を説明できる.
- [ ] 12 ミクリッツ病・症候群を説明できる.
- [ ] 13 IgG4関連疾患を説明できる.
- [ ] 14 口腔乾燥症を起こす病態を説明できる.

References

1) 天野　修編：口腔生物学各論 唾液腺．学建書院，東京，2～32，2006.
2) 井口広義ほか：片側顎下部に血管腫を生じた両側顎下腺欠損症の1例．日耳鼻，114：84～89．2011.
3) Hajianpour, M. J. et al.：Dental issues in lacrimo-auriculo-dento-digital syndrome：An autosomal dominant condition with clinical and genetic variability. *J. Am. Dent. Assoc.*, 148：157～163, 2017.
4) Neville, B. W. et al. ：Oral & Maxillofacial Pathology, 4th ed. Elsevier, St. Louis, 422, 2015.
5) Cheng, S. C. et al. ：Assessment of post-radiotherapy salivary glands. *Br. J. Radiol.*, 84：393～402, 2011.
6) 安藤一郎ほか：唾液腺アミロイドーシス例．耳鼻臨床，96：417～422，2003.
7) 高木　實監：口腔病理アトラス 第2版．文光堂，東京，287～288，2006.
8) Deshpande, V. et al.：IgG4 related disease of the head and neck. *Head Neck Pathol.*, 9：24～31, 2015.

Chapter 21

免疫応答に関連した口腔病変

アレルギー疾患[1]
allergosis

自己免疫疾患[2]
autoimmune disease

免疫不全症候群[3]
immunodeficiency syndrome

移植片対宿主病[4]
graft versus host disease (GVHD)

免疫系は，自己と非自己を識別するためのシステムとして，特に生体においては病原微生物の感染から守る目的で機能しているが，一方ではそのシステムの破綻により，さまざまな病態を生じることが知られている．すなわち，外来異物に対する過剰な反応により生体自身を障害するアレルギー疾患[1]，免疫学的寛容の破綻による自己免疫疾患[2]，および免疫不全症候群[3]が代表的な病態としてあげられる．

本章ではこれらの中で，特に口腔内病変を有する疾患の病態と，骨髄移植後にみられる移植片（ドナー由来の免疫細胞）が宿主を標的とする移植片対宿主病[4]の口腔内病変について記載する．

I－アレルギー疾患

再発性アフタ性口内炎[5]
recurrent aphtous stomatitis

1 再発性アフタ性口内炎[5]

本疾患は口腔粘膜疾患の中では最も頻度の高いもので，その原因としてはアレルギーを含めた多数の因子の関与が考えられている．

口腔粘膜のあらゆる部位にみられ，灰白色～黄白色の偽膜で覆われた小円形の潰瘍が紅暈（紅色の輪）で取り囲まれる特徴像を示す（病理組織像の詳細に関しては他項を参照）．ベーチェット病やHIV感染症などにも認められるので，診断には注意が必要である．

金属アレルギー[6]
allergy to metal

2 金属アレルギー[6]

歯科治療に用いられる修復物のほとんどは，種々の金属を含む合金あるいはチタンから構成されている．これらの合金の腐食により，溶出した金属イオンは口腔領域のみならず，全身性にアレルギー反応を引き起こす原因となる．

1 金属アレルギーを惹起する可能性がある金属

ニッケル，コバルト，クロム，水銀，金，パラジウム，スズなど．

2 金属アレルギーの発症機序

修復物から溶出した金属イオンは口腔粘膜を透過した後，ハプテン（抗体と結合できるが，それ自身では免疫応答を誘導できない分子であり，一般に分子サイズが1kDa以下）として自己タンパク質と反応して抗原決定基を生成し，金属アレルギーを誘導する．

抗原提示細胞[7]
antigen presenting cell (APC)

主要組織適合遺伝子複合体[8]
major histocompatibility complex (MHC)

金属アレルギーは通常，遅延型過敏反応（接触性過敏反応）の機序によって生じる（**図21-1**）．すなわち，ハプテンとしてタンパク質と結合した金属イオンは，ランゲルハンス細胞をはじめとする抗原提示細胞（APC）[7]に貪食される．さらに細胞内で断片化された後，主要組織適合遺伝子複合体（MHC）[8]クラスII分子と結合し，細胞膜上に表出され，所属リンパ節内でCD4陽性

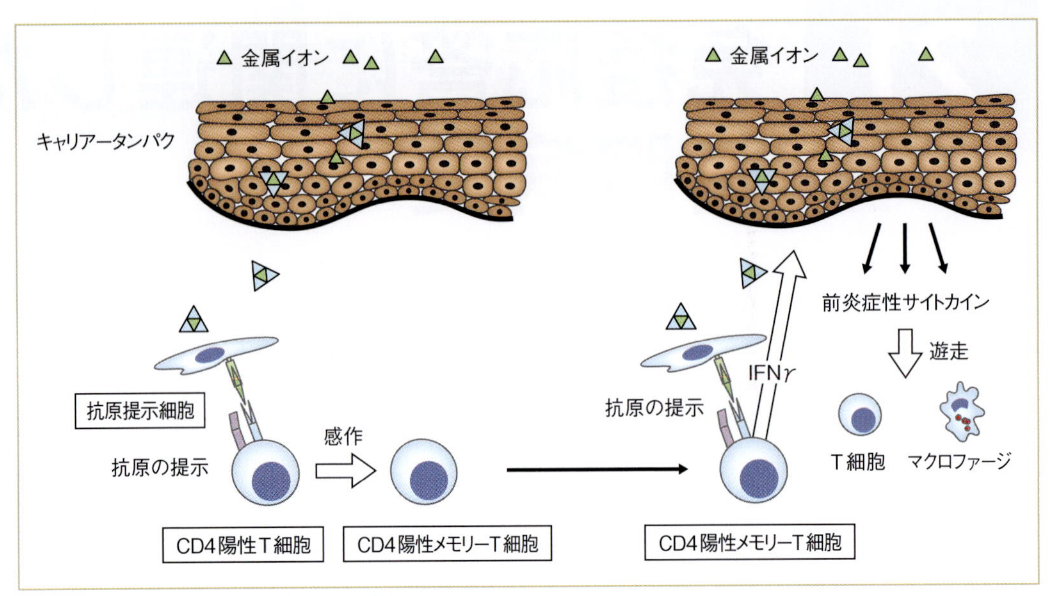

図21-1　遅延型過敏症（接触性過敏反応）

唾液中に溶出した金属イオンによる初回時の曝露（感作）では，金属イオンが口腔粘膜を通過する際，生体内のキャリアータンパクと結合し，粘膜上皮基底細胞層付近に存在するランゲルハンス細胞により取り込まれる．その後，ランゲルハンス細胞は所属リンパ節に移動し，取り込んだ金属イオン-キャリアータンパク複合体をプロセシングした後MHCクラスIIを介してCD4陽性ナイーブT細胞に提示する．

CD4陽性ナイーブT細胞は細胞表面上のT細胞受容体（TCR）を介して抗原を認識し，共刺激分子および接着因子による活性化後，CD4陽性メモリーT細胞となる．CD4陽性メモリーT細胞は再度，金属イオンに曝露された際に即座に活性化し，IFNγ産生を介してケラチノサイト（粘膜上皮の構成細胞）に前炎症サイトカイン（IL-1，IL-6）の産生を誘導する．産生されたサイトカインはT細胞やマクロファージを局所に誘導し炎症が惹起される．

APC：抗原提示細胞，IFNγ：インターフェロンγ，TCR：T細胞受容体．

T前駆細胞に提示され，感作が成立する（CD4陽性メモリーT細胞）．再度，金属イオンに曝露されると，金属イオンとタンパクの複合体を貪食したAPCによりCD4陽性メモリーT細胞に抗原が提示され，その活性化によりインターフェロンγ（IFNγ）をはじめとしたサイトカイン産生が誘導される．さらに，これらのサイトカインにより，T細胞やマクロファージが誘導される．

3 歯科金属アレルギーにより生じる病変

口腔内に溶出した金属により生じる歯科金属疹[9]は，皮膚における接触性皮膚炎に関連した局所病変および全身性病変を生じることが報告されている．

歯科金属疹[9]
dental metal eruption：舌炎，口内炎，口唇炎，歯肉口唇炎，肉芽腫性口唇炎，蕁麻疹，クインケ浮腫，口腔扁平苔癬，皮膚扁平苔癬，皮膚掻痒症，浮腫性紅斑，掌蹠膿疱症，好酸球性膿疱性毛包炎，難治性の手指皮膚炎（汗疱状皮膚炎），貨幣状湿疹，全身の皮膚炎（pseudo atrophic dermatitis）．

3 アレルギー性紫斑病[10]

シェーンライン-ヘノッホ紫斑病[11]あるいはアナフィラクトイド紫斑病ともよばれ，β-溶連菌感染，薬物，金属，食物などのアレルギーにより，アレルギー性の血管炎を認める．

臨床症状としては，四肢の皮膚に対称性に出現する紫斑，関節痛，腹痛，下血，血尿，タンパク尿がみられる．

アレルギー性紫斑病[10]
allergic purpura

シェーンライン-ヘノッホ紫斑病[11]
Schönlein-Henoch purpura

4 クインケ浮腫[12]

薬剤，食物，植物などがアレルゲンとなり，I型アレルギーが生じた結果，皮下および粘膜下の結合組織にびまん性の浮腫を生じ，病変が気道にまで及ぶと呼吸困難により死に至る可能性を有する．その詳細なメカニズムは，アレルゲンが粘膜に初めて接触し感作するとIgEが産生され，再び同一抗原に接触すると，肥満細胞に固着したIgEと反応し，脱顆粒によりヒスタ

クインケ浮腫[12]
Quincke's edema

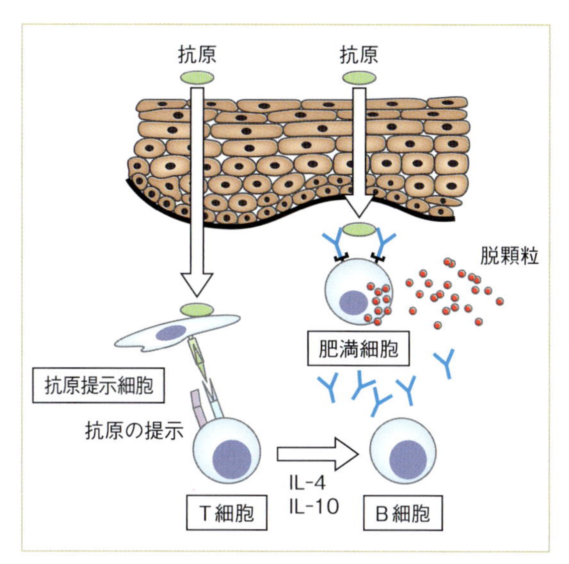

図21-2　即時型アレルギー

薬剤や食物由来のアレルゲンは，抗原提示細胞に取り込まれた後T_{H2}細胞に提示され，その強い活性化を誘導する．活性化したT_{H2}細胞はIL-4やIL-10を分泌し，さらにB細胞を活性化することにより抗原特異的なIgE産生を誘導する．産生されたIgEは肥満細胞上のFcレセプターと結合し，引き続き抗原により曝露された際に，速やかに架橋しヒスタミンなどの化学伝達物質が放出される．

ミンなどの化学伝達物質が放出される（**図21-2**）．その結果，細動脈の拡張と血管透過性の亢進により浮腫が起こる．頭頸部では，顔面，口唇，舌，咽頭および喉頭の腫脹が特徴的である．

II－免疫不全症候群

先天的あるいは後天的な種々の病変によって免疫機能が障害される場合で，免疫臓器自体の病変，免疫グロブリンまたはリンパ球の欠失などが原因となる．

エイズ[13]
AIDS；acquired immunodeficiency syndrome

ヒト免疫不全ウイルス[14]
human immunodeficiency virus（HIV）

後天性免疫不全症候群（エイズ[13]）は，ヒト免疫不全ウイルス（HIV）[14]感染［Chap.11（162頁），Chap.23（312頁）参照］により免疫能が極度に低下し，特徴的に二次的疾患を合併した病態であり，近年，その患者数の増加が懸念されている．

1　HIVの構造

ヒト免疫不全ウイルス（HIV）は，レトロウイルス科のレンチウイルス亜科に属し，ウイルスの直径は約100nmである．内部にはウイルスRNAの他に逆転写酵素と内部構造タンパク質を有し，外側には細胞膜由来脂質二重層に埋め込まれたウイルスのエンベロープタンパク（gp120，gp41）が存在する．

2　感染経路

性的接触，注射など，血液・体液を介して感染する．血液，精液の他，唾液，涙液，乳汁など，ほとんどの体液中にも存在する．食物，尿，便，くしゃみ，皮膚接触での感染の危険性はないが，注意が必要である．妊婦から子供への感染は胎盤を通して，あるいは出産時産道，母乳を通して起こる．

3　感染細胞

HIVの感染は，標的細胞のCD4を介したウイルスの細胞内への侵入に始まる．CD4抗原を保有するヘルパーT細胞が主な標的であるが，マクロファージ，樹状細胞，脳のグリア細胞にも感染し，それぞれがウイルスのリザーバー（ウイルスが感染しているが長期間生存する細

表21-1 エイズにみられる口腔内病変

感染	真菌	カンジダ症
	細菌	HIV関連歯肉炎 壊死性潰瘍性歯肉炎 (NUG)
	ウイルス	単純ヘルペス 帯状疱疹 エプスタイン-バーウイルス (EBウイルス)
腫瘍		カポジ肉腫 扁平上皮癌 非ホジキンリンパ腫
リンパ節症		頸部リンパ節症
神経症状		三叉神経痛 顔面神経麻痺
その他		アフタ性口内炎 壊死性粘膜炎

胞) としての役割を果たす.

4 発症機序と病態

初感染2～6週後半数が発熱, リンパ節腫大, 咽頭炎, 発疹, 筋肉痛, 血球減少, かぜ様症状, 一過性のウイルス血症が認められる. 細胞傷害性Tリンパ球 (CTL) を中心にした細胞性免疫, 加えて液性免疫によるウイルス増殖の抑制や, 血中ヘルパーT細胞が回復すれば, 臨床的に無症候となる (数年～10年間持続する). この間も, リンパ節を中心にウイルスの複製は盛んに行われており, ヘルパーT細胞は徐々にその数を減らし, 日和見感染, カポジ肉腫, 悪性リンパ腫などの悪性腫瘍が発生し, エイズ脳症の発生などにより致死的経過をたどる.

5 口腔内病変 (表21-1)

口腔カンジダ症[15]
oral candidiasis

1 口腔カンジダ症[15] [Chap.11 (166頁) 参照]

HIV感染の口腔内症状として最も頻度が高く, 抗真菌薬に対する耐性の獲得により難治性となる.

2 歯肉炎・歯周炎

壊死性潰瘍性歯 (肉) 周炎が認められる.

エプスタイン-バーウイルス[16]
Epstein-Barr virus (EBウイルス, EBV)

毛状白板症[17]
hairy leukoplakia

3 エプスタイン-バーウイルス[16]

EBウイルスは, エイズ患者における悪性リンパ腫発生との強い関連性が知られているが, 毛状白板症[17]の原因でもある. 毛状白板症は舌側縁に両側性にみられ, 舌背部まで至ることもある.

病理組織像では, 細い突起状の突出を示す上皮の過錯角化症と棘細胞症が認められる.

III―自己免疫疾患

1 天疱瘡 [Chap.10 (143頁) 参照]

尋常性天疱瘡[18]
pemphigus vulgaris
落葉状天疱瘡[19]
pemphigus foliaceus
慢性剝離性歯肉炎[20]
chronic desquamative gingivitis

天疱瘡は，皮膚，粘膜上皮層に大小の水疱形成を認める疾患であり，尋常性天疱瘡[18]と落葉状天疱瘡[19]に大別され，それらの亜型として増殖性天疱瘡，紅斑性天疱瘡がある．発病の平均年齢は50歳前後の成人であり，小児には稀で，性差は認められない．口腔では尋常性天疱瘡が最も多い．臨床的に慢性剝離性歯肉炎[20]としてみられることがある．

尋常性天疱瘡は，皮膚の水疱に先行して口腔内粘膜の上皮内水疱が認められ，軟口蓋および頰粘膜が好発部位である．水疱は容易に破れ，多発性の充血・びらん性病変を生じる．また，非水疱部でも擦過により，容易に上皮の剝離（ニコルスキー現象）が認められる．

ツァンク細胞[21]
Tzanck cell

病理組織学的には，表皮（粘膜上皮）の細胞間水腫と棘細胞間の結合の消失（棘細胞融解）が認められ，基底層上部に上皮内水疱形成を伴う．水疱内には遊離した上皮細胞が，単独あるいは小集団で浮遊している（ツァンク細胞[21]）．基底膜に異常は認められず，上皮下の炎症反応は比較的軽度である．全身性に広がると予後不良で，ステロイドの大量投与が行われるが，致死性の場合も多い．棘細胞間結合（デスモゾーム）に存在するDsg1（デスモグレイン1）あるいはDsg3が天疱瘡の抗原タンパクであり，同部にIgGの存在が検出される．

類天疱瘡[22]
pemphigoid

2 類天疱瘡[22] [Chap.10 (145頁) 参照]

天疱瘡同様，自己免疫性水疱性疾患であり，皮膚および粘膜に病変を認める水疱性類天疱瘡と，粘膜に病変を認める良性粘膜類天疱瘡に大別される．天疱瘡との大きな違いは，天疱瘡では上皮内に水疱が認められるのに対して，本疾患では上皮下の水疱形成を特徴とする．50歳代の女性に多く，良性粘膜類天疱瘡は眼の症状も伴うことが多く，結膜に小水疱形成を認める．口腔内では，刺激を受けやすい歯肉を中心に，舌，頰粘膜などに小さな水疱形成を生じ，びらん・潰瘍形成後に剝離性歯肉炎の像を呈することが多い．

病理組織学的には，上皮と結合組織間に基底膜の破壊を伴う水疱形成を認め，水疱直下の上皮下結合組織には好中球，リンパ球，形質細胞などの細胞浸潤が著明である．上皮基底細胞と基底膜の結合に関与しているBP180およびBP230が抗原タンパクと考えられ，基底膜と基底細胞層にIgGの沈着が認められる．

関節リウマチ[23]
rheumatoid arthritis

3 関節リウマチ[23]

多発性の関節炎を主病変にする慢性疾患であるが，同時に関節以外の臓器も傷害される全身性の炎症性疾患である．30〜40歳代の女性に多く認められる．

臨床的には，関節痛と関節破壊が主体をなし，通常は手足の指趾関節から発症し，足，膝，手，肘関節へと広がり，顎関節に罹患するのは比較的進行してから（20〜50%）である．顎関節病変としては両側性が多く，朝のこわばり，運動痛，圧痛，関節雑音を生じ，進行すると咬合異常や顎強直症をきたす．血清中にリウマチ因子[24]などのさまざまな自己抗体が検出される．

リウマチ因子[24]
rheumatoid factor (RF)

病理組織学的には，①顎関節部の滑膜に充血・浮腫・壊死を伴うフィブリン沈着，②滑膜下のリンパ濾胞形成，肉芽組織のヒダ状増生（パンヌス）が起こり，関節頭軟骨・骨破壊，③類上皮細胞を伴う肉芽腫（リウマチ結節）の形成がみられる．さらに進行すると，関節頭と関節円板の線維性癒着を生じる（**図21-3**）．

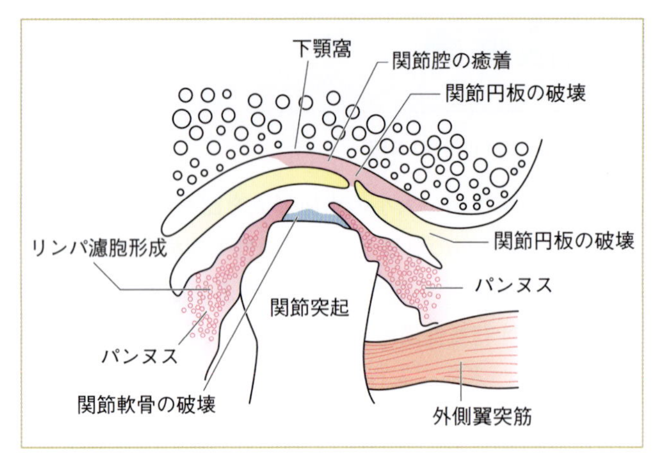

図21-3　関節リウマチ
顎関節の関節面以外は滑膜組織に被覆されており，関節リウマチでは滑膜を中心に強いリンパ球・形質細胞浸潤およびリンパ濾胞形成がみられる．また，滑膜を被覆する上皮の増生と滑膜組織の絨毛状増殖がみられ，進行すると増生した肉芽組織いわゆるパンヌスにより関節軟骨の破壊が認められる．この結果，関節円板の破壊や線維性癒着による関節の強直をきたす．

紅斑性狼瘡[25]
lupus erythematosus

4 紅斑性狼瘡[25]（エリテマトーデス）［Chap.10（147頁）参照］

全身性に病変を認める全身性紅斑性狼瘡と，他臓器や免疫学的検査で異常を認めず，皮膚に限局した病変を認める円板状紅斑性狼瘡に分類される．

全身性紅斑性狼瘡[26]
systemic lupus erythematosus (SLE)

1 全身性紅斑性狼瘡[26]

抗核抗体（ANA）など，多彩な自己抗体の存在と免疫複合体機序による多臓器病変を特徴とする自己免疫性疾患であり，20～40歳代の女性に多い．

蝶形紅斑[27]
butterfly rash

ループス腎炎[28]
lupus nephritis

臨床的には，露出した皮膚に多発性の紅斑を認め，特に顔では鼻を中心に左右に蝶形紅斑[27]が現れる．また，腎臓では免疫複合体の沈着によるループス腎炎[28]を認める．口腔内病変は5～20％の患者に認められ，口蓋，頰粘膜，歯肉に炎症性病変を生じ，潰瘍，紅斑および過角化を伴う．口唇部に認められる病変は，狼瘡性口唇炎とよばれる．

円板状紅斑性狼瘡[29]
discoid lupus erythematosus (DLE)

2 円板状紅斑性狼瘡[29]

皮膚に円板状の萎縮性，角化性病変を形成し，皮疹が頭，顔，耳介，頸部に限局した限局型と，紅斑が体幹にまで及ぶ汎発型に分けられる．口腔病変としては，びらん性扁平苔癬様病変を生じる．

5 全身性強皮症

皮膚をはじめとする全身諸臓器に膠原線維の増生と血管傷害を生じる疾患である．女性に多く，抗核抗体（抗Scl-70抗体）が産生される．手指の一過性血流障害であるレイノー症状，皮膚硬化，肺線維症，強皮症腎クリーゼ，逆流性食道炎が生じる．口腔領域では舌小帯短縮・肥厚，口唇周囲の放射状のしわ，口唇周囲の皮膚硬化による開口障害がみられる．

6 バセドウ病（グレーブス病）

バセドウ病は甲状腺刺激ホルモン（TSH）受容体に対する自己抗体（TRAb）がTSH受容体に結合し発症する甲状腺機能亢進症である．

TRAbには甲状腺刺激抗体や甲状腺刺激阻害抗体が含まれさまざまな症状を呈するが，一般的には甲状腺機能亢進症の症状が知られている．甲状腺機能亢進症は自己抗体によるV型アレルギーにより発症する．すなわち甲状腺刺激抗体がTSH受容体に結合した結果，甲状腺濾胞上皮細胞が過剰に甲状腺ホルモン(T3，T4)を分泌し，全身諸臓器に症状をきたす．主な症状(Merseburg 3主徴)は甲状腺腫大，眼球突出(甲状腺眼症)および頻脈であり，ときに口渇が生じる．

7 特発性アジソン病

アジソン病は副腎皮質ステロイドの産生低下により発症する副腎皮質機能低下症である．

副腎皮質ステロイド産生低下の原因は感染症や腫瘍の転移などによる副腎皮質の破壊であるが，抗副腎抗体の産生による自己免疫性副腎皮質炎によるものを特発性アジソン病という．色素沈着，易疲労感，食欲不振，体重減少などをきたす．色素沈着の好発部位は口腔粘膜，手掌や皮膚の圧迫部位である．

8 1型糖尿病

糖尿病はインスリン作用の不足による慢性高血糖により，糖・脂質・タンパク質の代謝異常を呈する疾患である．糖尿病はその原因により1型と2型に分けられる．

1型糖尿病は膵臓ランゲルハンス島でインスリンを産生・分泌するβ細胞が破壊されることにより高血糖状態となる．β細胞破壊の主な原因は自己抗体の産生で，インスリン治療が不可欠である．2型糖尿病に比べ若年者に発症し，肥満とは無関係である．

症状は1型・2型ともに共通し，高血糖に基づく症状として口渇，多飲・多尿および体重減少がみられる．合併症には血管傷害，網膜症，腎症，末梢神経傷害などがみられる．さらに白血球機能が低下するため易感染性となる他，肉芽組織の形成が障害されるため創傷治癒が遅れる．血糖値のコントロールが不良の場合は歯周病の悪化につながる．

悪性貧血[30]
pernicious anemia

9 悪性貧血[30] [Chap.10(160頁)参照]

胃粘膜の萎縮によりビタミンB_{12}の腸管吸収に必要な内因子が欠乏した結果生じる巨赤芽球性貧血である．胃粘膜の萎縮は胃粘膜壁，特に壁細胞に対する自己免疫性の機序が考えられている．また，ビタミンB_{12}は核酸合成に関与し，本因子の欠乏により細胞分裂活性の高い造血系細胞および消化管の粘膜上皮が傷害される．

ハンター舌炎[31]
Hunter glossitis

口腔粘膜の症状としては，舌，口唇などの口腔粘膜に灼熱感がみられ，同部の粘膜の萎縮と紅斑を認める．特に舌にみられる病変はハンター舌炎[31]として知られ，著明な舌乳頭の萎縮による平滑舌の形態を呈する．

10 血液型不適合による新生児溶血性黄疸

新生児溶血性黄疸は母児間の血液型不適合の場合に新生児に発症する黄疸である．母体内に混入した胎児赤血球に対して産生された抗体が胎盤を通過し，胎児赤血球と抗原抗体反応を起こし溶血を発症する．重症の場合，溶血により生じたビリルビンが形成期の歯に沈着し，青緑色(緑色～淡黄色)の着色が生じる．

多形滲出性紅斑[32]
erythema multiforme exudativum

11 多形滲出性紅斑[32] [Chap.10(146頁)参照]

皮膚および粘膜に紅斑，水疱あるいは潰瘍形成を認める疾患であり，発症に先行してウイルス・細菌感染や抗菌薬などの薬物使用がみられることが多い．その原因としては，いまだ不明な点が多いが自己免疫に起因する可能性が報告されている．

ベーチェット病[33]
Behçet's disease

12 ベーチェット病[33] [Chap.10（150頁）参照]

滲出傾向の強い急性炎症を反復する慢性再発性の全身疾患で，20～40歳代の女性に多い．

結節性紅斑様皮疹[34]
erythema nodosum
血栓性静脈炎[35]
thrombophlebitis
虹彩毛様体炎[36]
iridocyclitis
網膜脈絡膜炎[37]
retinochorioiditis

臨床的に，主病変としては，①口腔粘膜のアフタ性潰瘍，②皮膚症状（a：結節性紅斑様皮疹[34]，b：皮下の血栓性静脈炎[35]，c：毛嚢炎様皮疹，痤瘡様皮疹），③眼症状（a：虹彩毛様体炎[36]，b：網膜ぶどう膜炎〈網膜脈絡膜炎[37]〉）を，副病変としては，①関節炎，②副睾丸炎，③消化器病変（腸管ベーチェット病），④血管病変（血管ベーチェット病），⑤中枢神経病変（神経ベーチェット病）を認める．神経症状が主体の場合は神経ベーチェットとよばれる．

病理組織学的には，血管病変主体で閉塞性血管炎，フィブリノイド変性，血栓形成が認められる．

特発性血小板減少性紫斑病[38]
idiopathic thrombocytopenic purpura（ITP）

13 特発性血小板減少性紫斑病[38]

明らかな基礎疾患および原因が認められない後天性の血小板減少症で，種々の出血症状を引き起こす．急性型は小児に多く，6カ月以上遷延する「慢性型」は成人に多い．抗血小板抗体が検出され，脾摘で寛解することから，自己免疫による血小板崩壊が原因であると考えられている．鼻出血，歯肉出血，血尿，性器出血，劇症例では脳出血をみる．

シェーグレン症候群[39]
Sjögren syndrome

14 シェーグレン症候群[39] [Chap.20（279頁）参照]

前章（Chapter 20）における解説を参照のこと．

IgG4関連疾患[40]
IgG4-related disease, IgG4 RD

15 IgG4関連疾患[40] [Chap.20（280頁）参照]

前章（Chapter 20）における解説を参照のこと．

Ⅳ—骨髄移植後にみられる病変

移植片対宿主病[41]
graft versus host disease（GVHD）

1 移植片対宿主病[41]

同種の骨髄移植の際にレシピエントにみられ，移植片である骨髄細胞由来の免疫担当細胞により宿主の細胞や組織を攻撃する反応であり，急性期と慢性期の病変に大別される．

1 急性期の病変（移植後100日以内）

骨髄移植後に2～3週間以内に認められ，軽度な場合は皮膚の発疹から，重度の場合にはびまん性の皮膚の脱落がみられる．また，下痢，悪心，腹痛および肝障害を伴う．

2 慢性期の病変（移植後100日以降）

移植患者の33～66％に認められ，自己免疫疾患（SLE，シェーグレン症候群，原発性胆汁性肝硬変など）の病態に類似した病変を生じる．皮膚病変は顕著で，扁平苔癬に類似した病変を形成する．

口腔内病変としては，①扁平苔癬に類似した白色の網状線条の出現，②粘膜の灼熱感，③口腔粘膜の萎縮と潰瘍形成，④口腔乾燥症，⑤カンジダ症，ヘルペスなどの感染症などがあげられる．

口腔病変の病理組織像では，①粘膜の扁平苔癬様の炎症性反応，②小唾液腺では，導管周囲の炎症と，腺房細胞の萎縮・消失および線維化が進行する．

（斎藤一郎）

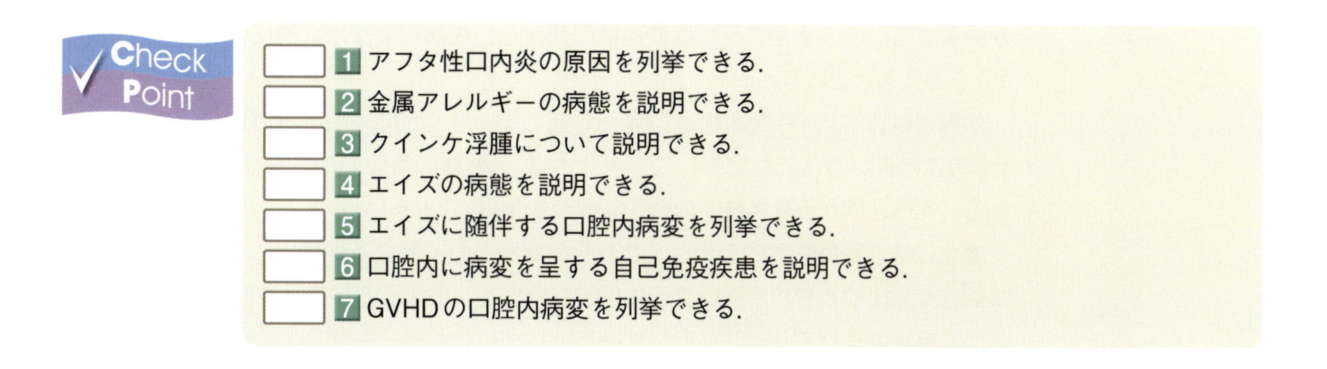

References

1）中山秀夫ほか：歯科金属による感作の可能性について．歯界展望，43：382～389，1974．
2）高木　實監：口腔病理アトラス 第3版．文光堂，東京，2018．
3）Neville, B. W. et al.：Oral and Maxillofacial Pathology 3rd edition, Pathology, 2nd edition. W. B. Saunders Company, Philadelphia, 2002.
4）向井　清ほか編：外科病理学 第4版．文光堂，東京，2006．

Chapter 22

加齢に伴う口腔病変

受精した瞬間から，時間の経過とともに成長・発育が起こり，成熟が終わると同時に老化が始まっていく．やがて，細胞や組織の死から，生活現象が永久的に停止する個体の死（全身死）を迎えることとなる．

加齢とは，この「時間的経過に伴って起こる，生理的な範囲の形態的あるいは機能的な変化」のことをいう．これに対して，老化とは，「個体の身体的成長が終わり成熟した後にみられる，死へと向かう生体機能の低下を伴う変化」のことをいう．

老化には，細胞個々の老化と，これらの総和として起こる個体としての老化がある．また，加齢とともにゆるやかに進行する生理的な老化と，遺伝子的な要因や環境因子，種々の疾病に伴って急速に進行する病的な老化がある．しかしながら，生理的な老化と病的な老化を明確に区別することは難しい．

I―加齢と老化（図22-1）

加齢[1] aging
老化[2] senescence
普遍性[3] universality
内在性[4] intrinsically
進行性[5] progressiveness
有害性[6] deleteriousness

1 加 齢[1]

時間的経過に伴って起こる，生理的な範囲の形態的あるいは機能的な変化．

2 老 化[2]

成熟した後にみられる，死へと向かう生体機能の低下を伴う変化．

老化は，1）すべての人間にとって避けられない普遍的なものであり（普遍性[3]），2）遺伝的に決定されていて（内在性[4]），3）不可逆的で徐々に進行し（進行性[5]），4）有害な変化（有害性[6]）である，と規定される（老化の4つの原則：Strehler, B. L. 1962.[1]）（図22-1）．

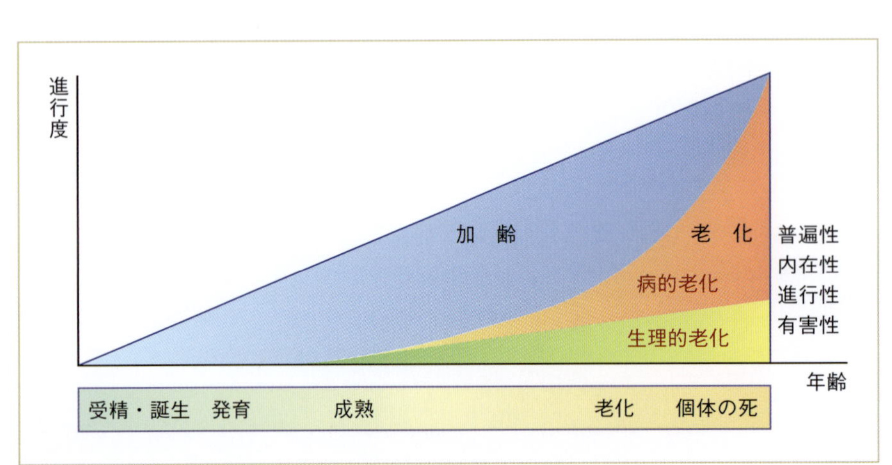

図22-1　加齢・生理的老化・病的老化

加齢は生涯にわたり時間経過とともに起こる生理的な形態・機能的な変化であるのに対して，老化は成熟した後にみられるもので，加齢に伴う生理的な老化と，環境因子や疾病などによって増強され進行が速まる病的な老化がある．

1 細胞老化[7]

個々の細胞は，染色体の末端にあるテロメア[8]が，細胞分裂のたびに少しずつ短小化していき，ある一定の長さになると細胞分裂が停止する．これが細胞の老化であり，通常の細胞は，ある一定回数の分裂をすると分裂能力を失って増殖できなくなり，細胞死が誘導される．しかし，生殖細胞や幹細胞，癌細胞などでは，テロメラーゼ[9]活性が高くなっていて，テロメアを伸長させることで永続的に分裂を繰り返すことができる．

2 生理的老化[10]

老化の4つの原則がすべてみられるが，病気の影響を受けることなく加齢とともに必然的に起こる変化をいう．実際には，生理的老化と病的老化とを厳密に区別することは難しい．

3 病的老化[11]

遺伝子的要因や，食生活，喫煙，ストレス，紫外線などの環境因子，あるいは疾病によっても老化は増強される．生理的老化にこのような要因が加わることで，老化の進行が加速され，機能障害によって病的な状態となり，生命の危機が増大する．病的老化は，生活環境の変化や治療によってある程度改善する余地を残している．

3 老化の原因

老化を引き起こす原因には，遺伝子のプログラムの変異だけでなく，食事や生活習慣を含む環境因子など，さまざまな要因が密接に関連している．このため，老化の機序としては，いろいろな要因が考えられており，複合的なものとしてとらえられている．

細胞の老化が遺伝子レベルで制御されているとする「プログラム説」や，紫外線や放射線，化学物質，活性酸素などによって起こるDNAの損傷により，異常な遺伝子が蓄積することによる，とする「エラー蓄積説」などがある．

①DNAの複製時に起こるテロメアの短小化により，個々の細胞の分裂回数は規定されているため（ヘイフリック限界[12]），細胞数が減少する．早老症[13]では老化を促進するような遺伝子異常があり，DNAの翻訳・転写・複製過程や修復過程で異常が起こることにより老化が促進する．

②活性酸素[14]やフリーラジカル[15]生成による酸化ストレス[16]などによって，DNAやタンパク質が損傷を受け，異常な物質が蓄積して細胞や組織の機能が低下する．

ATP合成過程で，ミトコンドリアの電子伝達系から生成される活性酸素・フリーラジカルは，タンパク質の変性やDNAの損傷など，細胞に不可逆的な障害を与える．これらの活性酸素・フリーラジカルは，スーパーオキシドディスムターゼ（SOD）[17]などの抗酸化物質によって消失する．

③生体内のタンパク質が架橋（クロスリンキング）することで分解されにくくなり，老化物質が蓄積する．

④グルコースや果糖などの還元糖がタンパク質と結合したタンパク糖化最終生成物（AGE）[18]が形成され，血管や結合組織などに沈着することで老化が促進される．

⑤その他，免疫力の低下や自己免疫反応，ホルモン分泌の減少によって老化が促進される．

細胞老化[7]
cellular senescence

テロメア[8]
telomere：染色体の末端にある，染色体を保護するタンパク質-DNA複合体．TTAGGGの単純な反復配列からなる．

テロメラーゼ[9]
telomerase：テロメア合成酵素．テロメアの短小化を防いで安定化させ，テロメアの反復配列を維持する酵素．

生理的老化[10]
physiological aging

病的老化[11]
pathological aging

ヘイフリック限界[12]
Hayflick limit：細胞分裂回数の限界．

早老症[13]
progeria：遺伝的早期老化症候群．年齢に比較して老化が促進する疾患で，幼年期に発症するプロジェリア症候群や，成人性のウェルナー症候群がある．

活性酸素[14]
reactive oxygen species（ROS）：反応性が高い酸素分子で，フリーラジカルのスーパーオキシドやヒドロキシラジカルに加え，過酸化水素，一重項酸素が含まれる．

フリーラジカル[15]
free radical：不対電子をもつ不安定で反応性が高い分子や原子で，酸素を使うATP合成過程で，ミトコンドリアの電子伝達系から生成される．スーパーオキシド，ヒドロキシラジカルの他，一酸化窒素（NO）も含まれる．

酸化ストレス[16]
oxidative stress：酸化反応により起こる有害な作用

スーパーオキシドディスムターゼ[17]
superoxide dismutase（SOD）：スーパーオキシドを不均化して過酸化水素と酸素に変える酵素．抗酸化物質で，活性酸素・フリーラジカルを消失させ，酸化ストレスを減少する．

タンパク糖化最終生成物（AGE）[18]
advanced glycation end products

サルコペニア[19]
sarcopenia

4 サルコペニア[2)・19]

筋肉(sarco)と減少症(penia)から作られた言葉で,「加齢や慢性疾患による,全身性で進行的な骨格筋量の減少,および,骨格筋力の低下により,体力や機能が大幅に低下すること」を指している(Rosenberg, I. 1989.[3]).

1 サルコペニアの基本的な診断基準

①筋肉量の減少とともに,②筋力の低下(握力など),または,③身体能力の低下(歩行速度など)が認められることが診断に必要となる.

2 サルコペニアの分類

(1) 一次性サルコペニア(原発性サルコペニア)

①加齢性サルコペニア:加齢によって起こるもので,それ以外の明らかな原因がないもの.

(2) 二次性サルコペニア

①活動量に関連するサルコペニア:寝たきりや不活発な生活スタイル.廃用.無重力状態.

②疾患に関連するサルコペニア:進行した臓器不全(心臓,肺,肝臓,腎臓,脳).重篤な炎症性疾患や悪性腫瘍に伴うカヘキシア(悪液質)[20].内分泌疾患.

③栄養に関連するサルコペニア:消化管の疾患や薬剤などによる,摂食不良,栄養の吸収不良,食欲不振に伴う,摂取エネルギーの低下やタンパク質摂取量の減少.

カヘキシア(悪液質)[20]
cachexia:癌をはじめ,慢性心疾患や呼吸器疾患などの基礎疾患に関連して生じる複合的な栄養不良の症候群で,栄養療法で改善することが困難な著しい筋肉量の減少がみられ,進行性に機能障害をもたらす.炎症反応の亢進やインスリン抵抗性,代謝障害がみられる,サイトカインを介した全身性の炎症状態.

3 サルコペニアの測定法

(1) 筋肉量

エックス線CT検査,MRI検査.生体インピーダンス解析(BIA法),二重エネルギーエックス線吸収測定法(DXA法).

(2) 筋　力

握力測定(男性26kg以下,女性18kg以下).

(3) 身体能力

通常歩行速度(0.8m/秒以下).

遅筋線維(I型)[21]
slow-twitch muscle fiber:赤筋線維といわれ,酸化系酵素の活性が高い.ミオグロビンを多く含み,ミトコンドリアが豊富.収縮速度は遅いが疲労しにくい.

速筋線維(II型)[22]
fast-twitch muscle fiber:白筋線維といわれ,解糖系酵素の活性が高く,無酸素状態での代謝に依存する.収縮速度は速いが疲労しやすい.

5 サルコペニアと筋萎縮

30歳以降になると,筋肉は10年ごとに5%減少し,60歳以降で減少傾向が顕著になる.一般的な筋萎縮では,筋タンパク質の合成と分解のバランスが変化して筋タンパク質が減少するため,筋線維が萎縮し,筋の断面積が減少するが,筋線維の数には変化がみられない.さらに,I型の遅筋線維[21]が著明に萎縮することで,筋線維の組成がII型の速筋優位となる.一方,サルコペニアにおける筋萎縮では,筋線維の数そのものが減少する(~40%)とともに,II型の速筋線維[22]が顕著に萎縮することで,I型の遅筋優位となる(**図22-2,3**).

サテライト細胞(筋衛星細胞)[23]
satellite cell:筋線維の形質膜と基底膜の間に存在する単核の組織幹細胞.筋組織の損傷に際して活性化され,筋分化制御因子のMyoDを発現して筋芽細胞へと分化する.

1 骨格筋線維の再生

骨格筋の横紋筋線維は長さ数cmにもなる巨大な柱状の多核細胞で,1つの筋細胞核が支配できる細胞の体積(核の支配領域)には上限がある.傷害を受けた筋線維が元の大きさに戻るには,減少した分の筋細胞核の数を,サテライト細胞[23]の分化増殖によって補う必要がある.

筋サテライト細胞は分化能と増殖能をもつため,若年者では筋萎縮に伴って数が減少しても,再負荷により細胞数の増加と筋芽細胞への分化がみられる.しかし高齢者では,加齢に伴

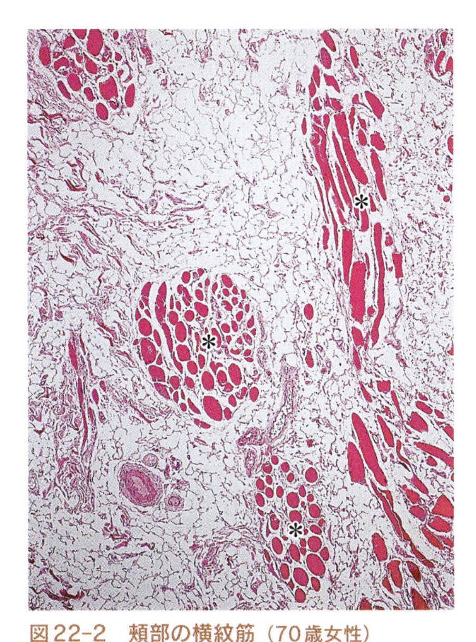

図22-2　頬部の横紋筋（70歳女性）
横紋筋線維（*）には萎縮がみられ，筋線維の太さが不均一となっている．筋線維束の間には，脂肪組織や膠原線維が増加している．

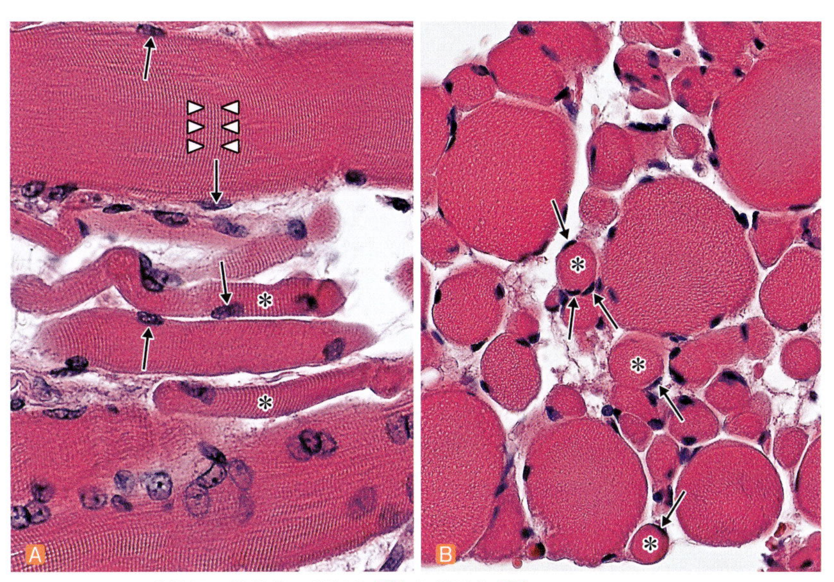

図22-3　下顎咬筋部の横紋筋の縦断像（A）と横断像（B）（76歳男性）
縦断面（A）では横紋（白矢頭）がみられ，筋細胞核が筋線維を取り巻くように辺縁にある．通常の太さの横紋筋線維間に，細く萎縮した筋線維（*）がみられる．
横断面（B）では，萎縮した筋が集まる部分では，見かけ上，単位面積あたりの筋細胞核（矢印）が増加したようにみえる．

い，筋サテライト細胞の数の減少と分化増殖能の低下が起こるため，再負荷によっても再生しにくくなる．

フレイル[24]
frail

フレイルティ[25]
frailty

6 フレイル[4,5)・24]

フレイルとは，加齢に伴い進行する不可逆的な「虚弱」（フレイルティ[25]）に対して，介入や支援により改善するような，可逆性を有するという意味を含めるために，日本老年医学会から提唱されたフレイルティの日本語訳で，健康な状態と要介護状態との中間に位置するものを指す．身体的な面だけでなく，精神的あるいは心理的なフレイルや，社会的なフレイルも含まれる．加齢により生理機能が低下するとともに，恒常性（ホメオスタシス）の維持が難しくなってストレス対応能が弱くなることで，健康障害に陥りやすい状態となる．

フレイルとサルコペニアは重なることから，サルコペニアはフレイルの中に包含され，フレイルの原因となる．

1 フレイルのサイクル

加齢や慢性疾患から始まるサルコペニアは，筋肉量の減少や筋力の低下（一次性サルコペニア）から，身体能力の低下や活動量の低下（二次性サルコペニア）につながる．さらに基礎代謝の低下，エネルギー消費量の低下から，食欲の不振や摂食量の減少につながり，全身的な低栄養状態となってサルコペニアを増悪させていく（**図22-4**）．

2 フレイルの評価基準

①体重の減少，②疲労感，③身体活動量の減少，④身体能力（歩行速度）の低下，⑤筋力（握力）の低下，の5項目のうち，3項目以上該当する場合にフレイルと判定する．2項目以下ならプレフレイルとなる（Friedら，2001.[4)]）．

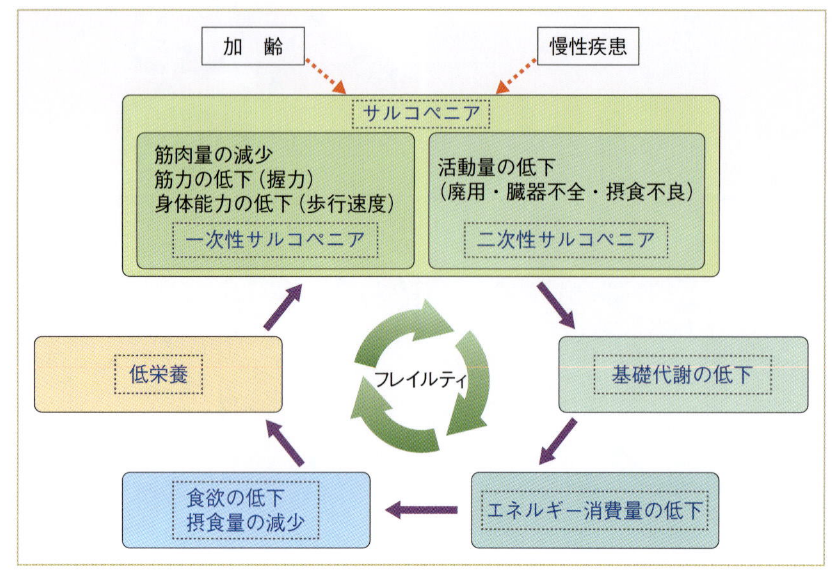

図22-4　フレイルのサイクル

サルコペニアによる筋肉量の減少（一次性）と，活動量の低下（二次性）は，基礎代謝の低下，エネルギー消費量の低下，食欲の不振と摂食量の減少につながり，低栄養状態がさらにサルコペニアを増悪させる．

〔Fried, L. P. et. al.：*J. Gerontol.*, 56A（3）：M146～M156, 2001, より一部改変〕

オーラルフレイル[26]
oral frail

7　オーラルフレイル[6)・26]

オーラルフレイルは，自身に対する関心の低下によって初期の齲蝕や歯周病などが放置される（前フレイル期）ようなことから，口腔機能の負の連鎖が始まり，重篤な口腔機能の低下や咀嚼機能不全を引き起こすものとして提唱されたものである．

オーラルフレイル期は，口腔乾燥などとともに滑舌が悪くなり，噛めない食品が増え，食べこぼしたりむせたりするような，口腔機能の軽度の低下を認める状態を指し，口腔機能障害へと移行する前段階とされている．続くサルコ・ロコモ期では，サルコペニアなどによる咬合力や舌運動能などの口腔機能の低下が顕在化して，低栄養状態となる．さらに，フレイル期では，摂食嚥下障害や咀嚼機能不全から，最終的な要介護状態へと向かっていく．

骨格筋のサルコペニアに伴い，口腔においても，摂食嚥下機能に関連する口腔内の筋肉量の減少と筋力の低下がみられ，舌では，厚みが薄くなり舌圧の低下が認められるようになる．

1　オーラルフレイルの位置づけ

（1）前フレイル期

口腔機能管理への自己関心度の低下（社会性や精神面の問題）．

（2）オーラルフレイル期

口腔機能の軽度低下（栄養面のフレイル）．

（3）サルコ・ロコモ期

口腔機能の顕著な低下（身体面のフレイル）．

（4）フレイル期

咀嚼機能不全，要介護状態（重度のフレイル）．

摂食嚥下障害[27]
dysphagia

8　老化による摂食嚥下障害[27]

摂食嚥下は，食物を認識して口腔に摂り込み，咀嚼（口腔内での機械的消化と食塊形成）し，嚥下（口腔内から胃までの食塊の移動）して，胃に送り込む全過程である．

（1）先行期

食物の認知と唾液分泌．

(2) 準備期

食塊形成.

(3) 口腔期

舌による食塊の咽頭への移動(随意運動).

(4) 咽頭期

嚥下反射(不随意運動). 軟口蓋による鼻咽腔閉鎖と, 喉頭蓋による喉頭の閉鎖.

(5) 食道期

食道の蠕動運動.

1 老化に伴う摂食嚥下障害の原因

老化に伴って, ①欠損歯の増加による咀嚼効率の低下, ②咀嚼筋や舌筋の機能低下, ③唾液分泌の減少と口腔乾燥, ④味覚障害や口腔感覚の低下, ⑤安静時の喉頭位置の下降, ⑥食道括約筋の機能低下などがみられるようになる.

摂食嚥下障害の原因には, 老化に伴うものの他, 脳血管障害や神経筋疾患, 認知症などによるものがあり, 特に高齢者では, 誤嚥による誤嚥性肺炎[28]が問題となる. 老化によって安静時の喉頭の位置が下がることで, 嚥下時の喉頭挙上が不十分となり, 喉頭蓋による喉頭の閉鎖が不完全となって誤嚥を起こす.

誤嚥性肺炎[28]
aspiration pneumonia：嚥下機能の低下により, 食物や唾液とともに口腔内細菌が気管から肺へと吸引されることで起こる.

II—皮膚と口腔軟組織の変化[7~9]

皮膚と口腔粘膜は, ともに角化重層扁平上皮に覆われている. 皮膚は, 表皮, 皮膚付属器を含む真皮, 皮下組織の3つの層からなる(**図22-5**). 口腔粘膜は, 粘膜上皮, 粘膜固有層, 粘膜下組織の3つの層に分けられ, 粘膜上皮には多数の小唾液腺が開口する.

皮膚と口腔粘膜の重層扁平上皮は, 角化細胞のケラチノサイト[29], メラニンを産生するメラノサイト[30], 抗原提示細胞のランゲルハンス細胞[31], 触圧覚の受容器のメルケル細胞[32]の4つの細胞で構成されている.

重層扁平上皮の表層や顆粒層上部で, タイト結合や細胞間隙へのセラミドなどの脂質の分泌により, 外界との間に関門機構(生理学的透過性関門[33])を形成することで, 水分の蒸散を防ぎ, 細菌の侵襲や傷害性刺激から内部環境を保護している.

ケラチノサイト[29]
keratinocyte

メラノサイト[30]
melanocyte

ランゲルハンス細胞[31]
Langerhans cell

メルケル細胞[32]
Merkel cell

生理学的透過性関門[33]
physiological permeability barrier

1 皮膚の変化

皮膚は加齢に伴い表皮が菲薄化するとともに, 真皮では線維芽細胞の減少とそれに伴う膠原線維量の低下が起こり, 皮下脂肪組織も減少して厚みが薄くなる. タンパク糖化最終生成物(AGE)が生成されて組織に沈着することで, 皮膚の弾性力が低下するとともに, 黄色化や炎症が引き起こされる. 菲薄化した重層扁平上皮では, 顆粒層上部にある細胞間脂質が減少して生理学的透過性関門の機能が低下するとともに, 皮脂腺や汗腺の減少と分泌量の低下により, 皮膚の乾燥が起こる.

1 紫外線による皮膚の変化

顔面の皮膚や赤唇部では, 紫外線の曝露により皮膚の老化が著しく促進される. 直射日光に含まれる紫外線に長期間曝されることで, 通常の老化とは反対に表皮が肥厚するとともに, ランゲルハンス細胞の減少やメラニン色素の沈着, 深い皺の形成がみられる. このような皮膚の形態的変化を光老化という(**図22-6**). また, 紫外線により引き起こされる上皮細胞の

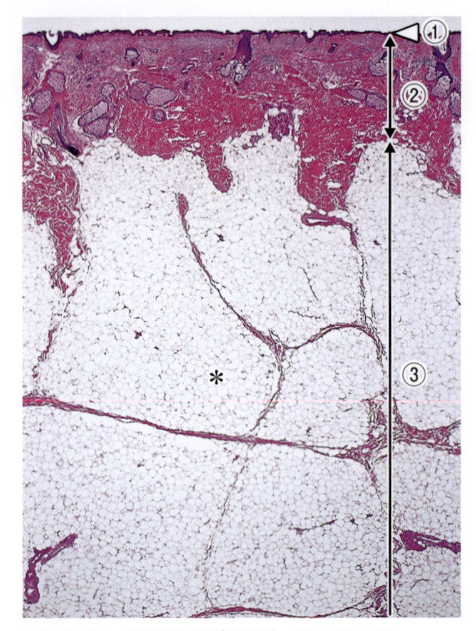

図22-5　頬部の皮膚組織（54歳男性）

皮膚は，角化重層扁平上皮からなる表皮（①）に覆われ，汗腺や皮脂腺，毛包などの皮膚付属器を含む真皮（②），脂肪組織（*）からなる皮下組織（③）の3つの層からなる．

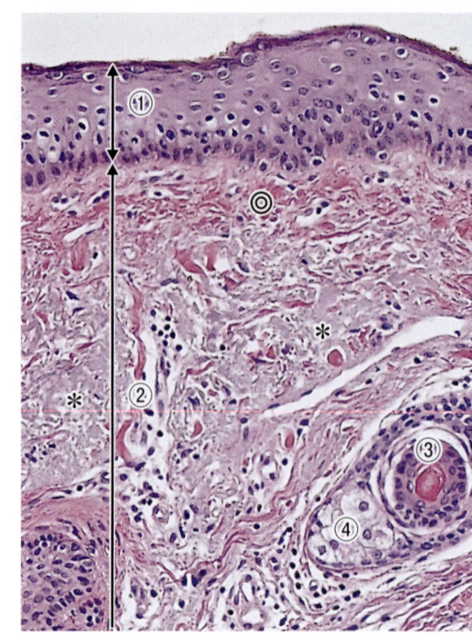

図22-6　頤部の皮膚組織（86歳男性）

表皮（①）は菲薄化し，真皮（②）では，紫外線により老化が著しく促進され，線維芽細胞の減少と膠原線維量の低下（◎），弾性線維の変性・沈着（*）がみられる．③は毛包，④は皮脂腺．

DNAの損傷は，皮膚の扁平上皮癌の発生原因となる．

光老化[34]
photo-aging

2 光老化[34]

マトリックスメタロプロテアーゼ（MMP）[35]
matrix metalloproteinase：細胞外マトリックスの加水分解酵素

内因性MMP阻害因子（TIMP）[36]
tissue inhibitor of metalloproteinase

光老化では，線維芽細胞によるコラーゲン産生の低下と，上皮下の膠原線維の主要成分であるⅠ型コラーゲンや基底膜を構成するⅣ型コラーゲンなどを分解する，マトリックスメタロプロテアーゼ（MMP）[35]の活性上昇，およびMMP活性を阻害する内因性MMP阻害因子（TIMP）[36]の低下により，膠原線維量の減少と変性が起こる．一方，弾性線維を構成するエラスチンの過剰産生と，弾性線維の変性・沈着により，弾力性が低下する．

被覆粘膜[37]
covering mucosa

2 口腔粘膜の変化[10)]

咀嚼粘膜[38]
masticatory mucosa：上皮直下の膠原線維束が歯頸部の根面と骨膜とに直接結合する．上皮下に唾液腺や脂肪組織はみられない．

口腔粘膜は，

①被覆粘膜[37]：軟口蓋，舌下面，口腔底，歯槽，口唇，頬のような柔らかく可動性の粘膜
②咀嚼粘膜[38]：付着歯肉と口蓋前方部にみられ，上皮が膠原線維を介して歯頸部の根面および歯槽骨の骨膜と結合している非可動性の粘膜
③特殊粘膜：舌背と舌側縁にみられ，4種類の舌乳頭[39]と味蕾[40]をもつ粘膜

の3つに分けられる．

舌乳頭[39]
lingual papillae

味 蕾[40]
taste bud

1 口腔粘膜上皮の変化

フォーダイス斑[41]
Fordyce spots：頬粘膜や口角部，口唇にみられる境界明瞭な多数の顆粒状黄色斑．

口腔粘膜上皮は，加齢により上皮脚が短小化して扁平になるとともに，上皮の厚さも薄くなる．免疫系の機能低下とともに，抗原提示能の高いランゲルハンス細胞の数が少なくなる．角化細胞では有棘層細胞の細胞質に存在するグリコーゲンの量が減少する．頬粘膜や口角部の粘膜には異所性の脂腺組織のフォーダイス斑[41]（**図22-7**）がみられ，思春期以降，加齢とともに目立つようになる．

唾液分泌の減少と唾液性状の変化により，高齢者の口腔粘膜は傷つきやすく，創傷の治癒が遅延する．

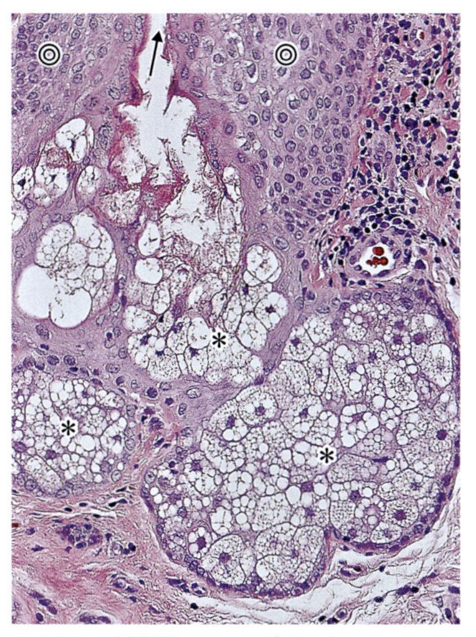

図22-7 頬粘膜のフォーダイス斑（60歳男性）
上皮下に異所性の皮脂腺組織（*）がみられ，導管（矢印）が口腔上皮（◎）に開口する．

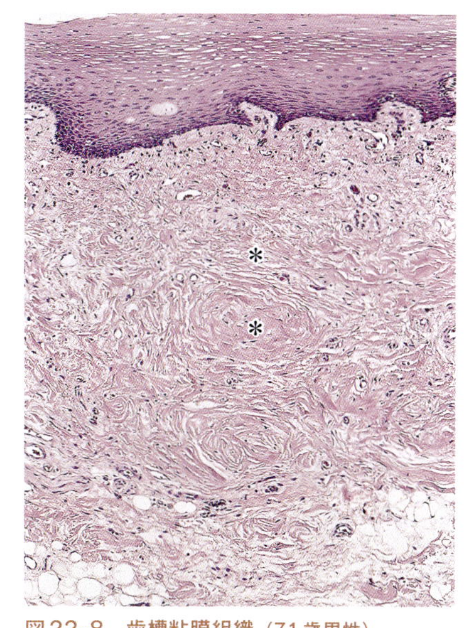

図22-8 歯槽粘膜組織（71歳男性）
錯角化上皮は薄く基底は平坦で，上皮直下の線維性結合組織は，線維芽細胞や毛細血管が少なく，密な膠原線維が粘膜表面と平行に走行する（*）．

味覚[42]
gustation：味覚は，酸味，甘味，苦味，塩味，うま味の5つの基本味で識別される．

有郭乳頭[43]
circumvallate papilla：分界溝の前方に並ぶ輪状の溝で囲まれた大きな乳頭．

茸状乳頭[44]
fungiform papilla：舌背の糸状乳頭の間に散在する丸く平滑なキノコ状の乳頭．

葉状乳頭[45]
foliate papilla：舌後部の側面にある縦の溝状の乳頭．

糸状乳頭[46]
filiform papilla：舌背全面にあり表面が角化して筆先のように突出しており，味蕾がない．

味細胞[47]
gustatory receptor cell：味蕾の開口部（味孔）には，味細胞（味覚受容細胞）の長い味毛（味微絨毛）があり，味覚物質の刺激は，味細胞からシナプス結合を介して感覚ニューロンに伝わる．味細胞は10日ほどの周期でターンオーバーし，常に新しい細胞と入れ替わることで味覚機能が保たれる．

味覚障害[48]
dysgeusia：高齢者では，亜鉛欠乏や鉄欠乏，薬剤，舌炎など，あるいは心因性の原因により，味覚機能が低下する．亜鉛欠乏では，味細胞のターンオーバー期間が延長して味細胞の機能が低下する．

2 結合組織の変化

加齢に伴って粘膜下組織の厚さは薄くなる．上皮直下の粘膜固有層と粘膜下組織では，血管網の構造が不規則になるとともに血管の数も減少する．脂肪組織や小唾液腺組織，末梢神経線維も少なくなる．線維芽細胞が減少し，密な膠原線維が粘膜表面と平行に走行する（**図22-8**）ようになり，粘膜の弾性が乏しくなる．

3 舌の変化

味覚[42]は，粘膜上皮内に紡錘形の細胞が蕾状に集まった味蕾（**図22-9**）で受容される．味蕾は約70％が舌背部の有郭乳頭[43]（**図22-10**）や茸状乳頭[44]（**図22-11**），舌側縁部の葉状乳頭[45]にあり，約30％が口蓋部や咽頭部，喉頭部にみられる．なお，糸状乳頭[46]（**図22-12**）には味蕾はない．

1 舌粘膜の変化

舌では加齢に伴い糸状乳頭の数が減少し，上皮層の厚さが薄くなることで，舌背が平滑になり光沢をもつようになる．唾液の減少に伴って舌炎が起こりやすくなる．

2 味覚の変化

高齢者では，味蕾の数の減少や味細胞[47]の機能低下，中枢神経における味覚機能の低下，さらに唾液分泌の減少，口腔内の補綴装置の影響などにより，味覚が低下して食べ物の好みが変化する．味覚の中では，塩味や苦味，甘味の閾値が上昇して感じにくくなる（味覚障害[48]）．

3 舌の結合組織と舌筋の変化

舌の深部では加齢に伴い，舌筋の萎縮とともに，脂肪組織や膠原線維が増加する．舌扁桃の萎縮などもみられる．

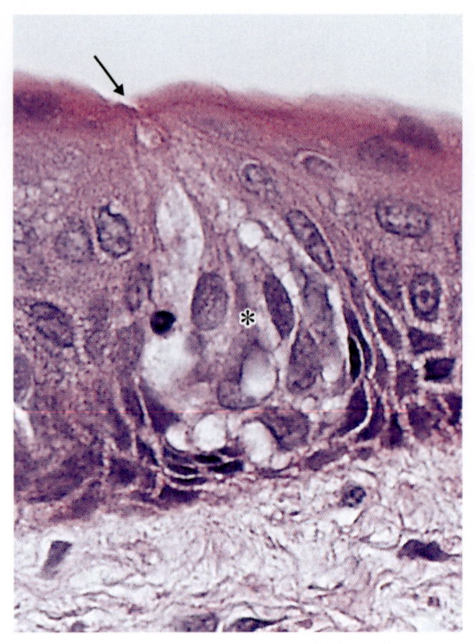

図22-9　舌の有郭乳頭部の味蕾組織（47歳男性）

味蕾（＊）は紡錘形の細胞が蕾状に集まったもので，味蕾の開口部（味孔）（矢印）には，味細胞から味毛が伸びる．

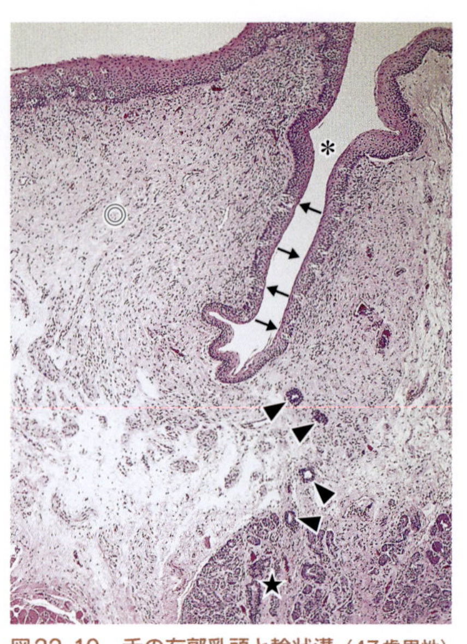

図22-10　舌の有郭乳頭と輪状溝（47歳男性）

有郭乳頭（◎）の輪状溝（＊）には，多数の味蕾（矢印）が配列する．有郭乳頭の深部には，純漿液腺のエブネル腺（★）があり，導管（矢頭）が輪状溝に開口する．

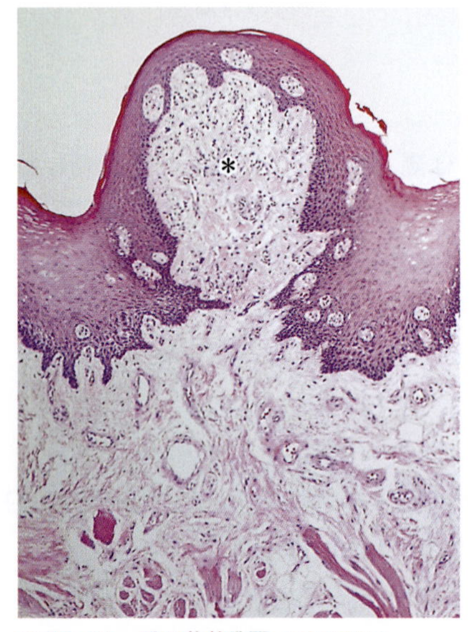

図22-11　舌の茸状乳頭（47歳男性）

茸状乳頭（＊）は，表面が丸く平滑で，1個あたりの味蕾の数は少ない．

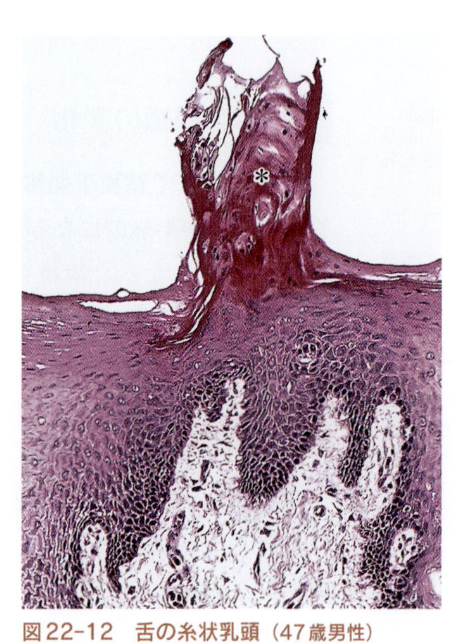

図22-12　舌の糸状乳頭（47歳男性）

糸状乳頭は，角質層が肥厚して筆先のように突出する（＊）．加齢とともに丈が短くなるため，舌表面が平坦となる．

4　血管の変化

老化に伴う血管の病的変化は，さまざまな心血管疾患の原因となるのをはじめ，種々の疾患や機能低下と非常に密接に関連しており，口腔組織においても同様の変化が現れる．

1　血管壁の変化

太い動脈では，内膜の肥厚に伴い血管壁が厚くなるとともに，動脈の太さが増大する．弾性線維の断裂や減少により血管壁の弾力性が低下し，内膜に石灰化が起こることで，動脈壁が硬くなる．血管の老化は，血管拡張の反応性を低下させる．

静脈壁では静脈弁の閉鎖不全や静脈瘤が起こる．

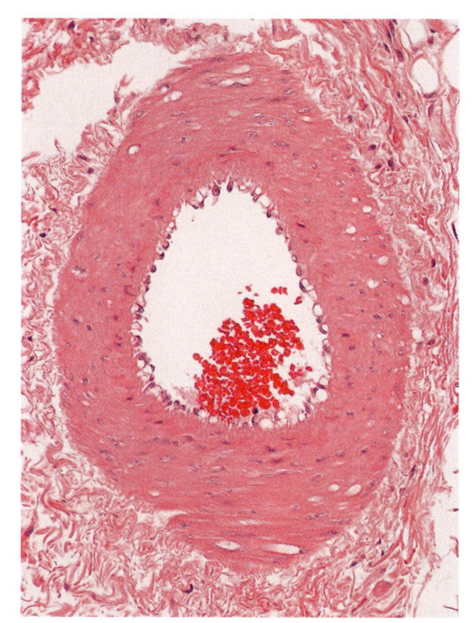

図22-13　舌の動脈（43歳男性）
動脈硬化の徴候はみられない．

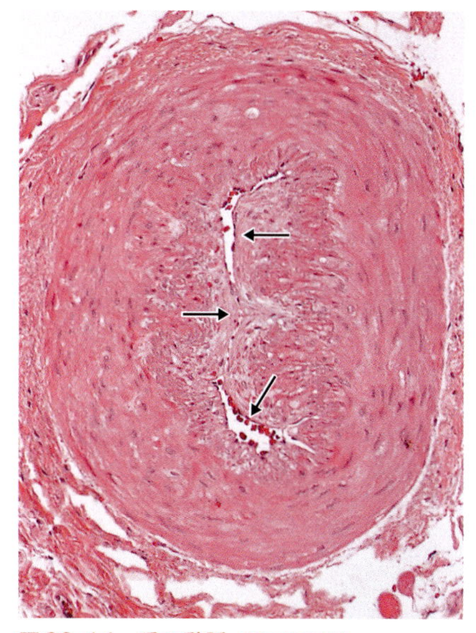

図22-14　舌の動脈（57歳男性）
内膜が著しく肥厚し，血管腔が圧偏されてスリット状となっている（矢印）．

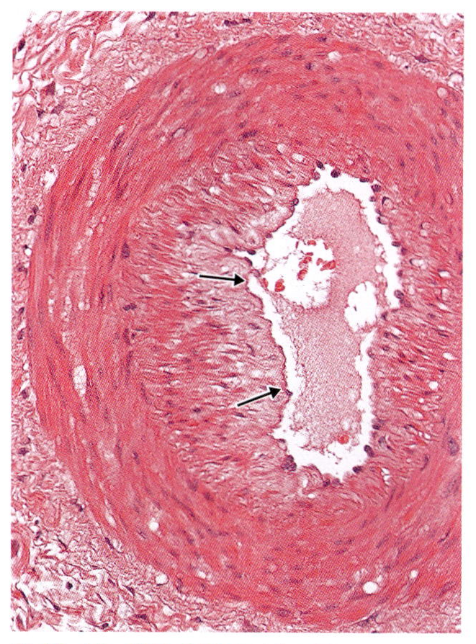

図22-15　舌の動脈（70歳男性）
内膜が肥厚し，血管腔が狭窄する（矢印）．

動脈硬化[49]
arteriosclerosis：太い血管の動脈硬化に伴い収縮期血圧が高くなる一方，拡張期血圧は変化しないため，これらの血圧の差である脈圧が大きくなる．壁が硬くなることで，動脈を伝わる脈の速さ（脈波伝播速度）が速くなる．

高血圧[50]
hypertension

2 動脈硬化[49]

動脈硬化には，大動脈や中動脈の内膜へのコレステロールの沈着と，細胞増殖を主体とする粥状硬化，細動脈壁に硝子化や狭窄が起こる細動脈硬化などがあり，危険因子としては，高血圧[50]や糖尿病，高脂血症，喫煙，ストレスなどがあげられる．

3 口腔の血管の変化

口腔の小動脈や細動脈においても，20歳代からすでに動脈硬化の徴候がみられ，加齢に伴い動脈の内腔が狭窄し（**図22-13～15**），特に下歯槽動脈や顎動脈などでは，変化が強くみられるといわれている．動脈硬化の程度は個人差が大きく，部位によっても進行度合いが異なる．

Ⅲ—歯と歯周組織の変化

歯は口腔内に萌出した後，唾液や食物による化学的な変化や，細菌による生物学的な侵襲，対合歯や隣在歯あるいは食物による機械的な損耗，温度変化などの物理的な刺激など，生涯にわたりさまざまな影響を受けている．このため，歯や歯周組織の加齢変化は，生理的なものと病的なものとの間に，明確な境界を引くことはできない．

1 歯の変化

老人の歯は，咬耗や摩耗により丸みを帯びるようになり，切端や咬頭，咬合面，隣接面が欠損して平滑になる．これにより，歯冠の長径や幅径が短くなる．

咬耗症[51]
attrition

摩耗症[52]
abrasion

歯の損耗には，咬合や咀嚼時に歯と歯あるいは食物と歯が摩擦することにより，長い間に歯質が表在性に欠損する咬耗症[51]（**図22-16**）や，歯磨剤と歯ブラシなど，咬合以外の機械的な作用で欠損する摩耗症[52]がある［Chap. 2（19～21頁）を参照］．

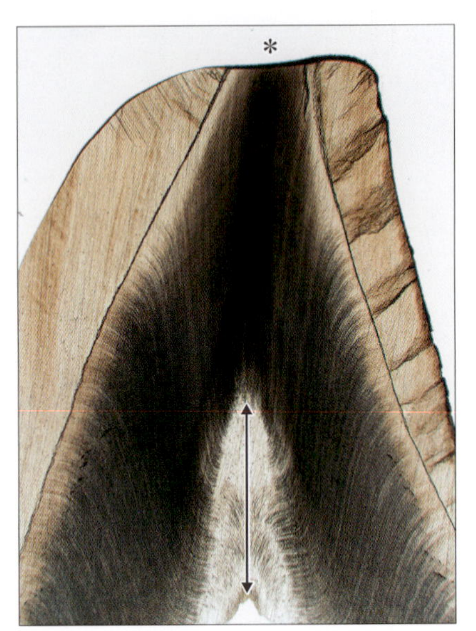

図22-16　切端の咬耗（研磨標本）

咬耗により切端部は平坦（＊）となり，象牙質が露出し，歯髄側には修復象牙質（第三象牙質；⟷）が形成されている．

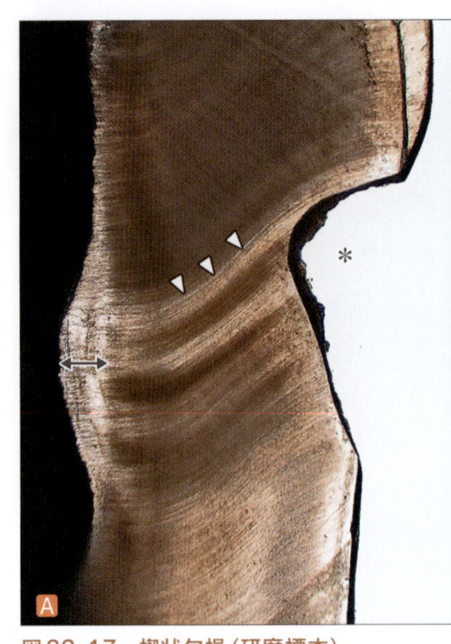

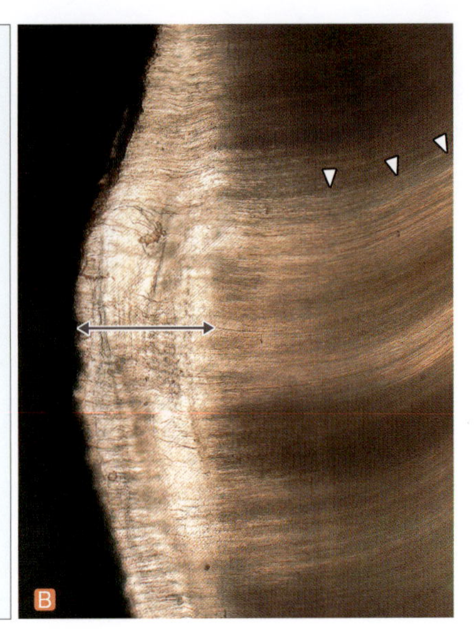

図22-17　楔状欠損（研磨標本）

A 歯頸部にくさび状の歯質の損耗（＊）があり，欠損部に相当する象牙細管の走行に沿って，帯状の死帯（矢頭）がみられ，歯髄側には修復象牙質（第三象牙質；⟷）が形成されている．

B 歯髄側の拡大．修復象牙質の象牙細管は不規則な走行を示している．

楔状欠損[53]
wedge-shaped defect (WSD), cervical wear

アブフラクション[54]
abfraction：ab＝離脱＋fraction＝断片を組み合わせた造語．

酸蝕[55]
erosion

アメロジェニン[56]
amelogenin：エナメル基質タンパク質（enamel matrix protein）．エナメル上皮が分泌し，エナメル質の形成を制御する．

象牙質・歯髄複合体[57]
dentin-pulp complex：象牙質と歯髄はともに歯乳頭から形成され，象牙細管内には象牙芽細胞の突起を入れていることなどから，象牙質と歯髄とを1つの複合体としてとらえる考え方．

外表象牙質（外套象牙質）[58]
mantle dentin

原生象牙質[59]
primary dentin

第二象牙質[60]
secondary dentin

象牙前質[61]
predentin

象牙質橋[62]
dentinbridge：生活歯髄切断後に，歯髄切断面の壊死層直下に形成される新生象牙質．

修復象牙質[63]
reparative dentin, restorative dentin

第三象牙質[64]
tertiary dentin

病的第二象牙質[65]
pathologic secondary dentin

1 楔状欠損[53]

歯頸部にみられる楔状や皿状の欠損．歯ぎしりや食いしばりなどの習慣的で強い咬合力により，引っ張り応力が集中する歯頸部のエナメル質と象牙質に微細な亀裂が入り，セメント-エナメル境部の歯質の崩壊が起こった結果として，鋭く直線的な楔状の欠損ができる（図22-17）．このようにしてできる楔状欠損をアブフラクション[54]という．

形成された欠損に不適切なブラッシングによる摩耗や，飲食物による酸蝕[55]などの要因が加わることでさらに拡大していくことから，楔状欠損はこれらの複合的な相互作用によって生じると考えられている．

鋭利な楔状の欠損は過重な咬合力によるアブフラクションの要素が強く，皿状の丸い欠損は摩耗の要素が多いといわれている．

2 エナメル質の変化

成熟したエナメル質は，約96％のハイドロキシアパタイトを主成分とする無機質，約4％のアメロジェニン[56]などの有機質と水からできている．萌出したばかりの幼若なエナメル質では，アパタイトの結晶の間を唾液中の水や低分子量の物質が透過する．加齢に伴って石灰化が亢進すると，物質の透過性が低下して硬度が上昇し，齲蝕に対する抵抗性が増加する．エナメル質の色調は，有機質の沈着やエナメル質の菲薄化などにより暗くなる．

3 象牙質の変化

象牙質は，象牙質・歯髄複合体[57]の硬組織で，最初に作られる外表象牙質[58]，大部分を占める原生象牙質[59]，歯根形成が完了した後に作られる第二象牙質[60]がある．石灰化した象牙質と象牙芽細胞の間には，石灰化していない象牙前質[61]が常にみられる．生活歯髄切断後に形成されるものは象牙質橋（デンティンブリッジ）[62]という．

(1) 修復象牙質[63]

第三象牙質[64]，病的第二象牙質[65]などともよばれる．咬耗や摩耗，齲蝕，窩洞形成などにより象牙質が露出すると，象牙細管を介して直接刺激を受けた象牙芽細胞が，象牙質を過剰に作るようになる．修復象牙質の象牙細管は不規則に走行し，細管構造をもたない骨様象牙質[66]の形成もみられる．

骨様象牙質[66]
osteodentin

(2) 象牙細管の狭窄

象牙芽細胞の突起の消失や象牙芽細胞の変性・萎縮により象牙細管が空洞化するとともに，象牙細管内壁の管周象牙質へのカルシウム塩の沈着により狭窄する．

(3) 透明象牙質[67]（硬化象牙質[68]）

透明象牙質[67]
transparent dentin
硬化象牙質[68]
sclerotic dentin

加齢に伴い象牙細管が狭窄，閉鎖し，象牙質の硬度が増して半透明のガラス状になるもので，歯根の根尖側1/3にみられる（図22-18）．

(4) 死　帯[69]

死帯[69]
dead tracts

空洞化した象牙細管は，研磨標本では，空気が入ることで黒色あるいは白色の帯として観察される．

4 歯髄の変化

歯髄の変化は20歳頃からみられ，第二，第三象牙質の形成によって歯髄の容積が小さくなるとともに歯髄細胞の密度が少なくなる．歯髄の変化は象牙芽細胞の空胞変性から始まり，歯髄細胞が網目状につながった網様萎縮[70]となる．根尖孔から歯髄に分布する血管の数は減少し，血管や神経線維の周囲では，膠原線維が密になって線維化する（図22-19A）．有髄神経線維や無髄神経線維が消失していくことで，歯髄の知覚は低下する．

網様萎縮[70]
reticular atrophy

(1) 歯髄腔の狭窄

髄室や根管口部への第二象牙質や第三象牙質の形成により，歯髄腔は狭窄し複雑な形態となる．象牙質の形成量は象牙芽細胞の変性・萎縮により減少する（図22-19B）．

(2) 歯髄の石灰化

歯髄では比較的若い時期から，血管周囲や膠原線維束に石灰沈着がみられる．

(3) 象牙質粒[71]

歯髄内にみられる同心円状の構造をもつ象牙質様の石灰化物で，髄石ともいう（図22-20）．高齢者のおよそ90％にみられる．歯髄内に遊離あるいは象牙質に付着して形成されるため，歯内療法を行ううえで障害となる．

象牙質粒[71]
denticle：歯髄内にある遊離性象牙質粒と，壁に付着した壁着性象牙質粒，象牙質内に取り込まれた介在性象牙質粒がある．構造的には，象牙細管のある真性象牙質粒と，細管のない仮性象牙質粒がある．

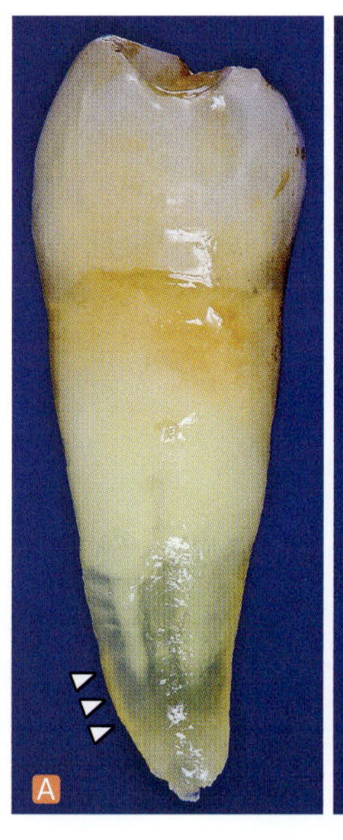

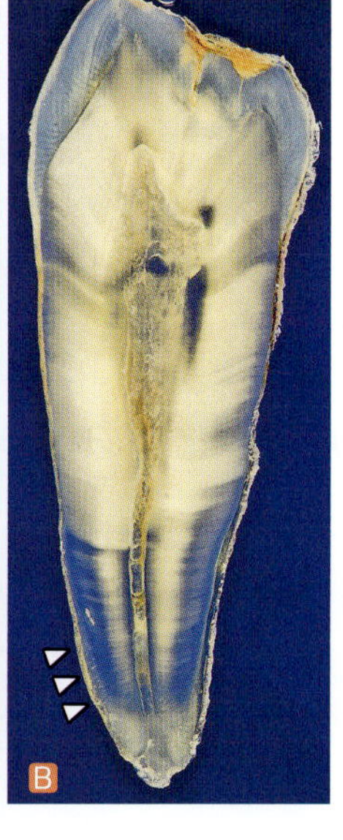

図22-18　透明象牙質

歯周病治療後の長期メインテナンス経過後に自然脱落した小臼歯の外観（A）と断面（B）の研磨標本．象牙細管の閉鎖により根尖部が透明（矢頭）になっている．
〔東京都調布市 小林歯科医院 小林明子氏提供〕

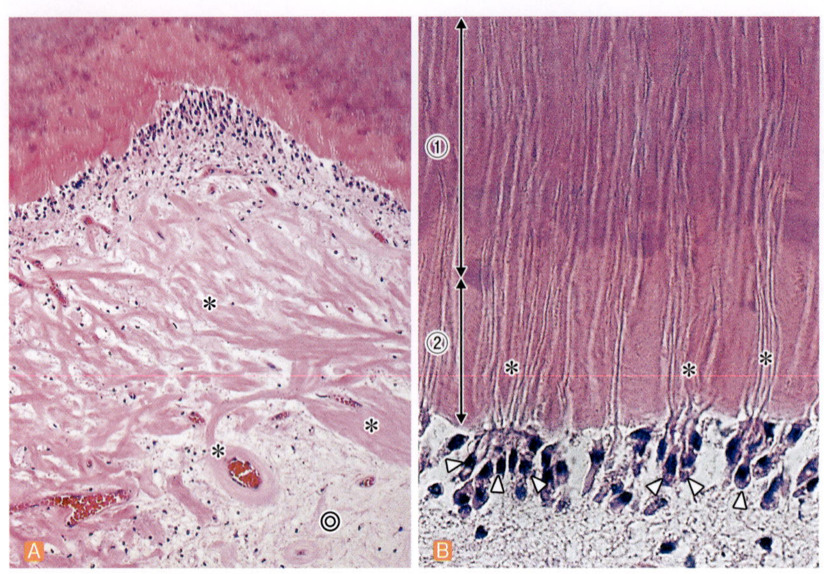

図22-19　歯髄の加齢変化（80歳男性の下顎大臼歯）

A 象牙芽細胞は存在するものの歯髄細胞はごくわずかとなっていて（◎），毛細血管や神経線維も少なく，変性した毛細血管壁や神経線維の周囲には広範囲な線維化と硝子化（＊）がみられる．
B 石灰化象牙質（①）と接する象牙前質（②）表面の象牙芽細胞（白矢頭）は萎縮し，象牙芽細胞の突起を入れた象牙細管（＊）の走行は乱れている．

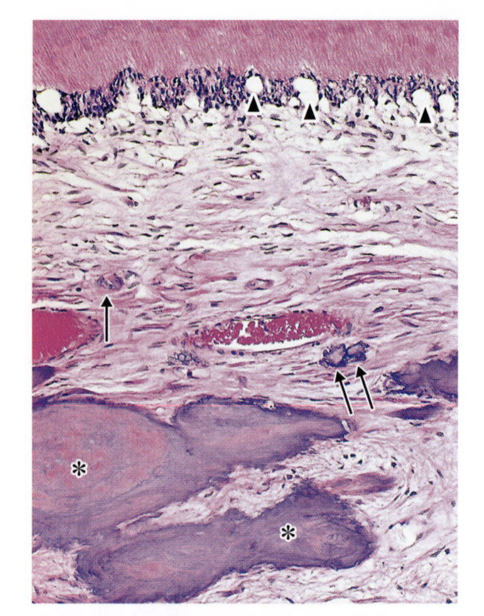

図22-20　歯髄の石灰化と象牙質粒（79歳男性の下顎小臼歯）

象牙芽細胞には空胞変性（矢頭）がみられ，歯髄内には，顆粒状の石灰化物（矢印）とともに，同心円状の構造を示す小塊状の象牙質粒（＊）が多数形成されている．

2 歯周組織の変化

遊離歯肉[72]
free gingiva
付着歯肉[73]
attached gingiva
スティップリング[74]
stippling
歯槽粘膜[75]
alveolar mucosa

歯肉は，

①遊離歯肉[72]：歯肉溝部に相当しループ状の毛細血管が微小な赤い点となって透けてみえる

②付着歯肉[73]：付着歯肉にはスティップリング[74]がみられ，1) 付着上皮による上皮性付着，2) 歯頸部の歯根面との結合組織性付着，および，3) 歯槽骨の骨膜との結合組織性付着，によって，歯肉を強固に歯と歯槽骨に固定する（図22-21，22）

③歯槽粘膜[75]：上皮下に唾液腺組織や脂肪組織が存在し，軟らかく可動性がある

に分けられる．歯周組織では加齢に伴って歯肉退縮と歯根の露出がみられるようになるが，慢性歯周炎などの他，食事やブラッシングなどによる機械的刺激などにより歯肉退縮が引き起こされるため，真の加齢変化を区別することは容易ではない．

1 歯肉の変化

歯肉上皮[76]
gingival epithelium

歯肉上皮[76]は正角化あるいは錯角化を示す重層扁平上皮で，加齢に伴う変化はあまり顕著ではないが，上皮が菲薄化し角化が弱くなるといわれている．上皮層の厚さや角化の程度，上皮脚の長さなどは，物理的な刺激や炎症によっても修飾される．

上皮下の歯肉結合組織では，加齢に伴って線維芽細胞や毛細血管などが減少するとともに膠原線維が増加して線維化していくことから，付着歯肉に特徴的なスティップリングが消失するようになる．

2 付着上皮（接合上皮）[77]の変化（図22-21～27）

付着上皮（接合上皮）[77]
junctional epithelium

CEJ[78]
cement-enamel junction：セメント-エナメル境．エナメル質の先端部はセメント質によりわずかに覆われる．

口腔上皮は，非角化性の付着上皮となってエナメル表面と接着する．炎症のない健康な歯周組織では，付着上皮の先端は，常にセメント-エナメル境（CEJ）[78]に位置しており，付着上皮の上端は歯肉溝底となる．歯の萌出や矯正などで歯が移動しても位置関係は保たれている．歯肉の炎症に伴う付着上皮の破壊が軽度な場合には，付着上皮の先端はCEJ部に戻って治癒する．

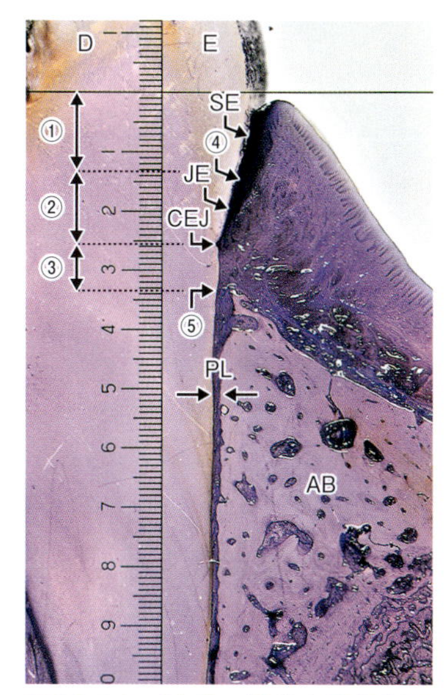

図22-21　20歳の健常な顎骨断面（下顎大臼歯部顎骨）

歯肉溝（①）は約1.2mm，付着上皮（②）は約1.2mm，セメント-エナメル境（CEJ）と歯槽骨縁の距離（③）は約0.8mm，歯根膜の幅は約0.2mmとなっている（基準としたマイクロメーターの1目盛りは0.1mm/100μm）．

④：歯肉溝底，⑤：歯槽骨縁．

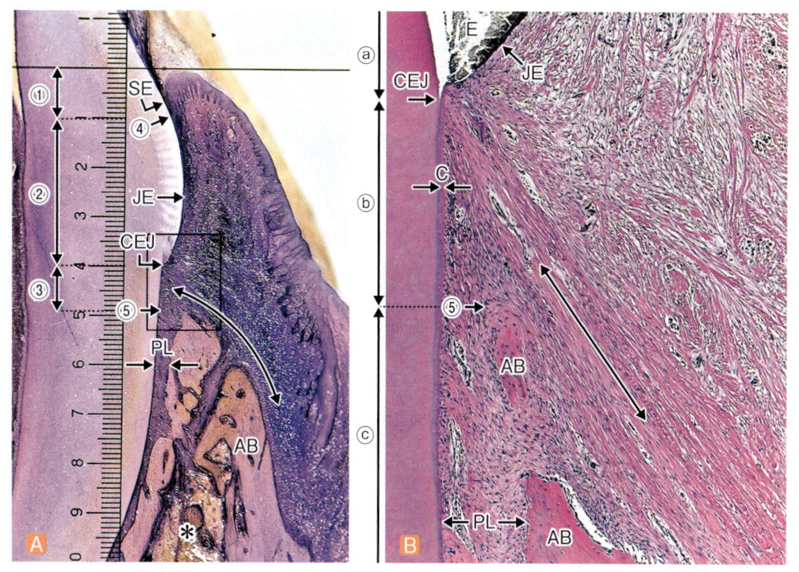

図22-22　10歳の健常な顎骨断面（前歯部顎骨）

A 歯槽骨の骨髄（＊）は豊富で，歯根膜も広く，歯頸部の歯根面から歯槽骨へ向う太い歯槽頂線維および歯-骨膜線維（⟷）の束が観察される．

B Aの歯頸部の病理組織像（枠内・HE染色）．

ⓐ：付着上皮によるエナメル質との上皮性付着部：エナメル質表面に接合する付着上皮（JE）は平坦で非常に薄く，先端はCEJにある．

ⓑ：歯頸部のセメント質との結合組織性着部：根面のセメント質には，歯の萌出力に抵抗する方向に走行する歯-骨膜線維（⟷）や，付着歯肉の歯-歯肉線維が結合する．

ⓒ：歯槽骨の外骨膜との結合組織性着部：外骨膜には付着歯肉の膠原線維が結合する．

図中指標文字凡例（図22-21以降共通）

E：エナメル質，D：象牙質，C：セメント質，AB：歯槽骨，PL：歯根膜，CEJ：セメント-エナメル境，JE：付着上皮，SE：歯肉溝上皮，PE：ポケット上皮，LJE：長い付着上皮．

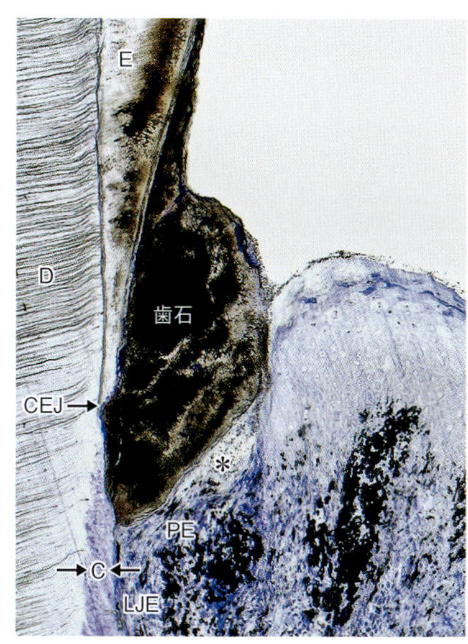

図22-23　初期の慢性歯周炎（56歳男性の上顎大臼歯部顎骨の非脱灰研磨標本）

セメント-エナメル境部のエナメル質とセメント質表面に歯石の形成がみられる．歯石の表面は1層のデンタルバイオフィルムで覆われている．慢性歯周炎に伴う付着上皮の破壊と浅い歯周ポケットの形成（＊）がみられる．

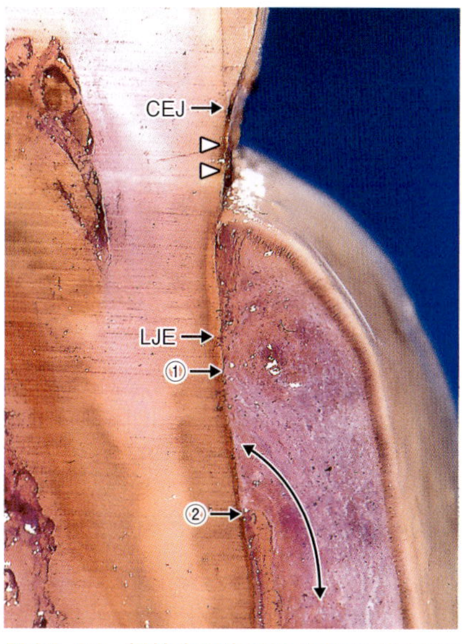

図22-24　慢性歯周炎の顎骨断面（60歳男性の上顎大臼歯部顎骨）

慢性歯周炎に伴う歯槽骨の吸収と歯肉退縮に伴う根面の露出（白矢頭）がみられる．

①は歯周炎治癒後の長い付着上皮（LJE）の先端で，根面には歯-骨膜線維に相当する線維（⟷）の走行もみられる．②歯槽骨縁．

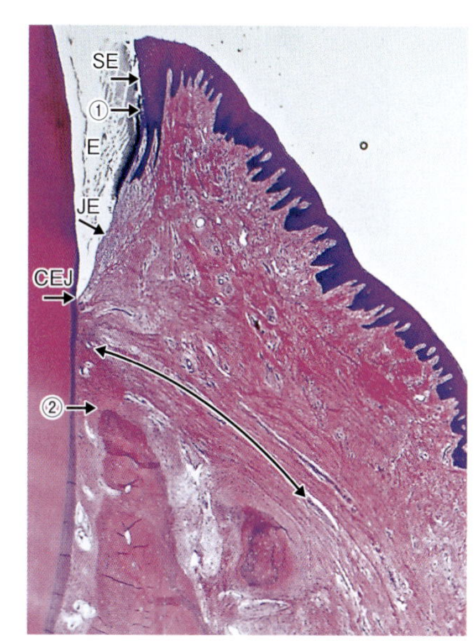

図22-25　ほぼ健常な歯周組織（53歳男性の上顎前歯部顎骨）

53歳でも歯肉溝は浅く（歯肉溝底（①）），付着上皮の先端はCEJにあり，歯-骨膜線維（⟷）は幅広く，歯槽骨縁（②）の位置にも変化はみられない．

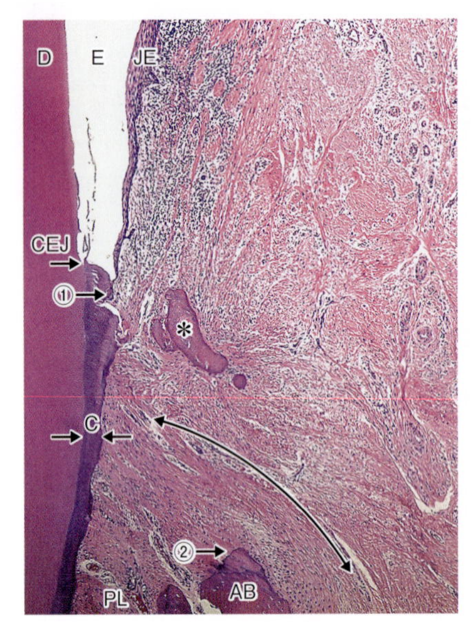

図22-26　ほぼ健常な歯周組織（60歳男性の上顎大臼歯部顎骨）

歯頸部のセメント質は肥厚しているが，付着上皮の先端（①）はCEJにあり，歯-骨膜線維（⟷）や歯槽骨縁（②）の位置にも変化はみられない．＊は剥離したセメント質．

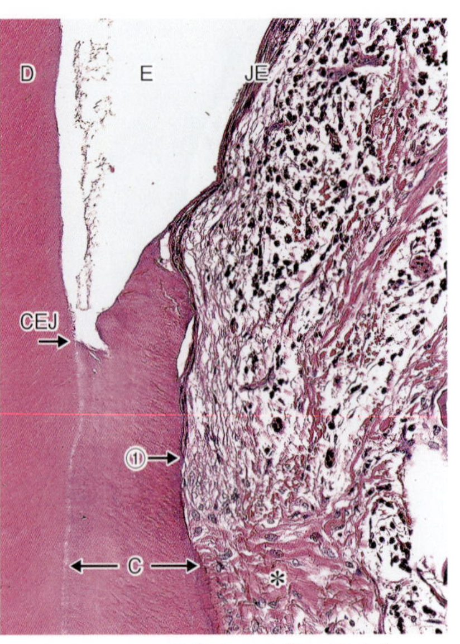

図22-27　ほぼ健常なCEJ部の拡大像（58歳男性の上顎大臼歯部顎骨）

平坦な付着上皮（JE）の先端（①）は，ほぼCEJ部にあり，肥厚したセメント質（C）の表面に付着している．根面からはシャーピー線維が伸びている（＊）．

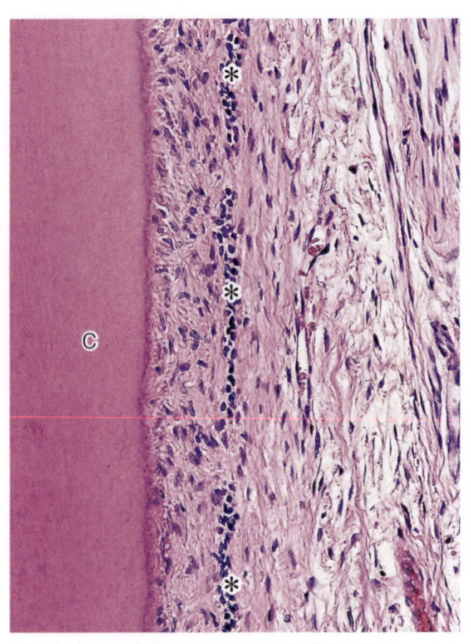

図22-28　歯根未完成歯の歯根膜組織（10歳）

埋伏した歯根未完成歯の歯根膜組織は細胞成分に富み，帯状に連なるマラッセの上皮遺残（＊）がみられる．歯槽骨がないため歯根膜の機能的な配列はみられない．

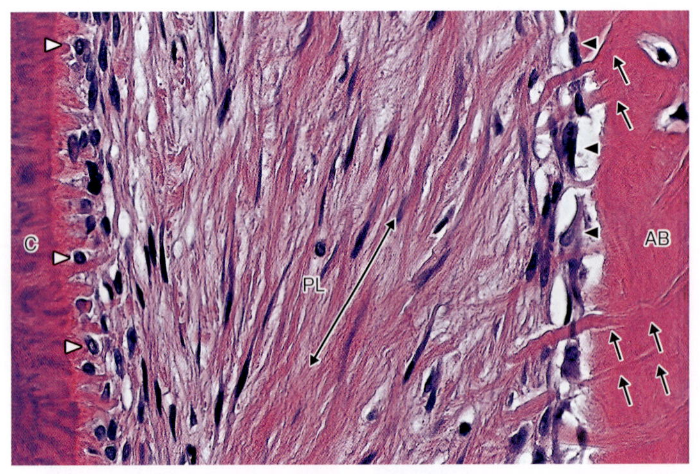

図22-29　萌出完了後の歯根膜組織（10歳前歯部）

セメント質の表面にはセメント芽細胞（白矢頭）が配列し，シャーピー線維が突出している．歯槽骨の表面には大きな骨芽細胞（矢頭）が並び，盛んに骨を形成し，太いシャーピー線維が骨内に埋入されている（矢印）．歯根膜は細胞が豊富で，太い膠原線維により歯根膜主線維（⟷）が作られている．

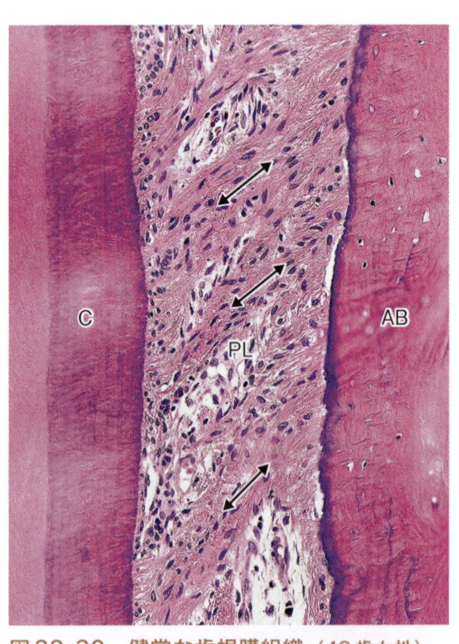

図22-30　健常な歯根膜組織（49歳女性）

歯根膜細胞は豊富で，セメント芽細胞や骨芽細胞もみられる．歯根膜主線維の太い膠原線維束（⟷）が，シャーピー線維となって機能的にセメント質と歯槽骨をつないでいる．

長い付着上皮[79]
long junctional epithelium

歯根膜[80]
periodontal ligament

歯小嚢[81]
dental follicle

シャーピー線維[82]
Sharpey fibers

ルフィニ神経終末[83]
Ruffini nerve ending：低閾値遅順応性機械受容器．

慢性歯周炎による歯根膜組織の破壊と歯槽骨の吸収により，付着上皮の先端が根端側に移動して根面が露出し，歯肉が退縮した場合には，長い付着上皮[79]とよばれる根面への上皮性付着によって治癒する．炎症による変化と加齢による変化とを区別する必要がある．

3 歯根膜[80]の変化（図22-28～32）

歯根膜は歯小嚢[81]に由来する，幅約0.15～0.38mmの線維組織で，歯根膜の主線維とシャーピー線維[82]によって歯を歯槽骨に固定するだけでなく，ルフィニ神経終末[83]などによる感覚受容器としての役割や，歯周組織の恒常性を維持する機能を担っている．

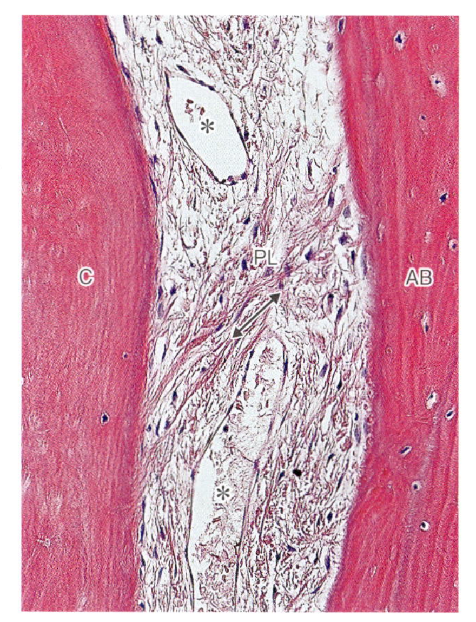

図22-31 高齢者の歯根膜組織（80歳男性）

歯根膜細胞は少なく疎らとなっており，膠原線維も少ない．主線維（⟷）は細くわずかにみられるのみで，拡張した毛細血管（＊）が目立っている．セメント芽細胞や骨芽細胞もわずかである．

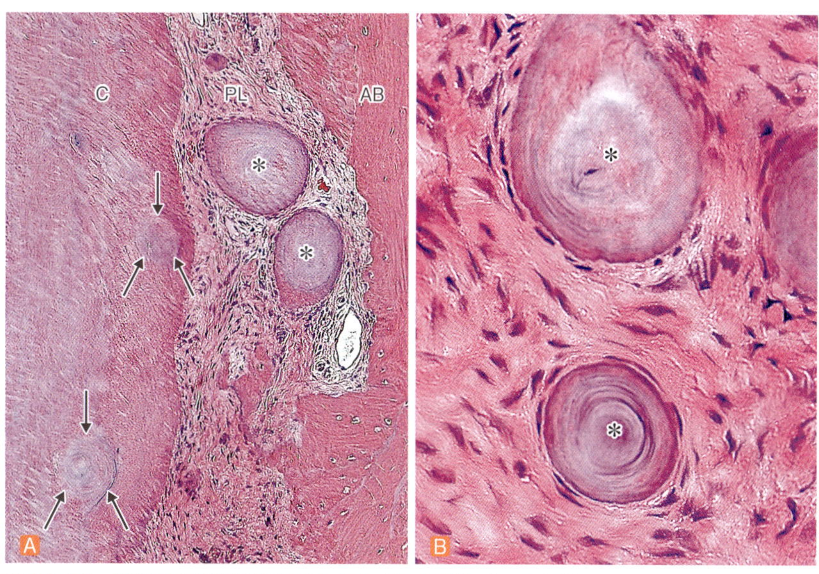

図22-32 高齢者の歯根膜にみられるセメント質粒（79歳女性）

A 歯根膜内の遊離性セメント質粒（＊）と，肥厚したセメント質内に埋入した介在性セメント質粒（矢印）がみられる．

B セメント質粒の拡大像．同心円状の構造（＊）がみられる．

セメント芽細胞[84]
cementoblasto

セメント質[85]
cementum

歯根膜組織は非常に活性が高く，硬組織形成能があり，歯根膜細胞による旺盛な膠原線維の産生と分解・再利用により，膠原線維を常に更新している．歯根膜細胞は高い分化能をもっており，骨芽細胞に分化して歯槽骨を形成するとともに，セメント芽細胞[84]に分化してセメント質[85]を作ることができる．歯根膜はこのように，他の結合組織では代替できない性質をもっている．

(1) 歯根膜の構造

歯根膜は，加齢に伴って歯根膜細胞の細胞増殖能の低下やコラーゲン合成の減少により，歯根膜細胞の数が少なくなり，歯根膜線維束の太さは細く，機能的な配列が乱れてくる．また，歯根膜組織の硝子化や石灰化とともに，弾性線維の増加がみられるようになる．歯根膜の幅もゆるやかに減少していく．埋伏歯や，対合歯の喪失などにより咬合力が加わらないものでは，歯根膜の幅は狭く，主線維も細くなって量が減少している．

マラッセの上皮遺残[86]
epithelial rests of Malassez

(2) マラッセの上皮遺残[86]

歯根膜中に残存するマラッセの上皮遺残は，通常，分裂増殖はしないが，根尖性歯周炎では増殖し，歯根嚢胞の裏装上皮となる．加齢に伴って，マラッセの上皮遺残の細胞数は減少し局在が変化するといわれている．

4 セメント質の変化

無細胞性セメント質[87]
acellular cementum

細胞性セメント質[88]
cellular cementum

セメント質は，歯頸部から歯根の1/3～2/3では無細胞性セメント質[87]，根尖側1/3や根分岐部にはセメント細胞を封入した細胞性セメント質[88]がある．

吸収と添加を繰り返して骨量を維持する歯槽骨に対して，セメント質では吸収が起こらず，ゆるやかではあるが生涯にわたって常に添加され，経時的に肥厚していく．セメント質の厚さは歯頸部よりも根尖側で厚く，60歳代では10歳代の3倍になるとの報告もある．

セメント質粒[89]
cementicle

(1) セメント質粒[89]

セメント質粒は同心円状の構造を示す無細胞性セメント質からなり，加齢に伴って数が増加する．①遊離性セメント質粒：歯根膜内に遊離したもの，②壁着性セメント質粒：セメント質や歯槽骨に付着したもの，③介在性セメント質粒：肥厚したセメント質内に埋入されたものに分けられる．

Ⅳ―顎骨と顎関節の変化

1 顎骨の変化

骨組織は，カルシウムの貯蔵庫として，血液中のカルシウム濃度を一定にして恒常性を保つという重要な機能を果たしている．骨は骨芽細胞による骨の新生と破骨細胞による骨の吸収によって，常に改造が起こり新しく作り換えられていて（骨のリモデリング[90]），加えられた咬合力などの力に対応して骨梁の構造が変化する．

加齢によって骨芽細胞が減少して造骨機能が低下することで，相対的に骨吸収優位のリモデリングが起こり，骨量が減少する．骨皮質の非薄化とともに，骨梁が細く不規則となって数が減少し，骨髄腔は拡大する．女性ホルモンのエストロゲンは骨吸収を強力に抑制する．

骨髄は成長に伴って変化し，若年者の造血細胞からなる赤色髄から，成人以降では脂肪化していくため，高齢者ではほとんどが脂肪化した脂肪髄となる．顎骨には常に咀嚼力が作用しているため，顕著な骨粗鬆症は起こりにくいという意見もある．顎骨の骨量の変化には性差や個人差が大きい（**図22-33～35**）．

骨粗鬆症に対しては，ビスホスホネートなどのような，破骨細胞を抑制することにより骨吸収を阻害する薬剤が広く使用されているが，難治性の顎骨壊死（骨吸収抑制薬関連顎骨壊死[91]）の発症が問題となっている．

骨のリモデリング[90]
bone remodeling

骨吸収抑制薬関連顎骨壊死[91]
ARONJ (anti-resorptive agents-related osteonecrosis of the jaw)：薬剤関連顎骨壊死 MRONJ (medication-related ONJ) ともいわれ，ビスフォスフォネートに関連したものを BRONJ (bisphosphonate-related ONJ) という．

骨粗鬆症[92]
osteoporosis

1 骨粗鬆症[92]

骨粗鬆症は，骨量が減少し骨組織の構造が変化して骨がもろくなった状態をいい，「低骨量と骨組織の微細構造の異常を特徴とし，骨の脆弱性と骨折の危険性が増大する疾患」と定義されている．

(1) 原発性骨粗鬆症（退行期骨粗鬆症）

閉経に伴う女性ホルモンのエストロゲンの減少によって起こる閉経後骨粗鬆症[93]のような，骨吸収の亢進によって起こる高代謝回転型骨粗鬆症と，加齢に伴って骨形成能が低下することによって起こる低代謝回転型骨粗鬆症がある．

(2) 続発性骨粗鬆症

副甲状腺機能亢進症や甲状腺機能亢進症などの内分泌疾患に関連するものや，ステロイドホルモン（副腎皮質ホルモン・糖質コルチコイド），免疫抑制薬のシクロスポリンなどの薬物によるもの，栄養不良や廃用症候群[94]，インスリン依存型の1型糖尿病や関節リウマチに関するものなど，多様なものがある．

閉経後骨粗鬆症[93]
postmenopausal osteoporosis：エストロゲンには強い骨吸収抑制作用があると共に，骨形成促進作用もある．更年期以降にエストロゲンが欠乏することで，破骨細胞への分化や機能を抑制することができなくなり，破骨細胞による骨吸収が亢進する．

廃用症候群[94]
disuse syndrome：活動性の低下や長期にわたる安静状態におかれることと生じる二次的な障害で，筋萎縮や骨粗鬆症，関節拘縮などの廃用性萎縮が起こるとともに，心機能や呼吸機能の低下，褥創（床擦れ）などがみられる．

2 歯槽骨[95]の変化

歯槽骨は歯根膜組織に依存することから，永久歯が抜歯されると経時的に骨吸収が進行し，萎縮消失していく．

歯槽骨[95]
alveoral bone

3 上顎骨[96]の変化

歯の喪失による上顎の歯槽骨の吸収は，頬側でより強く起こるため，歯槽骨頂が口蓋側に移動し顎堤が狭くなる．上顎洞底と顎堤部との距離が近くなって骨の厚さが薄くなり，硬口蓋の厚さは減少し，頬骨突起も細くなる．

上顎骨[96]
maxillary bone

4 下顎骨[97]の変化

下顎の歯槽骨の吸収は，大臼歯の舌側で強く起こることから，顎堤は側方に拡大する．歯

下顎骨[97]
mandibular bone

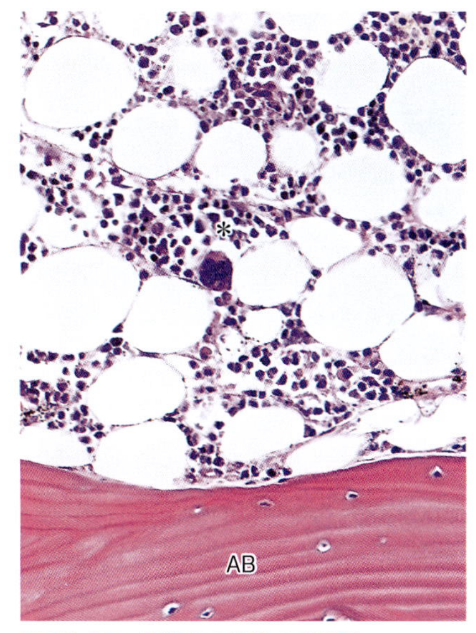

図22-33　高齢者の骨髄（下顎骨）
高齢者の顎骨は大半が脂肪髄となるが，一部には活性のある細胞が集まる骨髄組織（*）もみられる．

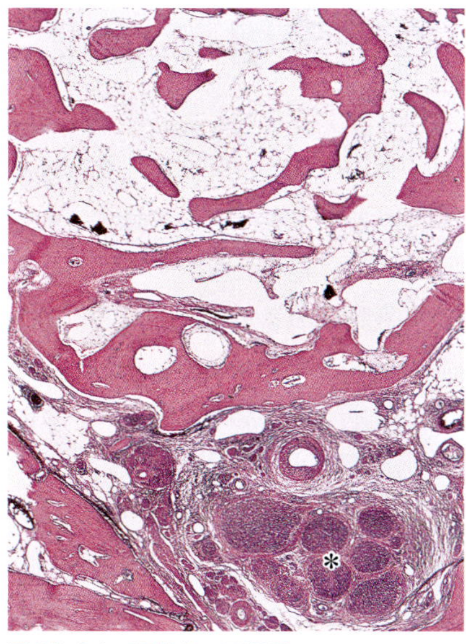

図22-34　高齢者の下顎骨（86歳男性．下顎大臼歯部）
骨髄は大半が脂肪髄となっているが，皮質骨は比較的厚く海綿骨の骨梁も多い．骨に覆われた下歯槽管の中を下歯槽神経（*）と下歯槽動脈が走行する．

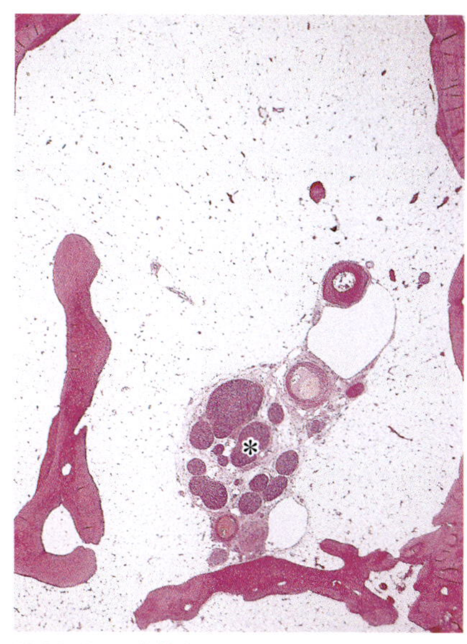

図22-35　高齢者の下顎骨（80歳男性．下顎大臼歯部）
海綿骨の骨稜は細く疎らで骨髄は脂肪髄となっており，脂肪髄の中を下歯槽神経（*）と下歯槽動脈が通っている．

槽突起がなくなることで，オトガイ孔が顎堤の上縁へと移動する．咬合力が低下することで下顎角の角度が変化して鈍角になる．

顎関節[98]
temporomandibular joint

2 顎関節[98]の変化

顎関節は関節包に囲まれており，下顎頭が関節円板を介して側頭骨の関節窩に入り込んでいる．関節円板を境として関節液を入れた上下の関節腔に分けられており，下顎頭が関節窩の中を滑らかに動くことで下顎骨は多軸性の運動を行う．咬耗や摩耗，歯の喪失などによる咬合の変化により，顎関節の形態は変わってくる．

下顎頭[99]
mandibular condyle

1 下顎頭[99]の変化

下顎頭の関節面は表層が軟骨層で覆われ，軟骨内骨化により骨が形成されているが，加齢に伴って下顎頭の増殖層や軟骨層の細胞が減少し，軟骨内骨化の量が低下することで萎縮していき，下顎頭では上方への突出が少なくなって頭部が丸く扁平になる．無歯顎では関節窩に対する下顎頭の位置が後方に移動するようになる．

2 関節窩の変化

関節窩では，下顎窩の骨が菲薄となるとともに，前方部の関節結節部が吸収する．そのため，関節窩は浅くなり，より直線的で平坦となっていく．

関節円板[100]
articular disc of temporomandibular joint

3 関節円板[100]の変化

関節円板は，下顎頭の扁平化や関節窩の扁平化に伴って全体的に肥厚する．線維化や硝子化がみられ，石灰沈着を認めることもある．

Ⅳ－唾液[101]と唾液腺[102]の変化

唾液[101]
saliva
唾液の機能：1）消化作用，2）潤滑作用，3）保護作用（粘膜や歯の保護と創傷治癒促進），4）緩衝作用（酸の中和），5）清掃作用，6）抗菌作用，7）抗溶解作用（歯の再石灰化），8）触媒作用

唾液腺[102]
salivary gland

分泌型IgA[103]
secretory IgA：粘液から分泌される主な免疫グロブリンで，2量体となって分泌される．粘液への細菌の付着を抑制し，抗菌作用や抗ウイルス作用をもつ．

腺房細胞[104]
acinar cell

分泌顆粒[105]
secretory granule

タイト結合[106]
tight junction

筋上皮細胞[107]
myoepithelial cell：豊富なアクチン線維をもっており，収縮力が強く唾液分泌を促進する．

介在部導管[108]
intercalated duct：細胞増殖能と分化能をもち，腺房細胞や導管細胞に分化する．

線条部導管[109]
striated duct

唾液には，細菌やウイルスを抑制する分泌型IgA[103]や，細菌の細胞壁を破壊するリゾチームのほか，高い潤滑能をもつムチン，エナメル質の再石灰化を促進するプロリンリッチ糖タンパクやスタセリン，炭水化物のデンプンを消化する加水分解酵素のαアミラーゼなどが含まれている．耳下腺とエブネル腺は純漿液腺でアミラーゼを分泌する．

1日に分泌される唾液量はおよそ1,000～1,500 mlで，耳下腺から約25～35％，顎下腺から約60～70％，舌下腺から約5％，小唾液腺から約5％となっている．

唾液腺の腺房細胞[104]で産生された唾液タンパク質は分泌顆粒[105]の中に蓄えられ，神経刺激によって腺腔（細胞間分泌細管）に開口放出されるとともに，腺房細胞の腺腔側膜にある水チャネルのアクアポリンや腺房細胞の腺腔側の腺房細胞間隙にあるタイト結合[106]を通って，大量の水が分泌される．最初に作られた唾液（原唾液）は腺房を篭状に包む筋上皮細胞[107]の収縮によって押し出され，介在部導管[108]から線条部導管[109]を通ってイオンの再吸収を受けた後，排泄管導管を通って口腔内に分泌される．

1 唾液の変化

唾液の分泌量は加齢に伴って減少することが知られており，80歳以上では若年者の半分以下になるとの報告もある．また，唾液pHの低下，唾液アミラーゼなどの分泌タンパク質の含有量の減少や酵素活性の低下，漿液成分の減少による粘稠度の増加がなどみられる．

2 唾液腺の構造の変化

唾液腺では加齢に伴って，腺房が萎縮・消失していくが，特に漿液腺房において顕著で，耳下腺では顎下腺と比べてより早い時期から加齢的変化を示す．腺房細胞の萎縮・消失により

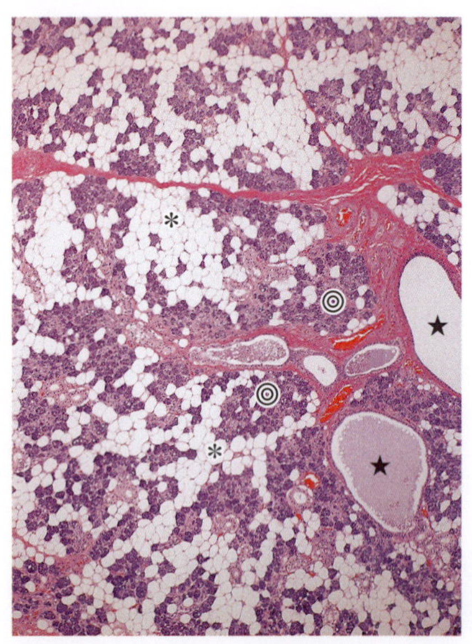

図22-36　耳下腺（52歳男性）
好塩基性の漿液腺房（◎）と導管（★）からなる耳下腺組織には，白く抜けた脂肪組織（＊）がびまん性にみられる．

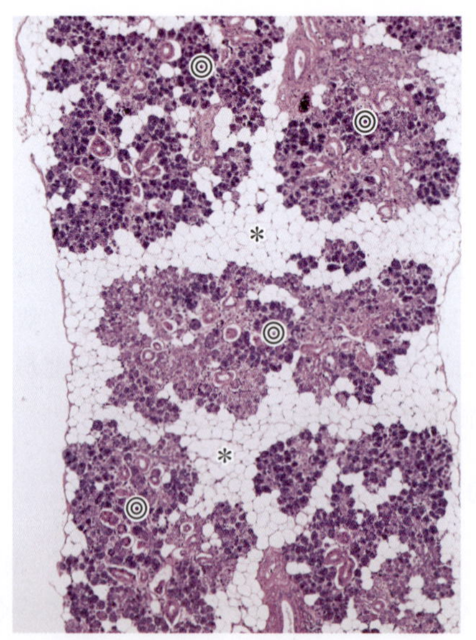

図22-37　耳下腺（73歳女性）
耳下腺は顎下腺と比較してより早い時期から加齢変化がみられる．腺房（◎）が萎縮消失したところは，脂肪組織（＊）によって補われることから，高齢者では脂肪組織の割合が高くなる．

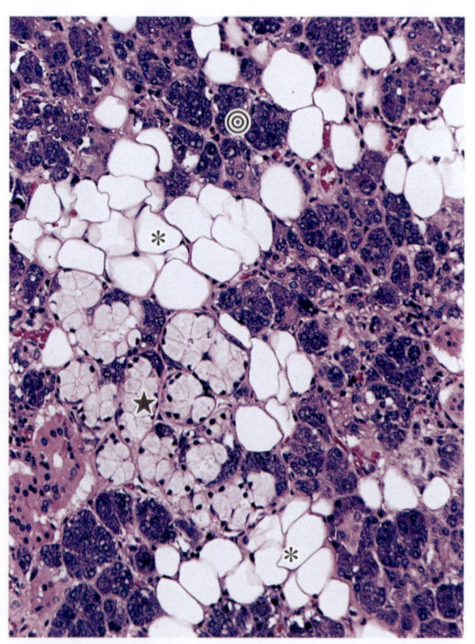

図22-38　顎下腺（85歳男性）
顎下腺では，好塩基性の漿液腺房（◎）と，明るい細胞質の粘液腺房（★）が混在してみられる．顎下腺では加齢変化が遅いことから，85歳の本症例でも，脂肪組織（＊）は少なく多くの腺房が認められる．

減少した唾液腺組織は，脂肪組織の増生によって補われることから，高齢者では脂肪組織の割合が多い（**図22-36～38**）．また，ミトコンドリアの豊富なオンコサイトが増加するとともに，線維組織の増生やリンパ球浸潤を伴うこともある．

3 唾液分泌の抑制

口腔乾燥症（ドライマウス/ゼロストミア）[110]
dry mouth, xerostomia

自己免疫疾患[111]
autoimmune disease

シェーグレン症候群[112]
Sjögren syndrome

唾液の分泌量が低下して，口腔内が乾燥することを口腔乾燥症[110]といい，齲蝕や慢性歯周炎が増加するとともに，咀嚼・嚥下困難，摂食障害や構音障害，味覚異常などがみられる．

原因としては，加齢に伴う腺房細胞を中心とした唾液腺の萎縮のほか，自己免疫疾患[111]のシェーグレン症候群[112]における腺房細胞の破壊，糖尿病などの全身疾患，放射線治療などの他，抗ヒスタミン薬や抗うつ薬，カルシウム拮抗薬などの薬物の副作用による唾液分泌の抑制などがある．

（橋本貞充）

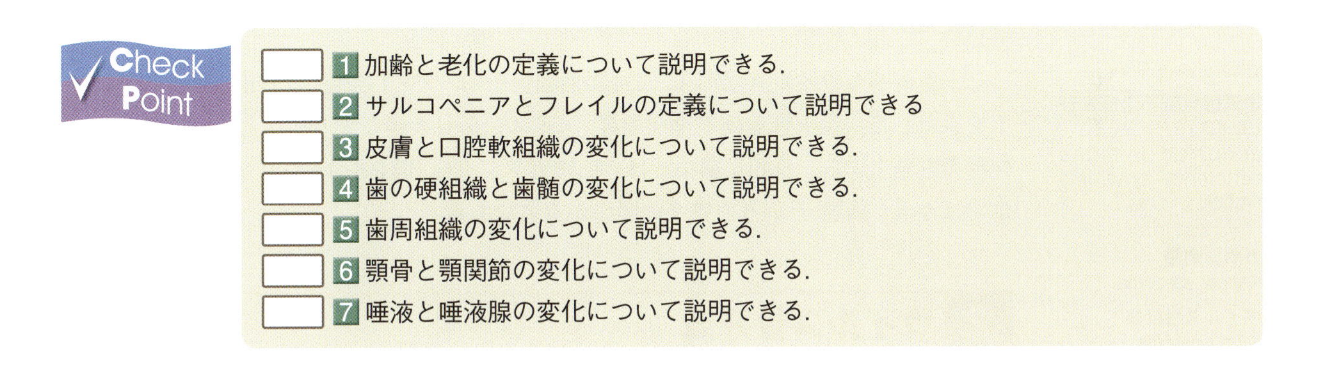

Check Point

- ☐ 1 加齢と老化の定義について説明できる．
- ☐ 2 サルコペニアとフレイルの定義について説明できる
- ☐ 3 皮膚と口腔軟組織の変化について説明できる．
- ☐ 4 歯の硬組織と歯髄の変化について説明できる．
- ☐ 5 歯周組織の変化について説明できる．
- ☐ 6 顎骨と顎関節の変化について説明できる．
- ☐ 7 唾液と唾液腺の変化について説明できる．

References

1）Strehler, B. L.：Time, Cells and Ageing. Academic Press, New York, 5～16, 1962.
2）原田　敬ほか：サルコペニア：定義と診断に関する欧州関連学会のコンセンサスの監訳とQ＆A〔厚生労働科学研究補助金（長寿科学総合研究事業）高齢者における加齢性筋肉減弱現象（サルコペニア）に関する予防対策確立のための包括的研究 研究班〕．日老医誌，49：788～805，2012.
3）Rosenberg I. H.：Summary comments：epidemiological and methodological problems in determining nutritional status of older persons. *Am. J. Clin. Nutr.* 50（5. Suppl.）：1231～1233, 1989.
4）Fried, L. P. et al.：Frailty in older adults：Evidence for a phenotype. *J. Gerontol.*：*Med, Sci.* 56A（3）：M146～M156, 2001.
5）雨海照祥ほか：3．高齢者．日本人の食事摂取基準（2015年版）策定検討会報告書．厚生労働省，373～396，2016.
6）飯島勝也ほか：食（栄養）および口腔機能に着目した加齢症候群の概念の確立と介護予防（虚弱化予防）から要介護状態に至る口腔機能支援等の包括的対策の構築および検証を目的とした調査研究事業実施報告書．2015.
7）清水　宏：あたらしい皮膚科学 第2版．中山書店，東京，2011.
8）松永由希子：光老化皮膚における皮膚内部構造変化．東邦医学会雑誌，63（1）：36～38, 2016.
9）小川文秀，佐藤伸一：酸化ストレスと皮膚光老化―光老化から全身性強皮症まで．日臨免疫誌，29（6）：349～358，2006.
10）秋本和宏：高齢者における口腔粘膜の加齢に伴う構造変化に関する観察―口角付近の頬粘膜について．口病誌，71（2）：10～24, 2004.
11）浦郷篤史：口腔諸組織の加齢変化．クインテッセンス出版，東京，1991.
12）斎藤一郎編著：口腔から実践するアンチエイジング医学．医歯薬出版，東京，2006.
13）脇田　稔ほか編：口腔組織・発生学 第2版．医歯薬出版，東京，2013.
14）二階宏昌ほか編：歯学生のための病理学―口腔病理編 第2版．医歯薬出版，東京，1992.
15）Nanci, A. 編著（川崎堅三監訳）：Ten Cate 口腔組織学（原著第6版）．医歯薬出版，東京，2006.
16）下野正基・山根源之監修：新編・口腔外科・病理診断アトラス．医歯薬出版，東京，2017.
【11）～16）は参考文献】

Chapter 23 全身性疾患と口腔病変

全身性のさまざまな疾患，特に感染症や代謝障害，血液疾患は，口腔にも病変を認めることが多い．口腔の病変は，視覚的に確認しやすいことから，口腔の病変や症状から全身疾患がみつかることもある．全身疾患にかかわる口腔病変を理解することは，口腔病変そのものの診断にも不可欠である．

I—ウイルス感染症 [Chap.11，21参照]

ヒト免疫不全ウイルス[1]
human immunodeficiency virus (HIV)

後天性免疫不全症候群(エイズ)[2]
acquired immune deficiency syndrome (AIDS)

カポジ肉腫[3]
Kaposi sarcoma

ウイルス性肝炎[4]
virus hepatitis

1 ヒト免疫不全ウイルス感染症 [Chap.21 (285頁) 参照]

ヒト免疫不全ウイルス[1]が主にCD4陽性細胞（ヘルパーT細胞）に感染し，その質的・量的低下をきたして，後天性免疫不全症候群（エイズ）[2]を引き起こす．症状としては日和見感染や悪性腫瘍を発生する．日和見感染では，口腔カンジダ症（**図23-1**）やカリニ肺炎を生じ，悪性腫瘍ではカポジ肉腫[3]という血管系の腫瘍が有名である．

2 ウイルス性肝炎[4] [Chap.11 (162頁) 参照]

肝炎ウイルスの感染により起こる肝炎であり，主なものにはA，B，C型がある．ウイルスのタイプとしてはA型とC型がRNAウイルス，B型がDNAウイルスである．A型は衛生状態の悪い国での経口感染（水や食事）で，B型とC型は血液を介して感染する．

A型は急性肝炎として発症するが，ほとんど無症状で治癒する例から，稀に劇症肝炎になるものまで重症度は大きく異なるが，慢性化することはない．B型肝炎は急性肝炎を発症し，稀に劇症肝炎となる．C型は慢性化が高率で，50～80％が慢性肝炎に移行する．慢性C型肝炎では，高率にシェーグレン症候群類似の唾液腺炎が認められ，唾液分泌量低下による口腔乾燥症を伴うことがある．また，慢性肝炎が進行し肝硬変を伴ったものでは，血管外へ水分や体液の移行があり，口渇を訴えることがある．

風疹[5]
rubella

3 風　疹[5] [Chap.11 (164頁) 参照]

急性の鮮紅色の小丘疹を主とする発疹性のウイルス疾患で，発疹，リンパ節腫脹，発熱を3主徴とする．経過は通常3日間くらいであることから“三日はしか”ともよばれる．口腔内所見では，軟口蓋に紅色の小点状斑，軟口蓋に点状出血がみられる．

麻疹[6]
measles

4 麻　疹[6] [Chap.11 (164頁) 参照]

麻疹ウイルスの飛沫感染によって起こる小児期の発疹性疾患で，発熱，鼻カタル，咳，結膜炎を主徴とする．皮膚の発疹に先駆けて，口腔粘膜（臼歯部咬合線に相当する頬粘膜や稀に

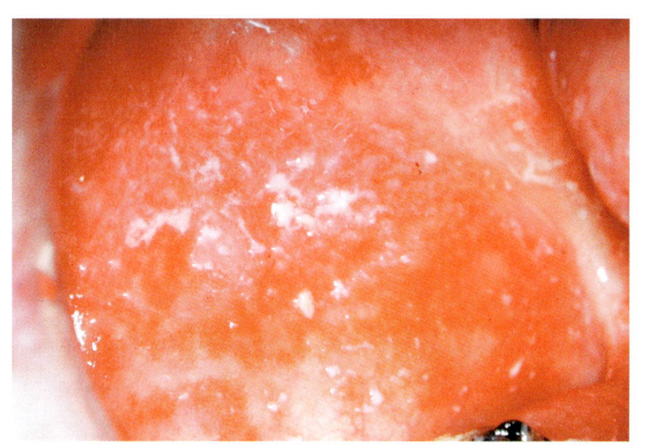

図23-1　HIV感染者の口腔カンジダ症
頬粘膜は強く発赤し，全体に大小不同の白苔がみられる．

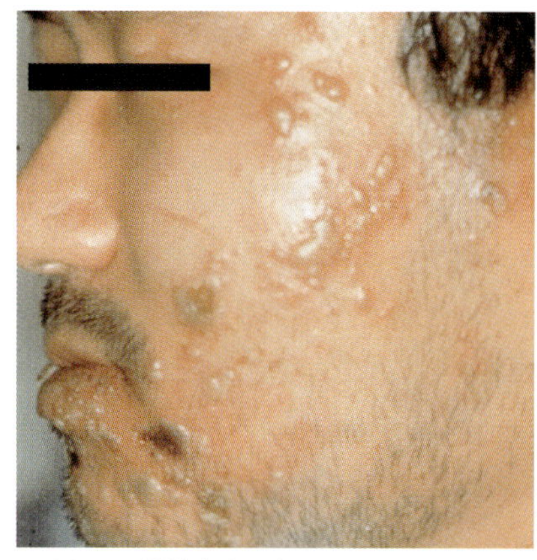

図23-2　帯状疱疹の顔面所見
顔面神経の支配領域に相当する部の皮膚に多数の小水疱がみられる．

コプリック斑[7]
Koplik spot

下口唇）に特徴的なコプリック斑[7]が現れる．

水痘・帯状疱疹[8]
chickenpox・herpes zoster

5 水痘・帯状疱疹[8]

水痘は，水痘・帯状疱疹ウイルスの感染によって起こり，6歳前後の小児期に水疱瘡を特徴とする発疹症である．皮膚の発疹にとともに鼻腔，口腔粘膜に水疱が出現して，早期に破れアフタ様の潰瘍となる．小児では全身状態が良好で，合併症も少ないが，成人では肺炎を併発することがある．

帯状疱疹（**図23-2**）は，水痘治癒後，潜伏感染していた水痘・帯状疱疹ウイルスが免疫低下状態で活動化し，神経節に沿って神経領域に激しい神経痛様疼痛をきたす．口腔・顔面領域では三叉神経の支配領域に好発し，片側性に顔面の帯状の水疱やびらん性口内炎が生じる．

Ⅱ—細菌感染症 ［Chap.11参照］

梅毒[9]
syphilis

梅毒トレポネーマ[10]
Treponema pallidum

ゴム腫[11]
gumma

ハッチンソンの3徴候[12]
Hatchinson triad

1 梅　毒[9] ［Chap.11（165頁）参照］

梅毒トレポネーマ[10]の感染による．主として性交により感染するが（後天性梅毒），胎盤を介して子宮内で感染することもある（先天性梅毒）．後天性梅毒での臨床経過は通常4期に分けられる．第1期：感染後約3週間の潜伏期間を経て，感染局所に初期硬結を生じ，潰瘍化する．第2期：感染後約3カ月から3年までの間に，数回にわたって皮膚の発疹（梅毒疹）の再発がみられる．皮膚以外にも口腔粘膜にも粘膜斑が生じる．第3期：感染後3年以降になると皮膚や粘膜にゴム腫[11]を生じる．口腔内では小結節状のゴム腫の一部が融解してゴム腫性潰瘍を生じる．また，上顎口蓋部ではゴム腫より腐骨を形成し，腐骨分離により穿孔を生じる．鼻骨が侵されると鼻背の支持を失い鞍鼻となる．第4期：感染後10〜15年以上経過すると，脊髄癆や脳梅毒などの神経症状を引き起こす．

先天性梅毒では，出生時既に症状を発症するもの（新生児型）と，7〜8歳から青年期にかけて変化を現すもの（晩期型）に分けられる．新生児型では，皮膚の梅毒疹，パロー凹溝とよばれる口唇の放射状亀裂などを認め，晩期型では，ハッチンソンの3徴候[12]（実質性角膜炎，迷路性聾，ハッチンソン歯）が特徴的である．

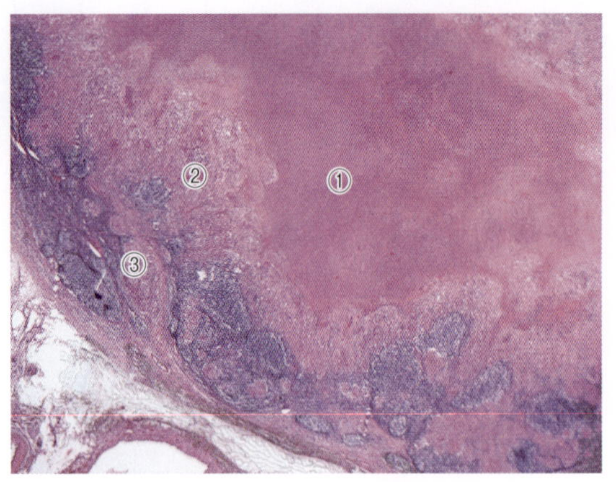

図23-3　結核性リンパ節炎の病理組織像(弱拡大)

中心部から乾酪壊死層(①)，特異的肉芽組織層(②)，非特異的肉芽組織層(③)の三層構造をとる．特異的肉芽組織層には，ラングハンス型巨細胞や類上皮細胞が出現する(図23-4参照)．

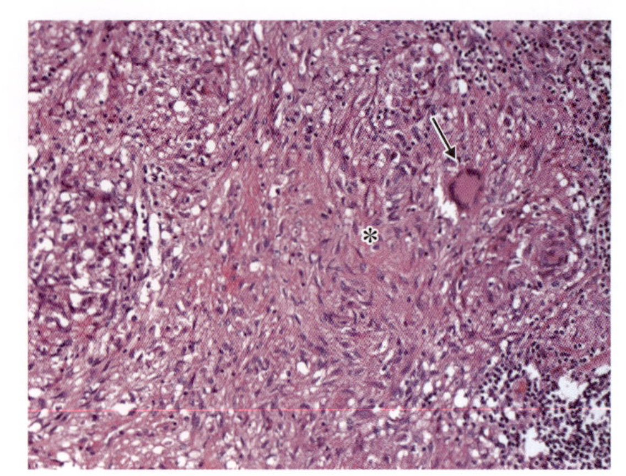

図23-4　結核性リンパ節炎の特異的肉芽組織層の病理組織像(強拡大)

特異的肉芽組織層には，ラングハンス型巨細胞(矢印)や類上皮細胞(＊)が出現する．

破傷風[13]
tetanus

2 破傷風[13] [Chap.11(166頁)参照]

破傷風菌の産生する毒素による疾患で，深い創傷や不衛生な抜歯，人工流産に伴う感染などで，嫌気性条件が満たされているときに菌が増殖する．この神経毒による咀嚼筋の神経麻痺症状が引き起こす開口障害は，全身型の初発症状として重要である．開口障害は，牙関緊急[14]とよばれ，歯ぎしり様の咬筋痙攣で運動性三叉神経の刺激症状である．

牙関緊急[14]
lockjaw

MRSA[15]
methicillin-resistant *Staphylococcus aureus*：メチシリン耐性黄色ブドウ球菌．

3 MRSA[15] [Chap.11(166頁)参照]

MRSAとは，メチシリン(ペニシリン系抗菌薬)に対する薬剤耐性菌のことをいう．特定の抗生剤を長期に連用したり，効果の少ない不適切な抗菌薬を投与したりすることによって，従来感受性を示していた抗菌薬に対して抵抗性となり，再び増殖し始めることがある．これを薬剤耐性菌という．MRSA感染症では重篤な肺炎を起こすことがある．口腔がその感染経路となるため，ていねいな口腔ケアがその予防につながる．

結核[16]
tuberculosis

4 結　核[16] [Chap.11(167頁)参照]

結核菌の咳や喀痰による飛沫感染で起こる疾患である．結核菌が気道を介して肺に侵入すると，初感染巣と所属肺門リンパ節腫脹を来し，いわゆる初期変化群を形成する．組織学的には，初めは普通の急性炎症と同様に好中球浸潤と壊死に始まるが，しだいにマクロファージやリンパ球の浸潤が主体となり，類上皮細胞，ラングハンス型巨細胞[17]が出現し，乾酪壊死を伴った肉芽組織が形成されていく．これは，結核結節[18]とよばれ，中心に乾酪壊死があり周囲には類上皮細胞，ラングハンス型巨細胞を伴った特異肉芽組織層，その周囲にはリンパ球主体の炎症性細胞浸潤を伴った非特異肉芽組織層からなっている．

ラングハンス型巨細胞[17]
Langhans giant cell

結核結節[18]
tubercle

結核菌は，呼吸器，消化器，泌尿器など管腔を有する臓器では，管腔を経由して進展する(管内性進展)．また，結核結節部からリンパ管を介してリンパ節に達し，新しい病巣を形成することもある(リンパ行性進展)．さらに，病巣から血行に入り，細動脈や細静脈に塞栓を形成することによって新しい病巣が形成される(血行性進展)．一度に大量の菌が血行に入ると，全身の臓器・組織に無数の結核性散布病巣を形成し，粟粒結核症となる．

口腔領域では，リンパ行性進展から，頸部リンパ節に結核性リンパ節炎をみることがある．

また，管内性，血行性進展から口腔粘膜に結核性口内炎の発症することもある．結核性口内炎の肉眼的に潰瘍を呈するものが最も多く，潰瘍底部に結核結節を形成することもある（図23-3，4）．

Ⅲ—内分泌障害・代謝障害

1 甲状腺機能異常

甲状腺機能亢進症[19]
hyperthyroidism
バセドウ病[20]
Basedow disease

甲状腺機能亢進症[19]は，甲状腺ホルモンの分泌過剰により起こる．甲状腺自身の機能が亢進するバセドウ病[20]，TSH下垂体腫瘍，甲状腺薬中毒などがある．バセドウ病は，自己免疫異常によりTSH受容体に対する自己抗体が作られ，甲状腺を刺激して甲状腺ホルモンの過剰産生と分泌が起こり，機能亢進をきたす．びまん性の甲状腺腫，頻脈，眼球突出（メルセブルク3主徴），発汗多過，体重減少，食欲亢進などがみられる．小児で発症すると，乳歯の早期脱落，永久歯の早期萌出のあることがある．

甲状腺機能低下症[21]
hypothyroidism
橋本病[22]
Hashimoto disease
クレチン病[23]
cretinism

甲状腺機能低下症[21]は，甲状腺ホルモンが作用しないことにより生じる病態で，原因として慢性甲状腺炎（橋本病[22]）が最も多い．先天性甲状腺機能低下症にクレチン病[23]がある．小児期発症のクレチン病では，巨大舌や歯の異常，下顎や顔面の形成不全がみられる．成人の甲状腺機能低下では巨大舌がみられることがある．

くる病[24]
rickets

2 くる病[24]

ビタミンDの摂取不足や紫外線不足によるビタミンDの活性化障害により，カルシウムの吸収障害と骨の石灰化低下により発症する．成長過程にある小児に発症したものをくる病といい，骨端軟骨の閉鎖以降に発症したものを骨軟化症[25]という．くる病では，骨の成長発育障害以外に，エナメル質，象牙質の形成不全がある．

骨軟化症[25]
osteomalacia

3 副甲状腺（上皮小体）機能異常

副甲状腺機能亢進症[26]
hyperparathyroidism

副甲状腺機能亢進症[26]は，副甲状腺ホルモンの慢性的な分泌過剰によって起こるが，副甲状腺の腫瘍によって起こる原発性と，慢性腎不全やビタミンD欠乏などによる続発性の場合がある．画像診断で異常石灰化や歯槽硬板の消失などがみられる．

副甲状腺機能低下症[27]
hypoparathyroidism

副甲状腺機能低下症[27]は，副甲状腺の低形成や手術，放射線照射などが原因で副甲状腺ホルモンの産生低下によって起こる．臨床症状では，テタニーが主要症状で，筋肉痛，筋攣縮，筋硬直がみられる．歯の形成不全，形態異常や萌出遅延などがみられる．口腔カンジダ症も多い．

4 下垂体機能異常

下垂体機能亢進症[28]
hyperpituitarism
末端巨大症[29]
acromegaly

下垂体機能亢進症[28]では，成長ホルモンの過剰状態がみられ末端巨大症[29]がみられる．末端巨大症では，骨，軟骨，皮膚，粘膜や臓器の肥大が起こる．口腔内症状では，巨大舌がみられ，下顎，頬骨の発達が強く，咬合不全を呈しやすい．

5 副腎機能異常

副腎皮質機能異常には，副腎自体に問題がある場合と，視床下部や下垂体の障害によって起こる場合がある.

副腎皮質機能亢進症[30]
hyperadrenocorticism

クッシング症候群[31]
Cushing syndrome

副腎皮質機能低下症[32]
hypoadrenocorticism

アジソン病[33]
Addison disease

副腎皮質機能亢進症[30]は，副腎皮質の腫瘍やコルチゾールの分泌過剰により起こるが，その有名なものはクッシング症候群[31]である．症状には，中心性肥満，満月様顔貌，高血圧などを示し，易感染傾向もあるために，抜歯などの観血処置には注意を要する.

副腎皮質機能低下症[32]で，副腎皮質の破壊によって起こるものは，アジソン病[33]とよばれる．症状には，痩せや低血糖，皮膚や口腔粘膜などに色素の沈着をみることがある.

6 糖尿病 [Chap.21 (289頁) 参照]

糖尿病[34]
diabetes mellitus

糖尿病[34]は，血糖値が病的に高まった状態であり，膵臓でのインスリン産生の低下による1型糖尿病（インスリン依存型）と，インスリンに抵抗性を示す2型（インスリン非依存型）に分けられる．自覚症状としては口渇や多尿などがある．急性の合併症には糖尿病性昏睡があり，慢性合併症として，血管，心血管，腎，神経系などに障害が現れる．大血管系合併症は，末梢血管障害，冠動脈疾患，脳血管障害などがあり，小血管系合併症には糖尿病性網膜症や糖尿病性腎症など，神経系合併症には末梢神経症などがある．また，免疫能の低下をも引き起こすため，易感染性となる．そのため，口腔内症状では，歯周炎やカンジダ症などを引き起こしやすい状態になる.

Ⅳ－栄養障害

1 ビタミンA欠乏症

夜盲症[35]
night blindness

夜盲症[35]，眼球乾燥症，皮膚角化症などを引き起こす.

口腔症状では口腔粘膜角化の亢進や，歯の発生期に欠乏があると歯の形成不全を起こすことがある.

2 ビタミンB欠乏症

脚　気[36]
beriberi

悪性貧血[37]
pernicious anemia

ビタミンB_1欠乏により脚気[36]を引き起こし，ビタミンB_2欠乏では口角炎，舌炎，口腔粘膜の萎縮，脂漏性皮膚炎などを，ビタミンB_6欠乏では，皮膚炎，口角炎，口内炎，舌炎，貧血，精神神経症状などを起こす．ビタミンB_{12}欠乏では巨赤芽球性貧血（悪性貧血[37]）をきたすが，この原因として多いのは，胃切除や慢性胃炎などによる内因子の欠如がある．ビタミンB_{12}は胃壁における内因子と結合して吸収されるため，胃の障害はビタミンB_{12}の吸収障害を引き起こす.

3 ビタミンC欠乏症

壊血病[38]
scurvy, scorbutus

壊血病[38]を起こす．壊血病は出血傾向を主症状とする疾患で，皮下や歯肉に容易に出血をみる.

4 ビタミンD欠乏症

くる病ならびに骨軟化症をきたす．歯牙の発生期に欠乏があると，エナメル質や象牙質の形成不全を起こすことがある.

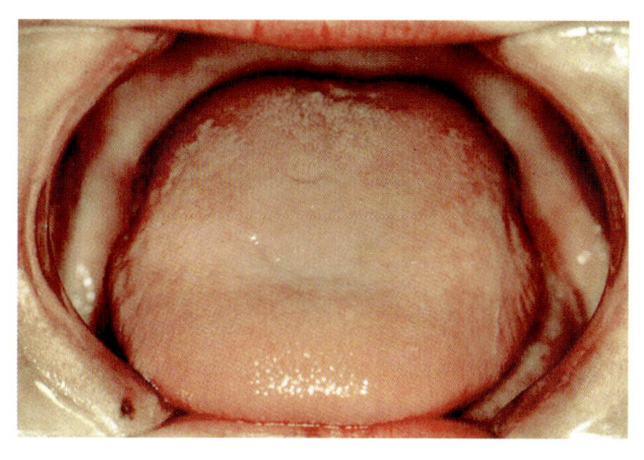

図23-5　鉄欠乏性貧血の口腔所見
舌粘膜の糸状乳頭は萎縮し，舌全体が平滑にみえる．

V—血液疾患・出血性素因

鉄欠乏性貧血[39]
iron-deficiency anemia

1 鉄欠乏性貧血[39]（図23-5）

鉄分の欠乏により発症する貧血で，最も頻繁にみられる．鉄欠乏の原因には，食事からの鉄の摂取不足以外に，生理時の出血過多や，子宮筋腫などによる異常出血がある．口腔症状として，舌炎を伴うことがあり，口角炎，嚥下障害とあわせてプランマー-ビンソン症候群[40]とよばれる．

プランマー-ビンソン症候群[40]
Plummer-Vinson syndrome

巨赤芽球性貧血（悪性貧血）[41]
megaloblastic anemia (pernicious anemia)

2 巨赤芽球性貧血（悪性貧血）[41]

ビタミンB_{12}または葉酸の欠乏により，赤芽球の成熟に障害を起こして巨赤芽球となり，大球性正色素性貧血を起こす．ビタミンB_{12}の欠乏は，摂取不足でも起こりうるが，吸収不良で起こることも多い．ビタミンB_{12}の吸収には胃酸に含まれている内因子が必須であり，胃摘出術を受けた患者ではこの状態に陥りやすい．口腔内症状として，萎縮性舌炎（ハンター舌炎[42]）がある．

ハンター舌炎[42]
Hunter glossitis

溶血性貧血[43]
hemolytic anemia

3 溶血性貧血[43]

溶血性貧血は，赤血球の早期の破壊に骨髄における産生が追いつかないときに起こる．原因には，感染や自己免疫疾患，薬剤によるもの，遺伝性疾患などがある．症状としては，貧血症状以外に出血傾向もみられ，鼻出血や歯肉出血がみられることがある．

再生不良性貧血[44]
anaplastic anemia

4 再生不良性貧血[44]

再生不良性貧血は，造血機能をもつ骨髄の機能が低下して発症する．赤血球以外にも，白血球，血小板の数も著しく減少するために，出血傾向がみられ，鼻出血や歯肉出血がみられる以外に，白血球が減るために感染しやすくなる．

続発（症候）性貧血[45]
secondery (symptomatic) anemia

5 続発（症候）性貧血[45]

続発性貧血は，癌や腎不全，膠原病，白血病などが原因で二次的に貧血が起こることをいう．他の貧血でみられるあらゆる口腔症状を伴うことがある．

真性赤血球増加症（真性多血症）[46]
polycythemia vera

6 真性赤血球増加症（真性多血症）[46]

原因不明の赤血球増加症で，赤血球が腫瘍性に増加したもので，白血球や血小板の増加も伴い，脾腫がみられる．口腔症状として口唇の充血や粘膜下出血がみられることがある．

無顆粒球症[47]
agranulocytosis

7 無顆粒球症[47]

主に薬剤によって起こる強い顆粒球減少症であり，高熱と口腔・咽頭の壊死性潰瘍を主症状とする．

伝染性単核球症[48]
infectious mononucleosis

エプスタイン-バーウイルス[49]
Epstein-Barr virus (EBV)

8 伝染性単核球症[48]

エプスタイン-バーウイルス[49]や，サイトメガロウイルスが原因で起こるもので，発熱，扁桃咽頭炎，リンパ節の腫脹を特徴とする．口移しの食事やキスで感染する．

白血病[50]
leukemia

9 白血病[50]

白血球の生成組織である骨髄，リンパ組織などで造血幹細胞が腫瘍化し，非可逆的に無制限に増殖する疾患である．骨髄で産生される顆粒球が腫瘍化したものは，骨髄性白血病とよばれ全白血病の約80%を占める．その他，リンパ球類似細胞の増殖をみるリンパ球性白血病，単球類似細胞が増殖する単球性白血病などがある．

急性骨髄性白血病（**図23-6**）では，発熱，貧血，倦怠感とともに口腔内出血がみられることが多い．血液像では，白血球数の増加がみられるが，白血病細胞の出現により，成熟した分葉核白血球ばかり目立ち，中間の細胞がみられなくなる現象（白血病裂溝[51]）の出現がある．また，細胞質中にアウエル小体を認める腫瘍細胞も出現する．高度の貧血と血小板の減少があり，出血傾向がみられる．また，ペルオキシダーゼ染色が陽性となる．

白血病裂溝[51]
leukemic hiatus

ペルオキシダーゼ染色
Peroxidase stain

慢性骨髄性白血病では，脾臓の腫大，倦怠，胃腸症状，四肢の疼痛などがみられる．血液像では，白血球数の増加をみることが多く，分化成熟に長時間を要する骨髄性白血球の増殖があるため，骨髄芽球から分葉核に至るすべての顆粒球がみられる．ほとんどの症例で，染色体の異常（フィラデルフィア染色体[52]）がみられる．

フィラデルフィア染色体[52]
Philadelphia chromosome (Ph^1)

急性リンパ性白血病（**図23-7**）では，リンパ節の腫大を特徴とする．血液像では，リンパ芽球様細胞の出現が特徴である．

慢性リンパ性白血病では，急性と同様にリンパ節の腫大を特徴とする．血液像では，大部分が小リンパ球で半数以上がB細胞からなる．成人T細胞性白血病は，レトロウイルスの一種であるヒト成人T細胞性白血病ウイルス[53]の感染により発症する．

成人T細胞性白血病ウイルス[53]
adult T-cell leukemia virus (ATLV)

10 血小板異常

血小板減少症[54]
thrombocytopenia

血小板減少症[54]は，血小板数が10万/μL以下の状態をいう．血小板の減少は，薬剤や再生不良性貧血などで起こるが，それ以外に原因が明らかでないものとして，特発性血小板減少性紫斑病（ITP）がある．ITPは，最近では自己免疫疾患が原因といわれてきている．6カ月以内に治癒する急性型と，それ以上続く慢性型とがある．出血症状は皮膚の点状出血，出血斑がみられ，口腔粘膜の出血，鼻出血，血尿，吐血，下血などをみる．

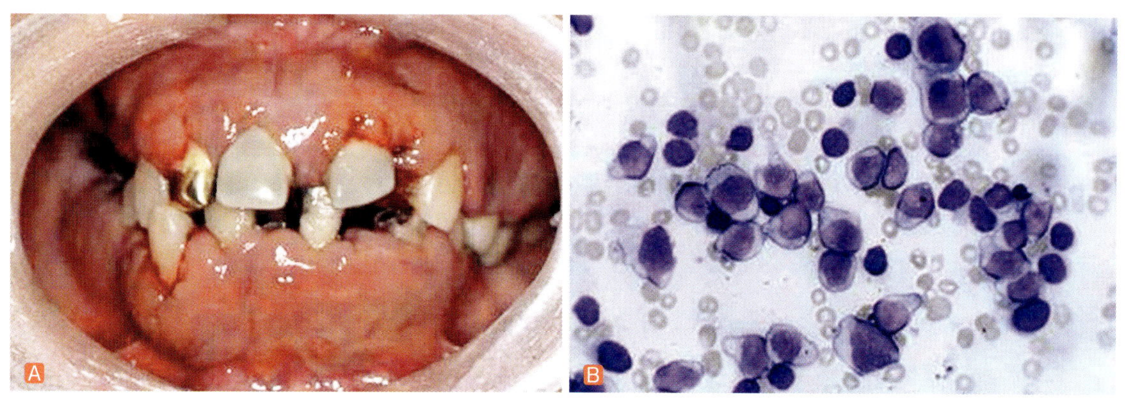

図23-6　急性骨髄性白血病の肉眼像（A）と末梢血塗抹標本像（B）

肉眼所見では，歯肉の腫脹と出血がみられる．N/C が大きく，核の大小不同を示す骨髄芽球類似細胞がみられる．
〔自治医科大学 神部芳則教授提供〕

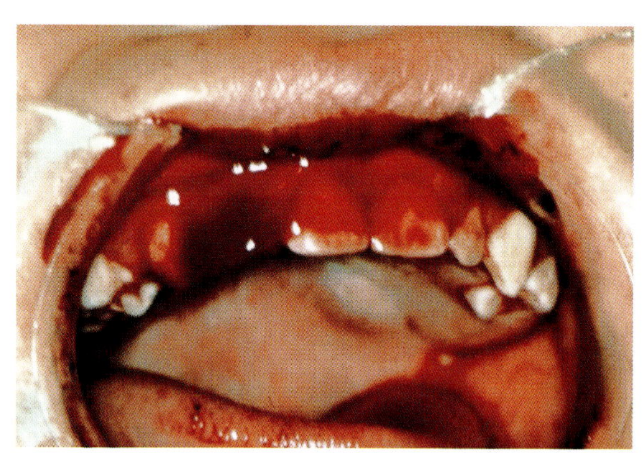

図23-7　急性リンパ性白血病

歯肉からの出血が顕著である．

11 凝固因子異常

血友病[55]
hemophilia

先天性の血液凝固因子の欠乏によって起こる疾患に，血友病[55]がある．第Ⅷ因子の欠損による血友病Aと，第Ⅸ因子の欠損による血友病Bがあるが，いずれも伴性劣性遺伝の形式をとることから，基本的には男性のみに発症する．皮下出血，関節内出血，筋肉内出血など深部の出血を繰り返す．血小板数，出血時間，毛細血管抵抗は正常であるが，凝固時間は延長する．

12 血管および血管周囲の異常

オスラー病[56]
Osler disease

1 遺伝性出血性末梢血管拡張症（オスラー病[56]）

末梢の動静脈吻合部位の形成異常による血管拡張性病変で，口腔粘膜や鼻粘膜から反復性の出血がみられる．口腔粘膜や皮膚に微細小血管の拡張がみられる．

シェーンライン-ヘノッホ紫斑病[57]
Schönlein-Henoch purpura

2 アレルギー性紫斑病（シェーンライン-ヘノッホ紫斑病[57]）

溶血性レンサ球菌の感染やウイルス感染，薬物や食物などが関連しており，発症にIgAの免疫複合体が関与しているといわれている．四肢末梢を中心に皮下の点状出血による紫斑が出現する．口腔粘膜内にも点状出血がみられることがある．

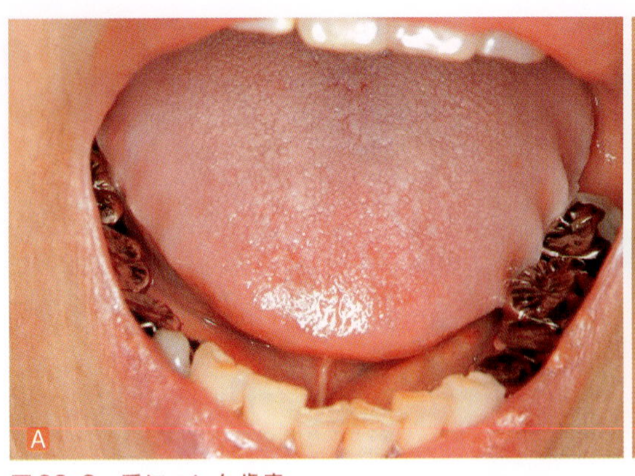
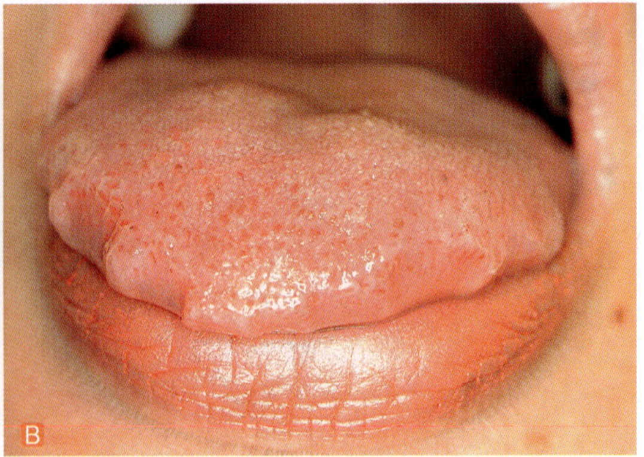

図23-8　舌についた歯痕
心因性病態を伴った患者ではしばしば顔面の緊張から強い食いしばりがあり，さまざまな程度の歯痕が舌につくことがある．

13 線溶系異常

播種性血管内凝固症候群[58]
disseminated intravascular coaglation (DIC)

1 播種性血管内凝固症候群[58]

血液凝固機序の促進によって，全身の小血管内で多発性に小血栓が形成される状態である．結果として血小板凝固因子の消費を引き起こし，血小板数やフィブリノゲンの減少から，点状出血などの全身の出血傾向も認める．原因には，悪性腫瘍や重症感染症，重篤な外傷などがある．口腔粘膜内の点状出血や歯肉からの出血がみられることがある．

Ⅵ－心因性病態（図23-8）

気分障害[59]
mood disorder

1 気分障害[59]

気分障害は，気分の変動を主症状とする疾患で，生涯罹患率は男性では5～12%，女性では10～25%とされる発生頻度がきわめて高い疾患である．主なものに抑うつ障害と双極性障害がある．抑うつ障害の主たるものがうつ病（大うつ性障害）である．

うつ病は，アメリカ精神医学会の診断基準（DSM-5）を要約すると，①抑うつ気分，または②興味または喜びの消失，の少なくともいずれかの1つの症状があり，③体重減少，④不眠，⑤精神運動焦燥または制止，⑥疲労感，気力の減退，⑦無価値観，⑧思考力や集中力の減退，⑨死についての反復思考，を含む5つ以上の症状が2週間以上続いているということになる．

双極性障害には，躁状態とうつ状態を繰り返すⅠ型と，軽躁状態を繰り返すⅡ型がある．躁状態では，気分が異常かつ持続的に高揚し，うつ状態では，精神症状に加えて，不眠や体重減少以外にもさまざまな身体症状がみられることが多い．口腔症状では，口腔乾燥感や味覚異常を訴える患者が多く，義歯不適合感を訴える患者がいることも特徴である．

不安障害[60]
anxiety disorder

2 不安障害[60]

不安障害は，不安が異常に高まってしまい，過剰な不安，恐怖によって苦しみ生活に支障をきたすような疾患である．主なものに，社交不安障害，パニック障害，全般性不安障害などがある．社交不安障害は，他人の注視を浴びる可能性のある社交場面に対する，著しい恐怖または不安があることである．社交場面とは，たとえば，聴衆の前で話をすること，会議で意見を述べたり報告したりすることや，人前で電話をかけること，グループ活動に参加すること，他人がみている場所で食べたり飲んだりすることなどが含まれる．パニック障害は，繰り返される予期しないパニック発作が起こる状態である．パニック発作とは，突然，激しい恐怖や，動悸，発汗，身震い，息切れ，窒息感，胸痛，めまいなどが起こり数分以内でピークに達するものである．全般性不安障害は，多数の出来事または活動についての過剰な不安と心配が，起こる日のほうが起こらない日よりも多い状態が，少なくとも6カ月以上続く状態である．

口腔領域にかかわる症状では，口腔乾燥感や，口臭恐怖，歯科恐怖や醜貌恐怖などがある．また，不安障害では，うつ病またはうつ状態を合併していることも多く，うつ状態やうつ病でみられる口腔症状がみられることもある．

身体表現性障害[61]
somatoform disorder

3 身体表現性障害[61]

身体疾患を示唆する身体症状を示すが，それが一般身体疾患，物質の直接的な作用，または他の精神障害によって完全には説明できないものであり，DSM-5では「身体症状症および関連症群」と分類されている．

不定愁訴で，身体症状が主体で他の精神症状がみられない場合にはこの診断名となることが多い．すなわち，口腔領域の不定愁訴も，精神科医に診察してもらうと，明らかな精神疾患を伴った口腔症状以外の多くはこの診断名となる．これらは必ずしも精神科医の治療対象とならないことから，歯科医師による積極的な治療介入が望まれる．

心身症[62]
psychosomatic disease

4 心身症[62]

心身症とは「身体疾患の中で，その発症や経過に心理・社会的因子が密接に関与し，器質的ないし機能的障害が認められる病態であり，神経症やうつ病など，他の精神障害に伴う身体症状は除外する」である（日本心身医学会の指針）．

「身体疾患の中で」とあるように，心身症はいわゆる「こころの病気」ではなく，あくまで「身体の病気」であるが，発症や経過に「ストレス」とされる心理・社会的因子が大きくかかわっているものである．たとえば，ストレスによって引き起こされる胃潰瘍，ストレスによって増悪する喘息発作，ストレスによって血糖値が上昇し悪化する糖尿病もこれにあたる．口腔領域では，ストレスによって発症，増悪するといわれている口内炎や扁平苔癬の一部がこれにあたるといわれている．

（安彦善裕）

Check Point

- □ 1 口腔に症状を呈する主なウイルス感染症をあげることができる．
- □ 2 帯状疱疹の症状を説明できる．
- □ 3 後天性梅毒と先天性梅毒の口腔症状を説明できる．
- □ 4 結核結節の病理組織像を説明できる．
- □ 5 糖尿病患者の口腔内状態について説明できる．
- □ 6 ビタミン欠乏症に関連した口腔内所見を説明できる．
- □ 7 貧血の種類・原因と口腔症状を説明できる．
- □ 8 白血病にみられる血液像と一般的な口腔症状を説明できる．
- □ 9 出血性素因とは何か，その原因について説明できる．
- □ 10 心身症について説明できる．

References

1）栗田賢一：症候性疾患（全身疾患）．口腔外科の疾患と治療 第2版．永末書店，京都，270～296，2005.
2）前田隆秀：小児歯科治療時に留意すべき小児疾患．小児の口腔外科 第1版．学建書院，東京，395～426，2005.
3）中林　透，家子正裕：内分泌疾患．歯科のための内科学 第2版．南江堂，東京，155～174，2003.
4）長野　豊：代謝・栄養疾患．歯科のための内科学 第2版．南江堂，東京，175～198，2003.
5）久保田英朗：血液疾患・出血性素因．口腔外科の疾患と治療 第2版．永末書店，京都，328～346，2005.
6）高橋三郎，大野　裕監訳：DSM-5精神疾患の診断・統計マニュアル．医学書院，東京，160～162，305～322，2014.
7）小牧　元ほか編：心身症診断・治療ガイドライン．協和企画，東京，2～9，2006.
8）山根源之ほか編：口腔内科学．永末書店，東京，529～534，2016.

Chapter 24

歯科医療と病理診断

病理診断は検体検査の1つであるが，臨床検査やエックス線画像診断とは根本的に異なり，病気の確定診断に結びつく場合が多いため，医療行為とされている．

歯科医療における病理診断は，歯や歯周組織のみならず，舌や歯肉などの粘膜や，顎骨を含めた口腔全体を対象とし，疾患の診断，治療法の選択や予後の判定などに重要な役割を果たしている．特に今日，癌治療における病理診断の役割は拡大し，癌組織・細胞の種類や性質を見極め，治療適応の有無をはじめとする治療法決定のプロセスに大きくかかわるようになってきた．さらに，病理診断がインプラント治療や再生医療などにも応用されている．

病理診断には大きく分けると細胞診（細胞診断）と組織診（組織診断）があり，その採取方法や時期などによりさらに細分される．それぞれの目的と手技を熟知し，利点・欠点（**表24-1**）を正しく理解する意義は大きい．

表24-1　細胞診と組織診の比較

	細胞診	組織診
利点	・検体採取法が簡便で，標本作製に特殊な装置が不要． ・患者に与える苦痛が少ない． ・必要に応じて繰り返しの採取が可能である．	・確定（最終）診断である． ・組織構築がわかる． ・治療方針の決定に重要な役割を果たす．
欠点	・組織診と比べて情報量が限られている場合が多い （組織構築がわからない）． ・細胞判定にある程度の熟練を要する．	・患者に多少の痛みや出血を与える． ・検体採取に技術を必要とする． ・標本作製に特殊な技術や装置を要する．

I—細胞診

1 細胞診の意義

細胞診は，病変から採取した細胞を観察する検査法であり，スクリーニング（良性，悪性の判定）と推定診断[1]を目的として行われる．細胞診によるスクリーニングは，婦人科系癌や肺癌の集団型癌検診に用いられ，癌の発見に貢献してきた．今日，口腔癌検診の二次検診に用いる施設や歯科医院が増えてきており，細胞診を歯科臨床の一部として理解しなくてはならない[1)]．

推定診断[1]
estimate diagnosis：病気の悪性かどうかの判定や，組織型の推定をするものであり，確定診断ではない．

2 細胞採取法による分類

1 擦過（剥離）細胞診[2]

病変表層をブラシで擦過して細胞を採取し（**図24-1**），スライドガラスに塗りつける．粘膜疾患などが対象となる．

擦過（剥離）細胞診[2]
exfoliative cytology：病変部からブラシ（歯間ブラシ，専用ブラシ）などで擦り取った細胞を調べる．病変部を均一な力で数回程度擦過し，可及的に多くの細胞を採取することが大切である．

2 穿刺吸引細胞診[3]

穿刺吸引細胞診[3]
fine needle aspiration cytology (FNAC)：深在性病変（粘膜下，唾液腺，リンパ節，顎骨など）に針を刺し，吸引して採取した細胞を調べる．したがってFNACは生検が不可能な深部の病変も適応となり，組織型の推測まで可能な症例も多い．

深部組織から陰圧で細い注射針の中に細胞を吸引採取し（**図24-2**），スライドガラスに吹き付ける．唾液腺，リンパ節や顎骨などが対象となる．

3 捺印細胞診

生検・手術で採取した組織を，そのままスライドガラスに印鑑を押すように接触させて細胞を採取する．

また細胞診は，手術中に病変の良悪性や切除断端の腫瘍細胞の有無の判定を目的に応用されることもある（術中細胞診）．

3 標本作製法

細胞採取法にかかわらず，標本は**図24-3A**の順に作製される．

1 固定液

パパニコロウ染色[4]
Papanicolaou stain

95％エタノール溶液を用いる．

2 染　色

液状化検体細胞診[5]
liquid based cytology (LBC)：採取した細胞を専用の保存液に回収し，専用の機器を用いて細胞診標本を作製する方法である．LBCでは標本の作製が均一化および標準化されるために現在，普及してきている．

ギムザ染色[6]
Giemsa stain

一般染色としてパパニコロウ染色[4]を行う（**図24-4**）．重層扁平上皮の表層は黄橙色～朱色～桃色，中層は淡青色～淡緑色，基底層は青緑色に染色される．

最近では擦過細胞診の標本作製法の1つとして，固定液でブラシをすすぎ，沈殿物から標本を作る液状化検体細胞診[5]も行われる．

一般染色の補助を目的として，特殊染色や免疫組織染色（後述）を行うこともある．たとえば，穿刺吸引細胞診において液状検体が採取された際には，パパニコロウ染色の他に，特殊染色としてギムザ染色[6]（乾燥固定）を行う場合がある．血液像の観察にもギムザ染色が有用である．

4 細胞判定

細胞検体の不適正か適正かの判定によって適正の場合は，新報告様式による4段階の口腔粘

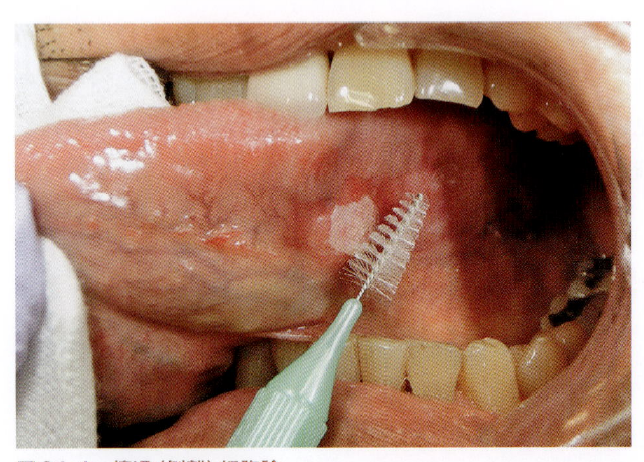

図24-1　擦過（剥離）細胞診
病変表層を細胞診専用ブラシ（あるいは歯間ブラシ）で擦り，細胞を採取する．

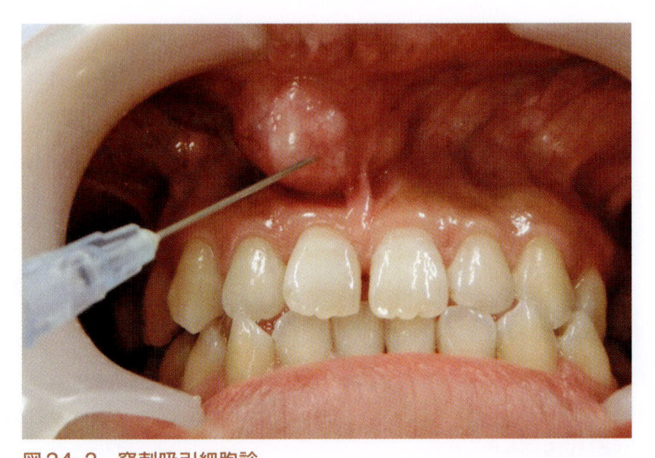

図24-2　穿刺吸引細胞診
病変の首座が深部に存在する病変に対して，注射針で吸引して細胞を採取する．

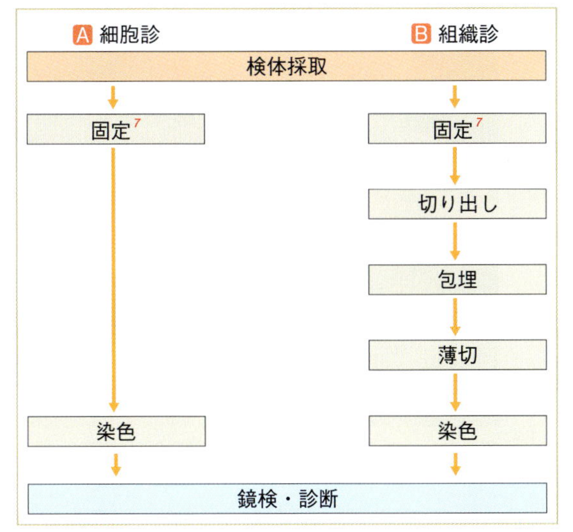

図24-3　細胞診（A）と組織診（B）の標本作製手順

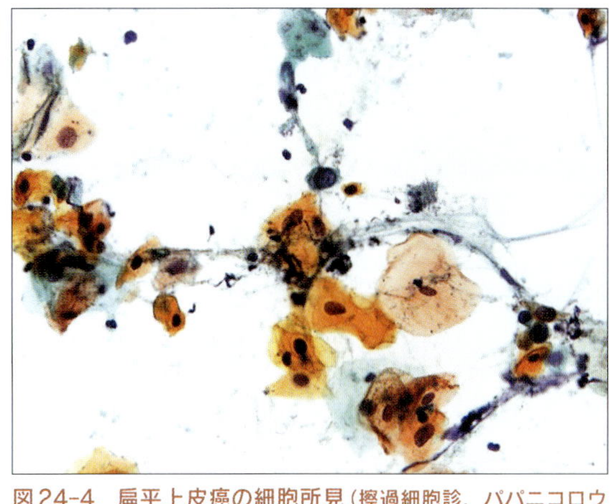

図24-4　扁平上皮癌の細胞所見（擦過細胞診，パパニコロウ染色，強拡大）

角化型扁平上皮異型細胞（黄橙色，橙色）と深層系異型細胞（青緑色）が観察される．SCC（悪性，class V）と細胞判定，推定診断名は扁平上皮癌である．

固定[7]
fixation：採取した組織検体が腐敗したり分解したりしないように，細胞・組織のタンパク質を化学的に安定化させて，不溶性にすることである．したがって組織検体および細胞検体は速やかに固定液に浸漬しなければならない．

NILM[8]
negative for intraepithelial lesion or malignancy：正常および反応性あるいは上皮内病変や悪性腫瘍性変化がない．

OLSIL[9]
oral low-grade squamous intraepithelial lesion or low-grade dysplasia：低異型度上皮内腫瘍性病変あるいは上皮異形成相当．

OHSIL[10]
oral high-grade squamous intraepithelial lesion or high-grade dysplasia：高異型度上皮内腫瘍性病変あるいは上皮異形成相当．

SCC[11]
squamous cell caricinoma：扁平上皮癌．

表24-2　パパニコロウ分類，3段階評価および新報告様式（JSCC*，2015）

WHO（2017）	パパニコロウ分類	3段階評価	新報告様式（JSCC*，2015）
正常/炎症/反応性病変	I II	陰性	NILM
軽度上皮性異形成	III	疑陽性	LSIL（OLSIL）**
中等度上皮性異形成			
高度上皮性異形成/上皮内癌	IV	陽性	HSIL（OHSIL）**
SCC	V		SCC

*日本臨床細胞学会
**婦人科と区別する場合はOSIL，OHSILを使用．

膜疾患細胞診判定区分（2015）[2]と，可能な限り推定病名を付記する（**図24-4**）．しかし現状では，パパニコロウ分類や3段階評価も広く用いられているために，比較表を示す（**表24-2**）．新報告様式のNILM[8]は「正常および反応性あるいは上皮内病変や悪性腫瘍性変化がない」，OLSIL[9]は「低異型度上皮内腫瘍性病変あるいは上皮異形成相当」，OHSIL[10]は「高異型度上皮内腫瘍性病変あるいは上皮異形成相当」，SCC[11]は「扁平上皮癌」を示す．細胞診で腫瘍性変化を的確に判定することを目的としているため，臨床医による細胞判定結果の理解が重要である．

細胞診は，専門教育を受け，資格試験に合格した細胞検査士が標本のスクリーニングを行う．スクリーニングされた症例は細胞診専門歯科医や口腔病理専門医によって最終的な判定が行われる．

II—組織診

1　組織診の意義

組織診は，疾病の組織や細胞の主に形態的変化を観察する検査法である．組織型の診断の他，腫瘍の場合には，悪性度，周囲組織への進展などの予後予測因子や治療効果の判定にも有効である．組織診は目的や検索対象の違いにより，生検，手術材料診断，術中迅速診断，病理解剖に分類される．

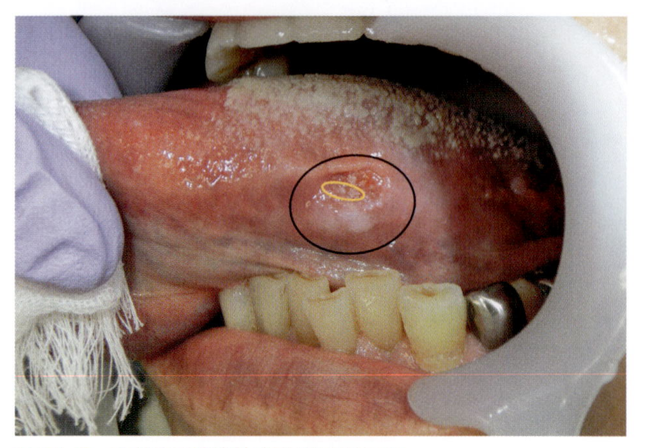

図24-5　左側舌縁潰瘍性病変（黒領域部分）
生検部位生検に際しては，浸潤先端を含んだ直径5mm以上の組織（黄丸内）を採取することが望ましい（口腔癌取扱い規約）.

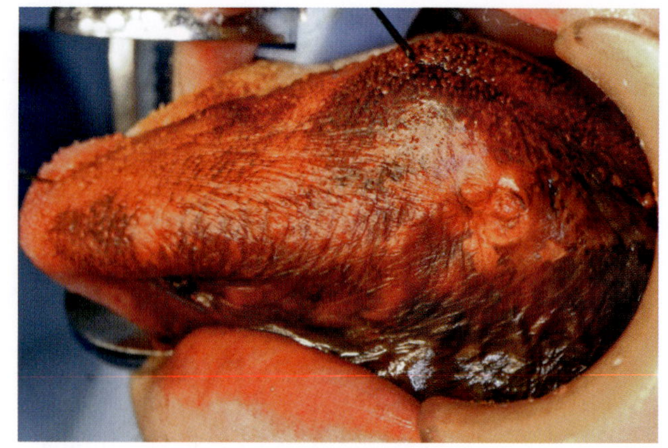

図24-6　左側舌縁潰瘍性病変（図24-5）のヨード生体染色写真
生体染色は手術域の決定に有用な検査法である.

2 目的や検索対象による分類

1 生　検

病理組織学的な確定診断[12]（最終診断）を目的に，病変の一部や全部を採取して病理組織学的検索を行う検査である．一般的には，病変から健常部にわたって切開し，疾患の病態が把握できる大きさで切除する（部分生検，**図24-5**）．小さな病変に対しては，病変部を一度にすべて除去する切除生検も行われることがある（摘除生検）．深在性の皮下や粘膜下の病変に対しては，穿刺して組織を採取する針生検や，病変部の表層組織を切開して組織を採取する切開生検なども行われる．いずれも検体採取は外科処置であり，予測される病変の種類，切開時期などを考慮して行う必要がある（**表24-1**）．頭頸部領域の悪性黒色腫における生検は，手術日を先に決め，その約2週間前に行われる．

2 手術材料診断（手術検体の病理組織診断）

手術によって切除された組織から病変の全体像を把握し，確定診断と病変の進行度などの評価が詳細に行われる．手術域の決定には，ヨード生体染色[13]が有用とされている（**図24-6**）．基本的に，手術検体のすべてを標本とする（**図24-7**）．特に悪性腫瘍の場合，腫瘍の組織型，悪性度[14]，病変の範囲，深達度[15]，手術断端[16]の腫瘍細胞の有無，脈管侵襲やリンパ節転移の有無などを形態学的に詳細に評価する[3)]（**図24-8**）．これらは治療効果や予後判定など，術後の経過観察を含めた治療計画の資料となる．

3 術中迅速診断

手術中に生検切除した組織を凍結して，ただちに標本を作製し，短時間で病理診断を行い，手術担当医に連絡する方法である．解剖学的に生検が困難な部位に発生した腫瘍の診断や切除断端，リンパ節転移の有無などを手術中に確認することを目的とする．手術中の組織診の結果は，手術中の治療方針の再検討に活かされることになる．特殊な装置を必要とし，通常の標本より精度が劣るが，術中迅速診断の意義は大きい．

4 病理解剖

病死した患者の遺体を解剖し，臓器，組織，細胞を肉眼的および顕微鏡下で観察して，詳細な医学的検討を行うことである．病理解剖は死因を正確に理解し，診断や治療の適否や，病

確定診断[12]
definitive diagnosis：病気の最終的診断を意味する．一般的に生検で行われる．

ヨード生体染色[13]
iodine vital staining：口腔粘膜にヨードグリセリン液を塗布すると，上皮細胞内グリコーゲンと反応して茶褐色に染まる．悪性化した部分は上皮細胞内グリコーゲンが消失して染まらなくなることを利用した検査方法である．手術範囲の決定に用いられることが多い．

悪性度[14]
grade：予後や治療法選択の指標として，病理組織学的にGrade1（高分化型），Grade2（中分化型），Grade3（低分化型）に分類される．

深達度[15]
depth：病理組織標本上で癌が最も深く浸潤している部を観察する．

手術断端[16]
surgical (resection) margin：切除した標本の端を調べることにより癌の遺残の有無を判定する．切除断端ともいう．水平切除断端と垂直（深部）切除断端に分類される．

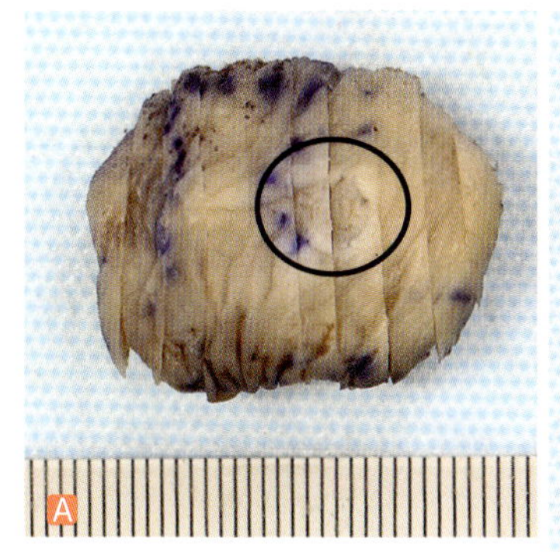
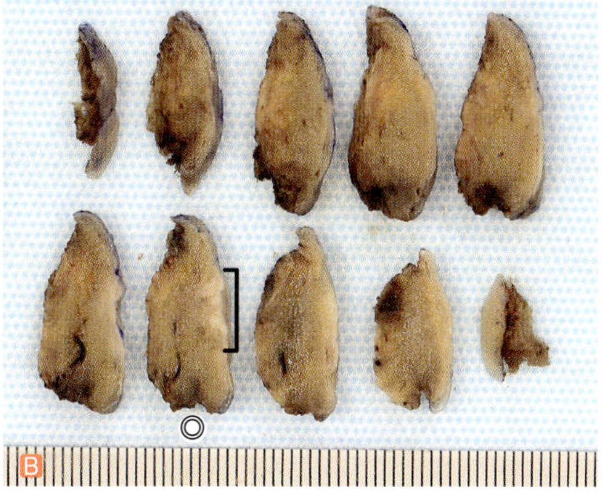

図24-7　左側舌縁潰瘍性病変（図24-5症例）の切除標本

A ステップセクションされた切除標本．病変（黒丸）の占拠部位，大きさ，臨床型などを肉眼的に観察の後，約5～7mm間隔で分割する．

B 分割後に並べられた切除標本．それぞれの割面における腫瘍を写真撮影する．肉眼的に癌の範囲（黒線）が観察される．

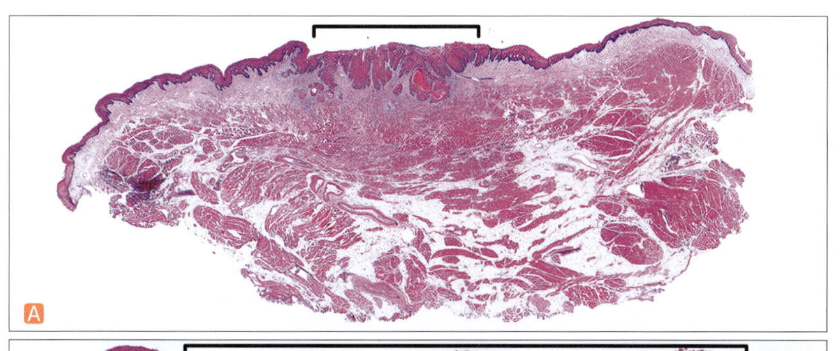
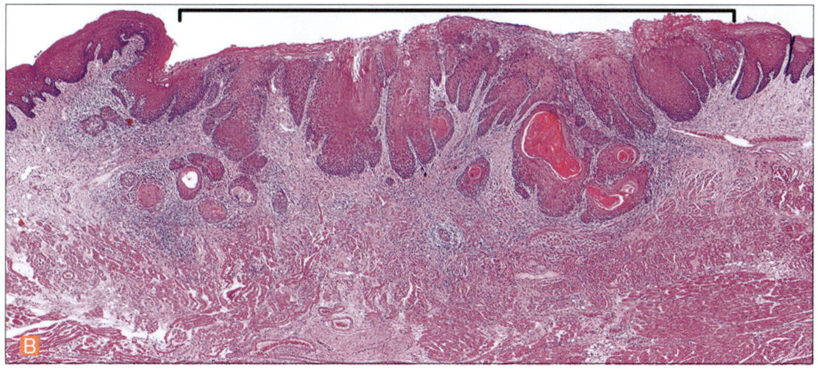

図24-8　左側舌縁潰瘍性病変（図24-5症例）の病理組織像（HE染色）

A 細切された検体のルーペ像（図24-7の◎）．扁平上皮癌の領域が観察される．

B 高分化型扁平上皮癌（中拡大）．扁平上皮様癌細胞が大小の胞巣状に浸潤増殖している．

変の広がり，他の臓器への影響，合併症を解明する目的で行われ，この積み重ねによって，診断・治療の進歩，医学・歯学の発展につながると考えられる．遺族の承諾が必要となる．

3 標本作製法

基本的な組織診標本作製法を**図24-3B**に示す．

1 固定液

10％ホルマリン溶液を用いる．

2 切り出し

固定された組織検体の肉眼所見を記録するとともに，ナイフなどでカットする作業を切り出しという．切り出しによって診断に適するように標本の方向や大きさを整えるとともに，切り出し部位やカット面を含めた検体の性状を記録する．一例をあげると，被膜に覆われた腫瘍をナイフでカットすることで，病変内部が観察できる状態になる．なお，検体組織に骨や歯などの硬組織が含まれているときには，脱灰[17]によって組織からカルシウムを除去した後に割を

脱灰[17]
decalcification：標本作製のために硬組織片（骨，歯，石灰化病変など）から石灰分を溶かして軟らかくすることである．口腔領域からの組織検体は硬組織片が多く，しばしば脱灰が必要となる．

入れる．また，切除された顎骨などの検体では，ダイヤモンドソーなどで脱灰しやすい大きさに切り出し，割面の性状を記録した後に脱灰を行うこともある．

3 包埋

組織の約6割は水分が含まれており，室温ではそのままの状態で薄切することは困難である．そこで，組織中の水分をパラフィンに置換し，さらにその組織自体をパラフィンに包埋（パラフィンに組織を埋没させること）し，室温下で組織を固め，薄切できる状態にする．通常，ホルマリンで固定された組織をパラフィンに包埋したものを“ホルマリン固定パラフィン包埋ブロック（Formalin Fixed Paraffin Embedded block）”とよび，FFPEブロックと略されることもある．

4 薄切

FFPEブロックをミクロトームにて2～5 μm厚に薄く切ることを薄切という．薄切によって得られた切片は，水ないしお湯でしわを伸ばした後，スライドガラス上に張り付け乾燥させる．

スライドガラス上に張り付けた切片は，染色前に脱パラフィン処理，浸水処理を行い，染色液がなじみやすい状態にする．

5 染色

(1) 一般染色

一般染色としてヘマトキシリン・エオジン（HE）染色を行う（**図24-8**）．ヘマトキシリン（塩基性）では細胞核，細菌，軟骨，石灰化物など，エオジン（酸性）では細胞質，結合組織，筋組織，赤血球などが染色される．

一般染色の補助を目的として，特殊染色や免疫組織化学染色を行う．

PAS染色[18]
periodic acid-Schiff stain

グロコット染色[19]
Grocott stain

ムチカルミン染色[20]
Mucicarmin stain

(2) 特殊染色

特定の染色液を用いて，組織・細胞の形態・構造の観察，細胞種の同定などを目的とした化学的反応に基づく染色方法である（**表24-3**）．たとえば，真菌はPAS染色[18]（**図24-9A**）とグロコット染色[19]（**図24-9B**）で明瞭になり，粘表皮癌の粘液産生細胞はムチカルミン染色[20]（**図24-10**）で確認できる．

PAP法[21]
peroxidase anti peroxidase method

ABC法[22]
avidin biotinylated enxyme complex method

(3) 免疫組織化学染色（図24-11）

組織・細胞内に存在する抗原物質と特異的に反応させて，その抗原の存在位置を検出する原理を利用した染色方法であり，直説法と間接法（PAP法[21]，ABC法[22]，高分子ポリマー法がある．二次抗体に酵素を結合させ，発色基質を沈着させる方法が酵素組織化学染色である．

HE染色では証明不可能な腫瘍マーカー，癌遺伝子関連抗原，免疫グロブリンやホルモンなどの検出を目的とする．たとえば上皮系（EMA，keratin，AE1/AE3），間葉系（vimentin），筋系（α-SMA），神経系（S100，NSE），血管系（CD34，CD31），白血球系（CD3，CD20），リンパ管系（D2-40），細胞増殖能（Ki-67）などがある．たとえば，扁平上皮癌と非癌部の免疫組織化学染色所見（抗Ki-67抗体；**図24-12**と抗p53抗体；**図24-13**）を比較することにより，癌巣におけるタンパク発現の程度により悪性度が観察できる．

表 24-3　特殊染色

対象	染色法	染色結果	用途
結合組織	過ヨウ素酸メセナミン銀（PAM）染色	腎糸球体基底膜，細網線維：黒色	糸球体病変の診断
	ゴモリ・トリクローム（Gomori-Trichrom）染色	線維組織：緑色 ミトコンドリア：赤色	筋疾患の診断
	エラスチカ・ワンギーソン（Elastica van Gieson）染色	弾性線維：黒褐色 膠原線維：赤色 筋線維：黄色	悪性腫瘍の血管侵襲の判定
脂肪	ズダンⅢ（SudanⅢ）染色	脂肪滴：橙赤色	脂肪腫の診断
多糖類	PAS 染色（図 24-9A）	糖原：赤紫色	真菌の同定 唾液腺腫瘍の診断
	ムチカルミン（Mucicarmin）染色（図 24-10）	上皮性粘液：赤色	唾液腺腫瘍の診断
アミロイド	コンゴーレッド（Congo-red）染色	アミロイド：桃～赤色	石灰化上皮性歯原性腫瘍やアミロイドーシスの診断
組織内血液細胞	ギムザ（Giemsa）染色	核：赤紫色 核小体：赤色	白血病や悪性リンパ腫の診断
生体内病原体	グラム（Gram）染色	グラム陽性菌：紫色 グラム陰性菌：赤色	グラム陽性菌と陰性菌の同定
	チール・ネルゼン（Ziehl-Neelsen）染色	抗酸菌：明赤色	抗酸菌（結核菌）の同定
	グロコット（Grocott）染色（図 24-9B）	真菌：黒色	真菌の同定

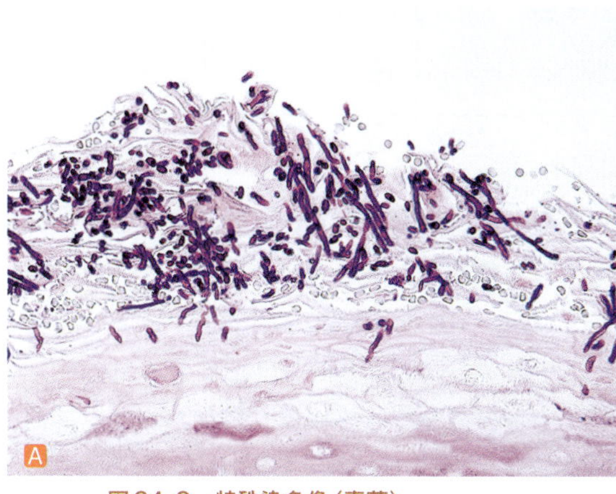

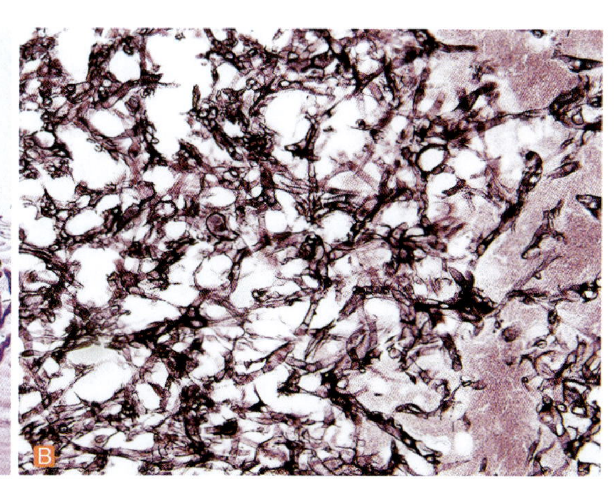

図 24-9　特殊染色像（真菌）

A PAS 染色（口腔カンジダ症，中拡大）．胞子および仮性菌糸が赤紫色に染色されている．
B グロコット染色（上顎洞アスペルギルス症，強拡大）．鋭角に分岐した菌糸の隔壁構造が明瞭に観察される．

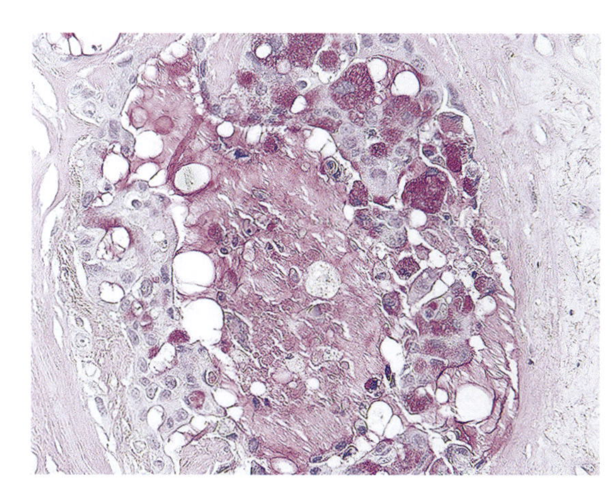

図 24-10　特殊染色像（高分化型粘表皮癌，ムチカルミン染色，強拡大）

粘液産生細胞の細胞質には赤紫色の上皮性粘液が充満している．

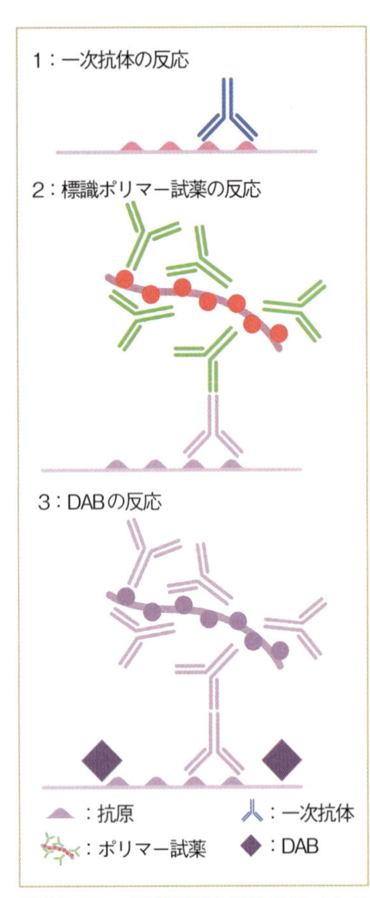

図24-11　免疫組織化学染色のメカニズム

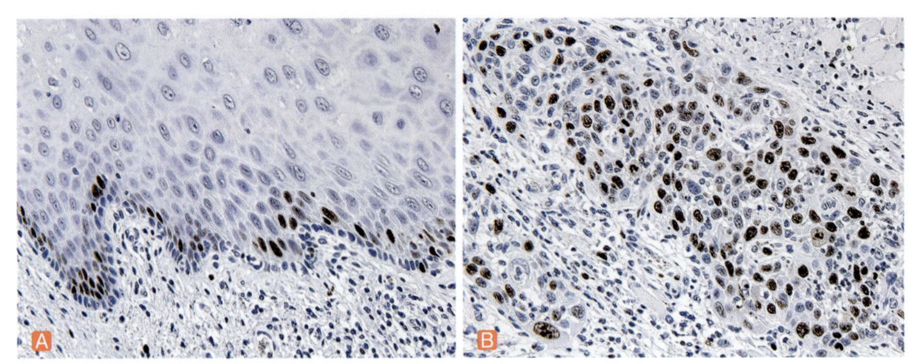

図24-12　免疫組織化学染色像（抗Ki-67抗体，中拡大）

Ki-67抗原は細胞周期の休止期（G0）以外で発現する核タンパクであり，陽性率が高いことは細胞増殖が活発であることを示す．

A 健常粘膜．基底細胞あるいは傍基底細胞に，核に陽性反応を示す細胞が観察される．
B 扁平上皮癌．多くの癌細胞に陽性反応が観察される．

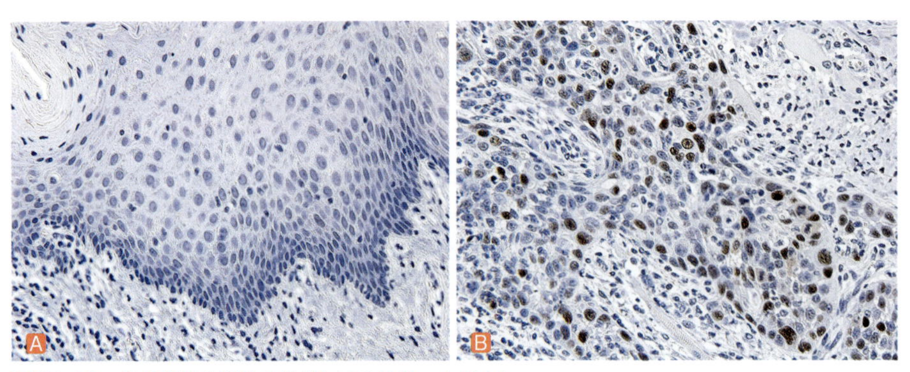

図24-13　免疫組織化学染色像（抗p53抗体，中拡大）

p53の変異などが生じた場合に，細胞内に変異型p53タンパクが蓄積され，陽性反応を示す．

A 健常粘膜．陽性反応は認められない．B 扁平上皮癌．多くの癌細胞の核に陽性反応が観察される．

4 コンパニオン診断

癌の発生・進行に密接に関与する分子の異常が判明し，それら分子の働きを抑える新しい薬剤（分子標的薬）が開発され，頭頸部癌にも使用されている．コンパニオン診断は，分子標的薬の効果を予測し，治療対象を選別するための分子診断である．診断には組織診のために採取した組織材料を用いて行われる．

口腔領域の組織診は口腔病理専門医がその役割を担っている．コンパニオン診断の普及により，治療方針決定にかかわる口腔病理専門医の重要性がさらに増すと思われる．

（久山佳代）

- [ ] 1 病理診断にはどのようなものがあるか説明できる．
- [ ] 2 細胞診の意義を説明できる．
- [ ] 3 組織診の意義を説明できる．
- [ ] 4 生検の方法を説明できる．
- [ ] 5 細胞診と組織診それぞれの固定法および一般染色法を説明できる．
- [ ] 6 代表的な特殊染色法を列挙できる．
- [ ] 7 代表的な免疫組織化学染色を列挙できる．
- [ ] 8 歯科医療における病理診断を理解できる．

References

1）山本浩嗣，久山佳代：口腔の細胞診．口腔保健協会，東京，2013．
2）日本臨床細胞学会：細胞診ガイドライン 5消化器 2015年版．金原出版，東京，2015．
3）日本口腔腫瘍学会：口腔癌取扱い規約．第2版．金原出版，東京，2019．

Chapter 25

口腔領域に徴候をみる症候群

症候群[1]
syndrome

症候群[1]は，いくつかの症候が身体に集まってみられるもので，染色体異常などの遺伝子異常を背景とした先天性疾患や代謝にかかわるものなど原因が明らかな症候群もあるが，病因となるものがわかっていないものも存在する．口腔に症状を現す症候群についても，脳・神経・筋系，循環器，呼吸器，消化器などの臓器に主に症状を現す症候群の部分症として発現するものや，内分泌・代謝系の異常を背景に口腔に症状を示すもの，遺伝系や免疫系の異常による全身的な症状の一部として口腔症状がみられるもの，口腔顎顔面領域に特有な症状を示すものなどがある．

ブルーム症候群[2]
Bloom syndrome

エラース-ダンロス症候群[3]
Ehlers-Danlos syndrome

ハンター症候群[4]
Hunter syndrome

骨形成不全症１型[5]
osteogensis imperfecta type1

外胚葉異形成[6]
ectodermal dysplasia

口顔面指症候群[7]
oro-facio-digital syndrome

症候群に伴って口腔領域にみられる症状としては，

①**歯の早期喪失**：ブルーム症候群[2]，エラース-ダンロス症候群[3]，マルファン症候群，パピヨン-ルフェーブル症候群
②**歯の萌出遅延**：鎖骨頭蓋異骨症，ハンター症候群[4]
③**歯の早期萌出**：鎖骨頭蓋異骨症，パピヨン-ルフェーブル症候群
④**歯の欠如**：ダウン症候群，骨形成不全症１型[5]
⑤**無歯症**：外胚葉異形成[6]1，外胚葉異形成２
⑥**癒合歯**：アペール症候群
⑦**過剰歯**：鎖骨頭蓋異骨症，口顔面指症候群[7]
⑧**矮小歯**：外胚葉異形成１，外胚葉異形成３
⑨**エナメル質形成不全**：鎖骨頭蓋異骨症，口顔面指症候群
⑩**歯周疾患**：エラース-ダンロス症候群，パピヨン-ルフェーブル症候群
⑪**歯列不整**：クルーゾン症候群，ダウン症候群，マルファン症候群
⑫**高口蓋**：アペール症候群，鎖骨頭蓋異骨症，マルファン症候群，ピエールロバン症候群，トリーチャーコリンズ症候群
⑬**巨舌症**：ベックウィズ-ウィーデマン症候群，ダウン症候群
⑭**片側性顔面神経麻痺**：ラムゼーハント症候群

などがある．

トリーチャー-コリンズ症候群[8]
Treacher-Collins syndrome

1 下顎顔面異骨症（トリーチャー-コリンズ症候群[8]）

[Chap.1（16頁），Chap.9（136頁）参照]

下顎骨と顔面骨の複合奇形．①眼裂の外下方への傾斜（八の字型）や下眼瞼欠如，②下顎骨・オトガイ隆起の減形成による鳥貌，③巨口症，高狭口蓋，歯列不整，前歯部における開咬などの口腔症状，④口角瘻，外耳道閉鎖と聾を合併する耳介の奇形などの症状を示す．胎生7～8週以前に分化する第一鰓弓と第一鰓溝の発育不全あるいは異常発生による．遺伝性要因が関与していると思われるが，常染色体優性遺伝の可能性と遺伝子変異によるものも考えられている（図25-1）．

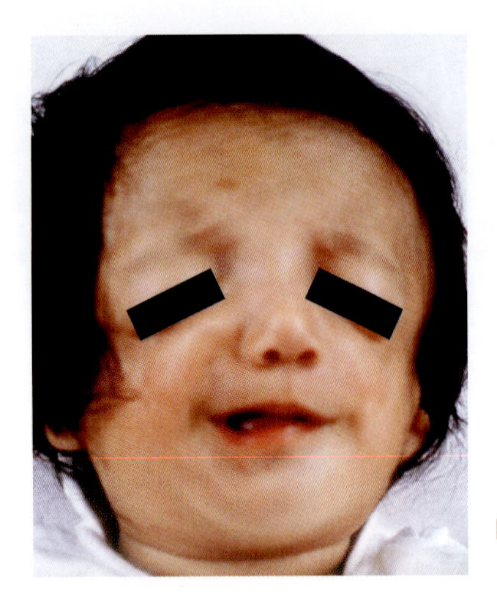

図25-1 下顎顔面異骨症（トリーチャーコリンズ症候群）
〔北海道大学 河村正昭名誉教授提供〕

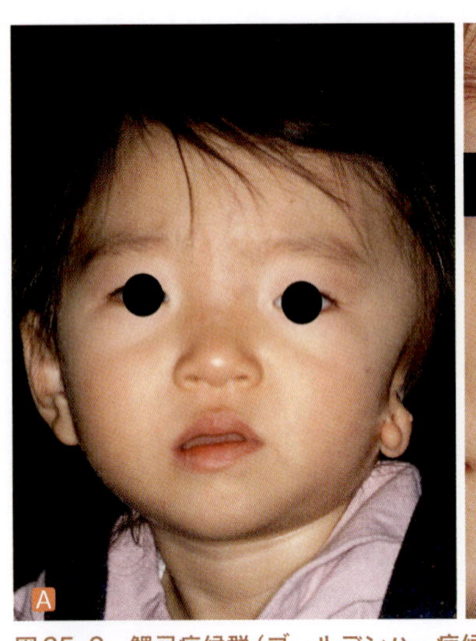
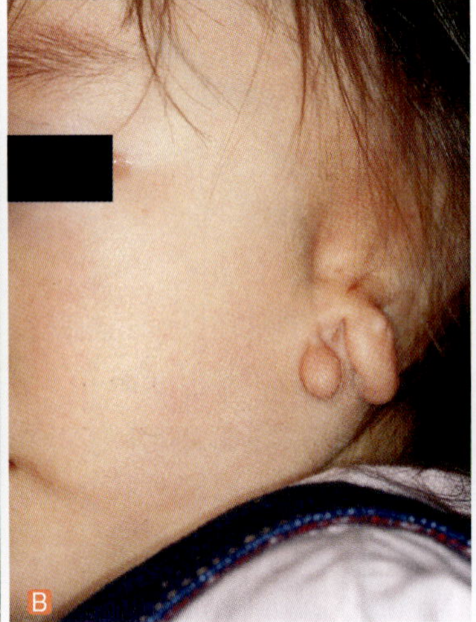
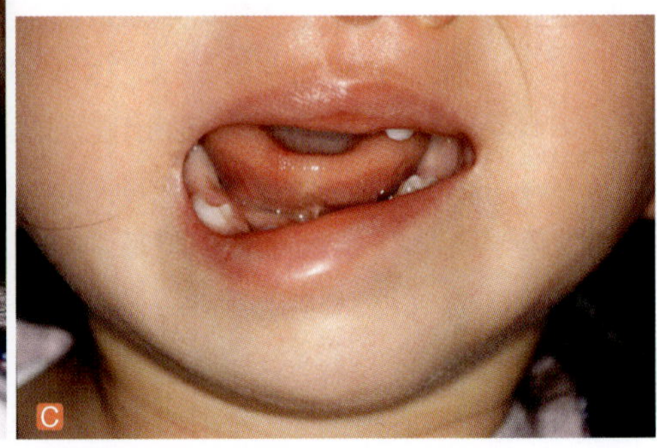

図25-2 鰓弓症候群（ゴールデンハー症候群）
A 顔面の非対称．
B 耳介の異常．
C 口唇・口角の非対称．
〔北海道大学 河村正昭名誉教授提供〕

ゴールデンハー症候群[9]
Goldenhar syndrome

クルーゾン症候群[10]
Crouzon syndrome

線維芽細胞増殖因子[11]
fibroblast growth factor (FGF)：線維芽細胞に対して増殖効果をもつ因子として精製された増殖因子で現在では，22種類のFGFファミリーが同定され，線維芽細胞だけではなく，血管内皮細胞の増殖・分化など，さまざまな細胞の増殖・分化因子，組織修復因子，代謝調節因子として機能することが知られている．FGFの受容体であるFGFRは4種類が知られているが，いずれも細胞外の免疫グロブリン様構造と細胞内のチロシンリン酸化ドメインが存在し，これらはそれぞれ特異的なリガンドと結合し，細胞に機能を発現する．

2 鰓弓症候群（ゴールデンハー症候群[9]） [Chap.1（15頁），Chap.9（136頁）参照]

妊娠4週始めの胎児に生じる隆起性構造である鰓弓，特に第一・第二鰓弓に何らかの異常が発生し，下顎・耳・口などに変形を生じる先天性疾患．片側性に起こることが多く，顔面の非対称をきたす．鰓弓症候群に結膜上類皮腫，頸部脊椎異常を合併したものをゴールデンハー症候群という（**図25-2**）．

3 クルーゾン症候群[10] [Chap.1（15頁），Chap.9（136頁）参照]

頭蓋顔面異骨症ともいい，頭蓋骨縫合の早期の骨性癒合により発達性の頭蓋変形を特徴とした病変．頭蓋の先天性骨癒合障害の結果，冠状縫合および人字縫合の多発性早期骨癒合による頭の形の異常（蜂窩状頭蓋）がみられる．この他，オウムの嘴状の鼻，上顎の低形成や小顎症などの口腔病変，種々の眼症状（眼球突出，眼球の自然脱臼，眼球隔離症，外斜視），内耳性難聴などの症状を現す．線維芽細胞増殖因子[11]受容体（FGFR2）の遺伝子変異が原因となっている．

鎖骨頭蓋異骨症[12]
cleidocranial dysostosis

Cbfa1[13]
Runx2ともよばれる転写因子．未分化間葉系細胞は成人幹細胞として機能しており，特定の転写因子の作用により特異的な細胞分化が誘導されることが示されている．Cbfa1は未分化間葉系細胞を骨芽細胞へ分化誘導する転写因子で，これが欠損したノックアウトマウスでは骨形成が完全に行われないが，遺伝子の1本だけCbfa1が欠損したヘテロ欠失マウス（Cbfa1＋/－）では，鎖骨頭蓋異骨症に類似した症状を示すことが報告されている．

ダウン症候群[14]
Down syndrome

トリソミー[15]
trisomy

エナメル質形成不全[16]
enamel hypoplasia

ラッセル-シルバー症候群[17]
Russel-Silver syndrome

4 鎖骨頭蓋異骨症[12] ［Chap.1（15頁），Chap.9（137頁）参照］

鎖骨および頭蓋縫合骨異常と歯の異常を伴う小顎症の出現を特徴とする．身長は低く，鎖骨の形成異常，ときに無形成がみられる．口腔内では，歯の萌出や数の異常がみられ，しばしば多数の永久歯の埋伏とともに多数の乳歯の萌出遅延や残存が認められる．骨誘導転写因子であるCbfa1[13]の遺伝子変異が原因の遺伝性疾患と考えられている（**図25-3**）．

5 ダウン症候群[14] ［Chap.1（15頁），Chap.9（137頁）参照］

減数分裂不分離が原因となり21番染色体のトリソミー[15]（3本の常染色体）が生じることにより発生する．内眼角贅皮，平坦な顔貌，頸部皮膚過剰などの特徴的外形に加えて，精神遅滞，先天性心疾患，腸管狭窄などの症状をみる．重篤な感染や白血病発症も生じることが多い．口腔内では，口蓋の前後長は短く，幅も狭く，歯ではエナメル質形成不全[16]や不正咬合を示すことがある．

6 ラッセル-シルバー症候群[17] ［Chap.1（15頁）参照］

非常に稀な疾患で，子宮内発育遅延により①生下時の低体重，②生後も低身長・低体重，③骨格の左右非対称，④性発育異常を4大主徴とする症候群である．頭が比較的大きく，顎

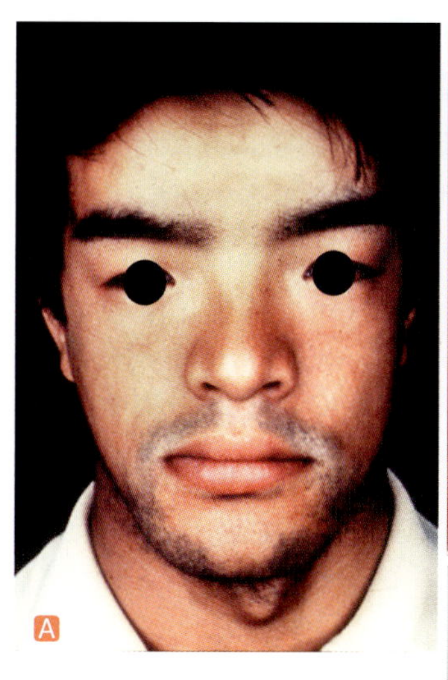
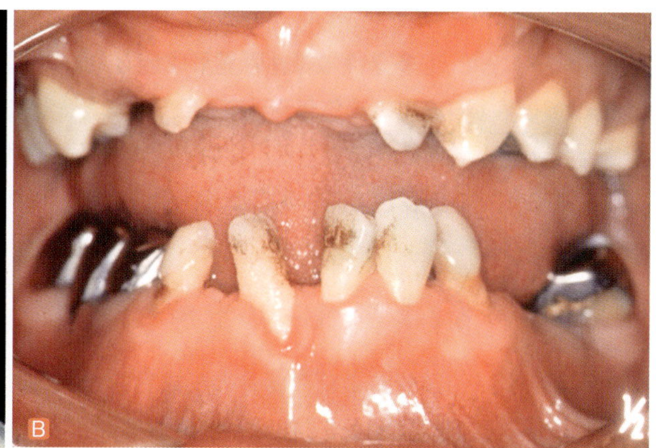
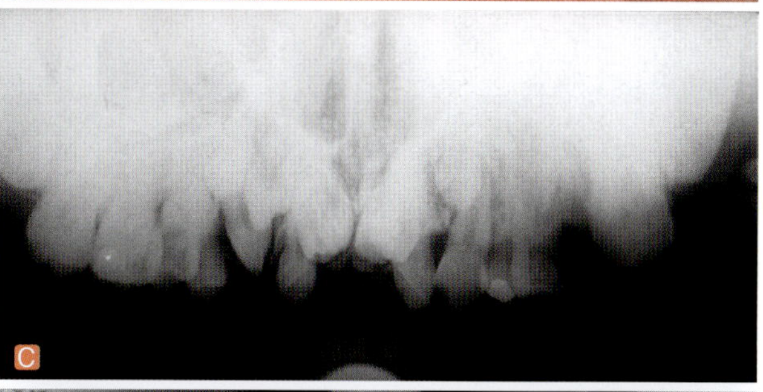
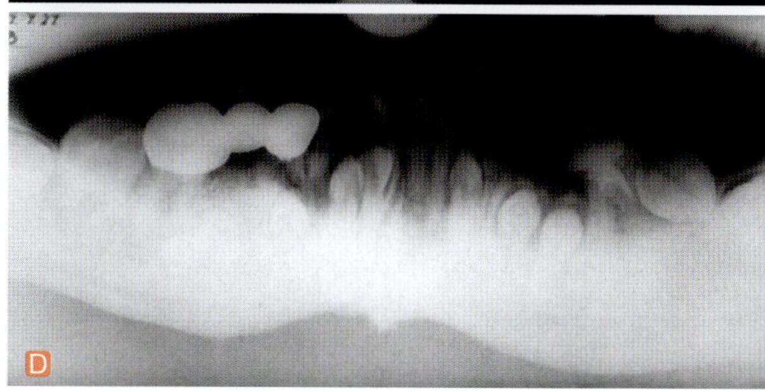

図25-3　鎖骨頭蓋異骨症
A 顔貌．
B 歯の萌出異常による歯数の減少．
C 上顎永久歯の埋伏と乳歯残存．
D 下顎永久歯の埋伏と乳歯残存．
〔北海道大学 河村正昭名誉教授提供〕

ターナー症候群[18]
Turner syndrome

ベックウィズ-ウィーデマン症候群[19]
Beckwith-Wiedemann syndrome

が尖ってみえる逆三角形の顔貌を呈する顔面頭蓋の発育不全，不正咬合がみられる．成長抑制性タンパクの産生が亢進し，成長障害を引き起こすと考えられているが，原因の詳細は明らかではない．

7 ターナー症候群[18] [Chap.1 (16頁) 参照]

インスリン様成長因子[20]
insulin-like growth factor (IGF)：インスリンと類似したペプチド配列をもつ成長因子．IGF1とIGF2の異なったタンパクがあることが知られており，成体のさまざまな臓器で産生されオートクラインあるいはパラクライン的に細胞の増殖や分化を誘導する．

性染色体であるX染色体の完全(45, X型)や部分的な欠失，あるいは正常な性染色体と異常性染色体をもつモザイク型により生じる症候群である．典型型では，①女性に短躯，卵巣機能不全などの性発達遅延をみる小児様発育，②太い翼状頸，③外反肘の3徴候が特徴．口腔領域では，高い口蓋弓，小顎症などがみられる．

8 ベックウィズ-ウィーデマン症候群[19] [Chap.1 (15頁) 参照]

Kip2[21]
Cip/Kipファミリーに属する遺伝子/遺伝子産物．Cip/Kipファミリーはp21waf1/cip1 p27/kip1とp57/kip2より構成され，cylcin/CDKの活性を抑制することにより細胞周期の阻害に働く．

①臍部内臓脱出，②巨大舌，③巨躯症を3大徴候とする症候群である．新生児低血糖症や新生児多血球症の頻度も高い．巨舌症による哺乳障害が生後の問題となる．11番染色体異常によりインスリン様成長因子[20](IGF2)の過剰発現，あるいはIGF2遺伝子発現抑制に働くKip2[21]の発現低下により発症する(**図25-4**)．

マッキューン-オールブライト症候群[22]
McCune-Albright syndrome

9 マッキューン-オールブライト症候群[22]

[Chap.9 (138頁)，Chap.16 (214頁) 参照]

Gタンパク[23]
G-protein：7回膜貫通型受容体がリガンドと結合した際に，活性化された受容体の細胞内ドメインと結合し，セカンドメッセンジャーとして働くタンパク質ファミリー．受容体からのシグナルが入るとGDPを遊離しGTPと結合することで活性化され，下流のシグナル伝達を果たす．

①多発性線維性骨異形成症(顔面や頭蓋の変形，股関節病変，四肢の彎曲)，②骨病変と同側の皮膚の褐色色素沈着(頸部，背部，殿部，口腔)，③内分泌病変，特に女性では性的早熟を生じる症候群である．骨病変は非対称性に生じ，後頭部，中手骨，中足骨などが好発部位．ホルモン感受性アデニルシクラーゼ系Gタンパク[23]の変異による活性化が原因である(**図25-5**)．

アペール症候群[24]
Apert syndrome

10 アペール症候群[24] [Chap.1 (15頁)，Chap.9 (136頁) 参照]

頭蓋および顔面骨の形成異常と指趾の合指症を伴う症候群．特異な短尖頭，高い前頭を示し，眼窩は浅く眼球が突出する．上顎は形成不良で高口蓋や，ときに口蓋裂がみられる．線維芽

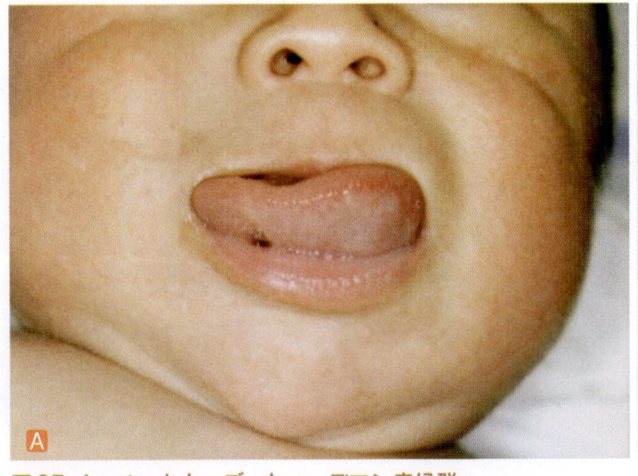

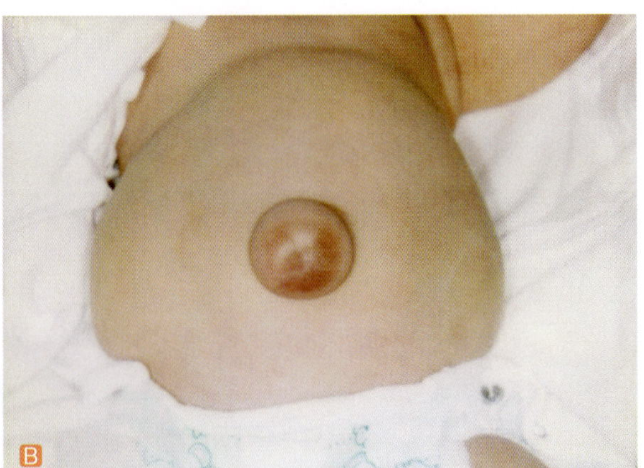

図25-4 ベックウィズ-ウィーデマン症候群
A 巨舌症(巨大舌)．
B 臍部内臓脱出．

〔北海道大学 河村正昭名誉教授提供〕

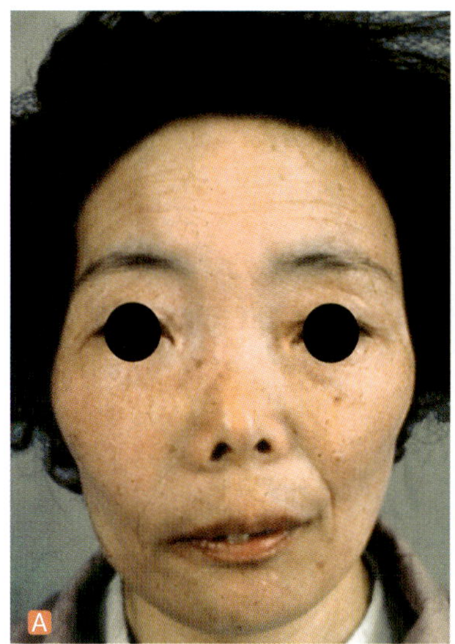
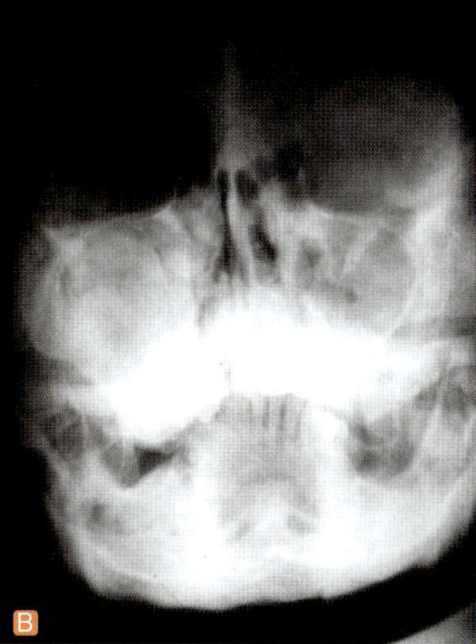
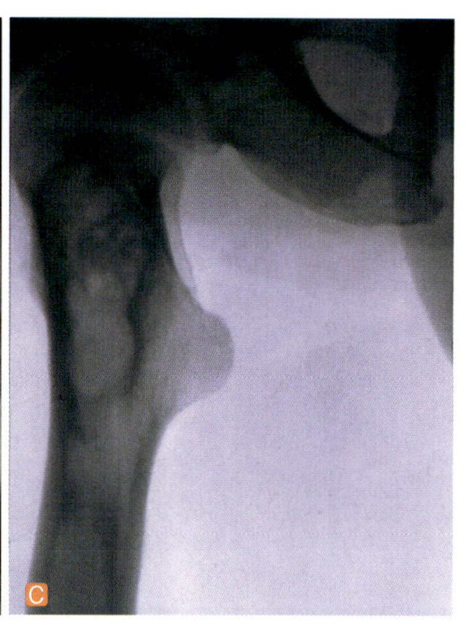
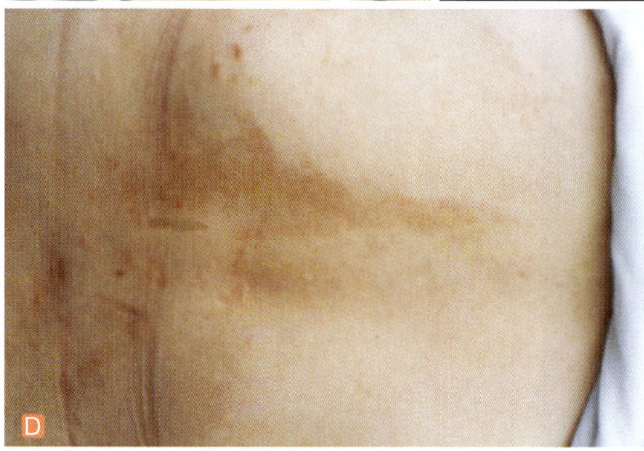

図25-5　マッキューン-オールブライト症候群
A 顔貌；右側上顎部の腫脹.
B エックス線像；右側上顎骨にスリガラス状不透過像がみられる.
C 中足骨病変. エックス線像.
D 皮膚の色素沈着.
〔北海道大学 河村正昭名誉教授提供〕

細胞増殖因子受容体（FGFR2, FGFR3）の点突然変異が発症原因とされている（**図25-6**）.

11 マルファン症候群[25] [Chap.9（139頁）参照]

全身の結合組織の異常による疾患. 細胞外基質の構成成分である糖タンパクをコードするfibrillin-1[26]の欠陥が原因で, 常染色体優性遺伝により家族性に発現する. 全身的に, くも指症, 長い四肢, 関節の弛緩などの骨格変化や, 解離性大動脈瘤などの血管障害がみられる. 口腔内では, 高口蓋, 細長い歯や不正咬合がみられる（**図25-7**）.

12 基底細胞母斑症候群[27]

母斑性基底細胞癌症候群（ゴーリン症候群）[28]ともいう. 9番染色体長腕（9q22.3）にある*PTCH*遺伝子[29]の変異により生じる. 全身的には, 多発性母斑性基底細胞腫, 掌蹠小陥凹, 二分肋骨, 硬膜石灰化などの病変, 口腔領域では, 顎骨内嚢胞様病変（歯原性角化嚢胞[30]）, 唇顎口蓋裂などの症状がみられる（**図25-8**）.

13 ポイツ-ジェガース症候群[31]

口唇・頬粘膜の青灰色の不規則な形状の斑点, 結膜・鼻粘膜・手・足などの暗黒色の散在性色素斑, 胃腸の多発性ポリープを示す症候群. 色素斑は基底細胞層へのメラニンの沈着によ

マルファン症候群[25]
Marfan syndrome

fibrillin-1[26]
マイクロフィブリル（微細線維）の構成タンパクで, エラスチンタンパクを取り囲み弾性線維の基本構造を作っている. マルファン症候群ではこのfibrillin-1の突然変異により発症することが示されている.

基底細胞母斑症候群[27]
besal cell nevus syndrome

母斑性基底細胞癌症候群[28]
nevoid basal cell carcinoma syndrome (Golin syndrome)

***PTCH*遺伝子**[29]
PTCH gene：ショウジョウバエの体節分化遺伝子であるpatchedのヒトホモログで, 細胞増殖因子であるsonic hedgehog（Shh）受容体をコードし, Shhシグナル伝達系を構成している. 基底細胞母斑症候群では*PTCH*遺伝子の変異により正常な制御ができないため症状を現すものと考えられている.

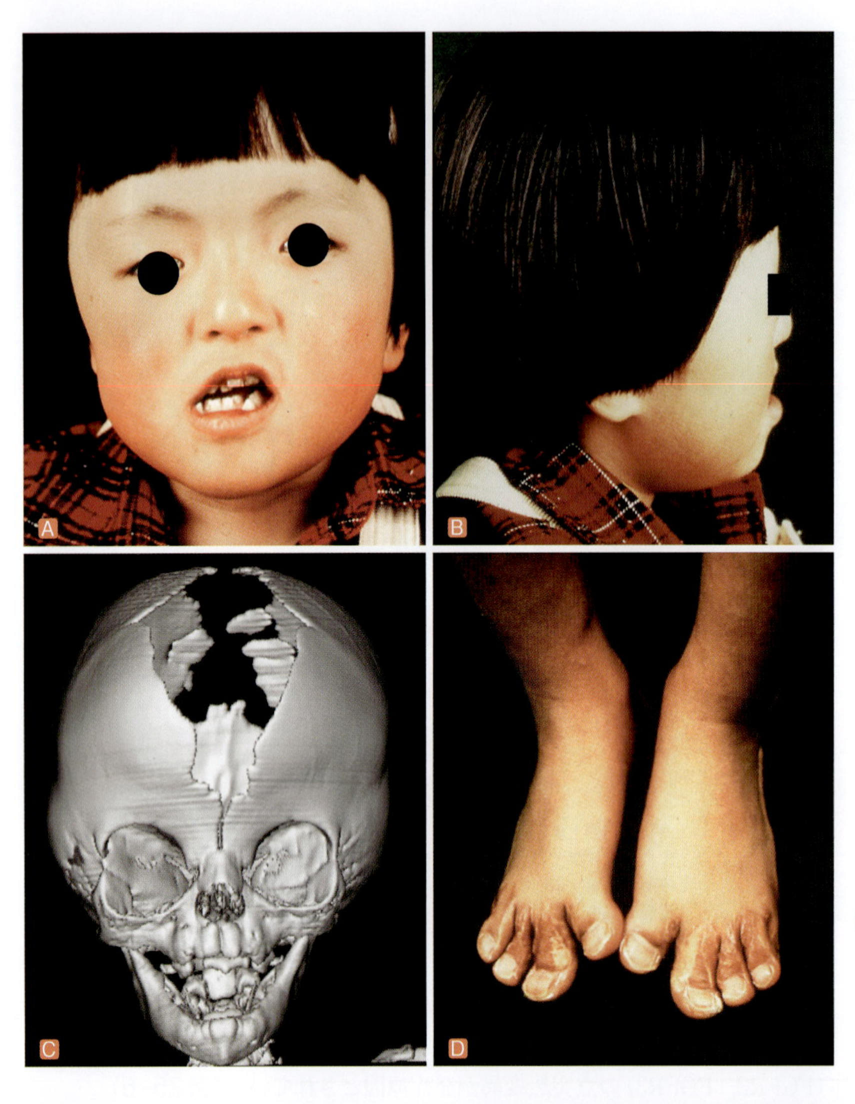

図25-6　アペール症候群

A 顔貌．
B 側貌；鼻根部陥凹と上顎骨低形成．
C 三次元CT像．
D 合指症．
〔北海道大学 河村正昭名誉教授提供〕

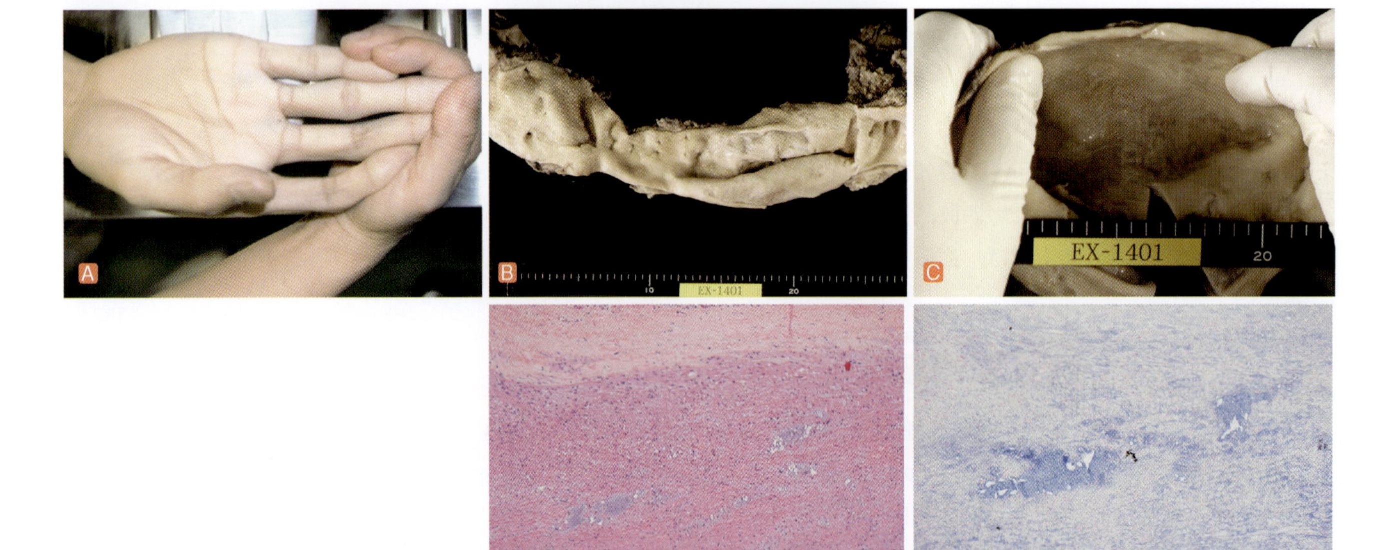

図25-7　マルファン症候群

A くも指症．
B，C 大動脈瘤．
D，E 中膜の嚢胞性壊死．

歯原性角化嚢胞[30]
odontogenic keratocyst

ポイツ-ジェガース症候群[31]
Peutz-Jeghers syndrome

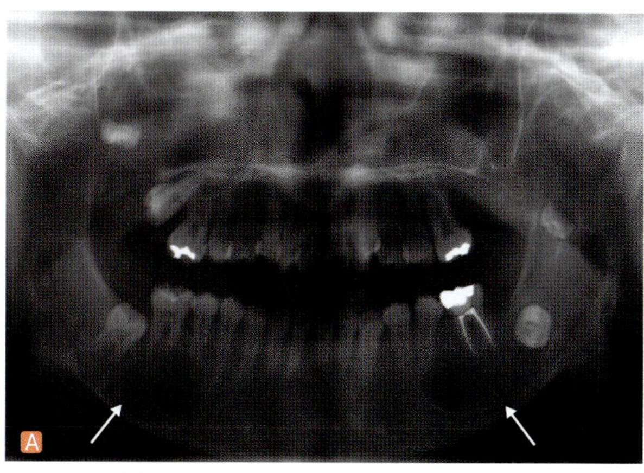
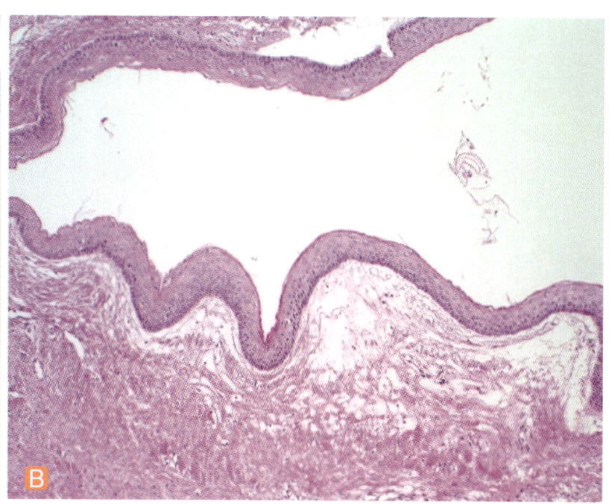

図25-8　基底細胞母斑症候群
A 顎骨多発性嚢胞性病変（矢印）.
B 角化嚢胞性歯原性腫瘍.

セリンスレオニンキナーゼ[32]
serine threonine kinase：アミノ酸の中でセリンとスレオニンの水酸基をリン酸化する酵素．cAMPによる調節を受けグリコーゲン，糖，脂質などの代謝に関係するプロテインキナーゼA，細胞内シグナル伝達系にかかわるプロテインキナーゼCやMAPキナーゼなどがある.

ガードナー症候群[33]
Gardner syndrome

***APC*遺伝子**[34]
adenomatous polyposis coli gene：常染色体優性遺伝により発症する家族性大腸ポリポージス患者の遺伝子解析から発見された5q21に存在するがん抑制遺伝子．*APC*は正常ではβカテニンと結合し，βカテニンをユビキチン化することでβカテニンのもつ転写因子としての作用を抑制しているが，変異した*APC*はβカテニンと結合することができず，細胞増殖にはたらくcyclin Dや*c-myc*の転写を亢進することで癌化を導いたり，microtubuleに関連するタンパクとの相互作用に影響を及ぼすことが知られている.

ポリポージス[35]
polyposis：胃腸などの消化管に生じる良性腺腫であるポリープが多発するもの．良性のものもあるが，遺伝子異常を背景とした多発性ポリープ/ポリポージスは癌化する可能性が高い.

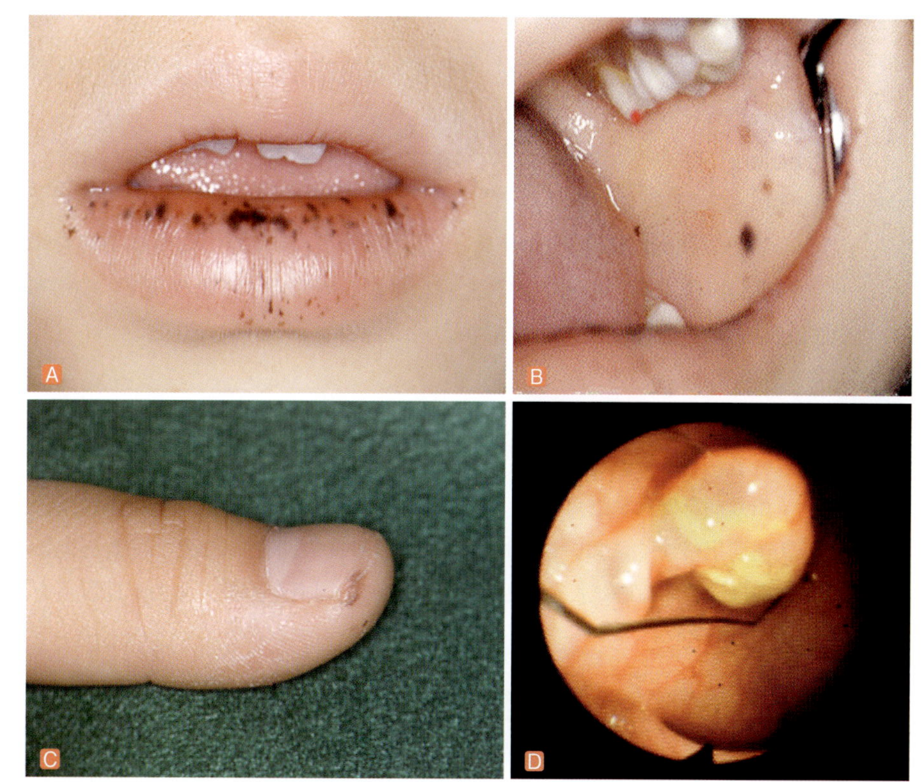

図25-9　ポイツ-ジェガース症候群
A 口唇上の斑点.
B 頬粘膜上の斑点.
C 手指の散在性色素斑.
D 消化管ポリープ.
〔北海道大学大学院 野谷健一准教授提供〕

る．本疾患は19p13.3に存在するセリンスレオニンキナーゼ[32]11遺伝子の異常により生じる（**図25-9**）.

14 ガードナー症候群[33]

多彩な症状を呈する常染色体優性遺伝による疾患で，*APC*遺伝子[34]異常の報告がある．若年に好発する大腸ポリポージス[35]，多発性骨腫，皮膚の線維腫と類表皮嚢胞を特徴とする症候群

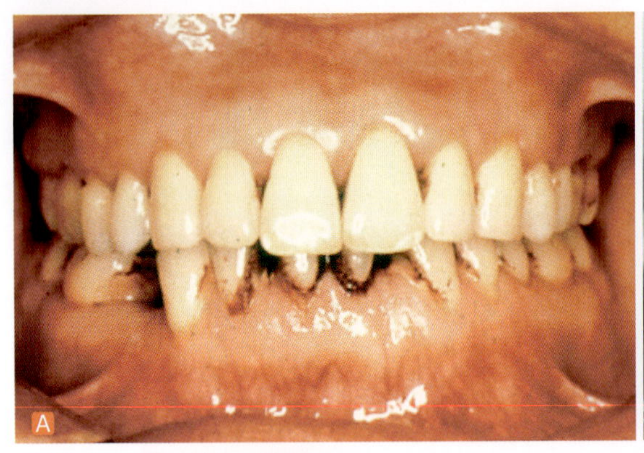
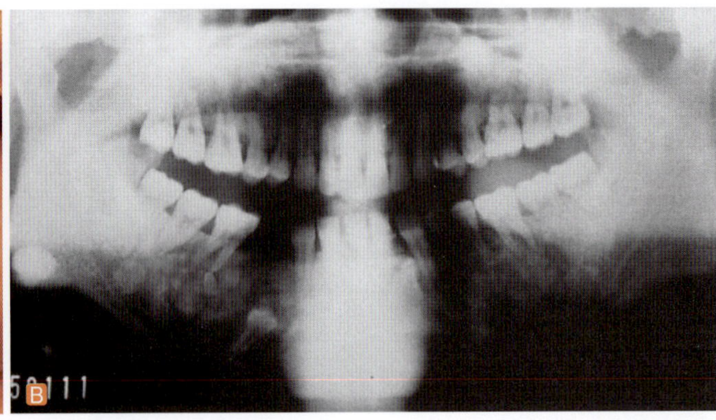

図25-10　ガードナー症候群
A 口腔内．歯の萌出遅延がみられる．
B エックス線像．
〔北海道大学・河村正昭名誉教授提供〕

で，口腔内では含歯性嚢胞，過剰歯，萌出遅延などの症状が現れる（図25-10）．

ピエールロバン症候群[36]
Pierre Robin syndrome

15 ピエールロバン症候群[36] ［Chap.1（15頁），Chap.9（135頁）参照］

下顎の減形成による小顎症，下顎後退症が特徴的で鳥貌様顔貌を呈する．この他に，正中口蓋裂，舌下垂，小舌症，偽舌裂などが認められる．舌根沈下，気道狭窄により出生時の呼吸困難を生じることもある．

パピヨン-ルフェーブル症候群[37]
Papillon-Lefèvre syndrome

16 パピヨン-ルフェーブル症候群[37]

歯周病を伴う掌蹠角化症．劣性遺伝による先天性疾患である．歯の萌出異常，位置異常を伴い，乳歯萌出後すぐに強い辺縁性歯周炎により歯周組織の急激な破壊を生じる．乳歯の脱落により歯周炎は治癒するが，永久歯の萌出とともに歯周炎が再発，歯の早期脱落をきたす（図25-11）．

神経線維腫症[38]
neurofibromatosis
フォン レックリングハウゼン病[39]
von Recklinghausen disease

17 神経線維腫症[38]（フォン レックリングハウゼン病[39]）

［Chap.18（248頁）参照］

皮膚にカフェオレ斑とよばれる淡褐色の色素斑が生じ，その後，大小さまざまな大きさの隆起性多発性神経線維腫が系統的・多発性に生じる．この他に骨変化（脊椎側彎・後彎），眼症状などが生じることがある．口腔内にも神経線維腫やメラニン沈着が生じることがある（図25-12）．

スタージ-ウェーバー症候群[40]
Sturge-Weber syndrome

18 スタージ-ウェーバー症候群[40]

①三叉神経領域に現れる片側性多発性血管腫による顔面母斑，②大脳皮質の石灰化，脳軟膜の血管腫などの頭蓋内病変，③緑内障などの眼病変，④知的発達障害などの症状を呈する症候群である．口唇・頬粘膜などの口腔粘膜にも片側性の血管腫性病変をしばしば生じる．先天性疾患であるが，原因はいまだ明らかではない（図25-13）．

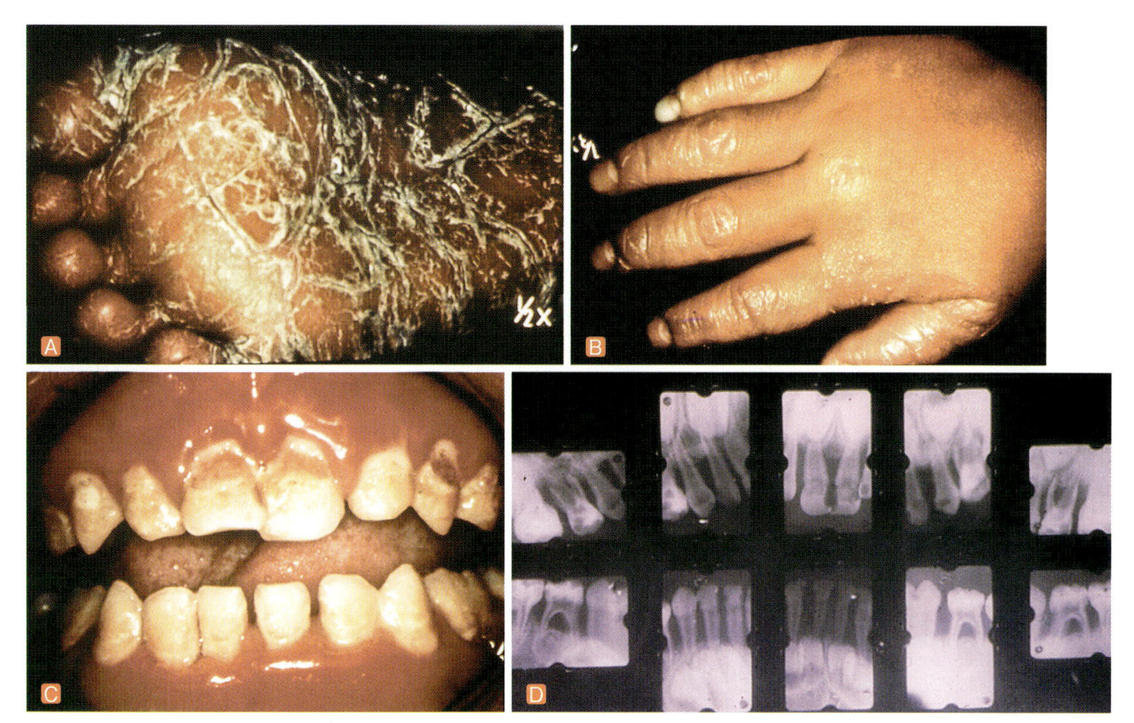

図25-11　パピヨン-ルフェーブル症候群
A 足の過角化症.
B 手の過角化症.
C 口腔内；重篤な歯周炎.
D エックス線像；乳歯期の著しい歯周疾患.
〔北海道大学 河村正昭名誉教授提供〕

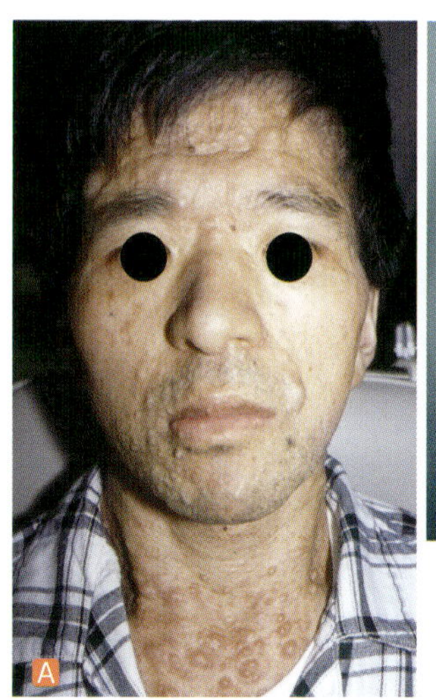
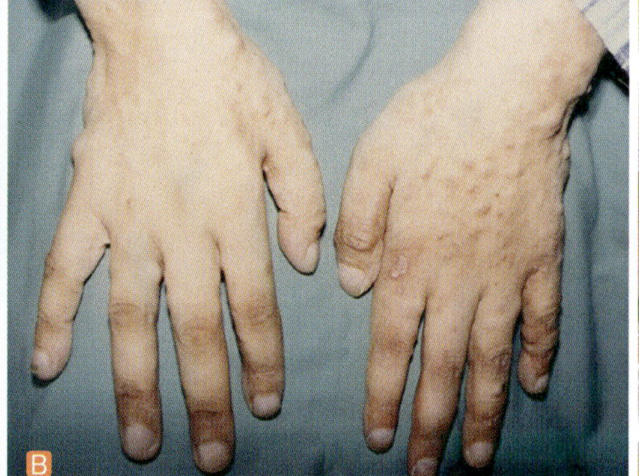
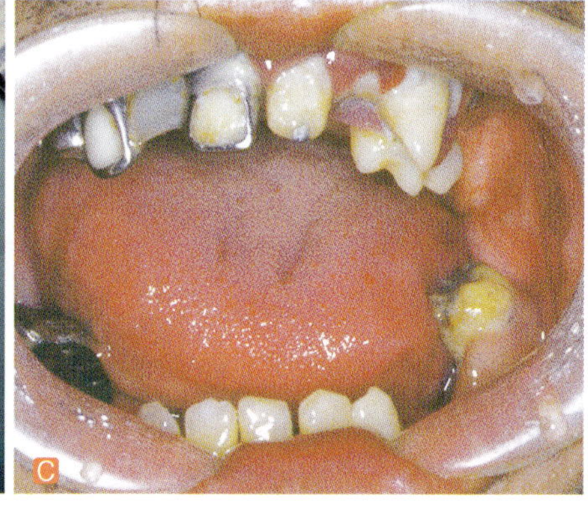

図25-12　神経線維腫症（フォン レックリングハウゼン病）
A 頭頸部皮膚の腫瘤性病変（神経線維腫）.
B 手の腫瘤.
C 口腔内の腫瘤.
〔北海道大学大学院 野谷健一准教授提供〕

メルカーソン-ローゼンタール症候群[41]
Melkersson-Rosenthal syndrome

19 メルカーソン-ローゼンタール症候群[41] [Chap.10（160頁）参照]

上下口唇と顔面の無痛性腫脹と顔面神経麻痺，溝状舌（**図25-14**）の出現がみられる．口輪筋の萎縮による上唇の肥大突出，知能低下，指先の知覚異常などの症状も認められる．症状は急性に生じ，頸部リンパ節や唾液腺にも症状がびまん性に及び，血管神経性浮腫に類似した像を呈するが弾力性緊張性で硬結はみられない．腫脹は最初は数日で消退するが，増悪・緩解を繰り返し，持続性になることもある．病理学的に血管周囲に炎症細胞浸潤，ときに類上皮細胞

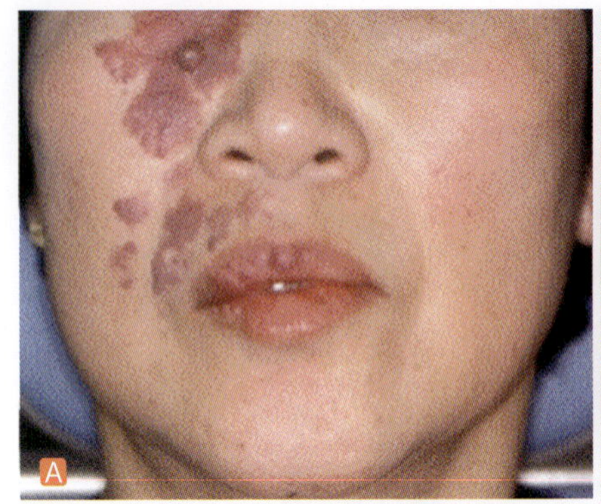
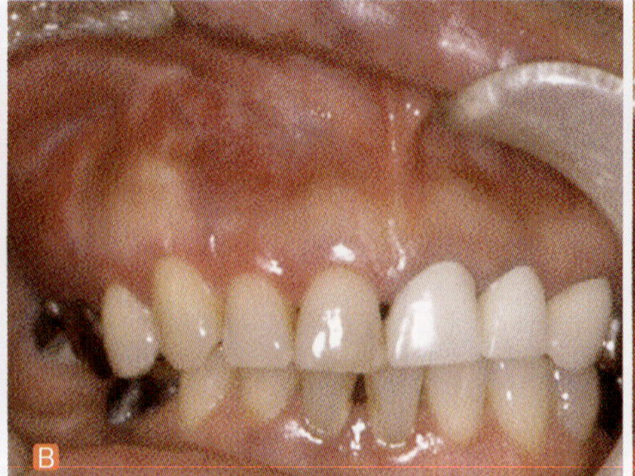
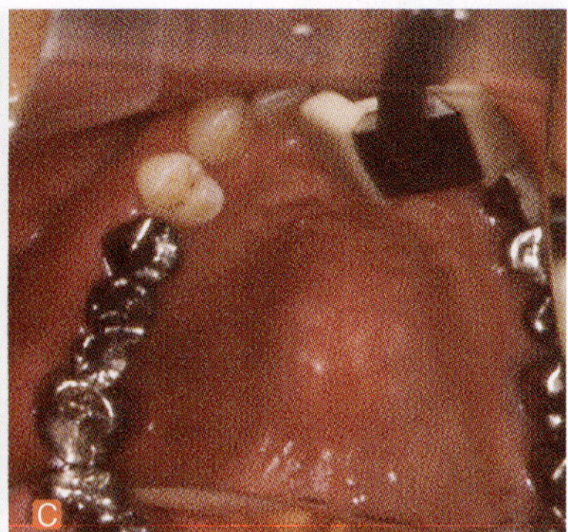

図25-13　スタージ-ウェーバー症候群
A 三叉神経第二枝領域の片側性顔面母斑．
B，C 口腔内の腫瘤．
〔北海道大学大学院 野谷健一准教授提供〕

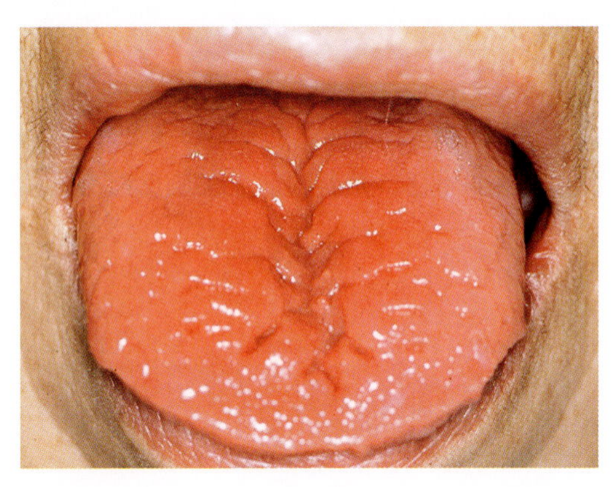

図25-14　溝状舌
〔北海道大学大学院 野谷健一准教授提供〕

結節の出現をみる肉芽腫性炎の像を呈する．

ラムゼーハント症候群[42]
Ramsay Hunt syndrome

20 ラムゼーハント症候群[42]

帯状疱疹ウイルスの感染，活性化によって神経節が侵されることにより発症する．片側性の顔面筋肉運動障害をきたす顔面神経麻痺，耳鳴り，耳痛などの聴覚障害，顔面・口腔内の発疹などの症状を呈する．

（進藤正信）

Check Point

- ☐ 1 頭蓋顎顔面の形成異常を有する症候群について説明できる．
- ☐ 2 口腔顎顔面領域の症候群における遺伝子異常について説明できる．
- ☐ 3 口腔顎顔面領域に症状を現す症候群の種類と症状を列挙できる．
- ☐ 4 口腔に症状をきたす症候群を説明できる．
- ☐ 5 口腔・頭蓋・顎顔面領域の成長・発育異常（不正咬合）を生じる症候群を説明できる．
- ☐ 6 口腔顎顔面領域に症状を現す症候群と全身疾患との関連性を説明できる．
- ☐ 7 症候群の発症に関与する因子について説明できる．

References

1）高木　實監：口腔病理アトラス 第3版．文光堂，東京，2018.
2）Kumar, V. et al.：Pathologic Basis of Disease, 7th ed. Elsevier Saunders, 2005.
3）前田隆秀ほか：小児の口腔科学 第1版．学建書院，東京，2007.
4）石川悟郎：口腔病理学Ⅱ．永末書店，京都，1982.

Chapter 26

骨補塡材に対する生体反応

顎骨内の良性腫瘍切除後や骨折などの外傷により生じた骨欠損部，さらには歯科インプラント埋入時の骨量不足の改善や歯周病により吸収した歯槽骨の回復を目指した歯周治療などに際して，骨を増やす目的で，自家骨移植や骨補塡材を顎骨内に塡塞することがある（**図26-1**）.

骨欠損部への補塡を移植という概念から分類すると，自家骨移植，他家骨移植，人工骨移植に分けられる．自家骨移植は腸骨やオトガイ部などの骨を一部採取して，骨量を増やしたい部位に移植するものである．他家骨移植は同種移植と異種移植に分けられるが，なかでも異種骨移植は，動物の骨をさまざまな方法で処理をすることによって抗原性を失わせて必要な部位に塡入するものである．人工骨移植は，カルシウムとリンを主成分とする人工的につくられたものを移植するものである．さまざまな骨補塡材が市販されているが，脱タンパク動物由来骨補塡材やβ-リン酸三カルシウム（β-TCP）[1]，ハイドロキシアパタイト（HA）[2]などがその代表例である．

本項では代表的な骨補塡材に対する生体反応を病理学的観点から解説する．

β-リン酸三カルシウム（β-TCP）[1]
β-tricalcium phosphate, $Ca_3(PO_4)_2$

ハイドロキシアパタイト（HA）[2]
hydroxyapatite, $Ca_{10}(PO_4)_6(OH)_2$

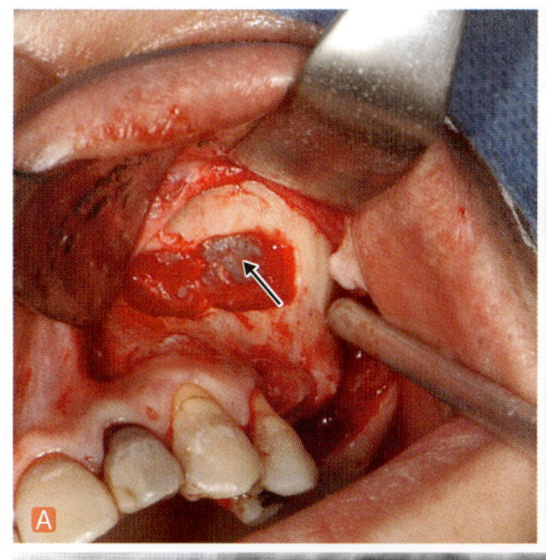

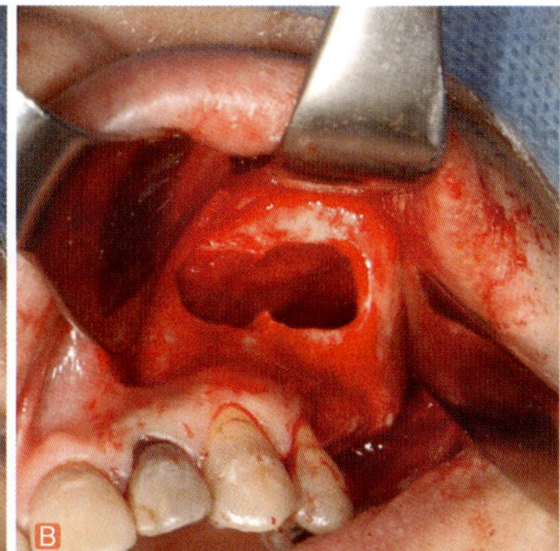

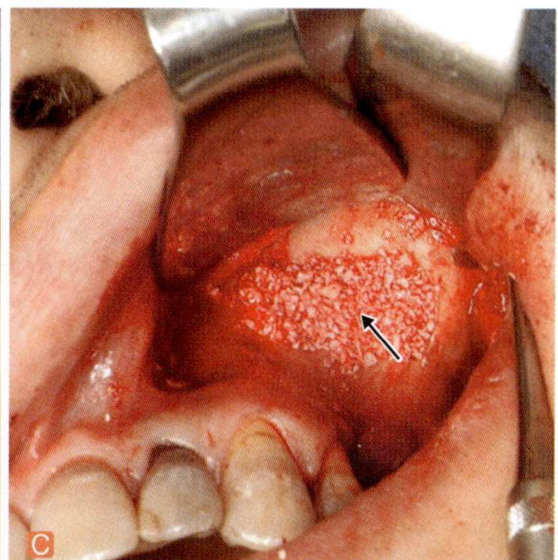

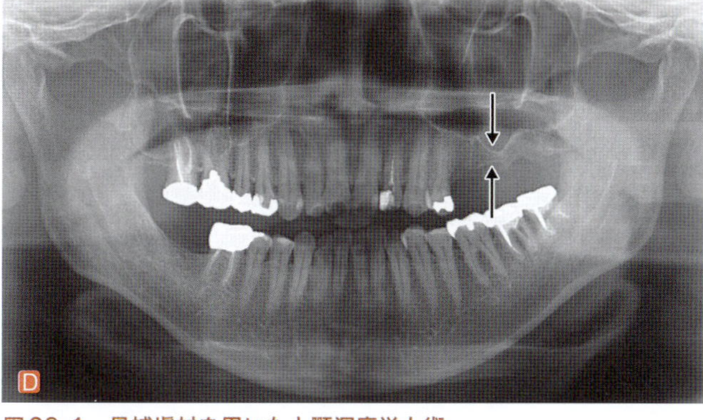

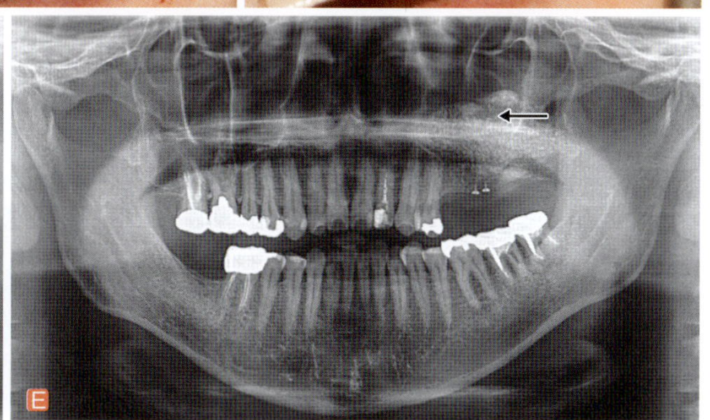

図26-1　骨補塡材を用いた上顎洞底挙上術

A 上顎骨を開削し，上顎洞粘膜（矢印）の骨側を明示．
B 上顎洞粘膜を上方へ挙上．
C 挙上された上顎洞粘膜部に骨補塡材（矢印）を塡塞．
D 術前のパノラマエックス線写真（矢印：骨が薄く歯科インプラントを埋入できない）．
E 術後のパノラマエックス線写真（矢印：骨補塡材の陰影が観察される）．
〔東京歯科大学非常勤講師 下尾嘉昭先生提供〕

I—骨補塡材

骨が形成される条件は，骨芽細胞の存在，骨芽細胞の成長因子の存在，骨基質を形成するスペースの存在が必要であり，さらに適度な力が加わることも重要な因子である．骨補塡材に求められる性質は，骨誘導(osteoinduction)あるいは骨伝導(osteoconduction)である[1)・3]．そして，自家骨の代わりになるもので，十分な強度，骨組織との高い親和性，骨形成の促進，骨組織への置換性などがあげられる[2)]．このことから，カルシウムやリンを主成分にしたものが用いられる．形状は細粒状，顆粒状，ブロック状のものなどがあり，内部の構造は多孔性のものや密度の高いものもある．骨補塡材として，世界ではさまざまな材質や形状のものが開発されているが，わが国で広く一般に用いられているのは，脱タンパク動物由来骨補塡材，β-TCP，HA，そしてこれらを組み合わせた材料である．これらの材料は骨伝導能に優れている[3)]．

骨誘導と骨伝導[3]
骨誘導は骨芽細胞が存在しない部分で，間葉系細胞を誘導し，骨芽細胞に分化させる能力のことである．
一方，骨伝導は，骨芽細胞の存在下に骨芽細胞の活性化を促す能力である．

脱タンパク動物由来骨補塡材は，動物の骨から有機質を完全に除去して焼成したもので，化学組成や微細構造がヒトの骨に類似し多孔性を示し，骨伝導能が高く，骨補塡材としての性質は優れている．しかし，動物由来であることから，人工的に作られたものと異なり微細構造的な均一性は少ない．この骨補塡材は，数年かけて骨組織と置換する特徴を有する．

β-TCPは，顆粒状あるいは多孔質ブロック状の骨補塡材で，自家骨に置換される特徴をもつ材料である．化学合成によって作られるため，アレルギーや疾患伝播のリスクが少ないとされている．この骨補塡材は，早期に骨組織に置換し，生体内で消失するスピードが脱タンパク動物由来骨補塡材に比較して早いとされている．

HAは，歯と骨の無機質の主成分に類似した骨補塡材である．この骨補塡材は，骨伝導能に優れているが，骨組織による置換に時間がかかるため，長期間残存する特徴を有している．このため，細菌感染を起こした場合には，生体による防御反応が起こりにくく，感染が拡大する可能性もある．

II—骨補塡材に対する生体反応

1 脱タンパク・ウシ由来骨補塡材に対する生体反応

ウシ由来骨補塡材を取り囲むように新生骨が形成されている(図26-2A)．強拡大像では多核巨細胞がウシ由来骨補塡材に接しており，異物反応が観察される(図26-2B)．多核巨細胞

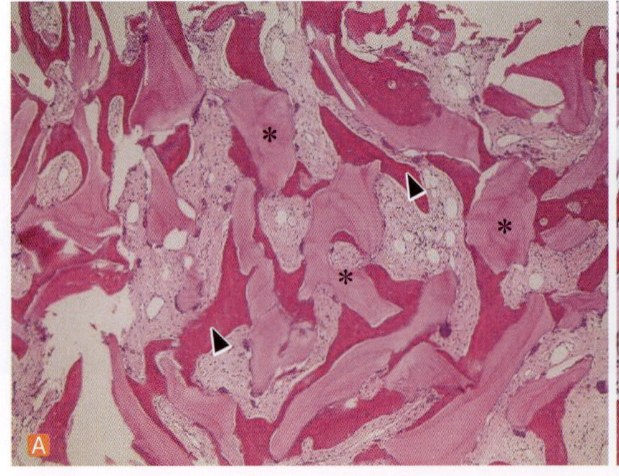

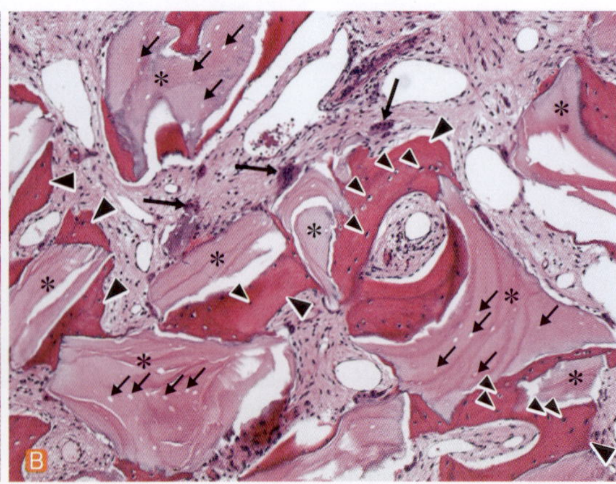

図26-2　脱タンパク動物由来骨補塡材に対する生体反応(HE染色標本)
A 弱拡大像．薄いエオジンに染色された基質が動物由来乾燥骨(＊)．エオジン好性の基質が新生骨(矢頭)．
B 強拡大像(太い矢印：多核巨細胞)．骨補塡材の骨小腔内には骨細胞がみられない(細い矢印)が，新生骨の骨小腔内には骨細胞が封入されている(小さい矢頭)．

はウシ由来骨補塡材の表面に観察され[4]，新生骨の表面にはほとんど観察されない．また，新生骨表面には主に骨芽細胞が観察され，ウシ由来骨補塡材を足場として骨形成が起こっている．

2 β-TCPに対する生体反応

β-TCPとその周囲に分布する線維性結合組織が観察され，新生骨のみならずβ-TCPに接して骨芽細胞が配列して新生骨の形成が観察される[5]．新生骨に接する線維性結合組織側には，骨芽細胞が観察される．β-TCPは溶解性[6]で破骨細胞様の機能を有する多核巨細胞により吸収[7)8]され，骨に置換する（**図26-3**）．

3 HAに対する生体反応

HAとその周囲に分布する線維性結合組織が観察され，HAに接して新生骨が観察される（**図26-4A, B**）．継時的に新生骨がその厚さを増しながら，次第に融合して骨基質と結合し，HA自体は消失せずに残存するといわれている．新生骨辺縁には扁平な骨芽細胞が配列する．

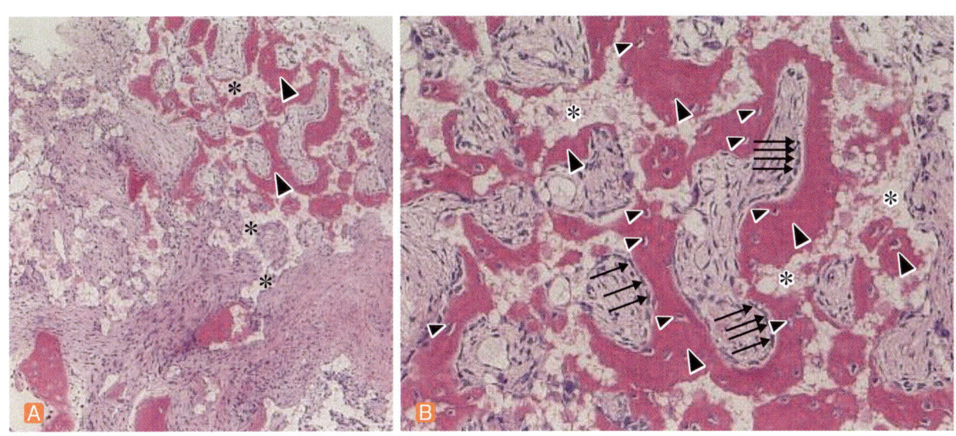

図26-3　β-TCPに対する生体反応（HE染色標本）

A 弱拡大像．白く抜けた部分がβ-TCP骨補塡材（＊）．エオジン好性の基質が新生骨（大きい矢頭）．
B 強拡大像．新生骨周囲には骨芽細胞のライニングがあり（矢印），新生骨内の骨小腔内には骨細胞が封入されている（小さい矢頭）．

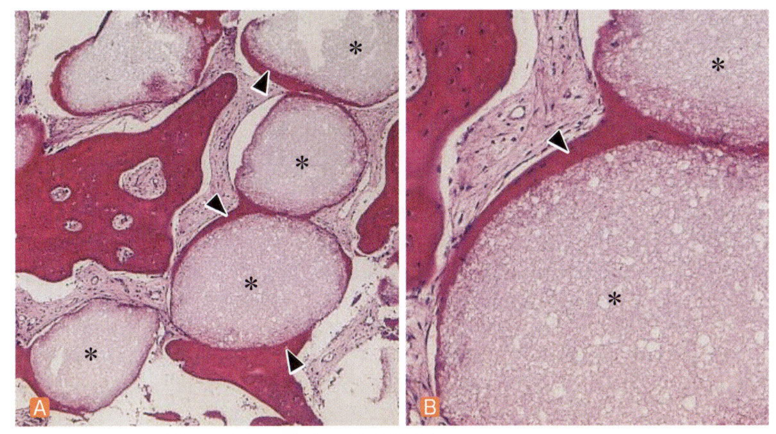

図26-4　HAに対する生体反応（HE染色標本）

A 弱拡大像．エオジンに淡染する物質がHA骨補塡材（＊）．エオジン好性の基質が新生骨（矢頭）．
B 強拡大像．

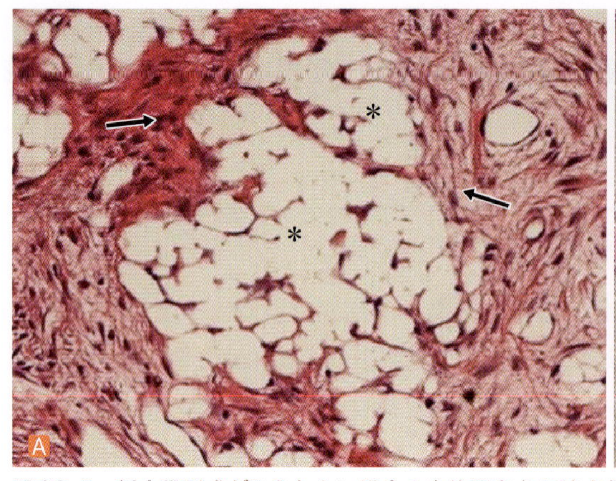
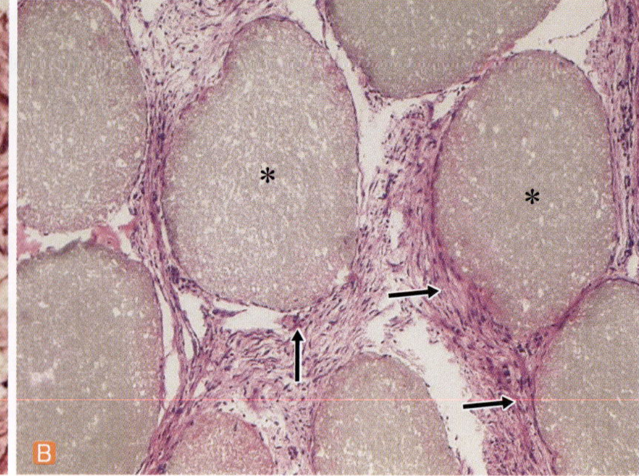

図26-5　新生骨形成がみられない場合の生体反応（HE染色標本）
A β-TCPの例．骨補填材（＊）．線維性結合組織（矢印）．
B HAの例．

4 新生骨形成がみられない場合の骨補填材に対する生体反応

現在主に使われている骨補填材は骨伝導能を有するもので，骨誘導能はないため，骨補填材周囲に骨芽細胞が存在しない場合には，線維芽細胞が反応の主体となる．これは，組織欠損の補充あるいは異物の処理機転として，材料間を埋めるように肉芽組織が入り込み，時間とともに線維性結合組織となって骨補填材を被包する（**図26-5**）．

（松坂賢一）

- [ ] 1 異物の処理について説明できる．
- [ ] 2 骨補填材として必要な性質を説明できる．
- [ ] 3 骨補填材にはどのようなものがあるか列挙できる．

References

1) Matsuzaka,K. et al.：Bone formation in titanium porous scaffold with immobilization of BMP-2. *J.Oral Tissue Eng.*, 2：60～65, 2005.
2) 佐藤秀一，伊藤公一：歯周組織再生および骨再生における骨移植材の現状―どの骨移植材が最も効果的か？―．日歯周誌，55：300～311，2013.
3) Ikumoto, H., Matsuzaka, K., Inoue, T., Uchiyama, T., Yoshinari, M.：The behavior of osteoblast-like cells on different crystal systems of calcium phosphate ceramics in vitro. *Biomed. Res.*, 24：239～248, 2003.
4) Galindo-Moreno, P., Hernandez-Cortes, P., Mesa, F., Carranza, N., Juozbalys, G., Aguilar, M., O'Valle, F.：Slow resorption of anorganic bovine bone by osteoclasts in maxillary sinus augmentation. *Clin. Implant. Dent. Relat. Res.*, 15：858～866, 2013.
5) Shiratori, K., Matsuzaka, K., Koike, Y., Murakami, S., Shimono, M., Inoue, T.：Bone formation in β-tricalcium phosphate-filled bone defects of the rat femur：Morphometric analysis and expression of bone related protein mRNA. *Biomed. Res.*, 26：51～59, 2005.
6) Matsumoto, N., Yoshida, K., Hashimoto, K., Toda, Y.,：Dissolution mechanisms of beta-tricalcium phosphate doped with monovalent metal ions. *J. Ceram. Soc. Japan*, 118：451～457, 2010.
7) Matsunaga, A., Takami, M., Irie, T., Mishima, K., Inagaki, K., Kamijyo, R.：Microscopic study on resorption of β-tricalcium phosphate materials by osteoclasts. *Cytotechnology*, 67：727～732, 2015.
8) Siebers, M.C., Matsuzaka, K., Walboomers, X.F., Leeuwenburgh, S.C.G., Wolke, J.G.C., Jansen, J.A.：Osteoclastic resorption of calcium phosphate coatings applied with electrostatic spray deposition (ESD), in vitro. *J. Biomed. Mater. Res. A*, 74：570～580, 2005.

INDEX さくいん

和文索引

あ

い

う

え

く

け

こ

さ

し

す

せ

そ

た

欧文索引

A

B

C

D

E

F

G

H

I

J

K

L

M

N

O

P

Q

R

S

T

U

V

W

X

Z

【編者略歴】

下野正基

1970年　東京歯科大学卒業
1973年　東京歯科大学講師
1974～76年　イタリア・ミラノ大学客員研究員
1976年　東京歯科大学助教授
1991年　東京歯科大学教授
2011年　東京歯科大学名誉教授

髙田　隆

1978年　広島大学歯学部卒業
1984年　広島大学歯学部附属病院講師
1985～86年　ハンブルグ大学病理学研究所客員講師
1993年　広島大学歯学部助教授
1995～96年　ミシガン大学歯学部客員准教授
2001年　広島大学歯学部教授
2002年　広島大学大学院医歯薬学総合研究科教授
2012年　広島大学医歯薬保健学研究院教授
2019年　広島大学名誉教授
徳山大学学長
2022年　周南公立大学学長

田沼順一

1994年　鹿児島大学歯学部卒業
1995年　埼玉県立がんセンター研究所病理部・臨床病理部研修医
1998年　鹿児島大学歯学部助手
2000年　イタリア国立がんセンター研究所実験腫瘍学研究員
2005年　鹿児島大学大学院医歯学総合研究科准教授
2010年　朝日大学歯学部教授
2018年　新潟大学大学院医歯学総合研究科教授

豊澤　悟

1988年　大阪大学歯学部卒業
1992年　大阪大学歯学部助手
1996～98年　ドイツ マックス・プランク研究所免疫遺伝部門ポスドク
1999年　大阪大学歯学部講師
2000年　大阪大学大学院歯学研究科講師
2005年　大阪大学大学院歯学研究科教授

本書の内容に訂正等があった場合には，弊社ホームページに掲載いたします．下記URL，または二次元コードをご利用ください．

https://www.ishiyaku.co.jp/corrigenda/details.aspx?bookcode=458590

新口腔病理学　第3版　ISBN978-4-263-45859-4

2008年6月10日　第1版第1刷発行
2016年8月20日　第1版第10刷発行
2018年4月10日　第2版第1刷発行
2020年2月20日　第2版第3刷発行
2021年3月10日　第3版第1刷発行
2025年2月20日　第3版第5刷発行

編集　下野正基
髙田　隆
田沼順一
豊澤　悟
発行者　白石泰夫

発行所　医歯薬出版株式会社

〒113-8612　東京都文京区本駒込1-7-10
TEL.(03)5395-7638(編集)・7630(販売)
FAX.(03)5395-7639(編集)・7633(販売)
https://www.ishiyaku.co.jp/
郵便振替番号 00190-5-13816

乱丁，落丁の際はお取り替えいたします．　印刷・真興社／製本・榎本製本